中国古典诗词曲赋鉴赏系列工具书

诗经楚辞鉴赏辞典

SHIJING CHUCI JIANSHANG CIDIAN

主编 ◎ 周啸天

商务印书馆国际有限公司

《诗经楚辞鉴赏辞典》

主　编：周啸天

撰稿人（以姓氏笔画为序）：

卫仲璠　王红梅　王英志　王志民　王定璋　王思宇　王晋萍　王海若
王蜀青　王锡九　王锡荣　王德邻　邓小军　艾治平　田守真　田耕宇
冯杏实　吉明周　朱杰人　刘　刈　刘文刚　刘生良　刘明华　刘学锴
刘锋晋　刘毓庆　汤华泉　汤贵仁　汤漳平　孙琴安　李大明　李元洛
李少雍　吴明贤　杨兴发　杨胜宽　何庆善　佘正松　余恕诚　汪祚民
沈时蓉　宋谋玚　迟乃鹏　张立伟　张振兴　张效民　张智华　张新科
张燕瑾　陆永品　陈伟军　陈志明　陈昌渠　陈维国　林兴宅　林心治
尚永亮　易　平　金小平　金启华　金荣权　周子瑜　周本淳　周　岚
周建忠　周振甫　周啸天　周　甦　宗小荣　赵沛霖　赵其钧　赵晓兰
赵望秦　俞理明　姜光斗　贺宗廷　秦岭梅　秦效侃　袁愈荌　夏传才
顾　启　赁常彬　徐志啸　殷义祥　殷光熹　高　波　唐子恒　萧　兵
梅桐生　曹方林　曹渝扬　龚克昌　常思春　葛晓音　董治安　蒋立甫
韩峥嵘　程瑞钊　谢东贵　蒲友俊　蒲健夫　蓉　生　詹杭伦　褚斌杰
管遗瑞　廖　群　谭优学　熊宪光　潘啸龙　魏耕原　魏填平

总　目

凡　　例

一、本辞典共收录作品372篇，其中包括《诗经》305篇，《楚辞章句》所收楚辞65篇，又据《楚辞集注》补收贾谊作品2篇。

二、诗作版本，除必要的交代外，一般不做校勘说明。

三、《诗经》作品依通行《毛诗》排列。楚辞作品依《楚辞章句》排列，补收贾谊之作附于《惜誓》之后。

四、《诗经》、楚辞作品均附今译。今译大多采用名家的译文；有些名家译文，撰稿者有些许改动；有些篇章由撰稿者自译。采用名家译文的，于文后署译者姓名；撰稿者对名家译文有改动的，于文后注明；撰稿者自译的，不另署名。

五、《诗经》、楚辞作品均有注释。在赏析文章中释义的字词，一般不出注。

六、《诗经》作品一首诗一篇赏析文章。楚辞作品原则上一篇作品一篇赏析文章，某些内容联系紧密的作品则合在一起赏析。

七、使用规范简化字。在可能产生歧义时，酌用繁体字或异体字。

八、附有诗人小传、诗经楚辞书目、名句索引、诗经十五国风地域图、楚辞地理总图，以供读者参考。

前言

周啸天

子曰:小子何莫学夫诗?诗可以兴,可以观,可以群,可以怨。迩之事父,远之事君,多识于鸟兽草木之名。

——《论语·阳货》

自风雅寝声,莫或抽绪,奇文郁起,其《离骚》哉!固已轩翥诗人之后,奋飞辞家之前,岂去圣之未远,而楚人之多才乎!昔汉武爱骚,而淮南作传,以为《国风》好色而不淫,《小雅》怨诽而不乱。若《离骚》者,可谓兼之。蝉蜕秽浊之中,浮游尘埃之外,皭然涅而不缁,虽与日月争光可也。

——《文心雕龙·辨骚》

中国文学史上,最为源远流长而又得到长足发展的文学样式便是诗歌。在这个意义上可以说,"从西周到宋,我们这大半部文学史,实质上只是一部诗史"(闻一多《文学的历史动向》)。这条诗的长河,向上追溯可达两大源头,即以"风骚"并称的《诗经》和《楚辞》。这两部诗集从诞生之日起,便如江河行地,日月经天;历代诗人,没有不受其甘泉之滋润,没有不被其光辉所照耀的。

《诗经》除有争议的《商颂》外,基本上是一部周诗。就其时代可考的作品而言,最早要算《豳风》中以周公东征为背景的几首诗,本事在公元前1114年前后;最晚的则数《陈风·株林》,诗嘲陈灵公淫夏姬事,在公元前600年左右。(按何楷《诗世本古义》、马瑞辰《毛诗传笺通释》等以为,《曹风·下泉》乃"曹人美晋荀砾纳敬王于成周而作",时当前510年。那么,最晚的则是《下泉》了。)其时间跨度从西周初年到春秋中叶计约五个世纪。《诗经》在先秦只称"诗",因编集作品为三百零五篇(《毛诗》另有《南陔》等六篇,"有其义而亡其辞",后人以为乃"有声无辞"的"笙诗",大约本来就是无字的歌),又称"诗三百",至汉始尊为经。

《诗经》中可确知作者之名的诗篇(如尹吉甫《崧高》《烝民》,寺人孟子《巷伯》,许穆夫人《载驰》等),为数微乎其微。然从三百篇反映的生活内容及抒情主人公身份仍可看出，周代诗歌作者分布阶层很广，既有王公贵族之作，也有“不识字的无名氏作品”（鲁迅《门外文谈》）。就风诗产生的地域而论，包括今之陕豫鲁晋鄂等黄河流域极广阔的幅员。它们在周代便得到奇迹般的结集，其间颇赖音乐的伟力。中国诗史中，乐府声诗占有极大优势，从汉魏乐府、唐人律绝、宋元词曲及于明清传奇戏文，成为一大传统。而早在春秋时代，便已有“诵诗三百，歌诗三百，弦诗三百，舞诗三百”（《墨子》）的记载。一部《诗经》，完全有资格称为周声诗或前乐府。秦汉典籍追记的采诗、献诗制度，及近人推测周太师当为《诗经》实际编纂人（朱自清），虽无确据，却也不失为合理之推论。孔子在整理校订诗乐和推动《诗经》的传播上都有不可忽视的功绩，但“删诗”之说大抵为无据之传闻。

“大师教六诗，曰风曰赋曰比曰兴曰雅曰颂。”（《周礼·春官·大师》）六诗即六义，是前人对诗经分类及表现手法的朴素概括。再细分则是：“风雅颂者，诗篇之异体；赋比兴者，诗文之异辞。”（孔颖达《毛诗主义》）风雅颂是《诗经》现有编次上的分类，三者的名义从《诗序》以来有不同的解释，而近人已趋向于一致，认为它们是音乐的概念。风是王畿及各诸侯国的土风歌谣，计有周南、召南、邶、鄘、卫、王、郑、齐、魏、唐、秦、陈、桧、曹、豳十五国风，共一百六十篇；雅是西周王畿的正声雅乐，共一百零五篇（又分《小雅》七十四篇，用于诸侯享宴，间有民间之作；《大雅》三十一篇，用于诸侯朝会）；颂是统治阶级宗庙祭祀的舞曲歌辞，共四十篇（分《周颂》三十一篇，《鲁颂》四篇，《商颂》五篇）。

我们的祖先很早就在黄河流域定居生息，至西周时已创造了相当成熟的农业文明。社会财富的增加，使中原的城市和商业也有了相当规模的发展。“三河为天下之都会，卫都河内，郑都河南……据天下之中，河山之会。商旅集则货财盛，货财盛则声色辏”（魏源《诗古微》），诗歌音乐文化因此得到蓬勃发展。诗三百既广泛反映了周人农牧渔猎、婚恋风俗、建筑娱乐、徭役战争等各方面的生活状况，又生动表现了他们的七情六欲及宇宙人生、伦理道德、历史文化与宗教等各种观念。诗中活动着从天子贵族到农奴贱隶等形形色色的人物，向我们展示了极为丰富的历史场面，从而成为周代社会生活的一面镜子。

《大雅》中《生民》《公刘》《緜》《皇矣》《大明》是一组堪称周民族史诗的重要作品。它从对后稷“艺人荏菽，荏菽旆旆”之稼穑功业的歌咏，写到公刘“干戈戚扬”“于京斯依”的历史性迁豳；从古公亶父“率西水浒，止于岐下”、建设周原的热烈场景，写到武王“牧野洋洋，檀车煌煌”的灭殷壮举，拉开了一部《诗经》赖以登场的时代序幕。尔后读者能看到周人参与生产斗争的极为恢宏的画卷：“率时农夫，播厥百谷。骏发尔私，终三十里。亦服尔耕，十千维耦”（《周颂·噫嘻》）；和农牧渔猎极其真切的情景：“有渰萋萋，兴雨祁祁。雨我公田,遂及我私”(《小雅·大田》),“女执懿筐,遵彼微行,爰求柔桑”(《豳风·七月》),“尔羊来思,其角濈濈。尔牛来思,其耳湿湿”(《小雅·无羊》),“有驈有皇,有骊有黄”(《鲁颂·駉》)……虽然周代未发生急风暴雨的阶级斗争,但在沉重的徭役和兵役压迫下,“夙夜在公”“王事靡盬”一类发自社会下层的抱怨,风雅中屡有所闻。而思妇旷夫之怨,当时就成了诗歌的重要题材,《卷耳》《君子于役》《伯兮》等大量风诗,即与唐人闺怨并论,亦不色减。尽管诗“可以怨”——如《七月》有“无衣无褐,何以卒岁”的啼饥号寒之声,《伐檀》《硕鼠》有尸位素餐、莫我肯德之怨,然而为数甚多的风诗与部分小雅,则笼罩着一层牧歌和田园诗的情调。

性与爱之困惑已与诗结下不解之缘,涉及婚恋题材的诗篇竟占总数三分之一以上。而远古文化史表明,原始人群居杂交,性欲易于满足,而恋歌绝少。到《诗经》时代,人们在政令许可的范围内仍享有有限的性爱自由,而原始婚俗亦有传承,但普遍情况已是“取妻如之何,必告父母”“取妻如之何,匪媒不得”(《齐风·南山》),礼教已通过婚俗和舆论干预生活,情歌的大量产生,便不是偶然的了。由于周人所受思想钳制远较后期封建社会为少,诗人们可以放歌那刺人心肠的爱的痛苦与欢乐,故《诗经》的情歌在总体上表现出自由、坦率、淳朴的风貌。其间固不乏“求我庶士,殆其谓之”(《召南·摽有梅》)、“岂不尔思,畏子不奔”(《王风·大车》)一类狂热的情思,但总体上却是昵而不亵、谑而不虐、乐而不淫,洋溢着健康的审美情趣。部分篇章如《周南·汉广》《秦风·蒹葭》,已达到纯情的高度,秋水伊人的咏吟,竟为爱情诗之旷古绝唱。反映婚姻不幸与失恋痛苦的诗篇,构成《诗经》情歌的一个亚种。由于社会及生理原因,这种痛苦的承担者一般是女性,“士之耽兮,犹可说也;女之耽兮,不可说也”(《卫风·氓》),“之子无良,二三其德”(《小雅·白华》),已关千古弃妇诗之口。读者还将有趣地看到,在礼教产生之初,作为一种道德力量,它不只约束民间男女,使他(她)们不时产生“仲可怀也,人之多言,亦可畏也”(《郑风·将仲子》)的顾忌,也无情地将矛头指向社会的上层:“中冓之言,不可道也。所可道也,言之丑也!”(《鄘风·墙有茨》)

政治生活中的大事及社会各阶级的心态也有生动的纪录。“既破我斧,又缺我斨。周公东征,四国是皇”(《豳风·破斧》),“靡室靡家,猃狁之故。不遑启居,猃狁之故”(《小雅·采薇》),直通“黄沙百战穿金甲,不破楼兰终不还”(王昌龄《从军行》)一类唐人边塞名作。“行道迟迟,载渴载饥。我心伤悲,莫我知哀”(《小雅·采薇》)写戍卒生还而不乐的心理,亦相当深刻。秦处边鄙,地接戎狄,民风尚武,诗多慷慨。《小戎》写军容之盛,《无衣》赋同仇敌忾,读之令人感奋。

西周后期王政衰微，诸侯强大，兼并无已，礼崩乐坏。“高岸为谷，深谷为陵”（《小雅·十月之交》）便是对社会动乱、阶级升沉的形象概括，没落的贵族发出“我生之初尚无为，我生之后逢此百罹”（《王风·兔爰》）、“于嗟乎，不承权舆”（《秦风·权舆》）一类哀鸣，而处于水深火热中的民众则唱出了“何草不黄，何日不行”（《小雅·何草不黄》）的悲愤歌声。这时统治阶级中一些头脑清醒的人，则超出了一己休戚，而为王朝谱写了一曲曲挽歌。政治讽喻诗这样一个古代诗歌的重要品种诞生了。《小雅》中的《十月之交》《小旻》《巷伯》《北山》，《大雅》中的《民劳》《板》《荡》等等，均从不同角度干预政治，讽刺矛头直指执政大臣乃至天子，单刀直入，绝不顾忌。其间一些忧心君国、鼠思泣血之作，很可以做屈原的先生。而唐代新乐府倡导者所标榜的风雅比兴，亦实系于此。

作为一部声诗，《诗经》中不少篇章用于祭祀与宴饮。其中少不了宣扬天命、祈求福佑、粉饰太平、歌功颂德的作品。“《颂》诗早已拍马”（鲁迅）确乎也是事实，兼之附丽舞容，不尽同于独立抒情之作，或不免典重质木，缺少诗味。然《颂》诗也有佳作，如歌咏商、周开国创业者，概不可以捧场视之，其间保留了若干历史与神话资料，亦足珍贵；有的铺陈、勖勉之作（前者如《鲁颂》中的《泮水》《閟宫》，后者如《周颂》中的《敬之》《小毖》），亦不乏气象及诗情，作者或自诩曼硕，并非虚妄。

《诗经》在内容上异常丰富，在艺术上则有很高的造诣和深远的影响。影响后世最大的莫过赋比兴三种表现手法。较通行的解释是“赋者，敷陈其事而直言之也”，“比者，以彼物比此物也”，“兴者，先言他物以引起所咏之词也”（朱熹《诗集传》）。而钟嵘则说：“文已尽而兴有余，兴也；因物喻志，比也；直书其事，寓言写物，赋也。宏斯三义，酌而用之，干之以风力，润之以丹彩，使味之者无极，闻之者动心，是诗之至也。”（《诗品序》）我们不妨把这段名言视为对《诗经》抒情叙事艺术的概括和总结。《诗经》的抒情篇章有三个本质的特点：(1)文本短；(2)常比兴；(3)多叠咏。文本简短是诗情提纯的必然结果，又是借助比兴活跃读者联想的有利条件，反复唱叹则增强了情韵。三者可以说把握住了抒情诗的精髓和真义，为古代诗歌奠定了艺术之基石。其中叠咏的形式与音乐有关，不拘一格，有两章对仗式联咏、多章递进式叠咏、隔章跳跃式叠咏、除首（尾）章外余章叠咏等等。这种手法，在后来合乐的词曲乃至今日歌曲中仍能看到。诗经在叙事即赋法上亦积累了不朽的经验。或妙于描摹，“如跂斯翼，如矢斯棘，如鸟斯革，如翚斯飞”（《小雅·斯干》）之类，饶有画意；或妙于繁复，“氓之蚩蚩，抱布贸丝。匪来贸丝，来即我谋。送子涉淇，至于顿丘。匪我愆期，子无良媒”（《卫风·氓》）之类，情态毕见;或妙于用简,如“无矢我陵,我陵我阿;无饮我泉,我泉我池”(《大雅·皇矣》),先写敌势之盛,破敌只用六“我”字,可谓快文得机。《诗经》中有不少铺叙长篇,善用排叠句法章法,不见堆垛而富于节奏感,故不以其长而失却诗的本质,既博大又精粹,为楚辞汉赋开启法门,功在诗史,昭若日星。

《诗经》语言源于生活,又经润色加工,成为了一种规范的诗歌语言(雅言),具有很强的表现力。诗人不仅注意选词配色,而且于形容处多用双声、叠韵、叠字,增强形象感与音乐美。所谓“写气图貌,既随物以宛转;属采附声,亦与心而徘徊。故‘灼灼’状桃花之鲜,‘依依’尽杨柳之貌,‘杲杲’为日出之容,‘瀌瀌’拟雨雪之状,‘喈喈’逐黄鸟之声,‘喓喓’学草虫之韵。‘皎日’‘嘒星’,一言穷理;‘参差’‘沃若’,两字穷形。并以少总多,情貌无遗。”(刘勰《文心雕龙·物色》)诗人善于从活的语言中多所汲取,所以《诗经》中屡有熟语或套句,如“山有×,隰有×”的兴语、“未见君子,××××;既见君子,××××”的言情等等。更多的则是匠心独运,创造了为数众多的警句成语,如“小心翼翼”“战战兢兢”“不忮不求”“不可救药”“如切如磋,如琢如磨”等等,至今为人常用。《诗经》的修辞是多种多样的,除上文涉及的以外,尚有比拟、借代、夸张、对比、骈偶、衬托、排比、层递、设问、反诘、顶真、回文、拟声、双关、反语等等。《诗经》还奠定了汉语诗歌用韵的基本格式,如偶句用韵,一、二句押韵后隔句用韵。“三百篇造句大抵四言,而时杂二、三、五、六、七、八言。意已明则不病其短,旨未畅则无嫌于长。短非蹇也,长非冗也。”(成伯玙《毛诗指说》)四言体的优长得以尽洩,此后可供曹操、陶渊明们的用武之地不多,东汉以后,是五言诗的天下。

《诗经》在春秋时被孔门视为教科书、乐工视为唱本、诸侯视为外交辞令手册(“赋诗言志”),其流传之广、影响之大可以想见。秦火以后,汉时传《诗》有齐、鲁、韩、毛四家,前三家先后失传,今存诗经为毛亨、毛苌所传的“毛诗”。汉尊诗为经,后世文人无不研习,故《诗经》在中国文化尤其文学史上影响深远。然而,还原《诗经》的本来面目,把它作为言情言志的诗歌,作为审美对象来看待,虽不能说前所未有,但到近代才成为普遍的认识。

“王风委蔓草,战国多荆榛。”(李白《古风》)到了七雄角逐的战国时代,在中原地区代诗歌而兴起的是散文。正当诸子百家以其论辩争鸣,大展逻辑力量和思辨才能之际,形象思维却在南方长江流域找到了新的沃壤,一种足以使诗三百篇“俱往矣”的崭新诗体——楚辞诞生了。

出现上述情况的契机不是偶然的。文学史家们都指出,当时的南楚是一个从地理、种族、政治、经济、语言、风俗等等方面都与中原有相对独立性的国家。楚王虽曾在名义上受过周天子封爵,但事实上不受其统辖。这个在开化较晚的南方新兴的民族，和一切后起之秀一样，相当长时间是受以老大自居的中原诸侯国的排斥和蔑视的，“蛮夷”称呼一直加在他头上。然而这并不妨碍他以后来居上的奋发开拓精神开发了自然条件优厚的长江流域，发展了农业及工商业，积累了技术与财富，从而在内部生长出一种较中原文化更为生气蓬勃、更为灿烂的地域性文化——楚文化。这种新文化，以更强的凝聚力，培养了一个新兴民族的自尊心和爱国主义感情，招致了诗神的垂青。对于这种现象，连若干世纪后的大文论家刘勰也颇为困惑和惊讶，发出了“岂去圣之未远，而楚人之多才乎”的慨叹。

《诗经》基本上是一部不同地区、不同阶层创作诗歌的汇集，从中所能看到的，是一个无名氏作家的创作群体。而在《楚辞》中我们看到的是一个顶天立地的伟大诗人——屈原，和众星拱辰般围绕在他身旁的知名作家。这标志着我国古代诗歌进入了个体创作的时代。

从文学继承的角度看，楚辞的起源主要是江淮流域的楚歌，这种歌谣在先秦至汉人载籍中仍可见其一鳞半爪（如见于《论语》的《接舆歌》、见于《孟子》的《孺子歌》、见于《说苑》的《越人歌》《楚人歌》等）；一般认为，它与《诗经》的“二南”乃至《陈风》也有渊源关系。但楚辞的出现，毕竟是一次飞跃，一大创造。以至即使单纯从形式上着眼，前后两者之差距也不可以道里计，更不用说内容的深广了。

“不有屈原，岂见离骚！”（刘勰《文心雕龙·辨骚》）屈原能在战国诗坛脱颖而出，成为我国文学史上第一个伟大诗人，既是时代环境的加惠、文学自身发展的结果，也和诗人的独特遭际，及其禀赋与修养分不开。屈原不仅是一个文学家，而且，是一个政治家和外交家。他出身王室宗族，曾在内政上赞佐怀王，参与议论国事及应对宾客，起草宪令及变法；外交上参与合纵派与秦斗争，两度出使于齐。由于站在时代风云的前列，政治旋涡的中心，这就赋予了他一种为宋玉等不可企及的高瞻远瞩的胸怀，和忧先天下的仁人之心。加上他明于治乱，娴于辞令，对历史文化有深厚的知识和修养，具有大诗人应有的知识结构、思维方式和创造活力。一旦在政治上被放逐之后，便能将国家民族的忧愤、个人的极度不幸，转化为诗歌创作的动机和能量。他以一个巨人的全部精力和心血，凝铸成一系列震烁古今的诗篇，自能有空前绝后的成就。

今传屈原二十余篇作品，可以分成三类，构成一个序列。首先应说《九歌》十一篇，它本是楚地的祀神乐曲，经屈原加工润色，刮垢磨光，成为精美的诗篇。这组诗的抒情主人公或为神祇，或为主祭者。诗是代言体，尚非诗人的咏怀。它们更多地展现了诗人从继承到创新的创作轨迹。其次是《天问》，它是屈原根据神话、传说材料创作的古今无两的煌煌大篇，着重表现了诗人的历史观与自然观,显示了哲理与抒愤的两重性。第三是《离骚》《九章》等作品,是屈原的政治抒情之作,它们有事可据,有义可陈,情感充沛,形象鲜明,气势磅礴,达到了思想与艺术的完美结合。《天问》《九歌》和《离骚》在三种不同的体式上,各自代表了楚辞的最高成就。尤其是《离骚》这一丰碑式巨著,最终奠定了屈原在文学史上的崇高地位。

诗歌史上从来不乏翡翠兰苕之作,《诗经》就多抒情短篇,雅颂有增长趋势,但掣鲸碧海式的巨制鸿裁迄未一见。而屈原的《离骚》《天问》及两大组诗,皆为结构宏伟严密、笔参造化之作。后代诗人仅李白、杜甫力可追攀。在一个民族文化中,如果只有山峦而没有高峰,只有江河而没有大海,只有大合唱而没有最强音,是断难彪炳于世界文化之林的。从这个意义上说,屈原不愧为楚文化的骄傲与灵魂。

"《离骚》之文,依诗取兴,引类譬喻。故善鸟香草以配忠贞、恶禽臭物以比谗佞、灵脩美人以媲于君、宓妃佚女以譬贤臣、虬龙鸾凤以托君子、飘风云霓以为小人。"(王逸《楚辞章句》)不过,比兴手法到屈原手里已有巨大的发展和开拓。它已不只作为局部的修辞手段,而更多地作为整体的立意构思进入诗歌创作,形成了庞大而结构严整的象征系统,成为一种寄托深厚思想情怀的巨大艺术载体。而赋法,则演化为汪洋恣肆的铺陈描绘和渲染。与之差可比拟的,唯有战国纵横家的说辞和庄周那"仪态万方"的哲理散文。屈原诗作"在中国文学史上彻底地创立了一个体裁"(郭沫若),又直接影响到有汉"一代之文学"的赋体的孕育和发展。"轩翥诗人之后,奋飞辞家之前",正形象地点明了屈原在文学史上承先启后的地位和功绩。楚辞的出现,突破了四言诗的格局,在五七言诗之前,创造了一种新的诗体。它的篇幅一般较长,句式以六七言为主,间以三至十言,句法灵活参差,而且大多"有节无章",不用叠咏,而别饶唱叹之姿。《诗经》所用语辞杂多,到楚辞却规范化地突出了一个"兮"字,及"些"字,略约相当于今之"啊",用以协调音节,深化抒情,且兼作介词之用。

楚辞从内容到形式都有很强的地方色彩。长江流域较黄河流域开发为晚,当时中原早已进入宗法社会,楚地尚有氏族社会之遗风。一部《诗经》在总体上是落实到现实与人生,而楚辞不同。它多涉神灵怪异,且辞采华艳,想象丰富,缤纷多姿,具有浪漫色彩。《诗经》中的抒情多限于一时一地即兴式抒写,屈赋则具有较大的时空跨度,淋漓尽致地展现"自我"的身世遭际与喜怒哀乐,故有人称之为伟大诗人的心路历程。"屈原诸骚皆书楚语、作楚声、纪楚地、名楚物,故可谓之楚辞。若些、只、羌、谇、蹇、纷、侘傺者,楚语也;悲壮顿挫或韵或否者,楚声也;沅、湘、江、澧、脩门、夏首者,楚地也;兰、茝、荃、荪、蕙、若、芷、蘅者,楚物也。"(黄伯思《翼骚序》)如此具有强烈地方色彩的文学,如此具有民族性的诗歌,最终却走向中国,走向世界。这有力证明了,最富于民族性独创性的文学,才具有真正世界性的意义。

“屈原既死之后,楚有宋玉、唐勒、景差之徒者,皆好辞而以赋见称。”(《史记·屈原贾生列传》)与屈原并称“屈宋”的宋玉是较重要的作家,其杰作是《九辩》。《九辩》有明显仿效屈赋之处,但其价值却不在于此;它的独到之处是借悲秋来抒写贫士的失志和不平,第一次运用长篇辞体表现不那么伟大却更具普遍性的“士不遇”的主题,发千古悲秋诗人之唱;其情景交融的手法也是有创造性的。“屈平辞赋悬日月”(李白《江上吟》),像屈原那样以生命与血泪为诗的伟大诗人,一般人只能“高山仰止”而很难企及;“摇落深知宋玉悲”(杜甫《咏怀古迹》),接踵宋玉,可相仿佛或青出于蓝的失志诗人,在后世如雨后春笋,数不胜数。宋玉是辞赋日落后的皎皎明月,他在文学史上的地位亦不容轻视。

楚亡以后,楚辞创作经历了短时期的沉寂,终于在汉代得到复苏。汉高祖本人即“好楚声”,皇室大臣复多楚人。由于淮南王、梁孝王、汉武帝、汉宣帝先后提倡,使楚辞的整理和创作得到重视。文学史上凡有名著,便多效颦续貂之作。汉人对于屈宋,也是如此。“初,刘向裒集屈原《离骚》《九歌》《天问》《九章》《远游》《卜居》《渔父》,宋玉《九辩》《招魂》,景差《大招》,而以贾谊《惜誓》,淮南小山《招隐士》,东方朔《七谏》,严忌《哀时命》,王褒《九怀》及刘向所作《九叹》,共为《楚辞》十六卷,是为总集之祖。(王)逸又益以己作《九思》与班固二叙为十七卷,而各为之注。”(《四库总目提要》)刘向所编已佚,只有王逸《章句》流传至今。集中所收汉人仿作,自不能与屈宋方驾。唯其中与屈原并称“屈贾”的贾谊,算是屈原最好的学生,刘熙载《艺概》许为“屈子之赋,贾生得其质”。因此,本书据朱熹《楚辞集注》补收了他的《鹏鸟》和《吊屈原》二赋。

诗骚研究自来已久,著作汗牛充栋,却以考释为多。审美鉴赏,大众所需,今日已势在必行。鉴赏作为文学作品的实现环节,和文学研究的一种角度,不仅意义重大,而且也是我国古代文论家论诗之重要一途。评篇摘句,论较艺术得失,几已成为传统。即使在朴学盛行的清代,也有方玉润、张玉谷一类专家,他们的论著已初具现代赏析著作的某些优长。由于诗骚在不同程度上被捧到经典的位置,在很长时期内人们不习惯用文学欣赏的眼光去阅读玩味。“六经中唯诗易读,亦唯诗难说”(方玉润),这易读与难说,恰与此“经”的文学性质相关。完全用治史的方法去对待,不免胶柱鼓瑟、治丝益棼。了解诗作之历史背景,通晓其文字训诂,是必要的。但披文览情,直求诗心,更需要真切的生活体验和敏锐的感受力。由于时光流逝,事过境迁,处在与作者不同时代和情境中的读者，对于《诗经》《楚辞》当时所具的光艳与芬芳，毕竟有所隔膜而难于尽行领略。所以，阅读这些作品，又须尽量把它们放回原有的历史环境中去揣摩和玩味，非如此不能获得赏心悦目的审美愉快。这里，历史感加想象力，便成为诗骚鉴赏的不二法门。

鉴赏辞典是一种融文艺鉴赏与工具书为一体的新型辞书。它的出现受到广大读者的欢迎，却又在名分上引起过一些争议。这种“辞典”确乎与传统观念不符：它所提供的知识，固然必须准确，却又远不那么标准化和规范化。另一方面，它又具有一般辞典不曾具备的启发性。这些差异，正是由于它的文学鉴赏性质所决定的。“诗无达诂”，作品有多义性，同一诗作的赏析，可以从不同角度进行。好比四面开窗的房间，打开任何一扇窗户，都可以起到流通空气、览观外景的作用。而每篇鉴赏文章的撰稿人，又都是取其主观会心较深的某个角度来阐幽发微的，正如就近凑手打开一扇两扇窗户一样，其随意性在所难免。其好处似乎也正在这里，他为读者提供了如何打开窗扇、尽情观赏外景的启示，以便读者自行从其他方位打开窗扇，自行去领略更多的美景。一般辞典是灌输知识的老师，鉴赏辞典则是引发你交谈兴味的朋友。从系统论的观点看，一般辞典是相对稳定的封闭系统，严整而规范；鉴赏辞典则是流动不滞的开放系统，日变而常新。鉴赏辞典与读者的关系，是双向反馈，损益互补的关系。它之所以受到读者的青睐，原因之一便在于它不是单向灌输，而是“奇文共欣赏，疑义相与析”(陶渊明《移居》)。撰者的启，或可引读者之发，由此得到新意和胜境。文学鉴赏实践告诉我们，越是杰作，其结构层面越多，象征意蕴越难穷尽。故有说不完的《离骚》胜解，写不完的《红楼》新论。

这本辞典的鉴赏对象决定了它在体例上，与现行同类出版物有所异同。概言之，它的编写特点是全、译、注、析。《诗经》在古代为“六经”之一，《楚辞》中的《离骚》亦曾被王逸称为“经”，历代诗人墨客迄于近代文学大师，无不对其习诵再三，受其熏陶沾溉。从某种意义上说，不读《诗经》《楚辞》，也就很难纵览古代诗词、了解中国文化。况古代文献患在残缺，而贵于完备。诗骚总数不过三百七十余篇，若再删略，便无完璧之美，故悉加收录。即此一端，或更符合“典”之义例。此即“全”。诗骚比后代诗词文字障碍为多，“译”与“注”也是必要的。由于上述鉴赏辞典特点决定，读者也会看到本书中译有宽严，注分详略，析见仁智，论合中西，不曾划一，也不可划一。凡涉知识性问题，则力求准确、审慎。如果本书的问世，能帮助读者在接受文学遗产的同时享受到几分含英咀华的乐趣，我们将十分欣慰。至于未能尽善之处，深望海内通识者不吝赐教。

篇目

诗经

风

雅

小雅

楚　辞

诗经

风

周　南

关　雎

关关雎鸠，①	关雎鸟关关和唱，
在河之洲。②	在河心小小洲上。
窈窕淑女，③	好姑娘苗苗条条，
君子好逑。④	哥儿想和她成双。
参差荇菜，⑤	水荇菜长短不齐，
左右流之。⑥	采荇菜左右东西。
窈窕淑女，	好姑娘苗苗条条，
寤寐求之。⑦	追求她直到梦里。
求之不得，	追求她成了空想，
寤寐思服。⑧	睁眼想闭眼也想。
悠哉悠哉，⑨	夜长长思念不断，
辗转反侧。⑩	尽翻身直到天光。
参差荇菜，	长和短水边荇菜，
左右采之。	采荇人左采右采。
窈窕淑女，	好姑娘苗苗条条，
琴瑟友之。⑪	弹琴瑟迎她过来。
参差荇菜，	水荇菜长长短短，

左右芼之。[12]	采荇人左拣右拣。
窈窕淑女,	好姑娘苗苗条条,
钟鼓乐之。[13]	娶她来钟鼓喧喧。

（余冠英　译）

注释

①关关:雄雌二鸟相对和鸣音。雎鸠:一种水鸟,或即鱼鹰。旧说关雎双栖双飞,离散后不另择偶。②河:黄河。洲:水中陆地。③窈窕(yǎo tiǎo):美好的。淑:善,好。淑女:好姑娘。④君子:当时贵族阶级男子通称。逑(qiú):配偶。好逑:乐与成亲。⑤参差(cēn cī):长短不齐。荇(xìng):一种可食用或药用的水草。⑥流:通“摎”,捋取。和下文“采”“芼”意近。⑦寤(wù):醒来。寐(mèi):睡着。⑧思服:思念。“思”“服”同义。⑨悠哉悠哉:悠悠,指思念绵锦不断。一说“悠”即思。⑩辗转:指翻身。“反侧”义同。全句犹言翻来覆去。⑪友:亲。⑫芼(mào):拔取。⑬乐:愉悦。

鉴赏

将文学的终极原因归结到性恋的说法固然不免偏颇,但其中也确有真知灼见,信而可征。“风诗者,固间阎风土男女情思之作也”(司马迁),不仅民间之作素称“无郎无姊不成歌”;即使纯属诗人创作,爱情题材也占有相当的优势。诗经开宗明义的头一篇“关雎”便是这样的作品。鲁迅曾经调侃地将“窈窕淑女,君子好逑”两句译为“漂亮的好小姐呀,是少爷的好一对儿”;陈子展以为“当视为才子佳人风怀作品之权舆”,均不失通达之论。从诗中的“君子”自谓,和“琴瑟”“钟鼓”之乐(据《墨子》,此二者都非平民之乐),可以推测抒情主人公为一贵族青年。而那“窈窕淑女”的身份则不甚确定,所以余冠英据诗中兴义认为是“河边一位采荇菜的姑娘引起一个(贵家)男子的思慕”,其说亦允。总之这里写的是一场单相思,一件还没谱儿的亲事。唯其如此,最有诗味。

旧说此诗三章,一章四句,两章章八句。余译则厘为四句一章,从诗的行文及韵式看,似更切实际。“关关雎鸠,在河之洲”,是稍有取义的起兴。河边洲岛上,水鸟儿作双成对,雄雌和鸣,引起诗人的感兴,如果按“关雎”即鱼鹰的说法(如毛奇龄《续诗传鸟名》),则此二句还有古代民歌常有的以水鸟捕鱼隐射男子求爱之义,故有人称兴是"触物起情"。这里的兴,便运用了有象征意义的物象,是连类引发。其义则归于:有位姑娘人才好,一位男子看上她。看上了就忘不了,就相思,就热恋。全诗反复说"窈窕淑女",又反复兴以"参差荇菜",似乎暗示出姑娘与水边劳作的关系。她在采荇时的美妙姿态,摄印入那青年的脑中,是难以磨灭了。有一首民歌道:"一来看上人材溜溜的好,二来看上会当溜溜的家"(《康定情歌》),与此意虽不尽同,但生活情趣却有神似之处。而"左右流之""左右采之""左右芼之",不仅可使人想见那人儿的倩影,而且也似乎有以勉力求取荇菜,隐喻对可人的执著追求之义。写采荇菜,而意在采荇的人。诗中写男子的单恋十分坦率,醒也想、梦也想,是"寤寐求之""寤寐思服"啊。"寤寐求之"紧接"求之不得"云云,用"顶真格",已有"忧从中来,不可断绝"之感,不待"悠哉悠哉"而然也。而"悠哉悠哉,辗转反侧",更通过失眠,将写相思之苦推进一层。

与每一种满足都会降低其崇拜相反,爱的渴求却能导致爱的升华。诗中的陷入情网不能自拔的那位青年,于是做起了美妙的"白日梦",在想象中和他的爱人美满和谐地结合了。又是"琴瑟友之",又是"钟鼓乐之"。这诚然是一场虚构的热闹,一座美丽的空中楼阁,但那青年在一刹那间满足了,读者不禁为之陶然。这升华的境界,便远离了性的目标,成为热诚、挚爱、欢乐、和谐的"结合"。有一种概括,认为中国写情文学中色性的成分居多,揆之《诗经》包括《关雎》在内的大量情诗,似不尽然。

《关雎》"乐而不淫"有其历史原因。大量史料告诉我们,诗经时代婚俗正处在一个重要的过渡阶段,其时封建礼教为基础的专偶婚制尚未稳固形成,而人们还享有较多性爱的原始自由。倘言无忌,封建时代奉为圣人的孔子,似乎还是这种自由的产儿呢(《孔子世家》:"纥与颜氏女野合而生孔子")。正是在这种情况下,方才产生了如同《关雎》那样的热烈奔放的情歌。这里毫无顾忌的爱情直白,已凝聚成一种原始的美。而为儒学礼教统治下的汉儒宋儒们感到十分困惑,百思而不得其解。"《关雎》,后妃之德也,《风》之始也,所以风天下而正夫妇也"(《毛诗序》),便是硬着头皮说诗的产物,决非诗之本义。

《关雎》章法在诗经中别具一格。诗经本多叠咏体,但常见的是三章叠咏(各章除因换韵易辞,大致重复)、两章联咏,像《关雎》这样第二章和第四、五章跳格叠咏,是仅见的。日本青木正儿曾怀疑是误合两诗而成(详《支那文学艺术考·诗经章法独是》),但"窈窕淑女"通贯全诗,"寤寐求之"与"求之不得"顶真衔接，妙合无垠，错简之说很难成立。而诗经中叠咏体间有首章或他章不叠的现象屡见，故我们宁可认为此诗系章法变化独特。二、四、五章的叠咏，除却描写荇菜的兴语不论，“看他窈窕淑女，三章说四遍”（钟惺《评点诗经》），这活脱是热恋中男子对不知名的爱人的反复叨念，倘若知名，那必然如《董西厢》妙语所说：“锦笺本传自吟诗，张张写遍莺莺字。”

“作诗必此诗，定知非诗人。”（苏轼《书鄢陵王主薄所画折枝》）若下一转语，便有“说诗必此诗，定知非解人”。懂得这番道理，来看《关雎》诗中的单相思，又不仅是单恋而已。诗人于爱的对象“寤寐求之”式的执著追求，及其在现实中“求之不得”，便于理想（幻梦）中“友之”“乐之”的实现方式，均构成一种境界，一种超越本文的象征意蕴，从而能够兴发读者引譬连类的联想。我们不由会联想到风诗中的其他作品如《汉广》《蒹葭》，联想到《离骚》，其中所写的“汉有游女，不可求思”的苦恼，“所谓伊人，在水一方”的迷惘，及“路曼曼其脩远兮，吾将上下而求索”的执著劲头；不由会联想到古代神话对世界的浪漫征服和把握的方式；甚而联想到人类在漫长的历史中，不安现状，通过心灵与思辨追求美与自由、自我实现、自我完善的历程。诗情一旦与哲理结合，便给世代读者以回味无穷的审美愉快。这或许就是包括《关雎》在内的《风》诗名篇的艺术奥秘之所在。

（周啸天）

葛覃

葛之覃兮，①	长长的葛藤，
施于中谷，②	山沟沟里延伸，
维叶萋萋。③	叶儿密密层层。
黄鸟于飞，④	黄雀飞飞成群，
集于灌木，	聚集在灌木林，
其鸣喈喈⑤。	叽叽呱呱不停。
葛之覃兮，	长长的葛藤，
施于中谷，	山沟沟里蔓延，

维叶莫莫。[6]　　叶儿阴阴一片。
是刈是濩，[7]　　葛藤割来煮过，
为絺为绤，[8]　　织成粗布细布，
服之无斁。[9]　　穿起来舒舒服服。

言告师氏，[10]　　告诉我的保姆，
言告言归。　　我告了假要走娘家。
薄污我私，[11]　　洗洗我的内衣，
薄澣我衣。[12]　　洗洗我的外褂。
害澣害否，[13]　　该洗的是啥，甭洗的是啥？
归宁父母。[14]　　我就要回家看我爹妈。

（余冠英　译）

注释

①葛：多年生蔓草，纤维可织布。覃（tán）：延长。②施（yì）：蔓延。③维：发语词。萋萋：茂盛貌。④黄鸟：黄莺，或黄雀。⑤喈（jiē）喈：鸟鸣声。⑥莫莫：义同"萋萋"。⑦濩（huò）：煮。⑧絺（chī）：细葛布。绤（xì）：粗葛布。⑨斁（yì）：厌。⑩言：语助词。师氏：保姆，女管家。⑪薄：语助词。污：去污。私：内衣。⑫澣（huàn）：浣。⑬害：通"曷"，何。⑭宁：探望。

此诗诗意，《诗序》认为是"后妃在父母家，则志在于女功之事；躬俭节用，服澣濯之衣；尊敬师傅；则可以归安父母"。比较牵强。今人或认为是"一个贵族女子准备归宁的事"（如余冠英《诗经选》），或以为是"女仆工作完毕，告假回家探望父母"（如袁愈荌《诗经全译》）。后说颇巧，然就"归宁"一词在后世约定俗成的用法，及诗意本身看，仍以解为出嫁后的女子准备回娘家较妥。全诗表现的是婚后女子就要回家见爹妈的喜悦心情，极富生活情趣。归宁喜悦，溢于全诗，而三章表现各个不同。

这种喜悦心情在首章，是通过兴义或情景自然流露的。诗以"葛覃"（长长的葛藤）起兴。不仅如方玉润所说"因归宁而澣衣，因澣衣而念絺绤，因絺绤而想葛之初生"（《诗经原始》），同时须知诗经中以树木起兴者多有关乡里之思和福禄观念,而以葛起兴者特与婚恋有关(如《周南·樛木》《王风·采葛》《唐风·葛生》等,后世诗中"兔丝附女萝""兔丝附蓬麻"的比兴亦属此类)。此诗"葛之覃兮,施于中谷"亦有取义,当象征女子的出嫁,而"维叶萋萋""维叶莫莫"的盛景,则意味婚后生活的和谐(尤《桃夭》之"其叶蓁蓁")。"黄鸟"三句亦属兴语,而以鸟起兴,其本原与怀念祖先及父母相关(详赵沛霖《兴的起源》)。以赋视之,群鸟呼晴,则属乐景,与将和家人团聚的快乐心情是融洽的。

二章重复前章"葛覃"的兴语,由治葛为服的联想,说到各色衣服的称心。仍是心情愉快的表现。三章通过将告假归宁之事说给保姆,及换洗内外衣裳,准备动身的情景,写出一种愉悦而兴奋的归心。"害澣害否"一句,"害(曷)"字《郑笺》训为"何者",即"何所当见澣乎,何所当否乎?"与下句"归宁父母"衔接松脱。细玩味之,当为抒情主人公自为问答语气,"害"或应训"为何",翻译为:"为什么浣衣?""为什么不!"于此逼出末句,乃为"归宁父母"故也。

"归宁父母"一句为全诗结穴。而整首诗写法是逐层渲染愉悦的气氛,及于准备归宁的情事,先设悬念,最后点题、点眼。手法上很有特色。诗经多数篇章为两句一韵或一(意)群;此诗前两章均三句一群,采用隔韵,与第三章异。音情上由舒徐而促迫,形式内容结合极好。唐诗也有类似音节,然已先见于此矣。

(周啸天)

*在《周礼·地官》中"师氏"为官名,又常见西周全文。故有人认为诗中女主人公为"师氏"家中贱婢,可备一说。

卷耳

采采卷耳,①	粲粲满地卷耳菜,
不盈顷筐。②	采来不满斜口筐。
嗟我怀人,③	一心想我出门人,
寘彼周行。④	搁下筐儿大路旁。
陟彼崔嵬,⑤	行人上山高又险,
我马虺隤!⑥	"我的马儿腿发软!

我姑酌彼金罍,⑦	且把酒壶来斟满,
维以不永怀。⑧	好让心儿宽一宽。”
陟彼高冈,	行人过冈高难爬,
我马玄黄。⑨	“我的马儿眼发花!
我姑酌彼兕觥,⑩	牛角杯儿斟满它,
维以不永伤。	喝一杯儿莫想家。”
陟彼砠矣,⑪	行人上山石头峭,
我马瘏矣,⑫	“我的马儿晃摇摇,
我仆痡矣!⑬	我的伙计快累倒,
云何吁矣!⑭	这份儿忧愁怎得了!”

（余冠英译,略有改动）

注释

①采采:犹“粲粲”,鲜艳。卷耳:菊科植物,即苍耳,嫩苗可食用。②顷筐:斜口的筐。③嗟:感叹声。④寘:同“置”。周行(háng):大路。⑤陟(zhì):登。崔嵬:高处。⑥虺隤(huī tuí):腿软的病。⑦姑:且。金罍(léi):酒器。⑧维:发语词。永怀:长相思。⑨玄黄:病。⑩兕觥(sì gōng):犀角酒杯。⑪砠(jū):多土的石山。⑫瘏(tú):病。⑬痡(pū):病。⑭云:语助词。吁:忏,忧伤。

鉴赏

关于本篇题旨,何琇《樵香小记》云“此必大夫行役,其室家念之之诗”,戴震《诗经补注》云“感念于君子之行迈之忧劳而作也”,均弃《诗序》迂阔旧说,指出了这是一篇思妇诗。诗中男子有仆马、兕觥、金罍,即不必大夫,也应属贵族之列。

诗的首章写女方,二、三、四章写男方,论者无异辞。唯于后三章,多数人认为是怀人者(即诗中思妇)想象所怀之人,一如《陟岵》,乃“己思人乃想人亦思己”。影响后世,就有“故乡今夜思千里,霜鬓明朝又一年”(高适《除夕》)、“想得家中夜深坐,还应说着远行人”(白居易《至夜思亲》)、“遥知湖上一樽酒,能忆天涯万里人”(欧阳修《春日西湖寄谢法曹歌》)等机杼相同、波澜莫二的诗词名作。

钱钟书独不以为然,他说:夫

"嗟我怀人"而又称所怀之人为"我",葛龚莫辨,扞格难通。实则涵咏本义,意义豁然。男女两人处两地而情事一时,批尾家谓之"双管齐下",章回小说谓之"话分两头",《红楼梦》第五回凤姐仿说书所谓"一张口难说两家话""花开两朵,各表一枝"(见钱钟书《管锥编》)。

按照通常的理解,则诗中的征夫上山过冈,马病人疲,饮酒自宽,皆出于女子想象,不必实有其事,乃虚境。思妇置筐大道,本不难采满卷耳的斜口筐(簸箕)老采不满,她是心不在焉,浮想联翩。其情之真挚神往,足感人矣。而按钱氏解会,又别有意趣,征夫上山过冈、马病人疲、饮酒自宽,皆实有其事。两种情景比较,"以明征夫况瘁,非女手拮据可比"。正因为女方不能确知对方劳顿之苦,方才一味嗟怨一己怀思之苦。唐人陈陶《陇西行》云"可怜无定河边骨,犹是春闺梦里人",与此可悲程度不同,而手眼如一。诗有别趣,多义多解,是很正常的现象,不必务是此而非彼,于《卷耳》诗解可知。

有研究者因全诗首章四句别出,而后三章各六句叠咏,怀疑这是误合思妇之作与征夫之作两首为一首(这种说法难于成立,参阅《关雎》条),依照这种说法,此诗的上述妙处,便成了一种无心插柳的创获,或类似"嫁接"的成功。这于诗歌创作也是很有启发性的。

(周啸天)

樛　木

南有樛木,①	南边弯弯树枝丫,
葛藟累之。②	野葡萄藤攀缘它。
乐只君子,③	先生结婚真快乐,
福履绥之!④	上天降福赐给他!
南有樛木,	南边弯弯树枝丫,
葛藟荒之。⑤	野葡萄藤掩盖它。
乐只君子,	先生结婚真快乐,
福履将之!⑥	上天降福保佑他!

南有樛木，　　南边弯弯树枝丫，
葛藟萦之。　　野葡萄藤旋绕它。
乐只君子，　　先生结婚真快乐，
福履成之！　　上天降福成全他！

（程俊英　译）

注释

①樛(jiū)木：弯曲的树枝。②葛藟(lěi)：野葡萄，也有认为是两种草名。累(léi)：攀缘。③只：语助词。④福履：幸福。绥：下降。⑤荒：掩盖。⑥将：扶助。

鉴赏

这本是一首祝贺新郎婚喜的诗歌，但古人往往从政治的角度加以理解，或认为是后妃无嫉妒心的赞歌(《毛诗序》)，或认为是众妾感后妃之德而歌唱(朱熹《诗集传》)，牵强附会，清人及近贤多不满其说。方玉润认为："观累、荒、萦等字有缠绵依附之意，如茑萝之施松柏，似于夫妇为近(《诗经原始》卷一)。"王先谦也说："《文选》潘安仁《寡妇赋》云：'……顾葛藟之蔓延兮，托微茎于樛木。'李注：'……言二草之托樛木，喻妇人之托夫家也。《诗》曰：南有樛木，葛藟累之。'按，潘以女子之奉君子，如葛藟之托樛木。李引此诗为释，是古义相承如此，不以'樛木'喻'后妃'，'葛藟'喻'众妾'也(《诗三家义集疏》卷一)。"这显然于诗意更为通达，故宜取以解析之。

此诗内容极其简单，既无生动的人物形象，又无具体的叙事情节，从头至尾，只在祝贺新郎(君子)快乐，所以用"乐只君子"一句话即可表明无遗。但诗人采用重章叠唱的艺术形式，同时又变换几个富于表现力的字眼，因此，倒也不显得很板滞无味，在艺术表现上还有节奏轻快、情调柔婉的效果。

全诗三章，每章第一、第三两句完全重复，而第二、第四两句则各换一字。虽在十二句中仅变换六字，却有使诗意前后连贯和次递发展的两层作用。"累""荒""萦"三字在诗中都有缠绕攀附的意思，词义很相近。所以，它们虽在每章的第二句中依次有所调换，但却不改变诗意，只是以不同的词汇，不同的语调，一而再、再而三地使用既形象又普遍的葛藟缠绕樛木的自然事物作为比喻,强调表明女子嫁给"君子"。在这里,诗人于每章首二句中巧妙而反复地运用同一形象化的比喻,使喻体本身栩栩如生,自然能引起人的丰富联想,并极力体味它的喻义,从而对所表达的事物产生鲜明而亲切的印象。承此而下,诗人又在每章第四句中依次更换了三个具有逐层推进作用的字眼,既深化了诗歌的主题意义,又抒发了诗人的殷切之情。从幸福的初步降临(绥),到幸福的长久保持(将),至幸福的完全成就(成),步步加强语势,层层加深情感,热烈地表达出对人的美好祝福。全诗如方玉润所评:"三章只易六字,而往复叠咏,殷勤之意自见。"

(赵望秦)

螽 斯

螽斯羽,①	蝈蝈绿翅膀啊,
诜诜兮。②	聚来乱纷纷啊。
宜尔子孙,	你的众子孙啊,
振振兮。	多得连成群啊。
螽斯羽,	蝈蝈绿翅膀啊,
薨薨兮。③	轰轰齐声唱啊。
宜尔子孙,	你的众子孙啊,
绳绳兮。	多多又绵长啊。
螽斯羽,	蝈蝈绿翅膀啊,
揖揖兮。	纷纷聚一起啊。
宜尔子孙,	你的众子孙啊,
蛰蛰兮。④	多得无法比啊。

(袁梅 译)

注释

①螽(zhōng):蝗虫的一种,俗名蝈蝈,能鼓翅发声。斯:语助词。②诜

(shēn)诜:形容群集的样子。③薨(hōng)薨:形容群飞声。④蛰(zhé)蛰:形容众多。

鉴赏

这首诗与前面的《樛木》可谓是姊妹篇。在人类生活中,婚后生儿育女,自是必然之理。故前篇既祝贺人新婚幸福,此篇则祝贺人多生贵子。但在旧说中,与前诗同样的多被人从政治上或道德上加以曲解,清代即有人深致不满地说"以螽斯为不妒忌,附会无理"(姚际恒《诗经通论》卷一)。在古代,有这样一种思想认识,以为多生子便多得福,子孙众多是人生的可喜可贺之事。所以,古人在表示对人的良好祝愿时,就莫过于用多子多孙,子孙昌盛之类的话题。此诗正是利用螽斯生子繁多的特点,比喻人的子孙众多,从而艺术地表现了对多子者的祝贺。

此诗在艺术结构上,除与前诗一样的采用重章叠唱的形式外,最大的特点是重言叠字用得多。全篇仅三十九字,就有六对重言叠字:诜诜、振振、薨薨、绳绳、揖揖、蛰蛰。方玉润在《诗经原始》中评说:"六字炼得甚新。"即指此而言。所谓新,就是有新意。所谓炼得甚新,就是诗人遣词新奇,读者感到新鲜。作为六个单言只字的诜、振、薨、绳、揖、蛰,原本没有多的意思,而一旦各自重叠为重言叠字,词义就发生了新的变化,即形成一组形容螽斯多子、人多子孙的既形象又生动的形容词。而且每一重言叠字都可以缀上语气助词"兮",作为独立的语句,在全篇中间隔匀称地成为诗行。这样,便产生一种连绵和谐、声调优美、醒目悦耳的艺术效果。否则,如果是单言只字就很难做到这一点。

在思想内容上,这是一篇乏味单调的作品,如果没有较成功的艺术处理,势难卒读。诗人运用歌谣中常见的重言叠字这一富于形象性和节奏感的语言艺术形式,拟声传形,反复咏唱,从多种角度形容描写螽斯和人的子孙之多,一次次地深入叩动听众的心弦,一步步地加强感染读者的情绪。从而,比较艺术地展示出祝愿人子孙昌盛的主题意义。

(赵望秦)

桃　夭

桃之夭夭,① 　　桃树枝儿多娇健,

灼灼其华。②	艳丽的花儿明照眼。
之子于归，③	姑娘出嫁在今天，
宜其室家。④	夫妇和顺好姻缘。
桃之夭夭，	桃树枝儿多矫健，
有蕡其实。⑤	果实累累肥又鲜。
之子于归，	姑娘出嫁在今天，
宜其家室。	生活幸福又美满。
桃之夭夭，	桃树枝儿多矫健，
其叶蓁蓁。⑥	绿叶遮荫一大片。
之子于归，	姑娘出嫁在今天，
宜其家人。	和和美美全家欢。

注释

①夭(yāo)夭：即状其健美之姿。《毛传》："夭夭，其少壮也。"《说文》："夭，屈也。"桃树嫩枝，初生时屈曲矫健。②灼(zhuó)灼：鲜明耀眼。华：同"花"。③之子：这个女子。归：即归往夫家之意。于归：古代女子出嫁称"于归"。④宜：适宜，和顺。室家：指女子所嫁的人家，与下文"家室""家人"义接近而略有不同。⑤蕡(fén)：果实硕圆肥大。⑥蓁(zhēn)蓁：树叶茂密。

鉴赏

这是一首在婚礼上演唱的祝贺女子出嫁，新婚幸福美满的喜歌。《毛诗序》在解释此诗时，也与《关雎》一样，把它附会到什么"后妃"之事上去。朱熹虽承认这是一首写民间男女婚姻的诗，但又为它蒙上了一层礼教色彩，说什么"文王之化，自家而国，男女以正，婚姻以时"(《诗集传》)，皆不得原诗本意。清代学者方玉润在他的《诗经原始》一书中，做了比较通达的说明："盖此亦咏新婚诗，与《关雎》同为房中乐，如后世催妆、坐筵等词。特《关雎》从男求女一面说，此从女归男一面说，互相掩映，同为美俗。"其说近是。就是现今，有些地方在举行婚礼时，还有男女齐聚，欢唱喜歌以为祝颂的风俗。

全诗三章，皆以“桃之夭夭”起兴，用娇健多姿的桃树，比喻新嫁娘的青春年少、体态健美。而首章又用无比艳丽，光华照人的桃花，比喻新娘的姿容，贴切自然，联想丰富。在《诗经》中，作为表现手法的比和兴，虽各有界说，但在某些诗中，比、兴两者又是互相渗透，难以截然划分的。故有所谓“兴而兼比”“比而兼兴”的说法。就以《桃夭》一诗来说，以婀娜多姿、秾艳盛开的桃花，比喻春华初茂，芳龄正盛的女子，固然状物工巧，引譬贴切。而此诗以“桃之夭夭，灼灼其华”作为开端，却又具有启人联想的象征性。它以满树桃花照眼明的奇丽景色，成功地渲染了喜庆的热闹场面，烘托出婚礼上人人喜笑颜开的欢乐气氛。继而歌唱出美好的祝愿，希望女子出嫁后，美满幸福。

《桃夭》三章，采用的是重章叠唱的形式。第二章，紧接第一章对桃树的茁壮和桃花盛开的描写，而预期将必然多子，从而祝愿新娘早生贵子。从开花想到结实，从新婚而预祝生子，是很自然的联想，这在婚礼上唱出，可谓谑而不虐，增加了轻松嬉戏的性质。第三章，“桃之夭夭，其叶蓁蓁”，是以桃叶茂密绿树成荫，进一步预祝整个家庭的兴旺发达，蓬蓬勃勃，充满生机，无限美好。诗歌的末尾，“室家”“家室”“家人”，旧注以为义同，因押韵的需要而颠倒用词。我以为在意义上还是有某些区别的。《左传·桓公十八年》：“女有家，男有室。”第一章“室家”，重点在“家”，是就女子方面说的。《孟子·滕文公》：“女子生而愿为之有家。”第二章“家室”，重点在“室”，是就男子方面说的。犹言娶得了一位好妻室。所谓“丈夫生而愿为之有室。”（同上）至于“家人”，则指一家之人，是就整个家庭、家族说的。作为新婚贺词，先说女子如花之貌，次说螽斯衍庆之喜，再说家族兴旺之象，正是分别次第而言之。而室家、家室、家人，也同样有着分别次第而言之的意思。

《桃夭》一诗，在结构上采用章节回环复沓的形式。全诗各章字句基本相同，只对应地复换了少数词句。从整体上看，由于复沓，而使诗的主要含意突出，感情充沛；又加以音韵天成，从而给人一种回环摇曳之美。又由于重复中寓以变化，从而使章节内容递进，含意丰满，不断给人以新的印象、新的感受。我们试读《桃夭》全诗，其三章十二句中，有半数以上的语句和用词重复，但涵咏之间，却兴味无穷，宛然如置身于新婚热烈场景之中，感受到无限欢快喜庆的气氛。而其变化部分，“灼灼其华”“有蕡其实”“其叶蓁蓁”，又使诗歌内容相继出新，不断进展。这正是《诗经》民歌体独具的艺术特色。另外，《桃夭》全诗用桃树的枝、花、实、叶为比兴材料，并用叠词“夭夭”“灼灼”“蓁蓁”等状其风貌，既增加了音乐美，又十分形象而富于表现力。当然，更重要的还不在于状物工巧，而是在于它可以引起我们无限的想象力。那茁壮矫健、屈曲自然的桃枝，那秾艳盛开的桃花，那硕大可爱的桃实和枝繁叶绿的树荫，不正自然而然地会使我们联想到新妇健美的体态，秀丽的容貌，以及婚后子孙繁衍，家族兴旺的美好生活前景吗？《桃夭》这首小诗，正是通过生动工巧的状物以及由此而产生的联想，而使人物的姿色、美好的祝愿，变得鲜明可感，倍觉清新而富于美趣。《桃夭》这首小诗成为三百篇中的名诗，正非偶然。

（褚斌杰）

兔　罝

肃肃兔罝，①	严严密密张兔网，
椓之丁丁。②	敲击木桩叮当响。
赳赳武夫，③	武夫雄赳赳，
公侯干城。④	公侯卫士守四方。
肃肃兔罝，	严严密密张兔网，
施于中逵。⑤	把它设在要道上。
赳赳武夫，	武夫雄赳赳，
公侯好仇。⑥	公侯亲信好伴当。
肃肃兔罝，	严严密密张兔网，
施于中林。	把它设在郊野上。
赳赳武夫，	武夫雄赳赳，
公侯腹心。	公侯心腹守国邦。

（袁梅　译）

注释

①肃肃：整齐严密貌。一说网目细密貌。兔罝（jū）：捕兔的网。一说兔为

菟,即虎。②椓(zhuó):敲击。丁(zhēng)丁:击木声。③赳赳:威武雄壮的样子。④干:盾。干城:喻卫士。⑤中逵:逵中,多岔路口。⑥好仇:好伴侣。

鉴赏

"兔罝"为猎手捕兔子所设置的网,是经过巧妙伪装的,元人关汉卿〔南吕一枝花〕(不伏老)中曾把这种逮"兔羔儿"的玩意儿称为"锄不断、斫不下、解不开、顿不脱、慢腾腾千层锦套头"。兔罝一加上"肃肃"二字的形容,那真是有些"锄不断、斫不下、解不开、顿不脱"的意味了。所以诗篇一开始就表现出那些猎户的经验与才干。牵设得严严实实的猎网,再加上打桩的叮当有力的声音,又使人感到这些汉子的孔武有力和身手的矫健。"肃肃兔罝,椓木丁丁"之妙,也就不在单纯的起兴上;而在于它的且兴且赋。《诗经》中此法并不罕见。

从前两句到后两句"赳赳武夫,公侯干城"有一个跳跃。由猎手,而"武夫",而"干城",是诗人的联想在发挥妙用。打猎和战斗本来就关系密切,古代诗歌中经常有由此及彼的联想和借代,因而好猎手与好武士,也有着必然的联系。而"兔罝"的起兴,似乎又具一层比义,那些猎手逮兔的功夫,恰好是"赳赳武夫"擒敌本领的象喻。似乎任何顽敌在他们面前,都不过是束手就擒的猎物。如果按照别一解释,"兔"即於菟(老虎)的话,那么这些武夫更是勇猛过人的"搏虎手"了。因此,有人从"肃肃"二字看出"军容严肃之貌",这种感受也就不能说全无道理。

第二、三章是首章的叠咏和深化。诗中猎手从开始打桩设网,渐次施网于路口,进而施网于林中,这是兴语的深入。而"赳赳武夫"也由王侯之干城卫士,进而为"王侯好仇",乃至"王侯腹心",这是诗中人地位的升腾。"好仇"在《关雎》中作配偶讲,用在这里,显然不是一般卫士了,而是贴身的近卫,形同股肱。"腹心"即心腹,简直与王侯结为一体,成了不可或失的亲信了。杜甫诗道:"男儿生世间,及壮当封侯。战伐有功业,焉能守旧丘。"(《后出塞》)此诗三章中武夫地位的变迁,就大有建功立业、不守旧丘之意。用今人的话说,便是不吃老本,要立新功。这似乎也是古代习武之士的最大理想和精神支柱。

全诗洋溢着饱满的赞美,根本看不出一点讽刺。可也有人认为是讽刺奴隶主阶级豢养鹰犬犬牙,说"他们正是奴隶大众的死敌"。看作品因读者而不同。用阶级斗争观点读《诗经》,必然处处得到这样的结论。但历史地予以分析,阶级仇恨在《诗经》不能说没讲，但远不是篇篇讲。如这首本意在赞扬猎人，因而设想推论其美好前程的诗，原是深刻反映着古代社会下层人士的普遍观念，即“士为知己者死”的怀才待贾的思想的。“伯也执殳，为王前驱”(《卫风·伯兮》)、“祈父，予王之爪牙”(《小雅·祈父》)，这种“名编壮士籍”的际遇，是家属和本人都引以为光荣的。英雄如《水浒》中渔猎于江湖的三阮，也逃不出这种观念的范畴，“这腔热血，只要卖与识货的”(阮小五、阮小七拍着脖项道)。即使上了梁山，日后还被集体招安，作了“公侯干城”去。至于杨志之流就更甭提了，才从狱中放出，便因表现突出，成了梁中书的“好仇”“腹心”。但读者何必对他们表示义愤呢。

《毛诗序》云：“《兔罝》，后妃之化也。《关雎》之化行，则莫不好德，贤人众多也。”把这诗与后妃扯到一起，也太无理，恐“武夫”不会允许。但说诗有“贤人众多”的美意，却不是附会。《墨子·尚贤上》说：“文王举闳夭、泰颠于罝罔之中，授之政，西土服。”虽然古人轶事不可得而详，但可见周代确有从布罝施网的猎户中提拔人才的事实。诗中“赳赳武夫”固然不必是闳夭、泰颠等贤人，不能与益、伊尹相提并论，但干城之士亦为邦本，不可缺少。则《兔罝》诗仍能体现“不得意贤士不可不举”的从基层选拔优秀人才的思想。这是很有意味的。方玉润对此诗有一别解：“窃意此必羽林卫士，扈跸游猎，英姿伟抱，奇杰魁梧，遥而望之，无非公侯妙选。识者于此有以知西伯异世之必昌，如后世刘基赴临淮，见人人皆英雄，屠贩者气宇亦异，知为天子所在，而叹其从龙者之众也。诗人咏之，亦以为王气钟灵特盛于此耳。”(《诗经原始》)这种以意逆志的解会，虽不尽合诗人原意，亦是很有启发性的别解。

(周啸天)

芣 苢

采采芣苢，[1]	车前子儿粲粲明，
薄言采之；[2]	采呀采呀采不停；
采采芣苢，	车前子儿粲粲明，
薄言有之。[3]	摘呀摘呀摘不赢。
采采芣苢，	车前子儿粲粲明，

薄言掇之；④
采采芣苢，
薄言捋之。⑤

拾呀拾呀拾不停；
车前子儿粲粲明，
捋呀捋呀捋不赢。

采采芣苢，
薄言袺之；⑥
采采芣苢，
薄言襭之。⑦

车前子儿粲粲明，
揣呀揣呀揣不停；
车前子儿粲粲明，
兜呀兜呀兜不赢。

注释

①采采：见《卷耳》注。芣苢（fú yǐ）：车前草，古人认为其种子可治妇女不育或难产。②薄、言：均为发语词，无实义。③有：取。④掇（duō）：拾。⑤捋（luō）：抹取。⑥袺（jié）：手持衣襟以盛物。⑦襭（xié）：用衣襟兜起来。

鉴赏

这是周代南方妇女在劳动中即兴口唱的山歌。以“韵分三章，章四句；然每二句只换一字，实六章，章二句也”（姚际恒《诗经通论》），在《诗经》中是很独特、很值得注目的一首。

诗中主题句——“采采芣苢”的“采采”二字，郑笺为“非一辞也”，孔疏为“见其采者多也”，故今流行的诗经选本或译本，多释作“采了又采”。这其实是很成问题的。首先，诗经的叠字多见于形容词（如“灼灼”“依依”）、名词（如“燕燕”）、拟声词（如“喈喈”“喓喓”）等，动词复叠，似不二见。（“采采卷耳”的“采采”，则与此实属一例。）这是一个疑点。其次，诗经中“采采”一词凡四见，即本篇“采采芣苢”、《卷耳》“采采卷耳”、《蒹葭》“蒹葭采采”、《蜉蝣》“采采衣服”。后二例比照同一诗中叠咏对应的诗句“蒹葭苍苍”“衣裳楚楚”，可知“采采”为形容词无疑。则此芣苢、卷耳的“采采”应一例类推，故陈子展译为“形形色色的车前草”；而闻一多释为“犹粲粲也”，尤为通达，用之四句而皆准。因此，“采采芣苢”是对劳动对象状貌的歌咏，也可以说是触物起情，属于兴象之列。其中饱含着劳动者获取植物的愉快，是素朴而很有感染力的诗句。

妇女采集车前子即“芣苢”是一种古老的习俗，系于繁衍种族的观念，因为相传食芣苢能受胎生子，且可治难产。《毛诗序》解题说“和平则妇人乐有子矣”，韩诗及汉以来论诗者亦皆缘芣苢宜子立说，是不错的。因此当芣苢粲粲结子之时，妇女们结伴而出，竞相采撷，其情绪是相当兴奋，而场面尤其热烈的。闻一多通过想象描述了这样一幅动人的情景：“揣摩那是一个夏天，芣苢都结子了，满山谷是采芣苢的妇女，满山谷响着歌声。这边人群中有一个新嫁的少妇，正捻着那希望的玑珠出神，羞涩忽然潮上她的靥辅，一个巧笑，急忙地把它揣在怀里了，然后她的手只是机械似的替她往怀里装，她的喉咙只随着大家的歌声啭着歌声——一片不知名的欣慰，没遮拦的狂欢。不过，那边山坳里，你瞧，还有一个伛偻的背影。她许是一个中年的硗确的女性。她在寻求一粒真实的新生的种子，一个祯祥，她在给她的命运寻求救星，因为她急于要取得母亲的资格以稳固她的妻的地位。”这段由诗还原生活的描画，对于读者真切地体味这歌谣字面下深藏的意蕴，是大有帮助的。

鲁迅曾幽默地论及诗歌起源于劳动道：“我们的祖先的原始人，原是连话也不会说的，为了共同劳作，必需发表意见，才渐渐地练出复杂的声音来，假如那时大家抬木头，都觉得吃力了，却想不到发表，其中有一个叫道‘杭育杭育’，那么，这就是创作；大家也要佩服，应用的，这就等于出版；倘若用什么记号留存下来，这就是文学。”（《门外文谈》）《芣苢》一诗比“杭育杭育派”自然是高明多了——它虽然是两句成一节拍，不断反复，但毕竟有形象的描绘与动词的屡换——然而在情不自禁地通过反复的有节奏的歌声，去协调那反复的有节奏的动作，去模仿自身与自然的关系这一点上，它和“杭育杭育派”还是一脉相通的。“口唱山歌手不闲。”在《芣苢》中，劳动者灵巧的手的动作，也就成了即兴歌唱取材的对象。诗“实六章，章二句”，每“章”变换的就在一个动词，一共变换了六个字：采、有、掇、捋、袺、襭。这六字可以细分为三组，即：(1)采、有(有即采得)，这是对采集最一般性的描述，虽然概括，还不具体；(2)掇、捋，这是对手取芣苢的动作的具体描写，或一颗一颗地拾，或一把一把的抹，写来很真切很生动，是没有劳动经验者难以捕到的动词；(3)袺、襭，这两个“衣”部的字，是对用裙襟盛取芣苢的动作的具体描写，或是手提衣襟而往里揣，或是掖起衣襟来兜着。从采写到盛，是完全暗合劳动实际操作程序的，它取自生活，是不必用意而自工的神来之笔。由此我们又发觉，这支口头创作的歌在笔录为诗时分为三章，也是深具匠心的。

"采采芣苢"描绘了景物，六个动词则表现了劳动的情态，虽然简到不能再简，但诗还是速写似的展现了一幅动人的劳动画面。"读者试平心静气，涵咏此诗，恍听田家妇女，三三五五，于平原绣野、风和日丽中群歌互答，余音袅袅，若远若近，忽断忽续，不知其情之何以移而神之何以旷。"(方玉润《诗经原始》)可见此诗虽然语言不多，但有点睛之妙，"自鸣天籁，一片好音"，故能启发读者展开生动的联想。当然，这些三五成群，愉快劳作的妇女，不是一般的"拾菜讴歌"，而是怀着强烈的母性的渴望，功利的目的，她们摘着芣苢，唱着芣苢，心里荡漾着虔诚与激情，默默地祈祷着神灵的赐福。较之后世跪倒在"送子娘娘"香火前的妇女，同样抱着无限希望，却有着不可比拟的奔放愉悦之感。

这样产生于自然与生命的乐章，具有不可仿效的魅力。袁枚《随园诗话》云："三百篇如'采采芣苢，薄言采之'之类，均非后人所当效法……章艧斋戏仿云'点点蜡烛，薄言点之；剪剪蜡烛，薄言剪之。'闻者绝倒。"作诗亦有东施效颦，适增其丑的情况，章氏的戏作便是一种绝妙的嘲讽。

(周啸天)

汉　广

南有乔木，	南方有乔木，
不可休思。[1]	不可休息哟。
汉有游女，[2]	汉上有游女，
不可求思。	不可求的哟。
汉之广矣，	汉水的宽呀，
不可泳思。	不可赤身泅过哟。
江之永矣，[3]	江水的长呀，
不可方思。[4]	不可筏子渡过哟。
翘翘错薪，[5]	多翘翘的杂树林，
言刈其楚。[6]	我就割取它的黄荆。
之子于归，	这个女子出嫁，
言秣其马。	我就喂好迎她的大马。

汉之广矣，	汉水的宽呀，
不可泳思。	不可赤身泅过哟。
江之永矣，	江水的长呀，
不可方思。	不可筏子渡过哟。
翘翘错薪，	多翘翘的杂树林，
言刈其蒌。⑦	我就割取它的长蒿子。
之子于归，	这个女子出嫁。
言秣其驹。	我就喂好迎她的小驹子。
汉之广矣，	汉水的宽呀，
不可泳思。	不可赤身泅过哟。
江之永矣，	江水的长呀，
不可方思。	不可筏子渡过哟。

（陈子展　译）

注释

①思：语尾助词。下同。②汉：汉水，东流经今湖北至汉口注入长江。游：出游。③江：江水，即长江。④方：筏，用作动词。⑤翘翘：高貌。错：丛杂。薪：柴草。⑥言：语助词。下同。楚：荆树。⑦蒌（lóu）：蒌蒿。

鉴赏

《汉广》是一首爱情诗，产生于周代江汉流域。《韩叙》云："《汉广》，说（悦）人也。"清陈启源《毛诗稽古编》发挥说："夫说（悦）之必求之，然唯可见而不可求，则慕说（悦）益至。"是把握住了此诗特质的。

"南有乔木，不可休思。"诗人以南方乔木起兴，已暗含寓意。乔木是高耸的树，枝叶很高，树荫不可得，故叹不可在下休息。"汉有游女，不可求思。"全诗核心即此二句。汉水岸上有女子出游，那女子美好可爱，却不可追求。反观起兴，乔木之高，其覆荫之不可得，实启示着此一南方女子之高尚出众，不可求得。唱叹声中，流露出一片仰慕之情。有人解汉上游女为汉江神女，并不妥当。中国文化发展到周代，是基本上扬弃神话、宗教色彩的。一部《诗经》,总体是落实到现实人生。没有必要把人间事往神话上扯。还是《郑笺》解得好:“贤女出游于汉水之上。”朱熹《诗集传》说:“江汉之俗,其女好游,汉魏以后犹然,如《大堤》之曲可见也。”朱熹所论,可作《郑笺》之后盾。汉上游女既为人间好女,本可追求。而又不可求,便最是意味深长。若为神女,既不可望,更不可求,意味自减。“汉之广矣,不可泳思。江之永矣,不可方思。”汉水之广、江水之长,是互文见义。汉水多宽哟,想游也游不过,江水多长哟,筏子也渡不过。比兴之境,是无限悠茫,无限阔大。所抒之情,则是无可奈何,而又无限向往。这境界,可谓稀有。全章八句,四次叠唱“不可”,诗情之方向,已不可逆转。

“翘翘错薪,言刈其楚。”明钟惺《评点诗经》引古谚:“刈薪刈长,娶妇娶良。”阐发甚好。诗人借刈薪以言志,高蓬蓬的灌木,割最高的荆木,众多出色的女子,我只爱最出色的那一位。其情可谓专一,其志向则可谓高矣。《郑风·出其东门》:“有女如云,虽则如云,匪我思存,缟衣綦巾,聊乐我员。”意思相近。诗人一往情深,当下便超越了不可求得的现实,而进入了痴情的幻想。“之子于归,言秣其马。”如果这位女子嫁给我,我就喂饱大马来迎她。这是痴话,唯其痴,所以真。下边四句重唱“汉之广矣,不可泳思。江之永矣,不可方思”,则又从幻想落到现实。第三章与第二章结构相同,只是变换了两个字,以“蒌”换了“楚”,用“驹”换了“马”。后半幅呢,真正是一唱三叹了。

《汉广》的境界,是一种稀有的高远境界。知其不可求,而心向往之,并且是无限向往,是此种境界的特质。在《诗经》中,唯《蒹葭》神理相似。但《蒹葭》言“遡洄从之”,又言“遡游从之”,尚有实际的追求。《汉广》则“不可泳思”,“不可方思”,根本是可望而不可求。虽然不可求,诗人的心灵境界却始终呈为无限向往。诗中的具体境界也整幅呈为无限高远,如“南有乔木”,“汉之广矣”,“江之永矣”。在中国爱情诗中,有人我双方两情往复的圆满之境,那往往是有一止境之境。也有情之所钟尽其在我的失望之境,那往往是消极低沉之境。《汉广》境界,则是无限开放、积极向上之境界。人生境界何止爱情一端。向往、追求崇高理想而终不可得,但那向往追求的一段精神,却留得不可磨灭的光彩。这种境界,在人生中也是有的。《汉广》虽小,可以喻大。

(邓小军)

汝坟

遵彼汝坟，	沿着汝水的堤岸，
伐其条枚。①	采取山楸的长枝。
未见君子，	未有见到君子，
惄如调饥。②	忧心如朝饥思食。
遵彼汝坟，	沿着汝水的堤岸，
伐其条肄。③	采取山楸的新枝。
既见君子，	已经见到君子，
不我遐弃。	别把我再远抛弃。
鲂鱼赪尾，④	“鲂鱼尾巴红红，
王室如燬。⑤	王室情势如焚。”
虽则如燬，	“虽是情势如焚，
父母孔迩。⑥	眼前就是双亲！”

注释

①条：通“柖”，即山楸（王引之说）。②惄（nì）：饥，一说忧。惄如：犹“惄然”，精神空虚的样子。调：通“朝”，早晨。③肄（yì）：嫩枝。④赪（chēng）尾：红尾。⑤燬：犹“焚”，喻危机。⑥孔：甚。迩：近。

鉴赏

这是一篇写妻子挽留为官的丈夫再次远离的诗。首章写未见面的忧思。“汝坟”就是汝水岸边。在上古时代，开春时节，男女青年往往在水边举行盛会，选择配偶，所以《诗经》中写到水边的诗，多与男女爱情有关。男女青年相思或发生矛盾时，也往往会想到这个爱情的策源地，如《江有汜》中的男子被女方抛弃后，想到了"江汜"，《氓》中的女子离家后，想到了"淇水"。由此推之，"汝坟"大约是与诗中男女的爱情密切相关之地。女子行至"汝坟"，想起了远去的情人，犹如唐诗所云："忽见陌头杨柳色，悔教夫婿觅封侯。"所谓"伐其条枚"，犹如《古诗》云："攀条折其荣，将以遗所思。"是想将带有春意的枝条，送给远去的情人。"惄如调饥"，是句隐语，写的是性欲未能满足时的生理状态。"饥"字乃指性爱的饥渴，反映的是一种本能的要求，原始的情感。在上古男女青年的交往中，往往用此向对方暗示自己的性欲，这在《诗经》中是屡见不鲜的（参见闻一多《诗经通义》）。诗篇以"汝坟"起兴，自有许多初恋时的乐事，从脑海、眼前徐徐略过，才翻出如今一段离别的苦痛来。"惄如调饥"一句则思到极点，许多难言之情、难受之状，全隐于此中。

次章写"既见"的忧虑。千思百想，终于相见，本当欢乐，可是刚一见面，却又想到了离别。"不我遐弃"，是希望，是请求，是担忧，文意恍惚，似喜似悲。这正是动乱时代给人心头投下的阴影。

末章写挽留。此章较前两章为特别，它是以对话的形式来表达双方的心意的。"鲂鱼"即火烧鳊，古人认为它是鱼中之美者，故《衡门》说"岂其食鱼，必河之鲂？"而《诗经》中又常常以其喻美丽的异性，如《齐风·敝笱》云："敝笱在梁，其鱼鲂鳏。齐子归止，其从如云。"《豳风·九罭》云："九罭之鱼鳟鲂；我觏之子，衮衣绣裳。"古以为"鲂鱼赪尾"，是说"君子仕于乱世其颜色瘦病，如鱼劳则尾赤。"但《说文》说："鲂，赤尾鱼也。"既然它本来就是红尾，那就无所谓"劳"不"劳"了。《左传·哀公十七年》："卫侯贞卜，其繇曰：如鱼竀尾，衡流而方羊。"郑众注："喻卫侯淫纵。"似赤尾有求异性之意。这里当是比喻妻子的迷人，也隐含有妻子的生理欲求。"王室如燬"是说周王室情势紧急，如火烧一般。这两句是丈夫的话。妻子烹鲂鱼为丈夫接风，并求其不要再远去。丈夫由鲂鱼的红尾，而联想到了处于水深火热中的王室，故一语双关地说："鲂鱼虽然很美，尾巴红得迷人（喻妻子迷人及其欲火），可王室危机，我也不能袖手旁观。"后两句是妻子的挽留，意思是："虽然公事紧急，可也不能扔下眼前的父母不管呀。""鲂鱼赪尾"与首章"惄如调饥"相应，许多隐秘，统括于此，省却多少口舌。足见出男子已窥破机密。"父母孔迩"，是女子挽留的借口，"鲂鱼"留不住丈夫，只好扯出父母来，文意更迭进一层。

值得注意的是：第一，此诗反映了人类初期之"爱"的单纯性，它没有复杂的社会内容和过多的道德戒规，而是以快乐为原则的。这与汉乐府中所表现的那种带有理性色彩的爱情是大不相同的。第二,反映了民族温柔含蓄的性格。诗中的女性,对于男子是“未见”而思,而且她像“朝饥”一样,极需要得到性的满足,然而她没有疯狂,没有使感情冲破理智的防线而寻求无条件的满足。“既见”而忧,而且忧伤冲淡了眼前相见的欢乐,然而她没有因男子的执意要离去而颓丧,而是委婉地劝说。她的感情始终笼罩在柔情脉脉的氛围中,表现得那样含蓄,那样温柔,犹如轻风细雨,沁人心脾。这与西方文学中所表现的那种狂飙突起式的感情,是有天壤之别的。第三,反映了民族重血缘纽带的伦理观念。诗中的女子挽留丈夫,不是强以自已的需求而劝留,而是托出父母来,使男子缄口咋舌,无言以答。从这里可以看出在远古时代的民族伦理观念中,最重视的就已是血缘关系、父子关系了,这与西方重夫妻关系、配偶关系的伦理观念,是大相径庭的。

此诗的时代,前人有商周之际、周初、东周等说。当以东周说为确。此诗的主旨,前人或以为妻子劝勉丈夫,或以为丈夫辞家,或以为丈夫避乱归其邑,邑人庆幸之作,或以为爱情诗。俱可参考。

(刘毓庆)

麟之趾

麟之趾,	麟的蹄趾,
振振公子,	振兴你的子嗣,
于嗟麟兮!	哎嗨麟哟!
麟之定,①	麟的额顶,
振振公姓,	振兴你的同姓,
于嗟麟兮!	哎嗨麟哟!
麟之角,	麟的头角,
振振公族,	振兴你的同族,
于嗟麟兮!	哎嗨麟哟!

注释

①定:旧释为"额",牟庭《诗切》训为"臀",云"今俗语臀曰定,即诗人之遗言也",可参。

鉴赏

这篇诗的主旨很模糊。《毛诗序》说:"《麟之趾》,《关雎》之应也。《关雎》之化行,则天下无犯非礼。虽衰世之公子,皆信厚如麟趾之时也。"《韩诗》说:"《麟趾》美公族之盛也。"《诗经原始》说:"《麟之趾》美公族龙种尽非常人也。"这些似是而非的解说,并不能令人满意,因为麟和"无犯非礼""公族龙种"之类并没有必然联系。而且此诗咏的重心在麟而不在公族。高亨以为这是孔子作的《获麟歌》,惜证据不足。闻一多以为此与婚礼纳征有关,此说是比较可取的。

可以说这是一篇婚礼用歌。不过它不是用于一般平民,而是用于大贵族的,即诗中所说的"公"。这里反复咏唱的麟,据说是一种"麕身,牛尾,马足,黄色,圆蹄,一角,角端有肉"的怪兽。而且它"音中钟吕,行中规矩,游必择地,详而后处,不履生虫,不践生草,不群居,不侣行,不入陷阱,不罹罗网,王者至仁则出"(陆玑《毛诗草木鸟兽虫鱼疏》)。显然这与龙一样,是一种幻想的灵物。因为传说它与鹿同类,所以人们就把温顺的大鹿也称作麟了,故《说文》说"麟,大牝鹿也"。这就如俗称好马为龙一样,是一种美称。诗中所咏的麟,应当就是大鹿。

在上古渔猎时代,男子向女子求爱,往往要献上自己猎获的兽物。只要对方接受了,便意味着爱情成功。因为鹿是兽中之大者,更能表示自己的盛意,因此献鹿求婚便成了一种习俗,像《野有死麕》篇中所写的发生在郊野的爱情故事,便是一例。后来此俗逐渐演变成了一种纯粹的礼仪,于是就用鹿皮替代了,故《说文》说:"吉礼以鹿皮为贽。"因为受此礼就表示订了婚,所以就将此叫作"纳征",征就是成的意思。

这篇诗歌须放到实景中咏唱、体会,方有意思。男家将大鹿献给了女家,于是纳礼者在乐队的伴助下唱出了这首歌。由"麟之趾",而"麟之定""麟之角",由下而上,细细咏歌,把纳礼者的深情丝丝绎出。再由"公子"而"公姓",而"公族",自近而远,自狭而广,既表示了对亲家的良好祝愿,同时也使盛隆的气氛渐次张开。章末"于嗟麟兮"一句,反复咏叹,增添了诗篇严肃庄重的气氛,也使情感辗转加深。范王孙《诗志》引《论诗》云:"趾、定、角,总只是一个麟;子、姓、族,总只是一个公。三咏'于嗟麟兮',却都是'吁嗟公兮'。"梁中孚《诗经精义集抄》云:"各章结句接得最简最真,却用'于嗟'二字,多少回翔!"在这"回翔"中,我们仿佛看到了那种朴野的原始仪式,听到了在细疏的原始音乐中响起的粗犷而平缓的歌声。

(刘毓庆)

召南

鹊巢

维鹊有巢，　　　　喜鹊有完巢，
维鸠居之。　　　　八哥来居下。
之子于归，　　　　这个姑娘要出嫁，
百两御之。①　　　百辆车儿来迎她。

维鹊有巢，　　　　喜鹊有完巢，
维鸠方之。②　　　八哥来住下。
之子于归，　　　　这个姑娘要出嫁，
百两将之。　　　　百辆车儿护送她。

维鹊有巢，　　　　喜鹊有完巢，
维鸠盈之。③　　　八哥来安家。
之子于归，　　　　这个姑娘要出嫁，
百两成之。　　　　百辆车儿成全她。

注释

①两："辆"本字。②方：居（从王引之说），旧释"有"。③盈：居。《广韵》："盈，充也。"《周礼·圉师》注："充，犹居也。"旧释"满"。

鉴赏

这篇诗歌是祝贺贵族小姐出嫁　　的，意义至为明显。喜鹊是一种非常善于筑巢的鸟，它的巢往往结在高大的树上，坚固完好，犹如挂在高空的笼筐，麻雀、八哥之类往往寄住在它的巢穴的周围。这里所说的“鸠”就是八哥。《毛传》说鸠是“鸤鸠”，后来说诗者遂以为即今之布谷鸟，于是生出许多奇说来。有的说鸤鸠仁慈，喻夫人贤淑；有的说鸤鸠多子；还有的说鸤鸠“专静纯一”；也有认为鸠不自为巢，此喻寄生的。其实鸟无所诣德不德，而且布谷鸟也不住鹊巢。欧阳修《诗本义》认为居鹊巢的是鸲鹆，清代焦循在《毛诗补疏》中详引了崔豹、严粲、李时珍等家之说，并验以亲眼所见，认为《鹊巢》中的鸠就是鸲鹆，即八哥，这是可信的。诗人在这里只是随目所击，求其与婚嫁的相似性起兴为诗而已，并没有什么深奥的意义，正如《诗觿》所云：“各前半章，要在句之下二字。其鹊与鸠不过以夫妇两姓同居，故以为比，不取鹊鸠之德也。且经文已有居、方、盈字，而比德于鸠，尤属蛇足。”因此那种在“鸟德”上用力的谈玄式的解释，是不可取的。

这篇诗歌每章只更换两个字，可是却巧妙地反映出了迎亲、送亲、成亲的过程。每章的开首二句，用两个“维”字蝉联起头，二、四句又用两个“之”字煞尾，形成了一种刚健明快的音感，唱之悦耳，诵之上口。又以“百两御之”“百两将之”“百两成之”，造成了一种盛隆热烈的场景。虽然诗篇没有用显露的词语直言歌者的心情，然而在自然的咏唱中所表现出的那种情调、神韵、意境、气氛，却使人感受到了一种无比的愉快、幸福、欢乐和甜美。在这简陋而复踏的歌声中，蕴含着初民对于美好婚姻的向往和追求。

（刘毓庆）

采　蘩

于以采蘩？[1]	哪里采白蒿？
于沼于沚。	于沙洲，于池沼。
于以用之？	哪里要使用？
公侯之事。[2]	公侯的事情。
于以采蘩？	哪里采白蒿？
于涧之中。	深山的涧中。
于以用之？	哪里要使用？

公侯之宫。　　公侯的庙宫。

被之僮僮，　　假发理得亮光光，
夙夜在公。　　大清早儿为公忙。
被之祁祁，　　假发松松如蓬散，
薄言还归。　　这才可以来回转。

注释

①于以：于何（杨树达说），旧释为“爰以”“往以”。蘩：白蒿，可以做菜，古时常用以祭祀。②公侯之事：诸侯祭祀之事。

鉴赏

此诗古有二解，一种认为采蘩是为了养蚕，一种认为是为了祭祀。后一说是较可取的（请与《采蘋》参读）。不过前人认为末章是写主妇祭祀的情景，这就不大合适了。因为“夙夜在公”在《诗经》中出现过多次，都是指为公室奔忙的，这自然不会指主妇了。

这里需要说明的是“被之僮僮”与“被之祁祁”两句。被，通髲，即假发，古鲜有异说。这里当指宫女的头饰。“僮僮”，旧训为竦敬或盛貌，似不甚妥。僮或作童，《淮南子》高诱叙说：“时民歌之云：一尺缯，好童童。”胡文英《吴下方言考》卷一说：“童童：光洁不坏貌。吴中谓物未坏曰好童童，物之光滑者曰光童童。”这里当是形容头发光洁整饰的样子。“祁祁”《毛传》训为舒缓，意稍近之，这里当是指头发舒缓松散的样子的。宫女们为了使贵夫贵妇们眼里舒服，她们在特殊规定下，戴上假发，并整理得油光发亮，一大早即开始为贵族老爷奔忙。由于工作紧张，终于折磨得蓬头散发，这才得回家休息。故说：“被之祁祁，薄言还归。”

由此可见，此诗写的并不是贵妇的祭祀，相反写的是在贵族祭祀中宫女们为之忙碌的情景。首章写采蘩之用。采蘩的是宫女，而用蘩的则是“公侯”。笔情冷冷，写出了世道不平的怨愤。次章写用蘩之所。章法与首章全同。二章一气相贯，连用四个“于以”，奔放迅快，从语感上表现出了繁忙。即如戴君恩《读风臆评》所云：“连用四‘于以’字，分明写出疾趋不宁之意。”而从那"于沼""于沚""于涧"的空间方位变化中,更表现出了宫女们奔走不宁的情景。末章写忙碌之状,从"僮僮""祁祁"的比照中,不仅表现了宫女的发状在时间流逝中的变化,更活画出了她们勤苦、劳累、疲怠的光景。就这样通过价值创造者和享受者的不统一,通过空间方位的跳跃性移动,通过有限时间中物态的变化,既写出了宫女们的辛苦,也自然地表达出了她们内心的哀怨,从而表示了对贵族的不满。一种朦胧的阶级意识,在这里酝酿着。

（刘毓庆）

草虫

喓喓草虫,①	秋来蝈蝈喓喓叫,
趯趯阜螽。②	蚱蜢蹦蹦又跳跳。
未见君子,	长久不见夫君面,
忧心忡忡。③	忧思愁绪心头搅。
亦既见止,	我们已经相见了,
亦既觏止,④	我们已经相聚了,
我心则降。⑤	心儿放下再不焦。
陟彼南山,⑥	登到那座南山上,
言采其蕨。⑦	采集蕨菜春日长。
未见君子,	长久不见夫君面,
忧心惙惙。⑧	忧思愁绪心发慌。
亦既见止,	我们已经相见了,
亦既觏止,	我们已经相聚了,
我心则说。⑨	心儿欢欣又舒畅。
陟彼南山,	登到那座南山上,
言采其薇。⑩	采集薇菜春日长。
未见君子,	长久不见夫君面,

我心伤悲。
亦既见止，
亦既觏止，
我心则夷。⑪

忧思愁绪心悲伤。
我们已经相见了，
我们已经相聚了，
心儿平静又安详。

（程俊英　译）

注释

①喓（yāo）喓：虫鸣声。草虫：即蝈蝈。②趯（tì）趯：虫跳貌。阜螽（zhōng）：即蚱蜢。③忡（chōng）忡：心神不安貌。④觏（gòu）：通“媾”“遘”，相聚。止：语尾助词。⑤降：放下。⑥陟（zhì）：登高。⑦言：乃。蕨：野菜名，初生似蒜，茎呈紫黑色，可食。⑧惙（chuò）惙：忧虑不安貌。⑨说（yuè）：通“悦”。⑩薇：野菜，又名巢菜、野豌豆，可食。⑪夷：平，此处指心里平静。

鉴赏

这是一首情歌。它描写一位女子怀念丈夫时的忧伤情绪以及她与丈夫会面时的喜悦心情。

全诗分三章，每章都是从季节景物写起，再写到人物行动和内心变化。思妇的心理流程是由忧到喜，变痛感为快感。

这首诗在艺术上最突出的特点是描写女子的心理变化过程。总起来看，三章都是写女子由“未见君子”到“亦既见止”，但各章所描写的忧和喜的具体形态各有不同。它多少道出了女子内心的微妙变化，看出这位思妇对爱情是多么的真挚和热烈。

为了表达思妇的心理活动过程，作者主要采用了三种手法：

首先，以景现情。第一章开头两句以秋虫起兴，把人物的心理活动置于秋天的背景中。“喓喓草虫”是以秋虫的鸣声来衬托人物的孤寂感；“趯趯阜螽”是为“忧心忡忡”作铺垫，那跳跃的蚱蜢正好与人物心情的动荡不安相适应。前者从听觉上写，后者从视觉上写。第二、三章又把人物的活动置于春意盎然的季节里。和第一章不同之处是从人物采野菜的行动中把季节的转换、内心的变化衬托出来。由秋至春，这对于思妇来说是段漫长的时间，思念之情愈积愈深，盼望相聚的欲望愈来愈强烈。“陟彼南山”固然是为了采蕨采薇，但从思妇的内心活动来说，还是想着能够登山远望，期待夫君能从远方归来。

其次,由实写到虚写。方玉润《诗经原始》云:"本说'未见',却想及'既见'情景,此透过一层法也。"的确如此。全诗写思妇与夫君"未见"是实,这情形当然是令人十分忧伤而失望的,然而人的心理活动往往会把现实环境没有或不能实现的事寄托在想象之中,即通过想象中的美满情景来满足心理上的一时需求。这首诗中的思妇就是通过"既见""既觏"的设想,使自己原来的忧愁得以排除,心理得到暂时的平衡。这种由实到虚、虚实结合的写法,对于表现思妇相思之情是十分贴切的。从先忧后喜的心理变化过程来看,也很符合人物感情发展的真实性和逻辑性。

最后,从章句和用字的处理上也可看出作者的匠心:注意刻画人物心理的微妙变化。先从思妇"未见君子"时的心情看:第一章是"忧心忡忡",第二章是"忧心惙惙",第三章是"我心伤悲"。"忡忡""惙惙""伤悲"虽然都是写忧愁,但三者在表情达意的分寸掌握上是有所区别的,在表现形态上也是有所区别的。"忡忡"是形容愁绪使得心绪惶惑;"伤悲"是心情痛苦到难以抑制的程度,或长吁短叹,或伤心落泪,乃至失声痛哭。这说明思妇"未见君子"时的忧愁和悲伤。它的随着思念之情、时间的进程,由弱到强,由浅入深。再从思妇与夫君"既见""既觏"时的心情看:第一章是"我心则降",第二章是"我心则说",第三章是"我心则夷"。"降"指心儿放下,亦即放心。诗中的思妇,对出远门而久久未归的丈夫,必然会有许多不放心的地方;一旦看见丈夫平安归来,自然才会放心。"说"是欢喜。这是从内心到外表来写思妇的高兴样儿,所谓喜形于色。在情感的表现上比侧重内心描写的"降"要强烈、外露得多。"夷",平。马瑞辰《通释》云:"心平则喜。"情感得到安慰,心情自然显得平静安详。"夷"字在这里把思妇在情感上得到的满足,微妙地体现出来了。

(殷光熹)

采　蘋

于以采蘋?[①]	哪儿采蘋菜?
南涧之滨。	南山溪水边。
于以采藻?[②]	哪儿采水藻?
于彼行潦。[③]	沟水、积水间。

于以盛之？[4] 盛它用什么？
维筐及筥。[5] 方筐和圆箩。
于以湘之？[6] 煮它用什么？
维锜及釜。[7] 没脚、三脚锅。

于以奠之？[8] 祭品放哪儿？
宗室牖下。[9] 宗庙天窗下。
谁其尸之？[10] 是谁在主祭？
有齐季女。[11] 虔诚女娇娃。

（程俊英 译）

注释

①于以：在哪儿。蘋：浮萍，叶纹呈十字形，可食。②藻：水藻，可食。③行（háng）："洐"的假借字，水沟。潦（lǎo）：积水。行潦：沟中积水。④盛：装。⑤筐、筥：方者为筐，圆者为筥，均为盛物竹器。⑥湘：《韩诗》作"鬺"，"湘"系"鬺"的假借字，烹煮。⑦锜（qí）：三脚锅。釜（fǔ）：无脚锅。⑧奠：置或放，指放置祭品。⑨宗室：宗庙。牖（yǒu）：天窗。⑩尸：主持。古时祭祀时以人代神，称尸。这里指主祭者。⑪齐（zhāi）：美好恭敬貌。季女：少女。高亨《诗经今注》："《左传·襄公二十八年》：'济泽之阿，行潦之蘋藻，寘诸宗室，季兰尸之，敬也。'据此，这首诗所写的具体人物，季女名季兰。"可参。

鉴赏

对于此诗的主题思想，历来解说不一。《毛诗序》认为是"大夫妻能循法度"，《传》《疏》亦沿袭此说，不足为训。诗中明明有"季女"二字。"季女"者未嫁之少女也，怎能谓之"大夫妻"？有解释为与婚俗有关。《毛传》云："古之将嫁女者，必先礼之于宗室；牲用鱼，芼之以蘋藻。"郑氏亦引《礼记·昏义》云："古者妇人先嫁三月，祖庙未毁，教于公宫；祖庙既毁，教于公室。教以妇德、妇言、妇容、妇功。教成之祭，牲用鱼，芼之以蘋藻，所以成妇顺也。"方玉润则在前说基础上提出此"乃教女者告庙之词"，"女将嫁而教之，以告于其先也"（《诗经原始》卷二),比其他解释要略高一筹。为将此诗主旨解释得更接近原意,笔者以为:这是一首反映古时婚俗的诗,即女子将嫁需祭祖。但从本诗的叙述方式看,它反映的不是正式祭祖时的情形,而是通过为“季女”采蘋而作为问答的形式,传达了将嫁少女需祭祖的风俗礼仪。从诗歌本身的表现形式看,它是采蘋女子一问一答的劳作歌。这首充满劳动生活气息的诗歌,一方面真实地反映了当时的民情风俗,一方面体现了诗歌本身的某些艺术特点。

先看诗歌是怎样反映少女将嫁需祭祖的风俗。全诗三章,每章各有侧重:第一章是叙述祭品的种类及采集祭品的地方;第二章是叙述用什么器物装祭品和怎样加工祭品;第三章是叙述放置祭品的地方(即祭地)和主祭之人。结构层次,井然有序。透过这首诗,我们可以看到当时婚俗的一个侧面。

全诗是以设问的形式来叙述这个婚俗内容的。每章四句,以两问两答句式构成。诗中的一问一答,实际上是对唱形式。似乎是两个采蘋女子,边劳动边对唱,很像民间对歌形式,有着浓郁的生活气息。不仅气氛显得热烈、欢快,而且可以烘托出采蘋女子的形象。既是一种娱乐方式,又是一种传授常识的方法。就像这首诗中所说的婚俗常识,作者把它编成诗歌形式,便于唱诵、记忆和流传。诗中采用了问答形式就能说明这一点。

诗中还采用了侧面烘托的手法,层层渲染置办祭品的过程,最后才点出将要出嫁的“季女”是一位虔诚而美丽的姑娘。这个“季女”在诗中并未直接出场,而是从采蘋女奴的对唱中透露出来的。

(殷光熹)

甘　棠

蔽芾甘棠,①	高大茂密的棠梨,
勿翦勿伐,②	别砍树干别剪叶,
召伯所茇。③	召伯曾在树下居。
蔽芾甘棠,	高大茂密的棠梨,
勿翦勿败,④	别剪枝叶别毁弃,
召伯所憩。⑤	召伯曾在树下息。

蔽芾甘棠，　　高大茂密的棠梨，
勿翦勿拜，⑥　　别剪枝叶别拔去，
召伯所说。⑦　　召伯曾在树下歇。

注释

①蔽芾(fèi)：树木茂盛貌。甘棠：棠梨树，又名杜树。开白花者曰棠，开红花者曰杜。果圆可食。②翦：通“剪”。伐：砍。③召伯：名虎，姬姓，周宣王大臣，辅助宣王征伐南方淮夷有功。茇(bá)：“废”的借字，犹草舍。《说文》：“废，舍也。”此作动词用，住。④败：毁坏。《说文》：“败，毁也。”此处义同“伐”。⑤憩(qì)：休息。⑥拜：“扒”的假借字，义同“擘”，分开、剖开。⑦说(shuì)：停留。《毛传》：“说，舍也。”

鉴赏

这首诗是写人们对召伯虎的怀念心情。人们为什么要怀念召伯虎呢？这就需要结合《大雅·崧高》来说明。通过《崧高》所写内容，使我们得知：周宣王母舅申伯(厉王妻申后之弟)来朝久住不归，宣王给申伯增加封地，命大臣召伯虎率人到召南为申伯筑城盖屋，划定地界，治理田地，储备粮食，规定租税，做得十分卖力而周全。所以诗中说：“申伯之功，召伯是营。”(申伯迁谢的事情，全靠召伯虎的苦心经营。)他在召南的劳绩给人们留下了极为深刻的印象。当时他的住所有一棵甘棠树，当他走后，申伯的家族及其他敬仰他的人，对他十分怀念，就把这株甘棠树加以精心保护，作为纪念，因作此诗。

以“甘棠”为题，通过咏甘棠树来寄托人们对召伯虎的怀念——睹树思人。说明作者在选材和构思上是颇具匠心的。因为这棵甘棠树与召伯虎的居处生活有着直接的关系。他走后，这树就成了人们借以留念之物，不许任何人摧残它。全诗围绕着甘棠和召伯的密切关系，反复告诫人们：爱护甘棠树就是对召伯虎的尊重和思念。

全诗分三章，每章三句，都在第二章句末、第三章句末换一字，而且都是动词。“伐”是斧砍，“败”是摧毁，“拜”是拔掉。虽然都是围绕不许损害甘棠树而发，但在炼字上不显重复而各尽其妙。其客观效果是体现出人们对此树的珍重程度。各章的末句末字是“茇”“憩”“说”，都是说召伯虎的生活与此树有关。

"茇"是居住,"憩"是休息,"说"是停车解马而休息。把甘棠树与召伯虎挂起钩来,愈显出此树的珍贵无比,"睹树思人"的象征意义和"以小见大"的美学价值得到体现。

每章开头一句"蔽芾甘棠"均相同,意在突出甘棠树的高大茂密,显出其旺盛的生命力。这也反映了当时人们以高大为美的观念。诗中以反复咏叹的句法来突出甘棠树的高大形象,是为刻画召伯虎的崇高形象作铺垫。甘棠树的自然形态固然美,但它最值得珍惜的地方乃是与召伯虎有关的缘故。所以各章的末句都用"召伯"如何如何作结,显得很有分量。为什么召伯的威信那么高?那么为人景仰折服?诗中并没有说。但他的高大形象、他的精神力量却是如此的鲜明和强大!

这首诗在遣词造句上做到了"以少总多"。作者善于将申伯迁谢的事情,召伯虎的劳绩,人们追思召伯虎的丰富感情,仅用一词一语就表达出来了。例如召伯"所茇""所憩""所说"三个词,就包含着若干层意思。它不仅揭示出告诫人们不要损害甘棠树的原因(召伯曾在树下停留过),还表达了人们怀念和敬仰召伯虎的心情。

(殷光熹)

行　露

厌浥行露,①	道上的露水湿漉漉,
岂不夙夜,②	难道清早不走路,
谓行多露?③	还怕那道儿湿漉漉?
谁谓雀无角?④	谁说那雀儿没有角?
何以穿我屋?	怎么穿破我的屋?
谁谓女无家?⑤	谁说我女儿没婆家?
何以速我狱?⑥	怎么送我进监狱?
虽速我狱,	哪怕你送我进监狱,
室家不足。⑦	强追婚姻你的理不足。
谁谓鼠无牙?	谁说那耗子没长牙?
何以穿我墉?⑧	怎么打通我的墙?

谁谓女无家？ 谁说我女儿没婆家？
何以速我讼？ 怎么逼我上公堂？
虽速我讼， 哪怕你逼我上公堂，
亦不女从。⑨ 要我依从那可是妄想。

（余冠英 译）

注释

①厌："湆（qì）"的假借字。厌浥（yì）：潮湿貌。行：路。②夙夜：早夜，即天未明时。"夙"与"早"同义。③谓："畏"的假借字，与下文的"谁谓"的"谓"不同。④角：鸟的嘴。"角"是"噣（zhòu）"的本字。⑤女：韩诗作"尔"。故此句程俊英译作："谁说你家没婆娘。"家：夫家。⑥速：招致。狱：案件。速我狱：逼我吃官司。⑦室家：指夫妇。古时男子有妻称室，女子有夫称家。室家，犹言结婚。⑧墉（yōng）：墙。⑨女从：从汝，即嫁你。

鉴赏

余冠英先生在《诗经选》中对《行露》这首诗作了如下的解释："一个强横的男子硬要聘娶一个已有夫家的女子，并且以打官司作为压迫女方的手段。女子的家长并不屈服，这诗就是他给对方的答复。"诗的大意说：你像麻雀和耗子似的害了我，教我吃官司，但是谁不知道我的女孩儿已经许了人家？你要娶她，你可没有充足的法律根据。我拚着坐牢也不依从你。

这首拒婚诗写得颇有气势，义正词严，锋芒毕露。男方要逼婚，女方要拒婚，矛盾不可调和，一场官司不可避免。男方逼婚的目的没有达到，于是恶人先告状，企图借助官府的力量来使女方就范。然而女方认为对方法律根据不足，哪怕吃官司，也坚决不顺从。矛盾的焦点就是谁有理。女方自信有理，所以理直气壮给对方以答复。"虽速我狱，亦不女从。"即便上公堂，甚至是颠倒是非的判决，女方表示决不屈服。诗歌就是这样通过自述的方式成功地刻画了人物的性格特征，体现了不畏强暴的斗争精神。

这首诗的特点之一是：诗中主人公是以进攻者的姿态出现，提出一连串的质问、设问和反诘，步步紧逼，先从精神上就压倒了对方，即无论对方使用什么手段都不能达到目的。例如仅"谁谓"句、"何以"句，在短短的十五行诗句中就各用了四次。从语气看,诗中主人公是被对方的无理逼婚所激怒,于是连珠炮似地发出质问。我们从"谁谓……""何以……"的语调也能体味出主人公内心的情绪和表情动作。

特点之二是:诗中巧妙地运用了比喻和联想相结合的手法。第一章是说只要不在清早走路就不怕露打湿身上,"似比喻不犯法就不怕刑罚"(余冠英《诗经选》)。"谁谓雀无角,何以穿我屋?"是以麻雀有嘴啄穿屋子来比喻男方有口告状。"谁谓鼠无牙?何以穿我墉?"是以耗子有牙咬穿屋墙来比喻男方有口告状。"穿屋""穿墉"都是比喻害人的行为。细加体味,还带有嘲讽意味。从修辞学的角度看,二、三章的前四句是对喻的形式(正文和比喻上下相符的一种形式)。以第二章为例:"谁谓雀无角?何以穿我屋?"是比喻。"谁谓女无家?何以速我狱?"是正文。第三章前四句也同此。余冠英先生则是将这首诗的比喻和联想联系起来考虑。他认为:"第二章的一、二两句和三、四两句的关系虽不是很贴切的比喻却是很自然的联想,因为有角和有家同是有,穿我屋和速我狱同是侵害。第三章一、二两句和三、四两句的关系同此。"(《诗经选》)

特点之三是:这首诗在构思上也有自己的路子。首章借行露作比,说明自己既然没有犯法就不怕刑罚。首先充分表明自己是有理的一方,因而胸怀坦荡,光明磊落,无所畏惧。二、三章"乘势翻入,毫不碍手"(方玉润《诗经原始》)。"虽速我狱,室家不足。""虽速我讼,亦不女从。"是层层紧扣第一章而来的。二、三章的前四句是进攻的态势,后两句是以退为进——即便吃官司坐牢也不屈从。全诗写得跌宕起伏、一气贯下。这与作者的巧妙构思是分不开的。

(殷光熹)

羔　羊

羔羊之皮,①	官吏身穿羔皮袄,
素丝五纶。②	白色丝线缝而绕。
退食自公,③	退朝忙把肚填饱,
委蛇委蛇。④	悠悠晃晃兴致高。
羔羊之革,⑤	官吏身穿羔皮袄,

素丝五緎。⑥	白色丝线缝而绕。
委蛇委蛇，	一摇一摆真逍遥，
自公退食。	下朝吃喝忘不了。
羔羊之缝，⑦	官吏身穿羔皮袄，
素丝五总，⑧	白色丝线交叉绕。
委蛇委蛇，	一副悠闲自得貌，
退食自公。	退朝照吃到得早。

注释

①羔羊：小羊。羔羊皮指周代官吏所穿的羊皮袄，其毛在外。②素：白色。五：古文作㐅，似交叉义。纻（tuó）：通"佗"。严粲《诗辑》："纻，缝也。"③公：衙门。④委蛇（wēi yí）：又借为逶迤。《郑笺》："委蛇，委曲自得之貌。"走起路来弯曲摇摆、悠闲得意的样子。⑤革：皮裘里。⑥緎（yù）：《毛传》："緎，缝也。"⑦缝：皮裘。⑧总：缝。

鉴赏

这是一首讽刺诗。它通过生活中的一个片断，揭示出衙门官吏过着吸吮人民血汗的奢侈生活。

全诗抓住衙门官吏的穿、吃、行三个生活细节进行描绘。

传神的摹写，是这首诗最成功之处。作者是以旁观者的身份，对衙门官吏作了细致的观察。选取其中富有特征的细节，以讽刺的笔调，对官吏形象作了戏剧性的描摹。身着羔羊皮袄的官吏，上朝退朝，吃饱喝足，然后回家。年年如此，天天如此。官儿们的形象，在人们的眼中，显得可憎，又显得滑稽。其所以可憎，是因为他们的吃穿享受，全是建立在广大人民痛苦生活的基础上；其所以滑稽，是因为他们自鸣得意的丑态令人发笑。你看：他们穿的是羔羊皮袄，吃的是美味佳肴，与劳动人民过着难以温饱的生活相较，具有天堂与地狱之别！官儿们那副悠闲自得貌，心满意足貌，悠悠晃晃、前倾后仰、弯弯曲曲的行路神态，被刻画得惟妙惟肖。人物的外在表情和行动，乃是人物内心世界的外现。此诗的人物描写正体现了这一点。诗中所描写的官吏，有权势地位，在政治上自然形成一种"优越感”，实质上是等级制度下形成的一种特权意识，因而他们在老百姓面前往往要显示出高人一等的样儿，目中无人，神气十足。论生活享受，他们应有尽有，荣华富贵已经到手，自然形成一种“满足感”，实质上不过是贪婪的欲望得到了暂时的满足罢了，所以走起路来也飘飘然、欣欣然，显得与众不同。官儿们所处的特殊环境，造就了一批批“硕鼠”式的官僚人物，形成了特殊的心态，外化出种种丑态和病态。在这首诗中，官儿们的滑稽可笑，就是其中一例。例如这首诗的一、二、三章，均有叠句“委蛇委蛇”。这极其平常的四个字，一旦置于特定的语言环境中，它的作用就丰富得多了。它曲尽了人物的心态和神态，使得人物形象一下子活了起来，且能诱发读者的想象力。

这首诗还采用了回环讽咏的手法，这固然与配乐歌唱有关，或是受民歌传统唱法的影响，但它确乎还有加深读者印象的用意。全诗三章，每章三句，其中照例是写穿着(二句)，饮食(一句)，行路(一句)。每章的前两句末各换一字。“委蛇”句，第一章放在第四句，第二、三章放在第三句。“退食自公”句，第一章放在第三句，第二章改为“自公退食”，放在第四句，第三章放在第四句。从整体上看没有大的变化，只是改换个别字，或移换字词位置。一经反复讽咏，其味似乎逐渐加浓，诗中的人物形象似乎历历在目，嘲讽的气氛也因之形成。试以“委蛇委蛇”句为例。它是直接针对官吏而发的。“委蛇”二字在先秦典籍中有两种意义：一是形容某物摇摆的状态，如《离骚》中“载云旗之委蛇”，是形容旌旗在空中飘摆。二是指虺蛇。“委”，借为“虺(huǐ)”，即四脚蛇。委和虺是一音之转。委蛇即虺蛇。《庄子·达生》：“若夫以鸟养鸟者，宜楼之深林，浮之江湖，食之委蛇。”《小雅·斯干》：“维虺维蛇。”高亨先生认为“此诗的‘委蛇’主要的意义是虺蛇”，“作者把官吏比做虺蛇”，“也可能兼有走路摇摆的意义，即所谓双关语了”(以上见《诗经今注》)。这种解释是有一定道理的。“委蛇”句是与“退食”句组成一个完整的意思，它是直接形容官吏情状的。把官吏比做虺蛇，是有可比性的：毒蛇是吃人、害人的动物，它行进时呈弯曲摇摆状。如果“委蛇委蛇”句是双关语的说法能够成立的话，那么它在每章中反复出现时，可以说是成了愤怒的咒骂声了。如果把这个句子断为“委蛇！委蛇！”不仅增强了节奏感，而且会使音乐形象更加鲜明。又可以设想，唱者每当唱到此句时，众口和之(合唱)，其声势必壮观。这样的回环讽咏，有声有色，艺术效果决不会差。

(殷光熹)

殷其雷

殷其雷，[1] 殷殷闻雷声，
在南山之阳。 在那南山之南。
何斯违斯？[2] 为什么伊人久违？
莫敢或遑。[3] 不敢稍有空闲。
振振君子，[4] 忠心耿耿的丈夫，
归哉归哉！ 归来吧归来吧！

殷其雷， 殷殷闻雷声，
在南山之侧。 在那南山之侧。
何斯违斯？ 为什么伊人久违？
莫敢遑息。 不敢稍事歇息。
振振君子， 忠心耿耿的丈夫，
归哉归哉！ 归来吧归来吧！

殷其雷， 殷殷闻雷声，
在南山之下。 在那南山之下。
何斯违斯？ 为什么伊人久违？
莫或遑处。[5] 没有一点闲暇。
振振君子， 忠心耿耿的丈夫，
归哉归哉！ 归来吧归来吧！

注释

①殷：殷殷，雷声。②何斯违斯：此句两“斯”字为语词。一说前“斯”代此时，后“斯”代此地。③遑：闲暇。④振振：勤奋貌。一说“信厚”，亦通。⑤处：居住。

鉴赏

这首三章叠咏体的诗篇，实只六句，后两章为首章的重复，但换韵时略有易词。由于本文的过于简短与富于跳跃性，给确解带来困难，另一方面又给说解以相当的灵活性。凡属此类情况，新说皆宜慎取；只要旧说不穿凿，宜乎维持旧说。诗序认为此诗写“召南大夫远行从政，不遑宁处，其室家能闵其勤劳，劝以义也”，除“劝以义”一说在诗中没有直接的表现外，余义均可成立。戴震说是“感念君子行役而作”，尤切诗意。以行役（死役徭役等）为背景的作品，在三百篇中屡见不鲜。《殷其雷》仅是其中的一首。让我们仔细品味“这一首”。

诗中的南山，当指终南。诗篇一开始就写雷声隆隆，雨意甚浓，阴沉沉的天气与阴沉沉的思妇之心搭成一种微妙的联系。以雷声殷殷兴起情人的焦灼感（即忧心殷殷），在《楚辞·九歌·山鬼》中有：“雷填填兮雨冥冥，猿啾啾兮狖夜鸣，风飒飒兮木萧萧，思公子兮徒离忧！”可参阅。唐代李商隐那首以“一寸相思一寸灰”而享盛誉的无题诗，开始也写道：“飒飒东风细雨来，芙蓉塘外有轻雷。”这种一致性，与其说是彼此沿袭传承，毋宁说是心同此理的妙合。看来，当诗中那位南山女子听见雷声大作，山狖啾鸣，而忽起忧夫一念，原是自然而然的。三章各言“南山之阳”“南山之侧”“南山之下”，本只系于南山，仅变末字以叶韵，别无异义。偏有人从这里看出“三章皆言‘在’而屡易其地，正以雷声之无定在，兴君子不遑宁居”（胡承珙《毛诗后笺》），我们也不妨承认他别有会心。作者未必然，而读者何必不然呢。

“何斯违斯，莫敢或遑”，诗中女子之夫为何离家呢？是身不由已，忙于公务。这像是妻子代丈夫立言的话。“何斯违斯”当是已然之辞；或解为“为啥这时离开家”，成了正在进行时态，与诗未思归之意不大切合。为什么“莫敢或遑”，诗未显言；若显言之，便是诗经时代的一句成语——“王事靡盬”啊！从“莫敢”的语气，可体会到几分自觉的味儿，由意识推想存在，这位丈夫虽未必就是远行从政的大夫，至少也该有一点身份。不过第三章改说“莫或遑处”，便见被动的意味。大致这两种成分都有，一方面对政令服从，另一面则是竭力尽心。“万里奉王事，一身无所求。也知塞垣苦，岂为妻子谋！”（岑参《初过陇山途中呈宇文判官》）难怪这人要被妻称作“振振君子”了。“振振”一词，有信厚、勤奋二义，此处不妨兼有。《毛诗序》“劝以义”一说或许即由此捕捉，但是说过头了；反过来，有人以为“冀其归可也，何必美其德邪，二义难以合并”（姚际恒《诗经通论》），则又不免失之拘泥。《伯兮》诗中的妻不是“愿言思伯，甘心首疾”吗，可这丝毫不损害“伯兮朅兮，邦之桀兮”在她心中的美好形象。《殷其雷》诗中的丈夫或许没有堪称邦杰邦彦的帅劲儿，但“振振君子”的形象，也仍有私而美之的理想化的光辉，这一点，又并不能消除妻子的烦恼和思念，或者倒应说恰恰强化了这种感情。对于丈夫，与“伯”之妻一样，这“君子”之妻也是爱与痛交加的，在表情上还毋宁更激烈一些。她不是低吟曼唱到“愿言思伯，使我心痗”“君子于役，如之何勿思”为止，而是干脆放声呼喊“归哉归哉”“归哉归哉”，以致第三遍“归哉归哉”。就像某首歌曲，反复唱着“归来吧……归来哟……”，把人的心都唱紧了。直露的结尾，也能产生动人的效果。

“夫戍边关妾在吴，西风吹妾妾忧夫。”（陈玉兰《寄夫》诗）《殷其雷》比较接近于这样一种感情。诗中人反复叨念丈夫的“莫敢或遑”“莫敢遑息”“莫或遑处”，表现出一种殷切的担忧，虽然诗中并没有写她如何想象丈夫马瘏仆痡的困顿，但与采卷耳的妇人都有同样的愁绪。她也许较《伯兮》中人年纪稍长，所以心之所系不在“岂无膏沐，谁适为容”。《击鼓》诗疏引《韩诗》说周制“二十从政，三十受兵，六十还之”。诗中女子担心的已不是自己青春的流逝，而是丈夫平安的生还。这种个性，足以使本篇在《卷耳》《君子于役》《伯兮》等同类名作之外，争得一席地位。

（周啸天）

摽有梅

摽有梅，[1]	梅子落地纷纷，
其实七兮。	树上还有七分。
求我庶士，[2]	追求我的小伙子啊，
迨其吉兮！[3]	切莫放过了良辰！
摽有梅，	梅子落地纷纷，
其实三兮。	树上只剩三成。
求我庶士，	追求我的小伙子啊，

迨其今兮！	就在今朝切莫再等！
摽有梅，	梅子落地纷纷，
顷筐塈之。④	收拾到筐儿中。
求我庶士，	追求我的小伙子啊，
迨其谓之！⑤	你开一开口我就答应！

注释

①摽(biào)：落下。有：名词词头，无义。②庶：众多。士：指未婚的男子。③迨(dài)：及，趁。④顷筐：一种斜口浅筐。塈(jì)：取。⑤谓之：说及婚配之事。朱熹《诗集传》："谓之，则但相告语而约可定矣。"

鉴赏

这是一首情歌。歌者是一位少女。她徜徉在梅树旁，面对黄熟又日益变得稀少的梅子，敏锐地感到了时光的流逝。一种珍惜青春年华、希望有人向自己求爱的强烈冲动如涌潮般撞击着她的心。这感情上的层波叠浪使她难以自已，便即情即景地唱了起来。啊，她唱得多么真诚，多么动人！

三段歌词，叠印出的是三个近似但并不重复的画面，传达出的是相通而又并不全同的感情：树上的梅子由七分而三分而全部落光，少女仿佛形象地看到了自己的青春迅速地由盛转衰。于是，急不可耐地呼唤看中自己的小伙子：要抓住这良辰——就在今朝——只要开一开口。良辰不一定便是今朝，今朝难说就是开口的时刻。诗中却层层递进，由良辰而今朝而此刻，恰似紧锣密鼓，敲出了少女急于求爱的心音。三段诗中，"庶士"三见。"庶"者，众多之意。"庶士"，说的是众多的小伙子。原来这位少女并没有意中人。她是在向整个男性世界寻觅、催促、呼唤着爱的到来。这就愈见其求爱心情的急迫了。

《毛诗序》说："《摽有梅》，男女及时也。召南之国，被文王之化，男女得以及时也。"《毛传》《郑笺》《孔疏》纷纷添油加醋，力图证成"男女及时(婚配)"之说。这显然不符合诗作的实际。其误在于以地域与社会时代的泛论代替了对作品本身的具体观赏。从作品本身来看，《摽有梅》的伟大处——如果可以用"伟大”这一字眼的话,恰恰在于它超越了“召南之国”的范围,不受“文王之化”的局限,歌唱了中外皆然、古今常新的珍惜青春、渴求爱情的主题。青春是美好的,然而也是易逝的。流光会轻易带走颊上的红霞,时间将无情染白头顶的乌云。这就毫不奇怪,李白会慷慨长歌,唱起:“君不见高堂明镜悲白发,朝如青丝暮成雪。”(《将进酒》)汤显祖竟如泣如诉,写出:“红颜变为白发,美少年化为鸡皮老翁,感慨系之矣!”(汤评《花间集》皇甫松《浪淘沙》“滩头细草接疏林”)同一情怀,在法国大雕塑家罗丹口中则化而为冷峻的科学表述:“真正的青春,贞洁的妙龄的青春,周身充满了新鲜的血液、体态轻盈而不可侵犯的青春,这个时期只有几个月。”(《罗丹艺术论·女性美》)正由于此,我们不仅听到了从《摽有梅》中传出的足以摇荡性灵的乐声,还听到了它在历史上的种种变奏。杜秋娘在《金缕曲》中深情地唱道:“花开堪折直须折,莫待无花空折枝。”李清照在浓睡方醒、醉眼蒙眬时,便急于要知道海棠花的命运,叹息“绿肥红瘦”的变化。杜丽娘面对暮春天气,感伤地唱出了:“原来姹紫嫣红开遍,似这般都付与断井颓垣。”林黛玉见花飞花谢、红消香断,怆然动怀,为后人留下了一曲青春的悲歌《葬花词》。在西方,萨福、莎士比亚、雪莱、普希金等人的竖琴上,也无不响起过一支支流光抛人、有所希求的衷曲。五十年代前期,我在北京大学听林庚教授讲课,林先生不止一次激动地转述过南宋词人蒋捷《一剪梅》中的词句,“流光容易把人抛,红了樱桃,绿了芭蕉!”当时曾引起我灵魂的震颤,三十多年过去了,至今仍余波不绝。正是古今同此一慨!

然而,《摽有梅》又并没有淹没在这一片动情的唱叹声中。尽管惋惜青春如出一辙,《金缕曲》《葬花词》等借鲜花凋零以寄情,《摽有梅》则由果实黄落起兴,显然大异其趣。同样是呼唤爱情,《金缕曲》开门见山,由前两句“劝君莫惜金缕衣,劝君须惜少年时”的直抒转向后两句“花开堪折直须折,莫待无花空折枝”的比喻,《摽有梅》则触景生情,由景语转而吐露心曲。萨福的《一个少女》也以果实作比,北朝民歌《地驱歌乐辞》(“驱羊入谷”)、《折杨柳枝歌》(“门前一枝枣”)也由景及情、由兴而赋,即便如此,《摽有梅》仍不失其鲜明的艺术个性。试看《一个少女》:

好比苹果蜜甜的,高高的转红在树梢,
向了天转红——奇怪摘果的拿她忘掉——
不,是没有摘,到今天才有人去拾到。

好比野生的风信子茂盛在山岭上,
在牧人们往来的脚下她受损受伤,

一直到紫色的花儿在泥土里灭亡。

这首诗通篇用比体写成，用苹果作比以后又转用风信子花作比。《摽有梅》则既有比喻又有直抒，而且喻体（梅子）始终如一，于不变之中却又写出在树的梅子逐渐稀少的变化。手法既各异，情调也有别。吟哦《摽有梅》同中有异的三章诗，似见在行进中的同一女子一唱三叹，移步换形；读《一个少女》，在我们想象中展开的则是两幅充满感情色彩的富有寓意的画面。再看《地驱歌乐辞》：

驱羊入谷，白羊在前。
老女不嫁，蹋地唤天。

《折杨柳枝歌》：

门前一株枣，岁岁不知老。
阿婆不嫁女，那（哪）得孙儿抱？

“蹋地唤天”，近似当今的口语“呼天抢地”，老女欲嫁竟至于此，可谓直露无遗了。后一首虽从阿婆抱孙儿的角度立言，略带迂曲，但只是小曲，无伤人直。《摽有梅》则似直而曲，明明是女子自己着急，急于求人，却偏要从小伙子身上落笔，说成“求我”，再反过去再三叮咛，显得不卑不亢而又情意殷殷。明人钟惺说：“三个‘求’字，急忙中甚有分寸。”何等机智而又俏皮的评论！近人陈子展说，《摽有梅》反映上古奴隶社会南方农村妇女的风貌，《地驱歌乐辞》等北朝民歌反映中古封建社会北方牧场妇女的风貌。（参见《诗经直解》）从社会情况的不同来说明作品风貌的差异，也颇有见地。总之，通过比较，从有关青春、爱情的那一片唱叹声中，我们不难清晰地辨认出《摽有梅》的独特的声音。

既富于个性，又具有普遍性，以独特的方式歌唱了人类共同关心的青春、爱情，唱得那样真诚，那样动人，这就是《摽有梅》历千载而得以不朽的原因。

（陈志明）

小　星

嘒彼小星，[①]	小小星儿闪着微微亮，
三五在东。	三颗五颗大星在东方。
肃肃宵征，	急急忙忙半夜来赶路，
夙夜在公。	为了官家早忙晚也忙。
实命不同！	人人有命人人不一样！

嘒彼小星，　　小小星儿闪着微微亮，
维参与昴。②　　参宿昴宿大星在东方。
肃肃宵征，　　急急忙忙半夜来赶路，
抱衾与裯。③　　被子帐子都得自己扛。
实命不犹！④　　人人有命人人比我强！

（余冠英译，略有改动）

注释

①嘒："嘒"的别字，光芒微弱的样子。②参（shēn）：参宿，属于猎户座，共有七颗星，其中明亮而接近的三颗称为参宿三星。上一章"三五在东"的"三"，即指参宿三星。昴（mǎo）：昴宿，是一著名星团，属于金牛座，其中有较亮的星七颗。古人误以为昴宿只有五颗星。上一章"三五在东"的"五"，即指昴宿。③衾（qīn）：被子。裯（chóu）：帐子。④不犹：不如。

鉴赏

古人说："饥者歌其食，劳者歌其事。"（《春秋公羊传注疏》）这首《小星》便是劳者之歌。

诗用第一人称口吻写出。主人公是一位小官吏，他奉命出差，日夜兼程，行旅的苦辛使他不觉自怨自艾起来。

首章前两句写景，展现的是两个不同的画面。"嘒彼小星"是对整个夜空的泛写，只见天宇浩渺，星光朦胧；"三五在东"是在进一步扫视时的发现，见到东方天幕上缀着明亮的参宿三星和昴宿五星。这两句纯粹作景语，闲闲道来，似乎不着边际。但若我们想到这是夜行的小官吏在自述所见，就不致于误认为这是无关痛痒的吟风弄月，而是景中有事，景色关情，形象而含蓄地道出了夜行之事和夜行的苦辛。前人评温庭筠《商山早行》诗中的名句"鸡声茅店月，人迹板桥霜"为"道路辛苦，羁旅愁思，岂不见于言外乎"（欧阳修《六一诗话》），《小星》一、二句也正有含不尽之意见于言外的异曲同工之妙。

三、四句从写景转为叙事，从写客观转而写到自身。"肃肃宵征"自述行状。在星光闪烁的天宇下，万籁俱寂，道路无人，这个小官吏却独自一人，在急匆匆地赶路。"原野阒其无人兮，征夫行而未息"（王粲《登楼赋》），后人的这两个句子，直似在为赶路的小官吏画像。"夙夜在公"

是对“肃肃宵征”的补充说明。“夙夜”表明非只今夜如此，而是每天早晚无一例外；“在公”说明并非为私事奔忙，而是勤劳于王事。

看来诗人从自己的苦辛联想到了朝廷上养尊处优的达官贵人，不觉哀叹起自己的命运来。末句“实命不同”与下章的“实命不犹”，都暗藏着与他人的对比，进而落到对自己命运的叹惋上。《左传·昭公七年》记载，上古社会人分王、公、大夫、士、皂、舆、隶、僚、仆、台十个等级，等级之外还有圉、牧两类人。《小星》中的主人公备受行旅之苦，连被子、帐子都得自己带，可见地位低下，在统治阶级内部，当属“士”这一阶层。此诗将不平等归结为命运，虽然流于消极，但还是从一个侧面反映了存在于奴隶社会统治阶级内部的等级之间的深刻矛盾，对于我们了解上古社会具有一定的认识意义。

第二章的字句与第一章基本相同，采用的是《诗经》中习见的重章叠句的形式。“维参与昴”即上章的“三五在东”，但又微有不同。“三五在东”是见到东方有三颗、五颗明亮的星星；“维参与昴”是在略作思索后的印象，认定那三颗是参宿，那五颗是昴宿。“抱衾与裯”与上一章相同位置上的“夙夜在公”相比，不只有实写与虚写之别，而且在感情的色调上更明显地流露着不满。两章的末句意思相同，改动最后一个字，则是由于押韵的需要。以上几处差异，使前后两章在感受、意象、音韵等方面呈现出某些不同的特色，于大同中见出小异，于匀整中显出变化，联吟递唱，错落有致地一起完成对主题的咏叹。

全诗语言平浅，风格质朴，写景叙事抒情联翩而下，一气呵成，明显地表现出即兴吟唱、为情造文的民歌创作的特色。构思上即以小见大，由近而及远，从具体的景物描写入手，从一次夜行写起，由一人的苦辛引出对苦乐不均的社会现象的不平之鸣，从而使作品不仅形象可感，而且能于浅中见深。前人以为此诗写夫人、小妾、诸侯王之间的关系，或以为是一首描写妓女生活的诗，征之于诗作实际，都难以成立，故本文另取别解作如上赏析。

（陈志明）

江　有　汜

江有汜，[1]	大江自有分流水，
之子归，	这个人儿回故里，
不我以。	不肯带我一同去。

不我以，　　不肯带我一同去，
其后也悔！　　将来呀可要懊悔莫及！

江有渚，②　　大江自有洲边水，
之子归，　　这个人儿回故里，
不我与。　　不再相聚便离去。
不我与，　　不再相聚便离去，
其后也处！③　　将来呀定会忧伤不已！

江有沱，④　　大江自有分汊水，
之子归，　　这个人儿回故里，
不我过。　　不见一面就离去。
不我过，　　不见一面就离去，
其啸也歌！⑤　　将来呀呼天抢地来不及！

注释

①汜(sì)：先从主流分出、后又汇入主流的水。②渚(zhǔ)："水中小洲曰渚，洲旁之小水亦称渚。"(王先谦《三家诗义集疏》)③处：忧愁。"处，假借为'癙'，实为'鼠'。"(朱骏声《说文通训定声》)《诗经·小雅·雨无正》："鼠思泣血。"鼠思，忧思也。④沱(tuó)：沱江，为长江的支流，在今四川省中部，于泸州市汇入长江。⑤啸歌："啸歌者，即号哭。谓哭而有言，其言又有节调也。"(闻一多《诗经通义》)

鉴赏

这是一首弃妇诗。从诗中写到的"江""沱"看来，产地是在召南南部古梁州境内长江上游的沱江一带。女主人公可能是一位商人妇，那商人离开江沱返回家乡时将她遗弃了。她满怀哀怨，唱出了这首悲歌。诗中的"之子"，是古代妻妾对丈夫的一种称呼，与《卫风·有狐》"之子无裳"相类。

三章诗的开头都是写景"汜"

"渚""沱",上面的译文都从支流这一意义上翻译,而在弃妇心目中,这一条条不同的支流都是看得见的具体存在。她住在"汜""渚""沱"一带,她丈夫当年从水路而来,最后又从这些支流中的一条乘坐小船悄然离去。从表现手法说,各章的首句都是直陈其事,用的是赋体;从江水有支流,引出"之子归"的事实,则在赋体之中又兼有比兴的意味。

诗中的丈夫是一位薄情郎。在三章诗中,那弃妇分别用"不我以""不我与""不我过"来诉说丈夫对她的薄情。"不我以",是不一道回去;"不我与",是行前不和我在一起;"不我过",是有意回避,干脆不露面。丈夫在感情上是如此吝啬,做得是那样地恩尽义绝,无需添加其他笔墨,其薄情薄态已如画出。

诗中的弃妇是一位自信心很强的女人。她相信自己在丈夫感情生活中的重要地位,因而预言丈夫今日的背弃行为日后必将在感情上受到自我惩罚,这就是各章结句所说的"其后也悔""其后也处""其啸也歌"。值得注意的是,丈夫将受到的感情上的自我惩罚与他背弃自己妻子的行为之间的对应关系:"不我以"引出"悔","不我与"带来"处","不我过"导致"啸歌"。其愈是绝情,其后果也就愈加严重。当然,这只是弃妇一厢情愿的假想之辞,事实上,那男子可能事过境迁,在感情上并不引起任何震动。对于理解这首诗来说,重要的不在于弃妇自信的论断日后是否会成为事实,而是隐藏在这一自信的论断背后弃妇思想感情的复杂性。弃妇设想故夫日后会后悔今日的背弃行为,其中就隐含了弃妇对于夫妇关系重归于好的企盼;预言故夫今日的轻率必将招致日后的痛苦,这又泄露出弃妇恨过于爱的报复性的心态。这是她的软弱,也是她的坚强。由此决定了这首诗风格上的特点,既一唱三叹,极尽缠绵,又柔中见刚,沉着痛快。

此诗每章的前三句叙事,后两句抒情。其中第三、四句重出——男子的薄情集中表现在这一句,女子的痛苦不幸也根源于这一句,因而采取了反复咏叹的形式。重出的这一句子中的关键字,各章不同。从一章的"以"一转而为二章的"与",再转而为三章的"过",愈转愈深,丈夫如何薄情,那女子又如何痛苦不幸,都因了这一关键字的置换而得到一层深于一层的表现。全诗形式整齐,结构严谨,用字精审,笔法却极为自然,语言又十分浅近,达到了精工与自然、深入与浅出的完美结合,显示出极高的艺术水平。

历来对此诗的解释不一。或以为这是媵妾因受正妻排斥、不能陪嫁而作,"之子"指正妻(见《毛诗序》);或虽认为这是一首弃妇诗,

"之子"指薄情的丈夫,但认为"啸歌"者是弃妇,所谓"啸歌",是弃妇自我排遣的一种表现(方玉润《诗经原始》)。这些解释都与原诗的实际不合,故为本文所不取。

(陈志明)

野有死麕

野有死麕,[①]	年轻的猎手射杀了一只獐子,
白茅包之。[②]	用白丝茅将它好好裹起。
有女怀春,	妙龄的姑娘燃起了爱情的希望,
吉士诱之![③]	英俊的少年正好拿去讨她欢喜!
林有朴樕,[④]	年轻的猎手在林中砍伐灌木,
野有死鹿,	身旁躺着他射杀的那只野鹿。
白茅纯束,[⑤]	细心地用白丝茅将它紧紧捆扎,
有女如玉!	纯洁如玉的少女正等着他呵!
"舒而脱脱兮![⑥]	"你要慢慢地走轻轻地行呵,
无感我帨兮,[⑦]	别弄响我腰间的佩玉呵,
无使尨也吠!"[⑧]	更别惊醒看门的长毛狗呵!"

注释

①麕(jūn):獐子。②白茅:丝茅草。③吉士:善良的男子。④朴樕(sù):一种丛木。⑤纯:捆。⑥舒:徐缓。脱脱:又轻又慢。⑦感:音义同"撼",触动。帨(shuì):腰带上的佩饰。⑧尨(máng):长毛狗。

鉴赏

这是一首优美的爱情诗,有情节、细节和对话,全篇不到五十个字,却有无穷的意味。

展现在读者面前的是这样的生

活情景:一个年轻的猎人在野外射到了一只獐子,他既没有急于把它扛回家,也没有招呼朋友们来一起分享,而是急忙扯了些白丝茅草,细心地把那只獐子严严实实地包裹起来。这种白丝茅草在今天的读者看来,也许觉得太寻常了,可在古代,它却相当宝贵。它不仅以其坚韧可以当作绳索使用,而且以其色白柔滑,隔热防潮,还是很好的保鲜材料。“尔贡包茅不入”,在当时白丝茅草还是必不可少的贡品呢!年轻猎人的这个异乎寻常的举动终于使朋友们猜着了他的心事:“有女怀春,吉士诱之”,原来他已经在谈恋爱了。不晓得哪家的姑娘吸引了他,爱上了他,在他的心里点燃了爱情之火。现在,他正准备带上猎物去讨那个姑娘的欢心,赢得她的爱恋。妙龄的美丽姑娘和英俊善良的小伙子的自愿结合,真是令人羡慕呵!

往下,读者看到了另一幅情景:这个小伙在树林里砍倒了一些灌木,在他的身旁搁着一只刚猎到的野鹿。他用白丝茅草把砍倒的灌木和那只鹿子一起紧紧捆扎起来,又准备拿去献给心爱的姑娘。看到了他的举动和神情,朋友们不禁在想:是哪个幸福的姑娘获得了这个忠厚小伙子的欢心,是哪个漂亮的姑娘赢得了这个英俊青年的爱情?她一定是个纯洁无瑕、坚贞如玉的好姑娘!以上两章,在时空的变换上有两种不同的解释。一种解释是:表面上有时间和空间的跨度,好像是说的两件事,实际上却只是一件事,獐和鹿是同一猎物。诗人为了强调年轻猎人的感情,所以反复歌唱,并且顺口变换词语,以调节韵律。另一种解释是:确是有时、空的跨度,这个小伙子先送去了獐子,后来又送去了鹿子,还搭上一捆柴禾。他三番五次、三天两天朝姑娘那儿跑,执著地、热烈地去追求她,希望赢得她的爱恋。这两种解释都合情理。语言上的模糊,带来了意境上的朦胧。这种朦胧,更能激发起读者的想象,更能使读者凭借想象入乎其内,出乎其中,充分体会到再创造的乐趣。短短的八句,读起来犹如观看戏剧小品,有景有情,有人物、有行动,甚至还有悬念,的确意味深长。

如果说前两章还只是通过两个具体场景和情节的描写,以表现青年男女对爱情的强烈渴望和执著追求,那么,最后一章,则是通过对话来间接表现他们欢会时的复杂感受——又渴望、又害怕、又紧张、又欢喜。前两章“吉士”是主,实写,少女是宾,虚写;后一章少女是主,实写,“吉士”是宾,虚写。而在唯士与女之外,最活跃、最积极的还要数诗人。在诗人的想象里,这个年轻小伙子在接近他心爱的姑娘时,一定会静悄悄地,连大气都不敢出一口。在最初那一刹那间,他们一定是羞涩的、畏缩的,他们不仅怕接触到对方,而且还怕惊动了周围的一切,甚至怕惊动了身旁的爱犬。他们只想默默地沉浸在爱河里,静静地享受爱情的幸福。当然,这一章也可以说是诗人的想入非非。巧妙的是,这种想入非非,不是诗人直接出面叙述,而是假借“怀春”少女之口,用悄悄话的语气说出来。这种亲切的低声叮咛,更把这对热恋中的青年男女欢会时那种紧张、兴奋、赤诚、热烈的情感活灵活现地呈现在读者面前,使全诗热烈的情绪达到了高潮。在梦幻般的小夜曲中,加进一两声调侃、戏谑的音调,更能表现出青年人的活泼天性,也更增添了诗歌的艺术感染力。

“国风好色而不淫。”在诗三百篇中,不乏描写爱情的佳作,有的描写怨情,有的叙述欢好,都能在不同程度上使读者受到爱的洗礼、美的陶冶。这首诗无疑是其中的佼佼者。但是,这首诗自《毛诗序》目为“恶无礼也”以来,被误解、被歪曲近两千年。以“死麕、死鹿为婚礼”者有之,斥为“淫诗”者有之,捧为“刺淫”者亦有之,甚至有以“托言怀春之女,以讽士之炫才求用,而又欲人勿迫于己”(方玉润《诗经原始》引章潢语)者。直到“五四运动”后,这首诗才得以恢复其本来面目。余冠英《诗经选》提示说:“这首诗写丛林里一个猎人,获得了獐和鹿,也获得了爱情。”高亨《诗经今注》提示说:“这首诗写一个打猎的男子引诱一个漂亮的姑娘,她也爱上了他,引他到家中相会。”这些解释都很贴切。现在的青年怎么能想象得到,这首优美的爱情小诗竟然经历了近二十个世纪的曲解才得到了人们的正确理解。由此,可以想见封建礼教曾经给我们的民族文化和民族心理以多么巨大的压抑和长期的禁锢。封建礼教曾经使多少说诗者受到了愚弄,而他们反过来又愚弄了多少人。这可算是中华民族的一种悲哀,亚细亚文化所结出的一枚苦果吧?在这首优美的情诗中,我们看不到某些现代人想象中的洪荒状况,更看不到原始的野性和放荡的情欲,我们看到的只是少男少女间至真至美的爱情。“食色性也”,爱情是人类所特有的一种情感,它远远越出于动物的本能要求。真正的爱情总是以真、善、美为内容、为目的。王国维《人间词话》有云:“‘昔为倡家女,今为荡子妇。荡子行不归,空床难独守。’……可谓淫鄙之尤。然无视为淫词、鄙词者,以其真也。”真,是艺术的生命。求真,还得与术善、术美并行,以至善至美为归宿,艺术方能获得永恒的生命。正因为这首诗表现了人类纯朴的自由天性,和至善至美的真情,表示了对人类美好生活的祝愿和对高尚情爱的讴歌,因而它才能经受两千年的磨难而长存其艺术生命。

(陈昌渠)

何彼襛矣

何彼襛矣?①	她为什么那样艳丽绝伦呵?
唐棣之华;②	好像鲜妍的棠梨花嫩蕊初放;
曷不肃雍?③	怎能不令人肃穆起敬呢?
王姬之车!④	那支送公主出嫁的豪华车队!
何彼襛矣?	她为什么那样艳丽绝伦呵?
华如桃李;	好像春风中桃花李花光彩照人;
平王之孙,	这边厢是平王的长孙女,
齐侯之子!⑤	那边厢是齐侯的小王爷!
其钓维何?	怎样才能钓上大鱼呵?
维丝伊缗;⑥	两股丝线要搓得紧又紧;
齐侯之子,	齐侯的小王爷多英俊呵,
平王之孙!	平王的长孙女多俏美哟!

注释

①襛(nóng):穿着华丽。②唐棣:即棠梨。③曷:何。肃雍:雍容华贵,令人起敬。④王姬:周王姬姓,故其女称王姬。⑤齐侯之子:《春秋·庄公元年》:"王姬归于齐。"又《庄公十一年》:"王姬归于齐。"前者下嫁齐襄公,后者下嫁齐桓公。⑥伊:为。缗(mín):钓鱼绳,用丝绒搓成。

鉴赏

这是一首描述皇家婚嫁排场的诗。

《春秋·庄公元年》有"王姬归(出嫁)于齐"的记载,在此之前,还有"夏,单伯送王姬","秋,筑王姬之馆于郊外"等一系列记载。《庄公十一年》又有“冬，王姬归于齐”的记载。《左传》于此事补充说：“冬，齐侯来逆迎共姬。”前者说王姬下嫁的是齐襄公，后者说王姬下嫁的是齐桓公，本事并不相同，但从这些记载，可以想见古代中央王朝和地方诸侯之间婚姻嫁娶的频繁，及其受到世人关注的程度。这种婚姻，作为联系双方的纽带，作为政治交易的手段，往往并无真正的爱情可言。但是，这种“和亲”政策的实现，又常常会带来短暂的安宁与和平，因此受到一般老百姓的欣赏和欢迎。嫁娶双方总是想通过隆重的仪式和盛大的排场以张扬其政治、经济、军事实力，以炫耀其物华天宝，人杰地灵，从而扩大其内外影响。而一般老百姓对皇家的婚礼也往往惊羡不已，叹为观止。这首诗就是描述平王孙女出嫁盛况和老百姓的惊叹心情。钩稽这首诗的本事，考证出王姬为谁、齐侯所指，都并不重要。重要的是关于这类世态和心态的描述的意义何在？审美价值何在？

整首诗用“三百篇”中最常见的咏叹调：四字成句，四句成章，三章成篇。在短短的十二句中，用颠倒字句，略易词语的方法，形成三个具有不同意象的自然场景，以曲尽其回还往复，抑扬顿挫，一唱三叹之致。“何彼”“曷不”，一问一答，再问再答，以赞叹新人之浓妆艳抹，华丽生辉，以惊呼皇室嫁娶庆典之隆重豪华，庄重肃穆。四句作如此安顿，读起来就觉得有滋有味，仿佛沿途围观这一盛典的熙熙攘攘的人群的自言自语，相互询问，拊掌雀跃，啧啧称羡之情，都鲜活真切地展现在读者面前。第二章，仍以惊叹问答的语气出之，而将“唐棣之华”换为“华如桃李”，以进一步加强人们对新人浓妆艳抹，服色鲜妍的印象。“唐棣”如之，“桃李”似之，则此新人之国色天香、花容月貌，自不难想象，至于其穿金戴玉，锦衣绣裳，更不用细说，因为是金枝玉叶王子龙孙嘛！“平王之孙，齐侯之子”则承上“王姬之车”而来，重点在揭示出迎送双方的高贵身份，使“襛矣”“肃雍”等词语更富于表现力，更富于真实感。第三章，为了保持全诗声情格调的和谐统一，仍用惊叹问答的语气，与前两章不同的是，此章意象朦胧，语意双关，是比是兴，需要读者去想象猜测。不过，打鱼狩猎，原是古人最熟悉的劳作，因而人们早就从中悟出了许多道理。传说始封于齐的姜太公就曾以钓鱼为喻，启发周文王认识取人治国之道。《卫风》中也有以垂钓为喻的诗《竹竿》，其首章即云：“籊籊竹竿，以钓于淇；岂不尔思，远莫致之。”可见，以钓为喻，往往是指通过某种手段以达到某种目的。“其钓维何？维丝伊缗”，大意谓：要想真正钓到鱼，离不开丝做的线，如果两股丝线绞得很紧很牢，要钓大鱼就不难了。眼前“齐侯之子，平王之孙”的结合，正像拧得很紧很牢的丝线一样，他们还有什么事情办不了，还有什么目的难达到？因此，这种王侯世胄互联姻亲的社会现象，不仅以其眼前高贵豪华的排场刺激人们的耳目，影响人们的情绪，而且还以其将来在政治、经济、军事上的实力地位刺激人们的想象，影响人们对未来的追求。第三章的意义正在这里。如果说第一章是叹赏其车从之豪华，第二章是叹赏其身份之高贵，第三章则可说是对这种姻缘将产生的力量和权威的向往。

宋谢枋得《诗传注疏》评此诗云：“颂人之德，多美其车马衣服，多美其宗族兄弟，此风人之法度。观《硕人》《韩奕》，可触类而长。”此话甚有见地。人类社会由无差别、无阶级的蛮荒时代向有差别、有阶级的文明时代过渡，乃是一种社会进步。代表着这一社会进步的是它的物质文明和精神文明的不断积累和不断丰富。因而，最初占有这些财富，享受这些文明的诸侯君主王孙贵人并不是一开始就受到群体的反对和憎恶。相反，人们常常把他们当作权威的象征、道德的化身和至善至美的典型来加以崇拜和讴歌。在特定的历史条件下，人们往往要从那些显赫人物的活动中认识人的价值和体验人生的意义，从而追求理想的人生。因此，在艺术创作和审美活动中，就产生了《何彼襛矣》这样的诗篇，出现了谢氏所说的那种审美心理活动。

（陈昌渠）

驺　虞

彼茁者葭，[1]	芦苇新生已长粗，
壹发五豝。[2]	一箭轰出五野猪。
于嗟乎驺虞！[3]	这个虞人好功夫！
彼茁者蓬，	蓬蒿新生密蒙蒙，
壹发五豵。	五头野猪一箭轰。
于嗟乎驺虞！	这个虞人多么能！

（边家珍译，略有改动）

注释

①茁:草初生出地貌。②豝(bā):与下文豵(zōng)皆指小野猪。《广雅》:“兽一岁为豵,二岁为豝,三岁为肩,四岁为特。”③驺虞:兽官名,服役于猎场。

鉴赏

本篇是诗经歧解最多的诗篇之一,原因在于本文的过于简古,而古今文两派对“驺虞”的解释不同。

《毛传》发挥诗序,释驺虞为“义兽也,白虎黑文不食生物,有至信之德则应之”。但这“义兽”与上文“壹发五豝(豵)”风马牛不相及,颇有生拉活扯之嫌。故今人一致不取此说。那么驺虞究竟指什么呢?陈子展《诗经直解》博引《韩说》:“驺虞,天子掌鸟兽官。”(《周礼·钟师疏》引)《鲁说》:“驺者,天子之囿也。虞者,囿之司兽者也。”(《贾子新书》)可见驺虞的名义是“猎场之虞官”。

对诗中驺虞与猪(豝、豵)的关系,又有不同理解。有人以为是放牧者“一看到小猪,便联想到牧猎官的狞恶可怕”,译为:

茁壮茂盛芦苇芽,
五只小猪一胎下。
唉!牧猎官,真可怕!(下章类推)

以母猪产仔释第二句显然不妥(“豝”已是二岁小猪),而“于嗟乎”的感叹也很难与“可怕”搭成联系(参《麟之趾》“于嗟麟兮”)。于是有人进一步把驺虞等同猪倌,译为:

那芦苇已发出了壮芽,
一个人却把多头母猪放押。
好可怜哪牧猪娃!(下章类推)

有点像近代表现阶级压迫的民歌。但以放猪释“壹发五豝”也不妥,何况一人放几头猪也并不可怜。尤其是兽官(成人)不等于猪倌。以上两种理解都很难为人接受。

也有人将驺虞引申为猎手,认为是赞美猎人的歌,译为:

密密一片芦苇丛,
一群母猪被射中。
哎呀这位猎手真神勇!(下章类推)

以发箭射野猪释第二句,堪称确解。但将驺虞视同一般猎人,毕竟缺乏依据。所以,我们这里采用了第四种今译(原载《学术研究》1987年3期)。它把第二句译作“一箭轰出五野猪”,也是有根据的。《毛传》说:“虞人翼五豝以待公之发。”《贾子新书》引《齐说》:“虞人翼五豝以待一发，所以复中也。”这是说虞人遵照职责，将猎物驱赶出来，以供奴隶主贵族射猎。据戴震说，这是写“春蒐之礼”，“春蒐以除田豕，为其害稼也”，和统治者躬耕亲蚕一样，有一种鼓舞奴隶劳动热情的作用。

这是诗经中最简短的篇章，要说它的风韵，也只能是三分诗，七分唱。诗本身只是赞美虞人的能干称职，《齐说》却谓“乐官备也”“乐得贤者众多”（《仪礼·乡射义》及郑注），这是它用作乐章之义，是对原诗意蕴的进一步发挥。

通过这首短诗的分析，或许可以部分地明了“治诗益棼”的原因；又不难理解古谣谚为什么要说：“能理乱丝，方可读诗”了。

（周啸天）

邶　风

柏　舟

汎彼柏舟，[①]	飘飘荡荡柏木舟，
亦汎其流。[②]	随着河水到处流。
耿耿不寐，[③]	忧心焦灼不成眠，
如有隐忧。[④]	多少烦恼积心头。
微我无酒，[⑤]	不是无酒来消愁，
以敖以遊。	不是无处可遨游。
我心匪鉴，[⑥]	我心不是青铜镜，
不可以茹。[⑦]	不能任谁都来照。
亦有兄弟，	娘家也有亲弟兄，
不可以据。[⑧]	谁知他们难依靠。
薄言往愬，[⑨]	赶到他家去诉苦，
逢彼之怒。	对我发怒脾气躁。
我心匪石，	我心不像石一块，
不可转也。	哪能任人去转移。
我心匪席，	我心不是席一条，
不可卷也。	哪能打开又卷起。
威仪棣棣，[⑩]	仪容闲静品行端，
不可选也。[⑪]	哪能退让任人欺。
忧心悄悄，[⑫]	愁思重重心头绕，

愠于群小。⑬	群小怨我众口咬。
觏闵既多，⑭	横遭陷害已多次，
受侮不少。	身受侮辱更不少。
静言思之，⑮	审慎考虑仔细想，
寤辟有摽。⑯	梦醒捶胸心更焦。
日居月诸！⑰	叫声太阳叫月亮！
胡迭而微？⑱	为啥变得没光芒？
心之忧矣，	心头烦恼洗不净，
如匪澣衣。⑲	就像一件脏衣裳。
静言思之，	审慎考虑仔细想，
不能奋飞。	设法高飞展翅翔。

（程俊英　译）

注释

①柏舟：用柏树制的船。②亦：语助词。③耿耿：心中焦灼不安的样子。④如：同“而”。隐：通“慇”，痛。隐忧：痛心的忧愁。一说，深深的忧愁。⑤微：非，不是。⑥匪：同“非”。鉴：镜子。⑦茹：容纳。⑧据：依靠。⑨薄：语助词。愬：同“诉”，诉苦。⑩威仪：仪容、态度。棣棣：安和的样子。⑪选（xùn）：同“巽”，退让。⑫悄悄：忧愁的样子。⑬愠：怨。群小：众妾。⑭觏（gòu）：同“遘”，遇、碰到。闵：“愍”的借字，指中伤陷害的事。⑮静：审、仔细。言：语助词。⑯寤：睡醒。辟：《韩诗》作“擗”，用手拍胸。有摽：即“摽摽”，捶打胸脯的样子。⑰日，月：指丈夫。居，诸：语尾助词。⑱胡：疑问词，为什么。迭：更迭、轮流。微：昏暗不明。⑲澣：洗。匪澣衣：没有洗过的脏衣服。

鉴赏

这是一首众说纷纭的诗。《毛诗序》认为，此诗指斥卫顷公时“仁人不遇，小人在侧”。刘向认为此诗是为卫寡夫人所作（《列女传·贞顺篇》）。王符则断言此诗歌颂了“贞女不二心”（《潜夫论·断讼篇》）。朱熹独具慧眼，指出这是一首“妇人不得于其夫，故以柏舟自比”之诗

(《诗集传》)。他看破了个中秘密，并进一步申明：这个可怜的妇人，之所以“不得于其夫”，是由于受到了“众妾”的排挤。

《诗经》的时代盛行媵妾制。其中有许多诗都反映了这种制度。如《大雅·韩奕》记韩侯娶妻众妾相随的情景，“诸娣从之，祁祁如云”。《毛传》解释说：“诸娣，众妾也。”有一些诗反映了正妻与媵妾的关系。如《召南·江有汜》就写了嫡妻妒忌媵妾而又能自慰。她用长江的支流比喻丈夫的妾，并原谅他专宠媵妾，幻想有一天丈夫能回心转意。《诗经》中也写了一些不那么温顺的女主人，她们自伤不得于夫，见侮于众妾，表现出一种委屈忧伤而又愤愤不平的情绪。《柏舟》就是一位这样的妇人的呼天抢地的独白。

这是一个性格刚烈的女子，她不能忍受被丈夫冷落的可悲处境。诗首章以柏舟在河水中飘浮不定起兴，表现出一种寄托无由的失落感。这种失落感使她夜不成眠，焦灼不安。她想以酒和出游来消愁，但一切努力都无法消除她内心的痛苦。接着第二章，诗人以镜子作喻，表明她容不得委屈，容不得别人来与自己争宠。但是她毕竟失宠了，于是她向自己的兄弟诉告。不想，得到的不仅不是支持，反而是勃然大怒。诗人以自己不屈的性格与所处孤立无援的处境相对照，写出了内心委屈无所诉说之苦，悲苦辛酸之情跃然纸上。但诗人并不就此顺服，她用“我心匪石”“我心匪席”两个比喻，再次表示了自己坚贞不渝的心意——我决不受人的随意摆布！当读完这一章的结尾“威仪棣棣，不可选也”时，一个高傲、不屈，决心捍卫自己正妻地位的贵妇形象就栩栩如生地展现在眼前了。

第四章，诗人由痛苦的自诉转为愤怒的控诉：众妾的中伤、挑拨使我失宠，我所遭受的陷害和侮辱太深重了，以致经常在睡梦中惊醒，只得以拊心捶胸来解除内心的痛苦。末尾她写道：“静言思之，寤辟有摽。”如果说前一章的结尾两句是表现了一个妇人不可侵犯的威仪，那么，这一章的末两句则形象地刻画出这个妇女性格中的另一面：暴烈和冲动。但她的力量毕竟有限，虽然她作了种种奋争的努力，最终并不能改变自己的命运。于是她失望了，责问苍天，诅咒日月！她感叹自己的痛苦像脏衣服一样无法洗净。她想“奋飞”，以摆脱可悲的处境，却又力不从心。至此，一个充满愤懑情绪而又感到失望无告的妇女形象便活画出来了。

《柏舟》充满浓烈的感情色彩，诗人调动多种修辞手段直接抒情，沉郁痛切，感人至深。此外，诗中的比喻新鲜贴切，十分传神。

（朱杰人）

绿　衣

绿兮衣兮，	绿色衣啊绿色衣，
绿衣黄里。①	绿色外衣黄里衣。
心之忧矣，	见到此衣心忧伤，
曷维其已！②	不知何时才能已！
绿兮衣兮，	绿色衣啊绿色衣，
绿衣黄裳。	上穿绿衣下黄裳。
心之忧矣，	穿上衣裳心忧伤，
曷维其亡！③	旧情深深怎能忘！
绿兮丝兮，	绿色丝啊绿色丝，
女所治兮。④	丝丝是你亲手织。
我思古人，⑤	想起我的亡妻啊，
俾无訧兮。⑥	遇事劝我无差失。
絺兮绤兮，⑦	夏布粗啊夏布细，
凄其以风。⑧	穿上风凉又爽气。
我思古人，	想起我的亡妻啊，
实获我心。⑨	样样都合我心意。

（程俊英译，略有改动）

注释

①里：即下章之裳。衣在外，裳在里。②曷：何。维：语助词。已：止息。③亡：通“忘”。④治：犹制，此指染织。⑤古人：即故人，指亡妻。⑥俾（bǐ）：使。訧（yóu）：指责之意。⑦絺（chī）：细葛布。绤（xì）：粗葛布。都是夏季的优良衣料。⑧凄：凉。⑨获：得。

鉴赏

一位丧偶的男子穿上妻子生前给他做的衣裳，睹物思人，哀伤不已，唱出了《绿衣》这首沉痛凄楚的悼亡之歌。

全诗分为四章，以衣为线索，由物及人，抒发了诗人的无限伤悼之情。前两章重在写己之“伤”，后两章重在写对妻子之“悼”。

“绿兮衣兮”，这起首一句，间用两个语气词“兮”，隔断词语，造成一种强烈的顿宕，即刻给人以缓慢沉重和一唱三叹的哀伤感。读这句诗，我们不是分明可以感受出诗人的咽塞和抽泣吗？以下各章的第一句，也都采用这样的句式，复沓叠唱，从而造成全诗哀伤的氛围和悲痛的旋律，强烈地振动了读者的心弦。第二句“绿衣黄里”，与下章的“绿衣黄裳”互文重叠。闻一多先生说：“此里，谓在里之衣，即裳。”因为“衣在表，裳在里，衣短裳长”，所以“此章曰绿衣黄里，以内外言之；下章曰绿衣黄裳，以上下言之”（《诗经通义》）。“绿衣”二字是“绿兮衣兮”的紧缩重复。绿色的上衣，黄色的裙裳，这色彩是多么的鲜艳，搭配得又是多么的协调。可是这艳丽的衣裳，却触动了作者无限的伤痛：“心之忧矣，曷维其已！”“心之忧矣，曷维其亡！”原因何在呢？从第三章里我们得知，原来这衣裳都是出于妻子之手（“女所治兮”）。如今衣犹灿然，而妻子已经作古，怎能不令人心伤！诗人触物伤情，无比悲痛，这揪心的伤悲何时止息！那千恩万爱又怎能忘记！诗人无尽的忧伤、浓重的哀思，不能不掀起读者心中的波涛。接下来，诗人又由衣说到丝，由丝说到絺、绤，由自己的忧伤转到对故妻的深挚悼念。诗人望着绿色的衣丝，自然想到治丝之人。他沉痛地说：“这绿丝是你亲手染织的啊！”这绵绵绿丝，凝集着妻子生前的多少恩爱！又抽绎出作者如今的多少情思！絺、绤分别是细葛布和粗葛布，从全诗“似乎无头无绪，却又若断若连”（姚际恒《诗经通论》）的结构线索看，它和上文的衣、裳、丝是紧相关联的，当是指衣或裳的质料而言。这葛布是夏季的优良衣料，同样是妻子染织，并缝制成衣。现在诗人把它穿在身上，“凄其以风”。这里的“凄”字用得很妙，它在此兼有“凉爽”和“凄凉”双重含义。诗人身上感到凉爽舒畅，而心中，却充满了“物是人非”“惨惨戚戚”的孤独和哀伤，就难免感到凉风凄凄了。这便恰到好处地表现了诗人此时身心上的复杂感受——既有对妻子厚爱的幸福体味，又渗透着失去爱妻后的凄凉伤悲。诗人睹衣思人，激情难抑，从肺腑深处迸发出

"我怀念您啊,亡故的爱妻"("我思古人")这样深情的呼唤,并赞美她"使我挑不出半点瑕疵"("俾无訧兮"),赞美她"使我称心如意"("实获我心")。这里,诗人的赞颂与惋惜,热爱与痛悼是交织在一起的。他赞颂愈多,憾恨就愈深;与热爱之极所伴随的,也正是痛楚之至。因此,诗人在深情赞美的话语后面,给我们留下了悼惜不已的悠长余韵。

提起悼亡诗,人们自然会想到潘岳、苏轼等人之作。特别是潘岳《悼亡诗》睹物思人的抒情方式,更为后人所称道。其实这种艺术手法,在《绿衣》里早已得到成功的运用。一身衣裳既是引发诗人万千思绪的契机,又移注了他的全部情感。诗人穿上妻子生前为他缝制的衣裳,触物伤怀,无限的思念与哀痛顿时绵绵不绝地涌上心头。诗人由眼前的绿衣黄裳追溯到妻子是怎样治丝、染色、织布、缝衣,又想到妻子的辛勤贤惠、体贴关怀,美好无比。恍惚之间,爱妻的形象几乎就在眼前。一身衣裳,又浓缩着妻子的一生劳动和全部恩爱。通过它,诗人把过去和现在,把妻子的厚爱与自己的伤悼有机地联系起来,从而达到以少胜多、包容无穷的抒情效果。只要看到这"绿衣黄裳",就会引起诗人的绵绵思绪。遗物与诗人朝夕相伴,那么这种深深的伤悼之情也就永无绝期了。

最后应提到,关于此诗,《毛诗序》解释为"卫庄姜伤己也。妾上僭,夫人失位而作是诗也"。后儒便据此在"黄""绿"两种颜色上做文章,以为黄为"正色",喻庄姜;绿为"间色",喻宠妾;"绿衣黄里"喻宠妾上僭夫人之位云云,皆穿凿附会,不足取。

(刘生良　汪祚民)

燕燕

燕燕于飞,
差池其羽。①
之子于归,
远送于野。
瞻望弗及,
泣涕如雨。

燕燕于飞,

燕燕飞呵飞飞,
舒展她的双翅。
这个人儿归去,
远送直到野地。
瞻望不见踪影,
流泪就像落雨。

燕燕飞呵飞飞,

颉之颃之。②　　飞上忽又飞下。
之子于归，　　这个人儿归去，
远于将之。③　　远远地来送她。
瞻望弗及，　　瞻望不见踪迹，
伫立以泣。　　久久站着哭泣。

燕燕于飞，　　燕燕飞呵飞飞，
下上其音。　　声音忽下忽上。
之子于归，　　这个人儿归去，
远送于南。　　送到南郊一方。
瞻望弗及，　　瞻望不见踪影，
实劳我心。④　　真使我心悲伤。

仲氏任只，⑤　　仲氏可信任呵，
其心塞渊。⑥　　心儿诚实深沉。
终温且惠，⑦　　又温和又恭顺，
淑慎其身。　　为人善良谨慎。
“先君之思”，　　“思念先君”的话，
以勖寡人。⑧　　是对我的叮咛。

注释

①差(cī)池：参差不齐的样子。②颉(xié)：上飞。颃(háng)：下飞。③将：送。④劳：忧伤。⑤只：语助词。⑥塞：实。⑦终：既。⑧勖(xù)：勉。

鉴赏

《燕燕》，是《诗经》中最优美最感人的篇章之一。宋许顗《彦周诗话》云：“此真可以泣鬼神矣！”清王渔洋自述六、七岁时诵此诗，“觉枨触欲涕，亦不自知其所以然”（《池北偶谈》），并称赞此诗“为万古送别之祖”(《分甘馀话》)。

《毛诗序》言:“《燕燕》,卫庄姜送归妾也。”体认全诗意蕴,印证历史事实,则《诗序》确实可信。据《左传》隐公三年、四年及《史记·卫世家》载,卫庄公娶齐女,曰庄姜,无子。又娶陈女戴妫,生子名完,庄姜以为己子。庄公另有宠妾生子名州吁。庄公死,完立,为桓公。鲁隐公四年(前719)春,州吁弑桓公而自立。《毛传》云:“戴妫于是大归,庄姜远送之于野,作诗见己志。”《孔疏》:“其母见子之杀,故归。庄姜养其子,同伤桓公之死,故泣涕而送之也。言大归者,不反(返)之辞。”

“燕燕于飞,差池其羽。”燕燕,是对燕子极亲切的称呼。《郑笺》云:“差池其羽,谓张舒其尾、翼,兴戴妫将归,顾视其衣服。”这是会心诗艺之言。燕子飞翔,舒展双翅及燕尾,这优美的兴象,正可以理解为戴妫临行,整理衣服容饰的一种喻示。当时政治氛围严峻如此,而戴妫性格之沉着从容,已可想见。“之子于归,远送于野。”之子指戴妫。《毛传》提示:“归,归宗也。远送过礼。”戴妫因夫亡子死而归回祖国,是归而不返的大归,心情自是格外沉痛。下句是庄姜自言。《郑笺》云:“妇人之礼,送迎不出门。今我送是子乃至于野者,舒己愤、尽己情。”只有体认到庄姜与戴妫的共同悲愤,对戴妫的深挚感情,才能深入理解到远送于野非同寻常的意义,也才能充分感受到下面两句的深厚含蕴。“瞻望弗及,泣涕如雨。”郊野诀别之后,庄姜目送戴妫渐行渐远,终于是再也望不见了。此一别,恐再难相见。这份莫大的悲伤,紧紧攫住庄姜的心灵,她怎能不泣涕如雨!首章共六句,两句为一小节,每节之间,跳跃幅度较大,意脉则前后连贯。《孔疏》诠释极是:“上二句谓其将行,次二句言已在路,下二句言既诀之后。”下两章结构与此相同,是对首章的复沓与深化。

“燕燕于飞,颉之颃之。”燕子忽而上飞,忽而下飞,这一描写亦含巧妙的喻示。如《郑笺》云:“颉颃,兴戴妫将归,出入前却。”卫国,不仅是亡夫亡子的祖国,也是戴妫自己的第二祖国,即将离别这生活多年的国土,她不能不低回反顾、依依不舍呵。“颉之颃之”,刻画出戴妫性情之真。“之子于归,远于将之。瞻望弗及,伫立以泣。”此章重言庄姜远送戴妫直到郊野,突出诀别之后,直至再也望不见戴妫的踪影,庄姜犹久久伫立,悲泣不已。伫立之久,见得庄姜悲伤之深。这些言外之意,正当一一体会。

“燕燕于飞,下上其音。”燕子飞飞,时上时下,声音也时上时下。《郑笺》云:“下上其音,兴戴妫将归,言语感激,声有大小。”解得极好。儿子被杀,自己大归,临别之际,声音哽咽,这乃是戴妫悲剧心灵的全幅呈露。诗情至此,亦真可以摇撼读者的心灵了。“之子于归，远送于南。”卫都朝歌（今河南淇县）在北，陈都宛丘（今河南淮阳）在南，所以庄姜远送戴妫，至于卫都南郊。“瞻望弗及，实劳我心。”在上两章伫立泣涕的描写之后，此章结以“实劳我心”的直抒之笔，便愈厚重、愈有力。“我心”二字，与下章“其心”二字两相印照，乃是两个心灵的照面，最是此诗境界之高处。

“仲氏任只，其心塞渊。终温且惠，淑慎其身。”仲氏是戴妫之字。古人称人以其字，乃是一种亲切的称呼，或者是敬称。这里与称燕子为燕燕，口吻同样亲切。仲氏心怀诚实而又深远，态度既温和又恭顺，为人善良而又谨慎。这是对戴妫整幅人格的赞叹。依中国文化传统，这已是对女性美德的极高评价。“先君之思，以勖寡人。”上四句是直抒，此二句亦叙亦抒，一结深厚有余。先君指已故的卫庄公，寡人是庄姜夫人的谦称。《春秋公羊传·鲁庄公四年》言：“国、君一体也。”思念先君，实包含一份不忘祖国之意义。对庄姜的临别赠言，也是戴妫的自勉。据《左传》载，州吁于鲁隐公四年三月十七日弑卫桓公，九月，卫国老臣石碏与陈国合谋，杀州吁于陈国之濮（今安徽亳县东南）。清王鸿绪等《诗经传说汇纂》云：“因史以论事，则戴妫之大归，正后日石碏用陈以讨贼之由也。然则庄姜之越礼远送，而惓惓于戴妫，为之泣涕不置者，当非寻常妇人女子离别之情，其亦有他望也欤？”所论颇有见地。

此诗比兴甚可注意。王国维谓邶即燕（《北伯鼎跋》），乃殷民族发祥地。而殷人以燕为图腾。诗以“燕燕于飞”起兴，与篇中系心故国之思是紧密相关的。语源于古北音诗“燕燕往飞”（《吕氏春秋·音初》）。而“燕燕于飞，差池其羽，颉之颃之，下上其音”，将燕子的神致音容全幅写出，亦兼喻戴妫的品格性情。正如《朱子语类》所说：“譬如画工一般，直是写得他精神出。”此等高妙之比兴，已臻艺术之圣境。善于刻画送别情景，是此诗又一突出造诣。彼去已留，既别之时，那正是别情迅烈生长，生生不已之际。诗人敏锐地捕捉住并深入表现出这一片刻。“瞻望弗及，伫立以泣”之意境，便成为送别诗之艺术典范。李白《送孟浩然之广陵》：“孤帆远影碧空尽，唯见长江天际流”；东坡《辛丑十一月十九日既与子由别于郑州西门之外马上赋诗一篇寄之》：“登高回首坡垅隔，但见乌帽出复没”；周邦彦《兰陵王》词：“渐别浦萦回，津堠岑寂，斜阳冉冉春无极”，皆同一机杼。《燕燕》为万古送别之祖，正应该从这一艺术特质上来理解。

最后应当指出，《毛传》《郑笺》《孔疏》，对于《燕燕》一诗，赏鉴精湛，诠释亦美，堪称赏析说诗之宗师。读者不妨一读原典。看得出来，诸家也确实被此诗所感动。归根到底，则《燕燕》一诗，诚为《诗经》之一杰作。

（邓小军）

日　月

日居月诸！①	叫罢太阳叫月亮，
照临下土。	光辉普照大地上。
乃如之人兮，②	天下竟有这种人，
逝不古处。③	会把故居全相忘。
胡能有定？④	何时能把心收定？
宁不我顾？⑤	为何不想进我房？
日居月诸！	叫罢太阳叫月亮！
下土是冒。⑥	光辉普照大地上。
乃如之人兮，	天下竟有这种人，
逝不相好。	忘恩不和我来往。
胡能有定？	何时能把心收定？
宁不我报？⑦	为何使我守空房？
日居月诸！	叫罢太阳叫月亮！
出自东方。	日月光辉出东方。
乃如之人兮，	天下竟有这种人，
德音无良。⑧	名誉扫地丧天良。
胡能有定？	何时能把心收定？
俾也可忘。⑨	使我终身可仰望。
日居月诸！	叫罢太阳叫月亮！
东方自出。	东方升起亮堂堂。
父兮母兮！	我的爹啊我的娘！

畜我不卒。⑩	丈夫爱我不久长。
胡能有定？	何时能把心收定？
报我不述！⑪	对我连话也不讲！

（程俊英译，略有改动）

注释

①居：语助词。诸：语助词。②乃：竟。如：像。之人：这人，这等人。③逝：及。“逝不”为倒文，意为不及、不到。古处：故居，原来所居之处。④胡：何。定：安定，指安心定性。⑤宁：何。《诗经》中往往上言“胡”，下言“宁”，连言则曰“胡宁”。顾：顾念。⑥冒：覆盖。⑦报：答，答理。丈夫不理妻子为“不见答”，“不我报”即不答理我。⑧德音：好名声。⑨俾：使。也：句中语气词。忘：“望”的假借字（据闻一多《古典新义》）。古者君上于臣下、丈夫于妻子如日月在上，上对下叫“照临”，臣下对君上、妻子对丈夫叫“仰望”，《孟子·离娄下》云“其妻……曰：‘良人者，所仰望而终身者也……’。”⑩畜：同“慉”，爱。卒：终。⑪述：说。

鉴赏

这乃是一位被遗弃的妻子，对着天地日月、对着父母哭诉她负心丈夫的悲歌。

生活在战国末年的伟大诗人屈原，曾把自己对历史、对现实、对人生的哲学思考，一口气用一百七十多个问题对天发问，真是“若决江河，沛然莫之能御”。本诗的抒情主人公却是早于屈原四、五百年的一位妇女，她不是哲学家、诗人，没有那么恢宏的气魄和深邃的思想。但是，当她的天要塌下来时，她也用尽了一个弱女子所能发出的全部心声，呼天抢地，写出她的《天问》。

以现代人特别是现代女性的眼光看来，她无疑是可悲的。因为她把丈夫当作日、月。“日居月诸，照临下土”，“下土是冒”，“出自东方”，“东方自出”。作为兴句，全诗每章的前两句，她都呼唤着永远高照大地的、永远升于东方的太阳和月亮。这是自然界的太阳和月亮，同时又是她心目中的、应相当于日月的她的丈夫。而朗日皓月之于人，实在是太重要、太伟大了。每当我们说起日月时，我们心中总是把至大至明、永挂苍穹的太阳、月亮作一方，把渺小得像一个黑点的我作另一方。

可是这样一个“黑点”，这样一

个仰望托赖于"日月"的妻子,她的太阳和月亮不再照耀她、不再日日夜夜从东方升起来让她瞻仰了。那么,就请真正的日月来做证人吧。你们瞧瞧:"乃如之人兮!"天底下竟然还有这样的人!天底下人很多,可谓茫茫人海,但可以托付终身的只有那夫君一人。可是正是这个人,行为是如此让为妻伤心!

本诗除第三章末句外,每章后三句均为否定句、反问句,这在情感抒发上是十分特殊的。细品诗味,没有满腔委屈怨愤、不是百般排解不开,是不会这样的。

或许他与她曾经有过真正的夫妻生活,可是他越变越坏了。从"逝不古处",不回到与妻共居的老屋;到"逝不相好",再不和妻子亲热;发展为"德音无良",好品行全都丧尽;最后是彻底翻脸,半路变心,"畜我不卒"。

全诗反复发问,最中心的、耿耿于怀的一个意思是"胡能有定?"这个"定"字,历来有种种诠释。有说为"正",指正常的夫妻关系;有说为"定居",有说为"确定",为"止、已",等等。我们认为,从字义上讲,"定"最基本与首要的意义就是"安定";从诗意讲,要让其夫居有定处、行有准则、待我有正常的夫妇之道,都必须以使之心性安定为基础。所以,应当理解为:怎样才能、何时才能使他把心儿收定。

这位丈夫可能是另有新欢,而不会是像后世独身主义者、教士僧侣那样一人独处。他把妻子丢在屋里独品凄凉,对她的一片深情好意理也不理、答也不答,自顾自别处过夜、寻欢作乐去了。程俊英译文在一、二两章末句都强调了"不进房""守空房",这样翻译表现了对诗意理解的贴切与深刻。一个正常的妇女,有合法的婚姻关系,可是男人变了心,使她虚有为妻之名,并无两性生活的权力与欢乐。这是一种极为痛苦、极为委屈又极难启齿的隐衷。虽然当时这位妇女并无后来几千年封建社会对性意识极度压抑的、极沉重而不健康的思想束缚,但在一片正统的"思无邪""乐而不淫、怨而不怒"的气氛中,这独守空房的苦衷也是难以诉说的。所以,她要用一系列的反问句:我对他这么好,他为什么"宁不我顾""宁不我报"?

度过了许多难以计数的无望的白天、难眠的夜晚,所以她要叫罢了太阳再叫月亮。"日居月诸"的悲泣,正是她眼睁睁地看着旭日东升、夕阳西下、皓月中天、晓风残月的痛苦内心的写照。在这样的煎熬中,她欢乐全无,青春将尽,只有一颗企盼的心砰砰跳动,一刻也不肯停歇。

在周代,婚姻嫁娶全部取决于父母。所以在婚姻实际破裂时,她自然要哭叫"父兮母兮"。再说,一介赤子降临人世,除苍天日月在上,就是父母至亲至要了。不幸这赤子是女性，于是出嫁后便又有了她此后大半生的“日月”——丈夫。日月、丈夫、父母，这就是那时一个女人的心能想到、能仰望、能依赖、能倾诉心曲的一切了。

此外，我们的抒情主人公还痴痴地盼着丈夫回心转意，定下心性，使自己终身有望。这层意思像乐曲的副主题，与她对自己不幸的倾诉相交织，透出她心中的绵绵情意和比失望更让人痛苦的盼望，读之令人心碎。

至于对本诗主题的传统说法，郑玄、孔颖达认为是卫庄姜伤己之作，王先谦、蒋天枢认为是刺宣姜谗害太子伋子的。未知确否，录以备考。

（宗小荣）

终　风

终风且暴，①	既刮风，又旋成风暴，
顾我则笑。	他却望着我嘻嘻地笑。
谑浪笑敖，②	他嘲弄、放浪、嬉笑、耍闹，
中心是悼。	使我的心中忧伤烦恼。
终风且霾，	既刮风，又满天阴霾，
惠然肯来。③	他顺从地答应要来。
莫往莫来，	我不去找他，他便又不来，
悠悠我思。	引起我长久的思怀。
终风且曀，	既刮风，又阴云密布，
不日有曀。	没多久，天阴得更苦。
寤言不寐，	我说着梦话，从盹睡中醒来，
愿言则嚏。④	思念他啊，愿他喷嚏不住。
曀曀其阴，	昏暗不明的阴天里，
虺虺其雷。⑤	响起咴咴作响的轻雷。
寤言不寐，	我说着梦话，从盹睡中醒来，

愿言则怀。　　思念他啊，愿他醒悟能悔改。

（鲍昌译，略有改动）

注释

①终：既。《经传释词》引王念孙曰："终，词之'既'也。《左传·僖公二十四年》注曰：'终，犹已也。'已止之已曰终，因而已然之已亦曰终。故曰：词之'既'也。"旧释"终风"为"终日风""竟日风"，不确。②浪：流。以水之浪流，引申而为放浪轻浮之意。敖：游、戏，即调弄。③肯：答允、肯诺。肯来：答允来见，但尚未到来。④愿：《郑笺》云："愿，思也。"言：助词，无义。嚏：打喷嚏。打喷嚏为有人思念的心理感应，盖出于此诗耶。⑤虺（huǐ）虺：雷声，可解为雷声之远者。

鉴赏

这是一首相当成熟的抒情诗，作者系女性。诗人用精细的笔触，表现了恋爱中女子矛盾复杂的心理状态。

前两章写所爱恋的男子的态度和自己爱怨交加的感受。

看来，那是一个倜傥潇洒的男子。他对女子是有一定情意的，"顾我则笑"。而这种异性间追求的情意一旦为女子所接受，她立刻热烈地在感情上加以回报。正因为爱得真切、爱得深沉，所以她尊重对方，也要求对方尊重自己。然而，事实并不是她理想的那样。那男子又有轻佻放浪的一面，当他与女子熟悉之后，他的言行举止很为轻浮放纵，不知分寸和节制。这种侮慢的态度使得女子非常惊讶和窘迫，内心深感失望和懊丧。

事情还不止于此。那男子看来有情，又似无意。他在双方情热时痛快地答应了下一次的约会，过后又并没有认真地放在心上。深情的女子焦虑不安，只好又急切地去寻找他。而他呢，只有在女子去寻找他之后，方始前来赴约。可见，恋爱的主动权竟完全操纵在他的手里，他的情意既不炽热，也不专一。

痴心的女子对这样的恋爱对象当然是不会感到满意的，奈何她早已深深地陷入情网而难以自拔。即使清楚地看到了对方的种种不是，却仍然渴望着与对方相会，否则无法排解自己对他的思念。

后两章写自己对情人的相思之苦和企望情人真心爱自己的心愿。这种刻骨铭心的相思，正表现了女子对爱情的坚贞；这种痴情不移的期待，正表现了女子心地的纯朴。诗人写自己朝思暮想、休息不好，经常处在似睡非睡、似梦非梦的状态之中，又往往因为说梦话而惊醒过来。然而，清醒之后感受到的滋味并不比睡梦中的好：说梦话还比较自由，醒来后却要考虑周围环境和自己的身份、地位，因此只能理智地控制自己，欲说还休。她无由面述自己的思念，却希望情人能够知道；她盼望情人不停地打喷嚏，从而想到自己、理解自己真挚的爱心。（"打喷嚏，有人想"是民间很早就有的说法。翟灏《通俗编》云："苏轼《元日》诗：'晓来频嚏为何人'？康进之《负荆曲》：'打嚏耳朵热，一定有人说'！"钱钟书先生在《宋诗选注》中写道："诗人也有写自己打嚏喷因而人家在想念的，也有写自己不打嚏喷因而怨人家不想念的。梅尧臣在诗里就写自己出外思家，希望他那位少年美貌的夫人在闺中因此大打嚏喷。"由此可见《终风》"愿言则嚏"句影响之深。）她不仅完全原谅了情人的粗暴无礼，而且还由衷地期望自己的一片痴情终于能感化情人，使之幡然悔悟。

诗章及此结束了，但读者却被引入了无限的遐想之中，我们既为女子的忠贞爱情所感动，又不免为她今后的结局能否美满而担忧。

那么，这首诗的作者是谁呢？我们以为大约是某个贵族女子，理由是这首诗的内容和形式与《诗经》中其他质朴的民间情歌相比，有着较大的区别。《毛诗序》以为是卫国庄姜所作，不妥。对此，崔述《读风偶识》述之甚详。

此诗感情细腻而有起伏，笔触精微而有变化，文字优美，音韵协调。尤为值得一提的是诗人用风暴、阴霾、雷声起兴，形象鲜明，递进有序，极好地表达了诗人的怨怼和思念之苦，达到了情景交融、浑然一体。由此不难体会到中国古代诗歌中触物起情的表现手法。

公元前六、七百年左右，古希腊出现了女诗人萨福，她的诗以表现女性炽热的感情和复杂的心理变化而著称，在世界文学史上有崇高的地位。与此同时，东方的中国产生了《诗经》的众多表现女性心理的作品。拿《终风》与萨福的作品相比较，毫无逊色之处。

（王德邻）

击　鼓

击鼓其镗，[①]　　战鼓擂得镗镗响，

原文	译文
踊跃用兵。[②]	官兵踊跃练刀枪。
土国城漕，[③]	别人修路筑城墙，
我独南行。	我独从军到南方。
从孙子仲，[④]	跟随将军孙子仲，
平陈与宋。[⑤]	调停纠纷陈与宋。
不我以归，[⑥]	常驻边地不能归，
忧心有忡。[⑦]	留守南方真苦痛！
爰居爰处？[⑧]	住哪儿啊歇何方？
爰丧其马？[⑨]	马儿丢失何处藏？
于以求之？[⑩]	到哪儿啊找我马？
于林之下。	丛林深处大树旁。
“死生契阔”，[⑪]	“死生永远不分离”，
与子成说。[⑫]	对你誓言记心里。
执子之手，	我曾紧紧握你手，
与子偕老。	和你到老在一起。
于嗟阔兮，[⑬]	可叹相隔太遥远，
不我活兮！[⑭]	不让我们重相见！
于嗟洵兮，[⑮]	可叹别离太长久，
不我信兮！[⑯]	不让我们守誓言！

（程俊英　译）

注释

①镗：击鼓声。其镗：犹镗镗。②兵：指兵器。③土国：在国内服役土工。城漕：在漕邑修筑城墙。漕：卫邑名，在今河南省滑县东南。④孙子仲：卫国将领。⑤平：调解。陈：陈国。宋：宋国。此句谓调停陈宋两国的矛盾、不和。⑥不我以归：即“不以我归”，不让我回来。⑦有忡：即“忡忡”，心神不定的样子。

⑧爰:与“于何”“于以”同义,即“在何处”。⑨丧:丢失。⑩以:何。⑪契:合。阔:离。此指不分离。⑫子:指妻子。成说:定约,结誓。⑬于嗟:即“吁嗟”,感叹词。阔:道路远。⑭活:聚会。⑮洵:久远,指别离时间长。⑯信:守约。

鉴赏

一个卫国的士兵,远戍陈、宋,久役不得归,怀念妻子家室,心中充满忧郁伤感之情,失望之中写下了这首诗。

诗凡五章,前三章写入伍从军、远戍思归和征戍劳苦,四章回忆与妻子告别时的誓约,末章以哀叹失望作结。

诗以“击鼓其镗”开篇,一下子把读者带入了金鼓齐鸣的战争环境。“踊跃用兵”是对“击鼓”的响应:在战鼓的激励和指挥下,士兵们踊跃奋进操练刀枪。这是从正面写攻战练兵。接着作者变换角度写士卒从事的劳役——构筑工事,加固城池——这是从侧面写战事。末句“我独南行”,一个“独”字点出了南行征伐有锋镝死亡之忧,其危苦远甚于一切劳役。第二章,先写跟随统帅孙氏子仲平定了陈宋两国的纠纷,继写留驻南方,久戍不归引起的内心愁苦。关于《击鼓》一诗的时代背景,古来说法不一。《毛诗序》与郑玄都认为,这是写的鲁隐公四年卫君州吁联合宋国、陈国等讨伐郑国的事。姚际恒反对此说,以为“此乃卫穆公背清丘之盟救陈,为宋所伐,平陈、宋之难,数兴军旅,其下怨之而作此诗”(《诗经通论》)。方玉润的《诗经原始》则主张不必“沾沾据一时一事以实之”,他认为细玩诗意,“此戍卒思归不得诗也”。方氏的观点是正确的,卫国多战乱,兵士苦于征战戍役,用诗歌来表示对战争的不满和渴求解甲归乡的欲望,本是十分正常的事,如果必要坐实《击鼓》为某次战争所作,反而削弱了这首诗的典型意义。

三章,历来的说解都以为写“失伍离散”,“士卒懈驰”。这只是看到字面上的意义。其实诗人在这一节中所要表现的是征戍之苦——南行的士兵们四处转战,没有固定的居处,在激烈的战斗中,他们的战马也丢失了,不知去向,最后好不容易在丛林深处找到了它。诗人匠心独运,不从正面实写战斗之残酷,行军之劳顿,而是以三个问句,巧妙地把这一切暗示了,举重若轻,可谓神来之笔。

第四章突然出现了时空的转换,诗人把画面延伸到出征前与妻子诀别的场景:他们紧紧地握着手,相互起誓,“死生契阔”,“与子偕老”。这是全诗的高潮,读来催人泪下,不由你不为这位久戍不归的战士思家心切的悲苦之状，产生深深的同情。然而更令人惨不忍睹的还有最后一章：诗人的回忆突然中断了，画面又拉回到远戍的现实中来——相隔遥远，我们无法相见！别离太久，我们又怎能实现誓言！这一章四句共二层意思，恰恰是对上一章两个誓约的否定。当然这绝不是诗人主观上不愿践约，而是残酷的现实使他对誓言失去了信心。这里，诗人对前途的失望，对命运的怅惘，表现得淋漓尽致。当然，战争给人们带来的深重苦难也就不言而喻了。

赋，是《诗经》中用得最多的一种表现手法。《击鼓》全诗用赋，但却并不显得单板、平直，由于作者注意了行文的变化，不断变换叙写的视点，使全诗在平铺直叙中现出了曲折和起伏。另外，这首诗的语言质朴凝练，不事雕饰，也为全诗增色不少。

（朱杰人）

凯　风

凯风自南，①	和风吹来自南方，
吹彼棘心。②	吹在枣树红心上。
棘心夭夭，③	枣树红心嫩又壮，
母氏劬劳。④	我娘辛苦善教养。
凯风自南，	和风南方吹过来，
吹彼棘薪。⑤	枣树成长好当柴。
母氏圣善，⑥	我娘人好又明理，
我无令人。⑦	我们兄弟不成材。
爰有寒泉，⑧	寒泉清冷把暑消，
在浚之下。⑨	源头出自浚县郊。
有子七人，	儿子七个不算少，
母氏劳苦。	却累我娘独辛劳。

睍睆黄鸟，⑩	宛转黄雀清和音，
载好其音。	歌声间关真好听。
有子七人，	我娘儿子有七个，
莫慰母心。	不能安慰亲娘心。

（程俊英 译）

注释

①凯风：南风。②棘心：棘，酸枣树，初发芽时心赤。③夭夭：树木嫩壮的样子。④劬（qú）劳：劳苦。⑤棘薪：酸枣树长到可以当柴烧。⑥圣善：明理而有美德。⑦令：善。⑧爰：发语词。寒泉：在卫地浚邑，水冬夏常冷，故名寒泉。⑨浚：在卫楚丘东。⑩睍睆（xiàn huǎn）：清和宛转的鸣声。一说形容黄鸟颜色美。

鉴赏

比和兴是《诗经》中常见的艺术手法。刘勰《文心雕龙·比兴》指出："诗人比兴，触物圆览。物虽胡越，合则肝胆。拟容取心，断辞必敢。攒杂咏歌，如川之涣。"他认为诗人运用比兴，不仅可以把原来相去甚远的事物巧妙地结合起来，而且还可以模拟出事物的外形，表达出它们的精神。诗歌运用了比兴，就会像江河的流水一样生动。但是，多少年来，人们对比兴的定义却一直纠缠不清。有的学者把比兴混为一谈，有的又主张截然分开。争论了两千年，至今未有定论。其实，比和兴经常是相互配合地以互补的面貌出现在诗歌中的，它们是你中有我，我中有你。《凯风》就是很好的例证。

第一章"凯风自南，吹彼棘心"，《毛传》标曰："兴也。"郑玄解释说："兴者，以凯风喻宽仁之母。棘，犹七子也。"显然，在郑玄的眼中，兴实际上就是比，以凯风比喻慈母，以棘心比喻儿子。朱熹则干脆把《毛传》的"兴也"改成"比也"。他说，诗"以凯风比母，棘心比子之幼时，盖曰母生众子幼而育之，其劬劳甚矣。"可是，当他在解释第二章的"凯风自南，吹彼棘薪"时，却又说这是"兴也"。可见从郑玄到朱熹，对《凯风》一诗比兴手法的运用都没有真正把握。清代学者姚际恒略高一筹，他认为《凯风》的一、二两章用的是"兴而比也”。这就抓住了问题的实质。李仲蒙说:“触物以起情谓之兴,物动情者也。”(胡寅《斐然集·与李叔易书》)朱熹说:“兴者,先言他物以引起所咏之辞也。”(《诗集传》)诗人看到南风吹拂着初发芽的酸枣树,这些小树虽然很幼嫩,却壮实茂盛。他又看到那些已经长成薪材的大枣树在南风的吹拂下摇摆着身姿。这一切使诗人联想到自己的母亲,她辛辛苦苦地把我们兄弟七人拉扯成人,她明理而有美德,多么善良慈爱,可是我们兄弟却不成材,辜负了母亲的眷眷深情。于是诗人发出了“棘心夭夭,母氏劬劳”“母氏圣善,我无令人”的感叹。无疑,这是“兴也”。但这又不是单纯的兴。《毛传》说:“南风谓之凯风,乐夏之长养者。”就是说,所谓凯风,就是温和的养育万物的南风,这不正是比喻母亲的最好喻体吗?再看“棘心”,朱熹说:“棘,小木,丛生多刺难长。”这正可用来比喻子女众多,幼小而教养维艰。而“棘薪”则说明枣树长大了,也只能当柴烧,不成其材,正好比喻这些兄弟的“不争气”。李仲蒙说:“索物以托情谓之比,情附物者也。”朱熹说:“比者,以彼物比此物也。”所以,这些诗句又可理解为比。《凯风》就是这样的一首诗,在它那里,兴与比天衣无缝地交织在一起,兴而比,比而兴,使诗歌充满了情趣和韵味。

但是兴毕竟又不同于比。比的运用,是以彼物比此物,二者之间总有一个特点是相同的,总是以好比好,以不好比不好。但当兴含比义时,有时也可起反衬作用,以好反衬不好。《凯风》也是这样的例子。第三章以“寒泉”起兴:“爰有寒泉,在浚之下”——从浚县地下流出的泉水多么清凉,把暑气一洗而空。四章以“黄鸟”起兴:“睍睆黄鸟,载好其音”——那美丽的黄雀发出了婉转美妙的歌声,多么悦耳动人!可是我们虽有七个兄弟,却看着母亲独自劳累,一点也不能安慰她那颗操碎了的心。陈奂说:“后二章以寒泉之益于浚,黄鸟之好其音,喻七子不能悦其母,泉鸟之不如也。”(《诗毛氏传疏》)这里的兴句起到了一种反衬诗中形象的作用,这是比的手法所没有的。

《凯风》是一首儿子颂母并自责的诗,也是一首比兴之法融会贯通的诗。它的主题是平淡的,但由于成功地运用了比兴的手法来塑造形象,抒发感情,使平淡的主题变得生动鲜明起来,增强了它的艺术感染力。另外,据前人考证,说这首诗是写继母。我们仔细品味全诗,似也不无道理。当然,那要看你如何发挥自己的想象了。

(朱杰人)

雄　雉

雄雉于飞,①
泄泄其羽。②
我之怀矣,
自诒伊阻!③

雄雉于飞,
下上其音。
展矣君子,④
实劳我心!

瞻彼日月,⑤
悠悠我思!
道之云远,⑥
曷云能来?

百尔君子,⑦
不知德行。
不忮不求,⑧
何用不臧?⑨

雄雉起飞向远方,
拍拍翅膀真舒畅。
心中怀念我夫君,
自找离愁空忧伤!

雄雉起飞向远方,
忽高忽低咯咯唱。
一心悬念我夫君,
苦思苦想心难放。

远望太阳和月亮,
我的相思长又长!
相隔道路太遥远,
何时回到我身旁?

天下"君子"一个样,
不知道德和修养。
你不损人又不贪,
走到哪里不顺当?

(程俊英　译)

注释

①雉:野鸡。②泄(yì)泄:通"洩洩",鼓羽舒畅状。③诒:通"遗",遗留。自诒:自找、自取之意。伊:通"繄",此、这。阻:忧。④展:诚,确实。君子:这里指丈夫。⑤瞻彼日月:《通释》:"以日月之迭往迭来,兴君子之久役不来。"⑥云:语助词。下句同。⑦百:凡,所有。君子:这里指在朝的统治者,包括其丈夫在内。

⑧忮(zhì):忌恨。⑨臧:善、好。《诗三家义集疏》:“何用不臧,犹言无往而不利。”

鉴赏

这是一位妇女思念远出的丈夫的诗。

前两章的一、二句,以鸟类起兴,雄雉比喻丈夫。以鸟类起兴以思念宗族故国、祖先亲人的情况在《诗经》中并非个别现象,除《雄雉》外,如《燕燕》《凯风》《鸨羽》《伐木》《小弁》等很多诗歌都是这样。从发生学的角度来看,它直接来源于远古的图腾崇拜观念,以后才变得复杂和多样化起来,思念范围得到了扩大,而宗教意识则日趋淡薄。对此,闻一多先生在《诗经通义·周南》一文中阐述得十分详尽。

“雄雉于飞,泄泄其羽”,写雄雉鼓翼振飞的姿态,那样子是颇为得意的,它比喻丈夫离家外出了。作为妻子,平素与丈夫很是恩爱,一旦分离,其忧愁牵挂之情可想而知。她思念丈夫,望着飞翔的雄雉,孤独苦思之情益增,因此发出了“心中怀念我夫君,自找离愁空忧伤”的倾诉。这四句,情景交融,物我一体,诗人在特定环境中的具体感受表现得极为充分。丈夫为什么外出?诗中没有作明确交代。王先谦认为:“大夫久役,男旷女怨,正此诗之旨。宣公云云,乃推本之词,诗中尝未及之。”可供参考。

“雄雉于飞,下上其音。”“下上其音”在《燕燕》一诗中也出现过,意思是鸣叫声忽高忽低有变化。有的注家解释为鸣叫声由近而远、由大而小,亦可。此处暗示着丈夫离家渐远。雄雉的鸣叫声引起了诗人的强烈思绪。“人有一种冲动,要在直接呈现于他面前的外在事物中实现他自己。”(黑格尔《美学》)在诗歌中,人与人的关系,往往是通过外物作为媒介而后进行交流的。意,依附于形,所以,这里看来似乎单纯写物,实质是为了引出感叹之词。正因为这种感叹以外物为依据,因而显得深沉有力。在思念的深刻程度上,则“展矣君子,实劳我心”比“我之怀矣,自诒伊阻”更进了一步。

紧接着的第三章,写随着时光流逝,丈夫始终不回家,妇女望眼欲穿,不禁怨嗟伤悲。心理学告诉我们:男性与女性之间存在着较大的生理心理差异。有事业的男性,往往显得心胸宽阔,洒脱不拘,注意力容易转移,较多群体活动;而妇女比较执著专一,感情细腻。本诗作者生活在两千五百多年前的西周社会,其家庭的社会地位当较高,大致属于贵族阶层。这样一位具有文化教养、多情善感的妇女追求着丰富多彩的感情生活，渴望丈夫能陪伴着自己，于是乎她对长年不归的丈夫不禁产生怨恨了。全章四句一气呵成，感情真挚深沉，行文流畅自然，流传至今已成为抒写离愁别绪的名句。

最后一章，写妇女对丈夫及其同僚们长期在外征战表示不满和否定。“百尔君子”，即“所有你们这些君子们”的意思，当指在朝执政、决定并参与征战的人们，也包括了诗人的丈夫在内。“不知德行”句，德行，《周礼》注云“在心为德，施之为行”。“德行”连语，在《大雅·抑》中也曾出现：“有觉德行，四国顺之。”诗人认为执政者们关于征战的决策和行动是不符合善良的德行的。她接着明确表示自己的看法：你们如果不从事这种损人和贪索的战争，那么，肯能无往而不利！言下之意是说你们就不会陷入长期征战的泥淖之中，早就安然回家与亲人团聚了。这一章，是全诗思想性最强的部分，难度较大，历来见解分歧也较大。有人认为作者应是下层劳动妇女，这四句发出了对统治阶级的诅咒。这没有什么根据，而且过分拔高了全诗的主题。

《诗经》中反映战争离乱的作品不少。《君子于役》写农村主妇傍晚见牛羊归家，想到征人还不得回，即景生情，语淡意浓。而《雄雉》写贵族妇女见雄雉振翅，触发对丈夫的思绪，如诉似怨，情真词烈。我们可对照阅读，鉴别异同。

（王德邻）

匏有苦叶

匏有苦叶，[①]	葫芦带叶叶儿黄，
济有深涉。[②]	济水深处也能蹚。
深则厉，[③]	水深连着衣裳过，
浅则揭。[④]	水浅提起长衣裳。
有瀰济盈，[⑤]	白水茫茫济河满，
有鷕雉鸣。[⑥]	野鸡吆吆将谁唤。
济盈不濡轨，[⑦]	水满不过半轮高，
雉鸣求其牡。[⑧]	野鸡婆把公鸡叫。

雝雝鸣雁,[9]	雁鹅声声唤雁鹅,
旭日始旦。[10]	太阳一出红济河。
士如归妻,[11]	哥如有心来娶妹,
迨冰未泮。[12]	莫等冰封早过河。
招招舟子,[13]	船夫摇摇把船摆,
人涉卬否。[14]	旁人过河我等待。
人涉卬否,	旁人过河我等待,
卬须我友。[15]	等个人儿过河来。

(余冠英　译)

注释

①匏(páo):葫芦,古人系于腰间的涉水工具。《国语·鲁语》韦昭注:“佩匏可以渡水。”苦:通“枯”。叶枯则匏干坚硬可用。②济:水名,又作“泲”。涉:步行过河为涉,涉水的渡口也叫涉。深涉:深水渡口。③厉:连衣而涉。④揭(qì):提起下衣渡水。⑤有瀰(mí):犹“瀰瀰”,大水茫茫景象。⑥有鷕(yǎo):犹“鷕鷕”,雉鸣声。⑦濡:浸湿。轨:常义为车辙,僻义为车轴头。此用僻义,说详王引之《经义述闻》。濡轨:犹言水有半个车轮那么高。那时人常乘车渡水,故用“轨”记水位。⑧牡:雄雉。⑨雝雝:雁相和的鸣声。⑩旦:天大明。⑪归妻:使妻来归,犹娶妻。王先谦《诗三家义集疏》:“妇人谓嫁曰‘归’,自士言之,则娶妻是来归其妻,故曰归妻。”⑫迨:及,趁。泮(pàn):合。冰泮:即结冰。(闻一多《诗经通义》)⑬招招:摇动不定。⑭卬(áng):我。⑮须:等待。

鉴赏

《毛诗序》说此诗“刺卫宣公也。公与夫人并为淫乱。”牵扯上“公”,还连带上“夫人”,惹得《传》《笺》一忽儿说此章刺公,一忽儿说那章刺夫人(见《正义》疏毛、郑之说)。后之说诗者颇有“四章各自立义,不为连类之辞”(姚际恒《诗经通论》)的苦恼,和“制局离奇变幻,措词谲诡隐微,若规若讽,忽断忽连,故难骤解”(方玉润《诗经原始》)的困惑。余冠英先生发露此诗最为透彻豁然:“一个女子正在岸边徘徊,她惦着住在河那边的未婚夫，心想：他如果没忘了结婚的事，该趁着河里还不曾结冰，赶快过来迎娶才是。再迟怕来不及了。”（《诗经选择》）这诗写待人求婚，可用“乘彼垝垣，以望复关”（《卫风·氓》），和“求我庶士，迨其今兮”（《召南·摽有梅》）为其作一总注。

诗写大龄女子急于成婚的热望。主人公就是末章的“卬”，第三章的“士”，就是她望而不见等而再等的“朋友”。整首用第一人称语气，从自己一方的单相思立意见情。除首句外，每章前两句皆用赋笔，写其所见，后两句是其所想，布局整齐井然。前三章只言有见有想，分明有个活脱脱的人儿在，却偏按捺住不说动情者谁，所思者何人，直至篇末“卬须我友”“始稍露端倪，犹令人有蜻蜓点水轻盈飘忽之感”（陈子展《诗经直解》），宛然呈现急于成婚却不愿直直道出的女性固有的羞涩而热切的心理。

从三章的“旭日始旦”看，首章说她一大早就赶到济河的渡口，企足伫望，时候还早，一个人影儿也没有。黎明漠漠，只听到河水哗哗地流淌。那高涨的秋水不由得使她担心：渡口水深，人来可不方便了。心急生念：“深则厉，浅则揭”——无论河水深浅，你都给我渡过来，连衣过也好，提衣过也好。这是就己言。如就人言，那就是“子惠思我，褰裳涉溱”（《郑风·褰裳》）的意思了。这两个三字句，可能是当时流行在卫国俗语性的格言。《谷风》的“就其深矣，方之舟之；就其浅矣，泳之游之”或可是其变形。其事有异，其据其时宜，多方成之的情感则一。《论语·宪问》里的“荷蒉（挑草筐子）者”之语有此二句。人皆以为引《诗》，不一定为非，但也或许就是这个格言广泛流传的例证。这里的深厉浅揭，是她焦渴的悬望和设想，恨不得立即“既见君子”，而使成婚的心愿得到“云胡不喜”的满足。这两句语气急促。“深厉”的“深”，顶上“深涉”的“深”，意更迫紧。这是温情脉脉的期望，也是热乎乎的命令式的召唤——仿佛那男子就在对岸，一股急不可耐之情溢于其间。首句“匏有苦叶”是为兴句，葫芦叶黄，当是深秋平日所见，非此时即目河岸。意在兴起这正是“秋以为期”成婚的时节；另外，有了它，河水再深，就全然可“厉”了。待人至河，盼人渡河，那恋人必在彼岸一方。这济河一定留有她“送子涉淇，至于顿丘”的甜蜜回忆，那河湾的树丛处处可能就是他们每每密语的地方，否则，她何必一早就赶到这里？

盼久了，天大亮了，鸟儿也啼叫了，盼的人儿还不见，看到的只是一片白茫茫的济水。她多么希望“所谓伊人”，忽然间“在水一方”，涉河迎来。然而眼前依然是“有瀰济盈”，耳边不时传来野鸡叫声。呆呆望着饱满的河水，心想：河水虽然深了,但还不能淹没轮子——这岂不是“以尔车来,以我贿(嫁妆)迁”的吉庆时日?河边的雌雉都要找个伴,岸上的人儿(自己)却怎么办?这章的“求牡”语意比首章更为透明热烈,如饥如渴,情思更为焦切。“济盈不濡轨”句,也是对所盼之人呼唤叮咛语,似乎他“宛在水中央”。深厉浅揭是要对方过来,商定婚日。而“不濡轨”则暗示对方迎娶自己过去,似乎还不等幻望中人张口表示,也顾不得红云飞上双颊而冲出一句“雉鸣求其牡”。如果上章是格言晓谕,写其盼,那么此章就是借物直白,写其“求”了。

一会儿,红彤彤的太阳升上地平线,照得济水一片通红。“始旦”的“始”字生趣:说明前两章的盼望都在“未旦”之时;“始旦”,即才旦,犹迟旦。旭日的迟出映衬她所望之早;“旭日始旦”,所望当远,恋人不至,则清晰可见,心之焦急,当更甚一层。这时,河边苇丛传来“雝雝”雁鸣声,和那“鷕鷕”的雉啼声交和一片。《郑笺》云:“雁者,随阳而处,似妇人从夫,故婚礼用焉。”古俗男女婚前,有送采礼、问生辰、占吉兆、送聘礼、定日期等等“九十其仪”,而每次礼物都离不开雁,雁几乎成了男女缔结婚姻的标志。(见《仪礼·士昏礼》)一般人仪式虽可能没有如此繁多,但其庄重是可以想见的。而这时“雝雝鸣雁”和求牡的“雉鸣”同样,都能触动她早做新娘的心事。河水的涛涛,雉鸣的鷕鷕,雁叫的雝雝,使她的心情更为繁乱而着急。似乎什么也不需要考虑了,而径直点破,打开窗子说亮话:“士如归妻,迨冰未泮”——小伙子要想讨媳妇,这就是个好时候。(“河冰未泮”实际就是“匏有苦叶”之时。)这虽然不及“求我庶士,迨其吉兮”那样热辣,也是明明白白的“求士”了。当时,以春秋两季为嫁娶常时,故其求娶。《毛传》解“泮”为散,也可通,但那样就把“归妻”慫至明年开春冰融之时,似与姑娘急切心情不协。前两章“士”只是个幻影,存乎其心。此章则似直对其面,姑娘急得简直央求他了。

末章承上“旭日始旦”,日头升高,渡口上聚集人多了,舟子摇橹开始摆渡。渡口的人都上了船,自己是不是也坐船,到对岸去寻找那“士”。她想了想,结果却是“人涉卬否”。此句重见,表示她心意坚定。这倒不是姑娘不愿放下身份,而是相信她的恋人一定会到来的。而且一大早冒着“零露瀼兮”的沾湿,于此“须我友”,显然他们事先有个约会,会见的内容似已提前商定。前三章的心理活动,也可能就是她对将要来临的恋人的软言温语央求的筹划、思忖。她满怀期望和信心,抱着不见不散的耐心期待着、凝视着。本章前两个“卬”字那样自信,末句的“卬”和“我”(即“我的”——如同今日情书的惯用语)把信赖和亲昵交合一起。可以想见,在她企盼的目光中,憧憬着朋友的到来,幸福的莅临。不,应是即时婚日如意而至。有趣的是,时下青年人称恋人为"朋友",今日的文明用语,其原型居然蕴藏在这首古老的民歌中。

诗至末,方正面露出,"求牡"云云者是"卬"之心曲。诗的一切内容都发生在"卬须我友"之时。前三章只写所盼所望,而人物性属未显,末了回眸正面对人,原是窈窕女子待友求偶之作。题旨诗意,由隐而显。这种背面敷粉和曲终奏雅手法的结合,刻画了一个感情热烈、文静婉尔、性格细腻的女性,与同属求偶待婚的《摽有梅》中的女性之泼辣爽直、情感迸发迥然有别。后者一口一个"求我庶士",欲望如火,不可遏止,与这首的"卬"都是"未见君子,惄如调饥"(《周南·汝坟》)的类型,但其情思的内向和外向却泾渭分明。

诗中的所见所想,都发生在河边,章章有水,通首湿意淋漓。那深厉浅揭,"不濡轨""迨冰未泮""人涉卬否",无一不与水相关,而又无一不与求偶待婚相联系。处处柔情似水,在在情满如河。情感之细致,如水之曲曲流淌。中心之向,如河之一往而不止。一片情意都渗透在流动无形的河水之中,片片涟漪契合着人物丝丝心思。湿淋淋的水意,托显浓悠悠的心绪,借着瀰瀰的秋水,如痴如幻、如梦如真地传出一腔的缠绵、满怀的心事。

(魏耕原)

谷　风

习习谷风,①	暴风吹得哗啦啦,
以阴以雨。	乌云满天雨又下。
黾勉同心,②	勉力同心过日子,
不宜有怒。	不该动辄把怒发!
采葑采菲,③	拔那萝卜拔蔓菁,
无以下体。④	不单要叶更要根。
德音莫违,⑤	过去恩情莫忘记,
及尔同死。	同你到死不变心!
行道迟迟,⑥	被弃出门步子慢,

中心有违。[7]	心里又怨又留恋！
不远伊迩，	你走几步不远送，
薄送我畿。[8]	只送我到大门边，
谁谓荼苦？[9]	谁说苦菜味儿苦？
其甘如荠，[10]	比我痛苦如荠甜！
宴尔新昏，[11]	新婚快乐迷着你，
如兄如弟。	如兄如弟相爱怜。
泾以渭浊，	比了渭水泾水浑，
湜湜其沚。[12]	泾水停流也会清。
宴尔新昏，	快乐新婚迷着你，
不我屑以。[13]	不屑再近我这人。
毋逝我梁，	不要去我捕鱼梁，
毋发我笱。[14]	不要开我养鱼筐。
我躬不阅，[15]	我身尚且不相容，
遑恤我后。[16]	难顾此后日子长。
就其深矣，	过渡碰到河水深，
方之舟之；	用筏用舟往前撑；
就其浅矣，	过渡碰到河水浅，
泳之游之。	下水游泳往前行。
何有何亡，[17]	家里东西无和有，
黾勉求之。	不惜辛苦去寻求。
凡民有丧，[18]	邻里若有灾和难，
匍匐救之。[19]	走着爬着也去救。
不我能慉，[20]	对我你已不再爱，
反以我为雠。[21]	反当仇人来看待。
既阻我德，	我的善意你拒绝，

贾用不售。[22]	好比货物没处卖。
昔育恐育鞫，[23]	从前惊恐又困穷，
及尔颠覆。[24]	颠沛流离你我同。
既生既育，	如今生活好过了，
比予于毒！	厌我看我像毒虫！
我有旨蓄，[25]	我腌咸菜存一甕，
亦以御冬。	留到寒天好过冬。
宴尔新昏，	快乐新婚迷着你，
以我御穷。	用我积蓄挡贫穷。
有洸有溃，[26]	对我咆哮大发怒，
既诒我肄。[27]	全家活路逼我做。
不念昔者，	从前恩情全不念，
伊余来塈！[28]	也曾相爱在一处！

注释

①习习：风声。谷风：范处义《诗补传》："谷风者，由大谷而起也。"严粲《诗缉》云："《诗》多以风雨喻暴乱。《邶风》以喻暴怒。"②黾（mǐn）勉：勉力。③葑：蔓菁，即大头菜。菲：萝卜。④以：用。下体：根。⑤德音：指夫妇的情话、誓言之类。⑥迟迟：徐行貌。⑦有违：《通释》云："《广雅·释诂》，怨、怫、很也。《韩诗》盖以违为怫之假借，故训为很，很亦恨也。中心有违，犹云中心有怨。"⑧薄：语词。畿：门槛。⑨荼：苦菜。⑩荠：荠菜。⑪宴：乐。⑫湜（shí）湜：水清貌。⑬不我屑以：《通释》："以犹与也。不我屑以，谓不我肯与。"⑭笱：捕鱼竹笼。⑮阅：容。⑯恤：忧，顾及。⑰亡：同"无"。⑱丧：急难。⑲匍匐：爬行。⑳慉：同"蓄"，爱好。㉑雠：同"仇"。㉒贾：经商。㉓育恐育鞫：《诗集传》引张子曰："育恐，谓生于恐惧之中；育鞫，谓生于困穷之际。"㉔颠覆：倾跌，指患难说。㉕旨蓄：旨，美；蓄，恶菜名。《通释》："蓄与蓫古通……诗言旨者，自贫者视之为旨耳。"㉖洸：武貌。溃：怒貌。㉗诒：遗，给予。肄：劳苦。㉘来：语词。塈（jì）：《通释》："爱，正字作炁。《说文》炁，惠也。㤅，古文，是㤅即古文爱字，此诗塈，疑即㤅之假借。"

鉴赏

本篇是一个贫民的妻子,遭受丈夫遗弃自诉不幸的诗篇。诗载《邶风》,事是卫国的事。据考:邶、鄘、卫三国,同在一地,即太行山之东,故三国之诗,相与同风,所以《毛诗序》云"《谷风》,刺夫妇失道也。卫人化其上,淫于新昏而弃其旧室,夫妇离绝,国俗伤败焉"。《序》说包括两点:一是刺夫妇失道;二是卫人化其上,国俗伤败。前一点从诗内容可以得到答复,因诗内容是刺丈夫有了新欢而休弃妻子,即《孔疏》所说"此指刺夫,接其妇不以礼,非谓夫妇并刺也"。后一点是卫君曾有丑行,上行下效,形成风气。史实是卫宣公先通父妾,后强占儿媳,又杀害儿子。事见《新台》《二子乘舟》等篇的讽刺,详载《左传·桓公六年》《史记·卫世家》及《新序·节士篇》等。在男尊女卑的古代社会中,丈夫虐待、遗弃妻子的事很多。卫宣公既有兽行,国俗伤败,所以《诗序》才有"卫人化其上"的话,后世学者,一般同意此说。

它是一篇长篇叙事诗,共六章,以妻子语气作第一人称写。首章追写初婚时心愿;次章写被遗弃;三章写被弃原因;四章言己本有才德;五章写丈夫忘恩负义,以德为仇;末章写自己受到虐待,丈夫忘了从前的恩情。

诗先以风雨交加的天气,烘托家庭中夫妇失和的阴森气氛,也比喻丈夫的暴怒形象。接着妻子细诉衷情:"夫妻应同心过活,不该动辄发气。好比拔蔓菁和萝卜,要叶不要根是不对的。过去两人间的誓言切莫忘记,我愿和你同生共死!"谁知妻子终于被休了。她伤心说:"当我走出家门时,心里十分痛苦,不忍离去,一步步地慢慢往外走,可你并不远送,一心想着新人,只送到大门边就回去了!这时我内心的痛苦真比苦菜还苦!你可知道?泾水和渭水一比,显得更浊,比起新人,我自然老丑,但从前也曾年轻过来。如今你既恋着新人,不屑亲近我,就不要去我捕鱼梁,不要打开我鱼篓。其实,我连自身也难见容,哪能去忧虑以后的事!"这些话表现出她临行时痛心而又矛盾的心情。她又回忆当初在家时:"不论碰到什么困难,都全力以赴地去谋求解决,好比渡河:水深就划船过去;水浅就游泳前行。不管家中有这没那,我总是尽力去寻找。邻里如遭急难,哪怕爬行也去救助。可是今天你不爱我,把我当仇人;拒绝我的好意,又当我做卖不出的货物;从前也曾和我同甘共苦,过那惊恐贫困的日子,如今生活好过了,竟看我如毒虫一般;我腌好准备过冬的咸菜,你撵了我,却用我的积贮来挡你们的贫穷。你却对我那么凶暴,又打又骂,辛苦事要我一人去做,并不念当初夫妻相好你只爱我一人时候的恩情",这番伤心话,一唱三叹!无限悲哀,使人同情之心,油然而生。

以上是一个完整的故事,但诗人不仅只是叙述,还运用描写、比喻、排比和对比等手法。通过这样的写法,两个人物,形象都很鲜明:从有了新欢对妻子仇恨到遗弃,可以看出,丈夫是个喜新厌旧、薄情寡义、性情粗暴,可以共患难、不能同安乐的人物;妻子却是持家勤苦,甘守贫困,又急公好义,乐于助人。虽倾诉自己的不幸而不出之以诋毁的善良形象。诗人取材于实事和运用艺术手法刻画两个典型人物,所以特别感人。其中内心刻画如"行道迟迟,中心有违","谁谓荼苦,其甘如荠"等。写离家时徘徊不忍去的心情,环境烘托如开始两句。又有细节描写,如"不远伊迩,薄送我畿","我有旨蓄,亦以御冬"等,写家庭琐事以加深被弃的苦滋味。

其次还有譬喻,首两句是烘托也是比喻,其他除末章外,每章都有。用泾渭以及葑菲、毒虫、卖货等作比,面极广泛而又生动贴切。对比如夫妻二人的温良与暴戾,丈夫对旧室和新婚的憎、爱,都是很好的对比;再如泾渭浊清,涉水深浅,"昔育恐育鞫"四句的今昔情况等都是。用了对比,苦乐愈加深化,是非愈加鲜明。四章全章用"之"字组成复比排句,句法显得整齐优美。

此外,故事有头有尾,结构完整,但不是顺次叙述而是先明结果;中间追述前情,末了总结丈夫的无情无义,结语更抒发出无限哀思!文笔曲折委婉,富有生活气息。情节错综有致。对薄幸的丈夫,作了无情的揭露;对不幸的妻子,赋予无限的同情,读了使人对男尊女卑的封建社会更加憎恶。

诗既有鲜明的主题,完整的组织结构,又有人物形象及细节等描写,还用比喻对比等手法,可以说这是后世写作长篇叙事诗歌和小说等不可缺少的要素。又妇女被虐待、遗弃的事,不止在周代,几千年来的封建思想,多使妇女遭受这种厄运。所以从思想上说,它是一篇具有典型性的作品,为人们提出了男女应该平等,婚姻应该自由的重大社会问题;从艺术手法上看,它取材真实,风格朴质,语言生动,取譬广泛,情节完整。所以这首诗是思想性、艺术性兼美的现实主义佳作;也是后世长篇叙事诗歌以及小说等文学作品的先导。

(袁愈荌)

式　微

式微式微，①	日光渐暗天色灰，
胡不归？	为啥有家去不回？
微君之故，②	不是君主差事苦，
胡为乎中露？③	哪会夜露湿我腿？
式微式微，	日光渐暗天色灰，
胡不归？	为啥有家去不回？
微君之躬，④	不是君主养贵体，
胡为乎泥中？	哪会夜间踩泥水？

（程俊英　译）

注释

①式：语首助词。微：《春秋传》杜注："微，匿也"。《尔雅·释诂》："匿，微也。"是"微"与"匿"同义，引申而有昏暗不明之意。式微：将暮。②微：通"无"、通"非"，与上"微"字不同。故：《说文》："故，使为之也。"使为某事者曰"故"。是"故"字有"事务""差事"之意。③中露：即露中，与下章"泥中"皆有湿意，相衬成文，亦与首句天暗入夜相呼应。④躬：身体。

鉴赏

《式微》，是一首十分短小的诗，总共才两章八句。但是，历来对它的理解存在着很大的分歧，而理解的分歧又直接影响着对它的赏析。

传统观点主要有二。《毛诗序》云："《式微》，黎侯寓于卫，其臣劝以归也。""中露"和"泥中"则被解释为卫邑之名。《鲁说》则以为黎庄夫人不见答于其夫，又不肯大归于母家，与其傅母唱和联句，以明己志之作。（见《列女传·贞顺篇》）对第一种说法，清学者魏源甚为有力地指出它的谬误："《序》谓黎臣劝其归。则黎地已为赤狄所夺，复于何归？今有可归，则昔不出奔矣，恐谋国之计不若是。且主辱臣死，而至出微君胡为至此之怨词，恐殉国之忠又不若是！”（见《诗古微》）且诗人一身却同时居于“露中”“泥中”两邑，亦自相抵牾。至于第二种说法，也没有可靠的证据。何况从诗歌内容来分析，通篇是激烈的怨愤之言，与黎庄夫人欲归不忍的矛盾心情不相符合。

因此，认真揣摩诗意，我们同意余冠英、程俊英先生的看法，认为这首诗乃是一个普通劳动者为官家服役，直到天晚仍不得休息，在露水和泥地中操劳着，因而对奴役他们的君主发出的怨词。

古谚云：“日出而作，日入而息。”在生产力不发达的农耕时代，人们为了图得温饱，只得付出辛勤的劳动。可天黑了，经过了一整天的劳作后，人们必须、也可以得到休息，否则明天的劳动就难以为继。但是，在本诗中我们可以看到：日光渐暗，天色灰蒙，而出差当役的劳动人民有家不得归，还得像畜牲一般地让夜露打湿双腿，还得摸着黑在泥浆水中苦挣扎，这是何等的不堪忍受！作者在精神和肉体双重痛苦的压迫下，不由得在脑海中转几个“为什么”，结论是十分明确的：那是因为“君主差事苦”！那是因为“君主养贵体”！诗篇语浅意深，一语中的，带有对统治阶级愤怒抗议和极端憎恨的色彩，所以，应被认为是《诗经》中反抗性颇强的篇章之一。

这首诗设问自答，一气呵成。从艺术角度来考察，它重章叠韵，唯有变字换韵而已。每句字数不一，少只三字，多则五字，自然流畅，极类口语。相信是劳动人民直抒胸臆的即兴之作。质朴无华是其最显著的特色。

《式微》流传以来，对后世影响甚大。《世说新语》记载道：“郑玄家奴婢皆读书，尝使一婢不称旨，将挞之，方自陈说，玄怒，使人曳著泥中，须臾复有一婢来问：‘胡为乎泥中’？答曰：‘薄言往愬，逢彼之怒。’”后诗引自《邶风·柏舟》，前诗即引自《式微》。此外，尽管理解有分歧，但该诗的创作动机乃由思归之情所触发，这也被后人普遍认可。如唐诗人王维《渭川田家》诗：“即此羡闲逸，怅然歌式微”，即用此言。至于后人所说“家道式微”句，“式微”作“衰微”“衰落”解，则非本诗原意了。

（王德邻）

旄　丘

旄丘之葛兮，①　　　　葛藤长在山坡上，

何诞之节兮？②	枝节怎么那样长？
叔兮伯兮，③	叔叔啊，伯伯啊！
何多日也？	为啥好久不帮忙？
何其处也？④	安心躲在家里边，
必有与也。⑤	定要等谁才露面？
何其久也？	拖拖拉拉这么久，
必有以也。	定有原因在其间。
狐裘蒙戎，⑥	身穿狐裘毛蓬松，
匪车不东。⑦	坐着车子不向东。
叔兮伯兮！	叔叔啊，伯伯啊！
靡所与同。⑧	你我感情不相通。
琐兮尾兮，⑨	我们渺小又卑贱，
流离之子。	我们流亡望人怜。
叔兮伯兮，	叔叔啊，伯伯啊！
褎如充耳。⑩	趾高气扬听不见。

注释

①旄(máo)丘:前高后低的土山。②诞:延长。节:指葛藤的枝节。③叔、伯:贵族的尊称。④处:安居不出。⑤与:原因。下文"以",义同。⑥蒙戎:蓬松的样子。⑦匪:彼。东:疑指流亡者居住的地方。⑧靡:无。同:同心。⑨琐:细小。尾:通"微",卑贱。⑩褎(yòu):盛服。褎如:态度傲慢妄自尊大。充耳:塞耳。

鉴赏

古往今来,此诗众说纷纭:一说　　责卫伯之不能救黎,黎臣所作;一说一个贵族妇女被遗弃了,漂泊在外,她丈夫有了新欢,对她的哀诉竟充耳不闻;一说一些流亡到卫国的人,向贵族乞求同情、救济,终于一无所得;等等。可以信这个或不信那个,也可以全信或不全信。这里仅就“流亡说”作一点有关艺术表现的阐述。

与此诗近似的《王风·葛藟》也是一首写流亡者求助不得的怨诗。

二诗的主角都是“终远兄弟”(离别家人)的“流离子”。由于春秋社会已从比较静止的西周社会进入动荡时期,频繁的兼并战争,统治者奢侈的生活,加重了人民的痛苦,他们无法生存,便逃往异地,乞求救济,但终无所获,激起怨愤。

《葛藟》共三章六句七十二字,各章二、四、六句末共有九个字不同外,其他各句的字完全相同。流亡者反复叫着阿爹阿妈阿哥,反复诉说阿爹阿妈阿哥不肯救济,此外就再没说什么了。这样重叠的遣词用字,反复咏叹,可以起到抒情的强化和持续作用,深具艺术感染力。

《旄丘》中的“流离子”见对方过了较长时间还不伸出救济之手,因而产生疑问。经过一番调查,才弄清楚始终不被理睬的原因:对方根本没有把“流离子”放在心眼里。诗所流露的怨情,层层递进,刨根浸底,给人以冷静的回味和深沉的思索。

可见类似的情感内涵,有着不同的抒发模式;多种多样,贵在独创。

这二诗都以自然现象作为首章第一、二句起兴。“葛藤”与“野葡萄”虽是两种不同的植物,却皆取其枝节蔓延的具象来隐喻时间的长久。这里不同的是,《葛藟》主要发议论:关于流亡者如何乞求救济及其希望的破灭;《旄丘》也发一点议论(第二章),但着重对人物形象和情节加以刻画:贵族身穿蓬松的狐裘,在他的冠冕两旁以丝悬玉,下垂至耳,用以充耳避听,乘车外出,从不到流亡者的住处。这样就把冷酷无情的贵族嘴脸暴露出来了。

尽管二诗的抒情方式不一样、表现手段的侧重点有所不同,而对于赋比兴三法却皆加以综合运用,既没有通篇只是议论或述说,也没有全诗均出比譬。正如《诗品·总论》所讲的那样:赋比兴要“酌而用之”,“若专用比兴,患在意深,意深则词踬(通“窒”);若但用赋体,患在意浮,意浮则文散,嬉成流移,文无止泊,有芜漫之累矣。”

有些诗作,或晦塞费解,或一览无余,或干瘪乏味,如此等等,究其原因,大半与不善于综合运用赋比兴三法有关,而钟嵘带总结似的论断,可以说是有助于诗歌创作的一剂良方。《旄丘》等诗可以当之。

(赁常彬)

简 兮

简兮简兮，①	敲起鼓来咚咚响，
方将万舞。②	万舞演出就开场。
日之方中，	太阳高高正中央，
在前上处。	舞师排在最前行。
硕人俣俣，③	身材高大又魁梧，
公庭万舞。	公庭前面演万舞。
有力如虎，	扮成武士力如虎，
执辔如组。④	手拿缰绳赛丝组。
左手执龠，⑤	左手握着笛儿吹，
右手秉翟。⑥	右手挥起野鸡尾。
赫如渥赭，⑦	脸儿通红像染色，
公言锡爵。⑧	卫公教赏酒满杯。
山有榛，	榛树生在高山顶，
隰有苓。	低洼地里有草苓。
云谁之思？	是谁占领我的心？
西方美人。	是那健美西方人。
彼美人兮，	美人美人难忘怀，
西方之人兮！	他是西方周邑人！

（程俊英　译）

注释

①简：鼓声。一说武勇之貌，亦通。②万舞：周天子宗庙舞名，内容分文舞、

武舞两部分。③硕人:指舞师。俣(yǔ)俣:身体魁梧的样子。④辔:马缰绳。组:用丝织成的宽带子。⑤龠(yuè):古代乐器名,如笛,三孔。⑥秉:拿。翟(dí):舞师指挥的野鸡尾。⑦赫:红色。渥:涂抹。赭(zhě):红土。⑧锡:赐。爵:酒器。

鉴赏

现代研究者多断言此诗写的是"一个女子爱上了一位躯体高大的舞师,这里是她对于那位舞师的赞美和热恋的歌声。""这是一个女子观看舞师表演万舞并对他产生爱慕之情的诗。"(程俊英《诗经译注》)类似之说,尚不仅此。

关于"一个女子",或逐章逐句逐字的反复推敲,或透过纸背的发掘,都难以探测到一丝倩影、半点芳踪。那么,"一个女子"爱慕舞师这个论断究竟从何而来呢?它可能来自末章:起兴二句以榛喻男、以苓喻女为隐语,"云谁之思"的"思",即隐喻的女性在"思",所"思"的"谁"指"西方美人"(即伶人)。

当代注家多同意余冠英先生的"隐语说",可惜此说缺乏有力的证明,似不足为凭。至于"西方美人"的解释,明、清以来即出现一些曲解,当代则大半断为舞师(伶人),几成定论。

其实,以"西方美人"指"公言锡爵"的卫公,较合诗的原意。"美人"比喻君主屡见于《离骚》:"惟草木之零落兮,恐美人之迟暮。"王逸《章句》指出:"美人谓怀王也。人君服饰美好,故言美人也。"《离骚·序》亦云:"灵脩美人,以媲于君。"朱熹《楚辞集注》说:"美人,谓美好之妇人,盖词而寄意于君也。"《九歌·少司命》中的"望美人兮未来",《章句》又引五臣云:"以喻望君之使未至。""西方"指卫国西边的周室,因卫是武王分封其弟康叔的国土,卫在东,周邑在西,所以称卫公是来自周室的"西方美人"。《诗集传》云:"西方美人,托言以指西周之盛王。"《列子·仲尼》云:"西方之人,有圣者焉。"有的诗歌表面上似有断裂之处,但读者可以根据自己的经验和想象来牵线搭桥。倘若其间突然冒出一个什么来,牵强附会,就会觉得一脉不和,周身不遂了。"云谁之思?西方美人。"当对应、紧扣"赫如渥赭,公言锡爵"。方丝丝入扣,顺理成章。

从此可见,此诗所表现的根本不是什么"一个女子"爱慕之情,而主要是"硕人俣俣"的精神面貌。首章着重从侧面描绘舞师:那雷动震耳的鼓声,那当顶的红彤彤的太阳,烘托出庙堂万舞即将开演的隆重、热烈的气氛,这种气氛和舞师的高大形象是十分协调的。同时,"万舞"重复两次,引人特别注意:能够领衔主演这种大规模舞蹈的，正是挺立在最前行的那位气势昂扬的伶官。第二章则正面描写他的精湛舞技：他既能武舞又能文舞，多才多艺。当他进行武舞时，他有老虎那样的力气，缰绳在他手中好像成了柔软的丝带。当他进行文舞时，左手执笛吹奏，右手挥舞雉尾，态度从容，动作灵活。舞蹈完毕，他满面红光，热气腾腾。于是卫公赐酒，倍加赞扬。末章写舞师对卫公的感激。首二句以榛苓起兴，前人说："山之有榛木，隰之有苓草，各得其所。"（孔颖达《毛诗正义》）这正是隐喻舞师受到卫公的赏识。最后两句反复强调"美人""西方"，则表达了舞师心目中洋溢着对卫公的感激之情，实质上也就是对西周盛王的称颂。

这里必须指出，《简兮》的章句排列也出现了不同形式。除了陈子展《诗经直解》分为三章六句与《毛诗正义》（见《十三经注疏附校勘记》）相同外，几乎所有《诗经》译注都分为四章，前三章各为四句，末章为六句。不同的形式影响着同一内容的差异。愚见以为三章六句能较好地对舞师形象进行概括集中的描绘，而四章的前三章各为四句，在一定程度上影响了形象体系和层次结构的完整性。

（赁常彬）

泉　水

毖彼泉水，[①]	泉水涌涌流不息，
亦流于淇。	最后流入淇水里。
有怀于卫，	想起卫国我故乡，
靡日不思。	没有一天不惦记。
娈彼诸姬，[②]	同来姐妹多美好，
聊与之谋。	姑且和她共商议。
出宿于泲，	想起当初宿在泲，
饮饯于祢。[③]	喝酒饯行在祢邑。
女子有行，[④]	姑娘出嫁到别国，
远父母兄弟。	远离父母和兄弟。
问我诸姑，	临行问候姑姑们，

遂及伯姊。	还有大姐别忘记。
出宿于干,	如能回家宿干地,
饮饯于言。	喝酒饯行在言邑。
载脂载舝,⑤	涂好轴油上好键,
还车言迈。⑥	掉车回家走得快。
遄臻于卫,⑦	只想快回卫国去,
不瑕有害?⑧	回去看看有何害?
我思肥泉,	心儿飞到肥泉头,
兹之永叹。⑨	声声长叹阵阵忧。
思须与漕,	心儿飞向沬和漕,
我心悠悠。⑩	绵绵相思盼重游。
驾言出游,	驾起车子出外兜,
以写我忧。⑪	借这消我心中愁。

(程俊英　译)

注释

①毖(bì):通"泌",水涌流貌。②娈:美好的样子。诸姬:一些姬姓的女子。卫侯姬姓,其女出嫁时由同姓之女陪嫁。先秦婚制,贵族之女出嫁按其爵次以一定数量的同姓之女(如姪、娣)随嫁或陪嫁。③饯:饯行,以酒宴送行。④行:女子出嫁,有时专指诸侯嫁女。⑤脂:脂油。舝(xiá):车轴头上的小铁棍,挡住车轮使不脱落。此句意为给车轴涂上油,上好辖键。⑥还:通"旋",回归,还车即把车转过来向回走。⑦遄(chuán):疾,快。臻:至,到。⑧瑕:通"遐",通"胡",何也。不瑕:即不何、不无,疑问之词。句意为有什么害处呢?⑨兹:通"滋",更加。⑩悠悠:愁思悠长不断。⑪写:通"泻",宣泄,排除。

鉴赏

《诗经》时代贵族男女婚姻,等级界限分明。他们认为,尊卑不敌是违礼行为，将有伤婚姻之好。所以，诸侯之女宁可千里迢迢远嫁他国，也不可在国内屈尊俯就降格下求。诸侯之间的这种以礼为基础的联姻，完全符合他们的狭隘的阶级私利，满足恪守礼仪的虚荣心理，因而成为当时上层社会的一种普遍现象。但它却给成婚者本人带来诸多不幸，其中之一就是使妇女与宗亲故国相隔绝，终生陷入无限的思念和痛苦之中。

本诗中的卫女就是如此。当初她出嫁时曾宿于泲、干，饯于祢、言，路程十分遥远。现在想回归而不可得，父母兄妹与她早已是天各一方，彼此可望而不可即，剩下的只有无日无夜的思念，默默地啜饮着骨肉生离的苦痛。“遄臻于卫，不瑕有害?”“驾言出游，以写我忧。”透过这幽怨不满的声音，使人感到仿佛有一种无形的力量紧紧地束缚着她，使她遭受压抑和折磨。原来，按照当时贵族的婚嫁礼仪，诸侯之女远嫁，归宁受到很多限制。“诸侯夫人尊重，既嫁，非有大故不得反。”(《公羊传·庄公二十七年》何休解诂)父母殁后，根本不能见宗亲，每年只能“使大夫宁于兄弟”(《郑笺》)。其目的是使妇女终生处于丈夫的监督控制之下，一可加强男方的力量，二便于所谓的“防淫”。可以看出，这种体现着贵族家庭内部男性压迫女性的礼法，如同一张巨大的罗网，使妇女完全失去了自由而沦为家庭奴隶。这种不合理的现实，正是妇女不幸命运的根源。诗中卫女所发出的质问和为排遣忧愁而“驾言出游”的举动，即对此而发。在这个意义上可以说这首诗从一个特定的侧面揭露了当时社会现实和有关制度违背人性的本质。

诗中卫女的形象是颇为感人的。她在思归不得而陷入深深的愁苦中时，想起了与她同嫁的“娈彼诸姬”。父母兄妹既无由可见，那么陪嫁的姪娣对她说来也是无限的美好，这些来自故国的亲人或许可以慰藉她的孤独情怀。“聊与之谋”，姑且与她们商议此事吧。看来，她明知与她们商议也无济于事，但她却偏要这样做。这种徒劳的行为足以说明她的孤寂和愁闷达到了什么程度！这里，“聊”和“娈”一样，运用十分巧妙，将卫女内心活动不着痕迹地表现出来。

第一、四章卫女与诸姬商议和驾车出游属真实的活动，用实写；二、三章还车上路，问姑问姐属想象之词，用虚写。“饯于祢，又饯于言，是虚想饯地而已，非真饯也。”(方玉润《诗经原始》)但她想象中的出宿和饯饮之地并非凿空而言，而都是她当初出嫁时的所经之地。这说明她的想象是以真实的回忆为依据的，从而更增强了作品真实感人的力量，卫女追求的东西在现实中无法实现，在回忆和想象中却得到了满足，从而又为诗歌增加了一层波澜。本诗正是通过不同的叙写手段，将虚实结合起来，多侧面地展示人物形象，使诗歌曲折委婉，生动感人。

诗中写卫女思念故国宗亲多写具体地名：宿泲宿干，思须思漕，怀于卫，思肥泉，这不仅是由于这些地方留给她难忘的印象，更由于那里悬系着她的无限的挂牵。所以写这么多的地名不但不显得枯燥，反而将卫女的思念表现得更加深切。她的思念和忧愁真如诗歌开头所说，如同卫地涌流的泉水那样的绵绵无尽。

有人说，本诗是许穆夫人或其媵妾所作，是针对卫国遭受侵略，回国探问被阻而发，但无确证。

（赵沛霖）

北 门

出自北门，	走出北门去，
忧心殷殷。①	忧心忡忡惨兮兮。
终窭且贫，②	又是寒碜又贫困，
莫知我艰。	我的艰辛无人知。
已焉哉！	算了哟！罢了哟！
天实为之，	老天爷安排受苦命，
谓之何哉！③	我又奈之何！
王事适我，④	朝廷差事扔给我，
政事一埤益我。⑤	政事统统码给我。
我入自外，	我从外面回家里，
室人交遍谪我。⑥	家人搭伙责备我。
已焉哉！	算了哟！罢了哟！
天实为之，	老天爷安排受苦命，
谓之何哉！	我又奈之何！
王事敦我，⑦	朝廷差事推我干，
政事一埤遗我。⑧	政事统统派我办。
我入自外，	我从外面回家里，

室人交遍摧我。⑨	人人骂我是蠢蛋。
已焉哉!	算了哟!罢了哟!
天实为之,	老天爷安排受苦命,
谓之何哉!	我又奈之何!

注释

①殷殷:忧伤的样子。②终……且……:既……,又……。窭(jù):本义是指房屋窄陋,这里指家道寒碜。③谓:奈。④適:同“擿”,即“掷”,扔。⑤一:全部。埤(pí)益:增加。⑥交:俱。⑦敦(duī):与“適”义同。⑧埤遗(wèi):与“埤益”义同。⑨摧:本作“谁”,讥刺、嘲笑。

鉴赏

本诗是《诗经》名篇,写主人公因内外交困而忧心殷殷,唉声叹气,又感到一切都无可奈何,只得将苦命归之于天。这位主人公的身份,是个需要讨论的问题。

据《毛诗序》说,本诗是“刺仕不得志也,言卫之忠臣不得其志尔”。郑玄作《笺》更申说本诗写的是“君不知己志而遇困苦”,“言君既然矣,诸臣亦如之”。他们的意思是说本诗的主人公是仕于卫君的忠臣,地位大概并不低。但是后来人们用《北门》,又多理解为贫士不遇。如《潜夫论·交际》说“处卑下之位,怀《北门》之殷忧”;《世说新语·言语》说李充家贫,又怀才不遇,故有“《北门》之叹”。所以孔颖达作《毛诗正义》,解本诗之旨为“卫君之暗,不知士有才能,不与厚禄,使之困苦,不得其志,故刺之”。现代学者讲《北门》,也多说主人公是一位辛辛苦苦而又禄薄室陋的小臣。郭沫若先生在《中国古代社会研究》里又立新说,认为其时生活高涨,贵族中有破产者,所以入不敷出,室人交谪。

上述各种意见可作我们阅读《北门》诗时的参考。而就诗论诗,我们觉得,《北门》的主人公在朝廷里勤勤恳恳地干事,但干了又得不到很好的报偿,回家去还受气挨骂。从主人公忧心忡忡、可怜巴巴的模样看,他的身份和地位都不是很高的。《北门》本事已不可考,而我们对《诗经》风诗中所提到的一些:“王事”“政事”,理解为公差即可(如《唐风·鸨羽》等所说的“王事靡盬”之类),不必硬说是非高官忠臣不能为。所以,本诗的主人公,我们仍说是一位小臣。

这位小臣,也真是可怜。你看他走出北门(大概是干完了公差回家去吧),一路上忧心殷殷,惨惨凄凄。所忧者何?“终窭且贫”:禄薄室陋,家道寒碜。如果他在朝廷本来就没干多少事,收入少一点也许还不至于有那么多怨言。但是,“王事適我,政事一埤益我”,干了个没完没了,这就要生怨了。因为他付出的劳动与所得的报酬实在不相称。更有甚者,他回到家里,妻妾却不体谅他、关心他,反而责备和嘲骂。这内外交困的处境,使得本诗的主人公长吁短叹,又无可奈何,只得自认这一切都是逃不脱的命中注定。

这是一个苦闷而又孤独的形象。前有《召南·小星》诗,主人公亦是贫仕卑官。其人奉使劳苦,风风火火出差夜行(“肃肃宵征”),于是埋怨自己的命和别人的命不同(“寔命不同”),也就是说埋怨自己的命运不如别人好。而本诗的主人公呢?他压根儿就没有想到和别人的命运比一比,因为他认定自己的命运再孬不过。他只得将这命归之于天,万般地无可奈何。从这一意义上讲,本诗在这位稗官小吏身上所表现出的苦难和所坦露出的心灵痛楚,似比《小星》更加深刻和有认识价值。

(李大明)

北　风

北风其凉,	北风刮来冰冰凉,
雨雪其雱。①	漫天雪花纷纷扬。
惠而好我,②	赞成我的好伙伴,
携手同行。	同路携手齐逃荒。
其虚其邪?③	岂能犹豫慢慢走?
既亟只且!④	事已紧急国将亡!
北风其喈,⑤	北风刮来呼呼响,
雨雪其霏。⑥	雪花纷纷漫天扬。
惠而好我,	赞成我的好伙伴,
携手同归。	携手同去安乐乡。

其虚其邪？	岂能犹豫慢慢走？
既亟只且！	事已紧急国将亡！
莫赤匪狐，	天下赤狐尽狡狯，
莫黑匪乌。⑦	天下乌鸦一般黑。
惠而好我，	赞成我的好伙伴，
携手同车。	携手同车结成队。
其虚其邪？	岂能犹豫慢慢走？
既亟只且！	事已紧急莫后悔！

（程俊英　译）

注释

①雱(pánɡ)：通“滂”，雪盛貌。②惠：爱，友爱。③虚：通“舒”，缓慢。邪：通“徐”，徐缓。④亟：通“急”，紧急。只且(jū)：语气词，相当于现代汉语中的“了啊”。⑤喈(jiē)：借为“湝”，寒冷。⑥霏(fēi)：即霏霏，大雪纷纷扬扬的样子。⑦莫：无，没有。匪：通“非”。这两句的意思是没有不赤的狐狸，没有不黑的乌鸦。

鉴赏

这是一首反映卫国政治黑暗混乱，人民纷纷相携出逃的诗。

武王克商，分纣城朝歌而北谓之邶，南谓之鄘，东谓之卫。邶、鄘、卫皆诸侯国，后邶、鄘并于卫，“故邶、鄘、卫三国之诗相与同风”（《汉书·地理志》）。邶风也是卫国之诗。在春秋时期各诸侯国中，卫国是发生政治动乱和战争较多的国家之一。据《左传》记载，较大的内乱就有：公子州吁杀死桓公夺取君位，并联合邻国攻打郑国；惠公善于构谗，害伋寿，逐黔牟，杀左右公子；定公姑息养奸，酿成孙宁据邑叛乱；春秋末年庄公父子为争君位而大动干戈……卫君荒淫腐朽，权臣骄横无忌是卫国废立频仍，内讧叠起的直接原因。除内乱之外，卫国与邻国特别是与齐、晋、邢及狄人的战争也时有发生。可以说春秋时期数百年间卫国战乱接连不断，百姓几无宁日。

《北风》一诗笼罩着愁惨暗淡、大难临头的气氛,与卫国的社会政治环境完全一致,因此,此诗写作的具体年代虽不可确知,但它以卫国的战乱为背景,是卫国社会生活的产物却是毫无疑问的。

“北风其凉,雨雪其雱。”“北风其喈,雨雪其霏。”这几句诗放在全诗的开头,既是自然气候寒风大雪的写照,又是社会生活动乱灾难的象征。作为象征,它为作品提供了广阔的社会政治背景,赋予作品以丰富的历史内容;作为自然气候的写照,它逼真地描绘出一幅形象的图画,与下文所抒之情浑然一体,共同构成耐人寻味的意境。这两个方面其内涵完全不同,但在诗中却很好地结合起来,成为理解作品所不可或缺的东西。

如果说作为为诗歌提供社会环境和背景的部分,上述几句还略嫌不够的话,那么,第三章开头两句“莫赤匪狐,莫黑匪乌”则可以视为是对它的进一步的充实,从而使诗歌具有更加明确的意向和性质:狐、乌“皆不祥之物,人所恶见者也。所见无非此物,则国将危乱可知”(朱熹《诗集传》)。可见,这两句放于最后一章,确有压轴之重:它不仅把环境背景进一步补足,而且直接揭示了人民出逃的社会原因。一般说来,抒情诗特别是短小的抒情诗不便于展示社会背景和环境,但此诗却将它们表现得很清楚。当然,这与它的表现手法如前两章的象征、第三章的比喻(特别是比喻的感情色彩)有直接关系。

“惠而好我,携手同行”(“同归”“同车”)具有典型性,寥寥数语便把处于灾难中的人的特殊心理、要求和愿望有力地表现出来:对于这样的人来说没有比友爱和关怀更为宝贵的了。如果有人“惠而好我”,愿意一同出逃,那将给人以巨大的安慰和力量。所以,对于描写灾难中的人的心理来说,这八个字胜过千言万语,是名副其实的点睛之笔。

全诗不长,但用虚字特别是语气词却很多。“北风其凉”二句,每句一个“其”字,不只是为凑足音节,读来上口,而且增强感叹嘘唏,有助于表达感情。同时还与末二句相呼应,造成音韵上的回环往复之美。每章末二句“其虚其邪?既亟只且!”八个字中竟有五个语气词,其中“邪”“且”同属鱼部,“虚”“邪”又为叠韵,而且五个字中又多为舌面前音,连读起来,不但音韵优美,而且急迫短促,韵带声气,使人从音韵上感到大难将临,人心惶恐的紧张气氛。

(赵沛霖)

静 女

静女其姝，	娴静的姑娘撩人爱，
俟我于城隅。	约我城角楼上来。
爱而不见，①	暗里躲着逗人找，
搔首踟蹰。	害我抓耳又挠腮。
静女其娈，	娴静的姑娘长得俏，
贻我彤管。②	送我一把红管草。
彤管有炜，③	我爱你红草颜色鲜，
说怿女美。④	我爱你红草颜色好。
自牧归荑，⑤	牧场嫩草为我采，
洵美且异。	我爱草儿美得怪。
匪女之为美，⑥	不是你草儿美得怪，
美人之贻。	打从美人手里来。

（余冠英　译）

注释

①爱:通“薆”,隐蔽。②彤管:红色管状物,此指通心的红草。③炜(wěi):鲜明。④女:同“汝”。⑤归:馈。荑(tí):初生的茅。⑥匪:非。

鉴赏

这是一首写幽会定情的诗。如果说《关雎》中写的是单相思,那么这里写的便是实实在在的恋爱中的情景,通篇亦由男子口吻道出。“静女”,据毛传及余冠英译文,均谓文静的姑娘。然据马瑞辰《毛诗传笺通释》,“亦当读靖,谓善女,犹云淑女,硕女也”。则“静女”犹言“靓女”,乃是男子对心上人儿的爱称。从后文“自牧归荑”一句又可悟到,这位靓女乃是一位牧羊姑娘。

诗中的“静女其姝”“静女其娈”,同义反复,都是男方对女方由衷的赞美。“其”字作形容词头,有加重形容的意味,是叠字的一种变式,在《诗经》中运用很普遍。这男子感到很幸福,因为那位靓女约他在僻静的城角楼上相会。这场约会被写得挺有意思,很具生活情趣。男方如期到达约会地点,却不见人影儿,这恰如一首叫《敖包相会》的民歌所唱的,“十五的月亮升上了天空,为什么旁边不见云彩?”是不是女方失约呢?否,“爱而不见”,她是在躲着呢。弄得“阿哥”一阵好找,直到他心急火燎,抓耳挠腮,走来走去,进退两难时,她才神秘地出现,使那男子感到意外的惊喜。这一层诗人未显言,但无字处皆具意也。看来这位靓女呀,不但漂亮,还有几分俏皮呢。

靓女约阿哥相会,当有心意表白。但作为一位姑娘,话儿怎么好讲?她只是赠给对方一支红色的通心草。旧训彤管为针筒、笛子或笔杆儿,总不符合牧女的身份,与后文“归荑”之说亦缺乏照应。其实,这“彤管”即下文的“荑”,乃红色的、通心的嫩茅草。伴随赠草的动作,想必她还问了一声:“这支草儿可美?”这才自然地引起下文美不美的一番答话或议论。“彤管”是新从牧场采来的,鲜嫩润泽。“有炜”犹言“炜炜”(有字加单音形容词,也是叠字的变式)。“说怿女美”的答语妙在双关,既是悦怡“彤管有炜”之美,又是悦怡“静女其娈”之美。还需要表白什么呢,男有心女有意,两人早已是“心有灵犀一点通”了。

以下便写约会后男子幸福的回味。拿着那支不同寻常的嫩茅草,男子爱不忍释,重申其美。“洵美”即确美。不但美,而且“异”。美得怪,何以言之?原来这茅草本是郊原上最平常、最低贱的植物,人们从未把它和“美”联在一块儿过。然而一经姑娘手赠,居然“洵美”。说穿了,既怪又不怪,常言道“情人眼里出西施”,又道是“爱屋及乌”,这里是兼而有之了。这种恋爱中人的心理,在诗中表现得很真切。全诗最警策的还在最后两句,诗人通过那男子对这种新鲜感受的反复玩味,道出了一个富于哲理意味的结论:“匪女之为美,美人之贻。”美在物,亦在人;美在形式,亦在内容;美在客观,亦在主观。于此完全统于一了。于是朴素的诗句启发读者超越诗的本文,进而领悟到美之本质,美之奥义。诗中对茅草直接以人称(“汝”)相呼,“卉木无知,却胞与而尔汝之,若可酬答,此诗人之至情洋溢,推己及他。我而多情,则视物可以如人”(钱钟书《管锥编》),这种“尔汝群物”的移情手法,后世诗词多有运用,而此诗已肇其端。

全诗抒情叙事单纯,天真有趣,

颇具牧歌情调。旧说为刺卫君无道,或恋爱女史而作,与这一情调格格不入,故不宜取。

（周啸天）

新　台

新台有泚,①
河水瀰瀰。②
燕婉之求,
籧篨不鲜。③

新台有洒,④
河水浼浼。⑤
燕婉之求,
籧篨不殄。⑥

鱼网之设,
鸿则离之。⑦
燕婉之求,
得此戚施。⑧

黄河呀,泪漫漫,
河上的新台空自灿烂。
只说嫁个美少年,
谁知嫁得一个鸡胸汉!

黄河呀,泪滔滔,
河上的新台空自光耀。
只说嫁个美少年,
谁知嫁得一个鸠胸老!

架起渔网想打鱼,
谁知打得一个癞蛤蟆!
只说嫁个美少年,
谁知嫁得一个驼背爷!

（郭沫若　译）

注释

①泚(cǐ):形容台之鲜明和崭新。②瀰(mí):形容黄河水盛势大。③籧篨(qú chú):指蛤蟆、蟾蜍一类的东西。④洒(cuǐ):高峻貌。⑤浼(měi):水平貌。⑥殄(tiǎn):同“腆”,善的意思。⑦离:通“罹”。⑧戚施:蛤蟆。

鉴赏

东周列国时期的统治阶级不仅在政治和经济上残酷地欺压和剥削

广大人民,在生活上也是一派腐败荒淫,乱伦败俗的行为和现象时有发生。据说,卫宣公和他的后母夷姜发生性关系,生子名伋。伋长大后,卫宣公便替伋迎娶齐女。但当卫宣公听说齐女长得很漂亮时,淫念顿生,就不顾自己的身份和地位,赶紧派人在黄河边上临时筑了一个新台,把出嫁的齐女在半路上先拦截了下来,占为己有。当时人有愤于卫宣公这件劫夺儿媳的丑恶行径,就作此诗讽刺他。

此诗三章,可以说是一首整齐的四言诗,其陈述的方法,也是《诗经》中常用的排比手法,反复铺叙了卫宣公筑台劫媳的事情,不见得有何特别奇妙的地方。其中最奇妙和值得一提的,似乎还是诗中的对比和反照手法。

诗中的第一、二章的首句,或用"泚",或用"洒",都极力描绘卫宣公所筑新台的灿烂辉煌和鲜明高峻,但这一切都是反意,都恰恰与卫宣公筑此台的目的和丑行形成鲜明的对照。富丽堂皇的新台虽然筑起来了,但这一新台的矗立却直接败坏了卫宣公自己的形象。在人民的心中,昔日的国君成了一只丑陋的癞蛤蟆。作诗者正是透过高耸的新台,看到了卫宣公的癞蛤蟆形象,以此来达到讽刺、嘲笑卫宣公的目的,产生了很好的艺术效果。而新台和癞蛤蟆,正是一组形象上的对比和反照。

此外,诗中的"河水瀰瀰""河水浼浼",初看似乎只是写黄河水势的盛大与辽阔,然细加体味,其中似乎也有隐喻的成分。黄河奔腾汹涌的水势,既可以喻指齐女当时心中闷郁不快而喷涌的失望和痛苦的泪水,也可以推想出她当时归去无路、惆怅万端、眼前一片茫茫空白的绝望心情。所以,这一对黄河水势的描写,其中实际上隐藏着当时人对齐女婚姻不幸命运的同情。

然而,不论是将新台形象和癞蛤蟆形象的对照和反衬,还是通过河水来隐喻齐女的痛苦和失望心情,目的都是为了讽刺卫宣公劫夺儿媳的丑行。也正因为有了这些手法,才使此诗的讽刺显得辛辣了一些,有趣了一些。

(孙琴安)

二子乘舟

二子乘舟, 汎汎其景。[①]	你们二人登上船, 飘飘荡荡越驶越远。

愿言思子，	我时刻牵挂着你哟，
中心养养。②	心中的思情绵绵。
二子乘舟，	你们二人登上船，
汎汎其逝。	飘飘荡荡驶向远方。
愿言思子，	我时刻牵挂着你哟，
不瑕有害！③	可别有灾风祸浪！

注释

①景：远行貌。②愿：思念貌。养养：通“洋洋”，思也；或曰通“痒痒”。③瑕：通“遐”，远；或曰通“胡”。不瑕：犹言“不胡（无）”。

鉴赏

此诗与《燕燕》同属送别诗。《燕燕》送的是女子出嫁，此诗送的则是男子的远行。

“人生不相见，动如参与商。”（杜甫《赠卫八处士》）在山河阻隔、交通不便的古代，人们的辞亲远行，特别容易勾起伤怀。如果是在战乱频仍之中，这种“生离”，就如同“死别”，更教人“意夺神骇，心折骨惊”（江淹《别赋》）。由于时代的久远，《二子乘舟》的送别背景，已微茫难求。我们根本无法猜测，此诗的送行者究竟是父母、朋友，还是妻子、恋人？至于被送者，究竟是去谋生、求仕，还是行役、从军，也一样无从说起。不过这也无妨，我国的古诗艺术，本就讲究“虚、实”相成。背景“含糊”一点，有时反比指实更有味。

从本诗开篇看，这一次的送别之地，是在河边。“二子乘舟，汎汎其景”，用的是描述笔法。节奏舒缓，画面却是跳跃的：开始展现的，是两位年轻人（？）登船启程的近景；随即镜头一拉，那一叶孤舟，早已在浩瀚的河面上飘飘远去，霎时便消隐在一片迷濛的烟波之中。从表面上看，画面的这种跳跃，改变了此诗的舒缓节奏，似乎不适于表现送行时的悠悠别情。但从送行人的心理来说，再“长久”的话别，也都是“短暂”的；当他（她）还在惜别的依恋之中，举目而望，江波却早已载着离人远去。画面的跳跃，正符合送行者此刻的特殊感觉，表现的是一种“离别匆匆”的惆怅和失意。“愿言思子，中心养养”二句，则由写景转入直抒其情。“二子”抛下送行者逐浪远去。对于久处局限之地的年轻人来说，这种离别尽管也难受，但未卜的前路，毕竟还有很大的诱惑力——那是一个陌生而无限广阔的新天地，是对年轻人的向往和追求的热切召唤呵。只要他们还没有饱尝人生旅途的艰辛和险恶，他们总要带着五彩的憧憬之梦，跃跃欲试地扑向这一召唤的。送行者就不同了，亲人的离去，所带给他（她）的，固然也有希望和期待，但更多的则是一种失落的牵挂。不管是父母，还是妻子、朋友，当其伫立河岸，目送着离人在风波中远去，那颗依恋、牵挂的心，便如跌宕的浪波，从此再不能宁息了。上述两句所抒写的，正是送行者所共有的这种牵念之情。诗中抒写这一情感，用了“养养”这两个奇特的字眼。按照前人的说法，“养养”就是“思念”之意，总嫌太“直”了些。近人闻一多先生训“养养”为“痒痒”（《风诗类钞》），顿觉境界妙出，将送行者远望中的既爱又念，依依难舍又不得不舍的难言之情，传达得极其微妙。这样的用词，显然出于民间口语。较之于“思念”之类雅言，其生动、活泼自不可同日而语。

诗之二章，采用的是民歌中常见的叠章形式。景象未变，情感则因诗章的回环复沓，而蕴蓄得更加浓烈、深沉了。此刻，“二子”所乘之舟，早已在碧天长河中消逝，主人公却还在河岸上久久凝望。当“二子”刚刚离去时，他（她）正“中心养养”，难断那千丝万缕的牵念；而今，“二子”之影消去，眼中尽是滚滚滔滔的浪波。主人公于牵念之中，顿又生出深深的不安和担忧。“愿言思子，不瑕有害”二句，正表现了这一情感上的递进和变化。较之于前章那欲言还休的“中心养养”，这结句简直就是语带惊惧的“呼告”了。这热切而惊惧的呼告，包含了一位慈母、妻子或朋友，对于远行他乡的游子的多少关切之情！

作为一首送别诗，《二子乘舟》写得远比《燕燕》质朴而单纯。全诗毫不借助“比兴”；诗中的意象，只有一再重现的飘飘远去的小舟；情感的抒发，也无《燕燕》那样“瞻望弗及，泣涕如雨”的形象表现。但它的内涵，却极为丰富。因为画面只有飘飘远去的小舟，其余全是空白，正为读者的联想，留下了更多的空间；因为背景简略，甚至也不交代送行人的身份面貌，其抒写的情感就具有更大的涵容量，适合于表现“母子”“男女”、友朋送别的“人同之情”；而语言质朴自然，给人的感觉也就格外"明朗"。正如马茂元先生所说,这样的语言,"能够集中最丰富、最强烈的情感,投入于最单纯的一击"(《论〈古诗十九首〉》),表现出一种"深衷浅貌,短语长情"的情感魅力。

(潘啸龙)

＊关于《二子乘舟》的背景,前人以为是为卫宣公之二子"伋与寿"的受害而作(《毛诗序》、刘向《列女传》),恐怕是附会之说。闻一多先生猜测是"似母念子之词"(《风诗类钞》);也有学者断为一位"老父"送别二子之作(邓荃《国风译诗》)。均有道理。读者倘若将其视为妻子送夫、朋友送人的歌,恐怕也无大错。

鄘　风

柏　舟

汎彼柏舟，①	摇晃着的柏木小船，
在彼中河。②	仍在河中打转。
髧彼两髦，③	那个垂发少年郎，
实维我仪。④	是我心中的对象。
之死矢靡它！⑤	我誓死不会变心肠！
母也天只，⑥	母亲啊，上天啊，
不谅人只！	为何对我不体谅！
汎彼柏舟，	摇晃着的柏木小船，
在彼河侧。	仍在河边打转。
髧彼两髦，	那个垂发少年郎，
实维我特。⑦	就是我苦恋的对象。
之死矢靡慝！⑧	我至死也不会有他想！
母也天只，	母亲啊，上天啊，
不谅人只！	为何对我不体谅！

注释

①汎：即“汎汎”，飘浮的样子。②中河：河中。③髧（dàn）：发下垂貌。两髦：古代男子未成年时头发式样，前额头发分向两边披着，长齐眉毛；额后则扎成两绺，左右各一，叫做两髦。④实：是，这。维：为，是。仪：匹配，对象。⑤之：到。矢：誓。靡：无。⑥也、只：语气词。⑦特：匹配。⑧慝（tè）：更改。

鉴赏

古人称妇之丧夫为“柏舟之痛”,夫死而妇不嫁为“柏舟之节”。均由《毛诗序》误解这首《柏舟》诗意而致。按照《毛诗序》的解说:“《柏舟》,共姜自誓也。卫世子共伯蚤死,其妻守义;父母欲夺而嫁之,誓而弗许,故作是诗以绝。”但我们从诗中体会到的,似乎不是所谓“贞妇自誓”之辞,而是一位希冀冲破父母之命的束缚、追求恋爱自主的少女唱出的一曲情意绵绵、矢志不移的哀怨之歌。

在春秋以前,礼教的约束力尚未强固,周代的民间婚姻,还保持着一定的自由。《周礼·地官》就有这样的记述:“媒氏掌万民之判。”“中春之月,令会男女。于是时也,奔者不禁。”但这正如郑注所说,毕竟“非正礼”,“正礼”则须听从父母之命、媒妁之言。倘若不从父母,亦会遭到众人的非议,致使情窦初开的痴情者常常有“畏我父母”(《将仲子》)的悲叹!《柏舟》的女主人公就正苦恋着情人,而又承受着父母“不谅”的痛苦煎熬!

全诗分二章,两章字句、诗意基本相同。诗的开头两句“汎彼柏舟,在彼中河”,以失控的河中小船起兴,披露了女主人公彷徨苦闷的心理状态:她已有了情郎,而母亲又强迫另嫁他人!男女之情,父母之命,熬煎着少女的心灵。在这极度痛苦之时,她心中大声呼喊:“髧彼两髦,实维我仪!”那个垂发少年,就是我日夜思念的对象!对情人的炽热恋情,使少女立下了重誓:“之死矢靡它!”这五个字清明透亮地写出了她爱情的纯洁和坚决!爱的力量使少女坚强了起来,但父母之命的压力又不能不让少女感到前路的艰辛和渺茫!她悲怆!她不满!终于发出了撕心裂肺的呼喊:“母也天只,不谅人只!”这直抒胸臆、痛彻肺腑的悲凄怨语,道出了许许多多爱情不自由者的心声!这是对父母扼杀子女婚姻幸福的强烈不满,是对社会压抑人性的有力控诉!

一章完毕,诗人犹感不足,又采用民歌常用的复沓形式,再次咏唱。每反复一句,少女矛盾痛苦的心情就向前推进了一步,笼罩在他们爱情自由上的阴影就增加了一层,而少女对恋人的情意也更显浓烈和坚定。在这重复叠唱中,我们仿佛看到自由婚姻上空飘荡的阴云,仿佛看到那少女在父母之命压力下极其忧伤的神情。这首诗言尽而意未尽:少女的恋爱结果如何?她将怎样去反抗父母的逼迫?给读者留下了无穷的想象,引起人们对女主人公命运的深切关注。

(谢东贵)

墙有茨

墙有茨，[①]　　墙上蒺藜爬，
不可埽也。　　不可扫掉它。
中冓之言，[②]　　宫廷秘密话，
不可道也。　　不可乱拉呱。
所可道也？　　还能说什么？
言之丑也。　　丑话污了牙。

墙有茨，　　蒺藜爬满墙，
不可襄也。　　难以一扫光。
中冓之言，　　宫廷秘密话，
不可详也。　　不可仔细讲。
所可详也？　　还能说什么？
言之长也。　　说来话太长。

墙有茨，　　墙上蒺藜生，
不可束也。　　除也除不净。
中冓之言，　　宫廷秘密话，
不可读也。　　宣扬可不行。
所可读也？　　还能说什么？
言之辱也。　　说来难为情。

（程俊英　译）

注释

①茨(cí)：即蒺藜，又名爬墙草。②中冓(gòu)：宫闱，宫廷内部。

鉴赏

此诗虽然收在《鄘风》中，内容上却可以看作《新台》一诗的续篇。卫宣公筑新台劫聚了儿子的聘妻齐女宣姜后不久，他就死了。但是卫宣公的庶长子公子顽见宣姜美丽动人，风姿犹存，不禁动了淫念，也与宣姜私通起来，生下了齐子、戴公、文公、宋桓夫人、许穆夫人。纸是包不住火的。不久，这些宫廷秽闻就传到宫外，为国人所知。当时人又有感于宫闱中的荒淫无耻，腐化乱伦，又作此诗加以讽刺。

此诗共三章，基本上也是一首四言诗。用的仍是《诗经》中常见的反复唱叹的排比手法，每章的意思大致相同，只是移换了其中的个别字眼和词汇，如“埽”“襄”“束”“道”“详”“读”等，但实际意思都差不多，内容上也没有明显的递进之处。不过，其中有两点写作手法，仍是值得引起我们注意的。

一、此诗题为“墙有茨”，且以此起兴，表面上似无意义，实际上是有含意的。墙上种茨，本是为了防闲内外的，明明公子顽和宣姜私通的事已传至宫外，但作诗人偏偏说墙茨不可扫除，宫闱秘事不可乱传，这是反语。这样写，更能逗趣，更增加揶揄的成分，也更具有讽刺的意味。

二、此诗每章中都故意设一问句，明明宫闱乱伦秘事已传至国人，有许多话可说，但作诗人偏偏说“不可道”“不可详”“不可读”，戛然而止，不再说下去，这反倒增加了事情的神秘气氛，似乎比说出来更好。我们常说有些诗言尽而意未尽，而此诗则可以说是言未尽而意亦未尽，既减去许多篇幅，又显得含蓄有趣。

与其他国家比较起来，我国的讽刺诗还是出现得比较早的，而且讽刺的手法和艺术表现也显得比较成熟和多样化。像《新台》《墙有茨》这样的讽刺诗，虽然不像《硕鼠》那样直露，但似乎更具有嘲讽的意味。而就《新台》和《墙有茨》二诗而言，前者似乎有如集体的齐声嘲笑和捉弄，后者则似乎有如附人耳边的低诉和秘闻；前者是一种公开的嘲讽，后者则似乎有一种故弄玄虚的味道，二者在平易之中各具特点，都有其耐人寻味的地方。

（孙琴安）

君子偕老

君子偕老，①　　　　贵族老婆真显赫，

副笄六珈。[2]　　玉簪步摇珠颗颗。
委委佗佗，[3]　　体态从容又自得，
如山如河，[4]　　静像高山动像河，
象服是宜。[5]　　穿上画袍很适合。
子之不淑，[6]　　可是行为太丑恶，
云如之何！[7]　　对她还能说什么！

玼兮玼兮，[8]　　文采翟衣真鲜艳，
其之翟也。[9]　　画羽礼服耀人眼。
鬒发如云，[10]　　黑发密密像乌云，
不屑髢也。[11]　　不用假发更天然。
玉之瑱也，[12]　　美玉充耳垂两边，
象之揥也，[13]　　象牙簪子插发间，
扬且之皙也。[14]　　俏俊白皙好脸面。
胡然而天也？[15]　　莫非尘世出天仙？
胡然而帝也？　　莫非帝子降人间？

瑳兮瑳兮，[16]　　文采展衣真艳丽，
其之展也，[17]　　轻薄细纱会客衣。
蒙彼绉絺，[18]　　罩上绉罗如蝉翼，
是绁袢也。[19]　　透明内衣世所希。
子之清扬，[20]　　看她眉目多清秀，
扬且之颜也。　　看她容颜多美丽。
展如之人兮，[21]　　但是如此盛装女，
邦之媛也？[22]　　天香国色差淑仪。

（程俊英　译）

注释

①君子：当时统治阶级的代称。这里的君子，指卫宣公。偕老：本是夫妻相

偕至老相亲相爱之意,这里诗人用它代君子的妻,即卫宣姜。②副:亦作“鬒”,古代首饰名。笄(jī):首饰名。珈:加在笄下的首饰,常垂以玉或珠,走路时会摇动。汉时称为“步摇”,其垂珠六颗,故名六珈。③委委佗佗:步行庄重美丽、举止自得的样子。④如山如何:如山凝然而重,如河渊然而深,皆以状德容之美。⑤象服:又名袆衣、画衣、画袍,王后六服之一,是镶嵌着珠宝、绣绘着彩色花纹的礼服。⑥子:古代对人之尊称。在此称宣姜,有讽刺意味。淑:善,好。不淑:行为不端。⑦云:语首助词。如之何:即奈之何。⑧玼(cǐ):玉色鲜明貌,此处形容翟衣花纹绚烂。⑨翟(dí):翟衣。《诗集传》:“翟衣,祭服。刻绘为翟雉之形而彩画之以为饰也。”⑩鬒(zhěn):乌黑浓密而柔长的美发。如云:形容头发美如云霞。后世诗歌所言“云鬓”,盖源于此。⑪不屑:不用。髢(dì):假发制的髻。⑫瑱(tiàn):古人冠冕上垂在两侧以塞耳的玉饰。⑬揥(tì):簪。《毛传》:“揥,所以摘发也。”后来叫做搔首、搔头。⑭扬:形容脸色之美。且(jū):句中助词、无实义。皙:白嫩而有光泽。⑮胡:何,为什么。然:这样。而:用作如、像、似。⑯瑳(cuō):通“玼”,鲜艳美丽。⑰展:展衣,亦作襢衣。白纱制的单衣,是夏天见君主或宾客的衣服。⑱蒙:覆,罩。彼:那。绉絺(chī):细夏布,今名绉纱。⑲绁袢(xiè fán):亦称亵衣、内衣,与今之汗衫、背心、衬衣相若。⑳子:指宣姜。清扬:犹今言眉目清秀。㉑展:乃,可是。王先谦《诗三家义集疏》:“展,是语之转也。”《毛传》训展为“诚(确实)”,亦通。㉒邦:国。媛(yuán):美女。《诗经通论》:“邦之媛,犹后世言国色。”

鉴赏

《君子偕老》一诗,可与《新台》配合起来阅读。《毛诗序》云:“《新台》,刺卫宣公也。纳伋之妻,作新台于河上而要之,国人恶之而作是诗也。”“《君子偕老》,刺卫夫人也。夫人淫乱,失事君子之道。故陈人君之德,服饰之盛,宜与君子偕老也。”这里说的“伋之妻”“卫夫人”是同一个人,即卫宣姜。《毛诗序》这两段话,自诗古今文家以来无甚争论,它给我们提供了理解诗歌内容的背景材料。

卫宣姜的故事,见《左传·桓公十六年》《史记》《列女传》和《新序》等。要义是说卫宣公的世子子伋将娶齐国的女子宣姜为妻。宣姜自齐始来,还没抵达卫国,而好色的宣公听说宣姜长得极为美丽,决心自己占有,于是派人在河上抢筑新台。等宣姜途经那里时,就逼迫她服从,让原本应是儿媳的宣姜成了自己的新妇。可怜的宣姜尽管成了国母,但处于男女生活腐化淫昏之恶不堪言说的卫公室,以后又继续受到侵犯凌辱。《毛诗序》谓宣公的长庶公子顽通乎国母宣姜。《孔疏》云:"昭伯,卫宣公之长庶,伋之兄","初,惠公之即位也少。齐人使昭伯烝于宣姜。不可,强之。生齐子、戴公、文公、宋桓夫人、许穆夫人"。由此可见,宣姜未能与公子伋成婚,却成为宣公之妻,实属迫不得已;而宣公死后,她又再次被名分上是她儿子的昭伯强行长期占有,并生育子女多人。理解了上述情况,我们再来分析《君子偕老》这首诗,就比较容易了。

全诗共分三章。首章首句"君子偕老",上无缘起,下无连缀,直接切题,交代了女主人公的身份、地位。接下来便是对女主人公的服饰之盛、仪容之美进行具体描绘。其实,除首章外,次章和末章的主要内容亦是如此,可谓通篇俱不出此二意。然而,在每一章中,服饰之盛与仪容之美的描绘又是抑扬反复,极富变化的。王照圆《诗说》云:"'如副笄六珈','象服是宜',是说服饰之盛,'委委佗佗','如山如河',是说仪容之美";"'玼兮玼兮'以下复说服饰之盛,'扬且之皙'以下,复说仪容之美。'瑳兮瑳兮'以下,又是说服饰之盛,'子之清扬'以下,又是说仪容之美"。全诗以"展如之人兮,邦之媛也"结束,戛然而止,悠然不尽。前人曾认为这是文章歇后法,其如游丝袅空,余韵绕梁,言外含蕴无穷。

通览全诗,诗人是从不同角度饱蘸笔墨塑造女主人公的,语言艳丽、刻画精细。尤可称道的是结构技巧的熟稔、高明。第一章点明身份、地位,给人以整体印象,着意描写人物的体态和举止。第二章笔触浓郁,极写衣着、首饰、秀发和脸容。第三章以衣着、体态来烘托眉目的清秀可爱。至此,姿容绝伦的一代丽人富有立体感地矗立在读者面前,令人难以忘怀。

中国历代诗词中塑造女子美丽形象的作品不少,《君子偕老》一诗,以其写作年代之早、描绘之细腻而著称,对后代诗词产生了极为深刻的影响。这样的描绘,就《诗经》三百篇而言,也是罕见的。

然而,诗人一方面极写宣姜之美,另一方面又站在封建贵族阶级的立场上指责宣姜的"淫乱",正如王先谦所言"新台见要,宜以死拒。乃与公俱陷大恶,故诗人深疾之"。虽然通篇只"子之不淑,云如之何"和"展如之人兮,邦之媛也"句明露讥刺,余均叹美之词,含蓄不露,然而,把事实上属于受害者的宣姜作为讥刺对象,表现出一种固执的男女偏见,实在是不足取的。

(王德邻)

桑中

爰采唐矣?[①]	菟丝采哪方哟?
沬之乡矣。[②]	卫国的沬乡哟。
云谁之思?	心中想着哪个?
美孟姜矣。[③]	美丽的孟姜哟。
期我乎桑中,[④]	等候我啊在桑中,
要我乎上宫,[⑤]	和我约会到上宫,
送我乎淇之上矣。	直到淇水还相送哟。
爰采麦矣?	哪方去采麦哟?
沬之北矣。	卫国沬乡北哟。
云谁之思?	心中想着哪个?
美孟弋矣。	美丽的孟弋哟。
期我乎桑中,	等候我啊在桑中,
要我乎上宫,	和我约会到上宫,
送我乎淇之上矣。	直到淇水还相送哟。
爰采葑矣?[⑥]	哪方去采葑哟?
沬之东矣。	卫国沬乡东哟。
云谁之思?	心中想着哪个?
美孟庸矣。	美丽的孟庸哟。
期我乎桑中,	等候我啊在桑中,
要我乎上宫,	和我约会到上宫,
送我乎淇之上矣。	直到淇水还相送哟。

注释

①爰:于何处。唐:菟丝子,蔓生植物。②沬(mèi):卫邑名,在商代故都朝

歌郊。③孟:排行居长者。姜:姓,后文"弋""庸"同。④桑中:即桑林,男女聚会场所。⑤上宫:指社庙。⑥葑:芜菁。

鉴赏

这是一首歌唱幽期密约的诗。有人根据诗中"采葑""采麦"之说,认为抒情主人公是普通劳动者;也有人根据"姜""弋""庸"为贵族姓氏,认为诗中人乃贵族男女。然而男女之间,爱欲存焉,原是没有阶级性的。所以,确定抒情主人公的身份对于这一首诗,无关宏旨,诗中没有明确交代,读者也没有纠缠的必要。倒是此诗的情辞音节之美,在三百篇中不可多得,这一点特别值得注意。

诗三章,每章前四句都是用自问自答的方式唱出来的,又都是以采集植物起兴的(采唐、采麦、采葑)。不少研究者早已指出,以渔鱼隐射性爱、以饮食隐射性爱,在诗经中屡见不鲜。其实何止于此。从采集植物兴起求爱、相思,就是另一种自然的联想,这在《关雎》《卷耳》中便有表现;至于后世乐府中的"郎见欲采我,我心欲怀莲",现代民歌的"我有心摘一朵戴,又怕栽花人将我骂",都可遥相印证。所以这诗一起就兴致勃勃,而又别有用心。读者联系下两句,对于个中妙处不难心领神会。"云谁之思?美孟姜矣",这种反复问答,最有歌味,能尽抑扬顿挫之致,比直接地宣布要动人得多。"孟姜"(犹言姜家大姐,下同)"孟弋""孟庸"在这里是美人的同义语,又是爱人的代称(不必是真名实姓)。在媵妾制的时代,长姊地位特殊;而大家闺秀,别具风姿。故诗中称谓有着时代的烙印,在当时能唤起一种特别的美感,又饱含着诗人的柔情蜜意。

直接涉及幽期密约的是诗章的后三句。诗人用了一种回忆、遐想的语调,一口气唱出了心爱的姑娘"期我""要(邀)我"及"送我"的整个儿的约会过程,极有层次。这表现既是淋漓尽兴的,又是颇为含蓄的。桑中之期,上宫相邀,诗中只点到为止,至于其间唯有天知的柔情蜜意,一概略去,以下便说到淇水相送。比起后人戏文中的"软玉温香抱满怀"之类露骨描画,真不知有几多空灵。关于桑中与上宫,说者多有分歧。孙作云以为桑中即卫地的桑林之社(桑为社树),上宫即社庙。当时的庙会,即男女青年约会场所。其说最为通达。诗人把桑中相期之苦情,上宫相会之乐事,淇水远送的缠绵(这最末一句使人联想到《氓》中"送子涉淇,至于顿丘"的恋爱描写),一股脑儿留给读者自行玩味,尤有悠悠不尽的韵味。

诗的前四句是整齐的四言句,

而到末三句却依次作五五七言句，这是典型的逐渐增字永言的作法。诗人本不难运用齐言形式，如末句就可以作“送我乎淇上”，与上两句划一。却偏偏要增衬“之”“矣”两个语词，这显然是有意为之。何以如此？盖兴会所致，“言之不足故嗟叹之，嗟叹之不足故永（咏）歌之”（《毛诗序》），使此诗从头到尾，洋洋乎愈歌愈妙，真欲令人手舞足蹈了。此外，每章前四句略有易词之处，而末三句则完全相同，这在今日多段的歌曲中还是习见的形式，相同的后一部分通常称之为“附歌”，往往是主题之所在，故不厌其重。在演唱时，有时附歌须出以合唱，尤为撼人心旌。《诗经》时代如何演唱，虽已不可确征，然而用类推的方法，可得其仿佛。

（周啸天）

鹑之奔奔

鹑之奔奔，①	鹌鹑结伴双飞，
鹊之彊彊。②	喜鹊雄雌不离。
人之无良，③	你的心肠不好，
我以为兄。	我还把你当兄长。
鹊之彊彊，	喜鹊雌雄不离，
鹑之奔奔。	鹌鹑结伴双飞。
人之无良，	你的心肠不好，
我以为君。④	我还把你当君子。

注释

①鹑（chún）：鹌鹑。奔奔：形容鹑鸟居住时有固定的配偶，起飞时相随不离。②彊（jiāng）彊：与“奔奔”意同。③良：善。④君：君子。

鉴赏

这是一首讽刺宣姜及公子顽淫乱的诗歌。宣姜最初是卫宣公为其子伋娶的妻子,后因卫宣公惊异于其绝世容颜而劫夺为己妇。卫宣公死后,宣姜又与宣公的庶子顽婚居,生了三男二女。这种乱伦的现象已为舆论所不许。这首诗就是有感于此事而作的讽刺宣姜、公子顽败坏伦常的作品。

诗歌以“鹑之奔奔,鹊之彊彊”开篇,以鹌鹑结伴双飞,喜鹊成对相随起兴,以引起诗人欲刺的顽与宣姜的丑恶行径。传说鹌鹑和喜鹊雌雄之间居住时有固定的配偶,起飞时彼此不离,是飞禽中重视感情,绝不胡乱配对的鸟类,因此敏感的诗人对鹑鸟和喜鹊给予高度的肯定和赞美,意在从反面引出诗人的议论。“人之无良,我以为兄”,诗人舍去了细节描绘,即不用过多的笔墨去刻画他们之间乱婚,仅以“人之无良”四字给以冷峻而犀利的讽刺,看似简括,实则饱含诗人鄙视和愤怒的语言,抨击公子顽与宣姜。鹑鸟、喜鹊虽为无知的禽鸟,可还知道居处有定、配偶有常,不可随意胡来,可宣姜和顽,本为庶母子的关系,却冒天下之大不韪,其行为是禽鸟不如的。

诗歌第二段,诗人改变了一、二句的次序,重复咏唱。此诗的最大特点是结构简练,遣词犀利明快而又富于形象,成功地运用了比兴手法。艺术创作贵在“以少总多”,从而达到“余意象外”的审美效应,此诗正体现了这一艺术创作规律。诗用鹌鹑、喜鹊成对双飞不失伴的比兴手法。艺术心理学告诉我们,比兴的成功运用,能使作品产生神奇的所谓“空筐结构”效应,读者尽可根据作品提供的有限的画面、场景、意境,融入自身的生活经历和感受,引发必要的联想,从而丰富作品的内涵。此诗显然具有这样的特征。读者不难从一、二句对鹑、鹊的咏唱,突然跃入“人之无良”的谴责的巨大“空筐”,意会诗人对顽、宣姜事件的理解、看法和联想,使诗歌内容更为充实。此外,鹑鸟双飞,喜鹊和鸣的画面原是多么悦目!可与“人之无良”的指斥形成如此巨大的反差,使读者与作者之间引起共鸣,产生了与作者相同的爱憎。

这首诗的语言也有特色,可谓单刀直入,明快犀利,毫不隐饰,直露本意,充分体现了诗人的褒贬态度。方玉润囿于儒家诗教“温柔敦厚”“主文谲谏”等信条,批评此诗“词意甚率,未免有伤忠厚”(《诗经原始》)。其实这正是此诗语言的显著长处。李白抨击时人诽谤即有“彼人之猖狂,不如鹊之彊彊;彼妇人之淫昏,不如鹑之奔奔”(《雪谗诗赠友人》)的诗句,即化用于此。

(王定璋)

定之方中

定之方中，[1]	定星高照正当空，
作于楚宫。[2]	卫人楚丘营新宫。
揆之以日，	测量日影定方位，
作于楚室。	建造住宅动土功。
树之榛栗，	房前屋后栽榛栗，
椅桐梓漆，	椅桐梓漆多多种，
爰伐琴瑟。	后人伐做琴瑟用。
升彼虚矣，[3]	为择基地登曹虚，
以望楚矣。[4]	楚丘风貌收眼底。
望楚与堂，	远眺楚丘与堂邑，
景山与京。	放眼景山和京地。
降观于桑，	下山临桑细考察，
卜云其吉，	卜问龟象成祥吉，
终然允臧。	到底此处是宝地。
灵雨既零，	好雨及时轻飘洒，
命彼倌人。[5]	宣命有司备车驾。
星言夙驾，	雨过天晴早早行，
说于桑田。[6]	巡视止舍桑田下。
匪直也人，[7]	那人特出非寻常，
秉心塞渊，[8]	居心诚实胸泓大，
騋牝三千。[9]	安邦富民三千马。

注释

①定：星名。方中：正中。②于：为也。③虚：地名，指曹虚。一说山丘。

④楚:楚丘,与下文的堂、景山、京、桑对举,皆为地名。⑤倌人:主驾者。⑥说(shuì):止舍,停止,休息。⑦匪:彼。直:特。也:语词。⑧秉心:居心。⑨騋(lái):马七尺以上曰騋。牝:母马。

鉴赏

这是一首描述卫人营建宫室,力图中兴的诗。

公元前660年,北方狄人乘卫懿公“好鹤”斥贤、人心离散之机,出兵侵卫,大败卫师于荧泽,杀卫懿公。卫之遗民近千人,在宋桓公的帮助下渡过黄河,暂且在曹邑(今河南滑县南)栖身,先后立戴公、文公为君。第二年,东方霸主齐桓公扶助文公,迁都楚丘,营建宫室,终于使卫国亡而复存。《定之方中》所歌咏的正是这件大事。

这首诗共分三章。首章开门见山,描述了卫人营建宫室的热烈景象。“定之方中,作于楚宫。揆之以日,作于楚室。”定星在每年夏历十月中旬至十一月初的黄昏,出现在天之正中,人们往往用它来确定房屋的建筑方位。卫人虽遭灭国之祸,处在风雨飘摇的困难境地,但对修建宫室却毫不苟且,有条不紊地根据定星和日影来测定宫室的方位。这表明,他们是以庄重的态度,把修建宫室当作安邦定国的长久大计来对待的。四句诗,吐语从容,充满信心,显示的是一种“天行健,君子以自强不息”(《周易·系辞》)的坚毅精神。正是这种精神,激发了卫人以火一样的热情投入到重建家园的事业。他们修建好宫室,又不辞劳苦,从远处移来各种树木,栽种在宫室四周。“树之榛栗,椅桐梓漆。”榛、栗的果实,可以用作祭祀;椅、桐、梓、漆四种树,又是制作琴瑟的重要材料。诗中特意指明这些树名,正寄托了卫人对于复兴祖国的美好展望和祝颂——他们深信,苦难的卫国将与栽下的榛、栗一样,从此欣欣向荣、长盛不衰;他们甚至已想象到,多少年后,这些椅桐梓漆将长大成材,被后人制成琴瑟之器,奏起那悦耳动听的歌乐了。这就是结句“爰伐琴瑟”所包含的意韵。它告诉读者,卫人在营建宫室之际,正憧憬着一个怎样美好的未来!

如果说第一章以热烈的画面,展示了卫人的集体创造精神和坚强意志的话,那么二、三两章则把镜头对准了这项重要工程的领导者——受命于危难之际的卫文公。二、三两章一巨一细,一宏一微,一粗线条勾勒,一细致着色,表现了文公那勤于国事的贤君形象。

第二章以倒叙手法,描述了文公营建宫室之前慎重选择基地的情景。“升彼虚矣”五句,写其登高远望,纵观楚丘全景,对楚丘、堂邑、景山、京、桑等地仔细考察,希望找到一个理想的地方。“卜云其吉,终然允臧”二句,表明他对选定楚丘之地感到满意。此章从大处着笔,意境开阔。我们仿佛看到,在群山起伏,连绵不绝的背景下,一人升高降下,卓然独立,总览万物,指点江山。成功地烘托出了一个胸怀大志、英明果断的君主形象。同时也倾注了诗人对文公的敬仰与信赖。

选择了有利地形,建成了宫室住宅,仅仅是振兴卫国的一个美好的序曲,主旋律还在后面。第三章即以舒缓的节奏,深情地歌咏了文公的勤劳治国和卫国的复兴之象。“灵雨既零”以下四句,称颂文公身为一国之主,处万人之上,却沐雨栉风,被星戴月地早出晚归,亲临田间。在那种社会里,这样亲事躬问的君主,实在不可多得。正因如此,诗人才情注笔端,以无限敬意赞美道:“我们的文公啊,杰出不凡,居心诚实深似渊!”这种赞誉用在对卫国有再造之功的文公身上,并无谄谀之嫌。此章一反前两章大开大合、恢宏吞吐的气象,似细雨,如春风,像清澈潺湲的河水,从容典雅,悠悠情深,抒写和赞美了一代贤君治国的风范。

诗的结句“骍牝三千”,看起来似乎与前文不相契合,实则意味深远。《左传·闵公二年》载:“卫文公大布之衣,大帛之冠,务材训农,通商惠工,敬教劝学,授方任能。元年革车三十乘,季年乃三百乘。”正可以作为此句的注脚。正因为文公持身俭朴,重贤才、教人民,发展经济,体察下情,重建的卫国才有如此日新月异的变化。从“马”的繁殖,我们可以想见人民的兴旺和国力的渐趋昌盛。联系全诗,卫文公选择地势的缜密庄重、建营宫室的一丝不苟、治理经济的亲躬事问,全在“骍牝三千”四字中包容了。卫人重建家园的艰苦努力,终于与如此美好的现实图景交相辉映,而照亮了全诗。

(金荣权)

蝃　蝀

蝃蝀在东,[1]	美人虹出在东方,
莫之敢指。	没有人敢指她的。
女子有行,	女子有出嫁之道,
远父母兄弟。	远离了父母兄弟。

朝隮于西，②	早上云生在西方，
崇朝其雨？③	一整天该要下雨？
女子有行，	女子有出嫁之道，
远弟兄父母。	远离了兄弟父母。
乃如之人也，	竟像这样的人呀，
怀昏姻也，④	败坏婚姻呀，
大无信也，	太无贞信呀，
不知命也！	不知父母之命呀！

（陈子展　译）

注释

①蝃蝀(dì dōng)：虹。②隮：云。一说虹。③崇朝：终朝。④怀：通“坏”。一说即本字。

鉴赏

《毛诗序》说本篇的题旨是“止奔也。卫文公能以道化其民，淫奔之耻，国人不齿也”，与诗义切合。但干涉一个女子的自主婚姻，似乎太封建专断。连王世贞也谓其“太庸”(《艺苑卮言》)，这还是就艺术而言；近人有干脆一反旧说，谓为女子斥负心男人之诗，似乎这样一来，内容就进步一些。这种曲解其实是大可不必的。应当正视事实：这是一首维护封建礼教的诗。这就引出一个新的问题，即这样的诗是否应在“去其糟粕”之列？回答却不能过于简单。封建礼教，一如封建制度，也是个历史的范畴，须要历史地加以批判。虽然在漫长的封建社会中，礼教的作用很坏(礼教吃人！)，但作为古代婚俗从对偶婚向专偶婚过渡的文明进程中，礼教的出现最初却是应运而生和有其积极作用的。统治者“以道化其民”，即推行礼教；而“淫奔之耻，国人不齿”，可见它一度深入人心。不过，作为封建社会的上层建筑，礼教从产生那一天起，就具有二重性。它对文明促进的同时，也向人类索取了丧失婚恋自由、人性遭受压抑的高昂代价。这首短小的诗，便生动地反映了当时的社会舆论如何向一个自行其是的女子施加压力的；反映了封建礼教如何通过正人君子的义愤对生活实施干预的。陈子展说“此民间歌手囿于习惯势力之作”(《诗经直解》)，不错。因此可以说，《蝃蝀》一诗的认识价值超过其审美价值。

“蝃蝀”，在《释名》中写作“蝃蝀”，即虹。书中注云：“虹又曰美人。阴阳不和，昏姻错乱，淫风流行，男美于女，女美于男，互相奔随之时，则此气盛。”可见周人迷信虹的出现，有关妇女贞邪。而“蝃蝀在东，莫之敢指”是有所取义的兴起，不敢指云云，可见时人忌讳之深。次章又用早上的云雨变化进一步渲染，兴起人事中的男女私奔，伦常的扰乱。“女子有行，远父母兄弟”，是两章反复提到的一句话(因押韵，末句词序小有腾挪)，这同样的话还在《邶风·泉水》《卫风·竹竿》二诗中出现过，可知是卫地流行的谚语或熟语。其意本是说女大当嫁，而在此诗的具体语言环境中，则有言下之义：女子应该规规矩矩地出嫁。反复强调，意在谴责。最末一章水到渠成，一连四个“也”字惊叹作结的诗句，表达了诗人对败坏道德规范的行动的不能容忍，充满了合乎礼教的义愤。在礼教压力之下，不少男女悲吟“仲可怀也，人之多言，亦可畏也”(《郑风·将仲子》)，忍痛割爱，求合于礼。可也有桀骜不群、任从爱欲、而大胆行动者，那就不免为千夫所指了。诗中人的追求婚姻自主，是自然合情的，而舆论的批评，亦持之有理。这里有情与理的冲突，个人与社会的冲突，人性与历史的冲突。其中是非，是耐人寻味的。不同时代、不同眼光的读者，对于诗中公案，容有截然不同的价值判断。从这个意义上说，这首诗也可叫作“说不完的《蝃蝀》”。

末了还应提到清人方玉润的一个别解。他猜测这首诗是代宣姜答《新台》之作。诗人是用宣姜自我开脱的口气，对卫宣公劫夺儿媳(即宣姜)一事予以讥刺。“其意若曰：予之失节岂得已哉？予固一弱女子，而又远自齐东，来嫁卫西，父母兄弟，均无所依。当其初来，亦以为两姓昏姻不爽夙约，讵料卫君其人心怀叵测，只恋新昏之美，罔顾伦常之重，竟夺子妇，是无信也，是不知天缘自有命在也。”(《诗经原始》)说诗者联想力是丰富的，但诚如他自己所说“特无实证，未敢遽定”。这类疑似之辞在历代诗解中数量不少，成为一个突出现象。这说明了一个事实：由于《诗经》语言简古，空白太多，便给好求甚解的读者以见仁见智、自由发挥的余地，其中某些解说，可能是诗人始料不及的。

(周啸天)

相　鼠

相鼠有皮，[①]	看那老鼠还有皮，
人而无仪。[②]	做人反而没威仪。
人而无仪，	做人如果没威仪，
不死何为？	为何还不死掉呢？
相鼠有齿，	看那老鼠还有齿，
人而无止。[③]	做人反而不知耻。
人而无止，	做人如果不知耻，
不死何俟？[④]	还等什么不去死？
相鼠有体，[⑤]	看那老鼠还有体，
人而无礼。	做人反而不守礼。
人而无礼，	做人如果不守礼，
胡不遄死？[⑥]	何不快死待怎的？

（余冠英、程俊英译，略有改动）

注释

①相（xiàng）：看。②仪：威仪，指庄严正派的举止作风。③止：借为“耻”。④俟（sì）：等待。⑤体：身体。⑥遄（chuán）：迅速，快。

鉴赏

统治者为了加强对人民的束缚与控制，制定出一整套礼规要人们崇奉遵守。可是，他们自己却失礼乱伦，荒淫无度，腐败不堪。对此，广大群众深恶痛绝，以各种方式包括诗歌形式进行了大胆的揭露和无情的鞭挞。在为数甚多的讽刺诗中，《相鼠》是引人注目的一篇。如果说《新台》《墙有茨》《君子偕老》《鹑之奔奔》等诗是针对具体的人和事，以尖锐辛辣的笔触把卫国统治者的“暗昧之行”暴露于光天化日之下，那么《相鼠》一诗则可说是在具体揭露的基础上，对统治阶级的丑恶行为和腐朽本质作出总的概括，表达了人民群众对他们极度的鄙视与憎恶，具有强烈的现实性和战斗性。

全诗由三章组成，均以老鼠起兴。老鼠龌龊卑下，偷窃成性，人人闻而恶之。以之发端，一开始便激起人们憎厌之情，可谓起笔即先声夺人。接着，诗人通过鼠之“有”与人之“无”的对照反衬，痛斥统治者连老鼠都不如，这就进一步撕下了他们的道德伪装，暴露出衣冠禽兽的丑恶面目。戳穿老底之后，各章均用反诘句结尾，以质问的口吻表示了强烈的诅咒，蔑视憎恶之情溢于言表。

这是一首叠章体的诗。这种章节复沓的形式增强了诗歌的感情气势，有助于思想内容的充分表达。正如陈子展先生所说：“恶之欲其死，反复言之，见其恶之深也。”（《诗经直解》）不仅如此，此诗在反复咏唱的同时，还通过重章换字，使章与章之间形成一种层递关系，深化了所抒发的思想感情。首先，是诗章内容上的层递：“无仪”，言其行为举止的不端；“无止（耻）”，言其品性资质的恶劣；“无礼”，言其违反了作为立身根本的行为规范和道德标准。虽只一字之换，却由表及里，由局部而整体，层层剥笋般把统治者的丑恶嘴脸和腐朽本质暴露无遗，而且与起兴之物暗合，形成鲜明对照，运思之妙，不能不令人叹服。其次，在情感抒发上也显有层递意味：“不死何为”“不死何俟”“胡不遄死”三个句子，语气一句比一句激切，感情一句比一句强烈，收到了很好的表达效果。

这首诗语言真率质朴，泼辣犀利，指斥怒骂，痛快淋漓。有人责其“太粗”（王世贞语），不免有迂儒偏见之嫌。匕首投枪式的战斗歌曲，又系民间土风，还能写得轻灵柔美、低回婉转么？

（林心治）

干　旄

孑孑干旄，[1]　　高高飘扬着牦牛尾的采旗，
在浚之郊。[2]　　在那浚郊逶迤前进。
素丝纰之，[3]　　一捆捆素丝编织的束帛，

良马四之。　　四匹良马欢快地飞奔。
彼姝者子，[4]　　那个美丽的姑娘呵，
何以畀之？[5]　　赠些什么讨她欢心？

孑孑干旟，[6]　　高高飘扬着绘有鹰隼的采旗，
在浚之都。　　在那浚都逶迤前进。
素丝组之，　　一捆捆素丝编织的束帛，
良马五之。　　五匹良马欢快地飞奔。
彼姝者子，　　那个美丽的姑娘呵，
何以予之？　　送些什么讨她欢心？

孑孑干旌，[7]　　高高飘扬着五色羽毛的采旗，
在浚之城。　　在那浚城逶迤前进。
素丝祝之，　　一捆捆素丝编织的束帛，
良马六之。　　六匹良马欢快地飞奔。
彼姝者子，　　那个美丽的姑娘呵，
何以告之？　　说些什么话儿讨她欢心？

注释

①孑孑：特出貌。干：同"竿"。旄：牦牛尾。干旄：以牦牛尾饰的旗。②浚：卫国邑名。③纰(pí)：织丝。下文的"组""祝"义同。④姝：美好。子：女子。⑤畀(bì)：赠予。⑥旟(yú)：绣有鹰隼的旗。⑦旌：用彩色鸟羽为饰的旗。

鉴赏

这首诗究竟写的什么？前代的解诗家们都众口一词地说是赞美卫文公好善好贤、中兴卫国的诗。但《邶风》"静女其姝"，《郑风》"彼姝者子"，皆称女子。谓此诗"彼姝者子"独称贤者，姚际恒已觉未妥。故今已有人指出这是一首表现贵族青年爱情生活的诗，写一个青年去未婚妻家举行聘礼的事。

全诗三章十八个诗句，每章的

前面四句均用赋的手法，通过铺叙和描写，在我们面前展现出一支仪仗巍峨、车马连镳的队伍；走在前面的仪仗队，有用牦牛尾为饰的彩旗——干旄；有绣着镳鹰隼的彩旗——干旟；有用五色鸟羽为饰的彩旗——干旌。旗子之多，这使读者联想到汉乐府“四角龙子幡，婀娜随风转”（《焦仲卿妻》）的迎亲描写。之后是行聘时必送的礼品——一捆捆用洁白的素丝编织成的束帛。按照《礼记·士昏礼》的记载，那时青年们结婚，要经过纳采、问名、纳吉、纳征、请期、亲迎等所谓“六礼”的程序，每个程序的礼品都有具体的规定，除纳征（即下聘礼）用束帛十端（五匹）外，其余五礼均用雁。这里的“素丝纰之”，就是用素丝编织的束帛。而且规定“纳征”和“亲迎”是男青年必须亲自去的。下面的“良马四之”“良马五之”“良马六之”是用数目递增渲染车马之盛，随从之多，他们从浚邑的郊野到市区向姑娘的家驰去，声势浩大，场面壮观。诗通过连重复沓的形式，极力渲染这个青年的地位和富有，充满着欢快的气氛。如果说全诗三章的前四句是对这支行聘队伍进行总体的、外在的铺叙和描写的话，那么，三章的后二句则是对行聘礼的男主人公内在心理的揭示：“彼姝在子，何以畀之”？“何以予之”？“何以告之”？这个坐在车里的男青年一边随着车马奔驰，一边在反复地捉摸着：那个漂亮的姑娘呵，究竟要送她些什么礼物，说些什么话儿才能使她高兴呢？诗写到这里结束了，更多的东西留给读者去想象，去补充。

在阶级社会里，爱情、婚姻的基础和表达方式，体现着不同阶级的价值观念。《干旄》所反映的爱情表达方式和心理，既不是“投我以木瓜，报之以琼琚”（《卫风·木瓜》）式的；也不是“伊其相谑，赠之以勺药”（《郑风·溱洧》）式的，倒有一点“四牡有骄，朱幩镳镳”（《卫风·硕人》）的味道，只要我们稍加体味，就可以区别出来的。

（陈维国）

载　驰

载驰载驱，	驾着马车急驰而行，
归唁卫侯。	我要归去，吊慰兄长卫侯。
驱马悠悠，	加鞭驱马，道路悠悠，
言至于漕。	该是已到漕邑的时候。

大夫跋涉，　　　　许国大夫赶来拦阻，
我心则忧。　　　　我心中不禁无限忧愁！

既不我嘉，①　　　你们全都不赞许我，
不能旋反。　　　　我也不能回车返国。
视尔不臧，②　　　毫不保留地告诉你吧，
我思不远。　　　　我的思虑未必迂阔。
既不我嘉，　　　　你们全都不赞许我，
不能旋济。　　　　我也不能回车济河。
视尔不臧，　　　　毫不保留地告诉你吧，
我思不閟。③　　　我的思虑未必不适合。

陟彼阿丘，　　　　多么希望登上那高丘，
言采其蝱。④　　　采来贝母治我忧疾。
女子善怀，　　　　虽说女子多愁善感，
亦各有行。　　　　各自都有一定的情理。
许人尤之，　　　　你们许人以为我有过，
众稚且狂。⑤　　　真幼稚狂妄、不通道义！

我行其野，　　　　我在卫国的田野行走，
芃芃其麦。⑥　　　禾麦茂盛，一片清新。
控于大邦，　　　　我要去向大国赴告，
谁因谁极。　　　　哪国亲近，就到哪国陈情。
大夫君子，　　　　许国的大夫君子呵，
无我有尤。　　　　请不要怨我行事荒唐。
百尔所思，　　　　你们就是考虑百遍，
不如我所之。⑦　　不如我自己选定的主张！

注释

①既:尽,皆。②视:示。臧:通“藏”。③闷(bì):闭,不开通。④蝱(méng):贝母,一种药用植物,古人以为可治郁闷之疾。⑤稚(zhì):幼稚,一说骄傲。⑥芃(péng)芃:茂盛貌。⑦许穆夫人究竟有没有到达漕邑?从《毛诗序》所说,似乎未能到达。但王先谦《诗三家义集疏》则以为她回到了漕邑,刘向《列女传》亦有“许穆夫人驰驱而吊唁卫侯”之说,与此诗所说“言至于漕”可互为印证。本篇的译诗与鉴赏,均以许穆夫人回卫吊唁作依据。有的研究者以为,诗人并未返卫,此诗通篇为虚拟之辞。可供参考。

鉴赏

在中国文学史上,许穆夫人堪称第一位名著于册的女诗人了。《载驰》,就是她写下的一篇充满爱国激情的不朽诗章。

许穆夫人是卫宣姜的女儿、许国国君穆公的妻子,故称许穆夫人。公元前660年,狄人伐卫,大败卫师于荥泽(今河南郑州西北),杀卫懿公。宋桓公连夜率师,将卫败亡之众五千人接过黄河,居于漕邑(今河南滑县南),立卫懿公之子戴公为君。第二年,戴公死,文公即位。他的同母妹妹许穆夫人,在祖国风雨飘摇的危亡时刻,不顾许国君臣的阻挠,毅然返卫,吊唁卫君,并向同情卫国的大邦呼吁救援。《载驰》即作于她返回漕邑期间。这首悲愤动人的爱国主义诗作,在当时就被广为传诵,并收入了《诗经·鄘风》。

《载驰》以“载驰载驱,归唁卫侯”发端,一开头就把读者带入了那个战祸频仍的动荡时代。一辆马车急驰而来,道路上尘土飞扬,焦灼加鞭的女诗人,就在一片马嘶车鸣声中上场了。“驱马悠悠,言至于漕”,悠悠既指道路之遥远,亦透露出女诗人心中悲恸、忧思之悠长。终于,漕邑已隐隐在望。此刻,诗人心中该何等激动。短短四句,不仅叙事明白,而且迫促、跳荡,富于节奏感。读者从中不仅能听到马蹄翻飞、车轮滚滚之声,简直还可感受到诗人那激动不安的脉搏和心跳。但事情陡然起了变化,“大夫跋涉,我心则忧”。许国大夫跋山涉水赶来传达君命,不准许穆夫人返国吊唁。一场冲突已不可避免,女诗人怎能不充满忧愤?

第二章叙许穆夫人对于大夫阻挠的正面回答。许国君臣全都反对女诗人返卫,这在当时是件严重的大事。坚持返卫,则有违君命;半途而废，又置危亡中的祖国于何地？强烈的爱国之情，使许穆夫人迅速作出了抉择：宁愿违犯君命，也要重返卫国。这一章在抒情中引入人物语言，运用排比句式，四句一顿，铺排而下，将诗人内心斗争的结果，山洪暴发般推涌而出。“既不……不能”数句，在语气转折之中，更把许穆夫人不屈于君命、非返卫不可的决心，表述得斩钉截铁。读者可以想见，“跋涉”而来的大夫，听到她如此激烈的回答，该是怎样垂头丧气了！

在第三章，受阻的车马又奔驰起来。但女诗人的心间，则于焦虑之中，更增添了许多愤懑。“陟彼阿丘，言采其蝱”就透露了这一点：她恨不能登上高高的山丘，采来贝母治疗自己的郁闷。但在急速的行车途中，自然无法做到。是不是因为她是女子，所以特别多愁善感呢？“女子善怀”以下四句，就回答了这一点，妇女的爱动感情，也各有不同。她许穆夫人之所以忧愤难平，完全是许国君臣的阻挠引起的。他们居然将自己的爱国举动，视为过错而加以责备，真是一批不明大义的幼稚狂妄之徒。这一章结尾，以满腔的愤懑，对“许人”发出了激越的斥责之音。全诗的情绪至此推向了高潮。

诗之卒章，车马终于进入了漕邑的原野。女诗人那因为愤激而紧绷的心弦，至此渐渐松弛。“我行其野”二句，以舒缓的节奏、清新的画面，传达出女诗人心头的欣喜和欢快。日夜牵挂的祖国到了，扑入眼帘的是那样绿意葱茏的麦田！深切的祖国之爱，荡漾在诗人胸中。此刻，她该是怎样热泪滚滚、不能自已呵！一个大胆的计划，在她心中萌生——她要去向大国控告，求得它们的救助。这样做，岂不又要被许人视为罪过？诗人因此在结尾处大声呼告：“大夫君子，无我有尤！百尔所思，不如我所之。”这是一位爱国妇女发自内心的热切呼声，这是决心将祖国从危亡中挽救出来的不可动摇的誓言。许国成百的乘轩大夫，在姻亲之邦遭受危难之际，只能畏首畏尾、束手旁观；而在巾帼之中，却发出了如此不同凡响的声音，真可以振聋发聩，令须眉为之侧目。难怪许穆夫人“赋《载驰》”，东方霸主齐桓公即遣公子无亏帅师出援卫国(《左传·闵公二年》)。他是不是也被这位女诗人的深切爱国之情打动了呢？

《载驰》在艺术表现上也极为动人。诗人选取归国吊唁这一重要题材，巧妙地将自己安排在驱马返卫途中，通过与许国大夫冲突的情景描述，来展开强烈情感的抒发，使这首抒情诗有了特定的场景和情节内容。与许国大夫无理阻挠的冲突，虽只出现在一、二章，但它所激起的感情波澜，却汹涌于全诗。正像一块巨石，投进了本来就不平静的河水。诗人胸中无可言传的悲哀、愤懑和对祖国命运的关切之情,因此得到了淋漓尽致的表现。女主人公的远见卓识、爱国深情和不达目的决不罢休的刚毅性格,也正是在与许国君臣鼠目寸光、自私懦弱的对照之中,愈加分明地凸现了出来。在写法上,女诗人适应于驱马返卫、无端受阻和进入卫之田野时感情上的张弛、起伏,不断改换句式:或低吟,或陈述,或慨叹,或斥责;舒缓的抒情,最后又突而化作热切的呼告;中间还时时交替散句和排句。这就使全诗像潮水一样,呈现出种种涨落、飞卷、澎湃、跌宕之势,一阵又一阵冲击着读者心胸。读这首诗,人们不能不与女诗人一起,为祖国的危难而焦虑,为无端受阻而愤慨,为冲破阻挠而欢欣,为确定救国之计而充满希望。

(潘啸龙)

卫　风

淇　奥

瞻彼淇奥，[1]	看那淇水湾，
绿竹猗猗。[2]	新竹绿河岸。
有匪君子，[3]	文雅的美君子，
如切如磋，	似象牙精心切磋，
如琢如磨。[4]	如玉石反复琢磨。
瑟兮僩兮！[5]	多么庄重威武啊！
赫兮咺兮！[6]	多么轩昂而堂皇！
有匪君子，	文雅的美君子，
终不可谖兮！[7]	叫人永不忘！
瞻彼淇奥，	看那淇水湾，
绿竹青青。	绿竹青又青。
有匪君子，	文雅的美君子，
充耳琇莹，[8]	耳边宝石亮晶晶，
会弁如星。[9]	帽上美玉灿若星。
瑟兮僩兮！	多么庄重威武啊！
赫兮咺兮！	多么轩昂而堂皇！
有匪君子，	文雅的美君子，
终不可谖兮！	叫人永不忘！
瞻彼淇奥，	看那淇水湾，
绿竹如箦。[10]	绿竹密如积。

有匪君子，	文雅的美君子，
如金如锡，	锻炼精粹如金锡，
如圭如璧。⑪	高洁纯美如圭璧。
宽兮绰兮！⑫	多么宽厚温柔啊！
猗重较兮！⑬	平易近人车上倚！
善戏谑兮，	笑谈幽默风趣啊，
不为虐兮！⑭	从不失大体！

注释

①淇：淇水。奥（yù）：通“澳”，水边弯曲的地方。淇奥：淇水弯曲处。一说为泉水入淇处。②猗（yī）猗：（嫩竹）柔弱美盛。③匪（fěi）：通“斐”。有匪：有文采。④切、磋、琢、磨：古代治器的不同工艺。《毛传》：“治骨曰切，象曰磋，玉曰琢，石曰磨。”⑤瑟（sè）：仪容庄重。僩（xiàn）：威武，威严。一说宽大，一说美好的样子。⑥赫（hè）：显盛，盛大。咺（xuǎn）：威仪显著，盛大。⑦谖（xuān）：忘记。⑧充耳：古代贵族冠冕两旁以丝悬玉或象牙，下垂至耳，叫充耳。用以塞耳避听或作装饰。琇（xiù）：似玉的美石。莹：玉色光洁，晶莹。一说仍指似玉美石。⑨会（kuài）：帽子的缝合处。弁：古代贵族男子穿通常礼服时戴的皮帽。“会弁如星”指皮帽缝合处用玉装饰，闪烁如星。⑩箦（zé）：堆积。一说为屋顶棚。⑪金、锡：久炼而质地精纯的金属。圭、璧：玉器，古代贵族举行隆重仪式时用作礼器。⑫宽：宽宏。绰（chuò）：温柔。⑬猗：通“倚”，斜靠。重较（chóng jué）：车箱上有两重横木的车子，古代为卿士所乘。⑭戏谑：开玩笑。虐：过分。一说为刻薄，伤害人。

鉴赏

《淇奥》诗三章从不同的角度赞美卫国一位庄重、威武而又文采风流的美君子。

首章首句点明君子所在的处所，是长满了绿竹的淇水湾。据《水经注》载，淇水边上汉代以前多竹，其美景当不亚于江南。“绿竹猗猗”指新生之竹柔弱而且茂盛，时令当在春天。“春来江水绿如蓝”，水清竹绿，景色何等清幽秀美！景美人更美，诗歌由此起兴，引出令人赞叹的人物“有匪君子”。刚一提到这位文雅的美君子，便连用四个比喻直接、正面地概括其内在美，用古代治器的几种精细工艺来比喻这位君子研求学问和修养锻炼品德所下的深刻功夫。制作骨器、象牙器、玉器、石器需要熟练工匠凭借精到的技艺作反复的精心的加工，人的品德学问也需要不断的认真的修炼砥砺。汉代王充《论衡·量知》说：“切磋琢磨，乃成宝器。人之学问，知能成就，犹骨象玉石切磋琢磨也。”诗中所用的“如切如磋，如琢如磨”道出了物成宝器、人成大器的共同规律，遂成名言。今天我们便用“切磋琢磨”这个成语比喻人们通过互相研究讨论、取长补短以锻炼成才的途径。这位美君子，既然经过了如此精密努力的自修，定然品德高尚，学问精深，才华出众。美既充于内，威仪当著于外。诗歌紧接四个比喻采用排比、感叹的句式，尽情赞美君子的仪容风度。以上四句采用赋的手法，连用四个动词构成博喻，又连用四个形容词构成排比，极写君子内外之美。其间，比喻词“如”反复四次，突出了“比”的特色，强化了博喻的作用；语助词“兮”反复四次，加重了赞叹的语气，渲染了赞美诗的艺术效果。短短四句诗，赋中有比，比喻相连，排比反复，一唱四叹，写得酣畅淋漓，颇属不易。更不易的是，仅仅十六个字，还要划出一半来进行反复，真可谓既惜墨如金，又用墨如泼。这，才是诗的语言！首章诗浓墨重彩地赞美了文雅君子的人品才学、仪容风度，最后一句“有匪君子，终不可谖兮”，以歌唱者保留在自己心中的深刻印象作结，初步完成了对这一美好形象的描绘。

第二章集中笔力对君子作细致的静态描写，着重赞美君子外部形象的美。诗仍以清水绿竹起兴。绿竹已经青青，君子已是光彩照人。你看他，双耳旁坠着宝石，晶莹润泽，帽缝上缀着玉片，闪烁如星。君子正其衣冠以尊其瞻视，头部装饰得如此高贵华美，足见其讲求礼仪，绝不轻佻浮华，更显得君子仪容端庄、相貌堂堂、气宇轩昂。一睹君子这等风采，自然又是令人永生难忘。

第三章兴的手法不变，只是用比喻表示绿竹密密层层，已极为丰茂，暗示君子已日臻完美。首章曾用“切磋琢磨”比喻君子的自修砥砺，末章便用“金锡圭璧”比喻君子德器已成，前后照应，文意贯通。金与锡是经久炼而质地精纯的金属，用以比君子修炼已经炉火纯青；圭与璧是贵重完美的礼器，用以比君子是赞美他毫无瑕疵。这四个比喻等于说君子是个完人了。赞誉到此似乎已无话可说，然而意承金锡的久炼和圭璧的温润，诗歌转向赞美君子性格气质上的宽厚温柔。与前面不同的是，选取了他倚车与人交谈这一动态细节进行描绘。写他待人亲切和蔼，谈笑风生，幽默风趣，然而从不过分，不失大体。由此可见文雅君子的确已锻炼到了不矜不骄，言谈举措得体，周旋自然中礼的地步。全诗到此戛然而止，但却切切实实地在人们心目中留下了一位可亲可敬可爱的令人终生难忘的美君子形象。

本诗综合运用了赋、比、兴的手法及排比、反复、夸张等修辞手段，从环境到人物，从品德学问到衣饰车骑，从形象描绘到细节刻画，从内到外，一一铺写，用语华美精当，写尽了君子的人品性格和文采风流，"赋"的特点比较突出。

关于本诗的主题，历来有不同的说法。有说是歌颂卫武公的，但古书中尚缺乏确证，而且从原诗中也不大看得出来。有说是女人赞美恋人的，则"切磋琢磨""金锡圭璧"比喻似乎又过于理性化而不十分切合恋人的心态与口吻。

（冯杏实）

考　槃

考槃在涧，①
硕人之宽。②
独寐寤言，
永矢弗谖。③

考槃在阿，
硕人之薖。④
独寐寤歌，
永矢弗过。

考槃在陆，
硕人之轴。⑤
独寐寤宿，
永矢弗告。

敲盘取乐山溪旁，
贤人宽宏而大量。
独睡醒来自言语，
此中乐趣永不忘。

敲盘取乐在山窝，
贤人宽松而平和。
独睡醒来自唱歌，
此乐永远不放过。

敲盘取乐高坪上，
贤人盘桓而徜徉。
独睡醒来独自躺，
此乐永不对人讲。

注释

①考：扣，敲。一说"成"。槃：器名。一说"乐""快乐"。考槃：扣敲器物以

成乐。②硕人:所谓有盛德的人,贤人。③谖(xuān):忘记。④邁(kē):宽大,和平。⑤轴:往复,盘桓。

鉴赏

关于《考槃》的题旨,旧说纷纭。有说是刺卫庄公的诗,有说是妇女的诗,有说是记梦的诗,但多数认为是咏隐居生活的诗。

卫国多昏君,政治上、军事上常常动荡不安。除与其他诸侯国相互攻伐外,卫国内部为了争权夺位,父子之间,兄弟之间,母子之间,君臣之间,大臣之间常常展开尖锐激烈的斗争,不少君王被杀,不少君王出奔。宫廷之内,刀光剑影、血肉横飞是常有的事。孔子最勇武的学生子路就战死在卫国一次颇富戏剧性的宫廷政变之中。春秋中叶,其他诸侯国也多不安宁。在这种局势之下,一些有政治头脑、有文化修养的人不愿参与朝政,有的不见容于社会,便隐居于田园山林,过着悠闲自在或狂放不羁的生活。孔子及其门徒游走各国时所遇见的接舆、长沮、桀溺、荷莜丈人、荷蒉者都是这样的隐者。《诗经》中有一部分诗章就反映了隐居者的生活。有人认为《考槃》是诗咏隐居生活的开端。

《考槃》三章反复地、由衷地赞美了隐居之乐。隐于山区的这位贤人,有较高的文化音乐素养,他随着扣敲盘儿的节奏韵律徘徊流连于山水之间,他的身心完全回归于大自然了。他气度宽宏,心境平和,毫无用世的企望,毫无失意的苦闷,完完全全安于隐居。他不仅远离尘世,还远离人群,总是独自起居行动。三章诗写他独睡醒来后的行为更有意思。一是自言自语。不知他说些什么,但他的话想必颇富哲理。二是遥吟俯唱,抒发情怀。不知他唱些什么,也许意在高山流水。三是静静地躺着,让思想自由驰骋。不知他想些什么,可能天马行空,追云逐月。这样无拘无束、悠闲自在,他感到其乐无穷。对这种隐逸之乐,他反复发誓:永不忘记!永不放过!永远自藏于心,不对人说。他似乎在隐居中得到了极大的满足。

诗中的"硕人"似乎并未躬耕陇亩,可能是没落的奴隶主贵族知识分子。他们既不参政,就不必耗费精力去钩心斗角,也不会有杀身之祸,思想上便没有压抑之感;处于山林田园又并无劳作之苦、温饱之忧,生活上便没有紧张之感;他们自身文化修养较高,完全可以自娱,精神上便没有空虚之感。因此他们成天悠哉游哉,自得其乐,而且其乐无穷。对个人来讲,他们似乎已经处于人间天上的最完美境界,而对社会来讲,他们只不过是一些多余的人而已。唯有这留传下来的诗篇告诉了后人一点历史痕迹，也算他们的一点历史贡献吧。

（冯杏实）

硕　人

硕人其颀，[1]	那美人个儿高高，
衣锦褧衣。[2]	锦衣上穿着罩衣。
齐侯之子，[3]	她是齐侯的女儿，
卫侯之妻，[4]	卫侯的娇妻，
东宫之妹，[5]	东宫的妹子，
邢侯之姨，[6]	邢侯的小姨，
谭公维私。[7]	谭公就是她的妹婿。
手如柔荑，[8]	她的手指像茅草的嫩芽，
肤如凝脂，[9]	皮肤像凝冻的脂膏，
领如蝤蛴，[10]	嫩白的颈子像蝤蛴一条，
齿如瓠犀，[11]	她的牙齿像瓠瓜的子儿，
螓首蛾眉，[12]	方正的前额弯弯的眉毛，
巧笑倩兮，[13]	轻巧的笑流动在嘴角，
美目盼兮。[14]	那眼儿黑白分明多么美好。
硕人敖敖，[15]	那美人个儿高高，
说于农郊。[16]	她的车停在近郊。
四牡有骄，	四匹公马多么雄壮，
朱幩镳镳，[17]	马嘴边红绸飘飘。
翟茀以朝。[18]	坐车来上朝，车后挂满野鸡毛。
大夫夙退，[19]	贵官们早早退去，
无使君劳。	不教那主子操劳。

河水洋洋，	那黄河黄水洋洋，
北流活活，[20]	黄河水哗哗地淌，
施罛濊濊，[21]	渔网儿撒向水里呼呼响，
鳣鲔发发，[22]	泼剌剌黄鱼鳝鱼都在网，
葭菼揭揭，[23]	河边上芦苇根根高耸，
庶姜孽孽，[24]	姜家的妇女人人颀长，
庶士有朅。[25]	那些武士们个个都轩昂。

（余冠英　译）

注释

①硕：大。颀：长。古代男女以长、大为美。②䌹（jiǒng）衣：女子嫁时在途中所穿的外衣，麻织品。③齐侯：齐庄公。子：女儿。④卫侯：卫庄公。⑤东宫：太子之宫，此指齐太子得臣。⑥邢侯：邢国国君。邢国故址在今河北邢台。姨：妻的姊妹。⑦谭：国名，在今山东济南龙山镇附近。私：女子称其姊妹之夫。⑧柔荑：柔嫩初生的茅草。⑨凝脂：凝冻的脂肪。取其洁白滑腻。⑩领：颈。蝤蛴（qiú qí）：天牛的幼虫，细长乳白。⑪瓠犀：葫芦瓜子。取其匀白。⑫螓（qín）：蝉类，额部广洁方正。蛾：蚕蛾，眉细长弯曲。⑬倩（qiàn）：笑靥美好。⑭盼：眼目黑白分明。⑮敖敖：身长貌。⑯说：通“税”，止息。农郊：近郊。⑰朱幩（fén）：红绸缠缚的马口旁铁。镳（biāo）镳：盛。⑱翟茀（dí fú）：在遮蔽车后的围子上以雉羽为饰者。朝：与卫君相会。⑲夙：早。⑳活（guō）活：水流声。㉑罛（gū）：渔网。濊（huò）濊：撒网入水声。㉒鳣（zhān）：黄鱼。鲔（wěi）：鲟鱼，或鲤鱼。发（pō）发：鱼跳跃掉尾声。㉓葭（jiā）：芦。菼（tǎn）：荻。揭揭：高举貌。㉔庶：众多。庶姜：随嫁的众女。齐国姜姓，故称。孽（niè）孽：高长貌。㉕有朅（qiè）：即“朅朅”，威勇貌。

鉴赏

《左传·隐公三年》载：“卫庄公娶于齐东宫得臣之妹，曰庄姜，美而无子，卫人所为赋《硕人》也。”通观《硕人》一诗，系专就庄姜初嫁，一顾倾国之事，予以赞美。其诗在艺术表现上极有可以称道之处。

全诗的重心，无疑在第二章。“美人赋”或“美人图”的品评，均着眼于此。诗人在形容庄姜绝世的美丽时，用了一连串比喻，“手如柔荑，肤如凝脂,领如蝤蛴,齿如瓠犀,螓首蛾眉”等等。它们不是针对整体对象的博喻,而是针对整体之各部分的比喻之集合,可以杜撰一个名词叫做“喻象迭加”。这一串儿比喻的效果,不能靠机械拼凑而得到(事实上将蝉首、蛾眉、蝤蛴、瓠子等等昆虫或物体之部件拼在一起,将不成形状),而必须借助读者的想象力和设喻本身的启发性而有机地合成。比喻作为一种修辞,从来是取似一点,不及其余的,扪烛扣盘,不能得也。而这一串儿比喻从来给读者的印象,都是一个前额方正、眉毛弯弯、粉颈细长、牙齿匀白而又高高大大的丰神绝代的美人形象。这种手法在后世诗文中运用极其广泛,如《焦仲卿妻》“指如削葱根,口如含朱丹”;有时却并不成功,如旧小说中杏眼柳眉桃腮樱口之类。其弊在滥,并非手法本身的过错。而这种手法在本诗的运用,无疑是富于创造性的,成功的。其“生动之处,《洛神》之蓝本也”(吴闿生《诗义会通》)。《洛神赋》有云:“其形也,翩若惊鸿,婉若游龙,荣耀秋菊,华茂春松。……秾纤得衷,修短合度。肩若削成,腰若束素。延颈秀项,皓质呈露,芳泽无加,铅华弗御。云髻峨峨,修眉联娟。丹唇外郎,皓齿内鲜。明眸善睐,辅靥承权。瑰姿艳逸,仪静体闲。柔情绰态,媚于语言。”这里既有继承又有发展,不仅用比,又酌用赋法,唯其不是机械模仿,方能青出于蓝。

《硕人》赞赏庄姜之美,还较早表现出我们民族与西人如希腊不同,对人体美的欣赏更着意于容貌,对于能表现性征的形体之美是较为忽略或回避的。“其颀”“敖敖”“孽孽”等只触及形体之长大,极其概略。然而,对于由文化造成的后天的风姿,却不乏心领神会。“巧笑倩兮,美目盼兮”,这两句千秋脍炙传神阿堵的诗句,妙处绝非“化静为动、化美为媚”二语可以穷尽(试比较《长恨歌》“回眸一笑百媚生,六宫粉黛无颜色”)。钟惺云:“巧笑二句言画美人,不在形体,要得其性情。此章前五句犹状其形体之妙,后二句并其性情生动处写出矣。”这里所谓的“性情”即取决于首章所着意介绍的高贵出身及后天修养,乃是一种风度。前人或昧于此,谓其“文美而意丑”(《湘绮楼说诗》),虽语出王湘绮,其谁敢苟同耶。

此诗的第二重好处,便在于其他几章对于此章有烘云托月之妙。第一章写庄姜出身和族类的高贵:“齐侯之子,卫侯之妻,东宫之妹,邢侯之姨,谭公维私”,一口气说出无数贵人,而不嫌堆垛,盖非如此不能凸显其身份之高贵。这固然是出于诗人的阶级意识;然就诗而言,亦巧于用拙。第三、四两章则写庄姜适卫时,按礼节停车于国都近郊,等候迎接,其车服媵送之盛之备。“河水洋洋,北流活活”,“鳣鲔发发”,既以鱼水交欢写婚礼之隆盛,又似有以鱼、水喻庄姜随从之盛意(《敝笱》“敝笱在梁,其鱼唯唯;齐子归止,其从如水”似之)。“葭菼揭揭”,似以芦荻的高扬与庶姜庶士的高长作联想。而庶姜之颀长美丽、庶士的健壮威风,对庄姜的美与贵,更是众星捧月。在烘托陪衬的笔墨之上,着第二章,则有画龙点睛的功用。

此诗的第三重好处,则在语言的考究。这主要是注意整一中的变化。如第一章“齐侯之子”以下四句结构相同,最后一句则变换说法,不言“谭侯之姨”而曰“谭公维私”,便不单调板滞,又避免与上一句重复。第二章“手如柔荑”以下四句均每句一喻,结构相同,第五句“螓首蛾眉”则一句两喻,故为紧缩且由明喻变作借喻。第四章连用叠字,绘声绘色,声调铿锵,然前六句的“洋洋”“活活”“涉涉”“发发”“揭揭”“孽孽”皆叠字的标准形式,唯末句“有朅”即“朅朅”,改用叠字变化形式,颇见灵动。从这些有意识的修辞,可见此诗作者是训练有素的。

前人以为此诗有言外之旨,但说法歧异。《毛诗序》以为是庄公惑于嬖妾,使庄姜贤而无子,国人悯忧之作。魏源据《列女传·女仪篇》以为是庄姜之傅母所作,砥砺以高节,使庄姜感而自修。方玉润则以为“硕人”为有德者尊称,故诗有称颂庄姜美且贤意(《诗经原始》)。凡此种种,在诗的“本文”中可说是无风可捕、无影可捉。备说或可,岂足尽信。

(周啸天)

氓

氓之蚩蚩,①	汉子笑嘻嘻,
抱布贸丝。②	抱布来换丝。
匪来贸丝,	不是来换丝,
来即我谋。③	来就我筹谋。
送子涉淇,④	送你渡淇水,
至于顿丘。⑤	一直到顿丘。
匪我愆期。⑥	不是我失约,
子无良媒。	你没好媒人。
将子无怒,⑦	请你别生气,

秋以为期。	秋来以为期。
乘彼垝垣，[8]	登上那破墙，
以望复关。[9]	去盼望复关。
不见复关，	望不见复关，
泣涕涟涟。	涕泪滚涟涟。
既见复关，	已见着复关，
载笑载言。	便有笑有言。
尔卜尔筮，[10]	你卜你占课，
体无咎言。[11]	幸无凶咎言。
以尔车来，	以你车子来，
以我贿迁。[12]	以我嫁奁迁。
桑之未落，	桑树未枯落，
其叶沃若。[13]	叶子柔沃沃。
于嗟鸠兮，[14]	唉唉斑鸠啊，
无食桑葚。	不要吃桑葚。
于嗟女兮，	唉唉女人啊，
无与士耽！[15]	莫和男人混。
士之耽兮，	男人们寻欢，
犹可说也。[16]	说甩马上甩。
女之耽兮，	女人沾上了，
不可说也。	摆也摆不开。
桑之落矣，	桑叶离了枝，
其黄而陨。[17]	枯黄地上落。
自我徂尔，[18]	从我嫁了你，
三岁食贫。[19]	多年吃苦过。
淇水汤汤，[20]	淇水汪洋洋，

渐车帷裳。[21]	溅到车帷裳。
女也不爽，[22]	女子呀没错，
士贰其行。[23]	男子耍花样。
士也罔极，[24]	男子呀没准，
二三其德。	二意又三心。
三岁为妇，	多年做媳妇，
靡室劳矣。[25]	不辞家务劳。
夙兴夜寐，	早起又晚睡，
靡有朝矣。	并不止一朝。
言既遂矣，[26]	我刚称心呀，
至于暴矣。	你倒凶暴呀。
兄弟不知，	兄弟不知情，
咥其笑矣。[27]	张口大笑呀。
静言思之，	前思又后想，
躬自悼矣。	自己伤悼呀。
及尔偕老，	愿和你偕老，
老使我怨。	到老使我怨。
淇则有岸，	淇水尚有岸，
隰则有泮。[28]	漯河尚有边。
总角之宴，[29]	结发的欢乐，
言笑晏晏。[30]	说笑意绵绵。
信誓旦旦，[31]	誓约明明在，
不思其反。	不想他欺骗。
反是不思，	骗了不想它，
亦已焉哉！	也就算了罢！

（陈子展译，略有改动）

注释

①氓(méng):民。蚩蚩:笑嘻嘻的。②贸:交易。③即:就。④淇:水名。⑤顿丘:地名。⑥愆(qiān)期:过期。⑦将(qiāng):请。⑧垝垣(guǐ yuán):断墙。⑨复:返。一说"复关"为地名。⑩卜:用龟甲卜卦。筮(shì):用蓍草占卦。⑪体:卦体,即卜筮的结果。咎言:凶辞。⑫贿:财物,指妆奁。⑬沃若:润泽貌。⑭于(xū)嗟:感叹词。⑮耽(dān):贪乐太甚。一说借作"酖"(dān),迷醉,嗜酒。⑯说:脱。⑰陨(yǔn):落下。⑱徂(cú):往。⑲食贫:受穷。⑳汤(shāng)汤:水势很大。㉑渐:浸湿。帷裳:车上布幔。㉒爽:过失。㉓贰:不专一。一说即"忒"(tè),与"爽"同意。㉔罔极:无常。㉕靡:无。㉖遂:满足。㉗咥(xì):笑貌。㉘隰:当作"湿",水名,即今漯河。泮(pàn):畔。㉙总角:束发,指未成年男女。宴:乐。㉚晏晏:温和。㉛旦旦:明。

鉴赏

郑卫之声被道学家目为淫诗,又强分差等,说"卫人犹多刺讥惩创之意"。如《氓》,就被说成是:"此淫妇为人所弃,而自叙其事以道其悔恨之意也。夫既与之谋而不遂往,又责所无以难其事,再为之约以坚其志,此其计亦狡矣。以御蚩蚩之氓,宜其有余,而不免于见弃。"(朱熹《诗集传》)这里"戒淫"之说的荒谬已不值哂,但撇开这一点,它又确实道出了这出婚恋悲剧的主要特点,此即:这桩婚姻原系半自由的结合——虽有媒聘实出自愿;而婚姻的毁弃,既不因家长意志(如《焦仲卿妻》),又不因第三者涉足(如《白头吟》),而在于男子本身的负心忘本,始乱终弃。抓住这一特点,是解会《氓》诗的关键。

"氓之蚩蚩,抱布贸丝",可见双方早就认识,否则"贸丝"不会无端端找上门来。"匪来贸丝,来即我谋",原来抱布贸丝是掩人耳目,或即私行聘礼也未可知。不遣媒氏而自来,不与父母谋而谋于"我",即是私订终身(时髦的说法是自由恋爱)。那男子来议婚时,给人印象不坏,不但主动迫切,而且笑容可掬。不过,这笑容很快就收起来,变作"怒"容(见"将子无怒"句)——在对方不同意草率成事的时候。其实,无论出于自然本能和社会地位的差异,都使得女性在婚恋问题上较男子更"策略",但不一定是故狡其计。要求明媒正娶,是为使将来的婚姻更有保障。在"子无良媒"的情况下,讲一讲先决条件,决非有意

“愆期”。为了不致使对方误会和过于失望，“我”竟背着家人（诗未显言，可以意会）“送子涉淇”，不辞路远，直到顿丘。并温存劝慰，“将子无怒，秋以为期”。纵有铁石心肠，想必也会涣然冰释了。

在议婚过程中，“我”的举止虽有分寸，态度虽然克制，但内心远不平静。“氓”带走了少女的心：“乘彼垝垣，以望复关。不见复关，泣涕涟涟。”而当“氓”再一次出现面前，“我”不禁喜形于色了：“既见复关，载笑载言。”“氓”已遵嘱遣媒，不言而喻矣。古代婚姻非但依托媒氏，还真得看看命运。一番占卜吉凶之后，幸而命不相克。于是“以尔车来，以我贿迁”。妆奁过去，意味人也过门了。较之前章称呼“氓”为“子”的客气，如今已经呼作“尔”，口气上更亲昵了。

由此可以看到，在《诗经》时代，旧式婚姻嫁娶的手续，即从媒妁之言、占卜算命到嫁妆聘礼，大体已具。以上均属女子的回想，回想如梦似幻消逝了的美好的往日。男女不平等的时代，造就着不幸的女子、薄幸的男人。诗中“我”触及后来婚变，就特别痛心，用一种过来人的口吻作出了沉痛的自省，又像是告诫普天下怀春的少女：“于嗟鸠兮，无食桑葚。于嗟女兮，无与士耽！士之耽兮，犹可说也。女之耽兮，不可说也。”传说斑鸠多吃桑葚则醉，后果不堪，故桑葚虽甜，亦不可食之过量。这是运用在诗中间的起兴（兼有比义），与通常以兴法起结比，较为罕见。“说”即“脱”，可有两解。一是开脱，即“男多借口、女难饰非，恶名之被，苛恕不齐”；二是摆脱，即明人戏曲所谓“男子痴，一时迷；女子痴，没药医。”（参钱钟书《管锥编》）这种将天下男女一网打尽的说法显然有些过情，然作为诗句，有时非过情不可，以诗缘情之故也。

诗中叙及婚变的具体事实，赋兼兴比。“桑之未落，其叶沃若”，婚后最初的日子过得还融洽。“桑之落矣，其黄而陨”，时过境迁，色衰爱减（从兴义会出）。当初是共患难的贫贱夫妻，“自我徂尔，三岁食贫”“三岁为妇，靡室劳矣。夙兴夜寐，靡有朝矣”，然而当日子渐渐好起来时（“言既遂矣”），“氓”却变心变脸，“至于暴矣”。陈启源云：“意氓本窭人（穷汉），乃此妇车贿之迁，及夙兴夜寐之勤劳，三岁之后，渐至丰裕。及老而弃之，故怨之深矣。”（据《诗经直解》引）盖民间固有此负心忘本的汉子，使人联想到武则天朝某公主所谓“田家佬多收三五斗便思易妻”，知陈说不诬。诗中“我”在回想被弃还家时，特别提到“淇水汤汤”，与前文“送子涉淇”一节相照应，当初是“我”送他，两人一同涉淇，多少柔情蜜期；而今他弃“我”，独自一人涉淇，又多少凄凉绝望。特别是想到自己并无过失（“女也不爽”），错在认错了人，“士贰其行”

“二三其德”。如今她满腹苦水往哪倒呢？“渐车帷裳”的仅是汤汤的淇水么？悔恨的泪水当更多呀！

及此被弃还家，又遭遇到何等的委屈。其中最难堪的是兄弟的不理解，不谅解。“兄弟不知，咥其笑矣。”看似不近情，实则有其社会的、个人的原因。因为这一婚事当初是瞒着家人先自谈定的，“盖以私许始，以被弃终，初不自重，卒被人轻，旁观其事，诚足齿冷，与焦仲卿妻之遭遇姑恶，反躬无咎者不同”（《管锥编》）。所以兄弟咥笑也有他的由头，“静言思之，躬自悼矣”，又不仅是顾影自怜，分明还有冷静反思之意。另有一种理解，认为“咥其笑矣”的主语不单是兄弟，实包含着女主人公当着兄弟面的强颜欢笑，就像唐传奇《莺莺传》中被弃的莺莺的处境，她自道是“喧哗之下，或勉为笑语；闲宵自处，无不泪零”。而“闲宵自处，无不泪零”正是“静言思之，躬自悼矣”的转语。

反躬自省，遂及其初。此时复提当初情事，几恼不可遏。回想抱布贸丝来即我谋的当时，“氓”不知有多少甜言蜜语，其中必有“白头偕老”的话头。故诗云“及尔偕老，老使我怨”，盖“氓”已食言自肥，致此婚变。“淇则有岸，隰则有泮”，而“我”之怨，无边际矣。这里就与本事相关的本地风光作对比，有信手拈来、比兴无端之妙。提及“总角之宴，言笑晏晏”，言下之意是：可惜那时“我”缺乏经验和预见，就轻信了那些旦旦“信誓”。因而此刻终于下决心在感情上与“氓”一刀两断了。

在夫权社会的周时，“妇有七去”（《大戴礼·本命》），男子有压迫女性的特权。恩格斯一针见血地指出：“历史上出现的最初的阶级对立，是同个体婚制下的夫妻间的对抗的发展同时发生的，而最初的阶级压迫是同男性对女性的奴役同时发生的。”（《家庭、私有制和国家的起源》）《氓》这首诗的典型意义就在于它形象地揭示了阶级社会的这一历史本质，从而具有认识价值。

这首以民间男女婚变为题材的故事诗，可作一篇诗体小说读。它以顺叙为主而间以穿插倒叙（如末章），行文颇不单调。注意前后映带（如前有“氓之蚩蚩”，后就有“总角之宴，言笑晏晏”；前有“送子涉淇，至于顿丘”，后就有“淇水汤汤，渐车帷裳”），妙有波澜（钱钟书云，“子无良媒”而“愆期”，“不见复关”而“泣涕”，皆具无往不复，无垂不缩之致，而读之只觉是人事之应有曲折）。叙事中杂以抒情，尤为动人。善于剪裁详略，而情事无遗（详于婚变前后情事，而略于婚变之原委始末），此外还成功运用了比兴手法。全诗塑造了两个人物，“我”与“氓”，虽有直接间接的不同，然皆形象鲜明，性格突出。“我”之勤劳善良，柔中有刚；“氓”之反复无常，虚伪薄幸，都给读者以难以磨灭的印象。

（周啸天）

竹　竿

籊籊竹竿，[1]	纤纤竹竿细又长，
以钓于淇。[2]	用来垂钓淇水旁。
岂不尔思？[3]	怎不教人把你想？
远莫致之。	远不可及想也枉。
泉源在左，[4]	泉源左边流，
淇水在右。	淇水右边淌。
女子有行，	有位姑娘嫁得远，
远兄弟父母。	别了兄弟离爹娘。
淇水在右，	淇水右边流，
泉源在左。	泉源左边淌，
巧笑之瑳[5]，	嫣然一笑玉齿亮，
佩玉之傩。[6]	步态翩翩佩环响。
淇水滺滺，[7]	淇水悠悠照旧流，
桧楫松舟。[8]	桧木桨儿松木舟。
驾言出游，	且驾船儿去漂荡，
以写我忧。[9]	聊宽我心排我忧。

注释

①籊（tì）籊：长而纤细貌。②淇：水名。③尔：你。不尔思：即不思尔。④泉源：水名，水有二源，一曰马沟，一曰美沟，皆出卫都朝歌西北，东南流入淇水。“水以北为左，南为右，泉源在朝歌北，故曰在左；淇水则屈转于朝歌之南，故曰在右。”（陈奂《诗毛氏传疏》）⑤瑳（cuō）：玉色鲜白貌，这里形容齿色洁白如玉。⑥傩（nuó）：步态有节度。⑦滺（yōu）滺：字本作“攸”，水流貌。⑧桧：木名。

楫:船桨。⑨写:通“泻”,宣泄。

鉴赏

《竹竿》是一首情思优美的卫地民歌,诗中写的是一位男子在淇水边思念他所钟爱的姑娘,而这位美丽的姑娘已嫁往异乡。《毛诗序》谓其篇旨为“适异国”的“卫女思归也”。此说为后世不少注家论者所接受,甚至有人认为它与另一篇写卫女“思归宁”的卫地民歌《邶风·泉水》同出一人手笔,这些说法乖违本篇辞意,无足征信。

《竹竿》全诗四章。首章以“籊籊竹竿,以钓于淇”起兴。“钓鱼”在《诗经》的风诗中有着特殊的寓意,近人闻一多先生对此曾有过精辟的阐论。他指出,“《国风》中言鱼,皆两性间互称其对方之廋语”,是“代替‘匹偶’,或‘情侣’的隐语”,而“打鱼、钓鱼等行为是求偶的隐语”。《竹竿》首章头两句与《召南·何彼襛矣》篇首章的“其钓维何,维丝伊缗”两句“皆言钓,意仍指鱼,但不明出鱼字耳”。都是以钓鱼隐喻求偶。此章三、四两句“岂不尔思,远莫致之”更值得玩味。有的注家、译者把“尔”字径解作诗人所思恋的女子;“远”字解作斯人远嫁之类,义虽可通,然颇嫌拘泥板实,失却原诗风韵。这两句语含双关,意兼两指,与《何彼襛矣》篇以“齐侯之子,平王之孙”直接“其钓维何,维丝伊缗”之笔意显有不同。“岂不尔思”,顺应上义的“以钓于淇”,“尔”字当是指鱼;“远莫致之”句则反接首句“籊籊竹竿”,以表竿之虽长,不及远游之鱼。笔法活脱多变,四句一意相贯,从字面上看,写的是“临渊羡鱼”,深致竿长莫及之慨。透过这层字表来看,则另有指喻,实以鱼喻所思,以竿长莫及喻求偶不遂,巧寓所思远适、无缘好合之忧于淇水垂钓的比喻之中,通章为譬,以妙喻见深情。隐喻和双关语之用,在古代民歌中屡见不鲜,而早在《诗经》中就运用得如此精巧圆活,如此含蓄有致,真令人惊叹。

次章前两句“泉源在左,淇水在右”,是兴句。诗人临流兴叹,黯然伤神。点明淇水,又示意姑娘由此离别故乡,远嫁他方,领起以下“女子有行,远兄弟父母”两句,诗义由隐而显。这里“女子有行,远兄弟父母”,陈子展先生说乃以当时的谣谚成语入诗,但用在此处,则给人以似诉似叹的感觉,言外隐然流露出诗人一片离索之悲绪,一片缱绻之恋情。此章末句“远兄弟父母”与上章末的“远莫致之”句各以一“远”字起头,两相关联照映,章法的变换配合诗意的上下承转,自然工致之中又有灵动变化之妙,此前人所谓“以无心求工而自工者”(方玉润《诗经原始》)。

至第三章，诗人宕开一笔，写眼前出现姑娘昔时的芳姿倩影，她仿佛正从淇水边翩翩而来，佩环伴随着轻盈柔美的步态铿锵作响，清亮的声音悦耳；她回眸一笑，洁白的玉齿光彩照人，宛若目前。文情由悲一转为乐。“巧笑之瑳”，从齿色衬出其迷人的笑靥，“佩玉之傩”，则从玉佩有节奏的声响衬托其优美的身段，绘声绘形，仅此两句便描绘出姑娘惊彩绝艳之风姿神韵，堪称勾魂摄魄的神来之笔，更以虚笔出之，尤为奇绝。这里所出现姑娘的美丽动人形象，乃是诗人心理上的一种幻影。思极神迷，幻象生焉，《九歌》中那位望穿秋水的湘君幻觉中出现与湘夫人共同生活的美好情景，有异曲同工之妙。又皆以抒情主人公想象中的原景反衬其内心的哀情，益见其思之深挚，其情之悲恻。

《诗经》里有关卫地的民间情歌，大都牵涉到淇水。卫之淇水，如郑之溱洧，是当时青年人欢聚，谈情说爱的风流之地。每逢三月上巳节，更是爱情的盛会。春风荡漾，淇水泛波，河畔水滨，士女杂沓，歌舞调笑，如火如荼，青年男女，在此互传情言密誓，交欢结好。《竹竿》四章都写到淇水，并非偶然触景生情，因物起兴。正是在淇水旁，诗人对这位美丽的姑娘产生了爱慕之情，或许是这位陌生姑娘回眸一笑，曾撩动过诗人的心。至于这对青年男女是原已相识的情人，还是萍水相逢，今无从揣测。但从全诗流露的那种深恋无怨的情愫来看，似乎是诗人单相思，未必是姑娘变心，抛弃旧时的情郎而另攀高枝。如今诗人故地重游，伊人远去，唯见淇水悠悠如故，倍觉悲怅萦怀。末章发为叹浩，写泛舟淇水，聊以纾解心中那片“剪不断，理还乱”的愁绪。诗中反复出现的淇水，犹如一根感情的纽带，把昔时与今日，初恋的欢情与失恋的悲伤巧妙地联系起来，形成于同一空间位置（淇水）的不同时间（今、昔）和不同情景的鲜明对照，以表达诗人的情感，这是本诗艺术构思的一个特点。

（易　平）

芄　兰

芄兰之支，①	芄兰枝上荚儿尖，
童子佩觿。②	童子佩觿学大人。
虽则佩觿，	虽说挂着象骨觿，
能不我知。③	难道与我不知心？

容兮遂兮，④	摇头晃脑走过来，
垂带悸兮。⑤	腰垂大带随地摆。
芄兰之叶，	芄兰叶儿成对生，
童子佩韘。⑥	童子佩韘装正经。
虽则佩韘，	虽说挂着玉指扳，
能不我甲。⑦	难道与我不相亲？
容兮遂兮，	摇头晃脑走过来，
垂带悸兮。	腰垂大带随地摆。

注释

①芄(wán)兰：植物名，即萝藦，多年生蔓草。其叶及荚实皆成对而生，荚成角状，形如锥；叶呈心脏状，形如韘。支：通"枝"。胡承珙《毛诗后笺》曰："荚缀于枝上，亦可云枝也。"②觿(xī)：一种用兽角或玉制的用以解绳带结的工具，又名"解结锥"，古时为成年男子的佩饰物。③能：宁，难道。④容兮遂兮：犹言"容容遂遂"，雍容安闲貌。⑤悸：心跳，这里借指衣带下垂摆动貌。⑥韘(shè)：古代射箭时套在右手大拇指上以钩弦的一种用具，用象骨或玉制成。佩韘，亦是成年人的标志。⑦甲：通"狎"，亲昵。

鉴赏

《芄兰》是一首别具风味的抒情小诗。《毛诗序》认为它是卫国大夫所作，旨在讽刺以幼童即位，"骄而无礼"的卫君惠公。旧时学者多信其说。朱熹《诗集传》则云："此诗不知所谓，不敢强解"，不轻从《诗序》说。近人对此诗意旨的评议，不乏新见。朱东润先生云："以次章'能不我甲(同狎)'之句推之，疑为女子戏其所欢之词。"(《诗三百篇探故》)我们认为较合符原作之意。

本篇写一位少女对昔日的男友(即"童子")疏远、冷淡了她颇有怨气，因以此诗嘲戏他。细玩诗中"能不我知""能不我甲"两句词意，那位佩觿、佩韘的"童子"与这姑娘本当是一对相知相狎、青梅竹马、两小无猜的伙伴。后来那"童子"忽然变了，摆出一副一本正经的大人架势，对姑娘不理不睬，视若外人。这不能不使姑娘感到意外和气恼。本篇与《郑风·狡童》相比，显见意趣情调有所不同。《狡童》篇也是写一对少男少女之间闹矛盾，姑娘对情郎"狡童"深表怨慕之情。此诗"狡童"对姑娘的冷遇，是出于感情上的原因，或许是双方偶有误会，或许是男方见异思迁，另有新欢。而《芄兰》篇的"童子"与姑娘之间的隔阂，则主要是出于某种心理上的原因。

古之礼俗，男子长到二十岁时要行加冠礼，表示既已成人，这是古人视为极庄重严肃的人生大事。成年男子的服饰装束（如佩觿、韘之类）乃至言行举止，均有不同于童子的礼规。但未必个个佩觿、佩韘者都是到了成人的年龄。（有人认为《芄兰》诗中的"童子"不过是十二三岁的少年。）这位"童子"一旦挂了个觿，带上个韘，便自以为真的成了大人，顿然换了副派头，不屑于再干与女孩儿嬉戏厮混之类孩提的勾当，以示自尊。少年学老成，小儿仿大人，乃是十几岁时青少年的一种普遍的心理现象，这并不意味着他变心、厌旧。而在姑娘眼里，他实在还是原来的那个顽童，只不过衣冠俨然，装模作样，看他那副自高自大的神气，感到可笑又可恼。当然，男友态度的变化，会引起姑娘内心的不安和情绪的波动，但这也不意味着就是失恋。这首小诗十分生动风趣地反映出这对少男少女的心理变化。在表情方式上，本篇也自然不同于《狡童》以失恋少女独自宣泄其内心深挚而热烈的情怀，而是把人物形象的描写与女方心理活动巧妙地结合起来。两章次句的"童子佩觿""童子佩韘"，是描写男方的形象，接上"虽则佩觿，能不我知""虽则佩韘，能不我甲"，是女方的心里话，以反诘表示肯定，且一口一个"童子"相称，似怨似恼，如嘲如嗔，饶有风趣。尤其章末"容兮遂兮，垂带悸兮"两句，写对方那种故作大人步履闲暇之态而又弄巧成拙的样子，突出那条晃晃荡荡垂吊于地且与其身材极不相称的大腰带，勾勒出对方雅拙而又自大的"童子"相。这漫画式的两笔，简妙传神，令人忍俊不禁。"童子"的这副"尊容"，乃从姑娘所见一面看出，人物形象与见者的心理活动交融在一起。闻一多先生说："末二句言外之意是说：'瞧你那假正经'！"（《风诗类钞》）妙会其趣。这些描写性文笔略带嘲谑、揶揄之意，兼以重章叠句，反复咏唱，更于幽默诙谐之中别有一种媚态，一种风情。

巧于用比，寓譬于兴，是该诗颇有特色的一种表现手法。两章起句的"芄兰之支"，"芄兰之叶"，《毛传》谓之"兴也"，固然不错。诗人触物起情，先言芄兰以引出所咏之词。但这里所言芄兰，非泛泛而言，仅用作发唱起兴，诗人抓住这种野生植物的两个形态特点，一写其枝藤上的荚，一写其叶。芄兰之荚，一头稍尖,其形似“童子”所佩的解结锥;芄兰之叶,其状如心,似“童子”所佩的扳指。显然有以芄兰荚喻觿,叶喻韘之意。清人陈奂云:“盖《毛传》言兴,而比已寓焉矣。”(《诗毛氏传疏》)此即其例。然而,此诗之用比,却不是一种单纯的修辞手法,它实与全诗情意密切相关。如果说身上佩着的觿韘,在“童子”看来是庄重严肃的“正经”之物,而在姑娘眼里,却不过像小小一只芄兰荚,一片芄兰叶儿,如此而已,挂上这小玩意儿,未必真能抬高你这顽童的身价,又何必装成那样正儿八经的。诗中有此两句,益发显得妙趣横生。

此诗语言明朗朴素而又活泼调皮,乃民间调情诗所特有的韵味。至于有论者说此诗言佩觿、佩韘、垂带等系“奴隶主贵族阶级之佩饰容仪,并非泛言民间一般幼童所可有者”,我们认为《芄兰》所言的“童子”是贵族弟子还是民间幼童,实不必强为分辨,即以民歌所描写人物“佩饰容仪”而言,多有夸张炫美之辞,如后来汉乐府《陌上桑》之写秦罗敷,辛延年《羽林郎》之写酒家胡,皆珠光宝气,似贵妇派头,若据此考实其人身份,罗敷岂能是农家采桑女,胡姬可曾是当垆卖酒之妇?则反拘泥成累矣。此说不能否定出之《卫风》的《芄兰》为当时民间创作。

(易　平)

河　广

谁谓河广? 一苇杭之。[1] 谁谓宋远? 跂予望之。[2]	谁说黄河宽又宽? 过河筏子芦苇编。 谁说宋国远又远? 抬起脚跟望得见。
谁谓河广? 曾不容刀。[3] 谁谓宋远? 曾不崇朝。[4]	谁说黄河宽又宽? 难容一只小小船。 谁说宋国远又远? 走到宋国吃早饭。

(余冠英　译)

注释

①杭:通“航”,渡过。②跂(qǐ):通“企”,踮起脚跟。予:而。③曾(céng):乃。刀:小船。④崇朝(zhāo):“崇”即“终”,从天明到早饭时叫终朝。

鉴赏

《河广》诗两章是客居卫国的宋人所作,表现了思念宋国渴望回归的强烈而深沉的感情。

卫国迁漕以前,都城朝歌,与宋国之间隔着华夏第一大河——黄河,存在着一定的距离。空间的距离隔不断客居者对故国的思念,他渴望回到宋国,在他心目中,那宽广的黄河并不算宽广,那相隔的距离并不算遥远,他的心与故国紧紧相连。他思之过切,便用主观意愿来否认、抵制、战胜客观现实。也就是“远望可以当归”之义。首章首句“谁谓河广?”虽是问句,却满含否认的意思,急切之情跃然而出。紧接着“一苇杭之”作出了极为夸张的回答。莽莽黄河,巨浪滔滔,古来难渡。而“一苇杭之”的回答竟是那样地干脆果断,仿佛作者深信不疑似的。其实他并非深信不疑,他是希望能如此而已。以下又以问句提起思绪。说宋国遥远,也是作者感情上不能接受的,因此他故意提出来予以断然否定,并夸张地说踮起脚跟就看得见。其实,他不踮脚跟也看得见,宋国就在他心中,宋国就在他眼前,他时时刻刻在思念,他时时刻刻都看得见。诗较为含蓄表现了有国难投之苦。

第二章的思想内容、构思、表达都与第一章类似,唯答句均采用否定句式,用容不下小船来否认河广,用不消一个早上来否认宋远,与前章采用肯定句式作答可收异曲同工之妙。

全诗只反复否认“河广”“宋远”,语言上不出一个“思”字、“归”字,但思念回归之情却十分急切、浓烈。“诗言志”,本诗却“志”在“言”外,在表现手法上,与《诗经》中多数诗篇直抒情意有所不同。两章短诗,不用比兴,劈头便问,四问四答,结构紧凑,颇具粗犷风格。

一说此诗为宋襄公之母归卫后思宋或思子之作,恐未必然。

(冯杏实)

伯兮

伯兮朅兮，[1]	我的哥啊多威风，
邦之桀兮。[2]	在咱卫国数英雄。
伯也执殳，[3]	我哥手上拿殳杖，
为王前驱。[4]	为王出征做先锋。
自伯之东，[5]	打从我哥东方去，
首如飞蓬。[6]	我的头发乱蓬蓬。
岂无膏沐，[7]	香油香膏哪缺少，
谁适为容！[8]	叫我为谁来美容！
其雨其雨，[9]	好像天天盼下雨，
杲杲出日。[10]	天天太阳像火盆。
愿言思伯，[11]	一心只把哥来想，
甘心首疾！[12]	哪怕想得脑袋疼！
焉得谖草？[13]	哪儿去找忘忧草？
言树之背。[14]	为我移到北堂栽。
愿言思伯，	一心只把哥来想，
使我心痗！[15]	病到心头化不开！

（余冠英译，略有改动）

注释

①伯：兄弟姊妹的排行中，最年长的称伯，余依次为仲、叔、季；这是女子对丈夫的称呼，意为哥哥。朅（qiè）：英武壮健的样子。②邦：国。桀：通“杰”，杰出的人才。③殳（shū）：古代兵器，长一丈二尺，竹制、竿状。④前驱：在前导引的先锋。执殳杖为先锋的是中士（王先谦《诗三家义集疏》）。⑤之：往，到。

⑥飞蓬:蓬草遇风易折,狂飞四散,且弯曲混乱,喻久不洗沐敷油的乱发。⑦膏:润发的油。沐:洗头。⑧适:悦(用马瑞辰说)。容:美容,修饰。⑨其:发语词,含有祈使语气。⑩杲(gǎo)杲:日光明亮的样子。⑪愿言:念念不忘的样子,犹睠然(用闻一多说)。⑫甘心首疾:情愿头疼。⑬焉:何,哪里。谖(xuān)草:即萱草。"萱"与"谖"同音,而"谖"意为忘记,故萱草谐"谖"之音,又叫忘忧草。⑭言:而。树:栽种。背:古北字。古代中原房屋多座北朝南,背即北堂、后庭、北阶。⑮痗(mèi):病,不舒服。

鉴赏

这是一首较早的"闺怨"之作。诗中女主人公在目睹自己的丈夫出征的动人情景时,曾为他的威武雄壮、勇当先锋而自豪,但在出征之后,自己却陷入了无尽的相思之中,深为所苦,无法摆脱。全诗短短四章,六十四字,却是一唱三叹,情真意切,写活了这位思妇的神情心态。

全诗围绕"思"字这个中心,采用映衬对比,层层递进,不断深入的结构方法,章与章之间转折变化,而又环环紧扣,一气流转,把女主人公心理的微妙变化,表达得曲折有致,读来情趣盎然,兴味无穷。

首章采用赋的手法,从正面描写部队出征时,女主人公的丈夫为国王作先锋的威武场面,突出了对这位武士的高度赞美,也为日后的思念作了铺垫。也许,这位女主人公就站在由国王带领的浩浩荡荡的出征队伍旁边,整齐的队伍正向东方开去,猛然间,她看到了自己的丈夫:啊,在滚滚人流中,那武壮高大的身材,真如鹤立鸡群;你看,他手中还举着长长的殳杖呢,在旌旗的簇拥之下,在震天的战鼓声中,迈着矫健的步伐,走在队伍的前头。这是何等气派!女主人公不禁为之骄傲自豪,而且心中也多少有些洋洋自得了。于是,她连连发出了赞叹之声,三个"兮"字,一个"也"字,从强烈的语气上极为生动地表现了女主人公内心的难以控制的喜悦。此时,她可能会想到,由于丈夫的杰出才能,他在战争之中一定会攻无不克,战无不胜,然后建立大功,班师奏凯,争得更大的光荣。她目送丈夫渐渐远去,心中充满着美好的希望,荡漾着无法平静的自豪之感和喜悦之情。本章洋溢着愉悦情绪,与以下三章将要表现的苦苦思念,恰成对照,两相映衬,十分生动。

第二章"自伯之东"一句,是本诗的一大转关。自从东征之后,随着时光渐渐流逝,原来那种兴高采烈的情绪已经消失,相随而来的却是女主人公在闺中冷冷清清地愁思苦恋。以前对于荣誉的憧憬,有如电光之一闪，倏然而逝，而对于亲人的深切思念，却变成了无穷痛苦，压倒一切。这是这位年轻单纯、看来还不更世事的女子始料未及的。由于丈夫久久不归，她无心打扮，并且变得忧伤和慵懒起来，甚至连头发也不梳洗了，思念之苦与日俱增，后悔当初不该让他去当兵。第三段，更进了一层，她日日盼望丈夫归来，却一天天落了空，这种折磨人的思念，使她平添了头疼的毛病。但她不仅不愿放弃这种思念，并且还自觉地以思念为乐事，用生理的痛苦（"首疾"），来抚慰心灵的痛苦。然而，生理的承受力毕竟是有限度的，到了第四段，这位一心只把哥来想的少妇，已达到病到心头化不开的程度，她希望得到忘忧草来消除痛苦，但是天下又哪有这种灵验的草呢？她终于无法自我解脱，相思成病。这里，她对丈夫的深挚之爱和痛苦思念，达到了顶点。全诗各章就是这样层递而下，步步推进，有如抽丝剥茧，既清晰地展示了女主人公思想变化的轨迹，又一层层深化了感情。末章以"愿言思伯，使我心痗"收合全诗，戛然而止，为读者留下了想象的空白：这位闺中少妇结局怎样呢？她日夜思念的丈夫，将来真的能衣锦荣归吗？会不会喋血沙场，抛骨异乡呢？这些，当然是难以预料的。本诗到这里以不结为结，真是余音袅袅，不绝如缕，深切的闺怨之情表达得充分而又自然。

为了加强表现力，本诗在短短篇幅中，还比兴兼用，对于刻画女主人公的外貌和心理，起了很好的作用。第二章以蓬草比喻女子散乱的头发，十分生动形象，女子的愁苦憔悴形态，跃然纸上。第三章进一步以"其雨其雨，杲杲出日"的兴象，把思念丈夫之情物化为具体可感的形式，为我们提供了新的审美层面。这两句是兴而兼比。这位女子多么盼望下雨啊！好让甘霖滋润焦渴的万物，也滋润干涸的心田，可是老天爷却偏偏烈日当头，有违人愿，用来比喻女子极盼丈夫回家，可是他天天没有音信，始终没有回来，难怪她要"首疾"而"心痗"了。这把女主人公的思念之情，表现得入木三分。据《艺苑卮言》记载，明代诗人杨慎谪戍滇中之后，他的妻子黄峨在四川新都县的老家写了一首思念杨慎的《寄外》诗，诗为七律，第三联是"曰归曰归愁岁暮，其雨其雨怨朝阳"（见《杨慎诗选》附录），分别采用诗经《采薇》中"曰归曰归，岁亦暮止"和本诗中"其雨其雨，杲杲出日"的成句，稍加变化，写出了征人、思妇双方不得团圆的怨苦，传为名句。也可见此诗影响的深远。

（宗小荣）

有狐

有狐绥绥，①	狐狸缓缓走，
在彼淇梁。②	淇水石桥上。
心之忧矣，	心里真忧愁，
之子无裳。③	这人没衣裳。
有狐绥绥，	狐狸缓缓走，
在彼淇厉。④	淇水岸边濑。
心之忧矣，	心里真忧愁，
之子无带。⑤	这人没腰带。
有狐绥绥，	狐狸缓缓走，
在彼淇侧。	在那淇水边。
心之忧矣，	心里真忧愁，
之子无服。	这人没衣衫。

（程俊英　译）

注释

①绥(suí)绥:慢吞吞走的样子。②梁:桥。古代的桥,用石砌成。③裳:下衣,形如现在的裙,古代男女都穿裳。④厉:"濑"的借字,水边有沙石的浅滩。⑤带:指衣带。

鉴赏

这首诗的主题向来众说纷纭。朱子在《诗集传》中认为是"有寡妇见鳏夫而欲嫁之",纯属凿空妄断;有人认为是失时未嫁的女子爱上一个男子,也嫌根据不足。细读全诗,应是写一位女子对流离在外的丈夫的深切思念,全诗充满着缠绵悱恻、惆怅感伤的情绪,动人心魄。

全诗的核心是一个“忧”字。一开始就以在淇水石桥上缓缓行走、徘徊瞻顾的狐狸起兴,给人一种寻寻觅觅、心神不定的印象,表现出若有所失的忧伤气氛。这也是比,即以狐狸比喻这位女子所思念的丈夫。或许现在会有人说这种比喻是“比非其类”,因为狐狸乃狡猾、多疑、淫乱的象征,其实这是受了后来《伊索寓言》《聊斋志异》的影响的结果。在图腾崇拜盛行的古代,狐狸倒是一种吉祥之物,《艺文类聚》即将“狐”收在“祥瑞部”,从其所辑资料中可见一斑。唐莫尧在《诗经全译》中注释此诗时,认为狐是“喻男性”,应该是有道理的。全诗以时而行走在“淇梁”,时而踯躅在“淇厉”,时而徘徊在“淇侧”的狐狸,比喻流落在远方的丈夫那种居无定所、孤苦无依、穷困潦倒的境况,十分贴切,表现了妻子对丈夫的深深忧念。

这种缠绵无尽的忧思,本诗不是直抒胸臆,而是出之以平淡自然,表现得婉曲含蓄。我们从字里行间可以想象到:这位女子的丈夫一定出门很久了,也许是服劳役或者出征吧,虽然梦魂牵绕,但关山阻隔,相见无由。这种抑郁难伸的离愁别苦,愈来愈浓,对丈夫的种种关心,也愈来愈切。她有多少怨苦需要倾诉,有多少热肠需要表白啊!然而,这些却没有直说,只是通过对最为平常、具体的事物——衣着的叙说,表现了她对丈夫的无微不至的关心。她在日日夜夜的思念中,一会儿想到丈夫的“裳”没有了,一会儿想到丈夫的“带”没有了,一会儿又想到丈夫的“服”没有了,从下而上,遍体周身,关心得多么具体而细致。不难想见,这是一位多么善于体贴人、多么贤淑的女子啊!往日丈夫在家时,她定然照顾得周周到到,没有让丈夫为衣着之类的生活琐事操过心,他们的缱绻之情和恩恩爱爱,该是何等“如胶似漆”。然而,这种难得的爱情终于被无情的社会拆散了,而且一别多年,音讯难通,怎能不引起她对丈夫与日俱增的思念呢!诗中只说到衣着,而将无穷的忧虑留给读者去思索,语似平淡,但却切合女子的身份,把感情表达得具体、真挚而深沉。这种委婉曲折的表达方式,比直白道来,收到了更为强烈的艺术效果,特有余味。

按说,这种难以倾诉的强烈忧思,虽是长篇,亦难尽致。然而本诗以三章十二句的有限诗行,却表达得恰到好处。全诗文辞简约,而意蕴极为深沉;篇幅短小,但感情充分饱和。尤其是每章重复一句“心之忧矣”,再三伤叹,很好地突出了主人公的凄苦心境,起到了“语少意足,有无穷之味”(洪迈《容斋随笔》)的作用,具有十分感人的艺术力量。

(管遗瑞)

木　瓜

投我以木瓜，[1]	姑娘送我香木瓜，
报之以琼琚。[2]	我用佩玉报答她。
匪报也，	不是仅仅为报答，
永以为好也。[3]	表示永远都爱她。
投我以木桃，[4]	姑娘送我大木桃，
报之以琼瑶。[5]	我用美石来回报。
匪报也，	不是仅仅为回报，
永以为好也。	表示和她长相好。
投我以木李，[6]	姑娘送我大木李，
报之以琼玖。[7]	我用宝石作回礼。
匪报也，	不是仅仅为还礼，
永以为好也。	表示和她好到底。

注释

①投：投赠。木瓜：一种落叶灌木（也称楙树）的果实，长椭圆形，有浓烈的香气。②琼：赤玉，引申为美玉的通称。琚（jū）：一种佩玉。“琼琚”和下二章的“琼瑶”“琼玖”都泛指美丽的佩玉。③匪：通“非”，不是。好：爱。④木桃：果名，也叫白海棠。一说即桃子。⑤瑶：似玉的美石。⑥木李：果名，又名木梨。一说即李子。⑦玖：比玉稍次的黑色美石。

鉴赏

这首诗是写青年男女互赠礼物的情歌。全诗三章，每章四句，每章只换两个词，其余词语完全相同。每章的开头两句，写男女互赠礼物，

三、四句写永远相爱的决心。全诗以“我”(男子)的口吻写出。

开篇就以动作性很强的“投”字领头,给人以突如其来之感。是谁这样大胆地投出木瓜、木桃、木李?诗中虽未明言,但从所投之物却可推断。木瓜、木桃、木李全是乡间很寻常的水果,也是女子身边所有之物,想来是当地所产,刚从树上采摘下来的。采摘这些果实的人是谁?在古代承担采摘活儿的多是女性。从《诗经》的国风诗中就可以窥见这一情形。《关雎》中采荇菜的是淑女,《卷耳》中采卷耳的是妇女,《芣苢》中采车前子的,《采蘩》中采白蒿的,《采蘋》中采浮萍的,《采葛》中采葛的,都是女性。那么将刚采摘来的木瓜、木桃、木李投赠给人的,大约也是女性吧。报答者又是谁呢?用以报答的是琼琚、琼瑶、琼玖等佩玉,这些装饰品是女子们用得着的,也是她们喜爱的。故而,在《诗经》那个时代,男子们常把这些东西送给自己心爱的人。例如,《郑风·女曰鸡鸣》中的“杂佩以赠之”,写的就是丈夫把杂佩送给妻子;《王风·丘中有麻》中的“贻我佩玖”,写的是男子将佩玉送给自己的情人。可见,《木瓜》中以琼琚等佩玉相报的定然是男子了。诗的开头两句,一投一报,显然是青年男女互赠礼物,表达爱情。其中最值得分析的是“投”字。

一个“投”字活画出女主人公热情、活泼、勇敢的性格。《诗经》的风诗中,写女子赠送男子礼物,常用动词“贻”,如“贻我彤管”(《邶风·静女》)、“贻我握椒”(《陈风·东门之枌》)。表示赠送,也有用“归”或“赠”的,如“自牧归荑”(《邶风·静女》)、“杂佩以赠之”(《郑风·女曰鸡鸣》)。而这首诗却用动词“投”。“投”就是“扔”或“掷”的意思,引申有“赠送”的意思,姑娘不是把木瓜、木桃、木李温情脉脉地或悄悄地送到她所爱的人手里,而是公开地、大胆地扔了过去。一个“投”字,写出了姑娘的热情活泼和对爱情的勇敢追求。

一个“投”字犹后世所谓“抛绣球”的“抛”,也刻画出女主人公表达情怀的含蓄。在劳动生活中,青年男女之间产生了纯洁健康的爱情,东方女性往往用象征性物件寄寓情意。《木瓜》诗中所写的姑娘,正具有东方女性的这一特点。她虽然热情活泼,但不失东方古典式女性的端庄。她虽然有勇敢的追求,但并不狂放。她虽然有强烈的爱,但并没有在小伙子面前说“我爱你呀”之类的话。她仅仅是向小伙子投过去一个瓜、一个桃、一个李而已,热烈的爱情用了含蓄的方式来表达。

姑娘是热情、活泼、可爱的,小伙子则是忠厚的。也许小伙子早就爱上姑娘了,所以当木瓜、木桃、木李传来爱情的信息时,小伙子立即以美丽的佩玉报答。这佩玉是可以永久保存的,它象征着男子对姑娘的钟情，对爱情的坚贞。这心意，唯恐姑娘不了解，小伙子便作了彻底的表白：我把佩玉送给你，并不是对木瓜、木桃、木李的回赠，而是表示永远爱你！这样的表白，简直是海誓山盟了。

这首诗反映了我国古代青年男女自由恋爱的幸福生活和他们对爱情的追求与忠诚。

《毛诗序》说这首诗是卫国人为报答齐桓公救卫国的恩德而作的，将此诗牵强附会于历史，学界多不赞同。

（杨兴发）

王风

黍离

彼黍离离，[1]	地里黍禾长成列，
彼稷之苗。	高粱正在发绿叶。
行迈靡靡，[2]	行过旧地步子慢，
中心摇摇。[3]	心中恍惚意忐忑！
知我者谓我心忧，	了解的说我心忧愁，
不知我者谓我何求。	不了解的说我有要求。
悠悠苍天，	苍天苍天你在上，
此何人哉？[4]	谁颠覆它成这样？
彼黍离离，	地里黍禾长成队，
彼稷之穗。	高粱也正在抽穗。
行迈靡靡，	走过旧地步子慢，
中心如醉。	心中昏乱像酒醉！
知我者谓我心忧，	了解的说我在发愁，
不知我者谓我何求。	不了解的说我有要求。
悠悠苍天，	苍天苍天你在上，
此何人哉？	谁颠覆它成这样？
彼黍离离，	地里黍禾长成行，
彼稷之实。	快结米的是高粱。
行迈靡靡，	走过旧地步子慢，
中心如噎。[5]	心中好像噎得慌。

知我者谓我心忧，	了解的说我在发愁，
不知我者谓我何求。	不了解的说我有要求。
悠悠苍天，	苍天苍天你在上，
此何人哉？	谁颠覆它成这样？

注释

①离离：行列貌。马瑞辰《通释》："离离者，状其有行列也。"②靡靡：行步迟缓貌。③摇摇：形容心神不安。《毛传》："摇摇，忧无所愬。"④此何人哉：严粲："致此颠覆者是何人乎？"⑤噎（yē）：忧深气逆不能呼吸。

鉴赏

《黍离》在《诗经·王风》中列为首篇。"王"指东周洛邑王城畿内方六百里之地。据朱熹解释，东周王室已卑，与诸侯无异，故其诗不称《雅》而称《风》，但因仍保持王号，所以又不称《周风》而称《王风》。《毛诗序》说："周大夫行役至于宗周，过故宗庙宫室，尽为禾黍，闵周室之颠复，彷徨不忍去，而作是诗也。"此说并无可靠的史料依据，但历来学者都没有异议，当与这首诗出自东周王畿有关。不过更重要的还是诗中所表现的深广的忧思，不难令人联想到周人的故国之悲。

这首诗以行役者在路边看到的黍稷起兴，反复抒写心中的忧伤。仅从诗本身来看，并未指明黍稷长在西周宗庙宫室的废墟之上。这里以描绘黍稷的情状开头，或许因为它是行役途中最常见的景物。同时，那分披下垂的黍子与远行之人迟迟的脚步和萎靡的精神状态之间又有一种形象上的微妙照应。稷为百谷之长，谷类中种得最早，黍已离披而稷方出苗，似乎于理不合，但此处不必看作是实景描写，仅借以比兴，并取"苗"与"摇"之押韵而已。行人在田陌上踽踽独行、心旌摇摇，其彷徨迟疑、恍惚不宁的情貌已宛然如见。进而又直道心中之忧，却不说忧思的原因，只是反复吁叹："知我者，谓我心忧；不知我者，谓我何求？"不知我者，自然不知我心之忧，而知我者，其实又何尝知我因何而忧呢？因此这里用"知我者"和"不知我者"加以对比，反而加深了时人莫识己意的悲哀。这忧愁是如此深广，如此难言，或许只有悠悠的苍天才能容纳，才能理解吧？难怪诗人情不自禁地要发出"悠悠苍天，此何人哉”的呼喊了。人通常只有在痛苦达于极点而又无处诉说的时候,才会向上天呼号。那么使我忧伤至于如此的又究竟是何人呢?“此何人哉”是一句意思含混的诘问,连问者自己也不明白他是在责怪“谓我何求”的“不知我者”呢,还是在追怨给他造成忧伤的人?准确地说,这含混的诘问,只是在呼叫苍天之后的一声沉重的叹息,是内心深忧的无可奈何的宣泄。

这首诗共三章,三章复叠,仅第二句的“苗”字换为“穗”和“实”,第四句的“摇摇”换为“如醉”和“如噎”。每一章的情绪由低回渐转为激昂。三章反复叠唱不仅使感情的起落抑扬表现得回肠荡气,而且层层递进,淋漓尽致地抒写出诗人如醉如痴、声哽气噎的痛苦心境。三章起兴首句都是“彼黍离离”,而稷却经过了由出苗到秀穗、结实的全过程。这既可见出诗人终年奔波在行役途中的辛勤劳苦,又借稷穗下垂之貌照应诗人恍恍惚惚的心醉之态,并以稷穗实心之状比拟愤气郁塞的凝噎之感。诗经比兴在有意无意之间的妙处,于此深可体味。

《黍离》所反复咏叹的是一种深沉、持久、使人心智迷乱、世人不能理解的忧愁。这种忧思显然超出了一般的行役羁旅之愁,这就令人自然而然地将它与周室颠覆、宫室尽为禾黍的史实联系起来。而为家国沦亡所引起的哀思,又正是如此深广、沉重、执著,历久不变。因此,尽管诗中并无凭吊故国宗庙之词,后人仍愿意相信毛诗序的解释,并使“黍离之悲”成为表达故国哀思的一句成语。

(葛晓音)

君子于役

君子于役,①	丈夫服役到远方,
不知其期。	不知日子有多长。
曷至哉?②	几时才能回家乡?
鸡栖于埘,③	鸡儿栖息窝中藏,
日之夕矣,	日落西山暮茫茫,
羊牛下来。	成群牛羊下山岗。
君子于役,	丈夫服役到远方,
如之何勿思!	叫我如何不怀想!

君子于役，	丈夫服役到远方，
不日不月。④	没日没月岁月长。
曷其有佸？⑤	谁知何日聚一堂？
鸡栖于桀，⑥	鸡儿栖息上土桩，
日之夕矣，	日落西山暮茫茫，
羊牛下括。⑦	成队牛羊入圈忙。
君子于役，	丈夫服役到远方，
苟无饥渴。	愿勿饥渴苦难当。

注释

①君子：指丈夫。役：服役。②曷：何时。③埘(shí)：墙上挖成的鸡窝。④不日不月：指归期未卜。⑤佸(huó)：聚会。⑥桀：鸡栖的木桩。⑦括：到来，会合。

鉴赏

从《诗经》开始，思妇题材就成为诗人笔下的一个专题。《君子于役》就是这样的一篇佳作。朱熹说："大夫久役于外，其室家思而赋之。"（《诗集传》）大抵不错。

全诗分三层。第一、二句为一层，写妻子盘算着丈夫服役的日子已经很长了，却杳无音讯，更不知道几时才能回来，内心实在牵挂；最末两行为一层，也是表现思念之情的。这前后两层却是写情，且运用了提问（"曷至哉？"）和反诘（"如之何勿思！"）的方法来加重分量。

中间三句描写日暮黄昏时候"有意味"的一段乡村景色。插在抒情部分当中，成了"情——景——情"的结构，而没有采用一般的先景后情的写法。诗中具体选取了三个景点：近景——"鸡栖于埘"、全景——"日之夕矣"、远景——"羊牛下来"。这段景语对情感的抒发至关重要。诗中思妇想念久役不归的丈夫，以黄昏时候为最甚，原因就在于触景生情：太阳落山，鸡儿进窝、牛羊归圈，唯独那人不见踪影，也唯独思妇无所依傍。如果去掉这段景物描写，情感会变得空洞。这里，作者不是单纯写景，而是有意融情入景，让情感在眼前黄昏美景中自然流露出来。日暮时候迷茫的景色同思妇孤寂惆怅的内在情感总体上是和谐统一的。然而,在情景交融中又存在对比因素,轻松淡薄的田园场景写思妇内心的煎熬凄苦;落日归山,禽畜归窝归圈与“君子”的归期未卜,都有着十分明显的对比映衬关系,使画面更加生动,更富有感染力。这段景物描写虽然仅只三行,但在艺术上的成就却很显著,对后世创作影响较大。唐宋诗词中一些描写日暮乡村景色的句子便是由此变化而来。有的稍加点化、翻新,如杜甫的“牛羊下来久,各已闭柴扉”(《日暮》)、王维的“斜光照墟落,穷巷牛羊归。野老念牧童,倚杖候荆扉”(《渭川田家》);有的进行了再创造,赋予新的意义,如张孝祥的“落日牛羊下,区脱纵横”(《六州歌头》)、辛弃疾的“衡门之下可栖迟,日之夕矣牛羊下”(《踏莎行》)等等。

诗的前后两章基本上是叠咏,反复构成唱叹。后章结句以“苟无饥渴”,衬托妻子对丈夫忧虑关切的深情,也反映了当时征人生活的困苦,意味更深。此诗民歌味儿很浓,有乡土气息。意境优美,语言却本色,并无惊人之处,只是“劳者歌其事”般地以口头语学身边事,表现一位饱受生活磨难的普通劳动妇女对远行丈夫的忧思之情。构成景物的意象(鸡、牛、羊、夕阳西下的景象)也多取自于劳动生活中。

(秦岭梅)

君子阳阳

君子阳阳,①	君子脸上喜洋洋,
左执簧,②	左手拿着一笙簧,
右招我由房。③	右手招我去游逛。
其乐只且!④	快乐真是没法讲。
君子陶陶,⑤	君子脸上乐陶陶,
左执翿,⑥	左手拿着鸟羽毛,
右招我由敖。	右手招我去游遨。
其乐只且!	这样快乐忘不掉!

注释

①阳阳:通"扬扬",快乐、得意的样子。②簧:笙一类乐器。③由房:与"由敖"同义,谓游玩。马瑞辰《毛诗传笺通释》:"由、游古同声通用。由敖,犹游遨也。由房与由敖亦当同义,皆谓相招为游戏耳。"④只且(jū):语气词连用,无义。⑤陶陶:旧读 yáoyáo,高兴的样子。⑥翿(dào):用鸟羽编成的一种舞具,形似扇子或雨伞。

鉴赏

这是一首描写情人相邀出游、反映青年男女欢乐生活的诗。

全诗以姑娘的口吻写出。两章诗的内容和写法都相同。前三句都详细而具体地描写相邀之状,第四句抒发姑娘的感受。

人物一出场便是"君子阳阳""君子陶陶"。小伙子满面春风,喜气洋洋,兴高采烈,多么富有青春的活力,多么可爱!第二、三句具体写青年两只手的动作,一手或拿乐器,或举舞具,一手向着姑娘招,邀约姑娘一道去游玩。无忧无愁的快乐青年正得意于有可爱的姑娘应约,正陶醉于爱情的幸福之中。高高兴兴地来邀约情人外出游玩,并没有大声呼唤,仅仅以手相招,说不定两人关系尚未公开呢!仅仅以手相招,又可见两人是多么的默契。处于热恋中的情人,心心相印,息息相通,彼此的情感心意自可意会,不必言传。小伙子发出邀约后,姑娘去了没有呢?诗中没有说。但面对如此可爱热情的青年,姑娘怎么会不去呢?说不定早就做好了准备在等待着呢!出去以后又是怎样玩乐的呢?诗中也没有说。但从小伙子带了乐器、带了舞具,我们不难想象定然是既歌且舞的。再从姑娘最后一句发自内心的强烈感叹"其乐只且",我们也完全想象得到,那次出游定然是极为欢乐、极为痛快的。

全诗采用赋的手法。两章的前三句都直接描写男子高兴、活泼的样子和具体的行为,形象而生动,欢乐的气氛跃然纸上。第四句抒发感慨,直说姑娘的感受,给人以丰富的联想,和强烈的感染。两章都详于相邀,略于出游,但欢乐的情调却充溢全诗。

《毛诗序》说这首诗是写遭乱世的君子为保全自己相招为禄仕,乐于做个音乐舞蹈队里的小官,诗人作此诗意在对周表示忧虑。从全诗表现的欢乐情调看,这首诗不像是写遭乱世避祸的君子奏乐跳舞，诗中也看不出有对周表示忧虑的思想感情。《毛诗序》的说法不可信。一般人认为这首诗是写情人相邀出游的。

（杨兴发）

扬之水

扬之水，①	河里水呀慢悠悠，
不流束薪。②	一捆柴禾漂不走。
彼其之子，③	他们这些老爷们，
不与我戍申。	不到申国来戍守。
怀哉怀哉！④	真想家啊真想家！
曷月予还归哉？⑤	哪年哪月能回家？
扬之水，	河里水呀慢腾腾，
不流束楚。⑥	不能漂走一捆荆。
彼其之子，	他们这些老爷们，
不与我戍甫。⑦	不到甫国来当兵。
怀哉怀哉！	真想家啊真想家！
曷月予还归哉？	哪年哪月能回家？
扬之水，	河里水呀慢慢流，
不流束蒲。⑧	不能漂走一捆柳。
彼其之子，	他们这些老爷们，
不与我戍许。⑨	不到许国来戍守。
怀哉怀哉！	真想家啊真想家！
曷月予还归哉？	哪年哪月能回家？

注释

①扬：悠扬，水缓流的样子。②束：量词，一捆。薪：柴。③彼：他，他们。其：

语气助词,无义。之:这。子:人。④怀:思念。⑤曷:何。⑥楚:荆,一种小灌木。⑦甫:周代诸侯国名,在今河南南阳县西,国君姓姜。⑧蒲:蒲柳,即水杨。⑨许:周代诸侯国名,在今河南省许昌县,国君姓姜。

鉴赏

这首诗作于春秋之初,作者是长期在外戍守的兵士。

周平王东迁以后,平王母家申国经常受到强楚的侵扰,于是平王征发畿内人民去为申国守边。戍守士卒长期远离家乡,不得与家人团聚,内心充满怨恨,发而为诗。(见《毛诗序》)

面对悠扬缓慢的流水,士兵们唱出了积压在心中的怨恨。那河水缓缓悠悠地流,连一束柴禾、荆条、蒲柳都漂不走,水势何等衰微啊!反复感叹水势的衰微兴中带比,象喻国势衰微。“平王之时,周室衰微,诸侯强并弱,政由方伯。”(《史记·周本纪》)周天子既不能号令天下,也不能以武力控制诸侯,只在几百里的王畿内维持着周王朝的局面,还有什么能耐去帮助申、甫、许戍守呢?“扬之水,不流束薪(束楚、束蒲)”,正是喻示国力衰弱的东周实际上是无力帮助别国的。三、四句直言指斥制度的不平。“彼其之子,不与我戍申(戍甫、戍许)!”他们这些人,把老百姓派到异乡异土来戍守,他们自己却在家里过着安乐日子,这是多么的不平!两句中,“彼”“我”对举,情绪十分对立,一句“彼其之子”(他们这些人),怨愤之情非常激烈。然而,抨击也好,怨恨也好,又有什么用呢?戍边士卒照样过着凄苦的生活。能给他们温暖的是自己所远离的那个家。他们满腔怨愤而又无可奈何,只有思念家室。他们大声地喊出:真想家啊真想家啊!他们急切地盼望归期。然而,何时是归期呢?哪年哪月才能回去呢?有一个明确的归期,倒也能使人在思念的痛苦中得到一点安慰。可是从结尾的“曷月予还归哉”的疑问句中看不到归期。难道要白首而归?难道要白骨抛他乡?

这首诗采用兴和赋的手法,感情激荡,层次分明,痛苦与怨恨之情贯注全诗。三章叠咏的章法结构强化了主题,增强了诗歌的感人力量。

(杨兴发)

中谷有蓷

中谷有蓷,[①]　　谷中有株益母草,

暵其干矣。[②]	地湿水浸枯蔫了。
有女仳离，[③]	有位女子被休弃，
慨其叹矣。[④]	长吁短叹真伤心，
慨其叹矣，	长吁短叹真伤心。
遇人之艰难矣！	嫁个男人实不易！
中谷有蓷，	谷中有株益母草，
暵其脩矣。[⑤]	地湿水浸枯萎了。
有女仳离，	有位女子被休弃，
条其啸矣，[⑥]	一声长啸吐怨气。
条其啸矣，	一声长啸吐怨气，
遇人之不淑矣！[⑦]	嫁个男人又变心！
中谷有蓷，	谷中有株益母草，
暵其湿矣。[⑧]	地湿水浸枯死了。
有女仳离，	有位女子被休弃，
啜其泣矣。[⑨]	哽咽难言徒悲泣。
啜其泣矣，	哽咽难言徒悲泣，
何嗟及矣！[⑩]	错嫁男人悔莫及！

注释

①蓷（tuī）：草名，即益母草，可入药。王质《诗总闻》云："益母草在野甚多，最能任酷烈，日愈烈色愈鲜，则性不宜水可知。"近人则有认为此草多生于低湿之处。②暵（hàn）：枯蔫貌。此句写益母草被水浸而枯蔫。③仳（pǐ）离：分离，这里指被休弃离开夫家。④慨（kǎi）：叹息貌。⑤脩：本为干肉，这里有干的意思，指枯萎。⑥条：长貌。啸：撮口出声。⑦不淑：不善。⑧湿：这里指被水浸泡而萎亡。⑨啜其泣：哽咽悲泣貌。⑩何嗟及：据胡承珙说当作"嗟何及"（见《毛诗后笺》），可从。此句是叹悔恨莫及之意。

鉴赏

春秋年间，社会动乱不安，战祸频仍，天灾不断，民不聊生。身处社会底层的贫苦妇女,苦难最为深重,她们不仅要承受兵祸、凶年带来的灾难,更倍受罪恶夫权制的压迫。古有所谓"七去"(亦称"七出")之条,《大戴礼记·本命》云:"妇有七去:不顺父母去、无子去、淫去、妒去、有恶疾去、多言去、窃盗去。"这就意味着夫家可用任何一种借口休妻。妇女一旦遭丈夫遗弃,即面临生活绝境。《中谷有蓷》这首诗便是对一位弃妇深表悲悯之情。《毛诗序》云:"夫妇日以衰薄,凶年饥馑,室家相弃尔。"其说近是。后世有论者把诗中所写的那位妇女被遗弃的原因仅归结为"凶年饥馑",而不顾其"遇人之不淑",或曲解"不淑"为"夫死",皆有违此诗之本旨。

这首诗悲叹弃妇之不幸,情虽缘事而发,但不同于《卫风·氓》和《邶风·谷风》等以叙事为主兼之抒情的自述式弃妇诗作。此诗没有具体描写这位弃妇的身世和生活遭遇,而是集中刻画她在被遗弃之后的痛苦不堪的情状。诗凡三章,首章"有女仳离,慨其叹矣"的"慨其叹",是写其吁叹。也许她回顾往昔的经历和身受的种种磨难,不禁悲绪万端,发为长叹;次章"有女仳离,条其啸矣"的"条其啸",是激于义愤的长啸。也许她想到丈夫对自己的狠毒与无情,悲愤填膺,口出长啸以泄心中的不平;三章"有女仳离,啜其泣矣"的"啜其泣",是哽咽抽泣状。她想到如今无辜遭夫家遗弃的凄苦和日后无家可归的惨境,悲恸欲绝,泪落涟涟,泣不成声。各章第四句都是描写弃妇的悲苦情态,同中见异,如姜炳章所说"而叹,而啸,而泣,以渐而深"(《诗序广义》)。有层次地表现人物情绪由忧,而愤,而悲极的变化,从而揭示出这位弃妇抚今思昔时忧愤与悲悔交集的复杂心理。这几笔简练传神,生动地描绘出人物形象,并能激起读者的深切同情和联想。诗中弃妇绝望无告的情状,似是诗人目睹耳闻,形诸笔墨,自然融入诗人的情感,所以显得格外真切生动,格外感人,如方玉润所说,"世之读《中谷有蓷》者",无不"动其悲悯之怀"(《诗经原始》)。

诗中除对弃妇描写文字中流露出诗人情感外,各章末尾两句是诗人直接感慨喟叹之词,抒情中有议论,前后章文意又连接递进。始云:"遇人之艰难矣",概言女子要找个好男人实不容易;次云:"遇人之不淑矣",则是针对诗中弃妇的丈夫而言,指责其为人之恶劣;末云:"何嗟及矣",对弃妇的不幸表示同情,说她当初嫁与负心汉,铸成终身大错,如今追悔莫及。这三章文意的递进中见出诗人感情的逐层深化,且与对弃妇形象"以渐而深"的描写相照应,表达出诗人对她的哀矜恻怛之情和对负心男子的憎恶与谴责,有力地揭示出本篇的主题。亦有论者谓诗人“不责其夫之见弃,而但言其(指弃妇)遭际之不幸,亦诗人之厚也”(王国维语),殆非作诗者之初衷。

本篇各章开头两句为“中谷有蓷,暵其干矣”“暵其脩矣”“暵其湿矣”,均以谷中枯萎的益母草兴弃妇之不幸。而枯萎的益母草又使人联想到弃妇枯槁憔悴的形容,加之用重叠复沓的形式抒叹,渲染出一种悲抑的抒情气氛,笼罩全篇。值得注意的是,三章次句于重复中又有变化,诗人变换用“干”“脩”“湿”三个主要动词,其效用不仅为变文趁韵,且与全诗的文情变化紧相关联。诗中的“暵”字通贯三章次句,《毛传》云:“暵,菸貌,陆草生于谷中,伤于水。”今文三家《诗》“暵”作“鸂”,意为“水濡而干也”(《说文》),与《毛诗》文异义同。这里所说的“暵”并非指植物因旱而干枯,而是指陆生的植物被水浸泡而蔫萎。《郑笺》本《毛传》为说,云:“鸂(指蓷)之伤于水,始则湿,中而脩,久则干。”王先谦则云:“蓷本恶湿,今生谷中,水频浸之。首章虽濡旋干,次章且濡且干,三章虽干终湿,则伤于水而将萎死矣,次第如此。”(《三家诗义疏》)郑、王二家都指出各章“干”“脩”“湿”三动词的变用,表示出一种渐进次第,确有见地,两说相较,王说似更切文意,于义为长。这三个动词极生动而准确地描绘出谷中被水浸渍的益母草由枯蔫到萎亡的过程,而这三层次的描写又与诗人对弃妇情态“以渐而深”的刻画和诗人抒情的渐次深化形成一种极巧妙同步映衬和情意上的配合,这种很有特色的构思和章法结构,是读者宜细加体会的。

(易　平)

兔　爰

有兔爰爰,①	狡兔得意又逍遥,
雉离于罗。②	野鸡反倒落网罗。
我生之初,③	我的上代光景好,
尚无为;④	没有战乱真安乐;
我生之后,	我生之后世道变,
逢此百罹。⑤	兵祸不断忧患多。
尚寐无吪!⑥	还是闭口长睡着!

有兔爰爰，	狡兔得意又自在，
雉离于罦。⑦	野鸡反倒落网罗。
我生之初，	我的上代光景好，
尚无造；⑧	没有纷扰无造作；
我生之后，	我生之后世道坏，
逢此百忧。	百忧缠身灾难多。
尚寐无觉！⑨	还是闭眼长睡着！

有兔爰爰，	狡兔得意又放纵，
雉离于罿，⑩	野鸡反倒落网罗。
我生之初，	我的上代光景好，
尚无庸；⑪	没有劳役无凶祸；
我生之后，	我生之后世道恶，
逢此百凶。	坏事连连身难脱。
尚寐无聪！⑫	还是闭耳长睡着！

注释

①爰爰：通“缓缓”，放纵貌，这里指逍遥自得的样子。②雉（zhì）：野鸡。离：通“罹”，遭。罗：指捕鸟的网罗。③我生之初：犹言“我生之前”，这里指前代。④为：事，指兵役、劳役之类的事。⑤罹（lí）：忧。⑥寐：睡着。无吪（é）：不说话。⑦罦（fú）：即覆车，一种装设机关的捕鸟器。⑧造：与上文的“为”义同。⑨无觉：指不开眼，即不看之意。⑩罿（tóng）：设有机关的捕鸟兽的网。⑪庸：劳，指劳役。⑫聪：闻。无聪：不听之意。

鉴赏

《兔爰》是一首感世伤时的牢骚之作。诗中对现实深怀怨愤不平，带有浓厚的厌世和怀旧情绪，这些思想情绪和心理，大概是那些丧失其往昔地位和既得利益的没落者才会有的。对于广大奴隶和劳苦民众来说，丰年号饥寒，“盛世”忧劳作，历来如此。而诗中所描绘的那种太平无事,人人安居乐业的“乐士”,在周代奴隶和劳苦民众的现实生活中是根本不存在的。《毛诗序》说这首诗表现“君子不乐其生”,是可信的。其所谓“君子”,确切的含义应指“破产贵族”。清人崔述《读风偶识》云:“其人当生于(周)宣王之末年,王室未骚,是以谓之‘无为’;既而幽王昏暴,戎狄侵陵;平王播迁,室家飘荡,是以谓之‘逢此百罹’。故朱子(《诗集传》)云,为此诗者盖及见西周之盛,可谓得其旨矣。”崔氏认为此诗作者在于周宣王末年,系据诗中“我生之初”云云推测的。其实,此句的“初”字与“我生之后”的“后”字乃对举为文,“我生之初”犹言“我生之前”,泛指前世、上代,作诗者未必亲见“宣王中兴”之盛。此诗大概是春秋中后期的作品,具体作于何年,无须深究。

春秋时代,周室日薄西山,王纲坠地,天下纷乱,礼崩乐坏。在强大的社会变革历史潮流冲击下,旧奴隶制日益走向瓦解崩溃,阶级关系随之发生巨大变化,一批批昔日钟鸣鼎食、“燕燕居息”的世家旧族相继凋残,落得个“筚门圭窦”,“降在皂隶”;一批批新贵捷登要津,耀武扬威。这在旧奴隶主贵族看来,是“天下无道”的“乱世”,而“社会关系之变革,正为诗人(指《兔爰》作者)所浩叹之大乱”(郭沫若《中国古代社会研究》)。《兔爰》一诗正表现出没落的贵族阶级对其所处“乱世”的嫉愤和绝望的哀怨。

这首诗的写法特点是运用对比手法来表现思想感情。全诗三章,各章意思和章法相同,只是二、四、六、七句变换句尾一字,是因为换韵的缘故,同时这种变换又造成文意上的相互补充。前两句是以兔、雉比喻两种人迥然不同的遭遇。马瑞辰曰:“‘有兔爰爰’,以喻小人之放纵;‘雉离于罗’,以喻君子之获罪。”(《毛诗传笺通释》)身陷罗网的雉,是作者设为自喻,又喻为所有与之共同命运者的不幸,具有概括性和典型意义。雉的悲惨下场与狡兔的逍遥得意恰成鲜明对照,喻示“小人”之得势放纵,“君子”反遭祸殃。这里取以为譬的动物形象带有作者强烈的主观感情色彩,加之对比,更寓有对世道“不公”的深沉怨忿,这是一种失意者的愤懑和不平。这层意绪在此还是隐见于兔、雉的比喻之中,接下四句则由隐而显,直以“我生之初”和“我生之后”作对比。作者竭力美化往世,把它描绘成既无兵争灾凶,又无造作纷乱的百般美妙的“太平世道”,相形之下,今世则祸乱丛生,百忧交集,苦不堪言。今昔两种不同世道的对比,表现出一种苍黄翻覆的无情历史巨变和作者对这一变化来临的恐惧心理,流露出悲哀之情,这是一种没落者的感触和心理。作者颂古之意在于非今,对往世的向慕和怀恋,为的是反照对现实的厌恶和憎恨,这种情感借今昔之对比相当深刻地抒发出来。然而,对于这些被历史所抛弃而又无力改变自身命运者来说,眼下出路是没有的,只有无可奈何地闭上自己的嘴巴、眼睛、耳朵,但愿昏睡不愿醒。全诗各章前六句以“兔”与“雉”,“我生之初”与“我生之后”两种不同的命运和两种不同的世道作双重对比,最后逼出“尚寐无吪”“尚寐无觉”“尚寐无聪”一连串绝望的哀叹,造成一股弥漫全篇的凄怆悲沉的气氛,淋漓尽致地抒唱出作者内心的悲绪。这首诗在抒情艺术上确有特色,但它终究是一首没落者的挽歌,如陈子展先生所说,它属于“乱世之音”“亡国之音”一类,“诗里所表现的思想情感可以说是‘怨而怒’,‘哀而思’了”(《国风选译》)。

(易　平)

葛　藟

緜緜葛藟,[1]	野葡萄藤长又长,
在河之浒。	蔓延河边湿地上。
终远兄弟,	离别亲人到外地,
谓他人父。	喊人阿爸求帮忙。
谓他人父,	阿爸喊得连声响,
亦莫我顾!	没人理睬独彷徨!
緜緜葛藟,	野葡萄藤长又长,
在河之涘。[2]	蔓延河滨湿地上。
终远兄弟,	离别亲人到外地,
谓他人母。	喊人阿妈求帮忙。
谓他人母,	阿妈喊得连声响,
亦莫我有![3]	没人亲近独悲伤!
緜緜葛藟,	野葡萄藤长又长,
在河之漘。[4]	蔓延河边湿地上。
终远兄弟,	离别亲人到外地,

谓他人昆。[5]	喊人阿哥求帮忙。
谓他人昆，	阿哥喊得连声响，
亦莫我闻！	没有救助独流亡！

（程俊英　译）

注释

①葛藟(lěi)：野葡萄。②涘(sì)：水边。③有：识有，认之以为己有。④漘(chún)：水岸边。⑤昆：兄。

鉴赏

这是动乱年代流离失所、穷困无依的流民的哀歌。朱熹在《诗集传》中指出："世衰民散，有去其乡里家族，而流离失所者，作此诗以自叹。"

全诗分为三章，每章六句。每章所述内容基本相同，而所表达的哀伤苦恸之情却步步加深。这种感情的表达得力于两种手法，其一为起兴，其二为复迭。这两种手法，在《诗经》中本属常见，但在这首诗里，却有自己的特色。

在《诗经》中，有的起兴只是为了引起下文，同整首诗的内容没什么必然联系，而本诗的起兴却寓意深远。全诗共分三章，每章都用在水边的"緜緜葛藟"起兴，然后再写人的活动。"緜緜葛藟"，首先是描绘野葡萄藤长而不绝、蔓延不断、充满生机的景象。它之所以茁壮繁盛，是因为生长在水边。生命无论怎样短促，自然风雨无论怎样侵袭，它们不仅牵而有所，而且还能得到河水的润泽。而离乡背井的流民，不仅没有生存的空间，也得不到亲人、朋友的援助。以物衬人，人不如物。这样，"緜緜葛藟"就不仅仅是"先言他物，以引起所咏之词"的起兴，而且兼有了对比衬托的作用，这是本诗的妙处。

本诗复迭手法的运用表现在两方面：从流民方面看，"终远兄弟，谓他人父""谓他人母""谓他人昆"，只变换了三个名词，但这三个名词却代表了不同年龄、性别的一大批人，可见流民对各种人都做小伏低，发出求助的呼声，他们境遇的凄苦、无力生存的惨状就历历在目了；他们渴望得到同情、温暖和援助的心声，也就萦绕耳际了。从被求助者方面看，"亦莫我顾""亦莫我有""亦莫我闻"，只变化了三个动词，说明人人都视而不见、听而不闻,不把流民当成自己的亲人。如此冷漠的人情,更加深了流民命运的苦难,所以仅六字的变化,就把流民穷厄至极之状充分地体现出来,这种复迭手法集中而深刻地表现了诗歌的思想内容。

以上谈的是变换个别字词的复迭。此外,还有不变换字词,完全重复运用的复迭,也很好地表现了诗歌的思想内容,这就是"终远兄弟"的"终"字和"亦莫我顾""亦莫我有""亦莫我闻"的"亦"字。《经义述闻》说:"终,犹既也。""既"是已经的意思,三"终"字言离乡背井的距离之远、时间之长,描隐痛心情令人凄然;三"亦"字言被求助者的冷淡、微讽之意存焉。这两个字的三次使用,每一次都使流民的痛苦之状加深一步,起到了强调、突出的作用。

应当说明,诗中所写,并无真的要依人为活之意,只是要抒发困穷流落之情。从起兴到复迭,从字句的变换到重复,都具有一唱三叹的作用,流露出吐不尽的愁与怨,感人至深。

(张燕瑾、王红梅)

采葛

彼采葛兮。	心上的人去采葛藤。
一日不见,	一天不相见,
如三月兮。	好像过了三月整呵。
彼采萧兮。①	心上的人去采青蒿。
一日不见,	一天不相见,
如三秋兮。②	好像隔了三季长呵。
彼采艾兮。③	心上的人去采香艾。
一日不见,	一天不相见,
如三岁兮。	好像熬过三年来呵。

注释

①萧:植物名,蒿的一种,有香气,古人采以祭祀。②三秋:或指秋季三月,

或指一年,此诗中义同三季。③艾:菊科植物,可治病。

鉴 赏

爱情,历来被称为文学的永恒主题之一,或者为"母题"。在西方,古希腊诗人如荷马,早就在他的琴弦上弹唱了爱情之歌;在中国,爱情的乐曲也早就被《诗经》中的钟鼓所鸣奏。诗经中有许多或缠绵或刚健的爱情诗,它们大都歌唱在十五国风里。本篇就是其中别具风采的一曲。

恋爱的特征之一,就是有情的双方都希望极大地缩短心灵的和空间的距离,而心心相印并长相厮守。《采葛》这首动人的情歌,写的就是热恋中的情人的时空阻隔的痛苦,这种心灵的甜蜜的痛苦,被表现得刻骨铭心,强烈动人。诗的抒情主人公应为男性,他的情人去"采葛""采萧"或"采艾",地点想来并不在远,时间则明确说明了只有一天,但对热恋者而言,这却是难以忍受的空间距离,也是无法排遣的度日如年的时间长度。现代心理学上有所谓"心理时间"之说,指的是同一单位时间,实际上的时间值和心理上的时间值大不相同,而《采葛》这首诗,就是因为对抒情主人公的心理时间作了精彩的表现,从而使灼热如火的恋情得到了不同一般的表达。他与情人相隔的实际时间只有一天,所谓"一日不见"即是,但是由于特殊的情境和心理,这种自然时间却化为了心理时间,并且构成了艺术上的错觉与变形。一日本来就是一日,但是,在抒情主人公焦灼的等待中,始而是"一日不见,如三月兮",继而是"一日不见,如三秋兮",最后竟然是"一日不见,如三岁兮"。"如三月兮"已经是一种心理错觉了,更何况是"如三秋兮"与"如三岁兮",这种逐步升级层层递进的时间的扩张与夸饰,有力度地而且是深层次地表现了抒情主人公的内心情感,时隔两千多年,至今仍具有打动人心的艺术力量。

《采葛》一诗具有诗经艺术的一般特点,如擅用起兴,如反复咏唱,如重言叠句等等,但它的最突出的艺术特色,是在于对心理时间作递进式的夸饰与扩张。这不仅使"一日不见,如隔三秋"成了后代习用的成语,而且使这首诗在诗经众多的爱情诗中风姿独具,同时,也给后来的诗歌创作以艺术上的启示。如李益《同崔邠登鹳雀楼》的"事去千年犹恨速,愁来一回即知长",如白居易《和燕子楼》诗的"燕子楼中霜月夜,秋来只为一人长",都是以情感改造时间,或者说从错觉的角度写心理时间,题材或有不同,艺术上却遥接《采葛》诗的余绪。

(李元洛)

大　车

大车槛槛，①	大车驶过声坎坎，
毳衣如菼。②	身穿毛衣青色淡。
岂不尔思？	难道是我不想你？
畏子不敢。	怕你犹豫心不敢。
大车哼哼，③	大车驶过慢吞吞，
毳衣如璊。④	身穿毛衣红殷殷。
岂不尔思？	难道是我不想你？
畏子不奔。	怕你犹豫不相奔。
縠则异室，⑤	活着各住各的房，
死则同穴。	死后同埋一个圹。
谓予不信，	别说我话难凭信，
有如皦日。⑥	天上见证是太阳！

（程俊英译，略有改动）

注释

①大车：牛拉的载重车。槛（jiàn）槛：车行声。②毳（cuì）衣：用兽毛织成的衣服。菼（tǎn）：初生的芦荻，青白色。③哼（tūn）哼：车行声。④璊（mén）：红色的玉。⑤縠：活着。⑥如：此。皦：通“皎”，白，光明。

鉴赏

在《诗经》为数众多的恋歌中，《大车》是很有特色的一首。诗中女主人公爱上了一位男子，但又不肯贸然和他同居（“縠则异室”）。并非她心怀二志，而是她对恋人的态度尚无十分的把握。《大车》一诗便是在这种矛盾心情中所作的爱的试探。

“大车槛槛，毳衣如菼”“大车啍啍，毳衣如璊”，这不纯是兴语。车走雷声，毛衣鲜艳，都暗示出一个很有身份的男子的形象，那无疑便是女子的意中人了。这里应隐含有两情相逢的值得记忆的往事，或许他们曾经同车而行；或许当初结识，他就是这样驱高车，盛服装，显得风流倜傥，令人一见难忘。时光可以使记忆变得模糊，但那车声，那服色却令人忘不了。也可能是另一种情况，那人丽服乘车而来，要讨一个重要的口信。从后文“穀则异室，死则同穴”二句看，那女子其实是早已表明心迹的，所欠的只是一个“穀则‘同床’”的许诺。那么，她在犹豫什么呢？

读者须知，当时的婚俗，已逐渐受到礼教的干预了。“取妻如之何？必告父母”“取妻如之何？匪媒不得。”（《齐风·南山》）舆论已不容非礼的自由结合，连上层统治者也不免这种约束。诗中那个好身份的男子虽怀有爱的觊觎，又不能不顾虑重重。这从“岂不尔思，畏子不敢”两句，有着充分的暗示。什么不敢？私奔的不敢。“畏子不奔”，便是进一步的补说。换言之，那男子受到了一些约束，不敢将两个人的隐秘感情、隐秘关系，公之于众。他只能采取幽会的形式，而未敢冒天下之大不韪，作出更多的牺牲，尤其是名誉上的牺牲。这正是女主人公深感不满的，所以她话里带刺，而且一语破的：“岂不尔思，畏子不敢！”“岂不尔思，畏子不奔！”这与其说是讥讽，不如说是反激，诗句妙处也正在这里。说你不敢，正表明“我”敢；说你不敢，是希望你敢。也许先前是男方要女主人公表态；现在反过来，是女主人公逼男方表态了。成，还是吹，都在一句话。诗通过活生生的人物语言，展现了极富戏剧性的爱情谈判，很有意味。“岂不尔思，畏子不敢”，这是火辣辣的挑逗。“岂不尔思，畏子不奔”，这是坦率的表白。那女子很有性格，决不如“妾拟将身嫁与，一生休，纵被无情弃，不能羞”（韦庄《思帝乡》）那等的盲动；而是将命运攥在手里，引而不发跃如也。不怕她现在静如处子，只要对方一句话，她也能脱兔般地行动。

的确，此诗所写一面是爱的大胆，一面是爱的矜持。女主人公为再一次表白爱的心迹，于是旧誓重提：“穀则异室，死则同穴”，今人曾翻新为“生不同床死同穴”（田汉《关汉卿》）一句。这里值得玩味的是“穀则异室”四字，看来那女子是要坚持敢奔的条件的，否则不全则无，把希望留到身后。“谓予不信，有如皦日”，指天为誓，更见信念。

诗人写到这里戛然而止。那男子听后是赧然而退，还是回应如响，并不是这首抒情诗的兴趣所在，诗人不画蛇添足。他要表现的是一种爱的心境，一个活生生的个性，就此而言，《大车》一诗是完满成功了。

（周啸天）

丘中有麻

丘中有麻，　　在坡上麻林中等多久时光，
彼留子嗟。①　　等我那在留地居住的儿郎。
彼留子嗟，　　等我那在留地居住的儿郎。
将其来施施。②　　我想到你来我就欢欣若狂。

丘中有麦，　　在坡上麦丛里等多久时光，
彼留子国。　　等我那在留地居住的儿郎。
彼留子国，　　等我那在留地居住的儿郎，
将其来食。　　我还带来了水果请你尝尝。

丘中有李，　　在坡上李树下等多久时光，
彼留之子。　　等我那在留地居住的儿郎。
彼留之子，　　等我那在留地居住的儿郎，
贻我佩玖。　　你送我的佩玉我永远不忘。

（蓝菊荪　译）

注释

①留：或以为通“刘”，或以为“迟”意。观“彼留之子”一语，取指所爱居处的地名之说。②施施：悄然而来。

鉴赏

这是一首表现青春少女幽会恋情的民歌。诗所展示的，是热情急迫的姑娘等待所爱时的内心活动。当春机勃然的时节，她来到两人曾经幽会过的山坡，看着那茂密的麻林、油绿的麦地和青青的李树，不禁勾起过去幽会时的欢乐情景，并想象着此次相会的美好历程。

诗的三章，便依次展示所爱之到来，共尝鲜果，贻物传情这动人的几幕。姑娘选定幽会的山坡，有麻田，有麦地，有李林。春天的万物为有情人提供了众多的幽会场所，使她触景生情，把目力所及的种种自然景物，当作他们欢会的美好背景，为他们的相会增色助兴。姑娘想象着：自己藏身于麻林之中，正热切地盼望与所爱相见，他像是理解姑娘的深情，悄悄地来到了她的眼前。他们在麦地里，相偎着，昵语着，姑娘送上带来的水果请他品尝，这水果之中寄寓了姑娘的无限柔情。第三章巧妙关合"投桃极李"之意，姑娘想象着他爱着自己，与自己心心相印，临别之时，以佩玉相赠，象征他们之爱像玉一样纯洁、坚贞。

作为一首情歌，诗着重抓住姑娘等待所爱到来的瞬间，通过姑娘对相会过程的勾勒，突出了姑娘炽烈的感情和泼辣的性格。各章第二、三句的复沓，逼真地体现出姑娘切盼相见之专一。她焦急地等待，无私地奉献，为的是能得到对方爱的反馈。

诗的情调，虽急迫但欢快，尽管只以姑娘口吻写出，但由于得到了爱的回报，所以她无单相思的苦恼，亦无被弃者的哀怨。她是热恋中人，所以一切在她的世界里都显得格外美好、和谐。"彼留之子"虽始终没有出场，但顺着姑娘的视线看去，他是那般可爱、重情、知心。而朱熹解为"妇人望其所私者而不来，疑丘中有麻之处，复有与之私而留之者，今安得其施施然而来乎？"诗中本无此意，亦不见此情。至"留子嗟""留子国"，前人乃以为刘氏祖孙三代，不足为据。似清人姚际恒之说为妥："'嗟''国'字只同助词。盖诗人意中必先有'麻''麦'字而后以此协其韵也。"证之第三章，"子"字与"李"协韵，所以不另用助词。知其说法较为妥帖，且为我们扫除以前解释此诗的种种牵强比附之谈提供了依据。

（杨胜宽）

郑　风

缁　衣

缁衣之宜兮，①	青幽幽的官服多合体，
敝，②	一穿旧，
予又改为兮。③	我就再缝新的来换替。
适子之馆兮，④	到你的官署把公办，
还，	一回来，
予授子之粲兮。⑤	我递给你新衣多灿烂！
缁衣之好兮，	青幽幽的官服多漂亮，
敝，	一穿旧，
予又改造兮。	我就再缝新的来换上。
适子之馆兮，	到你的官署把公办，
还，	一回来，
予授子之粲兮。	我递给你新衣多灿烂！
缁衣之席兮，⑥	青幽幽的官服多宽大，
敝，	一穿旧，
予又改作兮。	我就再缝新的来换下。
适子之馆兮，	到你的官署把公办，
还，	一回来，
予授子之粲兮。	我递给你新衣多灿烂！

注释

①缁衣:黑衣,古代官服。卿大夫每天早上"服皮弁"朝于王,退下来到"治事之馆"(各自的官署)就必须换穿"缁衣"。之:在形容词之前表程度,有"多么""那么"一类的意思。宜:合适,称身。②敝:破旧,坏。③为:制作,缝制。第二章的"造",第三章的"作",与此义同。④馆:见①。⑤之:见①。粲(càn):鲜明貌,指新衣。⑥席:大,宽大。

鉴赏

在否定、压抑性爱与情爱的正统观念看来,《郑风》有那么多热恋、失恋、男女欢会、夫妻唱和的诗,所以要一言以蔽之曰"郑声淫"(《论语》)。而写贵族妇人家庭生活平凡细节的《缁衣》不知为什么放在第一篇,成了"淫之首"。这首诗没有写羞怯激动的初恋者,易于猜忌误会的情人,或痛苦失望的失恋者;也没有写热烈兴奋的新郎新娘,忧怨呻吟的弃夫弃妇。它只写了一位丝毫不特殊、不浪漫的成熟女子,一位为丈夫热心地、不知疲倦地缝制衣服的妇人。

诗的每章首句都称赞缁衣。这卿大夫的官服委实这样好吗?且不管种桑养蚕、缫丝纺绩,也不看千针万线缝制成衣,单说从素练染成深缁,就辛苦万端。《周礼·考工记》的"疏"记载着"染人"有这样的说法:"春暴练,夏纁玄。"染色是在甚暑热润之始就动手湛研了,三个月后才可用。素练用丹秫染三次而为纁,第四次入黑汁为绀,第五次也是放入黑汁为緅,第六次则成了玄,直至第七次更以此玄入黑汁才成为缁。从春到夏,反复地浸染、漂洗、晾晒,可见缁衣的价值不同一般。即使本诗的主人公作为一位贵族妇人不必亲自执练染色,而是由她手下的奴仆操作,她只需要指挥提调,监督催促,那功夫也是下得很够的。单凭这些,缁衣已是值得她珍视、称赞的了。

但不仅仅是这些。当本诗主人公唱道:"缁衣之宜兮"的时候,她是在歌唱自己亲手为丈夫缝制的、丈夫正穿着的那一件。丈夫穿上它多么合体、美观、宽宽大大。所以实质上她欣赏的是丈夫的身躯形象,是她所爱的丈夫。而一个男人穿上妻子缝制的衣服,这对于外人简直是微不足道的细枝末节,对丈夫来说也不过是生活中普通的小事一件,但是对我们的女主人公,却是生命最重要的内容。

大凡女子,一生心血的大部分要通过纤纤素手涓涓流出:"十三能织素，十四学裁衣”，乃是为出嫁打基础；待嫁之时“左手执刀尺，右手执绫罗”，自成嫁衣，是为找到生命的归宿作具体准备；为人妻室之后更是勤于纺织缝衣，忠实担负社会分工赋予她的主要职责；当了母亲后仍离不开此道——“慈母手中线，游子身上衣；临行密密缝，意恐迟迟归”。女子的生命之流几乎与成衣的过程相终始。缕缕丝帛，件件衣衫，古代中国的女性们把自己如花似玉的少女时节，丰腴温柔的成年光景，银发如丝的老迈之年都化进去了。她们温暖了多少人的身和心，寄托了自己多么深的情和爱！

《缁衣》正是撷取了妇人为夫君缝衣这样一个极普通平凡的题材，来表现女主人公一片深情的。

在每章的第一句赞叹之后，紧接着一个一言的短句：“敝”。它的简练急促，透出女主人公对夫君身上缁衣的时时关切：只要它一旧，“予又改为兮”。这穿旧了的和赶作的崭新缁衣，谁又能说它不是女主人公情感的化身呢？

用来替换已敝缁衣的新衣，是丈夫前往官署办公时，为妻的飞针走线，特地在他回家前赶成的。所以，“还”，丈夫一进家门，妻子立即就把那鲜明的、黑得可爱的新衣递给了他。

“爱情于男只是生涯中一段插话，而于女则是生命之全书。”（钱钟书《管锥编》）本诗女主人公与她丈夫显然是和谐恩爱的，但做丈夫的常常外出公干，有更广阔的生活天地；而妻子则只在家中等待丈夫，把对他的爱恋相思化作赶制新衣的具体行动。在她的生命全书上，许多章节就是这样以千针万线写就的。

从第一句欣赏丈夫穿上缁衣之美，到末句自诩新衣之粲，还是那对夫妇，还是那种黑色官服，一而再、再而三地吟唱，却不但不重复，反给人一种生动活泼的感觉。因为妻子的辛勤操劳、亲切关怀使平静的夫妻生活充实更新了。字里行间透出宁静、轻松的气氛，反映了一种健康正常的家庭生活和自然融洽的夫妻感情。而这种最普通的生活却恬淡如水，隽永似盐，恰恰是任何夫妻之间不可或缺的。

本诗句子字数参差，音韵活泼，为：五、一、五（三章依次为歌韵、幽韵、铎韵）；五、一、六（元韵）。两个一字句分别用在两组押韵的句子之间，迟速互节，缓急有致，传达出一种略带顽皮的口吻和欢快的心绪，这和为妻者的亲昵娇嗔十分合拍。这样，本诗确实声与情并茂，难怪听惯了整饬得近于板滞的颂诗的圣贤们认为郑风不入耳，要骂它了。但话说回来，骂是骂，听起来同样是很来精神的。《乐记》就记载了这样一件事：魏文侯曾问孔子的高足弟子子夏“吾端冕听古乐，则唯恐卧；听郑、卫之音，则不知倦。敢问古乐之如彼何？”假如魏文侯不必因身为诸侯而戴上精神的假面具，而是作为一个健康的、有七情六欲的普通人，那么结论不必请教子夏也是很清楚的。

（宗小荣）

将仲子

将仲子兮！[1]	仲子啊，我求求你，
无踰我里，[2]	别越过我家门户，
无折我树杞。	别攀折我种的杞树。
岂敢爱之？	——我哪里是吝惜小树？
畏我父母，	是害怕我的父母，
仲可怀也，	仲子真叫人牵记，
父母之言亦可畏也。	但父母的话可叫我心里发慌。
将仲子兮！	仲子啊，我求求你，
无踰我墙，	别爬上我家的围墙，
无折我树桑。	别攀折我种的嫩桑。
岂敢爱之，	——我哪里是吝惜嫩桑，
畏我诸兄，	是害怕我的几位兄长。
仲可怀也，	仲子真叫人牵记，
诸兄之言亦可畏也。	但兄长的话可叫我心里发慌。
将仲子兮！	仲子啊，我求求你，
无踰我园，	别跳进我的家园，
无折我树檀。	别攀折我种的紫檀。
岂敢爱之，	——我哪里是吝惜紫檀，
畏人之多言。	是害怕街坊乱语胡言。
仲可怀也，	仲子真叫人牵记，
人之多言亦可畏也。	但流言蜚语可叫我心里打战。

（赵浩如　译）

注释

①将(qiāng):愿,请。②踰:越。

鉴赏

《将仲子》是《诗经》中著名的情诗,表现的是爱情生活中复杂微妙的情感矛盾。它的情感内容体现了我们民族伦理生活的特征,而它的艺术表现则反映了中国美学的通则。

首先,这首诗采用比兴手法把情感矛盾客观化了。诗中写了杞、桑、檀三种植物,据推测,它们都是古代十分珍贵的树种。诗人选择这三种植物作为起兴,是出于情感表现的需要。因为这首诗表现的是一个少女初恋时又喜又惊的心理状态。这个少女在她可爱的人即将来她家幽会时,初恋的恐惧感陡然上升。她害怕被周围的父母、诸兄及乡邻发现并责备,于是虚构了各种可能出现的危险情景,担心"仲子"前来幽会时因为"踰里""踰墙""踰园"而损坏杞、桑、檀,惊动了父母、诸兄及邻人。所以她急切地对"仲子"提出一系列"无踰""无折"的央求。这当然是一种莫名的恐惧,无端的忧虑,是这个少女内心矛盾的虚托。在这个少女的内心独白中,杞、桑、檀的出现,只是她心造的恐惧感的外射。

其次,这首诗通过三组意象的巧妙组合把抒情主人公的内心矛盾戏剧化了。诗中包含着三组意象:一是"仲子",二是杞、桑、檀,三是父母、诸兄、邻人。它们的结构呈等边三角形。在抒情主人公的心灵世界里,"仲子"是爱的对象,父母、诸兄、邻人是恐的对象,而杞、桑、檀则是联系这两种情感的中介物。她的情感就在这个三角形结构中徘徊,形成情感发展否定之否定的三段论式。起先她站在"仲子"的对立面保护杞、桑、檀,继而否认了对杞、桑、檀的爱护,表露对父母、诸兄、邻人的畏恐,最后又肯定了对"仲子"的爱恋,并与畏恐情绪相违抗,抒情主人公的情感经历了"之"字形波折之后,就陷入了无法挣脱的激烈冲突的漩涡。很明显,这是一幕复杂微妙的内心戏剧。这种戏剧化的情感表现大大加强了《将仲子》一诗的魅力。

《将仲子》中的"仲子"是爱情的对象,它几乎成了"情人"的通称。但是这种爱情即面临着种种压抑和威胁,所以要爱而又不能放任地去爱,这就是《将仲子》一诗的主调,也是我们这个民族的爱情生活的一种深刻苦闷。如果深一层看，这种内心戏剧的心态贯穿着人类内心冲突的一个普遍的基本内容，即感性与理智的矛盾。人是自然属性与社会属性、感性与理性、感情与理智的对立统一体，人的内心世界时时充满着这两类辩证因素的冲突，人心常常是不平静的。人在各种精神生活领域中都会面临这种难以摆脱的内心冲突，爱情生活表现得更为集中和突出。《将仲子》所展示的虽然只是一个少女初恋时内心戏剧的图画，但却有极大的普遍性。我们的先民早已感受到"人言"的制约力量，体验到人生受到这种力量威迫而不能自主的烦恼。这种微妙的心理体验实际上是文明社会的产物。因为"人言"是社会理性的象征，人类一切本能的活动、情绪的活动，无不受着舆论环境和文化氛围的约制和影响，人的生命自然程序都因它而理性化，它把人的原欲引上社会规范规定的路途，使人由本能人变为社会人。然而它也因此使人类陷入各种困扰和苦闷，人们就在"人言"的无形桎梏中苦苦挣扎着。这就构成了人类心灵悲剧的一种"范式"。因此我们可以说，《将仲子》所表现的内心戏剧是人类内心世界中情理冲突、灵肉交战的象征。

（林兴宅）

叔于田

叔于田。①	叔去打猎动了身，
巷无居人。	巷里空空再无人。
岂无居人？	哪是巷里没有人？
不如叔也，	谁也比不上叔呵，
洵美且仁。②	真是漂亮又宽仁。
叔于狩，	叔去狩猎动身走，
巷无饮酒。	巷里再无人饮酒。
岂无饮酒？	哪是没有人饮酒？
不如叔也。	谁也比不上叔呵，
洵美且好。	真漂亮又有好身手。

叔适野，	叔往打猎郊外去，
巷无服马。	巷里没人把马驭。
岂无服马？	哪是没人把马驭？
不如叔也，	谁也比不上叔呵，
洵美且武。	真是漂亮又勇武有力。

注释

①叔：一个男子的表字。按古代兄弟排行以伯、仲、叔、季为序，男子亦多以此为字。②洵：真的，的确。

鉴赏

《叔于田》，是一首赞美猎者"叔"的短歌。《毛诗序》认为此诗是"刺庄公"之作，诗中之"叔"即《左传·隐公元年》所载之共叔段（按共叔段系郑庄公之弟，被封于京，后攻庄公，欲篡其位；事败，逃往他国）。此说可备一解，却也显然有可商之处。清人崔述就曾指出，"仲与叔皆男子之字，郑国之人不啻数万，其字仲与叔者不知几何也"，怎见得"郑有共叔，他人即不得复字叔"（参见《读风偶识》）？况且，全诗只有正面颂扬，并无讽喻之意，所谓"刺庄公"云云，不过是一种臆测罢了。总之，本诗所赞美的对象不必定是共叔段，而只是一位猎者，一位出众的男子。作者以夸美的笔调、深挚的感情，热烈赞誉了他雄健的体魄、卓越的能力和美好的气度。全诗虽无正面的具体描绘，却构思奇巧，为读者提供了想象的空间，使诗作极富于韵味。

诗一开始，就造语警拔，起势突兀。请看，"叔于田，巷无居人"，只因一个"叔"的出外打猎，整条街巷，突然变得空无一人，这难道不是有点耸人听闻吗？旧评云"次句奇极"（引自吴闿生《诗义会通》卷一），甚是。此句奇就奇在它的出人意料，一开始就引起人们强烈的兴趣。然而，"叔"往打猎，街巷何以会空无一人？何至于空无一人？诗允许造奇，但这里是不是有些奇得悖于生活常理，以至于失却其合理性呢？

应该说，诗的饶有兴味处，正在于作者"故撰奇句而自解释之"（《诗义会通》卷一）——既运用了极度夸饰造奇之笔，复又就此作了巧妙的补充和申明："岂无居人？不如叔也，洵美且仁！"原来，"巷无居人"一句，并非"实赋"，而是"虚写”。朱熹解释得好:“非实无居人也,虽有而不如叔之美且仁,是以若无人耳。”(《诗集传》卷四)这样,“巷无居人”不过是用以突出作者的一种实实在在的主观感受而已。

由此看来,诗篇虽以“叔于田”起句,落脚点却不在郊外紧张、激烈的狩猎活动和“叔”追禽逐兽的英雄壮举,而是把视角留在街巷,留在抒情主人公自身的心理世界,以“叔”出猎后抒情主人公的内心感受这一特殊角度来写“叔”,通过“叔”在人们心中的地位来加以渲染。这里虽未对“叔”作正面具体的描绘,但这一形象却给我们留下了深刻的印象。不是吗,“叔”往狩猎,竟至使人有“巷无居人”之感,更进一步说,在抒情主人公的眼里,竟再无“洵美且仁”、能饮善骑之辈,这是何等引人注目、不同凡响!由此,我们不但了解到这是一位容貌健美、孔武有力、能饮善骑的猎者,而且可以想见他一定是众男儿中最出类拔萃的佼佼者。就这样,作者无须费多少笔墨,而只借助于“巷无居人”的铺垫,引发读者的想象,就为我们展示了一位超常拔俗的猎者的突出形象。

值得注意的是,在这里,饮酒、服马,绝不可理解为一般的饮酒作乐,这是一种诗的象征,其中所蕴含的是当时所崇拜的男性的力度和勇武,是一种阳刚之气,虽未免偏于表面和外在,但在人类早期的文化层面上,在人类主要还要靠气力与自然拼搏的时代中,这作为男性美的突出特征,乃是人们所咏唱的基本母题之一。《邶风·简兮》中抒情女主人公倾慕那位领队舞师,不正是因为他“有力如虎,执辔如组”吗?所谓“伯兮朅兮,邦之桀兮”(《卫风·伯兮》)、“赳赳武夫,公侯干城”(《周南·兔罝》)等等,不也是在赞美一种勇武有力的气度吗?《叔于田》中对“叔”堂堂容貌以至勇武之力的赞誉,同样反映了当时的这种审美观念。

此外,我们还可以看到,正因为诗篇是通过抒情主人公自身的感受写“叔”,在“叔”这一出众的形象树立起来的同时,另一个人物——抒情主人公也仿佛活生生站在我们面前。这里的一切,其实都是这位抒情主人公心理活动的表白。“叔于田”,顿觉空旷、寂寥,竟至有“巷无居人”之感,他(她)对“叔”是怎样的专注、倾心!“叔”的离去,带走了他(她)的天地,他(她)的整个世界,这种感情又是何等的执著、深沉!从这种赤热感情的角度讲,“巷无居人”虽有悖于一般常理,却十分符合人物的情感逻辑和心理时空;这使我们想到了“出其东门,有女如云,虽则如云,匪我思存”(《郑风·出其东门》)的内心独白,也使我们想到了“岂无膏沐,谁适为容”(《卫风·伯兮》)的心理情境。如此专一、排他,恐怕只有火热的爱情!由此,是否可进一步想象,这是一位痴情的姑娘对她心中的英雄热烈的赞美？朱熹《诗集传》在采用《毛诗序》说法的同时，又加上一句“或疑此亦民间男女相说之词”，可见他也从其中的感情色彩中体味到某种情爱的成分，以至对《毛诗序》产生了两可之意。其实，毋庸置疑，这的确像是一首真挚而热烈的情歌，虽未直言情，但情在其中，正是在这带有相当夸饰成分的赞美中，灌注了女主人公对自己意中人的满腔热爱之情。

（董治安　廖　群）

大叔于田

叔于田，	叔往狩猎启身行，
乘乘马。[①]	四马一车任驰骋。
执辔如组，[②]	手执马缰如织组，
两骖如舞。[③]	两匹骖马欢如舞。
叔在薮，	狩猎来到沼泽边，
火烈具举。[④]	熊熊火炬齐点燃。
袒裼暴虎，[⑤]	袒胸赤手搏猛虎，
献于公所。[⑥]	把它献到公爷处。
将叔无狃，[⑦]	请叔千万莫大意，
戒其伤女。	小心猛兽伤害您。
叔于田，	叔往狩猎走得忙，
乘乘黄。	驾车四马一色黄。
两服上襄，[⑧]	服马两匹齐昂首，
两骖雁行。	骖马两旁似雁翔。
叔在薮，	狩猎来到沼泽边，
火烈具扬。	熊熊火炬齐高扬。
叔善射忌，[⑨]	叔善引弓射飞箭，
又良御忌，	又善御马巧周旋。
抑磬控忌，[⑩]	忽儿勒马神贯注，

抑纵送忌。[11]	忽儿纵马情自如。
叔于田，	叔往狩猎出了门，
乘乘鸨。[12]	四匹花马驾车奔。
两服齐首，	服马两匹并起头，
两骖如手。[13]	两骖恰似左右手。
叔在薮，	沼泽丛林来狩猎，
火烈具阜。[14]	熊熊火焰愈猛烈。
叔马慢忌，	叔的马儿慢下来，
叔发罕忌，	叔的发射减下来，
抑释掤忌，[15]	揭开壶盖把箭收起来，
抑鬯弓忌。[16]	解开弓套把弓藏起来。

注释

①乘乘马：驾着四匹马拉的车。前一“乘(chéng)”字，动词；后一“乘(shèng)”字，量词，四马为“乘”。②组：编织。此句是写御马技术高超，手持马缰绳有如织布时丝线有条不紊，很有节奏。③两骖(cān)：指一车四马中外侧的两匹马。④烈，通“列”。火烈：火的行列。具：通“俱”。⑤袒裼(xī)：脱去上衣，露出肉体。暴(bó)：通“搏”。暴虎：空手搏虎。⑥公所：指收藏猎物的地方。⑦将(qiāng)：请求。狃(niǔ)：习以为常的意思。⑧两服：指一车四马中内侧的两匹马。襄：借为“骧(xiāng)”，马头昂起。⑨忌：语气词，下同。⑩抑：发语词，下同。磬：通“劲”，用力。磬控：用力勒马。⑪纵送：纵辔放马而行。⑫鸨：通“駂(bǎo)”，有黑白杂毛的马。⑬如手：像人的左右手，以喻御者驭马如使用己手一样随意自如。⑭阜(fù)：旺盛。⑮掤(bīng)：箭壶盖。释掤：解开箭壶盖子，准备将箭收起。⑯鬯(chàng)：弓衣，这里做动词用。鬯弓：把弓放进弓衣里。

鉴赏

《大叔于田》与上篇《叔于田》应该是基于同一母题写成的姊妹篇（“大叔于田”冠以“大”字不过以区别篇目而已），然而，两诗的写法却迥异其趣。如果说《叔于田》是通过抒情主人公主观感受的抒发,显示一位猎者的英雄出众,那么这一篇则是直接把“叔”推到众人面前,表现他的不同凡响;前者借助衬托,引人联想,后者多用赋笔,以正面渲染见长。这样,作者就为我们创造了一种全新的审美境界。

“叔于田,乘乘马。执辔如组,两骖如舞。”诗一开始,就推出一幅车马奔驰的出猎画面,把人们带进一个紧张、热烈而又节奏明快的动态情境之中:“得得”的马蹄声,飞扬的尘土,欢快舞蹈的骏马,英武威风的驭者……而在这开阔、飞动的场面中,镜头的焦点又始终未离开“叔”的身影。两骖步履谐和中节,自是驭者御术娴熟;一句“执辔如组”,就把他引动马缰绳有条不紊、挥舞潇洒的情态形容殆尽。作者正是在这惊警动人的画面和气氛中用近镜头把主人公推到人们面前,一开始就给人们留下了深刻的印象。

“叔在薮,火烈具举”,自此始,作者开始正面展现狩猎的情景。这是在一片沼泽丛林地带一次大规模的火田围猎活动,作者只选择“举火”这一富于色彩和表现力的情节,便活生生托出一个激动人心的场面。对于这里的“举火”,胡承珙断言“此诗自是宵田用燎”(《毛诗后笺》)。其实,古代围猎用火,是为了驱走野兽,并阻绝其逃路,《尔雅·释天》“火田为狩”、《韩非子·难一》“焚林而田”均谓此,本诗似不必特指夜猎。所谓“火烈俱举”,《毛传》释“烈”为“列”,《郑笺》申之云“列人持火俱举”,则“火烈”即火的行列。由火的行列可以想见人的行列,由火红的炬光可以想见人们激昂亢奋的情绪,而一个“俱”字,又生动地描画出排排火焰同时升腾的壮观景象。

正是在这熊熊火光的映照下,正是在这群情振奋的热烈气氛中,英雄的主人公挺身而出,与猛兽展开了殊死格斗。“袒裼”,写其搏战之激烈;“暴虎”,更见其气概之非凡;而“献于公所”,则可见其胜利者的自豪与微笑。就在这人与自然较量的浓缩投影中,人的力量得到了升华与高扬,“叔”这一英武猎者的形象也就在这大幅度的动作中,在众人围观的烘托中得到了有力的凸现。至于“将叔无狃,戒其伤女”两句,看似劝诫,实则是从一个很好的角度,对于“叔”的雄豪自肆作了巧妙的渲染,愈见其无所畏惧的英雄胆气。

继首章集中描写围猎中“叔”激战猛虎的一场扣人心弦的格斗之后,第二章虽以叠唱的形式出现,却又包含了事件的发展和内容的演化,描写了“叔”登车驭马追射走兽的新的一幕。“叔善射忌,又良御忌”,原来,这位猎人不但膂力超绝,胆气过人,而且射技神奇,御术高超。显然,与首章选择典型情景集中刻画不同,这里变为一种概括的描述,但其用语仍极富于表现力,“抑磬控忌,抑纵送忌”,寥寥数语,就把“叔”忽儿止马立定全神贯注、忽儿从容不迫任马自驰的具体情态描画得淋漓尽致。不难看出,这一章仍是表现“叔”在狩猎活动中的雄勃英姿这一基本主题,却由于变幻角度和写法,进一步丰富了这一形象的内涵,使我们获得了新的感受。

至于第三章,是写狩猎的结束,看似平淡无奇,细细品味,却自有佳趣。请看,这里的描写是何等细腻:“叔马慢忌,叔发罕忌,抑释掤忌,抑鬯弓忌”,从“叔”减慢车速、减少射箭,一直写到打开箭筒、放进余箭,又把弓藏进弓衣……简直细得有些琐碎、繁冗、絮叨了。其实,作者这样写是意味深长的,这可以说是一种追踪式的特写,这使“叔”的形象自始至终占据了整个画面的最大空间。

从这里我们又可以更明显地体味到,全诗的基本笔法虽是对主人公作再观式的铺陈描写,但其中却饱含着浓烈的感情色彩,浸透了作者对“叔”无比爱慕和关注之情。全诗的描写本身就不乏夸美之笔,而从末章这旁若无人、凝神注目“叔”的一举一动的目光中,更明显地透露了个中消息。因此,我们一开始就说此诗与《叔于田》应该是基于同一母题而写成的姊妹篇,更具体说,是出自同一作者对同一对象饱含深情的赞美。是否如此?诗无达诂,读者尽可以自己去想象。

(董治安　廖　群)

清　人

清人在彭,[1] 驷介旁旁,[2] 二矛重英,[3] 河上乎翱翔。[4]	清邑军队久在彭, 马儿披甲骠儿壮, 长矛一对红缨双—— 河边上闲逛!
清人在消,[5] 驷介麃麃,[6] 二矛重乔,[7] 河上乎逍遥。	清邑军队久在消, 马儿披甲勇镳镳, 长矛一对缨雉毛—— 河边上逍遥!

清人在轴,[⑧] 清邑军队久在轴,
驷介陶陶,[⑨] 马儿披甲蹄不休,
左旋右抽,[⑩] 向左回旋右抽刀——
中军作好。[⑪] 军队中戏游!

注释

①清人:指高克统帅的清邑的军队。清,是郑国之邑。彭:郑国地名,在黄河边上。②驷:驾车的四马。介:甲。旁旁:驷马强壮有力的样子。③矛:兵器名。英:缨。重英:车上插着两支矛,矛上各有两层缨。④河:黄河。⑤消:郑国地名,在黄河边上。⑥麃(biāo)麃:勇武的样子。⑦乔:借为“鷮”,野鸡的一种,此言以鷮羽为矛缨。⑧轴:郑国地名,在黄河边上。⑨陶(dào)陶:驱驰的样子。⑩旋:转也,此指调转马头。抽:抽刀以击刺。⑪中军:军中。作好:戏玩。

鉴赏

公元前660年,即郑文公十三年,狄人攻破了与郑国隔河相望的卫国,郑文公因憎其大臣高克,便以防御狄寇为名,使高克帅兵驻扎在黄河边上,直至狄人退兵后仍迟迟不予召回。士兵们闲散无聊,自溃而归,高克也投奔了陈国。《左传·闵公二年》云:“郑人恶高克,使帅师次于河上,久而弗召,师溃而归,高克奔陈。郑人为之赋《清人》”。可见《清人》所反映的,就是上述具体历史事件,它是一首指向郑文公的讽刺诗。

就诗表面看,并未言及郑文公其人,但作者却巧妙抓住郑国将士久驻黄河边上那种闲散无聊的状态加以集中描写,反复咏唱,字里行间充满调侃的意味,在貌似客观的叙述中隐寓了辛辣的嘲讽。

诗篇每段的前半部分,都以异乎寻常的笔墨,极力渲染了军旅马匹的威武雄壮。作者首先选取了马甲、矛缨这最富于视觉效果的具体形象加以突出描写:“驷介旁旁”“驷介麃麃”,“二矛重英”“二矛重乔”——高大的马匹披上坚硬的铁甲,愈显得强壮有力,挺立的长矛又加上双重红缨,更觉其英姿勃发。我们仿佛看到了一幅威风凛凛的出征景象,马蹄踏踏,红缨招展,战车滚滚,军械铮铮。于是,更进一步,作者又使我们看到,将士们在军中大显身手,“左旋右抽”,回马击剑……这一切,只应使人们联想到硝烟弥漫的烽火战场，只应预示着英雄将士奋战疆场的壮烈之举。

然而，出乎意料，作者并没有顺乎常情地为我们展示一场激烈的御侮搏战，而是笔锋一转，紧接一句“河上乎翱翔”“河上乎逍遥”“中军作好”，昂扬的气势陡然跌落。原来，如此声势浩大，剑拔弩张，不过是逍遥闲逛，军中戏玩，拿骑马击剑寻开心。这就是诗篇每段的后半部分，虽只短短一句，却与前一部分形成了尖锐对照。本该用于疆场的精良装备却被用来戏游耍闹，这是何等悖于常理、多么荒唐的逻辑！这样，作者愈是极力渲染“清人”的兵强马壮、威风凛凛，就愈加增强读者头脑中的反差印象，愈加具有一种揭露和嘲弄意味的喜剧效果；长期被冷落被闲置于河畔的将士，他们可悲的精神状态，也就自在读者的想象之中了。

那么，为什么会出现这种反常的现象呢？对此，诗篇虽未正面回答，却通过引发人们的联想鲜明地揭示了造成这种荒谬性的社会根源。不难想见，狄人破卫，郑文公派兵驻守河滨，此乃当时国之大事，自应家喻户晓；后来狄人退兵，郑文公因与高克有隙，迟迟不招回军队，亦应人所共闻。因之，诗作者不必明言，而只是点出“清人”——这支军队的组成，“河上”彭、消、轴——这支军队的所在地，其所指也就尽在不言中了。统治阶级内部的钩心斗角，致使广大军兵蒙受长期离家、闲置冷落之苦，这就是诗篇为我们展示的那个时代的社会现实！而作为一国之君的郑文公，只因与高克积有宿怨，竟不惜置众将士于河滨，任其自溃，置国之安危和兵士疾苦于不顾，这就难怪引起人们的怨诽和不满。《春秋》讥其“弃其师”，可谓一语中的，实不为过。这应该说是《清人》一诗深层的思想意义和值得读者进一步思考的问题了。

可见，《清人》在讽刺艺术方面的突出特点乃是巧陈事实，寓讽喻于言外，这也就是孙鑛所谓“只貌其闲散无事，而刺意自见”（《诗经直解》引）。这可以说是《诗经》国风中特别是民歌中许多讽刺诗的共同特点。《邶风·新台》不就是只通过河边新台、心存妄想的癞蛤蟆等富于特征的鲜明形象，从而对无耻的卫宣公进行了辛辣的嘲讽吗？《陈风·株林》不也是只言乘着马车去找夏南，而隐含着讥刺荒淫的陈灵公之意吗？这样写，含蓄、幽默，又尖锐犀利，是典型的民间歌唱风格。这与二雅中那些直言其事、直道其理的怨刺诗还是有着明显的区别的。《清人》的写法显然属于前者。从这个意义上看，与其像有些论者依《毛诗序》而言此诗为公子素所作，我们倒更觉得这是一首民歌，这应该就是驻守在河边的士兵们唱出的一首表达他们不满情绪的歌曲。

（董治安　廖　群）

羔　裘

羔裘如濡，[①]　　羔羊的皮裘多润泽，
洵直且侯。[②]　　他是纯良又正直。
彼其之子，　　他那个人呀，
舍命不渝。[③]　　生死关头不变节。

羔裘豹饰，[④]　　羔羊的皮裘豹皮袖，
孔武有力。[⑤]　　他的勇力大无限。
彼其之子，　　他那个人呀，
邦之司直。[⑥]　　主持国家的正义。

羔裘晏兮，[⑦]　　羔羊的皮裘多鲜明，
三英粲兮。[⑧]　　三行花边亮晶晶。
彼其之子，　　他那个人呀，
邦之彦兮。[⑨]　　是国家的英杰。

（金启华　译）

注释

①濡:润泽。②侯:美好。③舍命:抛弃生命。不渝:不变节。④豹饰:羔裘的袖口上饰以豹皮。⑤孔:很。⑥司:主也。司直:即主持直道的人。⑦晏:鲜艳。⑧三英:豹饰有三列。⑨彦:美士为彦,即俊杰之士。

鉴赏

这是一首赞美正直官吏的诗篇,诗的作者已不可考。诗的内容,《毛诗序》说它陈古以讽今,刺当朝无此等贤人,并无确据。朱熹、姚际恒等认为此诗是“郑人美其大夫之诗,不知何指也”(《诗经通论》),今从其说。

全诗三章皆以羔裘起兴。羔裘是大夫的朝服，用它起兴，首先给人展示出官吏的服饰美：穿着油光水滑的羊羔皮袍，袖口上饰着豹皮，鲜艳无比。接着，每章第二句一语双关，是由外美到内美的过渡。“洵直且侯”，既赞羔裘之舒直美好，又夸其官吏品质正直；“孔武有力”，既赞羔裘之豹饰鲜明有力，又夸其官吏勇武刚强（朱熹曰：“豹甚武而有力，故服其所饰之裘者如之。”）。“三英粲兮”，既赞裘上三列豹饰，又美其官吏之三德。“英”有俊秀之意，故《毛传》释“三英”为三德，《郑笺》释“三德”为刚克、柔克、正直。

每章的最后两句是直接赞美官吏的内在品质。这位官吏，能在生死关头不变节，为国效劳；不仅自己正直，而且能够正人过失、主持正义；他是国家的美士，国家的俊杰。

全诗三章，从外美和内美两方面对官吏进行了赞颂，结构严谨，层次井然。

《左传·昭公十六年》记载，郑国六卿饯晋韩宣子于郊，子产赋郑之《羔裘》，韩宣子曰：“起不堪也！”可见此诗产生较早。有人以为此诗赞美郑国的子皮、子产。但《诗经》最晚的诗止于陈灵公。鲁襄公二十九年，鲁人为季札歌郑乐时，《羔裘》诗久已编入周乐，这一年子皮始当国，子产之为政又在其后，鲁人不会在此之先就有歌颂二子的诗乐。因此，这是一般的赞颂诗，不必附会到具体的历史人物身上去。

这首诗虽然在内容上只是美化朝中官吏，有一定的局限性，但在艺术上还有值得借鉴之处。它主要用赋的方法，由表及里，赞美正直的官吏，同时兼用兴法，所以，也具有一定的审美感染力。从此诗我们也可以看出当时人们的审美观念：为官不仅要外表美、威武有力，更重要的是内心美，做到正直，能主持正义，为国效劳，至死不渝。

（张新科）

遵　大　路

遵大路兮，①	沿着大路往前走啊，
掺执子之祛兮，②	拉住你的衣袖口啊，
无我恶兮，	请你不要厌弃我啊，
不寁故也！③	故人不能马上丢啊！

遵大路兮，④ 沿着大路往前走啊，
掺执子之手兮， 紧紧拉住你的手啊，
无我魗兮，⑤ 请你不要厌弃我啊，
不寁好也！⑥ 故人不能马上丢啊！

（袁梅　译）

注释

①遵：沿着。②掺（shǎn）：持，拉。袪（qū）：衣袖。③寁（zǎn）：速离。故：故人，是女子自称之词。④路：王引之《经传释词》："路，当作道，与下文魗、好协韵。"⑤魗（chóu）：弃也（依《毛传》）。⑥好：好友。

鉴赏

这首诗的主题，历来众说纷纭。《毛诗序》说此诗"思君子也。庄公失道，君子去之，国人思望焉"。朱熹《诗集传》认为是"淫妇为人所弃"时唱的哀歌。姚际恒《诗经通论》认为是有关朋友交谊之辞。今人大都依《诗集传》，把它看作一首弃妇诗。

全诗两章八句。在这极短的篇什里，作者给我们勾勒出一幅极常见而又极鲜明的图画：在一条漫长的大路上，一位被抛弃的女子紧紧拉住丈夫的手，声泪俱下，哀求丈夫不要厌弃她，不要中断夫妻恩爱。也许，两人当初相识、幽会就在这条路上，这条路两人不知道走过多少次了；也许，他也在这条路上一次又一次地送过她；也许，她也是沿着这条路兴高采烈地来到了丈夫的家里。这条路，是她们爱情生活的见证。而今天，仍是在这条大路上，她将被遗弃，这是多么伤心，又是多么令人难堪啊！这位女子的不幸遭遇与《卫风·氓》中的女主人公有相同之处，但两人在思想上却有不同之处。她对眼前所发生的一切还抱有一线希望，还依依不舍，因此，她对丈夫只是苦苦哀求，希望他不忘昔日的旧情；而《氓》中的女主人公则是要与负心郎一刀两断。这位女子的形象与《氓》中的女子一样，也具有典型意义，反映了当时许许多多普通女子的命运，揭露了当时社会中男女不平等的现实，这些女子不仅在政治上、经济上受沉重的压迫，而且在精神上也受到极大的摧残。

全诗两章，用民歌中常见的复沓形式重复着一个主旋律：期望丈夫回心转意，不要遗弃她。每章冠以“遵大路”，一次又一次的哀求，事件发生的时间在不断延续，空间在相应地变化，两人走了一程又一程。从拉袖口到拉手，从厌恶到丢弃，从故人到好友，易字处均更深地表现出主人公的执著。姚际恒说：“执袪言‘故’，执手言‘好’，下字不失分寸。”（《诗经通论》）实际上，由“恶”到“魗”（弃），用字也很有分寸。

对这首诗可能有这样一个疑问：既是弃妇诗，为什么丈夫还送她到大路，而且使弃妇拉自己的袖口呢？（如姚际恒）盖弃妇诗中的男子不一定都是面目可憎、毫无人性。从这首诗所描写的情况来看，这位男子似乎还有点依恋旧情的意思，只是他们被迫分离了。至于分离的原因，也许是被迫，如《上山采蘼芜》的故夫。因此，他不像《氓》中那位男子粗暴肆虐，以至于使这位女子仍念念不忘，对他抱有一线希望。

（张新科）

女曰鸡鸣

女曰：“鸡鸣。”	女说：“耳听鸡叫唤。”
士曰：“昧旦。”[1]	男说：“天才亮一半。”
“子兴视夜，[2]	“你且下床看看天，
明星有烂。”[3]	启明星儿光闪闪。”
“将翱将翔，[4]	“干起来啊起来干，
弋凫与雁。”[5]	射野鸭儿也射雁。”
“弋言加之，[6]	“射鸭射雁准能着，
与子宜之。[7]	为你煮雁做美肴。
宜言饮酒，	有了美肴好下酒，
与子偕老。	祝福我俩同到老。
琴瑟在御，[8]	如弹琴来如鼓瑟，
莫不静好。”[9]	多么和谐多美好。”
“知子之来之，[10]	“晓得你对我真关怀，

杂佩以赠之。⑪
知子之顺之，
杂佩以问之。⑫
知子之好之，
杂佩以报之。”

送给你杂佩答你爱。
晓得你对我体贴细，
送给你杂佩表谢意。
晓得你爱我是真情，
送给你杂佩表同心。”

（余冠英译，略有改动）

注释

①昧旦：天将亮的时候。②兴：起。视夜：察看夜色。③明星：即金星，黎明见于东方，称为启明星或明星。有烂：即烂烂，明亮。④翱翔：原指鸟飞的样子。此指打猎，言其轻松如遨游。⑤弋（yì）：以丝绳系箭尾射鸟。凫（fú）：野鸭。⑥言：本章“言”字都是助词。加：射中。⑦与：犹“为”。宜：做肴。宜之：烹调凫雁为菜肴。⑧御：用，犹言弹奏。⑨静：安。⑩来：“劳来”之来，慰抚、体贴。之：前“之”为助词。⑪杂佩：古人所带的佩饰，上系珠、玉等，质料和形状不一，故称“杂佩”。⑫问：赠。

鉴赏

这是一支家庭生活温馨的乐章，全用两口儿晨起的软言温语写成。

黎明的瞌睡香甜而使人留恋，对于劳作者，又是“一日之计在于晨”，这日常起居小小的矛盾形成此诗的开端。雄鸡一啼，妻子即起，开始了一天的劳作。并低声催促还在酣睡的丈夫，男子睡眼惺忪地咕哝说：“离天大亮还早哩！”还想再拖延一会儿。“子兴”二句，为女的又曰之词。称夫为“子”，这个美称，于此很有些亲昵意味。她不说丈夫起迟了，只说起来看看夜色；不说群星消失，天已将亮，只说“明星有烂”——启明星已升在东方。催促的言辞含蕴不少爱怜之意。她何尝不愿意丈夫多睡一会儿，但还有多少活儿等着要干。话语是那样的温顺，写来口吻活现，想见其情其态。《齐风·鸡鸣》内容与此大致相同，“鸡既鸣矣，朝既盈矣”，“匪鸡则鸣，苍蝇之声！”两首都是男女晨起相语之辞，后者女的口气疾急，两“既”字明说天晚，两“矣”语气决然，警夫早起。与此相较，两女性之性格判然有别。

丈夫在妻子的温存中起床，兴致勃勃说他要开始一天的劳动——

"弋凫与雁"。对于猎户不言他鸟，而单言凫雁，联系末章"杂佩以赠之"，这里还有另一层含义，春秋时赠人礼物，往往有所先后，礼物质量先轻后重。这里先凫雁后杂佩，无啻以最丰硕的果实奉献妻子，这是"投我以木瓜，报之以琼琚"（《卫风·木瓜》）式的恩爱语。"将翱将翔"，用鸟飞之自如翱翔写猎鸟者劳动的自在愉快，和下句有若即若离之趣。两"将"字，语出欢快，和妻子婉静相映，和谐安睦之意顿生。

第二章全是妻子回答的话。首句"弋"字与上章末句的"弋"字，蝉联两章，大有夫唱妇随的效果。"弋言加之"——凫雁只只都射中，是对丈夫的祝愿，也是夸赞。这是就对方说。"与子宜之"则就己言。"之"字联结上句。"宜言饮酒"字面由"宜"（佳肴）连类而及"酒"，是所谓"彼有旨酒，又有嘉肴"（《小雅·正月》）之意。肴酒并举，以形美满欢意。"饮"字把上二句的"加之""宜之"的猎男炊女自然黏腻在一起。这三句是说你打猎来我做菜，有酒有肉日子美，这是赞美他们自己的生活，也是歌颂他们劳动的愉快，又是欢唱他们的和睦融洽。"与子偕老"一句，承上句而溢漾，更为欢畅，也囊括上三句，但愿这种恩爱美满日子长久永存，白头到老。"琴瑟在御"，这是由"宜言饮酒"涉及琴瑟间作，音乐伴奏。当时有地位的人有钟鸣鼎食之习。琴瑟为贵族时俗宴乐。这句好像在说，你弹琴来我鼓瑟，实际上只是一个美好的祝愿。对一个鸡鸣即起的猎户，只能说是祝福性质的快乐如愿的比喻。和下句共看，是说夫妇和乐，无不安好。琴瑟之比，是当时夫妇和好流行的说法，即《小雅·常棣》所言"妻子好合，如鼓瑟琴"的意思。如果把"琴瑟"和下章"杂佩"作真看，以及把诗中的"士"当作士大夫，则与"鸡鸣而起，孳孳为利者，蹠之徒（下等人）也"（《孟子·尽心上》）的说法不符。所以"莫不静好"是以琴瑟之协调而说夫妇之安睦。从布局看，"静好"扣住"琴瑟"，琴瑟暗挽"宜言饮酒"。二、三句之"宜"蝉联相承。"与子偕老"一句居中，前承对饮，后应琴瑟，一片神光所聚全在此句。本章句句环扣，意意相生，极为温情体贴，殷切备至，有剪不断、化不开的如胶似漆的绸缪的浓情蜜意。

末章全是丈夫回答的唱词。六句形成三组排句。"来之""顺之""好之"一义相因，频频见意，一唱之不足而三叹之，全针对上章而发。三个"知"字，置于句首，一意而贯，一腔热乎亲好，张口致意。三个"知子"的"子"，与上章两个"与子"的"子"前唱后应，互尊互爱，相敬如宾。"赠""问""报"一片热肠暖语，化润人心。句末六用"之"字，更增唱叹意味。"来""顺""好"相因相承，前递后接，分嵌其中，一章之中三致意也。在急管繁弦中洋溢恩酣爱畅之情。与首章的“将翱将翘，弋凫与雁”，同样的欢快淋漓。诗人虽不语前提缀“士曰”，读者却分明感受到那犷放热烈的男中音——是猎人献给妻子的歌唱。

这首对话体诗，读来如听对口清唱，又好像观看两人共台的独幕小剧，再现了夫妇黎明前的欢情快意，烘托出他们美好一天的开端和劳动的愉快。体贴和恩爱，劳动和欢悦融为一体。起床的款款低语，起床后的欢歌快唱。妻子的柔顺，丈夫的热烈，口吻情态，可闻可见。开头即言“女曰”“士曰”领起全诗，人物由睡而起，对话由短而长，节奏由慢而快，切情切理。首章淘洗尽净，极简处情致摇曳，趣味横生；二、三章句密情厚，极浓处反复见意。首章款款，如“轻拢慢撚抹复挑”而波折多姿，是为合唱。二章缓缓，似“小弦切切如私语”（白居易《琵琶行》）；三章促促，如“大弦嘈嘈如急雨”（同上）。这是夫妇的各自对唱。首章合中有分，二、三章分中有合。用自存自在的环形结构表达夫妇恩爱无间，从而构成一支滋润人心、温暖的家庭的歌，以最早的对话体诗而标帜诗史。

（魏耕原）

有女同车

有女同车，	与我同车的那姑娘，
颜如舜华。[1]	木槿花一样的漂亮。
将翱将翔，	步履轻盈，
佩玉琼琚。	佩玉闪光。
彼美孟姜，	姣好的姑娘啊，
洵美且都！[2]	真是美丽又端庄！
有女同行，	与我同路的那姑娘，
颜如舜英。	木槿花一样的芬芳。
将翱将翔，	体态袅娜，
佩玉将将。	环佩叮当。
彼美孟姜，	美丽的姑娘啊，
德音不忘！	美好的声誉多么令人怀想！

注释

①舜华:木槿花。②都:娴雅大方。

鉴赏

这是赞美一位少女的诗篇。闻一多先生曾援引《诗经》中《泉水》《竹竿》诸篇,以为“车者,亲迎之车”“女子谓嫁一曰适,行亦犹适矣”(《诗经通义》),把《有女同车》解作写的是新嫁娘,可备一说。

首章开门见山,点出诗篇称美的是一位女性、同车的少女。至于同车之由,是命驾出游,还是邂逅相遇,作者并未明言,这给诗的理解带来了一定困难,但也增添了诗歌意味的空灵。“颜如舜华”,这里用的是明喻,即本体喻体都出现,本体与譬喻物之间有“如”字绾合。木槿花,花冠五瓣,大型,有红白等色,相传朝开而暮落,这里用来比喻少女容颜的鲜嫩娇美,先总赞一笔。

“将翱将翔”,称美少女体态轻盈优美,步履飘然欲仙。这是写女子步态的传神之笔,宋玉《神女赋》的“婉若游龙乘云翔”,曹植《洛神赋》的“若将飞而未翔”“翩若惊鸿”等句都从此脱化而来。“佩玉琼琚”,写女子的佩饰。琼、琚,两种玉石名,组成复合词后泛指各种美玉,以佩饰的精美衬托少女形象的姣好可爱。

“彼美孟姜,洵美且都!”孟姜,泛指美女,似不宜拘泥为姜姓女子。都,指意态闲雅。洵,确。这里直抒其怀,两次出现了对少女的正面赞美。“美”字重出,表达了作者情不自禁,对少女赞叹备至的心情。“洵美且都”是一个句法套句,即句子的组成相对固定但运用灵活,可以根据诗意变化出不同的诗句,如“洵美且仁”(《郑风·叔于田》)、“洵美且异”(《邶风·静女》)等,大量使用套句,是《国风》的重要特征,它是民歌创作集体性的重要标志之一。

第二章是第一章的叠章,句法结构完全相同。上章言玉名,此章言玉声,音调铿锵,行文也富于变化。和上章一样,美玉敲击的清脆悦耳同样衬托出少女的姣美。这一章仍是对少女容貌、步态的赞美,重章复沓,反复递进,既便于歌唱,又表达出对少女形象的赞叹不已,深化了作品的感情。全章以“德音不忘”收束,少女既美若仙子,又品德高洁,怎能不让诗人倾心爱慕、吟咏再三呢?如果说在此之前,诗人对少女的赞美还大体停留在少女的仪态上，至此则已升华到更高的精神境界了。

这首诗赞美一位丽质天成的少女，对美的倾倒，使得诗人回环反复，不能自已。全诗感情平和纯正，在“郑卫之音”中别具一格。“洵美且都”“德音不忘”，这是郑国贵族理想的择偶标准，有论者认为，《有女同车》是上层社会的恋歌而非民间情歌，这是很有见地的。

这首诗的用韵也很有特点，首章前两句“车、华”，鱼韵，音调较低沉，后四句“翔、琚、姜、都”，交替用阳、鱼韵，阳韵音调响亮，与鱼韵交替相押，低昂起伏，富于顿挫之美。第二章“行、英、翔、将、姜、忘”则全用阳韵，句句入韵，音调迫促，有力地表现出诗人内心的激情。

据《左传·昭公十六年》记载，郑国六位卿士饯宣子于郊，宣子请六卿赋诗“以知郑志”，六卿所赋诗中有一首即《有女同车》，可见这样的情诗在当时是被当成“言志”之作的。

（赵晓兰）

山有扶苏

山有扶苏，①	有扶木长在高山，
隰有荷华。	有荷花开在浅滩。
不见子都，	见不着子都美男，
乃见狂且。②	倒碰上一个疯汉。
山有桥松，③	山头上松树高高，
隰有游龙。	洼地里长着红草。
不见子充，	美子充不曾见着，
乃见狡童。	浑小子倒来盯梢。

（余冠英　译）

注释

①扶苏：扶木。②且（jū）：伹，拙。狂且：痴狂者。③桥：乔。

鉴赏

“郑风”在历史上被当作“靡靡之音”的代名词。“郑声淫淫”(《论语·卫灵公》),“靡曼皓齿,郑卫之音,务以自乐,名之曰伐性之斧”(《吕氏春秋·本生》),《汉书·艺文志》也说“(郑国)土陿而险,山居谷汲,男女亟聚会,故其俗淫”。宋代的理学大师朱熹更直斥曰:“郑卫之乐,皆为淫声。”(《诗集传》)的确,当时郑国男女的交往是比较开放和自由的,而郑风中最有特色的就是其中的情歌了。这首诗是一个女子与爱人约会时对爱人的俏骂,笑骂中蕴含着深厚的爱,清新活泼,读来妙趣横生。诗中女子对男子主动的戏谑和尽情地调笑,“几于荡然无复羞愧悔悟之萌”(《诗集传》)。郑国女子的美貌多情,名闻遐迩;郑国女子的坦诚直率,无所顾忌,更是人所共知。俏骂戏谑,大胆泼辣,是本篇最引人注目的地方。

诗篇以对句“山有扶苏,隰有荷华”起兴。“兴者,先言他物以引起所咏之词也。”(《诗集传》)这里的兴,只从语势或韵脚上引出下文,使诗篇的开头委婉含蓄,不突兀,也不过分直露,而这里的起兴之句,则“因所见闻”,以眼前草木为兴,与诗人抒发的感情间并不存在什么必然联系。

“不见子都,乃见狂且”,这两句是赋,为女子的调笑之辞。“至于子都,天下莫不知其姣也”(《孟子·告子上》),“子都”,似为传说中古代美男子名,这里泛指俊美的男性。有论者认为,“都”“姝”古本双声,“都”为“姝”的假借,《说文》云“姝,美也”,故子都就是子美。女子称所爱为“狂且”,与美男子“子都”对举,明明是双方相约而来,偏说对方非己所爱,心爱叫冤家,可见其性格的爽朗善谑,恰可见其对男子挚爱之深。“打是亲,骂是爱”,此之谓也。

第二章是叠章,开头两句仍以草木起兴引起下文。“不见子充,乃见狡童”,反复调侃,加强语势,感情也层层递进。“子充”,泛指美男子。论者认为,“充”,古韵在东部,“姝”,古韵在区部,区东可以对转,“充”即“姝”的对转,故子充与子都实为同指。始为“子都”,此为“子充”,重章叠句,整饬中有变化,更显得错落有致。

少女对心上人主动发起调笑戏谑,可以想象,被调侃的男子绝不会甘拜下风,当有回敬。妙语如珠,往来应答,场面应十分热烈,气氛也极为活跃,少男少女率真爽朗的性格及欢快健康的戏剧性场面,在这里得到了淋漓尽致的表现。

这首诗的音律有值得注意的地方。“扶苏”,鱼部叠韵,“荷华”,歌部叠韵,二者均为叠韵联绵字,情致荡漾,有回环之美。"桥松""游龙"虽非联绵字,桥属群钮,牙音;松属邪钮,齿音;游属喻钮,喉音;龙属来钮,舌音,相互间仍比较谐和。音律的谐和使这首诗朗朗上口,有一种变化繁复的美感。

全诗押句尾韵,"苏、华、都、且",鱼韵,"松、龙、充、童",东韵,每章均句句入韵,由低抑的鱼韵转为响亮的东韵,细致地表现了主人公心态的变化,刻画出少女越来越激动、亢奋的心情,这是需要我们细心体会的。

(赵晓兰)

萚　兮

萚兮萚兮,①	枯叶啊枯叶,
风吹其女。②	风吹叶儿落。
叔兮伯兮,③	弟弟啊哥哥,
倡予和女。④	我唱你们和。
萚兮萚兮,	枯叶啊枯叶,
风其漂女。⑤	风吹叶儿飘。
叔兮伯兮,	弟弟啊哥哥,
倡予要女。⑥	我唱你们应。

注释

①萚(tuò):草木脱落的皮叶。②女:通"汝"。③叔、伯:对同辈男性的称呼,等于说"弟弟""哥哥"。④倡:带头唱。⑤漂:通"飘"。⑥要(yāo):《毛传》:"要,成也。"《诗毛氏传疏》:"要,亦和也。要,读如《乐记》'要其节奏'之要。凡乐节一终,谓之一成。"这里指领唱者唱一节,众人齐声应和。

鉴赏

这是民间集体歌舞活动中一位领唱人的即兴之歌。领唱人是女子，她以风吹叶飘起兴，领头唱起来，邀大家来和。全诗节奏明快，充满欢快的情调。

东周时代郑国本有青年男女欢会游乐的习俗，如《溱洧》诗即记述三月三日上巳节男女会和游玩的情景。从这首诗来看，青年男女会和歌舞并不仅限于规模盛大的上巳节，本诗中的集体歌舞活动就发生在深秋时节。按农业生产的季节性而言，风吹叶落的深秋或初冬，田禾已经收割完，青年人也就聚在一起，载歌载舞，此唱彼和，或一人唱众人和。这首诗也是我国上古民间习俗的一个留影。

这首诗描写的是一个女子领先唱起来，她毫不忸怩作态，曼声高歌，勇敢地向小伙子们挑战，邀他们齐声和唱。短短两章，活现了青年女歌手爽朗、洒脱的形象，表现了民间青年男女集体歌舞的自由欢乐场面。

两章诗都以风吹叶落起兴。这个起兴与内容有关联：一是"人在歌舞欢乐的时候常有飘飘欲起的感觉"（余冠英《诗经选》注），由此而引发联想；二是向大家暗喻，风吹叶儿落，秋收已经完了，大家尽情唱起来吧。

全诗两章八句仅三十二字，文字简练，并无深寓，本来不难理解，但历来注疏，却颇多歧义。过去大致有三种解释。一是以汉代《毛诗序》为代表："萚兮，刺忽也。君弱臣强，不倡而和也。"这纯属附会，把男女唱和之辞生拉到封建教化的道德说教。二是以宋代朱熹的《诗集传》为代表："此淫女之辞。"他看到了这是男女唱和之歌，但这位主张男女有别的道学大师不能容忍男女会和欢歌，板起卫道的面孔予以新的曲解。三是现代学者的"恋歌"说，他们推翻前两种曲解，认为这是一个女子邀她的情人唱和的情歌。"恋歌"说直至当代仍有影响，为一些今注今译所取。

当代有些学者已经认识到这首诗不是情歌。"叔兮伯兮"，明明是对许多青年男女说的，解释为"是对一个人说话"并无根据。因而，不能说是要求自己的情人和唱。为了把这首诗定为女子要求情人和唱的恋歌，一些注释就把末句断开，成为"倡，予和女"。这样断，意思就是"你领唱，我来和"。可是，这个女子已经在领唱，怎么又邀别人领唱呢？其实，"倡予和女"是"予倡女和"的倒文，即我领唱，你来和。这样倒文，是为了和前面句式对应以及同字同韵，也是古汉语的常用句式。

我们认为，把这首诗理解为集体歌舞时一个女子的领唱邀和之词，是切合诗义的。

（夏传才）

狡童

彼狡童兮，[1]
不与我言兮。
维子之故，[2]
使我不能餐兮！

那个小滑头，
不和我说话。
为了你的缘故，
使我饭都吃不下！

彼狡童兮，
不与我食兮。
维子之故，
使我不能息兮！[3]

那个小滑头，
不和我一块吃饭。
为了你的缘故，
使我觉都睡不安！

注释

①狡童:狡猾的少年，即近代所说的小滑头。一说“狡”通“佼”，强壮俊美的意思，亦通。②维:为。③息:安息。

鉴赏

这首诗写一个女子对情人的怨诉。全诗二章八句共三十八字，辞浅意明，情挚意切，直率天真，生动活泼，富有风趣。

这一对热恋中的青年，不知为什么，闹了点别扭。这使她寝食不安，陷入难以自我解脱的痛苦之中，倾诉出怨恨与爱恋纠结的心声。

两章各四句，上下两章句式结构相同，只调换了几个近义字，以复沓叠唱的形式，适当地表现了她缠绵的感情和反复回荡的情韵。

全诗用赋体直抒胸臆，以“彼狡童兮”起句。“狡童”一词是女子对心爱人的带怨气的称呼。她们本来是热恋的，曾经亲密的说笑，日常形影不离的生活。可是“不与我言兮”，“不与我食兮”，她忍受不了那冷冰冰的态度，难挨这寂寞孤独的时光，她怀疑他甩了她，所以骂他是“小滑头”。这两句等于说:那个负心的，把热恋时的爱情许诺和海誓山盟都忘了。

在怨和爱的纠结中，毕竟依恋之情仍占上风，回想往日的温情，她相信他不会绝情。三、四句，她转而向他直接倾诉：“维子之故，使我不能餐（息）兮！”她诉说被他疏远后遭到饮食难咽、睡梦难安的折磨，希望他怜惜，痛苦地、焦灼地盼他回心转意。短短两句话，有娇嗔，有幽怨，有哭诉，有期望，荡漾着曲折微妙的弦外之音，而至此戛然而止，余韵绕梁，荡气回肠。

为什么一首极其质朴的小诗，会有生动感人的艺术魅力，成为千古不朽的杰作呢？这在于它真实而风趣地模拟一个民间少女的口吻，描述了她的内心独白，生动地表达了她炽烈而鲜明的爱情和焦灼痛苦的思念。诗篇最突出的艺术特色，是运用素朴而简要的口语，活脱脱地表现了少女率真和执著的心理，并具有意在言外的丰富的感情内涵。全诗语言通俗浅显而不粗鄙，感情热烈而不轻狂放荡；朴素无华，不假雕琢，然而浑然天成，形象鲜明。这就是这首诗为后人所称道的艺术奥妙之所在。

《毛诗序》说：“狡童，刺忽也。不能与贤人图事，权臣擅命也。”朱熹《诗集传》说：“此亦淫女见绝而戏其人之词。”这些解说都显非诗义。近人解说均与旧说大异，故不赘。

（夏传才）

褰　裳

子惠思我，①	你要是心上把我爱，
褰裳涉溱。②	提起衣裳蹚过溱水来。
子不我思，	要是你的心肠改，
岂无他人？	难道没有别人来？
狂童之狂也且！③	傻小子呀傻呀傻！
子惠思我，	你要是心上还有我，
褰裳涉洧。④	提起衣裳蹚过洧水河。
子不我思，	要是心上没有我，
岂无他士？	世人男人还不多？
狂童之狂也且！	傻小子呀傻呀傻！

（余冠英译，略有改动）

注释

①惠：见爱。②褰（qiān）裳：提起下裳。溱（zhēn）：水名，源出于今河南密县东北圣山峪，东南流与洧水合。③狂童：傻小子。且（jū）：语尾助词。④洧（wěi）：水名，源出于今河南登封县东阳城山。

鉴赏

采自民间的情歌固多纯净优美之作，也有以粗犷泼辣见长者，《褰裳》便是。从朱熹以来，认为这是女子戏谑其情人，即打情骂俏的诗，得到普遍的承认。但值得指出的是，这里也并非一味的戏谑，乃是戏中有真，谑内寓庄的。

溱、洧是流经郑境的两条河，河水不深，《孟子·离娄》中即有郑子产用车渡人过溱洧的记载，可见其浅处当可褰裳而涉。既要渡河，难免湿腿。想吃鱼又怕沾腥，只享受爱的权利而不尽爱的义务，天下哪有如此便宜的事！诗中“子惠思我，褰裳涉溱”“子惠思我，褰裳涉洧”的戏谑语中，实含有深层的隐义，即“嗜山不顾高，嗜桃不顾毛”（毛奇龄评）之意，所以特别经得起咀嚼。

由于诗是代言体（第一人称），又不涉叙事，所以女主人公发话的动机便具有未定性，给读者以浮想联翩的余地。固然可以认为，这是一种主动的试探，以攻为守，意在要犹豫不决的小伙子当机立断，明确表态；然而，又何尝不可以认为，这是在男女之爱出现了现实障碍的时候，女方激励男方克服和超越，作一点冒险和牺牲。不管哪种情况，这都是在要求对方：拿出爱的证据来！多义中有定义，这也是一妙。

“子不我思，岂无他人？”“子不我思，岂无他士？”似乎有你不多，无你不少，“离了胡萝卜不成席？”话很轻率、放肆，但骨子里还是反话反听，鼓励对方冲破障碍或放弃犹豫到她身边来。“听话听反话，心爱叫冤家”，“狂童”的称谓，正当如是解。总之，这诗的深意决非爱的轻率，而是爱的矜持。近代有位沈女士写过一首《别》，其中说：“你爱想起我就想起我，象想起一颗夏夜的星；你爱忘了我就忘了我，象忘了一个春天的梦。”和《褰裳》比较，一个是恋爱自由的现代的一位女性的内心独白，一个是在原始性爱自由时代的一位女性的内心独白（或对白），语言形式也有精粗文野之分；但那份矜持，却又同趣。

此诗两章对举，易辞申意，前四句用四言，唯末句“语势拖靡”，“风度绝胜”（孙鑛《孙月峰先生批评诗经》）。

（周啸天）

丰

子之丰兮！	你这健壮的人儿啊！
俟我乎巷兮！	等候我在巷口啊！
悔予不送兮！	我后悔没有送你啊！
子之昌兮！	你这棒棒的人儿啊！
俟我乎堂兮！	等候我在门口啊！
悔予不将兮！①	我后悔没和你走啊！
衣锦褧衣，②	穿着锦衣罩纱衣，
裳锦褧裳。	穿着锦裳罩纱裳。
叔兮伯兮！	哥儿呀，哥儿呀！
驾予与行。	驾车来我们同走吧。
裳锦褧裳，	穿着锦裳罩纱裳，
衣锦褧衣。	穿着锦衣罩纱衣。
叔兮伯兮！	哥儿呀，哥儿呀！
驾予与归。	驾车来我们同归吧。

（金启华　译）

注释

①将：送。②褧（jiǒng）：套在外面的单衣。

鉴赏

这是一首刻画女子恋爱心理的诗。全诗四章,我们分两部分来看。

前两章写女子自遣,表现她心中无限的懊悔之情。“子之丰兮,俟我乎巷兮。”憨厚的小伙子为了和姑娘约会,早早地便等在了门外,而小伙子俊美的脸庞、健壮威武的身躯也强烈地吸引着姑娘的目光,足见姑娘的心早被打动。恋爱中的人的心理是十分复杂微妙的,姑娘们更是会产生一些连自己都感到莫名其妙的想法和举动。尽管小伙忠诚笃信,对姑娘一往情深,尽管姑娘对小伙也久已心仪,急切地想出去和他约会,但不知是想考验他的诚心,是少女特有的矜持所致,还是初恋时的羞怯心理作怪,最终姑娘还是未出门赴约,让情人空等了一场。然而当情人带着满怀惆怅和失望离开后,她又立即悔之不迭,连连悔恨自己的失约。一个“悔”字,极其自然坦率地流露了姑娘的真实心态,毫无矫揉造作之感。第二章与第一章形式相同,仅换了韵脚,“昌”“堂”“将”,且与前一章互文见义,却不让人感到重复累赘。反复歌咏中,姑娘因为自己一次次失约、一次次使情人失望而一遍遍痛悔、一遍遍自责的心声如在耳畔,真切感人。两章每句句尾连续的六个“兮”字更是令人叫绝。女子自怨自艾,一声紧似一声,可谓字字含情,声声是泪。

接下来的三、四两章,再次运用重章叠句的形式,描述姑娘在极度悔恨后神志恍惚、急切盼望与情人相见。值得注意的是,第三章“衣锦褧衣,裳锦褧裳”两句到第四章被掉换了位置。这样做本来是为了换韵,细品又觉别有滋味。姑娘准备迎见情人时那种一面着意修饰,一面又因心情太急迫而反复穿戴、颠来倒去,“事事四五通”的复杂情绪和慌乱神态似乎也借此传达出来。“叔兮伯兮”,用了两个同义词,两个“兮”字,表现姑娘在悔恨至极时一再急切呼唤情人来到自己身旁。“驾予与行”“驾予与归”,与一、二章“悔予不送”“悔予不将”相呼应,说明姑娘决心不顾一切,以身相许,与情人成双。她一改爽约时的羞涩、胆怯,转而大胆吐露自己的心愿,一遍又一遍地呼喊着情人。这是人性的真实展露。全诗在此戛然收束,但姑娘深情而畅快地呼唤爱情的袅袅余音却犹然在耳,悠悠未绝。

这首诗语言朴实,情真意切,是一篇感人的、充满着淳厚美的言情之作。旧注以为“刺乱”,不确。

（李少雍　王蜀青）

东门之𫮃

东门之𫮃，①	东门外面的广场，
茹藘在阪。②	茜草生在草坡上。
其室则迩，③	他家就在我近旁，
其人甚远。	人儿却像在远方。
东门之栗，	东门外面栗树下，
有践家室。④	那儿有个好人家。
岂不尔思？	难道不把你来想？
子不我即。	你却不来我身旁。

（金启华　译）

注释

①𫮃（shàn）：坦。②茹藘（rú lǘ）：茜草，可作绛色染料。③迩（ěr）：近。④践：一作"靖"；靖，善。

鉴赏

如果说《关雎》是将男子的单相思表现得淋漓尽致的一首好诗，那么作为女子思春诗的《东门之𫮃》适可与之媲美。诗中女主人公的感情不同于《丰》中那位女子的热烈坦率，而是以细腻深沉，含而不露为特色。

"东门之𫮃，茹藘在阪。"诗人一落笔，便通过女主人公的目光，在读者面前展开了一幅恬静而美丽的乡村风景画：东门之外，丛丛的茜草默默地将附近山坡染成了紫红色；山坡下，是一片宁静而平坦的黄土地。这紫红和土黄之间的那间小茅屋，便是姑娘朝思暮想却又不得一见的心上人的家。前两句既是写实，又兼有起兴的作用。姑娘深深爱上了住在附近的小伙子，苦苦相思时长久地凝视着那间小屋，盼望他能出来与自己相见。在这种心态作用下，就连小屋周围不起眼的山坡小草都因染上姑娘的恋情所投射的玫瑰色而显得格外美丽、可爱。但姑娘内心的秘密，小伙子全不知晓，他自然无从作出反应。满怀真情虚掷，姑娘感到十分沮丧和委屈。“其室则迩，其人甚远！”寥寥数字，写尽了女子单相思、痴相思的痛苦。室迩人远，咫尺天涯，居所相隔虽近，两颗心却相隔甚远，这怎不让姑娘伤感失望呢？

感伤之余，她转而又想：他不来与我相约，莫不是对我家的情况不了解？“东门之栗，有践家室。”姑娘似乎在告诉心上人：我家是个好人家，就在你家近旁那棵栗树底下。“岂不尔思？子不我即。”难道我不把你想念，是你自己不来，叫我能怎么办呢？这种自言自语、自问自答，表现了姑娘爱情的发展和升华。在这里，以想象的方式向恋人剖白了相思之情，表示了怨爱交集之意。“子不我即”的责备，发自一个单相思的女子之口，它所表达的爱情的深切程度是不难想象的。

这是一首容量颇大的小诗。全诗仅三十二字，却包含着女主人公单恋感情发展的全部过程：从含蓄到直露，从羞怯的玄想到大胆的独白，从朦胧的憧憬到炽烈的追求。正由于此诗蕴含深邃，所以前人对它就有各种不同的解释，如以为是男歌或男女互答等。读者自可在熟读深思之后作出判断，但它是一首精美的爱情诗却不容置疑。

（李少雍　王蜀青）

风　雨

风雨凄凄， 鸡鸣喈喈。[1] 既见君子， 云胡不夷[2]。	风吹雨打冷清清， 群鸡喔喔不住声。 能够见到心上人， 我心哪会不高兴！
风雨潇潇，[3] 鸡鸣胶胶。[4] 既见君子， 云胡不瘳。[5]	急风吹雨声潇潇， 群鸡咯咯声渐高。 能够见到心上人， 心头百病一时消！

风雨如晦，⑥	风雨交加天地昏，
鸡鸣不已。⑦	群鸡报晓声不停。
既见君子，	能够见到心上人，
云胡不喜！	哪里还会不高兴！

注释

①喈(jiē)喈：鸡叫声。②云：句首助词。胡：何，为什么。夷：通“怡”，喜悦。③潇潇：急骤。④膠膠：或作“嘐嘐”，鸡鸣声。⑤瘳(chōu)：病愈。⑥如：而。晦：昏暗。⑦已：止。

鉴赏

“君子”，在《诗经》时代，可施诸可敬、可爱、可亲之人，其含义的不定性，使后人对这首诗产生歧义：《毛诗序》认为君子指贤人，“《风雨》思君子也。乱世，则思君子不改其度”。朱熹《诗序辨说》则认为每章末句，语气“轻佻狎昵，非思贤之意”，《诗集传》又说“君子，指所期之男子”。今人多从朱说而定为情诗。

《毛诗序》大旨固不当，但指出于“君子”是“思”，则诗中的“既见”就是盼望见到，换句话说，这是意念中的“现在进行时”，而非确乎存在的“现在进行时”，这是很值得注意的。

这首女子怀人之作，言辞恳切，情感溢露，一落笔便透过几层，直从“鸡鸣喈喈”夜半写来。舍去了前半夜独身孤处，辗转反侧。而直说鸡鸣之时在“思”，而此前“耿耿不寐，如有隐忧”(《邶风·柏舟》)，以及日间“愿言思伯，甘心首疾”(《卫风·伯兮》)之意，尽在题前不言之中。风雨也非、“鸡鸣”之时方“凄凄”，而是一夜之风雨在恼煞不眠人。而群鸡啼叫，喈喈声起，则更使怀人心意“剪不断，理还乱”。方玉润《诗经原始》所说甚是：“夫风雨晦冥，独处无聊，此时最易怀人。”诗人截取这个最佳时段，此前时刻尽在舍弃之外，也在含裹之中，笔墨集中，匠心独运。

“既见君子”，今人多说是女子见到恋人，或妻子见到久别的丈夫，这都根于“风雨晦冥盖淫奔之时”(《诗集传》)的说法。味其每章末二句的语气神理，具是主人公如饥如渴、如病如瘳急切至极的心理活动。拟诸“既见”，则此言顷刻间乍见之欢。施诸“思”——“既见”，亦无不可。细绎此诗，全从室处者落笔见意，所见之“君子”的影子并不明显，固然两情幽会，全可从一方着笔，但揣其“不夷”云云，说是乍见之情，倒不如说是思见之意，更为人情之微。经久不见，思遇殷切，则愁怀无限而难释，相思郁结而不解，思之深则盼相见之急。而“风雨凄凄”，且又是“鸡鸣喈喈”之时，相见何易，这当是心恋所思而至急，是设想这时如能见到所期之人的心理，是“积念发狂痴”的心态反映。不似《召南·草虫》“未见君子，忧心忡忡”，明言思恋之哀忧，而只说“既见”之欢喜。用自我构造的幻化、肯定性的欢爱，排除否定实在确存的孤苦。而与《小雅·隰桑》表现思妇念远怀人的手法同样，“既见君子，云何不乐”。对立的情感两极微妙地融洽在一起而波动变化。于进化的后人则是借“援琴鸣弦发清商”，或是“展诗清歌聊自宽”发散心中结郁（曹丕《燕歌行》）。这里只做如此切实的幻念，则是先秦初民朴实情思逼真的再现，而不假外饰。人的内心愈不平静，寻求平衡的欲望则愈强，所以情感对立的两极呈为由此及彼律动的形态，“正象一切战争都说是为了获取和平，一切心里活动，目的也在于静止恢复未活动前的稳定。碰到疑难，发生欲望，激动情感……就用种种方法，消除困难的感觉以便回到心安理得”（钱钟书《说“回家”》）。这种幻化式的“既见”，说它是“思”，也正是对欲念困扰的动荡所寻求的精神慰藉，借以获得心里慰帖的满足，以补偿不眠之夜的苦恼。此句《郑笺》说“思而见之”，《正义》云“若即得见”具申《毛传》，颇得诗意。如果说是真个价的“既见”，不仅意趣减损，反有不妥之处。《诗经》时代像《郑风·将仲子》中的女性所顾虑又企盼的男子“逾墙”行为，大概也司空见惯，虽人言之畏在礼教的长河中初泛涟漪，但较之后世，毕竟还具早期的开化性，男女可以俟于城隅、见于城阙，野合于田野，更何况还有极为自由的仲春“开放月”，何至于非在“风雨凄凄”时幽会，熬至于“鸡鸣喈喈”时相见？所谓“风雨淫奔”之说，似有不妥。崔述《读风偶识》说：“《风雨》之‘见君子’，拟诸《草虫》《隰桑》之诗，初无大异。”是为通达之论。

此诗发端即带出一片氛围，不仅具整夜怀人之理，且风雨交加和夜不寐之无聊；群鸡阵啼和怀人动荡之思；鸡守时而鸣与所期之人盼而不至，无不相互映衬，契合无间。写女子的思致，情意直切，肺腑全呈，一片心底全盘托出。其间直中有曲，却非率尔而言。“既见”一句，三章三见，既有悒郁思念，又有热烈设想。怀望——失望——期望，在交融中转化，在起伏中延展，于幻化骤见之喜中衬出深切怀人之忧。在张口见喉咙的言词中渗透悠悠不尽之心曲。每章首二句,就怀人之情言是兴,就昏夜之景言是赋,就情景相融言又是对室外者心里的侧面刻画。“凄凄”,是女子对风雨寒凉的感觉,“潇潇”则从听觉见夜雨骤急,晦冥又转为视觉。姚际恒《诗经通论》说得极好:“‘如晦’正写其明也。惟其明,故曰‘如晦’。惟其如晦,‘凄凄’‘潇潇’时尚晦可知。”有人认为此诗表现的时段是一个早晨,把时态运动和女子情态递层变化忽略了。姚氏说:“‘喈喈’,为众声和,初鸣声尚微,但觉其众和耳。再鸣则声渐高,‘膠膠’,同声高大也。三号以后,天将晓,相续不已矣。”所言时间的跨段和延展,极是。至今,民间还有“鸡叫三遍天将明”的说法。时态随三章有不同分次,思人的心态当也有别。“云胡不夷”用否定式的反诘句,语气热烈,“言其必大悦”(《正义》);“云胡不瘳”,“言积思之病,至此而愈”(《诗集传》),语气深至;末章“云胡不喜”意为天明人归,当还不晚,也还可喜。情感的惊喜、深切由强至弱,而鸡鸣声由弱到强而不已,天气由夜晦而至晨晦。环境和人物心境形成强弱反差对照,更显现出希冀相见的欲望愈大,则失望愈甚。方玉润说:“此诗人善于言情,又善于即景以抒怀,故为千秋绝调。”不为过誉。

(魏耕原)

子　衿

青青子衿,	你的衣领青又青,
悠悠我心。	无限相思在我心。
纵我不往,	即使我没去找你,
子宁不嗣音?①	难道不能捎个信?
青青子佩,	你的佩玉系青带,
悠悠我思。	我为你把相思害。
纵我不往,	即使我没去找你,
子宁不来?	难道你就不能来?
挑兮挞兮,②	走来走去空张望啊,
在城阙兮!	城楼上边等我郎啊!

一日不见，　　　　一天不见你的面，
如三月兮！　　　　好比三月那样长啊！
（吕恢文　译）

注释

①嗣：马瑞辰《毛诗传笺通释》："嗣，《韩诗》作诒。诒，寄也，曾不寄问也……诒、嗣古通用。"②挑、挞（tà）：闻一多《风诗类钞》："挑挞，往来轻疾貌。"

鉴赏

姑娘等候她的情侣，久等而不见人影。"青青子衿，悠悠我心"，内容是说姑娘的心因思念情郎而悠悠然，但如果这样表达就板而无味。现在把"青青子衿"提前，突出的是情郎在姑娘心中的印象，嗣后再展示思绪绵绵不已的状态——"悠悠"，最后托出"我心"二字，这就把"青青子衿"在姑娘眼前不断闪现，而姑娘的心悠悠然失去平衡的那种内在体验，非常逼真地表达出来了。"青青子衿"，当然是以衣着的某一部分指代人，但以呼唤的口吻放在开头，则是由于姑娘脑海里最突出的印象，就是情郎那鲜明、美好、整洁的衣领。而这衣领，在读者中又能唤起关于那位男子的一种风流倜傥的印象。这样的男青年，当然使姑娘迷恋。"纵我不往，子宁不嗣音？"由于迷恋不已，而又久等不来，不免要产生埋怨情绪。"纵"和"宁"两个虚字，一退一进。在揣想对方为什么不给音信的思考中，杂以疑虑和抱怨。

次章只换了几个字，内容和情感却推进了一步。首章是埋怨对方为什么不能捎个信，这一章则是埋怨对方为什么不能来。可以想象，如果是因故不能赴约，应该是老早有信捎来，现在是等了多时，不见音信，就只有寄希望于对方亲自来临了。首章的次句是"悠悠我心"，这一章的次句是"悠悠我思"。"心"指的是一种心理状态，而"思"则是比较自觉的情感活动。

三章完全改变了前面叠章的形式。由向对方陈说的声口，变为独白式的抒情。四句诗，两两自成一组。一写外在表现，一写内在心情。"挑兮挞兮，在城阙兮"，先写出动作，次交代地点，也是为了突出焦躁不安的情绪。"挑挞"，双声联绵词。将两字拆开，同时加上两个"兮"字，构成一句，加强了动作感。诗的最后，发出热烈的呼喊"一日不见，如三月兮"，是很夸张的，但"真正的艺术,有夸张的权力”(高尔基)。由于有前面一系列生动的描写,它让人感到姑娘的心情正是这样迫切。前面的一系列酝酿,到此以明快有力的语言喷发而出,它把全篇的感染力都收拢凝聚起来了。诗虽然到此结束,但它所引起人的情绪上的激动和因此而展开的回味,却不是可以骤然而止的。

这首诗,与《诗经》中那些标准式的复章,纯粹采取并列、复沓的组合方式不同,显得有较多的变化。首先,末章的写法与前两章完全不同。其次,三章在感情、节奏上愈裹愈紧,愈变愈急。首章,末句多一字,五字句的“子宁不嗣音”,还是一种叮咛的口吻,相对地显得舒缓。次章,结尾四字“子宁不来”,就显得比较急促了。而末章首句“挑兮挞兮”,两字一顿;二句、四句:“在城阙兮”“如三月兮”,去掉语气词“兮”字,等于三字一顿,这就又比次章急促焦躁得多。内容、节奏的变换,以及破例地用了三个“兮”,使末章与前两章相比,显出别是一番滋味。

（余恕诚　张智华）

扬　之　水

扬之水,	缓缓小清溪,
不流束楚。	成捆荆草漂不起。
终鲜兄弟,	娘家兄弟本就少,
维予与女。	相亲莫过我和你。
无信人之言,	旁人的闲话别听信,
人实迋女![1]	人家说谎把你欺!
扬之水,	缓缓小溪流,
不流束薪。	成捆柴草漂不走。
终鲜兄弟,	娘家兄弟本就少,
维予二人。	咱俩恩爱到白头。
无信人之言,	旁人的闲话别听信,
人实不信!	人家欺骗瞎胡诌!

（吕恢文　译）

注释

①迋(kuáng):通"诳",谎言欺骗。

鉴赏

一位女子苦苦地劝丈夫不要听信挑拨离间的谗言。"扬之水,不流束楚。"《诗经》以这样的话起兴不止一篇。但结合具体作品体会诗意,这开头两句在本篇中似乎不是仅仅用来起兴的套语。"不流束楚","束"字值得注意。单独一根荆草,放在溪流里,轻易就被冲走,而捆成捆的荆草,溪水却冲它不去。似乎暗含有相互团结才能不受外力动摇的启示。"终鲜兄弟,维予与汝",以娘家缺少亲族,没有兄弟依靠,来强调只有跟丈夫最亲、最好的意思。既明之以理,又动之以情。语意固然极为直接明白,但女子对她的孤苦伶仃身世的自伤,以及自伤的同时,又希望丈夫能给以伤怜体贴的心情,却又含蓄地包蕴其中,需要细细体会。"无信人之言,人实迋女。"似可去掉上句"之"字,变成两个四言句。但这首诗每章六句,每两句一组。上一组表达的是小夫妻俩"维予与女"的恩爱,这一组讲的是别人挑拨离间的谗言。"无信人之言",用一个五言句,从四言的诗行中挑出,突出句中最后一个"言"字,就使这一组在语气上,感情上与上一组有明显的区分。似乎人言多而且杂,令人心忧。

次章与首章绝大部分字句相同。这种复沓,虽是《诗经》通常的形式,但在本篇中作为妻子劝丈夫的言辞,反复叮嘱,倒是极能传达说话者本来的方式和口气。同时,两章对照,凡是变化处,都很值得注意。上章"维予与女"后面三个字都是合口呼,给人以如胶投漆的固结不开之感。而次章"维予二人",声调响亮,则给人以确定不移之感。首章,两个"女"字作为韵脚,更加强了"维予与女"和"人实迋女"二者一则相亲("维予与女")、一则相欺("人实迋女")的对照。次章第五句开头的"无信"和第六句最后的"不信"相呼应,使全诗在收尾处显得既斩截而又语重心长。

虽然只短短两章,而且上下章有许多字句重复,但内涵仍极为丰富,在女主人公的哀告中,隐隐包含有她的一部生活史和尚在使她受纠缠的爱情周折。细细揣摩这篇带着泪水的文字，似乎能看到女主人公从触景生情，反复咏叹扬之水，到攀着她的爱人，喃喃地、亲昵地开导他，希求珍惜爱情的谈话和活动过程。

（余恕诚　张智华）

出其东门

出其东门，　　漫步走出东门，
有女如云。　　美女多如彩云。
虽则如云，　　虽然多如彩云，
匪我思存。①　　却不是我的意中人。
缟衣綦巾，②　　只有素绢衣裙绿佩巾，
聊乐我员。③　　尚可安慰我的心。

出其闉阇，④　　漫步走出外城门，
有女如荼。⑤　　美女多如白花丛。
虽则如荼，　　虽然多如白花丛，
匪我思且。　　却不是我的意中人。
缟衣茹藘，⑥　　只有素绢衣裙红佩巾，
聊可以娱。　　尚可与她两相亲。

注释

①匪：非，不是。②缟（gǎo）：素白绢。綦（qí）巾：暗绿佩巾。③聊：姑且，尚且。员：助词。④闉阇（yīn dū）：城外曲城的城门，泛指城门。⑤荼（tú）：荼茅，开白花植物。⑥茹藘（rú lǘ）：茜草，其根可染红色，此处代指红色佩巾。

鉴赏

前人以道德解诗，以为《出其东门》所表现的是“闵乱”“刺淫奔”，或“爱情的忠贞”，这是有悖于此诗主旨的。如果我们从情感的特征入手,就会发现,《出其东门》所表现的,是人在爱情生活中面对其他异性的诱惑而产生的一种复杂而微妙的矛盾心态。

诗中的抒情主人公是一个青年男子,他来到人们聚会的地方,突然惊讶地发现美丽的女子多如簇拥的云,这不能不成为一种强烈的诱惑。当他面对花枝招展的异性诱惑时,便不免沉浸于兴奋、遐想和迷醉的情绪之中。但是,理智又迫使他从这种迷醉中走出来清醒地面对现实,意识到自己是一个有妇之夫,因此他立即否定了自己先前的想入非非,告诫自己:这众多的美女不可能成为自己的意中人。这种否定既表现出理性的清醒和对自己"缟衣綦巾"的妻子的专一与执著,又难免掺杂着因这众多美女不是自己的意中人而产生的遗憾和感伤。我们从这种素朴的白描中可以推知,抒情主人公是从惊讶、兴奋、迷醉而转向清醒、遗憾乃至一种无可奈何的沮丧,内心经历了一起一伏的情感动荡。接着,抒情主人公发出"缟衣綦巾,聊乐我员"的慨叹,这是全诗的主旨所在,而其关键,则是一个"聊"字,它具有"暂且如此"和"尚且可以"的双重含义。联系全诗来看,"聊乐我员"也就包含着抒情主人公相互矛盾而又彼此交织着的两种情感——这众多的美女不是我的意中人,姑且就和那贫贱女子相乐相亲吧;这众多的美女虽不是我的意中人,可我也有一个贫贱女子可以相亲相乐呢!在这一声慨叹中,既有在感性欲求的驱动下面对现实的无可奈何、遗憾和自怜,又有在理智支配下觉得理应如此的满足和自慰。人在性爱生活中这种遗憾而又满足,自怜而又自慰的矛盾心态,集中地体现在这一慨叹中!

《出其东门》以情感冲突的内在结构和重章叠句的外在形式,深切地表现了人在性爱生活中的矛盾心态。这一矛盾心态以其特有的层面,体现着人的自然性与社会性、感性与理性、理想和现实的固有矛盾,体现着人在性爱方面复杂丰富的心理内涵。这种矛盾心态是一个相当长的历史阶段的特有产物,具有历史的典型性,每一个生活在现实中的人,常常会因外在条件的变化及诱惑的侵扰而处于这样一种矛盾心态之中,它是一种人生的矛盾和困惑。《出其东门》艺术化地表现了这一矛盾心态,因而,时时体验到这一人生矛盾和困惑的人们,必然会在阅读此诗时与之发生深深的共鸣,《出其东门》一诗,也因此具有了永久的艺术魅力。

(林兴宅　高　波)

野有蔓草

野有蔓草，	春野里绿草蔓延成片，
零露漙兮。①	滚动的露珠又亮又圆。
有美一人，	一位漂亮姑娘忽然莅临，
清扬婉兮。②	眉清目秀且婉美鲜艳。
邂逅相遇，	这田野间的不期而遇，
适我愿兮。	可正吻合我心中之愿。
野有蔓草，	春野里绿草蔓延成片，
零露瀼瀼。	滚动的露珠那样饱满。
有美一人，	一位漂亮姑娘忽莅临，
婉如清扬。	妩媚动人而眉清目秀。
邂逅相遇，	这田野间的不期而遇，
与子偕臧。③	可正吻合我心中之愿。

注释

①零:降落。漙(tuán):露多貌。②清扬:形容女性的眉清目朗。婉:美好貌。③臧:通“藏”(从闻一多说)。

鉴赏

《西厢记》的一见钟情,《墙头马上》的偶然相遇,在封建社会是个性解放、文明性爱的典型,但大家闺秀“赖简”一类的举止心态,却是“文明社会”不文明的积淀心理。然而在先秦那个不够文明的社会,却有情爱文明的光彩,这在《野有蔓草》一诗中得到了片断反映。

这是一个弥漫湿润空气的早晨,田野里飘溢着酥软的泥土的气息,春草葳蕤的枝叶蔓延地罩住路边、地面,绿成一片,一对情人邂逅相遇,经过短瞬间情感交流,爱情的鲜花,在春日晨风的披拂中,早早如意地怒放了。

当姑娘的倩影乍忽间出现在草地上时,像一股清泉渗进了小伙子干渴的心田,他还未及仔细端详,按捺不住的愉悦就萌生了:"有美一人"。觉其"美",而又由于她是"一人",于他想必是"美"上加"美"。这激起他惊喜的颤动,而从酥润的心田抽生出爱情的子叶。姑娘含情不语飘然至前,那露水般晶莹的美目秋波流转,脉脉含情。这意外的收获使小伙子高兴极了:"邂逅相遇,适我愿兮",会面如此短暂,情爱却迅速饱和。美满至极的可心如意,使爱情之花急促拔节舒展。"美"——"清扬"——"邂逅"——"适愿",形成心态波动递进而又起伏的四个层次:一,乍见惊然的美不可言;二,她那柔情的目光像爱神之箭一下子射中了他急跳的心;三,幸福突然降临的思忖("邂逅相遇"应是他的心理活动。);四,略思之后美感实在的欣享。这些紧促的心层激进表明,乍见乍喜,愈美愈爱,情感飞速直升到热乎乎的程度。

次章前五句基本上与前章重叠,在欢乐的律动中进入情爱片断的第二阶段。上章的"清扬婉兮"是"美"乍一发现的惊叹和观感。下章的"婉如清扬"是凝目注视由衷的赞叹,这是看得清清楚楚的"清扬",感觉得实实在在的"婉美"。细细的眉,美慧的眼,丰美婉然,这是从形见神的初感;风韵婉合而更显眉眼"清扬"之美,这是由神显形;愈觉其美,这是注视后的深感。二者是一见钟情所包含的两个连贯的层次。姑娘神态婉然,想必也觉得眼前注目她的人"适我愿兮","实维我仪"(《鄘风·柏舟》)吧。于是爱情的花蕾绽放,一对青年人手拉手跑进林子深处,或是可供遮蔽的什么地方,在他们先前邂逅的地方,只有蔓草托着已放的春花颤威威地摇曳着。

情爱的片断出现在"零露漙兮"的时刻,那充满生机的绿茵草地,片片叶子上的朝露的晶莹透明,和他们纯真的欢爱、急增的愉悦,是何等协调、默契。使人想起"杨柳青青江水平,闻郎江上唱歌声"(刘禹锡《竹枝词》)的境界。春景、春情和春心撩拨的有情人,一切都属于美的范畴。首章的露之"漙"是说朝露滚圆的形状,次章的"瀼(ráng)瀼"描写露浓的样子,以及两章皆有野草之"蔓",非常融润无间地预示了这对青年人情爱的浓度,而又出之无心,天然作合,一切是那样的静谧惬意,如玉含璞中,光华不露,而自有充实的自在的美感。"清扬婉兮""婉如清扬"美丽生色的句子,前有"有美"的虚托,后有"邂逅""适愿"的幸福感叹,而更使这一句如美女簪花,光彩照人,所有这些又置于绿色的海洋、清润的朝露之中,又是那样的透莹感人。首章隔句而见的三个“兮”字,是对发现的自然美、乍遇的人美、初感情爱美的回味和咏叹,都加深了诗意感受。

《毛诗序》说此诗“思遇时也。君之泽不下流,民穷于兵革,男女失时,思不期而会焉”。向来喜欢把时政与诗扭在一起的《毛诗序》,此说却真率中肯,虽然把野合事实,说成“思遇时”,拖了条“温柔敦厚”的尾巴。春秋不义之战,造成多少旷男怨女、大龄青年,像《召南·摽有梅》的“求我庶士,迨其谓之”(有心求我的小伙子,只要你开一开口),就是大龄女性的代表。他们不会(也没有时间和必要)忸怩作态,需要的是追回自己的青春。尽管欢爱的方式和进程有些简单,缺乏男女性爱结合“九十其仪”的公开昭示,“选择几乎与动物的性选择处一同一水平”(瓦西列夫《情爱论》),但情感的纯真却朴实感人。至于“腿儿相压,脸儿相偎”(王实甫《西厢记》)一类的床笫镜头,于此反而无法容存,这又是何其耐人寻味的事体。

(魏耕原)

溱　洧

溱与洧,	溱水长,洧水长,
方涣涣兮。①	溱水洧水哗哗淌。
士与女,	小伙子,大姑娘,
方秉蕑兮。②	人人手里兰花香。
女曰观乎,	妹说“去瞧热闹怎么样?”
士曰既且。③	哥说“已经去一趟。”
且往观乎,④	“再去一趟也不妨,
洧之外,	洧水边上,
洵订且乐。⑤	地方宽敞人儿喜洋洋。”
维士与女,⑥	女伴男来男伴女,
伊其相谑,⑦	你说我笑心花放,
赠之以勺药。	送你一把勺药最芬芳。
溱与洧,	溱水流,洧水流,

浏其清矣。⑧	溱水洧水清浏浏。
士与女，	男也游，女也游，
殷其盈矣。⑨	挤挤碰碰水边走。
女曰观乎，	妹说“咱们去把热闹瞧？”
士曰既且。	哥说“已经去一遭。”
且往观乎，	“再走一遭好不好，
洧之外，	洧水边上
洵訏且乐。	地方宽敞人儿乐陶陶。”
维士与女，	男伴女来女伴男，
伊其将谑，⑩	你有说来我有笑，
赠之以勺药。	送你香草名儿叫勺药。

（余冠英 译）

注释

①溱（zhēn）、洧（wěi）：水名，见《褰裳》篇。涣涣：水流弥漫的样子。②士与女：泛指游春男女。蕑（jiān）：泽兰。③既且：即“既徂（cú）”，已经去过。④且：再。⑤訏：大。洵訏（xū）：确实盛大。⑥维：语助词。⑦伊：语助词。谑：调笑。⑧浏：水清貌。⑨殷：众多。⑩将：相。

鉴赏

此诗用第三人称叙事，与代言体抒情诗不同。它叙事的同时展示了更广阔的背景，可使人窥见民情风俗，不止写恋情而已。周时为蕃育人口，规定仲春二月为开放月：“仲春之月，令会男女；于是时也，奔者不禁。”（《周礼·媒氏》）“郑国之俗，三月上巳之日，于两水（即溱、洧）上招魂续魄，拂（祓）除不祥。故诗人愿与所悦者俱往观也。”（《韩诗章句》《太平御览》）《溱洧》一诗便写郑俗上巳佳日，男女相悦，相约郊游情事。

阳春三月，河水解冻，溱洧水涨得汪汪洋洋的。郑国的青年男女三五成群，秉执泽兰，在清澄的水边，招魂续魄，祓除不祥。此诗两章的前四句，都是描绘这个节日盛况的。从“士与女，方秉蕑兮”到“士与女，殷其盈矣”，通过换章易词，写出了一个时间上循序渐进的过程。前章的两个“方”字,意谓节日开始;后章“殷其盈矣”,则见盛会达到高潮。这样一个男女大集会,是天然的交际场所,使许多素不相识或无缘聚首的异性青年,有结交的机会。这里有一见倾心的恋爱发生,到处充满春意。两章诗的后几句,就着重刻画了这个节日喜庆背景上发生的,一对青年男女结伴赶会的小小插曲。

一位迟到的女郎,在洧水边上遇到一位迎面而来的男子,便热情地邀他同往赶会。这一情事包含在“女曰观乎”寥寥四字之中。不料那青年刚从洧水那边看过热闹回来,所以有“既且(徂)”的答谢。以下三句:“且往观乎,洧之外,洵讦且乐”,未标明士曰女曰。余译从朱熹《诗集传》理解为“女复邀”之辞;郭沫若则理解为男方主动迁就之辞(见《卷耳集》)。不管是女子复邀也好,男方迁就也好,或是两人达成“协议”也好,都是如此的自然,如此的大方,毫无忸怩作态。于是这一对结伴的人儿,遂说说笑笑,渐次亲昵,愉快远在游乐之外,后来竟互赠香草(或香料)定情。何以要赠勺药?勺药一名江篱,音谐“将离”,药音谐“约”,“言将离赠别此草也”(韩说),即订后约,相会待明年。

此诗情调极为淳朴健康,因为当时郑卫等地,男女在野外自由结合乃是一种风俗,而并非什么见不得人的事。在性爱的双方有一种天然平等的权宜,无论男邀女,女邀男,都是自然而大方,绝不会引起惊诧莫名。而无视这一古代婚俗的后儒如朱熹,说什么“卫犹为男悦女之词,而郑皆为女惑男之语。卫人犹多讥刺惩创之意,而郑人几于荡然无复羞愧悔悟之萌。是则郑声之淫,有甚于卫矣”(《诗集传》)。这种“不知骆驼言马拱背”式的批评,倘起诗人于地下,若非错愕不置,必定付之一嗤了。

《溱洧》在直叙中插入对话,这种手法使场面活跃,富于情节性,故姚际恒说“诗中叙问答语甚奇”(《诗经通论》)。“盖诗人一面叙述,一面点缀,大类后世弦索曲子。”(张尔歧,据《诗经直解》)的确,《溱洧》有情节、有对问的写法,使读者如听“二人转”,妙趣横生。

(周啸天)

齐　风

鸡　鸣

鸡既鸣矣，	“听见鸡叫唤啦，
朝既盈矣。①	朝里人该满啦。”
匪鸡则鸣，②	“不是鸡儿叫，
苍蝇之声。	那是苍蝇闹。”
东方明矣，	“瞅见东方亮啦，
朝既昌矣。③	人儿该满堂啦。”
匪东方则明，	“不是东方亮，
月出之光。	那是明月光。”
虫飞薨薨，④	“苍蝇嗡嗡招瞌睡儿，
甘与子同梦。⑤	我愿和你多躺会儿。”
会且归矣，⑥	“可是会都要散啦，
无庶予子憎。⑦	别叫人骂你懒汉啦！”

（余冠英　译）

注释

①朝：朝堂。盈：满。②匪：通“非”。则：之。③昌：盛，形容人多。④薨（hōng）薨：虫飞声。当即指上文“苍蝇之声”。⑤甘：乐。子：你，指妻子。⑥会：朝会。归：指官吏散朝归家。⑦无庶：庶几无。予：与。子憎：憎子。

鉴赏

这首诗的题材和写法都相当新颖独特。它写的是一对夫妇床笫间的私房话,全篇都由对话组成。在《诗经》中,通篇都是人物对话的还有一篇《女曰鸡鸣》,所写情景与此类似,但重点在表现夫妇间琴瑟般的和谐,此篇则重在表现夫妻间对参加朝会的矛盾态度。而在这似乎不一致的对话中却又溢出一份令人解颐的幽默情趣来。这一点,或许正是这首诗独特的艺术魅力所在。

首章写妻子之"催"与丈夫之"推"。鸡啼喔喔,蝇飞嗡嗡,声音本不相似。这显然违反生活常识的回答,正活现出丈夫是在半睡半醒的迷胡状态中半真半假地找一个不成其为借口的借口。妻子对此似乎予以默认。一、二章之间的空隙正是沉默中流逝的时间。次章已从"鸡鸣"推移到天明,妻子以"朝既昌矣"再次催促,丈夫则以"月出之光"来搪塞。这自然也是明知故说。这一催一推的结果,仍是妻子默认,时间继续流逝。三章开头两句,像是丈夫在迷胡状态下一半是装傻、一半是温爱的痴话、情话。妻子这会似乎真正有些着急了,因为时间已经推移到"会且归矣"。但情急中流露的也还是温爱,怕他因为留恋床笫而遭人议论。

从《毛传》起,许多注家都认为这是一首"刺"诗:或以为讽刺国君荒淫怠政,或以为讽刺官吏留恋床笫。详味诗情诗趣,不如说它是一首表现夫妇情爱的诗更为切当。表面上看来,丈夫留恋床笫,妻子催促上朝,态度有别;实际上,丈夫是半真半假地寻找借口,妻子是半嗔半爱地迁就默许。三章之间的无字处,有时间的推移,也有温柔缱绻的情意,所谓"无字处皆诗也"。作者对这对夫妻,也许有那么一点小小的调侃(通过人物对话透露出来),但正是这种善意的调侃,溢出一种富于人情味的幽默情趣。钱钟书先生在谈到这首诗时说:"莎士比亚剧中写情人欢会,女曰:'天尚未明;此夜莺啼,非云雀鸣也。'男曰:'云雀报曙,东方云开日出矣。'女曰:'此非晨光,乃流星耳。'可以比勘。"情事如此相似,正说明东西方的有情心同属此理,也证明这首《鸡鸣》是以幽默情趣来写男女情爱,而不是严肃的政治讽刺。汉儒用那一套功利主义的美刺理论来解说情诗,不免把诗情诗趣都破坏了。这首诗纯写夫妇床笫私语,不但人物声口毕现,而且富于谐趣,全篇风格,不妨用"昵而不亵"一语来概括。

(刘学锴)

还

子之还兮，[1]	您是那样的矫健啊，
遭我乎猺之间兮。[2]	与我相遇在猺山前啊。
并驱从两肩兮，[3]	我们同追两只大兽绕山间啊，
揖我谓我儇兮。[4]	您拱手夸我一马当先啊。
子之茂兮，[5]	您是那样的灵巧啊，
遭我乎猺之道兮。	与我相遇在猺山道啊。
并驱从两牡兮，	我们同追两只公兽朝前跑啊，
揖我谓我好兮。	您拱手夸我猎技真好啊。
子之昌兮，[6]	您是那样的剽悍啊，
遭我乎猺之阳兮。	与我相遇在猺山南啊。
并驱从两狼兮，	我们同追两只大狼紧不放啊，
揖我谓我臧兮。[7]	您拱手夸我本领真棒啊。

注释

①还(xuán)：敏捷。②猺(náo)：齐国山名，在今山东淄博市东。③驱：疾驰。从：追逐。肩：借为"豜(jiān)"，大兽。④揖：拱手，表示对人亲热与尊敬。儇(xuān)：陈奂《诗毛氏传疏》："《(毛)传》训儇为利者，利犹闲也，闲于驰逐也。"按：闲，通作"娴"，熟练的意思，译文用其意。⑤茂：美，指打猎技艺精巧。⑥昌：盛，指强有力。⑦臧：善。

鉴赏

这首是猎人互相夸赞打猎本领的诗。可是，《毛诗序》以为是讽刺齐哀公(周夷王时代)迷上了打猎，只以追逐禽兽为事，结果上行下效，致使齐国形成了好打猎的风气。但我们从诗中既看不出含有讽刺的意味,也不见“君”“公”等字样,《序》说显系附会,不足取。

这首诗全用“赋”的方法,以猎人自白的口吻,采用三章叠唱的形式,真切地抒发了他在一次打猎之后颇为得意的情怀。本篇三章诗是并列的,每章只换了四个字,而表达的意思却是相辅相成的,我们只有把三章诗合起来看,才能领会它的完整的意思。首句起得突兀,反映了当时真实的情景。正当诗人搜捕猎物的时候,突然遇见了一位猎手,诗人便一下子被这位猎手矫健的身姿、精熟的猎技、有力的动作所吸引,他佩服之至,竟情不自禁地脱口赞叹:“子之还(茂、昌)兮”,这是发自心底的称誉,表达了诗人由衷的仰慕之情,“子”是对那位猎手的敬称。次句点明他们相遇的地点——猺山南面的路上,也暗示他们不是事先有约,而是不期而遇,唯其如此,我们才能从中感到诗人微微激动的心情。第三句紧接着叙述他们由相遇而友好合作,齐心协力追逐两只大公狼(诗中“肩”“牡”“狼”当为同物)。这句没有直接告诉我们其结果如何,然而从诗人带有兴奋的叙述中,可以想见,凭着他们两位高手的猎技,加上默契的配合,两只大公狼无疑已成了他们的猎获物,我们也由此分享到了他们合作成功的喜悦。当然,联系诗的下句,我们还有理由猜想诗人在这次追获猎物中有出色的表现,起了重要的作用,正因为如此,最后他才会受到那位猎手的敬重与赞美:“揖我谓我儇(好、臧)兮”。再回顾诗的首句,也正由于诗人对他的合作者十分敬佩,所以他才为自己能得到对方的称赏而颇为得意,并引以为自豪!

全诗句句用韵,每章一韵;首章还、间、肩、儇为韵;次章茂、道、牡、好为韵;第三章昌、阳、狼、臧为韵。加上参差的句法,每句以“兮”字收束,造成了舒缓的音节,读起来有一唱三叹的韵味,在《诗经》中可谓上乘之作。方玉润引章潢的话评论说:

“子之还兮”,己誉人也;“谓我儇兮”,人誉己也;“并驱”,则人己皆与有能也。寥寥数语,自具分合变化之妙。猎固便捷,诗亦轻利,神乎技矣。

——《诗经原始》卷六

(蒋立甫)

著

俟我于著乎而,① 等我在照墙外哟,

充耳以素乎而，[2] 耳边挂着白丝球连丝带哟，
尚之以琼华乎而。[3] 加上的美玉放光彩哟。

俟我于庭乎而， 等我在院里头哟，
充耳以青乎而， 耳边挂着青丝带悬丝球哟，
尚之以琼莹乎而。 加上的美玉光溜溜哟。

俟我于堂乎而， 等我在厅堂上哟，
充耳以黄乎而， 耳边挂着黄丝带垂丝纩哟，
尚之以琼英乎而。 加上的美玉光灿灿哟。

注释

①著：大门与照墙之间的地方，古制照墙在大门内。乎而：语尾助词。②充耳：古代男子在帽两侧用纨（dǎn，细丝带）悬纩（kuàng，小丝球）以作装饰，因其正当耳边，所以叫“充耳”。素、青、黄是“纨”与“纩”的颜色。③尚：加。琼：美玉，指系在“纩”下的瑱（tiàn），圆形。华、莹、英（借作“瑛”）都是形容瑱的光彩，换字为了押韵。

鉴赏

这首是女子回想出嫁时夫婿迎亲的诗。据《仪礼·士昏礼》：新郎先至女家迎亲，待新娘上车后，新郎先行至自家门前等候，然后按照规定的路线把新娘引入洞房。本篇饶有情趣地反映了这一古老的结婚仪式。

这首诗是从新娘的眼里来写的，全诗三章，九句，全没有主语，句法极为奇峭，这正传神地反映出新娘此时此地的心理活动。当她随着迎亲的行列踏入婆家的那一刻，场面无疑是十分热闹的，在场的亲朋好友，左邻右舍，谁不想抢先一睹新娘的月貌花容，然而面对这攒动的人丛，她似乎对什么也没有注意，她唯一看到的是等候在大门与照墙间的夫婿——“俟我于著”，少女的羞涩与腼腆，使她没有把“他”字说出来，但是从“俟我”两个字中，却能品味出她这时为“他”在恭候自己而充满着幸福感的喜悦，也隐约感到她蕴藏在心底的对他绵绵的情意。下

两句更妙在见物不见人，本来新娘的注意力全在新郎身上，她多么迫切地想把他端详一番，然而当着那么多生人的面，她羞得连头也不敢抬起来，在那紧张的一刹那，也许她只瞟了新郎一眼，以致连他脸面都没有完全看清楚，而映入她眼帘的只是他那帽侧垂下的漂亮的“充耳”和发光的“玉瑱”——“充耳以素”“尚之以琼华”。这两句极普通的描述语，放在这一特定的环境之中，这一特定的人物身上，便显得妙趣横生了，能给人以联想和美的享受，有余味无穷之感。

这首诗三章分别用著、庭、堂，正是循着新郎偕同新娘入家门后的次第来写的；素、青、黄则是编织“充耳”的丝的三种颜色，三章分别说，只是为了押韵的关系，旧说以为是分言士、卿大夫、人君的亲迎之礼或是夏、殷、周三代亲迎之礼，本是无稽之谈，近人多不取。《毛诗序》认为本诗主旨是讽刺不亲迎的，不知讽刺之意从何而来，不值一驳。

这首诗风格与《还》相近，也是句句用韵：首章著、素、华为韵；次章庭、青、莹为韵；第三章堂、黄、英为韵，六言七言相错，并插入虚字，用“乎而”双语气词收句，音节显得轻缓而优美，读来有余音袅袅的感觉。

（蒋立甫）

东方之日

东方之日兮，	东方的太阳红艳艳啊，
彼姝者子——①	那美丽的姑娘——
在我室兮。	在我房里边啊。
在我室兮，	在我房里边啊，
履我即兮。②	悄悄偎着我情缠绵啊。
东方之月兮	东方的月儿亮灿灿啊，
彼姝者子——	那美丽的姑娘——
在我闼兮。③	在我的内房啊。
在我闼兮，	在我的内房啊，
履我发兮。④	悄悄伴随我情意长啊。

注释

①姝(shū):美丽。子:女子。②履:蹑,轻步行走。即:相就。③闼(tà):内门。④发:行。这句意指他们相随极亲密。

鉴赏

这首是男子回忆与情人幽会的诗,颇似近代的一些民间情歌。两章诗首句都是含有象征意义的起兴:初升的太阳,艳丽热烈;初升的明月,皎洁宁静。太阳和月亮,为他的卧室带来了光明,也给他以温暖或恬适,这多么像他的那位艳美而温柔的情人啊!她对他的追求是那样的热切执著,那样的充满柔情蜜意,她给予他的温存与慰藉实在太多了。因此,每当他早晨迎着朝阳,或夜晚对着月色,都不免要联想到盘桓在他心中的——“彼姝者子”。英国诗人华兹华斯说得好:“诗起于经过在沉静中回味的情绪。”(转引自朱光潜《诗论》)这位无名诗人正是有感于朝阳、明月而沉浸在甜蜜的“回味”中,由此激起了心底难以抑制的“爱”的情绪,竟不自觉地全部倾吐了她与他幽会的隐私:他不仅说出情人在他的卧室里,还描述了他们亲昵的情景——“履我即兮”“履我发兮”。从中我们可以体会到,他叙述这一切,是带着颇为得意和幸福的情怀的,也感觉到他那颗被爱情撩拨得激烈跳荡的心。诗的格调粗犷而不轻薄,俏皮而不油滑,正表现出古代民间情歌的质朴本色。

这首诗以“东方之日”“东方之月”象征女子的容貌,是富有创造性的,对后世作家及民歌都有直接影响。如宋玉的《神女赋》形容女子的美貌:“其始来也,耀乎若白日初出照屋梁;其少进也,皎若明月舒其光。”汉乐府民歌《陌上桑》:“日出东南隅,照我秦氏楼。”费滋衡发掘其意,说它“起句便有容华映朝日之意”(引自黄节《汉魏汉乐风笺》)。其后类此的写法更多。

(蒋立甫)

东方未明

东方未明,	东方无光一片暗,
颠倒衣裳。[①]	颠颠倒倒把衣穿。

颠之倒之，	忙里那晓颠和倒，
自公召之。②	公爷派人来喊叫。
东方未晞，③	东方不见半点光，
颠倒裳衣。	颠颠倒倒穿衣裳。
倒之颠之，	颠来倒去忙不办，
自公令之。④	公爷派人来叫喊。
折柳樊圃，⑤	编篱砍下柳树条，
狂夫瞿瞿。⑥	疯汉瞪着眼儿瞧。
不能辰夜，⑦	哪能好好过一宵，
不夙则莫。⑧	不是早起就是晚睡觉。

（余冠英　译）

注释

①衣：指上衣。裳：下身的衣服。②公：王公贵人，官府。召：召唤。③晞（xī）：破晓。④令：命令。⑤樊：篱笆。这里用作动词。圃：菜园。⑥狂夫：指前来催促的公差。瞿（jù）瞿：瞪目而视的样子。⑦辰：时，守时不失。⑧夙：早。莫：通“暮”。

鉴赏

这首诗抒写劳动者对奴隶主贵族频繁不已的劳役的怨愤。全篇采用纯粹的“赋”法，但并没有对劳役的繁重艰苦展开正面铺写，而是在“不夙则莫”的长期劳役生活中截取一个具有典型意义的瞬间——“东方未明”时监工催促奴隶早起的情景，加以集中描写；在这个瞬间，又抓住“颠倒衣裳”和“狂夫瞿瞿”两个细节加以突出渲染。这两层集中，把劳役的沉重压迫和奴隶的不满怨愤都凝聚起来了。

一开头就展现出在一片昏黑中奴隶们仓皇起身的情景。“颠倒衣裳”这个生动而富表现力的细节，不仅显示了奴隶在统治者淫威面前囚犯式的本能行动反应——几乎是一听到吆喝便紧张慌乱地摸黑起身，而且瑟瑟缩缩地胡乱穿衣，这才弄得颠倒衣裳，不分上下；而且可以想见监工狐假虎威、一迭连声地穷凶极恶的吆喝喊叫。三、四两句不妨看作奴隶们的心理反应：这颠三倒四不像人过的日子是谁造成的呢？“自公召之”而已。第三句表面上是重复上一句的“颠”“倒”，实际上内涵已经发生了由实到虚的变化。前后对照，正活现出一个行动上慑于淫威、内心充满怨愤的被奴役者形象。第二章从文义上看，是对首章的同义重复。但在情绪表达上，却是在反复渲染中强化。连章吟诵，仿佛可以听到被奴役者越来越强烈的怨愤。文字的更换与句式的变化带给读者的正是这种加强感。

第三章不再采用重章叠句的结构方式。这是由于诗情发展到这里，需要对“劳者歌其事”的“事”作一个明确的交代，并且就势对全篇作一收束。这“事”便是“折柳樊圃”，而催逼奴隶去干“事”的监工此刻正横眉竖眼地瞪视着奴隶。“狂夫瞿瞿”，是奴隶眼中的监工形象。虽只极俭省地画了一双瞪得溜圆的眼睛，却传神地描绘出了凶神恶煞般的形象，不妨说，这就是靠皮鞭和棍棒维持生产秩序的奴隶制生产方式的象征。面对如此凶狠的“狂夫”，奴隶内心激起的是更大的怨愤。“不能辰夜，不夙则莫”，透露出起早摸黑地服劳役，绝不是一天两天，而是成年累月。这个收束，一方面扩大延伸了“东方未明”的时间，另一方面又深化了奴隶内心的怨愤，收得干脆、有力。

到这里也就可以明白作者何以集中写“东方未明”的瞬间情景。奴隶们白天被迫进行超强度的劳作，只望晚上能睡个囫囵觉，但奴隶主却连这点起码的要求也不予理睬。成年累月的积愤便在这未明即被催起的瞬间爆发。而通过这瞬间的爆发，又正可窥见奴隶成年累月的超强度劳动和非人生活。这正是集中的妙用。

（刘学锴）

南　山

南山崔崔， 雄狐绥绥。① 鲁道有荡， 齐子由归。 既曰归止，②	巍巍南山高又大， 雄狐步子慢慢跨。 鲁国大道平坦坦， 文姜由这去出嫁。 既然她已嫁鲁侯，

曷又怀止?	为啥你还想着她?
葛屦五两,[3]	葛鞋两只双双放,
冠緌双止。[4]	帽带一对垂颈下。
鲁道有荡,	鲁国大道平坦坦,
齐子庸止。[5]	文姜由这去出嫁。
既曰庸止,	既然她已嫁鲁侯,
曷又从止?	为啥你又盯上她?
艺麻如之何?	农家怎么种大麻?
衡从其亩。[6]	田垅横直有定法。
取妻如之何?	青年怎么娶妻子?
必告父母。	必定先要告爹妈。
既曰告止,	告了爹妈娶妻子,
曷又鞠止?[7]	为啥还要放纵她?
析薪如之何?	想劈木柴靠什么?
匪斧不克。	不用斧头没办法。
取妻如之何?	想娶妻子靠什么?
匪媒不得。	没有媒人别想她。
既曰得止,	既然妻子娶到手,
曷又极止?[8]	为啥让她到娘家?

(程俊英　译)

注释

①绥绥:追求匹偶相随之貌。②止:语尾助词。③葛屦(jù):麻布做的鞋。五:通“伍”,行列。两:鞋一双为两。④緌(ruí):帽带的下垂部分。⑤庸:用,与“由”同义,也是“由此”之意。⑥衡从:即“横纵”。东西为横,南北为纵。⑦鞠:亦作“鞫”,纵容姑息、以养其奸之意。⑧极:到、至。

鉴赏

据《左传·桓公十八年》和《公羊传·庄公元年》记载,鲁桓公的夫人文姜是齐襄公的妹妹,但却同襄公私通。桓公十八年,文姜与桓公一起到齐国去,桓公发现了文姜和襄公的暧昧关系,便责备她,她告诉了齐襄公,襄公便派公子彭生把鲁桓公害死了。这,就是《南山》诗的本事。时人对这种丑恶行为非常憎恶,唱出这首歌,对齐襄公、文姜和鲁桓公都做了无情的讽刺。《毛诗序》说:"《南山》,刺襄公也。鸟兽之行,淫乎其妹,大夫遇是恶,作诗而去之。"《序》与诗合,诗义自明,历代解诗者皆不出此范围。

兄妹私通,乃野蛮之遗风。文姜出嫁后仍不从妇德,继续淫乱,实在无耻之极。人们对这种"鸟兽之行"的憎恶也达到极点,但由于事关最高统治者,不得不有所顾忌,所以在作诗进行讽刺斥责时,采取的是比较隐讳的手法。诗中并未直斥齐襄公、文姜、鲁桓公三人,何以知道诗人讽刺斥责的矛头之所在呢?值得注意的是此诗每章的起兴。

这首诗运用了《诗经》中常用的"比而兴"的手法,每章用不同的事物起兴,而每个起兴都精心选择了与讽刺抨击的对象有一定关联的事物,既含蓄地讽喻了齐襄公、文姜的丑恶行径,又自然地将诗歌过渡到诗人要咏唱的主要内容上来。诗人首先要斥责的是齐襄公,所以第一章的起兴诗人选择了齐国的南山和南山的雄狐。狐,本是一种邪媚之兽,它居住在高高的南山之上,不正像居于齐国最高位子上而又荒邪淫乱的齐襄公吗?齐襄公竟荒淫到与自己同父异母的胞妹私通的地步,这种行径和那尾随着雌狐求欢的雄狐又有什么两样?诗人憎恶这种"鸟兽之行"的态度,通过以南山雄狐发兴,就鲜明地表达出来了。

第二章,诗人以成双成对的葛鞋、帽带起兴,这是以物作比,告诫文姜:物各有偶,不可乱也,何况是人?所以接下来诗人责问道:既然你已经出嫁鲁国,有了夫婿,为什么还要顺从你的哥哥呢?程俊英译诗释"曷又从止"的"从"为"跟从"意,方玉润《诗经原始》释为"顺从",二说皆通。

第三、四章以"艺麻""析薪"起兴,这两个起兴中也有比喻的因素。种麻须先"衡从其亩",挖好田垅,这是比喻娶妻须先有禀告父母的礼节。而"析薪"更是《诗经》中提到婚姻时常用的比喻,娶妻须有媒人就像劈柴须用斧头一样。用"艺麻""析薪"起兴,这是在斥责鲁桓公:你既然以父母之命、凭媒妁之言,郑重其事地娶了文姜,为什么又纵容姑息她，让她回齐国去继续干淫乱的勾当呢？诗人精心选择的每章的起兴，给我们理解诗意提供了线索。

每章的起兴各有不同，而每章的结尾诗人却采用了同一句式——反诘。“曷又怀止”“曷又从止”“曷又鞠止”“曷又极止”四个问号触目惊心。这种诘问法，不需作答，答案已很清楚。它比直接揭露丑行的语言更含蓄，更有力。在这样的质问面前，被讽刺斥责的齐襄公们是难以置对的。

（沈时蓉）

甫　田

无田甫田，①	不要再去耕种那大块的土地，
维莠骄骄；②	看那讨厌的狗尾巴草洋洋得意；
无思远人，	不要再去思念那远方的亲人，
劳心忉忉？③	想起他就教人忧心如焚！
无田甫田，	不要再去耕种那大块的土地，
维莠桀桀；④	看那讨厌的狗尾巴草洋洋得意；
无思远人，	不要再去思念那远方的亲人，
劳心怛怛！⑤	想起他真教人痛苦伤神！
婉兮娈兮，⑥	天真烂漫目秀眉清的小乖乖呵！
总角丱兮；⑦	扎起小羊角辫儿真逗人爱呵！
未几见兮，⑧	好像才几天没看见你呵！
突而弁兮！⑨	为什么突然戴上了武士帽呵！

注释

①田甫田：上田字作动词用，即耕种；下田字作名词，即田地。甫：大。②莠（yǒu）：狗尾巴草。骄骄：茂密壮实。③忉（dāo）忉：忧思痛心。④桀桀：义同“骄骄”。⑤怛（dá）怛：义同“忉忉”。⑥婉娈：年少俊美。⑦总角：束发成髻，左

右各一,形似羊角,为小孩头饰。丱(guàn):即两髻对竖的“总角”。⑧未几:不久。⑨突而:突然。弁(biàn):成年人的礼帽。用布帛做的叫文冠,用皮革做的叫武冠。

鉴赏

这首诗的词义不难索解,而其旨趣则众说纷纭。现在我们要抛开前人的诠释,只以诗的语言为媒介,只以诗的意象为向导,看它把我们的感情感受带向何处?

“甫田”,就是大田。《小雅》诗中也有以“甫田”“大田”名篇者,大都描写田地广阔、劳动愉快、风调雨顺、庄稼茂盛、粮食丰收的景象,以及记述祭祀、庆祝等盛况。它们表现的虽然是奴隶制下的群体劳动,但整个气氛还是热烈欢快的。可是在这首《甫田》中,那种热烈的气氛不见了,诗人看到的是:“无田甫田,维莠骄骄。”尽管大田里长满旺盛的狗尾巴草,却没有心思再去耕耘播种、除草施肥了。往日“田甫田”的愉快再也没有了,“黍稷薿薿”的景象再也不会出现了。这也许是奴隶制群体劳作瓦解后,个体自由民在社会动乱年月痛苦挣扎的反映。这两句既是诗人目有所见、心有所感的喟叹,也是抒情主人公的内心独白,仿佛是在告诫别人,又好像在规劝自己。它既非比喻,也非兴托,而只是一种表示因果关系的陈述。所谓“田彼南山,芜秽不治”;“种豆南山下,草盛豆苗稀”。抒情主人公不是不想种田,也不是没有苦心经营,而是因为看到了荒草,感到痛心,所以无心再去种田。这中间无疑包含着很多生活内容和心理活动。下面接着说:“无思远人,劳心忉忉。”这两句同前两句一样,非比非兴,也只是一种表示因果关系的陈述:不要思念远方的亲人,因为一想起他就使人感到痛心。值得注意的是,这两句与前两句排列在一起,构成了一个更为丰满、更为完整的意境。这两者之间的内在联系,也不是比兴关系,而仍是一种因果关系:因为“田甫田”,所以“思远人”;因为“维莠骄骄”,所以“劳心忉忉”。“无田甫田”,只是一时的气话,“无思远人”,只是一时的怨语。“维莠骄骄”“劳心忉忉”才是真正的现实和深切的悲哀。古诗中常用这样的章法来表现沉郁顿挫的感情,如《小雅·无将大车》“无将大车,祇自尘兮;无思百忧,祇自疧兮”,即其例证。这样写,表面上看来很平静,不动声色,而实际上,却有一股深情在字里行间激荡。在反复吟诵揣摩之后,读者自然会明白,那个远离家乡和亲人的游子,才是全诗感情的焦点、咏叹的中心。他是“劳心忉忉”之所由生,“维莠骄骄”之所由至。他是个什么样的人呢?他离家外出干什么去了?此处作者没有明白说出,读者也无从猜测。清晰的语言,朦胧的意象,产生了一种耐人寻味的诗美。

第二章的句式、章法、声情、意象和前章相同,可以说是前章的重复弹奏,只是变换了一、二字句。这样反复咏叹,大大增加了诗歌的艺术张力。在“无田甫田”“无思远人”的重复诉说中,诗人把田地荒芜,亲人远去,日夜以思,忧心如焚的悲痛,表现得既含蓄朦胧,又鲜明真切。人情美和诗美在这里融合成了强大的力量。

口头上说“无思”,实际上是无日不思。在凄凄怆怆、切切怛怛的氛围中,那个“远人”的形象越来越鲜明具体了。那是一个天真烂漫、聪明淘气、俊美可爱的小男孩,在不知不觉间,他就变成了大人,戴上了军帽。着“弁”,原是古代男孩成年的标志。“弁”有许多讲究,布帛做的叫文冠,皮革做的叫武冠。前者通常当作礼帽,后者一般用于田猎和征战。诗中只是说着“弁”,重点在表示他已经从小孩变成大人。由于他的远行在外,而且他的亲人不能随心所欲地叫他回来,因此,我们有理由猜想他着的是武“弁”。成年而着武“弁”,自然显得英姿飒爽,威武可人。当他第一次戴上皮帽,以武士身份出现在家人面前时,怎能不使他们感到兴奋和惊喜?这大约就是这位“远人”从军离家时的样子,是他留给亲人最后的印象。整个第三章都是对这个“远人”的回忆。这是一种美好而又辛酸的回忆,连用四个“兮”字句,恰恰能把这种感情表现得可泣可歌,声情并茂。这一章的章法和内容,在全诗结构上都显得突兀,这是由于抒情主人公心理产生了特殊的变化,由自怨自艾、如泣如诉的感喟,突然进入亦悲亦乐、忽惊忽喜的回忆与沉思。不过,当他的思绪回到现实中来时,他可能再次诉说“无田甫田”“无思远人”的凄凄怆怆,切切怛怛。

清方玉润《诗经原始》摒弃旧说,他以为此诗旨意“未详”。其说有云:“此诗词义极浅,尽人能识。惟意旨所在则不可知。《小序》谓‘刺襄公’,《大序》谓‘无礼义而求大功,不修德而求诸侯’,率皆拟议之词,非实据也。《集传》不从,是矣,而顺文敷义,又恐非诗人本旨。且前二章与后一章词气全不相类,此中必有所指,与泛言义理者不同。《集传》勉强牵合,终非自然……姚氏(姚际恒《诗经通论》)以为未详,识过诸儒远矣,从之。”《集传》为朱熹作。朱熹是说诗的大权威,犹如此不能令人信服,这不是有些奇怪吗?其实说怪不怪,从《毛传》到朱熹,在解释这首诗时,一开始都犯了个大错误,他们都用比兴来体味此诗的形象意义,钩稽史实,穿凿附会,总想从其中引出一番微言大义。把吟咏性情之作,当作高深义理的寄托,把一个老农的痛苦呻吟,当作贤士大夫的谲谏之词,这样怎能不把人们的思路引入死胡同呢?姚氏、方氏能明识其非,却不能够指其是,也是由于他们的思维方式和思维材料仍不能脱离前人窠臼,仍把此诗看作是比是兴,因而一时难以明其意旨之所在。他们既不尊重这首诗所描绘的真实的形象世界,更不理解这首诗所蕴藏的真切而醇至的感情世界,因而他们就不可能真正读懂这首诗。

读这首诗,总是使人想起唐张渭《代北州老翁答》,诗云:

负薪老翁在北州,北望乡关生客愁。
自言老翁有二子,两人已向黄沙死。
如今小儿新长成,明年闻道又征兵。
定知此别必零落,不及相随同死生。
尽将田宅借邻伍,且复伶俜去乡土。
在生本求多子孙,及有谁知更辛苦。
近传天子尊武臣,强兵直欲静胡尘。
安边自合有长策,何必流离中国人。

《甫田》诗的作者,不就像张渭这样的人吗?《甫田》中心凄怆而切怛者,不也和张渭诗中的老翁依稀相似吗?前者中“远人”的命运和后者中“小儿”的遭遇何其惊人地相似?《甫田》中的主人公眼见“骄骄”“桀桀”之“莠草”,大约也曾经想过:“尽将田宅借邻伍,且复伶俜去乡土”吧。读此诗者,怅望千秋,不也有感他们的“萧条异代不同时”么?

(陈昌渠)

卢　令

卢令令,[①]	狗儿来了环儿响叮当,
其人美且仁。	人儿漂亮人儿好心肠。
卢重环,	狗儿叮当狗儿带双环,
其人美且鬈。[②]	人儿漂亮人儿英雄汉。
卢重镅,[③]	狗儿叮当狗儿双环带,
其人美且偲。[④]	人儿漂亮人儿多能耐。

(余冠英　译)

注释

①卢:同"獹",黑色猎狗。②鬈:有二解。毛氏以为头发漂亮。《郑笺》:"鬈当读为權。權,勇壮也。"權通常写作"拳"。译文取郑义。③鋂(méi):大环,一说一环贯。环的子母环叫鋂。④偲(cāi):毛云才也。译文取此。朱熹说为多须貌,即"于思(sāi)"之"思"。

鉴赏

这是《诗经》里篇章最短的一首诗,每章只有两句,三章才六句。六句却有三个回环,韵味相当足。

这是女的夸赞她的对象的诗。对象是个猎人。猎人带有猎犬,因而由犬及人。第一章写听到猎犬的铃声,从铃声的悦耳,想到人的漂亮和心地善良。这是由远写到近。铃声越近,看到犬项上的装饰,套着子母双环,从环的美想到人的漂亮健壮。犬到了面前,看清了是一个大环贯穿着两个小环,因此又想到人的美貌和能干。由犬及人,回环往复,一层加重一层。过去有人说成讽刺齐襄公好田猎毕弋不修民事,显得牵强难通。第二章的鬈如果解释成头发漂亮,偲解成大胡子也很有意思。因为女子对男子爱慕太深,所以听到猎犬的铃声想到人的美好。人越来越近,从一般赞美他漂亮,特别提到一头美发。最后从美发又赞美到美髯。古人认为男子无须不美,大胡子是美髯公,所以又特别夸赞他的美须。从口不绝赞反映心里的倾慕。情人眼里出西施,口里不停地从各方面夸赞对方的美,正反映出心里爱得热切。所以虽然只夸赞头发、胡须也就足以反映出内心的感情。不说身体壮,才能出众,也不会冲淡爱的热情。二说相较,以鬈为美发,偲为于思,好像更有趣味。

(周本淳)

敝笱

敝笱在梁,①	破鱼篓在鱼梁上,
其鱼鲂鳏。②	鳊鱼、鲲鱼在游荡。
齐子归止,③	文姜回齐国来了,

其从如云。[4]	跟随她的人云一样。
敝笱在梁，	破鱼篓在鱼梁上，
其鱼鲂鱮。[5]	鳊鱼、鲢鱼在游荡。
齐子归止，	文姜回齐国来了，
其从如雨。	跟随她的人雨一样。
敝笱在梁，	破鱼篓在鱼梁上，
其鱼唯唯。[6]	鱼儿游来又游往。
齐子归止，	文姜回齐国来了，
其从如水。	跟随她的人水一样。

（金启华　译）

注释

①笱(gǒu):鱼篓。敝笱:破敝的鱼篓(鱼篓:编竹为之,放在鱼梁上张鱼)。②鲂鳏(fáng guān):鳊鱼、鲲鱼。③齐子:齐女,指文姜。归:回娘家。④其从如云:本来指仆从甚盛,此处是讽刺话。方玉润云:“非叹仆从之盛,正以笑公从妇归宁,故仆从加盛,如此其极也。”⑤鱮(xù):大头鲢鱼。⑥唯(wěi)唯:表示出入自如。陆德明云:《韩诗》作“遗遗”,言不能制也。

鉴赏

这是一首讽刺诗。鲁桓公娶了齐国的文姜。但文姜和她哥哥齐襄公本来就有不正当关系。鲁桓公不但不能防止文姜,而且还跟随文姜一道回齐国,让她们兄妹胡来。最后鲁桓公被齐襄公谋杀了。这是春秋前期的一件丑闻。这首诗与《南山》一样,是讽刺鲁桓公不能防闲文姜的。

以鱼隐射性关系,《诗经》中不一而足。此诗用破烂的鱼篓不能捕住鱼来比鲁桓公的无用。表面上前两句是嘲笑敝笱,但忽然跳出文姜回娘家的事,讽刺的对象就明白无误了。古人在溪流上筑一小坝,中间留下空隙,放上捕鱼的篓子(笱)。鱼要回游,被小坝(鱼梁)挡住,只能向笱里钻,钻进去就出不来。现在是“敝笱在梁”根本捕不住鱼，所以各种鱼儿自来自去。“其鱼鲂鳏”，鲂鱼鳏鱼一点不受拘束。这两句表面上是叙事，实际是比兴，引起下文的慨叹。“齐子归止”归指回娘家，文姜从鲁国回到齐国，止是语助词，“其从如云”，跟随的人怎么这么多，远望像一堆云彩。夫人回国不可能有这大气派，这句话就含着鲁桓公陪她回来的内容。这表面上好像赞叹艳羡，实际是莫大的讽刺。一、二、三章，结构、用意都一样，只是换个韵脚。但第三章“其鱼唯唯”只能放在最后，这是从前两章的“鲂鳏”“鲂鲔”发展而来，“其鱼唯唯”就无所不包了。“如水”比“如云”“如雨”又进了一步，先有云，再有雨，再成水，这三者的次序安排不能颠倒，这一点和别的诗篇的回环复沓又略有不同，读时也该注意。

（周本淳）

载驱

载驱薄薄，[①]	车轮滚滚马奔腾，
簟茀朱鞹。[②]	竹席车门红车篷。
鲁道有荡，[③]	鲁国大路多平坦，
齐子发夕。	齐侯女儿夜起程。
四骊济济，[④]	四匹黑马美无比，
垂辔沵沵。[⑤]	鞍缰潇洒又飘逸。
鲁道有荡，	鲁国大路多平坦，
齐子岂弟。[⑥]	齐侯女儿心欢喜。
汶水汤汤，[⑦]	汶河之水滚滚淌，
行人彭彭。[⑧]	熙熙攘攘人来往。
鲁道有荡，	鲁国大路多平坦，
齐子翱翔。	齐侯女儿正游逛。
汶水滔滔，	汶河水呀浪滔滔，

行人儦儦。⑨	路上行人多如潮。
鲁道有荡，	鲁国大路多平坦，
齐子游敖。	齐侯女儿伍逍遥。

注释

①薄薄：疾驰声。②簟（diàn）：竹席。茀：（fú）：车的后门。朱：红漆。鞹（kuò）：兽皮。③荡（dàng）：平坦。④骊：黑马。济济：美貌。⑤沵（nǐ）沵：柔软。⑥岂弟：通“恺悌”，喜悦。⑦汤（shāng）汤：水大。⑧彭（bāng）彭：众多。⑨儦（biāo）儦：多貌。

鉴赏

这也是一首齐人讽刺文姜与齐襄公幽会的诗。在《齐风》中，除此诗外，还有《南山》《敝笱》两首也是揭露他们兄妹私通的丑事的。鲁桓公在位时两人就有乱伦关系。鲁桓公死，庄公即位，文姜更为放肆。这首诗写的就是鲁庄公时的情况。

诗的第一章极力渲染齐子车驾华丽，行色匆匆，烘托出一种盛大、迫促的不平常气氛。文姜如此迫不及待、盛驾而出。这样一位尊贵显赫的太后，既用不着为国事劳碌，更不必为生计操心，什么事情使她峨冠而出。甘愿星夜奔波，受此风尘之劳呢？这里，设下一个悬念。诗人并未在第二章立刻揭穿第一章所设的谜，却按下话头，而将文姜那四匹黑色骏马刻意夸赞了一番，从而使主人公的高贵奢华又进一层，她的出行也就更为引人注目。可是她盛服载驱，心驰神飞，究竟要到何处去，仍是个未解之谜。

诗的第三章终于道破：原来，文姜是要赶到汶河畔那个齐鲁之交的城市里去会他的情人的。而这个情人，竟然是文姜的亲哥哥！诗人故作延宕之笔，是为了烘托其行为之丑恶，正所谓“中冓之言，不可道也”。

第三章以“汶水汤汤，行人彭彭”起兴，将兄妹二人置于声势盛大的场景之中，使读者产生身临其境的感觉。“鲁道有荡，齐子翱翔”，光天化日之下，各有家室的兄妹大摇大摆、洋洋得意地淫狎于道。众目睽睽之下竟如此肆无忌惮，真是廉耻丧尽！这两句以漫画般的手法，含蓄而简切，仅仅八个字便使二人无耻嘴脸暴露无遗。

此诗在艺术上运用映衬手法。诗中所渲染的文姜车驾之华丽和兄妹二人肆无忌惮的丑行形成强烈对比，这一尖锐的反衬，加之第四章在第三章基础上反复陈述二人相狎于道的情景，使作品形象更加深刻、鲜明。熙熙攘攘的人群纵能淹没二人的肮脏行径，滔滔奔流的汶河水又怎洗刷得净他们肮脏的心灵呢？

同《南山》《敝笱》一样，这首诗含蓄隐约，盖因文姜毕竟是鲁国太后而襄公毕竟是齐国国君。而它寓讽刺于尽情铺陈之中，使境随言出，而意寓言下，同样也收到了强烈的讽刺的艺术效果。

（李少雍　王晋萍）

猗　嗟

猗嗟昌兮，①　　哎呀健壮又年少啊！
颀而长兮。　　身材修长个子高啊，
抑若扬兮，　　风流潇洒堂堂貌啊，
美目扬兮。　　眼睛明亮生得好啊，
巧趋跄兮，②　　快步行走多灵巧啊，
射则臧兮！③　　射箭本领最高超啊！

猗嗟名兮，④　　哎呀魁梧好后生啊！
美目清兮。　　一双眼睛亮又清啊，
仪既成兮，　　射箭姿势已学成啊，
终日射侯，⑤　　整天射靶不歇停啊，
不出正兮。⑥　　箭箭不偏射得正啊，
展我甥兮！⑦　　真是我的好外甥啊！

猗嗟娈兮，　　哎呀英俊好儿郎啊！
清扬婉兮。　　眼睛明澈真漂亮啊，
舞则选兮，⑧　　舞姿优美不寻常啊，
射则贯兮。　　射箭穿靶有力量啊，
四矢反兮，⑨　　四箭都中靶中央啊，

以御乱兮!	真可平乱镇四方啊!

(吕恢文　译)

注释

①猗(yī)嗟:欢叹词。昌:盛壮。②趋跄:快步行走。③臧:善。④名:通“明”。⑤侯:箭靶。⑥正(zhēng):靶心。⑦展:确实。甥:庄公是齐襄公的异母妹妹文姜之子。⑧选:与众不同。⑨反:反复,这里指箭反复射中靶心。

鉴赏

这是齐人夸赞齐襄公妹文姜之子鲁庄公仪容之美、射艺之高的作品。此诗词语丰赡、活泼、富于变化,且饱含激情,具有很强的艺术感染力。诗人抓住最能体现庄公特征的几个方面着力刻画,从而塑造了一个光彩照人的艺术形象。

在第一章里,你看那庄公:修长的身材、炯炯有神的目光、风流潇洒的举止,算得上一个令人称羡的美男子了。这个美少年不仅仪表堂堂,“射则臧兮”——道出庄公的射艺之高。可见,庄公并非徒有其表,而是才貌兼备的。此章作为全诗的总冒或小序,勾勒出了主人公的大致轮廓,使读者对鲁庄公有了一个初步的、总体的印象。若拿绘画作比,可以说,这是一幅成功的人物速写。

接着,第二章具体抒写庄公习射经过及其身份。他在习射之前郑重地行了射仪。而射箭时要不断重复某种程式动作,既单调又劳累,庄公却能坚持“终日射侯”,从不懈怠,使他已能百发百中,“不出正兮”。足见其严肃的态度和非凡的毅力。难怪齐人不无自豪地叹道:“展我甥兮!”有人认为“展我甥兮”之“甥”,应作女婿讲,故此篇为夸婿之作。据《春秋·庄公二十二年》载,庄公这年曾“如齐纳币”(古代男女双方订婚后男方到女方家送聘礼为“纳币”),庄公二十三年也曾“至齐”。因此,夸婿和美庄公两说并不矛盾,只是这“婿”当是鲁庄公。

如果说第二章里的庄公形象仍显得不够丰满,那么第三章是对人物进行了真正“深层”的描写。庄公固然才貌出众,但芸芸众生中像他这样才貌俱全的风流少年恐不是绝无仅有。齐人的热烈称颂是否显得坐井观天,小题大做呢?正是这章要解决的问题。本章末二句“四矢反兮,以御乱兮”既出人意料,又合乎情理,是全诗挖掘的最深层所在。这一巧妙的夸张,可谓画龙点睛的神来之笔,它使主人公形象达到了完美的境界,诗人的激情也得到了高度的升华,全诗至此戛然而止。而这首颂歌的最强音却余韵绕梁,使人回味不尽。于是,一个英姿飒爽,威震诸侯的鲁庄公、一个出类拔萃的"这一个",便栩栩如生地活在读者的印象仓库里了。

眼睛是心灵的窗口,而此诗两次强调炯炯有神的目光,正是从这个"窗口"入手,由人物的仪容到技艺、再到政治才能,逐层深入,从而使人物形象不断趋于外表与内心的和谐而完美的统一。

诗作对庄公的美化在一定意义上体现了人民追求美、崇尚智慧、呼唤贤能之君、渴望国泰民安的愿望。

(李少雍　王晋萍)

魏　风

葛　屦

纠纠葛屦，①	葛草鞋子穿脚上，
可以履霜！②	严寒冬天踏冰霜！
掺掺女手，③	纤弱女子的细手，
可以缝裳。④	缝出漂亮好衣裳。
要之襋之，⑤	缝好衣腰缝好领，
好人服之。⑥	家主穿上暖洋洋。
好人提提，⑦	家主舒适又安详，
宛然左辟，⑧	遇人谦让在路旁，
佩其象揥。⑨	象牙搔首戴头上。
维是褊心，⑩	只是心地太偏窄，
是以为刺。	写首诗儿刺心肠。

注释

①纠纠：葛草缭绕。②葛屦履霜：意谓缝衣女无棉鞋过冬。③掺：纤弱。一作“纤”，音同。女：指缝衣女。④裳：原指下衣，这里泛指衣服。⑤要：即“褄”，作动词，谓缝衣腰。襋（jí）：作动词，谓缝衣领。⑥好人：指缝衣女的家主。⑦提：同“媞”。媞媞，安舒的样子。⑧宛然：谦让的样子。辟：同“避”。左辟：在路左回避。⑨象揥（tì）：象牙做的搔首，可以摘发。⑩褊（biǎn）心：心地褊狭，意谓待人刻薄、啬吝。

鉴赏

这首诗，是写一个辛勤劳动的　　缝衣女，受到家主的虐待，因此作者写诗予以讽刺。全诗共两章，首章六句，次章五句，结构脉络清晰，主题突出。尤其诗中的细节描写，是比较成功的，具有鲜明的艺术特色。

首章用白描的手法，巧妙地描绘出了缝衣女的典型形象。为了更加突出缝衣女的鲜明形象，作品只抓住三个细节描写，就把她的形象十分清晰的勾画出来了。开头两句，写缝衣女在严寒冬天，还穿着葛屦在冰霜路上行走，以少胜多，极其概括地说明家主待她甚为刻薄，此其一；三、四两句，只写缝衣女手指纤弱，便以此暗喻她身体衰弱，然而却在家里承担着繁重的缝衣劳动，此其二；第五句，意思是写缝衣女日夜操劳不停，她缝好衣腰，又缝好衣领，表现她异常辛苦，此其三。作品即通过这样极为平凡的三个细节描写，便把缝衣女辛勤劳动却受到虐待的形象和盘托出。第六句，写缝衣女做好衣服后，家主于是便马上穿在身上，以此与缝衣女的辛勤劳动，作了鲜明的对照。不难看出，在这里，已经稍微透露出对"好人"的不满情绪。

次章前三句，是用白描手法描写"好人"养尊处优、生活舒适安详的形象。通过上章描写缝衣女的形象与"好人"形象的对比，便异常自然地揭示出"好人"极其俭啬的行为。因此，最后两句，又用简洁明确的语言，说明作者所以写了这首诗，对"好人"进行讽刺。这章诗，作者也是抓住三个细节描写，即把"好人"令人厌恶的形象如绘如画地描绘出来了。具体地说，作品写"好人"穿上新的服装，头上戴着象牙搔首，表现出一幅舒适安详的神态；表面看来，她好像很有礼貌，总是谦让在路的一旁。其实并不然。从她对缝衣女的虐待，就可以看出她的虚伪性。所以，作者便直接用"维是褊心"一句，就把她心地偏急、待人俭啬的假象暴露出来了。可见，"是以为刺"一句，其中蕴含着作者对"好人"的强烈不满、对缝衣女的无限同情。

此诗虽然描写了缝衣女和"好人"两个不同的人物形象，但它的侧重点，主要还是在着意描写缝衣女的形象，充满对缝衣女的同情。因此，这首诗，在《诗经》中应属于反映女性生活的诗篇。

关于这首诗的主题和作者，朱熹的见解，很有参考价值。他说："魏地陿隘，其俗俭啬而褊急，故以葛屦履霜起兴，而刺其使女缝裳，又使治其要襋，而遂服之也。"（《诗集传》）他认为此诗所写，是缝衣女与其家主的矛盾，并非阶级对立关系。这种看法，是比较客观的。今人把诗中缝衣女说成是"女婢"（女奴）、"好人"是奴隶主贵族，显然是受"阶级斗争论"极左思潮的影响所致。朱子又疑此诗"即缝裳之女所作"（同上），从诗作所表现的内容来看，他的看法是颇有道理的。

（陆永品）

汾 沮 洳

彼汾沮洳，[1]	在汾水旁的低湿处，
言采其莫。[2]	采摘那野菜草莫。
彼其之子，	有一个这样的人，
美无度。	美好的无法量度。
美无度，	美好的无法量度，
殊异乎公路。[3]	很不同掌大车的公路。
彼汾一方，	在汾水旁的一个地方，
言采其桑。	采摘养蚕的柔桑。
彼其之子，	有一个这样的人，
美如英。	美的像花儿一样。
美如英，	美的像花儿一样，
殊异乎公行。[4]	很不同掌兵车的公行。
彼汾一曲，	在汾水弯弯的河曲，
言采其蕒。[5]	采摘那草药的蕒。
彼其之子，	有一个这样的人，
美如玉。	美的像一块晶莹的玉。
美如玉，	美的像一块晶莹的玉，
殊异乎公族。[6]	很不同掌宗族的公族。

注释

①汾：汾水，发源山西晋阳西南，流入黄河。沮洳（rù）：水浸处的低湿地。②言：发语词。莫（mù）：野菜，似柳叶，厚而长，有毛刺，可作羹。③公路：官名，掌管大车。④公行：官名，掌兵车行列。⑤蕒（xù）：水舄，叶如车前草，可作中

药。⑥公族:官名,掌宗族的事务。

鉴赏

这首诗,采用叙述、比喻和对比的手法,用类似的句式,反复吟咏,热情地赞美一个非常美好的人。至于此人是男性还是女性,诗作写得比较模糊和朦胧。总之,此人是作者极为倾心喜爱的人。

此诗共三章,每章六句。第一章比第二、三章,在写作手法上略有不同。它是采用抽象的叙述和对比的手法,来赞美"彼其之子"的。"美无度"和"殊异乎公路"两句,都写得比较抽象,意思是说:"彼其之子",此人的风度和气质,落落大方,很不同于那个令人讨厌的掌大车的官员——公路。在这里,有一个问题颇令人费解。即开头一、二两句所写,那个在汾水旁湿地里采摘野草的人,他是作者本人?还是与"彼其之子"同属于一个人呢?这在诗中写得模棱两可。说他们是一个人,可以;说他们为两个人,似乎也可以。正因写得比较模糊,因而更加令人思索,更能引起读者的浓厚兴趣。第二、三章,同样存在这个问题。

第二、三章,除每章前三句用叙述句和最后一句用对比句外,另外"美如英""美如玉"是比喻句,着意说明"彼其之子",仪表出众,与品行不端的掌兵车的公行和掌宗族事务的公族,则截然不同。诗作用令人喜爱的花儿和白玉作比,对"彼其之子"予以赞美和歌颂,就特别引人瞩目,给人留下深刻的印象。在中国古代,对男性和女性,都可以用花和玉来赞美,因此诗中用"美如英"和"美如玉"来赞美"彼其之子",就有很大的模糊性。这种模糊性,就给这首诗蒙上一层神奇的色彩,赋予它一种朦胧的意境,因而也就更加耐人回味,给人一种模糊的审美感受。

由于诗中对"彼其之子",采用类似的句式、反复吟咏、热情歌颂的艺术手法,就使作品具有和谐、抒情、轻松、欢悦的音乐旋律,对表现作品的主题,起到了积极的效果。

(陆永品)

园有桃

园有桃,	园里长着桃树,
其实之殽。①	我拿桃子当饱。

心之忧矣，	心里塞着烦恼，
我歌且谣。②	嘴里哼着歌谣。
不知我者，	不相识的人，
谓我士也骄。	说我狂傲。
彼人是哉？	他说的是吗？
子曰何其？③	你自问对不对号？
心之忧矣，	我心里的烦恼，
其谁知之！	有谁知道！
其谁知之！	有谁知道！
盖亦勿思！④	别想它岂不更好！
园有棘，	园里长着酸枣，
其实之食。	酸枣饱我饥肠。
心之忧矣，	心里满是忧伤，
聊以行国。	我在国里游荡。
不知我者，	不相识的人，
谓我士也罔极。	说我失常。
彼人是哉？	他说的是吗？
子曰何其？	你自家说是怎样？
心之忧矣，	我心里的忧伤，
其谁知之！	有谁知道！
其谁知之！	有谁知道！
盖亦勿思！	何不丢开别想！

（余冠英　译）

注释

①殽：古作“肴”，食也。②歌、谣：合乐曰歌，徒歌曰谣。③子：歌者自谓。其：语助词。④盖（hé）：同“盍”，即何不。亦：语助词。

鉴赏

这是讽时伤己之作。至于主人公是何身份，人们据其自称为“士”而众说纷纭，似都不足为信，因为“士”乃古代男子之通称。就作品本身而言，从时人批评其“骄”，斥其“罔极”，以及他反复悲叹“其谁知之”来看，歌者可能是一个怀才不遇者，这首诗大概是他感叹世无知音的咏唱。

首章开头两句“园有桃，其实之殽”，主人公说自己以桃果腹，固然可能是他穷愁潦倒生活的写照，也可能是他安于清贫、不慕荣华的表示，但更可能是他以平凡之物尚且为人所知，而自己身怀用世之才反不为人识的一种心理写照。人不如物，岂不悲伤，因而“心之忧矣”。忧愤难排，因而长歌当哭（“我歌且谣”）。那么他要诉说什么怨恨呢？“不知我者，谓我士也骄。”原来他怀着极大的委屈，被人视作狂傲之徒。从一个“骄”字可知，可能他对时世有着不同凡俗的看法和主张，而这种看法和主张又是时人理解不了和绝对不能容纳的。这是主人公最感悲愤的。悲愤之余，他“静言思之”——“彼人是哉？”并反躬自问——“子曰何其？”不用说，答案都是否定的。这一来他对“不知我者”更加恼恨，而对自己则更加坚信了，因而才有下面更加痛楚的歌吟。这时，“心之忧矣”自然更甚于前，两句“其谁知之”令人似见呼天抢地、顿足捶胸之状。一阵暴风骤雨之后，心情渐趋平静，他转萌新念：既然世无知己，徒忧无益，何不索性不想。其实，这不过是聊以自解而已，“盖亦勿思”，岂能“勿思”！

次章在叠唱中把诗意又推进了一层。“棘”的食用价值远不如“桃”，尚且为世所识，人不如物，更其昭然。以“行国”摆脱烦恼，说明“心忧”更剧，已非“歌谣”所能排遣。“罔极”之非，更非“骄”字可比，简直为世所难容。从而进一步写出了人物的悲愤之情。

纵观全诗，一波三折，欲言还止。主人公先以比兴提出世无知己之悲，但感情并不是一泻无遗，反思和自省时又得到了暂时的控制。当其更加坚信别人所非之非和自己所是之是，因而激起了更大的感情波澜，大有不可收止之势时，“盖亦勿思”一句，又如截奔马。所以，人称此诗“含蕴沉郁”，确是的论。

（刘　刈）

陟　岵

陟彼岵兮，[①]	登上青山岗，
瞻望父兮。	远远把爹望。
父曰："嗟！	好像听见爹嘱咐：
予子行役，	"孩子啊，
夙夜无已。	早晚不停你真忙！
上慎旃哉，[②]	可要小心保安康，
犹来无止！"	回来吧，不要滞留在他方！"
陟彼屺兮，[③]	登上秃山顶，
瞻望母兮。	遥望我母亲。
母曰："嗟！	好像听见娘叮咛：
予季行役，[④]	"孩子啊，
夙夜无寐。	早晚不睡真苦辛！
上慎旃哉，	身体千万要当心，
犹来无弃！"	回来吧，不要忘记你娘亲！"
陟彼冈兮，	登上高山岗，
瞻望兄兮。	遥望我兄长。
兄曰："嗟！	好像听见我哥讲：
予弟行役，	"兄弟啊，
夙夜必偕。[⑤]	早晚服役神太伤！
上慎旃哉，	当心身体保安康，
犹来无死！"	回来吧，不要尸骨埋他乡！"

（程俊英　译）

注释

①陟(zhì):登上。岵(hù 户):有草木的山。②上:即“尚”,希望。旃(zhān):犹“之”。③屺(qǐ):无草木的山。④季:小儿子。⑤偕:俱,一样。

鉴赏

此属春秋初期魏地(今山西芮城一带)民歌,是一位征人思亲的诗,反映了劳动人民在沉重徭役负担下的痛苦生活。

虽是怀人作,但直接写征人思亲的只有每章开头两句:“陟彼岵兮,瞻望父兮”“陟彼屺兮,瞻望母兮”和“陟彼冈兮,瞻望兄兮”。在这重沓出现的两句中,通过对征人登高望远的描写,一下就将其强烈的思亲之情揭示无遗。试想,如果这种思亲之情不是已经到了不可抑制的程度,他又怎么会登高眺远,以望代归呢?这样起笔,可谓开门见山,痛快淋漓。不过作为一首思亲诗,更令人激赏的还是每章后面五句。照理,直叙了征人思亲之后,应该进一步翔实描写他如何思亲才对,或者诉说自己非人的处境,或者诉说对亲人安恙的牵挂,等等。然而诗却完全调转笔锋,写起远方亲人如何思念征人来了。原来,征人身临高处,思绪遐飞,虽目不见亲人,心却早飞到了亲人身旁,恍惚之中,他似乎听到了亲人对自己深挚关切和虔诚祝福的话语。这里,不论其父说的“予子行役,夙夜无已”,还是其母说的“予季行役,夙夜无寐”,或者其兄说的“予弟行役,夙夜必偕”,都无非是说征人不堪忍受的痛苦:劳作一天到晚不停,昼夜不得休息,黑天白日一样。所以他们一致发出了“上慎旃哉”的祝愿,要他好生保重自己:父亲希望他“犹来无止”,母亲希望他“犹来无弃”,兄长希望他“犹来无死”。这里,又无非是说:服役期限永无休止的久长。本来,行役之苦,乃征人之切身感受;期限之长,乃征人之素来畏惧;保重自己,乃征人之暗中打算;尽早生还,乃征人之唯一愿望。耐人寻味的是,所有这些,无一出自征人之口,全由父母与兄道出。如此表达,不但曲折有致,而且更显出征人思亲之情的真挚深切,真可谓别人道而胜于自己道。

读这首诗,很容易想起另一首怀人诗作《卷耳》来。虽二者颇有区别:一是写贵妇思念远行的丈夫,一是写奴隶思念家中的亲人;一写登高纯属想象,一写登高纯属写实;一是推想对方行动写自己怀人之意,一是推想对方话语写自己思亲之情;一仅两章重沓,一是通篇复叠。但这些小异并不能掩盖其大同,那就是:想象入妙,都把笔墨重点放在所怀所思之人身上,诗从彼岸飞来。

(刘 刈)

十亩之间

十亩之间兮,①	十亩桑园宽又宽啊,
桑者闲闲兮,②	采桑人歇工以后多悠闲啊,
行与子还兮!③	咱们一起把家还啊!
十亩之外兮,	走出桑园到外边啊,
桑者泄泄兮,④	采桑人说说笑笑走得欢啊,
行与子逝兮!	咱们一起往家奔啊!

注释

①十亩:指桑园。说桑园十亩,表示面积宽阔。②桑者:采桑人,古代桑蚕劳动通常由女子承担,故此当指采桑女。闲闲:悠闲,指劳动后歇下来。③行:行将,即要。一说"行"后读断,作动词,招呼行走,亦通。还:归去。④泄(yì)泄:和乐的样子。逝:往。

鉴赏

《十亩之间》一诗,古人或以为是贤者归隐之作,如朱熹《诗集传》说什么"政乱国危,贤者不采仕于朝,而思与其友归于农圃,故其词如此"。清代姚际恒在《诗经通论》中不同意此说,而认为"类刺淫之诗",理由是"古称采桑皆妇人,无称男子者。若为君子思隐,则何为及于妇人耶?"又说:"古西北地多植桑,故指男女之私者必曰'桑中'也。"稍后,方玉润在《诗经原始》中故作折衷之论,说此诗写的是偕其妇归隐,"盖隐者必挈眷偕往,不必空招朋类也"。我们从这篇小诗本身来看,既看不出什么贤者不仕而归隐的含意,也不见什么男女之私的内容,只不过是一首采桑人的歌唱。余冠英先生说:"这是采桑者劳动将结束时呼伴同归的歌唱。古时西北地方种桑很普遍，和今时不同。”（《诗经选》）是符合诗之本事、本意的。

《诗经》民歌是劳动人民口耳相传的作品，许多作品就产生于他们从事劳动的过程之中。通常是一边劳动，一边歌唱，倾吐着他们各种感情。这首《十亩之间》小诗，所写的则是一群采桑女，在一天的紧张劳作之后，行将收工时的情景，表达了一种劳动后所特有的轻松愉快之情。

全诗短小，仅两章六句。第一章描写在一片宽广的桑园树林里，采桑女的劳动就要结束了。这时有的安闲地歇下来，有的轻松愉快地走动着，她们相互招呼着，相约结伴同行，一路归去。第二章，紧接前章写一群采桑女已行至园外，这时她们三五成群走在归家的路上，一边走一边说说笑笑，气氛轻松融洽，不久她们的身影就消逝在暮霭中了。

这首小诗，重章叠句，两章只换了几个字，但六句诗每句之后都用了语气词“兮”字，因而很自然地便拖长了语调，表现出一种舒缓而轻松的气氛，正好与诗歌的内容相适应。从这里我们也可以看出，《诗经》民歌的节奏和韵律，不仅优美、自然，像古人所说的“动乎天机，不费雕刻”（明陈第《读诗拙言》），同时它本身也是产生于生活，与生活的内容紧密结合的。关于这一点，我们不妨与同样写劳动情景的《周南·芣苢》一诗相比较来看。《芣苢》一诗写的是一群妇女采摘车前子的劳动过程，它通过劳动者一系列采摘动作的变化和收获迅速增多的情景，表现出饱满的劳动热情和劳动时无限欢快的情绪。该诗还以不断重复出现的“采采芣苢”句构成全诗的主旋律，节奏明快而紧凑，成功地渲染了当时紧张的劳动气氛，以及劳动者边劳动边歌唱的愉悦情绪。《十亩之间》一诗，虽然也洋溢着一群劳动者的欢乐感情，但它表现的是劳动后的轻松情景，因而节奏舒缓，声音拉得很长，从而表现出来的情调就迥然不同了。像《诗经》中的这类小诗，初看起来，篇章结构平实无奇，语言简单朴拙，而我们只要依照它的节奏，返复吟咏，细加体味，它就会形象昭然，情景毕出，产生巨大的感染力量。这也正是深深扎根于生活土壤的民歌所具有的特征。

（褚斌杰）

伐　檀

坎坎伐檀兮，[1]　　伐檀之声叮当响，

置之河之干兮，[2]	砍下树木放河旁，
河水清且涟猗。[3]	河水清清波荡漾。
不稼不穑，	不种不收不着忙，
胡取禾三百廛兮？[4]	为啥三百捆稻谷车上装？
不狩不猎，[5]	白天黑夜不打猎，
胡瞻尔庭有县貆兮？[6]	为啥你庭院獾肉挂满墙？
彼君子兮，	那个贵族老爷子，
不素餐兮！	白白吃饭饭不香！
坎坎伐辐兮，[7]	锯辐之声沙沙响，
置之河之侧兮，[8]	锯下木料放河旁，
河水清且直猗。[9]	河水清清碧波长。
不稼不穑，	不种不收不着忙，
胡取禾三百亿兮？	为啥三百捆稻谷车上装？
不狩不猎	白天黑夜不打猎，
胡瞻尔庭有县特兮？[10]	为啥你庭院兽肉挂满墙？
彼君子兮，	那个贵族老爷子，
不素食兮！	白白吃饭脸无光！
坎坎伐轮兮，[11]	斫轮之声响四方，
置之河之漘兮，[12]	做好车轮岸边放，
河水清且沦猗。[13]	河水清清闪金光。
不稼不穑，	不种不收不着忙，
胡取禾三百囷兮？	为啥三百捆稻谷车上装？
不狩不猎，	白天黑夜不打猎，
胡瞻尔庭有县鹑兮？[14]	为啥你庭院鹌鹑挂满墙？
彼君子兮，	那个贵族老爷子，
不素飧兮！[15]	不劳而食像啥样！

注释

①坎坎:伐木之声。檀:檀树。②置:放。河干:河岸。③涟:波纹。朱熹解释说:"风行水成文也。"(《诗集传》)猗:与"兮"同,语助词。④廛(chán):束,捆。与下文"亿""囷"同义。⑤狩:冬天打猎。猎:夜晚打猎。这里泛指打猎。⑥县:同"悬"。貆(huān):同"獾"。⑦辐:车轮的横木条。⑧侧:河边。⑨直:直的波纹。⑩特:三岁小兽。⑪轮:车轮。⑫漘(chún):河边。⑬沦:水波纹。⑭鹑:鹌鹑,比麻雀大,肉味鲜美。⑮飧(sūn):与"食"同义。

鉴赏

《伐檀》是伐木工人的诗歌,它揭露奴隶主贵族不劳而获、残酷地剥削劳动人民的丑恶行径。它是《诗经》中脍炙人口的名篇,两千多年以来,为广大人民所喜闻乐见,几乎家喻户晓,老幼皆知。问题在于,它具有如此强烈的艺术魅力,怎样才能正确地予以阐明呢?它之所以深受人民的喜爱,并不是仅仅因为它具有质朴明快的语言,反对剥削的主题思想,主要原因是它具有委婉曲折、抒情欢悦、似柔乃刚的艺术特色。

其一,此作不是使用一般的陈述句来揭露奴隶主贵族对劳动人民的剥削,而是用反诘排句和反语来质问和讽刺剥削者。这就使诗作别具一格,具有一股不可遏止的力量。"不稼不穑,胡取禾三百廛兮?不狩不猎,胡瞻尔庭有县貆兮?"连用四句排句,质问剥削者,不种不收,为何抢走三百捆稻谷?黑夜不狩、白天不打猎,为何庭院挂满野獾肉?四句反诘诗句喷薄而出,犹如连发重型炮弹,发发击中敌人,使其毫无还手余地。如若用四句陈述句揭露剥削者,显然就不会有如此强烈的艺术魅力。例如,"七月鸣鵙,八月载绩。载玄载黄,我朱孔阳,为公子裳。"(《豳风·七月》)用这些诗句来揭露统治阶级对劳动人民的盘剥,就流于平平,失去了艺术的感染力。

尤其是紧承以上四句,诗作又用"彼君子兮,不素餐兮"两句反语,画龙点睛,揭示主题,更加具有深刻的讽刺含意。此作两千多年以来脍炙人口,经久不衰,即得力于这两句富有强大生命力的警句。前四句已经明明指出,那个"君子"不劳而获,而这两句却不直说他白白吃饭,反而委婉曲折地用反语轻轻一掉说:"彼君子兮,不素餐兮!"这两句在诗章的最后出现,真好像奇峰突起、彩云飞天，给人留下寻觅不尽的余味。表面看来，委婉曲折，似露非露，诗语似柔，其实至刚。它好似用橡皮包着钢条抽打敌人，给敌人致命地一击！相比之下，《相鼠》诗说：“相鼠有皮，人而无仪！人而无仪，不死何为？”把剥削者比作耗子，骂他们缺乏礼仪，还不如死掉的好。《硕鼠》把剥削者比作田鼠残酷掠夺人民。它们对奴隶主贵族的斥骂，是非常辛辣的，也颇为痛快淋漓，然而却没有给人留下更多的余味。所以，古人论诗，强调“情贵隐”，认为“盛气直述，更无余味”（魏泰《临汉隐居诗话》），是颇有见地的。

我们看到，在《诗经》中有许多像《伐檀》这样的作品，或以含蓄委婉、或以生动形象的比喻来讽刺剥削阶级，都具有良好的艺术效果。应当说，《诗经》是中国文学史上讽刺文学的滥觞，对后代讽刺文学的发展曾经起着积极的影响。

其二，此诗优美、抒情、欢悦，是诗、歌、舞三位一体的典型之作，具有很高的审美价值。它是伐木工人在砍伐树木时，边唱边舞的诗，所以具有浓郁的抒情性。读完开头三句，似乎深深地感到，我们身临其境，真切地听见伐木工人坎坎伐木的刀斧之声。他们把砍好的树木整整齐齐地放在河边，他们举目看见清清的河流，河水泛起层层的碧波！在此等境界中，此等心境下，他们揭露奴隶主贵族不劳而获的可憎可恶，却收到了极好的艺术效果。这是《诗经》其他同类作品无法相比的。例如，《硕鼠》诗写道：“硕鼠硕鼠，无食我黍！三岁贯汝，莫我肯顾。”字里行间，充斥着沉郁悲凉的气氛。《伐檀》则不同，虽然它揭示了同样的主题，却充满优美、抒情、欢悦的气氛。它是在轻松愉快之中，打了一个漂亮的胜仗。

此作对清清河水的描写，读来真是令人赏心悦目，美不胜收。不过，《诗经》中描写风景山水之作，为数甚多，诸如“河水洋洋，北流活活”（《卫风·硕人》）；“溱与洧，方涣涣兮”（《郑风·溱洧》）；“蒹葭苍苍，白露为霜，所谓伊人，在水一方”（《秦风·蒹葭》）；“昔我往矣，杨柳依依。今我来思，雨雪霏霏”（《小雅·采薇》）；“节彼南山，维石岩岩”（《小雅·节南山》），等等。生活是创作的源泉，劳动人民在生活、劳动中看到的山水风景，写在诗里，就变成了美丽的风景山水诗。由此可见，《诗经》本应是山水风景诗之祖，只是随着社会的发展，人们审美能力的不断提高，山水风景诗的写作，才逐渐广泛和成熟起来。

其三，回旋重叠，反复吟咏，又给这首诗增添了不朽的艺术特色。一般说来，回旋重叠、反复吟咏，这在《诗经》中具有普遍性的特点。但是，这个特点在《伐檀》中，却与众不同。它在句式结构上，比较整齐对称、富有强烈的节奏感和韵律性。

此诗三章，每章九句。第二、三章与第一章，只是在一些字词上有所不同，如由“伐檀”换成“伐辐”“伐轮”；由“河干”换成“河侧”“河漘”；由“涟猗”换成“直猗”“沦猗”；由“三百廛”换成“三百亿”“三百囷”；由“县貆”换成“县特”“县鹑”；由“素餐”换成“素食”“素飧”。尽管用词有许多不同，但在词意上，不过大同小异而已。这样回旋重叠、反复吟咏，就大大加强了诗作的讽刺力量及其抒情性和美感。

我们读完此作，好像它那“坎坎伐檀兮……彼君子兮，不素餐兮”的悦耳歌声，还久久萦绕在脑际。这正是这首诗感人至深的艺术魅力所在。

（陆永品）

硕　鼠

硕鼠硕鼠，[1]	大老鼠呀大老鼠，
无食我黍！	不要吃我种的黍！
三岁贯女，[2]	多年辛苦养活你，
莫我肯顾。[3]	我的生活你不顾。
逝将去女，[4]	发誓从此离开你，
适彼乐土。[5]	到那理想新乐土。
乐土乐土，	新乐土呀新乐土，
爰得我所！[6]	才是安居好去处！
硕鼠硕鼠，	大老鼠呀大老鼠，
无食我麦！	不要吃我大麦粒！
三岁贯女，	多年辛苦养活你，
莫我肯德。[7]	拼死拼活谁感激。
逝将去女，	发誓从此离开你，
适彼乐国。	到那理想新乐邑。
乐国乐国，	新乐邑呀新乐邑，
爰得我直！[8]	劳动价值归自己！

原文	译文
硕鼠硕鼠，	大老鼠呀大老鼠，
无食我苗！	不要吃我种的苗！
三岁贯女，	多年辛苦养活你，
莫我肯劳。⑨	流血流汗谁慰劳。
逝将去女，	发誓从此离开你，
适彼乐郊。	到那理想新乐郊。
乐郊乐郊，	新乐郊呀新乐郊，
谁之永号！⑩	有谁去过徒长号！

（程俊英　译）

注释

①硕鼠:大老鼠。②三岁:不是确指,多年之意。贯:“宦”的假借字,侍奉、养活之意。女:通“汝”,指剥削者。③莫:不。④逝:通“誓”。去女:离开你。⑤适:往。⑥爰:乃,就。⑦德:感激之意。⑧直:通“值”。⑨劳:慰劳。⑩之:往。永号:长叹。

鉴赏

周朝末期,封建生产关系逐渐产生,新兴地主拥有土地,用抽取重税的办法,贪残地夺取农民的劳动果实。在残酷的剥削之下,农民无法生活,有的就放弃本业,转入工商业;有的背井离乡,流落四处谋生;有的甚至卖身为奴,或者转死沟壑。那时,普天之下,民不聊生,哀鸿遍野。这首《硕鼠》,就是当时真实情形的生动写照。诗人借农民之口,对剥削者进行了愤怒地斥责,并幻想美好生活而终归失望,是一篇血和泪的控诉书。

本篇的一个显著特点,就是运用比喻手法,来揭露剥削者的贪残本性。诗人用老鼠来比喻剥削者,既贴切又形象。老鼠为农民习见之物,家中有,田中有,随处可遇,这正切合农民的实际情况。老鼠的模样是小头锐面,令人见而生厌,并且鬼鬼祟祟,不劳而食,偷窃成性,这正是贪婪无耻的剥削者的绝妙象征。农民在长期的痛苦生活中,不断地观察体验,他们通过反复比较,终于找到了剥削者和老鼠的本质契合点,自然而然地把二者联系在一起,这说明他们对剥削者已经有了比较深刻的认识。刘勰在《文心雕龙·比兴》中说:“比类虽繁,以切至为贵;若刻鹄类鹜,则无所取焉。”比喻是形象思维的一个重要手段,要以比得恰当为宜。本诗之所以成为《诗经》中的名篇,一个重要原因,就是由于运用了恰当而“切至”的比喻,以老鼠比喻剥削者,这比直接叙述和“情绪直言”要具体、形象、生动得多,因而使得全诗富有生活气息,并且具有深刻的思想性。

全诗三章,在结构上层层递进,不断深入,连贯一气,一方面形象地说明了剥削者对农民的掠夺在步步紧逼、不断加深,另一方面也表现出农民由幻想美好生活而终至失望的思想过程,作者双管齐下,井然不乱。

首章一开始,农民就怒斥道:“硕鼠硕鼠,无食我黍!”从这一声愤怒的呵斥中,我们知道“硕鼠”(剥削者)又在“食”(剥削)农民的“黍”了,农民们已经忍无可忍,终于发出了厉声的斥责。诗句起得如此突兀,使读者有惊心动魄之感。然而,“硕鼠”所“食”的又何止于“黍”。第二章紧接着就继续斥责“无食我麦”,说明“硕鼠”食黍未足而食麦,又进了一步。到第三章,再次斥责:“无食我苗!”这第三声断喝,将农民的愤怒之情,表达得尤为强烈。陈子展在《诗经直解》中说:“食麦未足复食苗。苗者,禾方树而未秀也。食至于此,其贪残甚矣。”从这声声怒喝中,我们清楚地看到:剥削者在不断地掠夺农民,他们的贪残本性,一章比一章暴露得更加彻底;而农民的悲惨生活,也在日益加重,一章比一章暗示得更为充分和深刻。在三章之中,首二句的复沓重唱,虽然只是换了一个字(黍、麦、苗),但却境界层出,富于变化,包含着丰富而深刻的内涵。这是诗经中用字准确、语言精练的典范。

农民从多年的生活实践中看到,剥削者虽然年年在“食”他们的“黍”“麦”“苗”,由他们养活着,但却非常残忍,刻薄寡恩,对农民非但没有一点感激之心,而且对农民的辛苦生活也从来没有照顾和慰劳之意。农民觉得在这样的地方生活下去,实在没有指望,于是他们发誓要离开这吃人的剥削者,远走异乡,到别的地方去另谋生计。那么究竟到哪里去呢?他们首先想到的是“乐土”,在那快乐的土地上,日出而作,日入而息,安居乐业;然后又想到“乐国”,在那快乐的城邑里,自己劳动,价值完全归于自己。原来他们所向往的地方,是没有压迫和剥削的美好的理想国。不过,这只是农民在饱受摧残的痛苦之中,从头脑里产生的一种幻想,聊以自慰而已。所以,当他们最后打算去寻找“乐郊”时,却不禁怅然惘然,一片迷茫了。这样的理想国真的存在吗?有谁去过呢?“谁之永号”一句,兜合全诗,力重千钧,它实际上否定了理想国亦即“乐土”“乐国”“乐郊”的存在,认定这人世间只有悲惨的社会。这最后一声长叹,是农民们无可奈何心情的表现,也是绝望者的哀鸣!深受剥削、饱尝酸辛的农民们终究无处可去,他们只有在群鼠出没的社会里任人剥削,受苦受难,挣扎煎熬,这是多么催人泪下的悲惨情景,这是何等沉痛的血泪控诉!末章的结尾处,乍看起来与第一、二章似乎一样,而仔细品味,却迥不相同,在井然中显出错落变化,富有曲折,这样,避免了平铺衍展,枯燥乏味,产生了撼动人心的巨大力量。

这首诗主要以深刻的思想性见称,但全诗在文字上也自有特色。语言明白流畅,韵律和谐整齐,很有音乐性。特别是运用第一人称来抒情,加上恰当的比喻和结构的变化,读来真切感人,仿佛听到了农民们悲惨的呼号之声。诗篇真实地反映了当时的现实生活,为我国诗歌的现实主义创作方法,树立了光辉的榜样。

(管遗瑞)

唐　风

蟋　蟀

蟋蟀在堂，	蟋蟀在厅堂，
岁聿其莫。[1]	一年快要完。
今我不乐，	今时不行乐，
日月其除。[2]	光阴去不还。
无已大康，[3]	不可太安乐，
职思其居。[4]	当把工作想。
好乐无荒，	好乐业不荒，
良士瞿瞿。[5]	贤士要慎防。
蟋蟀在堂，	蟋蟀在厅堂，
岁聿其逝。	今年已不长。
今我不乐，	今时不行乐，
日月其迈。	光阴去不返。
无已大康，	不可太安乐，
职思其外。	职外得兼管。
好乐无荒，	好乐业不荒，
良士蹶蹶。[6]	贤士勤自强。
蟋蟀在堂，	蟋蟀在厅堂，
役车其休。[7]	役车将收藏。
今我不乐，	今时不行乐，
日月其慆。	光阴浪费完。

无已大康，　　　　不可太安乐，
职思其忧。　　　　当思遭忧患。
好乐无荒，　　　　好乐业不荒，
良士休休。⑧　　　贤士乐向善。

注释

①聿(yù)：语助词。莫：古“暮”字。②除：去。下两章“迈”“慆(tāo)”意思相近。③已：甚。大：通“泰”，安。④职：《词诠》释为“当”，相当口语“得”。⑤瞿(jù)瞿：警惕的样子。⑥蹶蹶：勤快。⑦役车：一种安上方箱的车子，可供运输用。⑧休休：同《尚书·秦誓》“其心休休焉”之“休休”。《孔传》云：“休休，乐善也。”

鉴赏

这是一首劝人勤奋的诗。《毛诗序》以为是讽刺晋僖公“俭不中礼，故作是诗以闵之，欲其及时以礼自虞(娱)乐也”。方玉润说：“今观诗意，无所谓‘刺’，亦无所谓‘俭不中礼’，安见其必为僖公发哉？《序》好附会，而又无理，往往如是，断不可从。”驳得有理有力。

这首诗三章意思相同，头两句是感物伤时。诗人从蟋蟀已由野外迁居屋内，天气渐渐转寒，想到今年的日子剩下的不多了。古人常用候虫对气候变化的反应来表示季节，《豳风·七月》写道：“七月在野，八月在宇，九月在户，十月蟋蟀入我床下。”这几句纪时用的是夏历，“九月在户”与本诗“蟋蟀在堂”说的是同一个时间。周历建“子”，夏历建“寅”，周历的十二月，当夏历的十月。故知本诗使用的是周历，所以诗人有感于蟋蟀入室而叹惋“岁聿其莫”。“蟋蟀在堂”一句既带有引起下文“兴”的意味，又可看作是“直陈其事”的“赋”，其意象与下文抒发的正意似相关联而又不完全关联，这较《诗经》中一些单纯的“兴”或含“比”的“兴”用法要复杂一些。这一表现技巧对汉魏六朝诗歌颇有影响，如阮籍《咏怀》其十八(按《阮籍集》次第)：

> 开秋肇凉气，蟋蟀鸣床帷。感物怀殷忧，悄悄令心悲。多言焉所告，繁辞将诉谁……

开头与下文若即若离，与《蟋蟀》起句写法一脉相承，只是这里点明了

"感物"的意思,而《蟋蟀》三、四句则是直接导入述怀:诗人由岁暮引起对时光流逝的感慨,他宣称要抓紧时机好好行乐一番,不然便是白白浪费了光阴。其实这不过是欲进故退,虚晃一枪罢了,后面四句即针对三、四句而发。把三章诗五、六两句合起来意思是说:不要过分地追求享乐,应当好好想想自己负责的工作,对分外的事务也不可漠不关心,尤其不能只顾眼前,还要想到今后可能出现的忧患。这反复的叮嘱,包含着诗人宝贵的人生经验,是自儆也是儆人。最后两句,三章联系起来意思是:喜欢玩乐,可不要荒废事业,要像贤士那样,时刻提醒自己,做到勤奋向上。后四句诗虽有说教意味,但并非唱高调,诗人没有否定"好乐",只是要求节制在一定限度内,"好乐无荒"。这是有其合理性的,在今日开放的时代,这样的告诫,我想仍不为多余。

全诗是有感脱口而出,直吐心曲,坦率真挚;以重章反复抒发,语言自然中节,不加修饰,这是本诗艺术上的特点。

本诗的作者,有人根据第三章"役车其休"一句以为是农民。其实是误解,诗人并非说自己"役车其休",只是借所见物起兴,"役车休息,是农工毕无事也"(《毛诗正义》),故以此表示时序,同"岁聿其莫"意思一样。从全诗考察,本诗作者身份难以具体断定。姚际恒说:"观诗中'良士'二字,既非君上,亦不必尽是细民,乃士大夫之诗也。"(《诗经通论》)可备一说。

(蒋立甫)

山有枢

山有枢,	山上有树叫刺榆,
隰有榆。[1]	山下有树叫大榆。
子有衣裳,	你有衣有裳,
弗曳弗娄。[2]	不拖不搂。
子有车马,	你有车有马,
弗驰弗驱。	不驰不驱。
宛其死矣,[3]	枯硬地死了,
他人是愉。	给他人取去欢愉。

山有栲，	山上有鸭椿树也单叫栲，
隰有杻。	山下有万岁树也单叫杻。
子有廷内，	你有厅堂有内室，
弗洒弗埽。	不洒不扫。
子有钟鼓，	你有钟有鼓，
弗鼓弗考。	不打不敲。
宛其死矣，	枯硬地死了，
他人是保。④	给他人去保管牢。

山有漆，	山上有树叫漆，
隰有栗。	山下有树叫栗。
子有酒食，	你有酒有食，
何不日鼓瑟。	怎么不天天弹琴鼓瑟，
且以喜乐，	姑且去欢喜快乐，
且以永日。	姑且去消遣长日！
宛其死矣，	枯硬地死了，
他人入室。	给他人进入住室。

（陈子展　译）

注释

①隰（xí）：低湿的地方。②曳、娄：这里是穿着的意思。③宛：枯萎之意，死的样子。④保：居有，占有。

鉴赏

三国时魏国有个叫邯郸淳的，据载撰写了《笑林》三卷。原书已佚，鲁迅先生《古小说钩沉》辑有佚文。其中有一则故事，说："汉世有人年老无子，家富，性俭啬，恶衣蔬食……营理产业，聚敛无厌，而不敢自用……老人俄死，田宅没官，货财充于内帑矣。"这位"汉世老人"，当然不能等于《山有枢》一诗所讽刺的对象。但是，"家富，性俭啬，恶衣蔬食……聚敛无厌,而不敢自用”,倒也颇为相似,而且诗人也正是抓住这一点,加以反复铺写。你看!“子有衣裳”“子有车马”“子有廷内”“子有钟鼓”“子有酒食”,穿的,吃的,喝的,住的,用的,玩的,色色俱备,可谓“富”矣!要知道当时创造这一切物质财富的奴隶们,只能过着“无衣无褐,何以卒岁”,“采荼薪樗,食我农夫”的悲惨生活。因此,在那个特定历史范围之内的“富”,恰恰是那些“不稼不穑”之辈的巧取豪夺、残酷压榨的结果。所以“聚敛无厌”四个字,诗中虽没有,读者心中却不可无。“弗曳弗娄”“弗驰弗驱”“弗洒弗埽”“弗鼓弗考”,还有美酒琴瑟皆不用,不就是“恶衣蔬食……不敢自用”的形象化的描写吗!把以上两个方面结合起来,便将“性俭啬”三字写活了。就这一点而言,倒使我们联想到巴尔扎克笔下的葛朗台,他聚敛了千百万家财,可是大门破旧,楼梯年久失修;饮食上不许多用一块糖,一块面包;晚餐后,让全家集中在堂屋里,为的是只点一枝蜡烛;他一年四季穿着同一套服装,连鞋带也是皮做的;直到临死时还要两眼盯着黄金,好教自己“心里暖和”些。看来在这种人的心目中,人生的目的和乐趣,就是对金钱财产的聚敛和占有。《山有枢》一诗虽然写得古朴简括,但是对吝啬鬼的这一本质特征的概括,其准确和深刻的程度,不能不令人惊叹!

《笑林》中的故事有头有尾,直写到“老人饿死,田宅没官……”。而诗的每一章皆以虚笔结尾,想象其身后之况,警诫、讽喻之味更浓。如果说那些衣、食、住、行等等的描写、叙述,是横的展开,那么语言的加深,感情的递进,则主要体现在三章的尾句——“他人是愉”“他人是保”“他人入室”,以此造成“一节悲一节”的效果。说话看对象,语言有环境。诗人这样说,并不意味着叫人纵情逸乐,秉烛夜游,其用意无非在于扫却吝啬二字。所以清代方玉润说它是破“吝啬不堪之见”的“对症良药”(《诗经原始》),是颇有见地的。

形象的创造,思想的深邃,虽然是这首诗的突出成就,其他如选材的精当、概括,安排的匀称、周密,笔墨有虚有实,章法有同有异,句式、音韵亦都能随内容的需要而灵活变化,在重沓叠奏之中,突出主题,增强其艺术感染力,这一切也都显示出其不凡之处。所以前人称赞它说:“其性情声气无论,至其体制玲珑,文采备美,音节圆畅,具可概见”;“其句法音调,又乐府杂言之所自出也”(许学夷《诗源辩体》)。这两段话对其成就和影响作了多方面的评述,亦有助于我们对它的理解和鉴赏。

(赵其钧)

扬之水

扬之水，	激扬的流水，
白石凿凿。①	冲得白石亮闪闪。
素衣朱襮，②	红色领子白衣裳，
从子于沃。③	来到曲沃把你访。
既见君子，	当我见到贵人面，
云何不乐？④	怎不叫我乐洋洋？
扬之水，	激扬的流水，
白石皓皓。⑤	冲得白石光溜溜。
素衣朱绣，	白衣领子红丝绣，
从子于鹄。⑥	来到曲沃把你投。
既见君子	当我见到贵人面，
云何其忧？	还有什么可忧愁？
扬之水，	激扬的流水，
白石粼粼。⑦	冲得白石亮晶晶。
我闻有命，	听到秘密下命令，
不敢以告人！	我不敢对人说真情！

注释

①凿凿：鲜明的样子。②襮（bó）：衣领。③沃：曲沃的简称，其地在今山西闻喜的东北。④云：语助词。⑤皓皓：洁净的样子。⑥鹄：即曲沃（用马瑞辰《毛诗传笺通释》说）。⑦粼粼：清澈的样子。

鉴赏

这是一首曲沃叛乱者自述心情　　的诗，约作于公元前 739 年左右。

据《史记·晋世家》,晋昭侯元年(前745),封其弟成师于曲沃,号桓叔。曲沃是晋国的大邑,面积超过当时晋都翼城(今山西翼城南)。桓叔好德,颇得民心。所以晋国那时流行着这样的话:"末(指桓叔)大于本(指昭侯)而得民心,不乱何待。"昭侯七年(前739),晋大臣潘父弑其君昭侯而迎曲沃桓叔,晋人发兵攻桓叔,桓叔兵败回到曲沃,潘父被杀。这就是本诗写作的政治背景。

头两句是比兴。诗人以激流湍急的河水比喻晋君苛政扰民;以鲜明洁净的白石象征桓叔修德洁行,日益强大。陈奂说:"白石之凿凿,由于水之激扬;桓叔之盛强,实由昭侯之不能修道正国,故诗首句言乱本之所由成耳。"(《诗毛氏传疏》)第三句是借代用法,以服饰代人,与《郑风·子衿》"青青子衿"用法一样。按周制,"素衣朱襮"本是诸侯的服饰,这里用来指桓叔。桓叔不是诸侯而衣着如诸侯,自然是僭礼。诗人这样写,并非出于揭露桓叔有"反心",而是由衷地希望桓叔真正成为诸侯。这一言外之意,绝不是臆测,而是从下面诗句引出的必然结论。第四句诗人明确宣布自己的立场——"从子于沃",子者,桓叔也。第五、六两句紧承此,说明自己投靠桓叔以后的愉快心境。诗人为强调对桓叔的倾慕之情,特选用反诘句式来表达,我们从"既见君子,云何不乐"两句中,仿佛能看到诗人当时欢呼雀跃的情态。《史记·晋世家》说桓叔在曲沃"晋国之众归焉",由此可见,诗人所表达的情感也就是"晋国之众"的情感。我们感谢这位无名诗人,留下了第一手形象的史料,使两千七百多年后的今天,还能真切地感受到当时晋国这场未遂宫廷政变的人心所向,再次证明伟大史学家司马迁记载的真实。

第二章与第一章是叠唱,意思相同。

第三章写自己得知桓叔将叛晋秘密时的心情。诗人可能是从叛者,他听到密令以后,心情十分紧张,与人言谈交往非常警惕,生怕不小心走漏了风声。"我闻有命,不敢以告人"两句表现诗人当时的心情极为真实。从全篇意思考察,本诗当作于桓叔叛晋的前夕,公之于众,应在叛晋事发生之后。旧注以为"言'不敢告人'者,乃所以告昭公"(严粲《诗辑》),是"巧于告密",这样理解,恐于全诗情调不合。

(蒋立甫)

椒　聊

椒聊之实,[1]　　花椒果实连成串,

蕃衍盈升。②	子儿多得满升装。
彼其之子，③	那个可爱好女子，
硕大无朋。④	身材高大绝无双。
椒聊且！⑤	花椒子儿多哟！
远条且！⑥	远送馨香过哟！
椒聊之实，	花椒果实连成串，
蕃衍盈匊。⑦	子儿多得双手捧。
彼其之子，	那个可爱好女子，
硕大且笃。⑧	高大健壮人出众。
椒聊且！	花椒子儿多哟！
远条且！	远送馨香过哟！

注释

①椒:花椒。果实丛生密集,红色,有香味。聊:“草木实聚生成丛,古语叫聊”(闻一多《风诗类抄》)。聊,即今语成串的意思。②蕃衍:繁盛众多。③其:语助词。彼:之是复指。④朋:比。⑤且(jū):语气词。⑥条:条畅,指香气远闻(马瑞辰《毛诗传笺通释》)。⑦匊:古“掬”字。⑧笃:壮实。

鉴赏

这首是赞美妇女多子的诗。因为花椒结子多,又密集成房,所以容易使人联想到妇女多子。汉代人习惯称皇妃住室为“椒房”,大约就是取其宜子的意思。本篇的作者正是如此:他看到花椒树上挂着一串串的红色的果实,是那样可爱,透发着清香,他想,收下来也许有满满的一升吧,自己这双大手还盛不下呢!由此他触景生情,联想到自己的意中人——那个“硕大无朋”的姑娘。古代女子本以高大壮实为美,“无朋”二字流露出诗人对她的赞赏与爱慕之情。在他的心目中,这样的女子,自然生育力旺盛,将来定会像花椒结子那样,为他养育下一群活泼的小子……他想到这些,竟是那样陶醉,那样神往,使他情不自禁脱口而出:“花椒子儿多哟(椒聊且)!远送馨香过哟(远条且)!”说的是花椒，指的是意中人，他仿佛嗅到了意中人身上传来的馨香，他甜美极了！吴闿生说："结句含蕴无穷。"(《诗义会通》)的确，这两句是点睛之笔，为本诗生色不少。

本诗以重章的形式反复抒发这一天真质朴的情感。头两句是起兴，并含有象征意义；以下四句是赋，有联想，有幻想。每章二、四句一韵(升、朋、匊、笃)；五、六句一韵(聊、条)。后两句大概是演唱时的和声。

关于这首诗的主旨，古今看法很不同。《毛诗序》以为同前篇《扬之水》一样，是讽刺晋昭公的，"君子见沃之盛强能修其政，知其蕃衍盛大，子孙将有晋国焉。"朱熹不同意《序》说，以为"此不知其所指"，采取谨慎的态度，没有提出自己的意见。今人或从《序》说(陈子展《诗经直解》)；或以为是"赞美一个男子"之诗(高亨《诗经今注》)。闻一多说"椒聊喻多子，欣妇人之宜子也"(《风诗类钞》)，是以上阐发所本。

(蒋立甫)

绸　缪

绸缪束薪。①	柴枝捆得紧紧。
三星在天。②	抬头正见三星。
今夕何夕？	今晚是啥夜晚？
见此良人。③	见着我的好人。
子兮子兮，④	你呀你这新郎！
如此良人何！⑤	把这好人儿怎么办啊！
绸缪束刍。	紧紧一把刍草。
三星在隅。⑥	三星正对房角。
今夕何夕？	今晚是啥夜晚？
见此邂逅。⑦	心爱人儿见着。
子兮子兮！	你呀你这新郎，
如此邂逅何！	把这心爱的怎么办啊！

绸缪束楚。	荆树条儿紧缠。
三星在户。⑧	三星照在门前。
今夕何夕？	今晚是啥夜晚？
见此粲者。⑨	和这美人相见，
子兮子兮！	你呀你这新郎！
如此粲者何！	把这美人儿怎么办啊！

（余冠英译，略有改动）

注释

①绸缪：紧紧缠束。束薪：与“束刍”“束楚”都是捆柴或草的意思。②三星：参星。③良人：《毛传》谓“美室”，犹言漂亮的妻子。④“子兮”句：诗人激动自呼之辞。⑤如：犹“奈”。如此良人何：言爱这“良人”爱得无可奈何。⑥隅：房角。三星在隅：升起的三星斜对东南房角。⑦邂逅：欢悦的会见。《经典释文》“邂逅”一作“解觏”（解：解悦之貌）。这里用为定语，省去中心词“良人”，此句说在欢悦会见中见到这样美的新娘。一说“邂逅”为喜悦，谓可悦之人。⑧三星在户：言当门可见升在中天偏南的三星。⑨粲者：犹言漂亮的人儿。

鉴赏

这诗三章复沓往返，语气热烈兴奋而一致，当属新郎乐新婚诗。祝婚诗有时借新婚夫妇语气出之，犹如闹新婚的人，往往用婚者语气戏弄。祝婚与乐婚在吉庆情调上有一定连带关系，所以这诗后来也有可能被派做祝婚的用场。

《诗经》写娶妻者，常常以析薪取兴。《齐风·南山》：“析薪如之何？匪斧不克（能），取妻如之何，匪媒不得。”以斧喻媒，薪则喻新娘。《小雅·车舝》：“陟彼高冈，析其柞薪；析其柞薪，其叶湑（xǔ）兮。”也是以湑然茂盛的柞薪，以兴“解我觏（遇）尔（新娘）”。这诗三章以“绸缪束薪”“束刍”“束楚”起兴，用缠绕捆束打来的柴禾，以象征和新娘的结合。这位新郎面对漂亮的新娘，自然有“束薪”而且紧紧“绸缪”的幸福感。以今言之，就是“热烈地拥抱她吧”。这信手拈来之语，满带着激动的情绪。有人说“束薪”为炬，这是火把光下行婚礼，而把很重要的张口见喉咙的“绸缪”丢在一旁，情调淡薄多了。参星，有耀眼的三星连成一片，也称三星。当它出现在东方，正是季秋之日，黄昏之时。所以这“三星在天”于初民是为极准确的时间概念。而古俗以春秋为婚之常时，因而这句实也含佳日良辰之意。既然日子说得如此清晰，可是下面却忽然冒出“今夕何夕”一句，似乎竟然不知这是个什么日子。那“三星”明明在他的眼中映着喜庆的光芒，何以乍忽间变化如此，其因在下句“见此良人”。新娘漂亮极了，诗人觉得美不可言，喜不自胜，进而连这夜晚也觉得美不可言，简直一切都美，美到忘乎所以，神情恍惚而不能自已了，故有“何夕”的忘形之语。“何夕”之疑，即对“今夕”美叹，美叹今昔，正是对新娘子的爱不自禁。因而“今夕何夕”语气里有一个美滋滋的“良人”在，这是极度兴奋之下的变态心理的逼真再现。古辞《越人歌》：“今夕何夕，得与搴舟水流；今日何日兮，得与王子同舟。”杜甫的“今夕复何夕，共此灯烛光。”（《赠卫八处士》）一片嘉美、喟叹之情都可追源于此。“子兮”二句，为诗人既而自我呼唤之语，这是大喜后的反省咀嚼，欢快后的悠悠欣悦，也是“喜之甚而自庆之词”（《诗集传》）。“如此良人何”犹如今日口语“好得没法收拾”之类，意即“简直不知把她怎么‘那个’了”。任何美的语言在这个时刻都会变得无能为力而退居次位，情感成了不系之舟。这两句曼声婉调承上情欢语快的二句，一腔欢爱，自然动人。

二、三章的“三星在隅”“在户”，表示由首章的初夜，到夜久，以至夜半。由“良人”而“邂逅”，而“粲者”，一语比一语更增加美不可言的分量，更为细致分明而富情感，体现这幸福的时刻延伸愈久，诗人自己情愈激，意愈浓。“粲者”意义的内涵，读者自会以最美的形象去观照。其外延就是《洛神赋》“皎若太阳升朝霞”“灼若芙蕖出渌波”的描绘。这与章首和篇首的“绸缪”，这两个诗中最具描写性词，不然而然成为呢喃卿我的呼应之语。“粲者”本身的光彩照人和耀眼的三星之照应又在有意与无意之间。诗人的美叹、赞颂，欢欣、愉悦，爱慕、艳羡的热烈兴奋心性，充满新房，流溢在新婚之夜。

语言拙朴模糊和情感的显豁毕露反差性地融而为一，而呈现出此诗独特的色彩。无论是兴中的“薪”、天上的“星”、还是自呼的“子兮”，或象征、或烘托，或由己见人，都是在写新郎感受中的新娘。和“见此良人”的直寻之语合起来，真是一句一个新娘，句句似都在说新娘美不可言。三章十八句合观，就是一首“我真不知把这美人儿怎么办呀”的乐婚曲。

（魏耕原）

杕 杜

有杕之杜，①	一棵杜梨孤零零，
其叶湑湑。②	上有叶子密密生。
独行踽踽，③	只身独行冷清清，
岂无他人？	难道没人同路行？
不如我同父。④	不如同胞弟兄亲。
嗟行之人，⑤	可叹来往过路人，
胡不比焉？⑥	为何对我不亲近？
人无兄弟，	出门人儿兄弟远，
胡不佽焉？⑦	为何对我不相助？
有杕之杜，	一棵杜梨孤零零，
其叶菁菁。⑧	上有叶子青又青。
独行睘睘，⑨	只身独行苦伶仃，
岂无他人？	难道没人同路行？
不如我同姓。⑩	不如同胞弟兄亲。
嗟行之人，	可叹来往过路人，
胡不比焉？	为何对我不亲近？
人无兄弟，	出门人儿兄弟远，
胡不佽焉？	为何对我不相助？

注释

①杕(dì)：树木孤生独独貌。之：者。杜：杜梨，即棠梨，实小色红味酸。②湑(xǔ)湑：茂盛貌。③踽(jǔ)踽：独行貌。④同父：指兄弟。⑤行之人：过路人。⑥比：亲近。⑦佽(cì)：帮助。⑧菁(jīng)菁：叶盛貌。⑨睘(qióng)睘：通"茕茕"，孤特无依貌。⑩同姓：同母生的兄弟(马瑞辰《毛诗传笺通释》)。

鉴赏

一个孤独在外的人,艰难无助,“好出门不如歹在家”之感有动于衷,不由得唱出这首流浪者之歌。

这汉子一人在大道上踽踽独行,他眼巴巴地看着南来北往的过路人,那些陌生人没有一个帮助他,甚至连一句亲热话也没有。或许他囊中罄尽,腹内空空;或许他心事悠悠,需人相助。可谁也没关照他。社会这样冰冷,世间这样无情。呆望路旁那孤零零的一棵树,他伤心极了。

“有杕之杜,其叶湑湑”,为赋而兼兴之笔。在内情伤,则触物感怀。独单单的杜梨,独自生在路旁,像被弃置而无人过问。不过还有浓密的叶子覆蔽枝条,风吹叶响,切切有声,聊可慰藉。这个“行迈靡靡,中心摇摇”(《王风·黍离》)的流浪汉觉得自己的遭遇就像这棵树,甚或还不如。他孤身独自,心忧重重,好生熬煎。人在困难之际,或凄凉侵袭之时,渴望帮助,需要温暖。“岂无他人”的反语顿挫,说明他连一句搭讪的话也听不到。这是用眼中的“他人”反衬自己独行无偶,忧心郁郁。而“他人”“不如我同父”,以见世态冷漠。这感触就是《小雅·常棣》“凡今之人,莫如兄弟”之意,也是杜甫“谁肯艰难际,豁达露心肝”(《赠卫八处士》)的喟叹。以上五句,见树思己,由己及人,呈连锁反应式的心态。以下四句再从人从己反复见义。“嗟行之人”二句,以人“不比”显“独行”之义。“行之人”即上“他人”,以见路者冷漠如是,这是由彼见义。“人无兄弟”句,颇为费解。《诗集传》据此说这诗是“无兄弟者自伤其孤特”。姚际恒则说:“上既曰岂无他人可与同行,‘不如我兄弟’……又‘不如我同父’,明是有兄弟人口气。”认为这句“是夹入成章者,不重,亦不必泥”(《诗经通论》)。驳之当,而释之隔膜。此句意在说,人在这时无兄,人在这时无弟。换言之,出门在外者为远离兄弟之人。这句仍承上“独行”而言,但“行之人”犹“不比”“不佽”,漠然视之,冷然处之,是何世情。这是由己生义。四句两层夹写,与上五句形成反复嗟叹。这章的“岂”“嗟”分领两句,伤情哀意,张弛波折;反诘、嗟叹,无可奈何。两“胡不”语气沉沉,酸心不已。

次章的“菁菁”“睘睘”“同姓”与上章辞异而义仍,复沓以见义。两章末尾的“不比”“不佽”之问,为伤情人闷闷自问,也是望望向人之语。是仰首问天,是低头问地,也是对那“有杕之杜”的苦苦追索。人世缺乏温暖,他简直把它当作“同是天涯沦落人”,因为那不比不佽的“他人”谁也不愿同情他,而对它吐出这苦闷心怀。契诃夫《苦恼》中的马车夫,儿子死了，他对军官、人群诉说他的伤心，无人理会，只好对着小母马诉说，把心里话统统讲给它，还把小母马当作和自己处境一样的人。这种悲伤到迷妄、虚幻的景况，不正是和这个流浪者孤独无依心理状态一样吗？《小雅·苕之华》的"苕之华，其叶青青。知我如此，不如无生！"以树之华盛来反衬人的憔悴痛苦，那树还是无知的。《桧风·隰有苌楚》的"隰有苌楚，猗傩（美盛）其华。夭（少状）之沃沃（美好），乐子之无家"。陷于忧患，不能解脱，便觉得草木的无家无室值得羡慕，自己的有家有室倒成了苦恼。所谓"乐子"——那也是对着树说的忧苦之音，用来可抵此诗没有说出来的"哀子"一注。

（魏耕原）

羔　裘

羔裘豹祛，①	羔袍袖口镶豹毛，
自我人居居。②	对我傲慢气焰高。
岂无他人？	难道没有别的人？
维子之故！③	非要同你才相好！
羔裘豹褎，④	羔袍豹袖显贵人，
自我人究究。⑤	态度恶劣气焰盛。
岂无他人？	难道没有别人爱？
维子之好！	非同你好就不成！

（程俊英　译）

注释

①祛（qū）：袖口。豹祛：镶着豹皮的袖口。②自：对于。我人：我们。居居：犹"倨倨"，态度傲慢。③维：通"惟"，只。子：你，指这个大夫。之：是。故：爱。一说指故旧。④褎：通"袖"。⑤究究：心怀恶意不可亲近的样子。

鉴赏

这是一个奴仆反抗贵族主人的诗。这个贵族主人是卿大夫，他穿着羔裘皮袍，袖口镶着豹皮，雍容华贵。他态度恶劣，对人倨傲高慢，发起火来气焰嚣张，让人无法忍受。一个敢于反抗的奴仆终于忍无可忍了，他发出诘问：难道就没有别人可以归依，没有别的地方可以安身，只有你值得珍爱，非同你在一起不成？周成王封他的季弟姬叔虞于唐，后改称为晋。唐地在今山西太原一带。朱熹说："其地土瘠民贫，勤俭质朴，忧深思远。"（《诗集传》）晋国由于晋侯与其叔父之间的内乱，足足争斗了六、七十年，人民过着动荡不安的生活。《羔裘》反映了人民对现实的不满情绪。

读《羔裘》诗，不免会使人想起《邶风·北风》和《魏风·硕鼠》。这两首诗的主人公无法忍受暴虐的政治和残酷的剥削，奋起反抗。他们愤怒地斥责统治者是狡猾的狐狸和黑心肝的乌鸦（"莫赤匪狐，莫黑匪乌"），是贪得无厌的大老鼠（"硕鼠硕鼠，无食我黍"）公开号召人们共同逃亡："惠而好我，携手同行！"去寻找一个理想的王国："逝将去汝，适彼乐土！"《羔裘》与这两首诗大有异曲同工之妙。不过，我们看到，在反抗的程度上《羔裘》显然没有《北风》和《硕鼠》激烈，其感情和措词似也较后者显得平缓。另外，《羔裘》谴责的对象是一个具体的贵族卿大夫，而不像《北风》《硕鼠》那样把攻击的矛头指向整个统治阶层。所以，同是反抗压迫的诗，《羔裘》就不如这二首影响深远。

《羔裘》只有两章。全诗以重章构成，仅改动了个别词句。这正是民间歌谣反复吟咏的特点。我们说《羔裘》诗出自民歌，大概不会有问题。这种重章复句反复吟咏，可以加深诗中思想感情的表达。我们看《羔裘》，诗人反反复复地强调主人高贵的打扮和恶劣的态度，又再三表示一种决绝的意念，其愤慨不平之气不是不言自明了吗？这种章法还造成一种回环往复的旋律美，利于吟诵和歌唱。可惜我们现在已无从了解它的曲调了。

（朱杰人）

鸨　　羽

肃肃鸨羽，①	野雁沙沙抖翅膀，
集于苞栩。②	落在丛丛栎树上。
王事靡盬，③	君王差事没个完，
不能艺稷黍，	不能回家种庄田。
父母何怙？④	父母靠啥来活命？

悠悠苍天，　　　　苍天啊苍天！
曷其有所？⑤　　　啥时安居不颠连？

肃肃鸨翼，　　　　野雁沙沙展羽翼，
集于苞棘。⑥　　　落在丛丛棘树里。
王事靡盬，　　　　君王差事无休止，
不能艺黍稷，　　　不能回家种田地。
父母何食？　　　　父母活命吃什么？
悠悠苍天，　　　　苍天啊苍天！
曷其有极？⑦　　　啥时过完苦日子？

肃肃鸨行，　　　　野雁沙沙飞成行，
集于苞桑。　　　　落在丛丛桑树上。
王事靡盬，　　　　君王差役无止境，
不能艺稻粱，　　　不能回家种稻粱。
父母何尝？　　　　父母靠啥饱饥肠？
悠悠苍天，　　　　苍天啊苍天！
曷其有常？⑧　　　啥时日子能正常？

注释

①肃肃:鸟扇动翅膀的声音。鸨:似雁而大,亦称野雁。②集:鸟落在树上。苞:草木丛生。栩(xǔ):栎树。③盬(gǔ):止息。④怙(hù):依靠。⑤所:处所。⑥棘:酸枣树。⑦极:尽头。⑧常:正常。

鉴赏

这是役夫的歌唱。平王东迁以后,社会动荡,争战连年,兵役和劳役成了压在人民头上的两座沉重大山。它不仅给服役者本身带来沉重痛苦,也严重地影响和破坏了正常的农业生产和家庭生活,使人民陷入难以存活的境地。这首诗就是对这方面的沉痛控诉。

诗凡三章,均以咏鸨起兴。鸨鸟无后趾,在树上站立不稳,要时时扇动翅膀才能保持平衡。朱熹说这是比,喻民失其职、失其性。他说:"鸨之性不树止,而今乃飞集于苞栩之上,如民之性本不便于劳苦,今乃久从征役而不得耕田以供子职也。"也有人认为这是以鸨鸟不能稳定的栖息喻人民生活的危苦不安。两种理解各有见得。比喻本来就具有多边性。钱钟书《管锥编》就曾讲过这个道理:"盖事物一而已,然非止一性一能,遂不限于一功一效,取譬者用心或别,着眼因殊。"设喻者如此,读者当然也会产生"用心或别,着眼因殊"的现象,这在欣赏古典诗词中不乏其例,无烦费辞。所以,如何理解体味诗之比兴,只要不脱离诗的实际,不违背诗意,不妨仁者见仁,智者见智。

诗人以鸨鸟为比兴,并非偶然。读过这首诗,我们不难想象,一个役夫成年累月奔波在外,现在看到不能稳定地在树上栖息的鸨鸟,很自然地会联想起自己天天奔走,不得安宁,正常生活遭到破坏的境况。这种比喻,不仅取象形象,角度新鲜,不落常套,而且还具有蓄势待发,引起下文的作用。人们不禁要问,是什么原因使人民陷入到危苦不安的生活境地呢?下面三句作了直接回答:"王事靡盬,不能艺稷黍(黍稷、稻粱)。父母何怙(何食、何尝)?"原来是无休无止的差役把人民逼进水深火热之中。差役没完没了,农民抛家舍业,久从征役,无法种地,致使田园荒芜,不能赡养父母。这三句具体而深刻地揭示了造成人民苦难生活的原因和人民苦难生活的严重程度,使人清楚地看到繁重的徭役给人民带来的巨大痛苦和对正常生产的破坏。在这里,诗虽然只说了一句"父母何怙(何食、何尝)",但其潜在的意象却是十分丰富的。你不但可以联想到杜甫"永痛长病母,五载委沟溪"那类惨状,还可以联想到孤儿孤女嗷嗷待哺的景象,可以想象到田园废弃、村落凋敝、饿殍遍野的惨象。深入到这一层意思之后,我们就不难理解每章最后两句的急切呼喊了。"悠悠苍天,曷其有所(极、常)?"面对着田园荒芜、废弃,父母无法养活,服役者情急而呼天了:"苍天啊,什么时候生活才能安定啊?什么时候差役才能有个头啊?什么时候生活才能正常啊?"这是令人心颤的声音,它饱含着服役者的巨大悲痛和愤激,它饱含着对美好安定生活的渴望。

这首诗共三章,采用重章复沓的形式,每章的字句基本相同,其中只变换几个字,即所谓的叠章体。这种手法,是民歌常用的艺术手法,它不仅可以使诗更富有音乐性而不至单调,而且还起着充分抒情达意的作用,是表现主题的一种加强形式。这首诗紧紧扣住役夫久从征役不得养亲这一中心,反复叠唱,始则痛安定之无日,继则念征役之无极,终则盼苦难有头，淋漓尽致地抒写了服役者的苦难遭遇和悲愤心情，强化了主题。

（殷义祥）

无　衣

岂曰无衣？	难道无衣穿？
七兮，[1]	衣裳有七件，
不如子之衣，	不如你的衣，
安且吉兮！	舒适又美观！
岂曰无衣？	难道无衣穿？
六兮，	衣裳有六件，
不如子之衣，	不如你的衣，
安且燠兮！[2]	安适又和暖！

注释

①七：泛指多。下章第二句的“六”义同。②燠（yù）：暖。

鉴赏

诗之为诗，还在于它具有字面以外的意义，即诗义。如果只是说“我虽有许多衣裳，然而不及你的舒适、美观与暖和”，那又何必写这首《无衣》。本诗第一句“岂曰无衣？”语气多么飘逸、急促，饱含感情。无怪前人屡次指出它的“起势飘忽”（方玉润《诗经原始》）、“起笔超”（吴闿生《诗义会通》）。机警的读者马上会觉察，这里面肯定有与“衣”相关的、由“衣”引发的许多内容。为补足第一句的意思，第二句再重重地写上一笔：“七兮”“六兮”，衣裳多得摆成串，还不满足吗？是的！“不如子之衣，安且吉兮！”“安且燠兮！”安、吉、燠，从触觉、视觉的感受写来，实际是写它们激发起来的诗人内心的情感。那么，是什么使作者觉得唯“子之衣”安适、美观、暖和，以致别的衣裳都比不上呢？一个“子”字，可是大有文章了。字面上“子之衣”只写出一层领属关系，可直译为“你的衣”，但实际指的是你所缝制的、你所赠予的或你为我披上的（就像《郑风·缁衣》所写那样），总之是使你与“我”联系在一起的衣裳。这层由衣——衣到衣——人，再到人——人关系的推移，正是此诗韵味之所在。

我国诗歌往往以衣物、织物一类的东西指示夫妻关系或情亲关系。《秦风·无衣》首句与此诗全同，是以同袍喻生死与共的战友，《郑风·缁衣》则借制衣以示爱情。《古诗源》里有相传为窦玄妻所作的《古怨歌》：“茕茕白兔，东走西顾。衣不如新，人不如故。”指责丈夫喜新厌旧，和民谚所谓“衣服是新的好，人是旧的好”意思一样。《上山采蘼芜》里说“新人工织缣（带黄色的绢），故人工织素（洁白的绢）。将缣来比素，新人不如故。”同样是表示依恋故人。同样，《无衣》也并不是真的在比较衣服，而是在怀人。

本诗作者览衣感怀、睹物思人，无论伤逝或怀远，都不胜依依。而成衣乃妇女之职分。把“子”视为一位女性，视为作者的故妻或情人，大体是不会错的。不知为什么他们分离了。但作者无日不穿衣，也就无日不伤怀，因伤怀而借衣遣怀，故起句陡急、超忽，对“子”的永不复返的暖人情意深为叹惋，流露出不论什么人也代替不了“子”的一片真情。虽然短短两章，三十余字，却也情真意切，颇为感人。

旧说以为本诗是晋武公为“请命于天子”而作，《毛诗序》说是武公的大夫写的，朱熹《诗集传》又说是武公自己写的。深品诗意，不可轻信。

（宗小荣）

有杕之杜

有杕之杜，①	一棵杜梨孤零零，
生于道左。②	它在大路左边生。
彼君子兮，	不知我那心上人，
噬肯适我？③	今日可会登我门？
中心好之，	铭心刻骨只爱他，
曷饮食之？④	美酒怎不给他饮？
有杕之杜，	一棵杜梨多凄凉，

生于道周。[5]	它在大路右边长。
彼君子兮,	不知我那薄情郎,
噬肯来游?[6]	今日可会来看望?
中心好之,	铭心刻骨只爱他,
曷饮食之?	佳肴怎不给他尝?

注释

①有:形容词词头。杕(dì):树木孤生独立貌。杜:杜梨,即棠梨。②左:古以东方为左,道左即路东。③噬(shì):通"逝",语助词。适:到。④曷(hé):通"盍",何不。⑤周:右。《韩诗》:"周,右也。"⑥游:观,看。《毛传》:"游,观也。"

鉴赏

这是东周时期流行于唐(后改国号晋,即今山西太原一带)的一首情歌,写的是一位女子对所爱之人的殷殷思念、热切盼望。

诗一开头以杜梨起兴,引出下面的正题来。自然界中的杜梨是一种自生自长、果实小而酸的野梨树。也许和它生长的环境以及可怜巴巴的果子不无联系吧,《诗经》里的杜梨树都是作为一种孤独自伤的意象出现的。《唐风·杕杜》就用它引出了一位无兄无弟、踽踽独行的流浪者痛苦的心声,《小雅·杕杜》也是写思妇怀念征夫的,本篇也不例外。一株孤孤单单的杜梨树,它寂寞地生长在大路边,而与那道路构成了一个画面:孤生特立的杜梨伫立着,弯弯的道路伸向画面之外、不可知的地方。作为每章的兴句,既引出了下文,又包含一种"画外音"——苦苦企盼、因没有见到情人而感到孤寂的女子,和盼而未至、难以把握的情人,不是跟杜梨与道路的关系有着某种相似吗?"生于道左""生于道周(即右)",方位上的易词,不仅出于合辙押韵的需要,及使复沓之中显出变化,也可见诗中杕杜非实际景物,乃是象征意象。

"君子"是女子称她心爱的人。那心上的人儿哟,可"肯"来我这里呢?可"肯"看上我一看?不是我通知他来,不是被什么别的人叫来,驱使他来的唯一的动力,应当是我,是对我的爱,他应是心甘情愿、被我吸引来的。这种爱不由一个人造就,需的是心心相印,所以"彼君子兮"两句除了毫不做作地道出了女子对情人火辣辣的盼望之外,也流露出一种生怕“求之不得”的隐隐的担忧。

也许“君子”还没来，女子再次倾诉衷肠：“中心好之”，我是在心的深处爱着他呀。在假想的会见中，心上人一来我就会端上醇香的米酒、鲜美的菜肴，让他美餐一顿。他若真的吃了、喝了，会因为是我亲手烹制而备觉情深味远；即使他还没来，在想象之中我看他吃了、喝了，心里也充满幸福！

痴心女儿苦苦盼望，“彼君子兮”到底来了没有？不得而知，只知在遥远的古代，在晋国那片瘠薄的黄土地上，有过如此深挚的追求思念，有这样孤独的杜梨树，树旁的大路伸向不可知的地方……

旧说以为本诗是刺晋武公“不求贤以自辅”（《毛诗序》）或诗人“好贤而恐不足以致之”（朱熹《诗集传》）。前者是汉儒以史证诗、强经就已得出的结论，后者系前者之修正，亦不足为凭。这首风诗不是属于巫史文化的原始诗歌，不应视为政治、历史或宗教的文献，它已经是一首有兴、有赋，初具情趣的抒情性艺术作品了。

（宗小荣）

葛　生

葛生蒙楚，①	葛条蒙盖着荆树，
蔹蔓于野。②	蔹草在原野上蔓伏。
予美亡此，③	心爱的人已不在此，
谁与独处？	谁与孤零零的人儿相处？
葛生蒙棘，④	葛条蒙盖着枣树，
蔹蔓于域。⑤	蔹草蔓伏在坟地。
予美亡此，	心爱的人已不在此，
谁与独息？	谁伴孤零零的人儿寝息？
角枕粲兮，⑥	角枕璀璨，
锦衾烂兮。⑦	锦被斑斓。
予美亡此，	心爱的人已不在此，

谁与独旦?⑧	谁陪孤零零的人儿达旦?
夏之日,	夏日绵绵,
冬之夜。	冬夜长长。
百岁之后,⑨	我死之后,
归于其居。⑩	一定与他同茔合葬。
冬之夜,	冬夜长长,
夏之日。	夏日绵绵。
百岁之后,	我死之后,
归于其室。⑪	一定与他同棺共眠。

注释

①葛:蔓生植物。蒙:覆盖。楚:今名荆条。②蔹(liǎn):草名,蔓生。蔓:蔓延生长。③予美:指亡夫。④棘:枣树。⑤域:指茔地。⑥角枕:即方枕,方枕有八角,故云。⑦锦衾:锦制之被。⑧旦:指从黑夜到天明。⑨百岁:犹言死后。⑩其居:死者所居之地,指坟墓。⑪其室:犹其居。

鉴赏

在中国诗歌史上,悼亡之作并不罕见,但出自妇女之口的悼亡诗篇,却犹如凤毛麟角。可喜的是,在中国最古老的诗歌集《诗经》中,即收有发自寡妇之口的悼亡作品。

《葛生》一篇,诗人采用人物独白的形式,以情真意挚的抒情语句,表现了新寡之妇对亡夫深切的怀念,以及对爱情的坚贞如一。

《毛诗序》认为此诗是为讽刺晋献公而作,云:"《葛生》,刺晋献公也,好攻战,则国人多丧矣。"晋献公的确是一位好攻伐的人,《左传》载他曾先后多次攻伐、灭亡过不少弱小国家。连绵不断的战争,使不少闺中人变成寡妇,给人民造成了无穷的苦难。

诗的一、二章,是哀叹丈夫战死之后寡居的凄凉。每章的前两句都是以《诗经》中常见的起兴手法兴起。"葛""蔹",都是蔓生植物。作品以葛攀附于荆树,蔹草在地上蔓延，暗喻了夫妻互相依存的关系，以及丈夫生前夫妻之间的恩爱。后两句则转入直接抒情，哀叹丈夫阵亡后自己的孤单寂寞。“予美亡此，谁与独处”和“予美亡此，谁与独息”的反复咏叹，使诗被一种哀婉的气氛所笼罩。

未亡人对丈夫的思念之情，在第三章发展到了高潮。我们由角枕之“粲”和锦衾之“烂”两个字，可知这一新寡之妇嫁至夫家时间不久。新婚伊始，丈夫即被征入伍，旋即战死，这怎能不在新妇心中激起巨大悲痛。现在人亡物在，睹物生情，不由得使这位新妇再次发出“予美亡此，谁与独旦”的沉重叹息，大悲大恸的情感流露溢于言表，正所谓一唱而三叹。

接下两章是写新寡之妇感慨寡居生活的艰难漫长，并发出死后一定与丈夫同坟共穴的庄严誓言。夏日昼长，冬日夜长。作者用“夏之日，冬之夜”两句，暗示了此妇一生的凄苦，这比直接抒情更为含蓄蕴藉。由此，我们想到了白居易《上阳白发人》中的诗句，“日迟独坐天难暮”“夜长无寐天不明”。两首诗所写两位不幸妇女的身份、环境、经历虽然不同，但其心境是何等的一致！诗的五章，又把四章的“夏之日，冬之夜”，换成“冬之夜，夏之日”，也换得极妙，由中可见星移斗转，时光流失，透露了未亡人待熬的日子还相当漫长。

末两章的后两句，是写未亡人的决心。诗中的女主人公表示死了以后，一定要同丈夫共葬一穴，从而以明朗率直的誓言结束了全诗。

古人重视诗歌含蓄，特别重视诗歌结尾处的含蓄，以为诗之结尾应有“不愁明月尽，自有夜珠来”的艺术效果，故以诗之结处直露为病。其实也不尽然。《葛生》的结尾恰恰是直露的诗句，但由于诗句反映了此妇对爱情生同床死同穴的决心，透露了她对爱情专一无二的情感，情真意切，故同样能强烈感染读者。

悲剧是将有价值的东西毁灭给人看。《葛生》一诗以起兴入笔，采用《诗经》中常用的重章复句的形式，反复咏叹，使读者透过女主人公哀伤悱恻的泣诉，强烈地感受到战争所强加给人民的苦难的深重。在《诗经》中以悼亡为题材的诗歌中，这首诗不失为一篇难得的佳作。

（迟乃鹏）

采　苓

采苓采苓，[1]　　采甘草呀采甘草，

首阳之巅。[2]　　　　在那首阳山顶找。
人之为言，[3]　　　　有人专爱造谣言，
苟亦无信。[4]　　　　千万别信那一套。
舍旃舍旃，[5]　　　　别理他呀别睬他，
苟亦无然。[6]　　　　那些全都不可靠。
人之为言，　　　　有人专爱造谣言，
胡得焉！[7]　　　　啥也捞不到！

采苦采苦，[8]　　　　采苦菜呀到处跑，
首阳之下。　　　　在那首阳山下找。
人之为言，　　　　有人喜欢说谎话，
苟亦无与。[9]　　　　千万别跟他一道。
舍旃舍旃，　　　　别理他呀别睬他，
苟亦无然。　　　　那些全都不可靠。
人之为言，　　　　有人喜欢说谎话，
胡得焉！　　　　啥也得不到！

采葑采葑，[10]　　　　采芜菁呀路迢迢，
首阳之东。　　　　首阳山东仔细瞧。
人之为言，　　　　有人爱说欺诳话，
苟亦无从。[11]　　　　千万不要跟他跑。
舍旃舍旃，　　　　别理他呀别睬他，
苟亦无然。　　　　那些全都不可靠。
人之为言，　　　　有人爱说欺诳话，
胡得焉！　　　　啥也骗不到！

（程俊英　译）

注释

①苓(líng)：通“蘦”，甘草。②首阳：山名，在今山西永济县南。③为：通

“伪”。为言:假话。④苟:诚,确实。亦:助词。无:通“勿”,不要。⑤旃(zhān):之。一说指假话,亦通。⑥然:是。无然:不要以为是。⑦胡:何。各章末句或断为反问句,亦通。⑧苦:荼,苦菜。⑨无与:《毛传》:“勿用也。”勿与,不要赞同。⑩葑:蔓菁,又名芜菁,俗称大头菜。⑪从:信从。

鉴赏

《毛诗序》言:“《采苓》,刺晋献公也。献公好听谗焉。”关于献公听谗杀子之事,《左传》《国语》《史记·晋世家》均有记载。大意是:献公之时(前676—前651年在位)打败骊戎,娶骊戎国君之女骊姬,生子奚齐。骊姬欲废前夫人齐姜所生子申生的太子地位,以奚齐取而代之,便利用献公的糊涂和对自己的宠爱,勾结小人,花言巧语,捏造情节,先将申生派驻曲沃(今山西闻喜),次又派去征伐皋落氏,均未找到加害申生的机会,最后在申生所献祭母供品中下毒,逼使申生“获罪”自杀。从此晋国陷于争权的混乱中,百姓亦深受其害。但此诗写作时间不明,未见果作于其时;又从诗本身看不出一定是刺献公的。《诗集传》则说:“此刺听谗之诗。”盖以为所刺者未必为献公。不过于指实,力避穿凿,朱子之言为是,《序》说可供参考。

全诗三章章八句。各章首二句是兴辞,对下文没有意义上的联系,留待文末再说。次二句,言“人之为言”,各章只换了两个字,即“苟亦无信”“苟亦无与”“苟亦无从”。这就表明三章诗大意相同而又各有侧重。一章曰不要相信他,二章曰不要赞同他,三章曰不要跟从他,逐层递进深化。这都说的是不要“听谗”。可见社会上之所以有人爱说假话,就是因为有喜欢听信假话的人。如果大家都对假话不信、不与、不从,那么爱说假话的人也就自然没有市场而停止造谣了。诗人不从“为言”之人一面说,而从“听谗”之人一面说,把编造谎言的罪责归到听信假话的人身上,看似不公平不合理,其实是很有见地的。谁叫你去听信“为言”呢!接着写出三章相同的后四句,好像“副歌”一样反复加以咏唱。歌曲中的副歌,通常为二段式歌曲中的第二乐段,与第一乐段常形成节奏、拍子、速度或调性上的对比,并集中表达全曲的中心思想。此诗的“副歌”部分正是如此,它一而再、再而三地反复告诫人们,“舍旃舍旃,苟亦无然”。如果大家都能这样去做,“人之为言,胡得焉”!这就从各章的上段“听谗”转到写“止谗”上面来。即苟无信人之伪言,舍去人之伪言而不以为然,则人之伪言何所得乎!须知,“谣言止于智者”,真是至理名言。

此诗各章首二句均用采摘植物于首阳山起兴。它只借物起兴,与正意无关。这种“先言他物以引起所咏之辞”的“兴”(朱熹语)的具体作用,不在于与下文在意义上有某种相似而起一定的比喻作用;也不在于对正文有交代背景、渲染气氛和烘托形象的作用;而只在于对下文有发端起情和定韵的作用。这种“兴”法,《诗》中不乏其例,如《秦风·黄鸟》之类。这是符合《诗》的实际情况的,也是民歌朴实、亲切、自然,触物起兴,自然而然地展开抒情议论的多种写法之一。三章中分别写采苓、采苦、采葑,地点又分别在首阳之巅、之下、之东,显非写实,而所以作这样的变换,正是为了发端和定韵。第一章的苓、巅、信,古韵属真部;二章的苦、下、与,鱼部;三章的葑、东、从,东部。各属一部,变化音调,易于歌唱。而各章的末四句,又均承前第三句末的“言”,组成言、旃、然、言、焉韵,属元部,正好表示“副歌”对“第一乐段”的对比,于隔韵变化中反复咏唱,深化主题。一说苓生隰、苦生田野、葑生圃,皆非首阳山所宜有,而诗言采于首阳者,盖故设驾虚之词为不可信之言,以证谗言之不可听,是兴之用意所在。是说也,人多疑之,聊备一说。

(蓉　生)

秦风

车邻

有车邻邻，①	车声辚辚跑不停，
有马白颠。②	马儿额头白到顶。
未见君子，③	来访友人未见面，
寺人之令。④	侍者传令说声请。
阪有漆，	坡上有块漆树园，
隰有栗。⑤	洼地栗树连成片。
既见君子，	我的友人见到了，
并坐鼓瑟。	同坐弹瑟乐无边。
“今者不乐，	“今朝不乐待几时，
逝者其耋。”⑥	转眼衰老气奄奄。”
阪有桑，	坡上有块桑树丛，
隰有杨。	洼地杨树绿荫浓。
既见君子，	我的友人见到了，
并坐鼓簧。	同坐吹簧乐无穷。
“今者不乐，	“今朝不乐待几时，
逝者其亡。”	转眼死去埋荒冢。”

注释

①邻邻:拟声词,指车轮转动摩擦发出的声音。②颠:额。③君子:此是对

友人的尊称。④寺:借作"侍"。寺人:侍者。⑤隰(xí):低湿的地方。⑥逝者:他日。耋(dié):八十岁,此泛指人老。

鉴赏

这首是写贵族朋友间相会劝乐的诗,全诗三章以自述的口吻,表现了与友人欢聚的情景。首章说自己去拜会友人。车子平稳而轻快地行进,发出了音乐般悦耳的辚辚声,他听着,好像是欣赏一只美妙的曲子;那拉车的马儿,额间长着清一色的白毛,好似堆着一团白雪,是那样的漂亮可爱,他看着,其兴奋的心情可想而知。白额的马,旧名戴星马,俗称玉顶马,是古代珍贵的名马之一。主人特地点明他的马"白颠"的特征,其用意是不言而喻的。所以从诗的头两句简单的叙述中,我们可以体味到诗人欢愉而自豪的情怀。不消说,这好车好马载着他,很快就安抵朋友之家——这是有身份的人家啊,非一般平民小户可比,未见主人之前,必须等待侍者的通报、传令。诗人如此说,无非是要突出他的友人门第尊贵,突出友人的尊贵,目的则在暗示自己也是尊贵的。首章这后两句是"言在此而意在彼",带有含而不露的意味了。二、三两章意思相同,说自己受到朋友的热情款待。头两句借当时民歌中常用的"阪(或山)有×,隰(或泽)有×"的句式起兴,以谐音引出下文,在意义上没有必然的联系。"并坐"表示亲热,他们是一对情投意合的朋友,一见面便在一起弹奏吹打,亲密无间,无拘无束。主人一再劝告着:今日会面要尽情欢乐,转眼间我们就会衰老,说不定哪一天就要死去。这里所表现的及时行乐的思想,与东汉《古诗十九首》中说的"人生非金石,岂能长寿考""为乐当及时,何能待来兹"的话很相似,它们之间也许有着相承的关系。本诗"今者"两句尽管情调有点消极,但放在朋友间相互劝乐的场合,流露出人生短促的感伤,本可以理解,不一定非要斥之以腐朽不可。

关于这首诗的主旨,说法颇多分歧,《毛诗序》以为是"美秦仲也。秦仲始大,有车马、礼乐、侍御之好焉"。旧说多从之。但考察全诗,这一说似与二、三章相劝及时行乐的意思不完全吻合。今人或以为咏唱贵族夫妻的享乐生活;或以为反映秦君腐朽的生活和思想的诗。此二说虽较旧说为胜,但于首章的解释仍难以圆通。附记于此,供读者参考。

(蒋立甫)

驷 驖

驷驖孔阜，①	四匹铁青马膘肥体壮，
六辔在手。	六条马缰绳紧握手上。
公之媚子，②	君王的心腹驾着车子，
从公于狩。	随从着君王狩猎游逛。
奉时辰牡，③	虞人把这群雄兽赶来，
辰牡孔硕。	雄兽一个个肥大绝伦。
公曰左之，	君王说他要射向左侧，
舍拔则获。④	雄兽便应箭倒地被擒。
游于北园，	君王在北园赏心悦目，
四马既闲。⑤	四匹铁青马驾轻就熟。
輶车鸾镳，⑥	轻车鸾铃响镳衔马口，
载猃歇骄。⑦	载着得意的两条猎狗。

注释

①驖（tiě）：黑马。孔：很。阜：大。②公：指秦君。媚子：宠爱的人。③奉：献。时：通“是”，此。辰：通“麎（chén）”，大鹿。辰牡：即麎牡，泛指雄兽。此句说虞人（掌苑囿的官）把群兽赶出来，让国君射猎。④舍：放。拔：即“括”，箭的末端。⑤闲：熟练。⑥輶（yóu）车：古代一种轻便车。鸾：通“銮”，车铃。镳（biāo）：马嚼子。⑦猃（xiǎn）：长嘴猎狗。歇骄：亦作“猲獢（xié xiāo）”，短嘴猎狗。

鉴赏

这是一首描写秦君游猎情景的叙事诗。《毛诗序》说：“《驷驖》，美襄公也。始命,有田狩之事、园囿之乐焉。”意思是:秦襄公受封为诸侯以后常去园囿打猎游乐,这首诗就是赞美其盛况的。对于这个说法,齐、鲁、韩三家均无异义,后世也没有什么新解,只是有人认为诗之立意不是美,而是刺。其实,要说是刺,恐怕是难于从诗里找出确证的。

全诗共三章,每章四句十六个字。首章写出猎,次章写射猎,末章写猎后,三章诗把秦襄公一次游猎的全过程写得十分生动而简洁。那么作者是怎样把生动与简洁二者统一起来的呢?那就是他善于截取游猎过程中最有典型性的情节,并不是眉毛胡子一把抓。这一点当为赏析《驷驖》的不可忽略之处。

首章出猎——四匹铁青马驾车疾驰而去,原来操着马缰绳的是秦襄公的幸臣,他正在随从秦襄公去打猎。这不仅描写了出猎的情景,同时也交代了其中的主要人物。至于秦襄公车马之盛,随从之多以及弓弩之强,作者虽然没有着墨,但从中是完全可以想见的。

次章射猎——虞人把养得又肥又胖、几乎跑不动的一大群野兽驱赶出来,秦襄公对左右侍从说他射左边的,左边的野兽真就倒了霉。由此可以想见奴才们对主子的一顿吹捧:“媚子”等伸着大拇指说:“君王好箭法!”这一章是古代帝王狩猎的真实写照,他们射猎的对象并非深山老林里的猛兽,而是自家园囿里的“圈兽”,其身手之不凡是有限的。

末章猎后——秦襄公的兴致转为游览观赏,四匹铁青马载着他和“媚子”等从容不迫地来到北园。这时他已换乘轻便的“輶车”,只闻鸾铃作响,只见两只猎狗居然趴在车上。这个细节写得甚妙,猎犬得到主人这样的恩遇,非猎后是不可能的;那么,主人猎后得意的情形,也就无须浪费笔墨了。

十五国风之中写打猎的有《周南·兔罝》《郑风·大叔于田》和这首《秦风·驷驖》,凡三首。虽说是各具特色、各有千秋,但就艺术性而论,应该说《秦风·驷驖》是最高的,作者就像一位十分高明的摄像师兼剪接师,他不仅摄下了秦襄公一次游猎的三个精彩场景,而且巧妙地联成一体,不蔓不枝,有声有色。

(韩峥嵘)

小　戎

小戎俴收,[1]　　　　轻捷的战车车厢低浅,

五楘梁辀。[2]	有五道花箍缠绕车辕。
游环胁驱，[3]	游环和胁驱笼络骖马，
阴靷鋈续。[4]	靷环饰白金光彩熀熀。
文茵畅毂，[5]	虎皮的坐褥轮毂略长，
驾我骐馵。[6]	白腿的青马任他驾驭。
言念君子，[7]	我时时刻刻思念着他，
温其如玉。[8]	他性情温和有如美玉。
在其板屋，[9]	每念他孑身在那戎区，
乱我心曲。[10]	我情不自禁乱了心绪。
四牡孔阜，[11]	四匹大雄马膘肥体壮，
六辔在手。	六条马缰绳紧握手上。
骐骝是中，[12]	青马和红马中间夹辕，
䯄骊是骖。[13]	黄马和黑马作为两骖。
龙盾之合，[14]	画龙的盾牌合载一对，
鋈以觼軜。[15]	骖马的辔头银环点缀。
言念君子，	我时时刻刻思念着他，
温其在邑。[16]	他性情温和却向敌垒。
方何为期？	啥时候才是他的归期？
胡然我念之？	为什么我总把他惦记？
俴驷孔群，[17]	卸甲的骖服配合协调，
厹矛鋈錞。[18]	三棱的矛戟白金的套。
蒙伐有苑，[19]	大大的盾牌文彩斑斓，
虎韔镂膺。[20]	虎皮的弓袋雕有花纹。
交韔二弓，[21]	交叉的双弓弓袋里存，
竹闭绲縢。[22]	竹制的弓檠拿绳儿捆。
言念君子，	我时时刻刻思念着他，
载寝载兴。	哪管是睡下还是起身。

厌厌良人,㉓	多么安稳哪我那好人,
秩秩德音!㉔	多么聪明啊他的令闻!

注释

①小戎:古代一种轻小的兵车。俴(jiàn):浅。收:车厢底部后面的横木,也叫轸(zhěn)。②楘(mù):车辕上的箍,用皮条做成,既以加固,又作装饰。梁辀(zhōu):车辕。③游环、胁驱:驾驭车马的两种用具。游环即靷环,在中间两匹服马的背上,因可移动,故称游环。胁驱即两旁骖马的缰绳,通过游环联在靷上,因当服马胁部,故称胁驱。④阴:车轼前用以掩轨的横板。靷(yǐn):引车前行的皮带。鋈(wù):白金。续:指联靷之环。这句说小戎装饰考究,就连阴板处的靷环都以白金为饰。⑤文茵:车上的虎皮坐褥。畅:长。⑥骐:青黑色有如棋盘格子纹的马。馵(zhù):后左足为白色的马。⑦言:语助,无义。君子:妇人对丈夫的称呼。⑧据说好玉以手按之并不凉,这是说丈夫性情温和。⑨板屋:用木板建造的房屋,西戎人所居。⑩心曲:心窝,心坎。⑪孔:很。阜:大。⑫骝(liú):亦作"骝",赤身黑鬣的马。中:中间夹辕的服马。⑬騧(guā):身黄嘴黑的马。骊(lí):纯黑色的马。骖:服马两旁的马。⑭龙盾:画着龙的盾。合:指二盾合载。⑮觼(jué):有舌的环,用以联骖马内侧的缰绳。軜(nà):骖马内侧的缰绳。⑯邑:指西方的边邑,即西戎地区。⑰俴驷:不披甲的四匹马。群:合群,协调。⑱厹(qiú)矛:三棱形的矛。錞(duì):矛柄下端的平底金属套。⑲蒙:读为"厖(máng)"(从高亨说)。伐:通"瞂(fá)"。蒙伐:大盾。苑(yuàn):花纹。⑳韔(chàng):装弓的袋子。膺:胸,此指弓袋的正面。㉑韔:用作动词,作"藏"讲。这句说把两把弓交叉地放在弓袋里,就是一个弓背向左,一个弓背向右。㉒闭:通"柲(bì)",弓檠(qíng),辅正弓弩的器具。绲(gǔn):绳。縢(téng):约束,捆。㉓厌(yān)厌:安静、稳重的样子。㉔秩秩:聪明多智的样子。德音:好声望。

鉴赏

据《毛诗序》所述,这首诗产生于秦襄公讨伐西戎之时,它以一个妇人的口吻,表示了对驾驭兵车随襄公出征的丈夫的思念。秦襄公是春秋时秦国的创立者,公元前771年周幽王被杀、西周灭亡时,因护送周平王东迁有功,被封为诸侯。东周初年,西戎骚扰不休,于是襄公奉王命备兵甲以讨西戎,从而领有西周王都周围几百里的土地,使秦国人民的生活逐渐趋于安定,为秦国的强大奠定了基础。了解这一历史背景与秦襄公其人,是理解这首诗的关键。

这首诗共三章,每章十句四十字。每章都是前六句赞美秦国兵车的精良,后四句抒发对驾车出征的"君子"的思念。作者为什么这样写?为什么把这似不相干的两项内容牵合到一起?看来还是宋儒朱熹本《毛诗序》的"美襄公"说所作的解释较为合理。朱熹说:"西戎者,秦之臣子,所与不共戴天之仇也。襄公上承天子之命,率其国人往而征之,故其从役者之家人,先夸车甲之盛如此,而后及其私情,盖以义兴师,则虽妇人亦知其勇于赴敌而无怨矣。"近年有人认为这是不足取的"诗教",此诗表现了妇人怨恨战争、酷望和平的情绪。酷望和平的情绪固然有,但怨恨战争的情绪则看不出。如果作者以秦襄公讨伐西戎的战争为不义,何必用那么多的笔墨夸耀兵车装备的精良呢?

应该注意,这三章诗尽管都是夸耀兵车和思念征夫两项内容,但是并不雷同。首章,妇人叙述丈夫"驾我骐异"奔赴西戎,每当想起丈夫对她"温其如玉",她就不由得"乱了心曲"。次章,妇人想象丈夫"六辔在手"驾驭兵车征战边邑的情景,不禁发问她的丈夫"方何为期?"表达了早日平定西戎的渴望。末章,妇人憧憬解甲息兵的一天,那时候"俴驷孔群","交韔二弓,竹闭绲縢",她那"厌厌良人"也将建功立业,带回"秩秩德音"。由此可见,想象丰富,感情真挚,应该说是这首诗的特点。

(韩峥嵘)

蒹　葭

蒹葭苍苍,①	芦苇苍苍密匝匝,
白露为霜。	晶晶露水凝霜花。
所谓伊人,②	我的人儿我的爱,
在水一方。③	河水那边像是她。
溯洄从之,④	逆流而上去找她,
道阻且长;	道路崎岖长又长。
溯游从之,⑤	顺流而下去找她,
宛在水中央。	宛然在那水中央。

蒹葭萋萋，[6]	芦苇苍苍密又密，
白露未晞。[7]	露珠未干清滴滴。
所谓伊人，	我的人儿我的爱，
在水之湄。[8]	她在河边水草地。
溯洄从之，	逆流而上去找她，
道阻且跻；[9]	道路险阻诚难登。
溯游从之，	顺流而下去找她，
宛在水中坻。[10]	像在河心小沙坪。
蒹葭采采，[11]	芦苇密密片连片，
白露未已。[12]	晶晶露珠还未干。
所谓伊人，	我的人儿我的爱，
在水之涘。[13]	她在河水那一岸。
溯洄从之，	逆流而上去找她，
道阻且右；[14]	道路险阻弯又弯。
溯游从之，	顺流而下去找她，
宛在水中沚。[15]	像在河心小沙滩。

（袁梅　译）

注释

①蒹（jiān）：荻，形状像芦苇。葭（jiā）：芦苇。苍苍：茂盛的样子。②伊人：那人。指心中所思念的人。③一方：那一边。④溯洄：逆着弯曲的河道向上走。⑤溯游：顺流而下。⑥萋萋：茂盛的样子。⑦晞（xī）：干。⑧湄（méi）：水和草的交接处，即河岸。⑨跻（jī）：升高。⑩坻（chí）：水中高地，小沙洲。⑪采采：茂盛鲜明的样子。⑫已：止，干。⑬涘（sì）：水边。⑭右：迂回弯曲。⑮沚（zhǐ）：水中小沙滩。

鉴赏

也许是“秦俗强悍，乐于战斗”　　的缘故，《秦风》中的一些篇章往往激荡着一种西北边鄙的慷慨悲壮的声音,“修我戈矛,与子同仇”成为它的典型音调。这首表现男女恋情的《蒹葭》,却脱尽黄土高原的粗犷沉雄气息,将人们带到充满水乡泽国情调的邈远空灵、柔婉缠绵境界之中。它是《秦风》中引人注目的别调,也是古代爱情诗的绝唱。

诗一开头就展现出一幅清虚旷远的河上秋色图:深秋清晨,秋水淼淼,芦苇苍苍,露水盈盈,晶莹似霜。这境界,在邈远清莹之中略带凄清的色彩,对于诗中所抒写的执著寻求、可望难即的爱情,是很好的烘托。接着出现了抒情主人公在河畔徜徉凝望的身影。“所谓伊人,在水一方。”心之所存与目之所望在这里融而为一。从下面的描写看,“在水一方”并不一定实指具体的方位与地点,它只是隔绝不通的一种象征。因此这两句不妨看作望穿秋水,不见伊人踪影的抒情主人公心灵的叹息。接下来四句,是抒写对“伊人”执著而又艰难的寻求,和渺然难即的空虚怅惘。“道阻且长”,既是逆流沿岸而上的实写,又是追求艰难的象征。那“宛在”二字更透露出伊人之所在,不过如虚无缥缈的仙山楼阁,虽望之似有,实渺茫难即。

第二、三章,时间从首章的白露初凝到“白露未晞”“白露未已”,逐渐向前推移,而在水“之湄”“之涘”的伊人仍然渺不可即。反复艰难的追寻,所得到的仍是空虚怅惘。随着诗章的回环往复,向往追寻的感情愈来愈强烈,追寻不得的怅惘也愈来愈深刻。尽管每次追寻的结果都归于失望渺茫,但继之而起仍是执著不已的追寻。

跟《诗经》中多数情诗内容往往比较具体实在者不同,这首诗的意蕴特别空灵虚泛。它不但没有具体的事件、场景,甚至连主人公是男性抑或女性都难以确指。全篇着意渲染一种邈远虚惘的境界气氛,一种执著缠绵而又略带感伤的情调,一种向往追寻而渺茫难即的意绪。它表现的不是具体的爱情故事和场景情节,而是抒情主人公心灵的追求与叹息。由于它脱略了爱情生活的具体形迹,只表现一种渺茫中的追寻,因此比起《诗经》中另外一些情诗,显然要纯粹得多,是一种感情的提纯与升华。从这点说,它似乎比较接近后世某些纯然抒情的文人爱情诗,而与热烈坦率而有时不免涉于粗鄙的民间情歌有别。

由于它表现的是一种比较抽象的意绪,又不是采取直抒的方式,而是借助秋水蒹葭、伫立凝望、反复追寻、渺茫难即的情境来表现,因此诗中的境界就带有象征意味。如果坐实为解,则明明“在水一方”的伊人,何以逆流、顺流而寻都杳远难即,就相当费解;而作象征看,则所谓“溯洄”“溯游”“道阻且长”“宛在水中央”等等,不过是反复追寻及追寻之艰难、渺远的一种象征,理解起来毫无滞碍。王国维将这首诗与晏殊的《蝶恋花》“昨夜西风凋碧树，独上高楼，望尽天涯路”相提并论，认为“最得风人情致”，可能也跟它们共同具有的象征色彩有关。钱钟书先生则更博举中外作品，认为此篇所赋，即企慕之象征。写爱情而越过写实，进入象征领域，这在多缘事而发的古代抒情诗中并不多见。这首诗境界之高远，即与象征色彩有关。

感情的性状既如此纯粹虚泛，感情的表达又接近象征，这首表现渺茫追寻的情诗遂具有引发不同联想的多重意蕴。一般读者固然可以从诗中所描绘的情景唤起相似的爱情体验，具有较高艺术素养的读者则可从诗中所描绘的象征性境界产生更丰富深远的联想，唤起某种更广泛的人生体验。不妨说，它的表层意蕴与深层意蕴都是耐人反复涵咏的。

（刘学锴）

终　南

终南何有？[①]	终南山上有何物？
有条有梅。[②]	有山楸，有梅树。
君子至止，[③]	公爷封爵到此地，
锦衣狐裘。	锦衣狐裘多醒目。
颜如渥丹，[④]	脸色红润如朱砂，
其君也哉！	真是一国的君主！
终南何有？	终南山上有何物？
有纪有堂。[⑤]	有枸杞，有棠树。
君子至止，	公爷封爵到此地，
黻衣绣裳。[⑥]	绣花衣裙随风舞。
佩玉将将，[⑦]	身上佩玉叮当响，
寿考不忘！[⑧]	寿老无疆永祝福！

注释

①终南：秦国山名，其主峰在陕西西安城南。②条：木名，即山楸树。③君

子:指秦襄公。止:语气助词。④渥(wò):润泽。丹:赤石制的红料。⑤纪:“杞”的假借字,枸杞。堂:“棠”的假借字,甘棠。皆木名。⑥黻(fú):古代礼服上黑与青相间的花纹。绣:五色俱备的花纹。⑦将将:同“锵锵”,佩玉相击的声音。⑧忘:“亡”的假借字。

鉴赏

终南山,又名中南、南山、秦山、秦岭。它逶迤连绵,巍峨崇隆,雄踞秦地,横亘关中。秦襄公入朝晋见周天子,被封为诸侯,得赐礼服。西归途中,路经终南山。雄伟高大的山峰,点缀着郁郁葱葱的树木,越发显得气势不凡。而洋洋得意的秦襄公,穿着五彩斑斓的诸侯礼服,也更加显得精神焕发。随行的秦大夫触景生情,一时兴来,于是以终南山起兴,唱出了这首赞美秦君并隐含戒谕之意的诗歌。

全诗仅二章十二句,篇幅虽小,却为我们塑造了一位栩栩如生的国君形象。作者从上至下,从色彩到声响,重墨描绘的是国君的服饰装扮,同时也展示出了他的精神风貌。“锦衣狐裘”“黻衣绣裳”都是当时诸侯的服装。你看他穿着丝织的衣裳面子,狐皮的衣裳里子,更有那黑、青花纹相间的上衣和五彩绣成的下裳,全身上下,色彩鲜艳,与众不同。抬头望,国君的脸色红润而丰泽,低头瞧,国君的步履稳健而有力。随着他的脚步,悬挂在腰间的玉片发出清脆的叮当声,更显示了他的尊贵和威严。作者描绘的国君形象不仅诉诸读者的视觉,而且诉诸听觉,使这位国君的形象具有了立体感。再用巍巍的高山、青翠的树林的背景一衬托,一位威风凛凛、志得意满,盛装美貌的国君形象不就活灵活现地出现在我们面前了吗?无怪乎作者要发出“其君也哉”“寿考不忘”的赞叹和祝福了。

这首诗的两章开头,作者反复吟唱“终南何有?有条有梅”“终南何有?有纪有堂”。这既是对眼前实景的描写,也是寓有深意的起兴。作为实景描写,虽然限于篇幅,不及细细勾画,但也抓住了景物的主要特征。作为起兴,作者选择山高林密的终南山,这和一般意义上的“先言他物以引起所咏之辞”的兴有所不同。终南山以形势峻险、气势雄壮而为天下冠,作为统治这里的国君,当然也应如终南山一样,以其巨大的气魄和非凡的能力雄视六合,威慑九州。当时的周王朝日渐微弱,终南山所在的西都故地,宗庙宫室已尽为禾黍。如今秦君受周天子厚赐,理当代周天子担负起号令诸侯、策四海之职,以报答周天子赐服之恩。作者以终南山起兴，实则是将秦君比作高山。再则，山高如终南者，如果没有“条”“梅”“杞”“棠”等树木生长其上，那么，起码不会成为名山。位高如国君者，如果没有人民的拥戴，那后果会如何呢？看来作者深知山无树而不能显其美、君失民而不能显其德的道理，因此他不仅反复以终南山起兴，而且着重强调那点缀山间的丛丛树林，应该说其中是隐含了作者对秦君“修其德以副民望”（方玉润《诗经原始》）的希冀和劝诫之意的。他希望他的国君能如终南山因有树而成名山一样，能够获得人民的拥戴而成为不负周天子之赐的明主。《诗小序》云：“《终南》，戒襄公也。能取周地，始为诸侯，受显服。大夫美之，故作是诗以戒劝之。”诗义与《诗序》相合。宋人范处义解说曰：“周地虽有王命，时尚为戎有。《序》云戒劝者，戒其无负天子之托，而勉其必取也。”（《补传》）近人吴闿生以为：“此诗显为颂美之词。《序》以为戒，则能得其意于辞旨之外者也。”（《诗义会通》）这些解释都是颇有见地的。

（沈时蓉）

黄　鸟

交交黄鸟，①	自在的小鸟儿，
止于棘。②	息在枣树里。
谁从穆公，	谁跟穆公去送死，
子车奄息。	他是奄息子车氏。
维此奄息，	好个奄息子车氏，
百夫之特。③	百个男儿怎能比。
临其穴，	对着墓穴像张开的口，
惴惴其慄。④	谁都吓得直发抖。
彼苍者天，	苍天啊苍天，
歼我良人。	为啥偏要杀好人。
如可赎兮，	如果可以去替换，
人百其身。⑤	我死百回也甘心。

交交黄鸟，	自在的小鸟儿，
止于桑。	飞来桑树上。
谁从穆公，	谁跟穆公去殉葬，
子车仲行。	他是子车好仲行。
维此仲行，	子车家的好仲行，
百夫之防。[6]	百个男儿比不上。
临其穴，	对着墓穴像张开的口，
惴惴其慄。	谁都吓得直发抖。
彼苍者天，	苍天啊苍天，
歼我良人。	为啥偏要杀好人。
如可赎兮，	如果可以去替换，
人百其身。	我死百回也甘心。

交交黄鸟，	自在的小鸟儿，
止于楚。	息荆树。
谁从穆公，	谁跟穆公去死路，
子车鍼虎。	他是子车好鍼虎。
维此鍼虎，	子车家的好鍼虎，
百夫之御。[7]	百个男儿敌不住。
临其穴，	对着墓穴像张开的口，
惴惴其慄。	谁都吓得直发抖。
彼苍者天，	苍天啊苍天，
歼我良人。	为啥偏要杀好人。
如可赎兮，	如果可以去替换，
人百其身。	我死百回也甘心。

注释

①交交：小鸟飞来飞去的样子，或说是鸟叫声。②棘：丛生有刺的酸枣树。

③特:杰出。④惴惴:恐惧。⑤人百其身:人们愿拿一百个自己去换取“三良”的生命,等于说愿死一百回。⑥防:即“方”,比的意思。⑦御:匹敌。

鉴赏

此诗历来以为是秦人哀悼“三良”之作。所谓“三良”就是春秋时代为秦穆公殉葬的子车氏三位大夫——奄息、仲行、鍼虎。此事在《左传·文公六年》和《史记·秦世家》中,均有记载。诗中也直接提到穆公和“三良”的名字,并有“谁从穆公”“临其穴”等语,所以旧说是可信的。

杀人殉葬,或以活人殉葬,是奴隶制社会的一种野蛮残忍的习俗,直到春秋时代,仍然存在。这种野蛮丑恶的行为,写入诗中,能否对作品加以鉴赏呢?回答是肯定的。文学作品的审美价值,不仅在于它写了什么,更重要的还在于它怎样写以及用什么思想态度和感情去写。《黄鸟》一诗,不仅表达了秦国人民对“三良”的痛惜和哀悼,更表达了对殉葬这种野蛮习俗的痛恨和愤怒。在那个新旧制度和新旧思想逐步交替的时代,这首诗不止是对“三良”高唱的挽歌,也是对旧礼制敲响的丧钟。

诗的开头以“交交黄鸟”起兴,由此引起诗人的联想。往来飞翔的小鸟何等自由,它可以飞来,也可以飞走。可是人为什么一定要跟着别人去死,而不能像小鸟那样自由?特别是子车奄息这样的好人,为什么一定要成为穆公的殉葬品?“谁从穆公”不是一般问句,也不是诗人的自我设问,它包含着极大的惶惑和极度的悲愤。接着诗人赞扬奄息是百里挑一的杰出人才,可是他竟然要去死。当人们面对着墓穴,谁不感到恐惧战栗,随着恐惧痛苦而来的又是不可抑止的愤怒。诗人不禁呼天抢地大喊起来:苍天啊,为什么要杀好人?苍天当然不会理睬,谁也不会承认自己是罪魁祸首。诗人只好喊叫着:如果可以替换,我们愿意死一百次去替换他。在这片声音里,我们听到的不仅是强烈的抗议,而且也是无可奈何的痛苦哀怨。

全诗三章,分别哀悼“三良”,诗句重叠回环,反复咏唱,加强了悲愤的气氛。

(刘锋晋)

晨　风

鴥彼晨风,[①]　　鹞鹰飞得像箭快,

郁彼北林。	飞到茂密的北林来。
未见君子,	心上那人怎不来,
忧心钦钦。②	阵阵忧愁真难挨。
如何如何?	不来究竟为什么?
忘我实多。	多半已经忘了我。
山有苞栎,③	山坡上到处生栎树,
隰有六駮,④	平地里长着梓榆树。
未见君子,	心上那人总不来,
忧心靡乐,	从前的欢乐已失去。
如何如何?	不来究竟为什么?
忘我实多。	多半已经忘了我。
山有苞棣,	山坡上满是唐棣树,
隰有树檖。⑤	平地里长着山梨树。
未见君子,	心上那人还不来,
忧心如醉。	害得人如痴如醉心无主。
如何如何?	不来究竟为什么?
忘我实多。	多半已经忘了我。

注释

①鴥(yù):鸟飞得很快的样子。晨风:即"鹯",鹞一类的猛禽。《说文》写作"鷐风"。②钦钦:忧愁想念,不能忘怀。③苞栎:丛生的栎。④六駮:树皮青白相间,远看像驳马的梓榆树。⑤树檖:直立着的檖。

鉴赏

《晨风》一诗,《毛诗序》的解释是讽刺秦康公,说他忘记了穆公的事业,抛弃贤臣。《毛传》和《郑笺》都是根据这一解释,加以发挥。朱熹《诗集传》以为此诗是一位妇女思念丈夫之作。从诗的内容与情调来看,朱熹的说法较为可信。因为诗中看不出任何与穆公、康公相联系的地方。郑玄把"忘我实多"一句解释为以穆公的口吻责备康公,尤为不妥。

全诗三章。首章以晨风、北林烘托环境气氛,与这位妇女当时的心情是适合的。"晨风"是鹞鹰一类的猛禽。在这位妇女心目中,她的丈夫正像鹞鹰一样,是一个好样的男子汉。而她自己,既贤惠,又能干,家境也还不坏,正像茂盛的北林。现在,晨风迅疾地向北林飞来,回到它栖息的地方。可是自己那个好样的丈夫,却离家在外,长期未归。想到这里,一阵忧愁和思念涌上了心头,甚至还感到一种恐惧:现在他在哪里,情况如何?他多半是把我忘记了吧。

二、三章"山有苞栎,隰有六駮","山有苞棣,隰有树檖",都是写眼前的情境。由此联想到,有山就有树,有隰就有木,万物总是各得其所,生活应该和谐美好。为什么自己那个好样的男子,总是不能归来呢?这三章诗反复咏叹,从怨艾中表达了深切的思念,同时在感情上还写出了递进和深化的过程。首章"忧心钦钦",只不过是念念不忘;二章"忧心靡乐",就进一步写忧愁思念,以至失去生活的欢乐;三章"忧心如醉"简直就是梦魂颠倒,如痴如醉了。

（刘锋晋）

无　衣

岂曰无衣？ 与子同袍。① 王于兴师，② 修我戈矛。③ 与子同仇！④	谁说没有衣裳？ 和你同穿一件战袍。 国家要出兵打仗， 赶快修好咱的戈矛。 和你一道把敌人干掉！
岂曰无衣？ 与子同泽。⑤ 王于兴师， 修我矛戟。⑥	谁说没有衣裳？ 和你同穿一件汗衣。 国家要出兵打仗， 赶快修好咱的矛戟。

与子偕作！[7]	和你并肩战斗到底！
岂曰无衣？	谁说没有衣裳？
与子同裳。[8]	和你同穿一条战裙。
王于兴师，	国家要出兵打仗，
修我甲兵。[9]	赶快修好咱的甲兵。
与子偕行！	和你一道相伴同行！

注释

①袍：外面的长衣。闻一多说：“行军者日以当衣，夜以当被。”旧时军人相称曰“同袍”，也称相互间的友谊为“袍泽之谊”，本此。②王：指周王，代国家。于：助词。③戈、矛：皆古代长柄兵器。戈，平头横刃，用以横击、钩杀。矛，尖头侧刃，用以直刺。④同仇：齐心合力，打击敌人。⑤泽：贴身内衣。因易染汗垢，故名。⑥戟：古代长柄兵器，合戈矛为一体，既可横击又可直刺。⑦偕作：同起，共同行动。⑧裳：古称裙为裳。上衣下裳。⑨甲兵：铠甲和兵器。

鉴赏

《无衣》属秦风。《毛诗序》云：“《无衣》，刺用兵也。秦人刺其君好攻战，亟用兵，而不与民同欲焉。”殊与诗意不符。一说据《左传·定公四年》记载，吴入郢，秦哀公同意楚臣申包胥的请求，决定派兵救楚时，曾“赋《无衣》”以示意；以为此诗为秦哀公所作。古时作诗叫赋，诵诗亦可叫赋，故“赋《无衣》”当是诵此诗。这段记载只说明此诗在春秋时就有很大影响，秦哀公引用得体，以满足申包胥的愿望，成为历史上的美谈。又据诗意明明是战士口气，更可见非秦哀公所作。又，“王于兴师”之“王”，一说指秦王，疑非是。此处当指周天子。既然秦哀公曾引用过此诗，则此诗写作时间及背景当在哀公以前。一般说来，三代时唯最高统治者称王。虽诸侯在本国内亦自称王，但多在周衰之后。秦哀公以前约当春秋末期以前，其时，西戎经常侵扰边境，华夏族的反侵略斗争，一直伴随着西周王朝以及春秋时代的历史，周王朝及诸侯国都卷入到这场几百年的持久战中，而毗邻戎的秦国则更是首当其冲。据《史记·秦本纪》载秦与西戎之战事甚多，从“西戎反王室”，“周宣王即位,乃以秦仲为大夫,诛西戎。西戎杀秦仲”起,历经庄公、襄公、文公,直至秦穆公三十七年“伐戎王,益国十二,开地千里,遂霸西戎”为止。可见秦的这些斗争都与周朝的命运联系着,秦人伐戎必然以“王命”为旗号,正如《诗集传》说:“王于兴师,以天子之命而兴师也。”可见此诗是春秋前期秦人助周抵抗外族入侵的一首著名的军中歌谣。

全诗三章章五句,每句四言。每章前两句一层,中两句一层,末句一层。每章首句,从典型化的细节入手,以“岂曰无衣”提出反问,本是毋庸回答的,因其意正与问句字面相反,即答在问中。但各章却分别以“与子同袍”“与子同泽”“与子同裳”答之。这就恰恰承认了“无衣”是真实的客观存在,并以豪迈的口气,自问自答的句式,写出了刚入伍的战士想方设法克服困难,解衣推食,以及兄弟般的互助友爱、慷慨从军的情景。由此可见,当时劳动人民的生活,正处于“无衣无褐,何以卒岁”(《豳风·七月》)的境地,然而一旦外族入侵,民族矛盾上升,便决心为保卫祖国而战。死且不惧,“无衣”又算得什么!这种维护正义,团结战斗的民族精神,这种熔爱国主义、乐观主义、英雄主义于一炉的民族正气,是十分感人的。接下去各章写为此而“修我戈矛”“修我矛戟”“修我甲兵”这些典型化的细节,则正是体现上述精神的具体行动。三个“修我”,见出战士们毫不犹豫地擐甲砺兵,积极备战的紧迫感和高昂的参战热情,生动形象地表现了他们对敌人的仇恨和对战斗的渴望。而各章的结语则是“与子同仇”“与子偕作”“与子偕行”。这就从因果关系上将前面所写的内容推进一层。即“与子同袍”是因为“与子同仇”;“王于兴师”也是因为“与子同仇”(虽然统治阶级是为了自身的统治利益)。于是全国上下同仇敌忾,整齐步伐“偕作”“偕行”。读至此,战士们为了一个共同目的,结伴并肩、高唱战歌、所向无敌的形象历历在目。这种慷慨从军的热情,保家卫国的决心,团结必胜的信念,具有巨大的鼓舞力量。

诗用重章叠句的形式反复咏唱。三章诗的字数、结构都相同,只是在相对应的个别地方改换了少数不同的词汇,使用了不同的韵调,借以一而再、再而三地反复强调一种思想和愿望,并使之充实集中,逐层递进深化,来加强主题的感染力。看似造语寻常,细味则含义深远。其次是章法变化,奇特有致。每章都是先用两个偶句作基础,接着紧加一个奇句推向高峰。这就突破了一般光用偶句的惯例,而又使所要表达的思想感情更加突出深入。

(蓉　生)

渭阳

我送舅氏,[1]	我送舅舅回舅家,
曰至渭阳。[2]	送到渭水北边涯。
何以赠之?	用啥礼物送给他?
路车乘黄。[3]	一辆路车四黄马。
我送舅氏,	我送舅舅回舅家,
悠悠我思。[4]	忧思悠悠想起妈。
何以赠之?	用啥礼物送给他?
琼瑰玉佩。[5]	宝石佩玉一大挂。

(程俊英　译)

注释

①舅氏:即舅父。舅与甥的姓氏不同,故称舅氏。②曰:语助词,只起补足音节作用,无实义。渭:即渭水。阳:指河流的北面。渭阳:渭水的北岸。诗的作者送舅父至渭水边,没有渡过渭水。③路车:即辂车,为古代天子及诸侯贵族所乘之车。乘黄:四匹黄马。乘(shèng):四。古代战车一乘四马,因以乘为四的代称。④悠悠我思:据唐孔颖达正义,指因送舅氏进而思念死去的母亲。⑤琼瑰:美玉。琼瑰玉佩:用美玉做的玉佩。

鉴赏

这是一首外甥送舅父的送别诗。诗中交代外甥送给舅父的礼物有路车、乘黄,这些都是当时诸侯贵族所用的车马。因而不难推断,外甥的身份显然是诸侯或贵族。正是基于这一点,历代说《诗》的人,大都认为是秦穆公的儿子康公送别舅父晋文公重耳回国时所作。康公时为太子(名罃),其母秦穆夫人是晋文公重耳的姐姐。晋文公重耳遭骊姬(重耳之父晋献公的宠姬)之难,在外流亡十几年,后在秦穆公的帮助下回到晋国做了国君，是为晋文公。这首诗，就是在太子罃送舅父晋文公重耳回国时所作。这段史实比较符合诗意和人物身份，只可惜没有确凿的证据。

路车、乘黄是外甥经常用的华贵车马，玉佩又是他随身佩带的心爱之物。他毫不吝惜地把这些东西送给舅父，充分表达了他对舅父的情义。人言"千里送鹅毛，礼轻情义重"，这里以贵重、心爱之物送人，岂不显得感情更加真挚、厚重吗？诗中没有写外甥送舅父时那些语重心长的话语，而是通过送路车、乘黄、玉佩这样一些行动表现出来的，可谓"无声胜有声"，字里行间处处都流露出这种对舅父的真挚感情。

外甥对舅父的感情为什么如此之深呢？从诗的第二章"悠悠我思"一句，可以透露出一些信息。不言而喻，甥舅之间的特殊关系，是由圣洁的母爱沟通起来的。诗中显然是把对母亲的敬爱之情移注到舅父身上。反过来，见到了自己的"亲娘舅"，自然也会因此而思念自己的母亲，这自然是"一而二，二而一"的道理。所以有人把"悠悠我思"一句译为"忧思悠悠想起妈"，虽然尚欠证据，却是合乎情理的推断。在某种意义上讲，"送舅父"与"思其母"自然可以看作是一回事。

这首诗感情真挚、深沉。由于是外甥送其尊长舅父，不同于恋人相送、夫妇之别，所以语言朴实无华，近似于大白话。用这种语言来描写甥舅之别，是非常符合人物身份的，也最能表达纯真的感情，这是由诗的内容所决定的。为了更好地表达这种送别时的心情，作品采用了完全叠咏的章法。两章的第一句"我送舅氏"和第三句"何以赠之"重叠出现，只有第二句和第四句有所变换。而第四句的变换只是所赠之物的不同而已，没有意义上质的变化。这种重叠章法，既起到表达甥舅感情至深的作用，又起到表达甥舅感情绵长，欲别不已的作用，大有一唱三叹之功。

（张振兴）

权　舆

於我乎，①	唉，我呀！
夏屋渠渠，②	从前住的大厦高楼，
今也每食无余。	如今每餐勉强吃够。
于嗟乎！③	哎呀呀！

不承权舆！④	当初排场哪能讲究！
於我乎！	哎，我呀！
每食四簋，⑤	从前每餐四碗打底，
今也每食不饱。	如今每餐饿着肚皮。
于嗟乎！	哎呀呀！
不承权舆！	再也没有当初福气！

（程俊英　译）

注释

①於(wū)：同“呜”，叹词。於我乎：即“呜呼我”(用高亨说)。②夏：大。夏屋：大屋。渠渠：高大的样子。③于：借为“吁”。吁嗟：叹词。④权舆：开始，当初。⑤簋(guǐ)：古代食器，圆足、两耳，也有四耳方座、带盖的。青铜或陶制。

鉴赏

这是一首没落的奴隶主贵族留恋当年生活而自伤的诗。诗虽有短短两章，每章又仅仅有五句，但却为我们勾勒出一个没落贵族的形象。春秋时期，是我国历史上剧烈变革的时期。奴隶制开始走向崩溃，新兴地主阶级正在走向历史舞台。奴隶主贵族赖以生存的经济基础逐渐消亡，世袭制正在废除，政治上的特权也不复存在。面对历史的大潮，他们只有哀叹而已。重温昔日的“红楼之梦”，他们哀叹“於我乎”，哀叹往日失去的天堂。从前，他们靠着贵族的特权，世袭的禄位，祖传下来的土地、奴隶，“不稼不穑”，“不狩不猎”，整天过着十足的吸血鬼生活。他们住的是高楼大厦(“夏屋渠渠”)，吃的是每顿四碗打底(“每食四簋”)的美味佳肴。面对残酷的现实，他们哀叹“于嗟乎”，哀叹今不如昔(“不承权舆”)。他们没落了，他们失去了昔日的天堂。一夜之间，他们成了不名一文的穷光蛋，生活上没了保障。他们连糊口都成了问题，只能勉强填饱肚子(“今也没食无余”)，甚至还要饿肚子(“今也每食不饱”)。在一章短短的五句中，竟然有两句描写他们的哀叹，可谓长叹复短叹。

历史上一切没落的剥削阶级都是这样，没落贵族阶级的思想情绪，代表了一切没落的剥削阶级的思想情绪。“无可奈何花落去”,他们只能在重温昔日的旧梦中得到一点可怜的精神满足。他们越是怀念过去,也就更加增添现实的痛楚感,他们将永远轮回于怀旧——痛楚——怀旧的恶性循环中。他们的下场只有两个:一个是像岸边的贝壳一样,被大海默默地抛弃;一个是由于憎恨的累积而变成复辟狂,正因为越发疯狂因而下场也更加可悲。也有人说这首诗是秦国人民讽刺秦康公的诗,恐未必正确。因为住“夏屋渠渠”、吃“每食四簋”的人绝不是奴隶和平民,而是奴隶主贵族。从诗中所流露出的思想情绪看,是没落贵族的怀旧情绪,而不是劳动人民的思想情绪。

诗为叠咏体。两章在意义上是平行的,内容则是前后互补。前一章说从前住的是“夏屋渠渠”,后一章说吃的是“每食四簋”,两章合起来正好说的是从前吃的和住的。吃住问题最能代表人生的富裕程度和享乐程度,所以贵族阶级在感叹今不如昔时,往往拿吃住做对比。与诗的内容相适应,本诗采用了咏叹的修辞手法,充分揭示了没落奴隶主贵族哀怨的思想感情。《诗经》的语言,对汉语的发展产生过重大影响,产生了成千上万的新词和成语,丰富了汉语的词汇,本诗中“权舆”一词就是这样。

（张振兴）

陈风

宛丘

子之汤兮，①	姑娘跳舞摇又晃，
宛丘之上兮。	在那宛丘高地上。
洵有情兮，②	心里实在爱慕她，
而无望兮。	可惜没有啥希望。
坎其击鼓，③	敲起鼓来咚咚响，
宛丘之下。	跳舞宛丘低坡上。
无冬无夏，	不管寒冬和炎夏，
值其鹭羽。	洁白鹭羽手中扬。
坎其击缶，	敲起瓦盆当当响，
宛丘之道。	跳舞宛丘大路上。
无冬无夏，	不管寒冬和炎夏，
值其鹭翿。④	头戴鹭羽鸟一样。

（程俊英　译）

注释

①汤：音义同“荡”。《楚辞·离骚》王逸注引《诗》作“荡”。形容舞姿摇摆的样子。②洵：信，确实。③坎其：即“坎坎”，击鼓与击缶之声。④翿(dào)：鹭羽。

鉴赏

陈国地处今河南淮阳、柘城和安徽亳县一带，重淫祀，好歌舞，巫风盛行。《汉书·地理志》说:“妇人尊贵,好祭祀用巫,故俗好巫鬼,击鼓于宛丘之上,婆娑于枌树之下,有太姬歌舞遗风。”这种古老的文化风俗活动带有很强的娱乐性质,是产生情歌的社会基础。《宛丘》正反映了陈地的诗风。

这首诗全篇用赋摹写而成。首章即言其旨,点明抒情主人公爱上了一个以歌舞降神为职业的女子。但“洵有情兮,而无望兮”,宛丘高地上的舞女可望而不可即,“有情”而“无望”咫尺间平添出爱而不能的无限惆怅感慨。

二、三章从对面着笔,一意描写那女子蹁跹的舞姿。她一会儿咚咚打着锣鼓,在宛丘低坡上纵情欢跳;一会儿又舞上宛丘的大道,举着瓦盆当当地敲。不管凛冽的严冬还是酷热的盛夏,她载歌载舞,从不间歇,手中扬着洁白的鹭羽,头上插着七彩舞具。乍看起来,首章出现的抒情主人公在这两章中都隐去了,作者是用一种近乎纯客观的口吻来进行叙述的,但反复涵咏体味,你不难发现其中深藏的一个“爱”的影子。我们其实是跟踪着那恋爱者执意追求的目光领略宛丘舞女风采的。从冬到夏,从低坡到大道,空间的伸张性和时间的持续性对映交融。在宛丘的低坡大道上,一切空间展开的结构之中,她“无冬无夏”的舞蹈仿佛是以一种潜在的形态存在着。

闻一多说:“舞是生命情调最直接,最实质,最强烈,最尖锐,最单纯而又最充足的表现……它是生命机能的表演。”(《神话与诗·说舞》)诗中的这个女子正是以她生命机能的表演——舞蹈,张扬着生命的活力,宣泄着生命的欢乐。从“洵有情兮”男子的眼中,我们更多捕捉到的是一种较高层次——可以说是忘我的“欣赏”,因而染有客观的色彩。他守望着舞女,如同守望着一个天使,他赞叹生命的律动,也就是怀着对于生命本质“积极肯定的情感”(尼采语)。“悦之至”,“敬之深”,正是因为经过了这般目光的过滤,舞女手中飞扬的羽毛才显得更洁白,头上插戴的舞具才显得更缤纷。以巫为业的女子跳舞是替人们祝祷,而同时,她不也领受着倾慕她、欣赏她的人的无声的祝福吗?在那“坎坎”的回声里,分明有情感的交流,虽然这种交流暂时是单向的。

《陈风》诗篇多不可考,大致是东周后的作品。巫风当时在陈地虽仍很盛行,但已和殷商时代的尚巫有本质的不同。卜辞中,“巫”和“舞”为同一个字,《说文》:“巫,女能事无形,以舞降神者也,象人两袖舞形。”而到了《诗经》时代,“巫”“舞”已相区别,并且有了各自特定的我们今天所理解的含义。人们的思维触角已渐从瞩目自然到注视社会,从思神转向思人,在周统治者提倡的现实精神之下,神话逐渐失去了其赖以存在的土壤,宗教的歌舞基本成为世俗的歌舞。《宛丘》所给予的是活脱脱的人的形象，表达的情感也基本是人的自然的情感。心灵对外界的感受得到较好体现，并且在自身与外界的矛盾中构致成这一优美诗章。

（王海若）

东门之枌

东门之枌，　　东门白榆长路边，
宛丘之栩，[①]　　宛丘柞树连成片。
子仲之子，　　子仲家里好姑娘，
婆娑其下。　　大树底下舞翩跹。

穀旦于差，[②]　　挑选一个好时光，
南方之原，　　同到南边平原上。
不绩其麻，　　撂下手中纺的麻，
市也婆娑。　　闹市当中舞一场。

穀旦于逝，[③]　　趁着良辰同前往，
越以鬷迈，[④]　　多次相会共寻芳。
视尔如荍，[⑤]　　看你像朵锦葵花，
贻我握椒。[⑥]　　送我花椒一把香。

（程俊英　译）

注释

①栩（xǔ）：柞树。②穀：善。穀旦：吉日。差（chāi）：挑选。③逝：往。④越以：发语词，即“于以”。鬷（zōng）：频，屡次。迈：往，去。⑤荍（qiáo）：植物名，又名荆葵，花淡紫色。⑥握椒：一把花椒。

鉴赏

《诗经》时代婚俗所表现的形态特征是复杂的。它一方面保留着前代群婚、对偶婚的遗迹,另一方面也受到封建礼教教化力量的影响渗透。野蛮落后的婚姻普遍流行,人们的思想中尚未形成正统的“廉耻”观。春秋巨大的社会变革更促使人的道德观念、行为准则表现出了与西周很大的不同,人们对独立自由的要求趋于自觉,《诗经·国风》中以乐歌相语,自由恋爱择偶的诗篇即是对这一风尚的反映。《东门之枌》为我们展示了一幅“会男女”的风俗连环画。如果说《宛丘》所表达的是一个男子内在深沉庄重的感情,那么这里咏唱的则是一个男子内心的轻快舒畅,一曲恋爱的欢歌。

诗中男主人公“我”在东门,宛丘舞会上爱上了一个舞姿优美的姑娘,那姑娘也颇有意,两人便挑选一个吉日良辰,在纺麻劳动之余,一块去到南边的游乐之原婆娑起舞,又趁着大好时光一次又一次同往跳舞的集市幽会。日近日亲,感情弥笃。情人眼中,那女子美好娇艳如同淡紫色的锦葵花儿,姑娘也钟情这个男子,送他一把花椒表示倾慕。花椒是定情的信物,“贻椒”即表示愿与对方结成良缘。这一象征性爱的隐语传达出含蓄而又炽热的情怀。《诗经》中很多诗章描写了类似赠物定情的细节:“彤管有炜,说怿女美。匪女之为美,美人之贻”(《邶风·静女》);“投我以木瓜,报之以琼琚。匪报也,永以为好也”(《卫风·木瓜》);“维士与女,伊其相谑,赠之以勺药”(《郑风·溱洧》)。另外,《离骚》有“巫咸将夕降兮,怀椒糈以要之”句,王逸注曰“椒,香物,所以降神是也”。由此可知,这位“子仲之子”也可能兼作巫女,她带着花椒舞蹈,顺便就用它当了定情的信物。

劳动过程之后的舞蹈是想“再度体验一种快乐的冲动”(普列汉诺夫《论艺术》),和劳动中的舞蹈相比照,带有较高的审美价值和自觉的美感意识。纺麻劳动之余的“两性舞蹈”则更加富于含义,他们跳舞为了娱乐自身,娱乐群体,同时也渴望着取悦于某个意中人。《东门之枌》中表现的舞蹈充溢着的是自然朴素的情感,已经完全脱去宗教巫术的“圣洁灵光”。群体歌唱的回声弱了,有了独抒性灵的乐章,前期诗歌那种与社会同体的窠臼在这里已被突破。

《东门之枌》记录了爱情的心路历程。首章写一见钟情,二章写感情的发展,末章写感情的高潮。按传统诗学原则来讲,首章是“起”。高大的白榆,茂盛的栎树,“子仲之子”美妙的舞姿都可以说暗示了这段姻缘的顺利。二章是“中”,亦是写良辰美景,赏心乐事,最后以“贻椒”为罗曼史奏响一个胜利的乐章,是“结”。这首诗由首章的他指“子仲之子,婆娑其下”,到末章的对称“视尔如荍,贻我握椒”,叙述角度由客观而主观,亦是情感历程的表现。枌树底下那位舞蹈的姑娘成了眼前这个如锦葵花般的女子,远的近了,朦胧的清晰了。爱,有了果实。

《东门之枌》没有《褰裳》的哀怨,没有《子衿》的惆怅,没有《风雨》的凄惶,它无甚曲折,略显直露,不是以离合变化,而是以其单一的主题,以其舒畅、自由、健康的情调,以其热烈、真挚、明朗的风格,给人以独特的艺术享受。《毛诗序》解释这首诗说:"《东门之枌》,疾乱也。"《郑笺》申之曰:"此本淫乱之所由。"但从诗的字里行间我们感受到的只是它的清新纯朴,无丝毫"淫乱"之意,那些牵强附会之说实难令人信服。这首诗短短三章,有环境景物的摹写,有内心活动的观照,有特定形象的塑造,表情达意,层次清晰,不失为《陈风》中的佳篇杰构。

(王海若)

衡　门

衡门之下,	支起横木做门框,
可以栖迟。①	房子虽差也无妨。
泌之洋洋,②	泌丘泉水淌啊淌,
可以乐饥。	清水也能充饥肠。
岂其食鱼,	难道我们吃鱼汤,
必河之鲂?③	非要鲂鱼才算香?
岂其娶妻,	难道我们娶妻子,
必齐之姜?	不娶齐姜不风光?
岂其食鱼,	难道我们吃鱼汤,
必河之鲤?	非要鲤鱼才算香?
岂其娶妻,	难道我们娶妻子,
必宋之子?	不娶宋子不排场?

(程俊英　译)

注释

①栖迟:叠韵联绵词,游息之意。②洋洋:水流不竭貌。③鲂:鱼名,它和鲤

鱼同被当时人认为是最好的鱼。

鉴赏

《陈风》十篇,大抵写巫风与男女之情,而《衡门》却别具一格,在《陈风》乃至整个风诗中有其独特价值。

关于《衡门》的主题,历来众说纷纭,大致可归为两类。一是"诱僖公"说,《毛诗序》和欧阳修《诗本义》主此说。另一为"乐道安贫"说,《韩诗外传》曰"《衡门》,贤者不用世而隐处也";朱熹《诗集传》曰"此隐居自乐而无求者之辞";王先谦《诗三家义集疏》总结名家说法认为《衡门》"言贤者乐道忘饥,无诱进人君之意。即为君者感此诗以求贤,要是旁文,非正义也"。后一说较为可信。郭沫若在《中国古代社会研究》中也认为这是以"贫贱自慰"的诗,但他把诗中的主人公看成"破落贵族",带有过强的阶级观点,对诗本体的思考不够全面。

"衡门",即横门。横木为门,极言其简陋。首章以居食的清苦和诗中主人公安贱乐贫相对照:栖息横门之下而不嫌其简陋,以泌泉充饥却独甘其寡味。"乐饥"有多解。一解为充饥。二解作乐而忘饥,《毛传》云"乐饥,可以乐道忘饥";《诗集传》亦云"泌水虽不可饱,然亦可以玩乐而忘饥也"。三解"乐饥"为"饥乐"的倒文,姚际恒《诗经通论》称"乐饥,犹饥乐,谓虽饥亦乐也"。几种解释互为对照,亦有相通之处。后两章重沓叠奏,反复咏唱,章法结构完全一致。两章的前两句都说不强求美味,正如吃鱼未必非吃名贵的鲂和鲤,后两句都说不嫌贫爱富,正如娶妻未必娶贵族女子齐姜、宋子。

由上述分析可看出,这个男子确是个鄙夷奢侈、自得其乐的人。"斯是陋室,惟吾德馨"(刘禹锡《陋室铭》),他不渴求美味佳肴,不艳羡高堂大屋,不攀附权势富豪,和孔子门下那个"一箪食,一瓢饮,在陋巷……不改其乐"的颜回极为相似。据载,孔子弟子子夏在读《书》后表示"虽居蓬户之中"也要乐此不疲、"发愤忘食",并引说《衡门》一诗的头章。孔子闻后欣慰地说:"嘻!吾子可以言《诗》已矣。"(见《韩诗外传》)从孔子的于心戚戚,我们更可以看出这首诗并非"破落贵族"之作,更与僖公无关,它咏吟了一个贤者的生活理想,表现了《诗经》时代的某种精神风尚。班固、蔡邕以来的很多文人诗家常把"衡门栖迟""泌水乐饥"作为"乐道安贫"的典故,这亦可为佐证。

《衡门》与《陈风》下一篇《东门之池》为前后所作。《东门之池》写:"东门之池,可以沤麻。彼美叔姬,可与晤歌。”《诗经通论》评曰：“玩‘可以’‘可与’字法，疑即上篇之意。娶妻不必齐姜、宋子，即此叔姬，可与晤对、咏歌耳，又是上篇注脚。”此论颇有道理。

从《郑风·出其东门》我们还得到一些可作为旁证的信息。“出其东门，有女如云。虽则如云，匪我思存。缟衣綦巾，聊乐我员。”这首诗主要表现爱的专一，也展示出一种朴素、健康的恋爱观。以为人生自有伉俪，即使荆钗布裙，也能让人倾心，带来欢乐。《衡门》是这种择偶观念的又一体现。

《衡门》所写虽皆食宿起居，饮食男女之事，但情诚语直，出于信口，思致贯通流畅。它所表现的思想感情和《陈风》中其他抒情之作不同，它对人生理想所作的是一种理性的思考，是在某一高度上的冷静的观照，我们且不用现代眼光去品评这种生活追求，《衡门》毕竟是有其独特性的。

（王海若）

东门之池

东门之池，	东城门外护城池，
可以沤麻。①	可以泡麻织衣裳。
彼美叔姬，②	美丽姬家三姑娘，
可与晤歌。③	可以和她相对唱。
东门之池，	东城门外护城池，
可以沤纻。④	可以泡苎织新装。
彼美叔姬，	美丽姬家三姑娘，
可与晤语。⑤	有商有量情意长。
东门之池，	东城门外护城池，
可以沤菅。⑥	可以浸茅做鞋帮。
彼美叔姬，	美丽姬家三姑娘，
可与晤言。⑦	可以向她诉衷肠。

（程俊英　译）

注释

①沤:浸泡。②叔:排行第三。姬:姓。叔姬:美女的代称,《毛诗》作“淑姬”。③晤歌:相对而歌。④纻(zhù):麻的一种,亦名苎麻。⑤晤语:相对商讨。⑥菅(jiān):茅一类的草,可用以搓绳编草鞋。⑦晤言:对面交谈。

鉴赏

《诗经》中有五首以“东门”为题的诗,《郑风》中有《东门之墠》《出其东门》,《陈风》中有《东门之枌》《东门之池》《东门之杨》,五首无一不是情诗,大都写青年男女在东门外广场上、大树下、护城池旁“相与咏歌,各言其情”(朱熹《诗集传·序》)的欢会。“会男女”的地点不再限于《溱洧》《汉广》《褰裳》等诗所表现的水滨,东门外似也成为约定俗成的谈情说爱的场所。

《东门之池》共三章,每章四句,环环相扣,层层递进,虽然每章只换两个字,但却写出了感情的历程。从“沤麻”“沤纻”到“沤菅”,从“晤歌”“晤语”到“晤言”,它运用民歌所习见的重章叠句,易词申意的手法,使诗情得以循序渐进、节奏鲜明地表现出来。

诗中的男主人公爱上了东门城池浸麻织布的女子,“东门之池,可以沤麻”两句对于全章来说是赋也是兴。说它是赋,因为它交代了这首恋歌产生的地点,交代了恋爱一方——“叔姬”的身份。说它是兴,因为从“东门之池”写到“彼美叔姬”,从“可以沤麻”写到“可与晤歌”,这其中有个联想的过程。所谓“先言他物以引起所咏之词也”。“东城门外护城池,可以泡麻织衣裳”,“东城门外护城池,可以泡苎织新装”,“东城门外护城池,可以浸茅做鞋帮”,这些看似平常又不经意的叙述,其实恰是恋爱者内心深沉的剖白:织衣、做鞋这些女红,不正是婚姻生活的一部分吗?这个女子的勤劳能干引起他的好感和愉悦,爱慕追求自然也就顺理成章了,于是他就不断地咏唱起来。“复沓是歌谣的生命”(朱自清《新诗杂话》),我们正是从那近于执著的一唱三叹中感受到一种人情的美好,一股勃勃的生机。

《东门之池》其实只写了感情历程中的一个片断,其表述情感的方法是较为蕴藉的。“不是哀丝豪竹一路,也不是急管促板一路;专用和平中声,出以摇曳。”(梁启超《中国韵文里头所表现的情感》)感情的河水清澈舒缓,表达的方式朴实坦白。

这个男子没有将他的情怀诉诸狂放热烈的舞蹈，也似乎没有去着意安排诗情画意的幽会，他只是从“彼美叔姬”“沤麻”“沤纻”“沤菅”的劳动中看到她的美丽可爱，于是就和她对歌，找她谈天，最后才隐约地向她吐露衷肠。感情的发展是自然的，平和的，也是让人们心领神会的。诗中虽只写“可与晤歌”“可与晤语”“可与晤言”的“做什么”的意愿，而未直写“怎样做”的具体行为，但我们是可以想见其行动的。诗中虽没说明那个姬家姑娘对求爱的反应，更无如《东门之枌》中“子仲之子”表示允诺的“贻椒”之举，但从其明朗如一的格调，清新朴素的语言，从其情感发展的脉络，我们是可以于文字之外得“终成眷属”之想的。

《诗经》中很多篇章只将生活中小小情事直观地、自然地、真实地呈现出来，并不一味追求完满地表现什么，如这首《东门之池》，再有如《关雎》《汉广》《采葛》《宛丘》《隰有苌楚》等等。它们抒写的只是歌手一方的感情愿望，但我们于诗中触摸到的绝不只是歌手单一的脉搏，诗情造成的“空白”带来欣赏过程中积极的审美参与和思考，丰富了间接形象，使诗歌含有一目了然而又挹之无尽的单纯而深厚的美感。

（王海若）

东门之杨

东门之杨， 其叶牂牂。① 昏以为期， 明星煌煌。②	东门一片大白杨， 风吹树叶得朗朗。 林中人约黄昏后， 天上明星亮堂堂。
东门之杨， 其叶肺肺。③ 昏以为期， 明星晳晳。④	东门一片白杨林， 风吹树叶滴玲玲。 林中人约黄昏后， 天上明星亮晶晶。

注释

①牂（zāng）牂：拟声词。②明星：明亮的星星。一说即金星（又叫太白、启

明,长庚)。煌煌:明亮的意思。③肺(pèi)肺:拟声词,同"牂牂"。④晢(zhé)晢:同"煌煌"。

鉴赏

这是一首乍看似乎很简单,而越琢磨问题越多的诗。说它简单,首先是因为它采用的是《诗经》国风中常见的重章叠句形式,第二章仅仅换了两个词,并且还是词换意不换,两章完全可作一章读。其次是因为它每章只有四句,每句的意思都不深奥:从第三句的"昏以为期",我们知道这是恋人约会,时间定在黄昏之后;返过头来,第一句的"东门之杨"就是告诉我们约会的地点;剩下的二、四两句"其叶牂牂""其叶肺肺""明星煌煌""明星晢晢"则是对约会环境的描述。一切都是这么显豁,我们很容易地就可以得出"这是一首写恋人约会的诗"的结论。

然而,能够肯定下来的也就到此为止,再往下,则每走一步都会叫我们徘徊难决:这是写双方的相会呢,还是写一方的等待?如果是写一方的等待,那么是谁在等谁?又等了多久?随之而来的是:它表现的是相会的幸福,还是会面前的甜蜜的遐想?是等待的焦灼,还是久候不至的失望?……细味全诗,只觉得哪一种说法都不能肯定,哪一种说法都无法排除。古今各家的注释或译文五花八门,连思想相当解放而且敢于下结论的经学大师方玉润,也在他的专著《诗经原始》中,连连感叹它"辞意闪烁","玩其词颇奇奥,隐约难详",而终于不得不以"阙之"作罢了。

造成这种让我们莫衷一是的复杂情况的原因,是它明示给我们的太少而暗示给我们的太多。它用树林、叶声、明星三种物象构成的意境,具有太广的包含性和太多的启发性。既可以使我们眼前出现一幅情人幽会的画面,则那轻柔的、有节奏的树叶的沙沙声,正是这曲情歌的最美妙动听的伴奏,而那明亮而善解人意的星光,透过密密的树叶,疏疏拉拉地照射在他们身上所形成的斑驳的图案,恰似这天然情场最协调最理想的装饰;又可以使我们仿佛看到一位俊美的姑娘或憨厚的小伙子怀着甜蜜的遐想在等待,则那轻柔的、有节奏的树叶的沙沙声,正是向他(她)发出的祝贺与鼓励,而那深广无垠的星空,则在诱发他对未来的憧憬;也可以使我们看到这位姑娘或小伙子在焦灼地等待,则那轻柔的、有节奏的树叶的沙沙声,成了他(她)烦躁紊乱的心律的反衬,而那过于明亮的星光,使他(她)心中呈现一片迷惘;还可以使我们看到这位姑娘或小伙子在失望地等待，则那轻柔的、有节奏的树叶的沙沙声，仿佛一位知心朋友的同情与安慰，而那越走越远、越来越稀的星群，好似把幸福从他（她）的身边带到了遥远的、不可知的另一个世界……

接受美学认为，一切都是在读者的接受过程中产生的。既然这首诗给我们的是这样一个宽广的天地，我们难道还肯束缚住自己想象的翅膀，硬把自己的思维局限于一隅吗？它给人造成的那种如隔雾看花的朦胧之感，不也是一种美吗？

（宋谋玚　魏填平）

墓　门

墓门有棘，①	墓门有棵酸枣树，
斧以斯之。②	拿起斧头砍掉它。
夫也不良，③	那人不是好东西，
国人知之。	大家都很知道他。
知而不已，④	恶行暴露他不改，
谁昔然矣。⑤	向来生个坏脑袋。
墓门有梅，⑥	墓门有棵酸枣树，
有鸮萃止。⑦	猫头鹰啊它安家。
夫也不良，	那人不是好东西，
歌以讯之。⑧	唱个歌儿讥刺他。
讯予不顾，⑨	讥刺告诫他不听，
颠倒思予。⑩	灾难临头才想咱。

（程俊英　译）

注释

①墓门：陈国城门名。棘：酸枣树。②斯：劈。③夫：彼，那个人。④不已：不止，不改。⑤谁昔：畴昔，从前。然：就是这样。⑥梅：古文作“槑”，“槑”“棘”形似，棘误作槑，故梅应作棘。⑦鸮（xiāo）：猫头鹰。萃：集，停息。止：语助词。⑧讯：借作“谇”，警告，责骂。⑨讯予：即予讯。⑩颠倒：指国家纷乱。

鉴赏

陈,是春秋时的一个小国。陈桓公的时候出了一个叫陈佗的人,他是桓公的庶弟。他们的父亲文公死后,照惯例嫡长子桓公继位。但陈佗是个有野心的人,他一直在觊觎着陈国的最高统治权。后来他乘陈桓公病重,杀死了太子免,使国家陷入了内乱。不久,桓公死,陈佗自立为君。陈佗的倒行逆施给陈国人民带来了极大的灾难,国家大乱,国人离散,人民对陈佗无比仇恨。后来陈国人民借助蔡国的力量杀死陈佗,除了一害。《墓门》这首诗就是刺陈佗的。

详味诗旨,《墓门》当作于桓公病死之前。这是一个关心国家命运的诗人,目睹陈佗的所作所为,断定他要作乱,于是发出警告:"夫也不良,国人知之。"于是,虽然"司马昭之心路人皆知",陈佗却并不因此而有所收敛。"知而不已,谁昔然矣",他继续作恶,我行我素。这是第一章,诗人以愤怒的笔触揭露了陈佗怙恶不悛,由来已久的恶行,表现出强烈的爱憎。第二章转入警告:"夫也不良,歌以讯之。"那个居心叵测的家伙,我要唱一首歌儆戒他,如果他"讯予不顾",不听告诫,那么,等待他的只能是自取灭亡。"颠到思予"——到那时再想到我就来不及了。诗人并不是个预言家——虽然历史的进程证实了他的预言——而是一位严肃的法官。他站在历史的审判席上,揭穿了一个政治扒手的罪行,宣判了他自取灭亡的最后归宿,义正词严,理直气壮。

这是一首政治讽刺诗。中国诗歌有讽刺的传统,溯其源,滥觞于《诗经》。《汉书·礼乐志》曰:"周道始缺,怨刺之诗起。"郑玄《诗谱序》云:"周室大坏,《十月之交》《民劳》《板》《荡》勃尔俱作,众国纷然,刺怨相寻。"《诗序》在阐发诗歌的社会功用时也说"上以风化下,下以风刺上",可见古人很重视诗的讽刺作用。《诗经》中的讽刺诗之多,就是很好的例证,但《墓门》却有自己的特点。它不像《诗经》中其他的讽刺诗那样多用新鲜的比喻、巧妙的夸张或强烈的对比来传达诗旨,全诗除每章的头两句用兴而比的手法,把陈佗比作恶木(棘)和凶鸟(鸮)外,都采用了直抒胸臆的方法指斥时政,不讳言,不掩饰,可谓有胆有识,快人快语。而正是这样的谔谔直言使诗人忧国忧民、疾恶如仇的形象显得分外鲜明和传神。此外,在章法上此诗也有特点。吴闿生说"一句一转,沈郁顿挫"(《诗义会通》),颇中肯綮。

《墓门》在当时民间流传很广。据刘向的《列女传》记载,晋国有个大夫出使宋国，途经陈，遇到一个采桑女子。他要这个女子唱歌，采桑女便唱了这首《墓门》。这个故事虽不可靠，但用它来证明《墓门》在陈国民间的流传情况，还是很有说服力的。一首政治色彩很浓的诗，竟然在民间广为流传，除了说明这首诗的艺术生命力之外，也充分地显示出陈国民众的人心向背。

（朱杰人）

防有鹊巢

原文	译文
防有鹊巢，①	哪有堤上筑鹊巢？
邛有旨苕。②	哪有山上长苕草？
谁侜予美？③	谁在离间我情人？
心焉忉忉。④	心里又愁又烦恼。
中唐有甓，⑤	哪有庭院瓦铺道？
邛有旨鹝。⑥	哪有山上长绶草？
谁侜予美？	谁在离间我情人？
心焉惕惕。⑦	心里担忧又烦躁。

（程俊英　译）

注释

①防：堤坝。②邛（qióng）：土丘。旨：味美。苕（tiáo）：蔓生植物，一名鼠尾，生在低湿之地。③侜（zhōu）：欺诳。予美：我爱之人。④忉（dāo）忉：忧愁的样子。⑤唐：古时朝堂前或宗庙门内的大路。中唐：即中庭的道路。甓（pì）：砖瓦。⑥鹝（yì）：杂色小草，又名绶草。⑦惕惕：担心害怕的样子。

鉴赏

这是一首"忧谗"之诗。诗人以事物的颠倒反常作比兴：鹊巢本应筑在大树上，可现在却出现在堤坝上了；鼠尾草本应长在低湿的土地里，可现在却出现在土丘上了；砖瓦是用来造房的，为什么却被铺设在中庭的大道；杂色的小绶草又为什么会长在高高的山丘上。世上的事情可以反复无常，可耻小人惯于作伪造谣，那些无根浮词离间了我和"予美"之间的关系，心中怎能不忧愁烦恼？

对这首诗的"忧谗"，从《毛诗序》到朱熹的《诗集传》乃至清代和近现代的学者，都没有异议。但对被谗的对象却有着两种截然不同的观点。分歧的焦点在对"予美"一词的理解。《毛诗序》首先提出"宣公多信谗，君子忧惧焉"。郑玄继其说，并明确指出"所美，谓宣公也"。孔颖达进而发挥："臣之事君，欲君美好，故谓君为所美之人。"到了宋代，王质引用《史记》中陈宣公宠信嬖姬之子款，而杀太子御寇，公子完惧祸流亡齐国的故事，来坐实宣公的信谗（《诗总闻》）。那么，王质的"予美"，显然是"御寇"了。总之，这些说解都是把《防有鹊巢》当作政治诗来理解的。直到清代，像姚际恒、方玉润这样对《诗经》主题有着很多真知灼见的大学者，也都取这样的见解。但也有人提出了不同的观点，他就是朱熹。朱子认为"此男女之有私而忧或间之之辞"，他说"予美，指所与私者也"。他的说解无异于发聋振聩的惊雷，把笼罩在这首民歌表面的雾障一扫而空，还了它的本来面目。朱熹的功绩在于他能跳出《毛诗序》的束缚，就诗论诗，从诗篇的实际出发来分析认识它的主旨。他的方法是科学的，故而得出了正确的结论。朱熹的观点虽然一直受到攻击，直到清代还不断有人发难，但现在他的见解已为大多数学者所接受。高亨先生引用《唐风·葛生》一诗中的"予美亡此"中"予美"指作者的妻子（《诗经今注》），进一步证实了朱熹的论断。

其实，我们从《防有鹊巢》的结构和特点看，这完全是一首民间情诗。有人评这首诗"柔肠曲尽"（吴闿生《诗义会通》），可谓深得诗旨。仔细品味这首诗，一个失恋者的愁苦之情不是跃然纸上了吗？对情人的深爱、失去了心上人的苦楚和对挑拨者的一腔怨恨，交织在一起，编成了这首诗。没有"柔肠曲尽"的真切感受，是无论如何写不出如此哀怨之作的吧！

（朱杰人）

月　出

月出皎兮，①	月儿出来亮晶晶，
佼人僚兮，②	月照美人撩人心，

舒窈纠兮。③	姗姗细步苗条影。
劳心悄兮！④	一夜相思神不宁！
月出皓兮，	月儿出来白皓皓，
佼人懰兮，⑤	月照美人更多娇，
舒懮受兮。	姗姗细步仙姿飘。
劳心慅兮！⑥	一夜相思梦魂劳！
月出照兮，	月儿出来照四方，
佼人燎兮，⑦	月照美人闪银光，
舒夭绍兮。	姗姗细步柔腰荡。
劳心惨兮！⑧	一夜相思思断肠！

注释

①皎：洁白光明。②佼(jiǎo)：或作"姣"，美。僚(liǎo)：美好貌。③舒：徐。窈纠(yǎo jiǎo)：形容女子行动时的曲线美。下面"懮(yǒu)受""夭绍"均与此意同。④劳心：忧心，形容思念之苦。悄：深忧貌。⑤懰(liǔ)：妖媚，美好。⑥慅(cǎo)：忧愁不安貌。⑦燎：朱熹《诗集传》："燎，明也。"⑧惨：忧愁烦躁不安貌。《诗经》中"惨"与"懆"通用，现代汉语作"躁"。

鉴赏

这是一首月下怀人的情诗。"天下三分明月夜"（徐凝《忆扬州》），自然界佳景无数，令人神往的要算明月之夜了。而月下怀人，则是最富于诗意的情事。《月出》便是一首最早写月下怀人的诗篇。诗每章首句写月夜之皎洁明亮，二、三句描写意中人在月光照耀下艳丽多彩，风姿动人。那激扬的声调，仿佛爱情之火在诗人胸中燃烧，那拳拳爱慕而赞美之心，又仿佛荡漾着男子眷恋丽人的似水柔情。如此良宵，伊人渺渺，第四句咏叹相思之劳。每章诗前部分力状"佼人"之美，后部分突出（我）"劳心"之苦。而"月出"值得玩味之处，在于它将前后两种看似无法调和的情景成功地调和起来形成诗的和谐而统一的完整境界。

《诗经》中有许多怀人之作，但所怀的人物形象及其活动场景各异。那“寤寐求之”的“窈窕淑女”（《周南·关雎》），相逢在河边左采右采采荇菜。那一见为之倾心的“所谓伊人”（《秦风·蒹葭》），原来谋面于芦苇青青的深秋早晨，白水环绕的河那边。而本诗的心上人，却在明月流辉之夜，随着男子对月兴怀，她仙姿摇曳，若隐若现。诗人巧用特定环境中的夜色和“皎”“皓”“照”的月光，织成空明剔透的朦胧意境，给诗、给爱情、给整个大地似乎都罩上一层乳白的纱，又像笼着轻纱的梦，于是月更明了，人更美了，相思之苦苦中有甜了。朦胧美美化了诗的“象外之象，景外之景”，又给读者于美的享受中以凝思、遐想，收到司空图所说的“不着一字，尽得风流”之妙。这就是这首诗久传不衰、神韵独具的艺术魅力，诸如《关雎》《蒹葭》一类的情诗皆无。诗大约是用陈国方言写成，所用的词语在《诗经》中多不经见。全诗只见名词“月”“人”“心”和动词“出”，除“兮”外余皆形容词，而这些形容词如首章的“皎”“佼”“僚”“窈”“纠”“劳”“悄”，次章的“皓”“佼”“懰”“懮”“受”“劳”“慅”，三章的“照”“佼”“燎”“夭”“绍”“劳”“惨（懆）”等二十余字，都有声韵的关系，使读者不期然而然地产生一种深刻的怅惘。诗用民歌复沓形式咏叹，通篇句句押韵，且多叠韵双声，（如“窈纠”“懮受”“夭绍”）读来悦耳动人。历代见月怀人，望月思乡，大抵起源于此吧，宜乎后人推为三百篇中情诗的杰作。

（周　甦）

株　林

胡为乎株林， 从夏南？① 匪适株林②， 从夏南！	“国君为何去株林， 是跟夏南去游玩？” “寡人可不去株林， 只找找大夫夏南！”
驾我乘马，③ 说于株野。④ 乘我乘驹，⑤	“驾着我四马之车， 株邑郊外歇一番。 再换四驹拉着车，

朝食于株。[6]　　　　赶到株邑进早餐。”

注释

①株:陈国邑名,在今河南省西华县夏亭镇北。林:郊野。株林和下章株野是对文。古代林和野有区别,林较野离邑更远些。这里都是泛指郊外。从:跟。②匪:非,不。适:去,往。③乘:古代一车四马为一乘。④说(shuì):停息。⑤乘:前一乘字,动词,驾。驹:高五尺以上的马。⑥朝食:吃早饭。

鉴赏

这是陈国人民讽刺灵公与夏姬淫乱的诗。据《左传》宣公九年、十年记载:夏姬是郑穆公女,嫁陈国大夫夏御叔,生子征舒,字南。夏姬貌美(史称她“三为王后,七为夫人,公侯争之,莫不迷惑失意”),陈灵公与他的大夫孔宁、仪行父都和她私通。泄冶好心规劝:“君臣都淫乱,百姓向谁学习去?”反被杀。宣公十年(前599),灵公与孔、仪二人在夏家饮酒。灵公开玩笑说:“征舒象你们。”二人答:“也象公。”酒罢,灵公被征舒射杀,孔、仪奔楚,陈亦被楚灭。此即陈灵公事本末,亦《株林》一诗的本事。

通篇语言朴素,不事雕饰,而平淡中蕴含丰富的内涵和强烈的感情,朴素中自有天然的风韵。

为什么以“株林”为题?株,是陈国大夫夏征舒承袭的封邑(陈国公子夏即征舒祖父,亦灵公之从祖父,为舜的后裔,姓妫),即灵公往来与其母私通处。林,“平土有丛木曰林”“野外谓之林,引申之义也”(段玉裁《说文解字注》)。联系民间称男女苟合为“露水夫妻”“野夫妻”,则诗以“株林”标题,深寓主旨和嘲讽于其中,也有笼罩全篇的作用。

诗的第一句假设为国人问,余皆灵公答。灵公与夏姬私通,国人早有所闻。诗用怀疑语气明知故问:“胡为乎株林、从夏南?”语言平淡,看似掀不起感情波澜。然国人明知是找夏姬而不敢明问,只好曲言“从夏南”么?话到口边隐半句,这吞吞吐吐的语言蕴涵着几多讽刺与愤懑?

写国人问,只是诗的引线,逗出灵公答,才是全诗的重点。诗中设想身居国君高位的灵公冷不防这突如其来的一问,不及深思便故作正经、慌忙回答:“匪适株林、从夏南!”接着又连连补充,“说于株野”,“朝食于株”,愈显灵公心虚技拙。明是去株林,却说“匪适株林”;明是找夏姬,却说“从夏南”;明是淫于夏姬,却托辞去“株野休息”“株邑早餐”。句句撒谎、掩盖，实则欲盖弥彰。诗人淡淡着笔，活画出灵公的丑恶像，是诗是画、亦庄亦谐的传神之笔，淡雅隽永，耐人玩味。诗用问答结构，既增强诗的真实感和讽刺味，于简朴对话中的一逗一演，也自有天然的风韵。

诗的艺术特色尤在含蓄。两“株林”，两“夏南”，细嚼其味，如见车马簇拥，乡民聚观，嗫嚅附耳，道旁指责及灵公尴尬相。联系周定王于灵公被杀前两年使单襄公假道于陈所经见，“道路若塞，野场若弃”，“民将筑台于夏氏。及陈，陈灵公与孔宁、仪行父南冠己如夏，留宾不见”（《国语·周语》），则诗所言虽仅淫乱一个方面，但统治者凡生活淫乱必然会导致政治腐败。使人读后觉“深文隐蔚，余味曲包”（《文心雕龙·隐秀》）。

国风中揭露统治者丑行的讽刺诗不少。卫有讽刺国君劫夺儿媳为妻的《新台》，有讽刺国后与庶长子私通的《墙有茨》和《君子偕老》，齐有讽刺国君淫于胞妹的《南山》。《株林》作于公元前599年以前，是陈风最晚的一首，也是这类讽刺诗最晚的一首。有关诗的本事，《春秋》《左传》《国语》《史记》等均有记载。综观史实之详，史与诗关系之密，不独这类讽刺诗未有，亦诗三百所罕见。可见陈灵公事不仅昭彰于春秋之世，触发诗人咏叹，也引起历代史家注目。

（周　燮）

泽　陂

彼泽之陂，[①]	池塘边上围堤坝，
有蒲与荷。	塘中蒲草伴荷花。
有美一人，	看见一个美男子，
伤如之何。[②]	我心爱他没办法。
寤寐无为，[③]	日夜相思睡不着，
涕泗滂沱。[④]	眼泪鼻涕一把把。
彼泽之陂，	池塘边上堤岸高，
有蒲与蕑。[⑤]	塘中莲蓬伴蒲草。
有美一人，	看见一个美男子，

硕大且卷。⑥	身材高大品德好。
寤寐无为，	日夜相思睡不着，
中心悁悁。⑦	心里忧郁愁难熬。
彼泽之陂，	池塘边上堤岸高，
有蒲菡萏。⑧	塘中荷花伴蒲草。
有美一人，	看见一个美男子，
硕大且俨。⑨	身材高大风度好。
寤寐无为，	日夜相思睡不着，
辗转伏枕。	翻来覆去空烦恼。

（程俊英　译）

注释

①陂（bēi）：堤岸。②傷：《韩诗》《鲁诗》作“陽（阳的繁体）”，陽和“姎”“卬”通用，女性第一人称的代词。③寤寐：醒着和睡着。④涕：眼泪。泗：鼻液。滂沱（pāng tuó）：本义形容雨大，此为涕泗俱下的样子。⑤蕑（jiān）：一作“莲”，指莲蓬。可从。⑥卷（quán）：鬈发之美。一作“婘”，好貌。⑦悁（yuān）悁：悲哀忧闷的样子。⑧菡萏（hàn dàn）：荷花。⑨俨（yǎn）：矜庄貌。

鉴赏

《诗经》里有不少女性的歌唱，表现她们自己在爱情婚姻上的悲欢离合。这首《陈风·泽陂》即是女子怀人的诗篇。闻一多先生说：“荷塘有遇，悦之无因，作诗自伤。”（《风诗类抄》）就是说，这位女子曾在荷塘边与一个男子相遇，男子风流标致的气度，给她留下了深刻的印象。但她却无法和他接触交朋友，心中感到很悲伤，故作此诗，表达其相思之情。诗主要采用了如下几种表现方法来抒发情感。

注重刻画人物内心世界婉曲哀伤的感情活动。全诗都是女子思念男子之词。她孤独一人躺在床上，荷塘相遇的情景，不断地在脑海里浮现。因此，她“寤寐无为”，横竖不能入睡，长时间地陷入苦苦思念中。她想到，那男子很英俊，“硕大且卷”“硕大且俨”，一副仪表堂堂的男子汉气概。一次偶然的相逢,即对他产生了爱慕之心。而此后却没有再和他见面的机会了,这是多么伤心啊。“傷如之何”,我怎么办呢?只有无可奈何地低回叹息而已。诗共三章,作者利用其结构上的这个特点,将悲伤悒郁的感情在诗中反复出现,并且一次比一次更深化。这样,就使主人公的情思表现得很透彻。恰如陈子展先生说:“全篇写此一美妇人之忧思悲伤。始尔‘涕泗滂沱’,中而‘中心悁悁’,终乃‘辗转伏枕’。忧愈深而人转静矣!”(《国风选译》)这段话精到地指出了本诗的主旨在于表现女主人公心中的无穷忧端,以及环环往复,愈转愈深的表达方式。

比兴手法的运用。此诗每章的开头,都以女子和男子曾经相遇的场所——荷塘里的景物起兴,以引出思念之词。这在《诗经》里是一种常见的表现手法。然而,本诗采用它所取得的艺术效果是多维的,不像有些诗只起“兴”的作用那么单一。首先,诗中三次用“兴”法,而笔下的景物始终是两种:蒲与荷。“蒲”字不变,而“荷”字,却分别改用“蕳”“菡萏”。荷指荷叶,蕳、菡萏分别指莲蓬和荷花。实为一物而名各异,变换字面,使得行文灵活,意象繁复,情韵优美。其二,按照《郑笺》的说法,“蒲”以喻男,“荷”以喻女。那么,池塘里蒲荷双生,互相映发的景象,当然就蕴含着女子希望和那男子连理成枝,比翼双飞的心愿。对她抒发相思之情来说,无疑则起着一种映衬的作用。其三,这一景象,尤其是荷花亭亭玉立,洁净姣美的倩姿淑态,又通过“有美一人”的纽结,对下文刻画男子的形象也起着极好的“兴”的作用。像这样一箭三雕,具有“多边”性能的比兴手法,是古代诗人留给我们的宝贵的艺术遗产。

复沓的章节形式。这首诗运用复沓形式是非常明显的,毋庸赘述。值得注意的是,上面所说的层层深入的抒情性和比兴手法艺术效果的多样性,都是以复沓为基础而取得的。就是说,诗人利用这一特殊的语言形式,或多方展示,或逐层深细地将女子的怀人之情,淋漓尽致地表现出来,使诗蕴藉灵动,含义丰富,耐人咀嚼涵咏,确是一首佳作。

(王锡九)

桧　风

羔　裘

羔裘逍遥，①	游乐你穿羊皮袄，
狐裘以朝。②	上朝你披狐皮袍。
岂不尔思？	难道真不眷念你？
劳心忉忉！③	让人为你心烦恼！
羔裘翱翔，	你穿羊裘去游逛，
狐裘在堂。④	你披狐裘上公堂。
岂不尔思？	难道真不眷念你？
我心忧伤！	让人为你心忧伤！
羔裘如膏，⑤	羊皮袍子油光光，
日出有曜。⑥	太阳照着多鲜亮。
岂不尔思？	难道真不眷恋你？
中心是悼！⑦	我心为你太哀伤！

注释

①羔裘：朝服。逍遥：与下文“翱翔”，皆游逛嬉乐之意。②狐裘：祭服。③忉(dāo)忉：忧愁的样子。④堂：公堂，与上文的“朝”皆是君主听政之所。⑤膏：脂油。⑥曜(yào)：日光。⑦悼：心神震动，哀伤。

鉴赏

根据汉代以来的传统解释，这是西周时期桧国（在今河南省密县东北）大夫讽谏其国君的一首诗。现代有的研究者认为，是一首写“一位女子欲奔男子而不敢”的情歌。我以为新解与原诗的格调不类，故不取，仍从旧说。

前两章上二句用桧君变易服饰的典型事例，指责他只顾一己游乐，不能自强于政治的荒唐行径。“羔裘”本是上朝时穿的服装，“狐裘”本是农事完毕举行祭祀典礼时穿的服装。在那个服饰制度森严的社会里，一般说来，国君是应该率先遵守的。但桧君偏偏反其道而行之，穿着朝服去游嬉宴乐，披着祭服上朝堂听政。他为什么要这样做呢？孔颖达解释说：“羔裘是适朝之常服，今服之以逍遥；狐裘是息民之祭服，今服之以在朝。言其志好鲜洁，变易常服也。”其实，说桧君“志好鲜洁”，爱好漂亮，还是一种表面的解释。实际上，他是一心游乐嬉戏，置礼仪于不顾，视政治同儿戏，不管国家大事，所以才这样变易其服，不拘常礼。郑玄说得好：“先言燕，后言朝，见君之志不能自强于政治。”此语可谓深中理解。就当时的政治形势来看，桧国是一个弱小的国家，它的近邻强大的郑国正对它虎视眈眈。在那个弱肉强食的世界里，一个小国的国君“不能自强于政治”，这个国家的命运也就可想而知了。

桧君不听劝谏，一意孤行。第三章上二句写他在太阳光里炫耀身穿的熠熠闪光的朝服，耀武扬威，不可一世。但朱熹解释这两句却别有会心，他说“赋也。膏，脂所渍也；日出有曜，日照之则有光也”。即是说“羔裘如膏”不是采用的比喻手法，而是直陈其事，那太阳底下闪闪亮的羔裘上，渍满了桧君参加宴会滴下的油腻。这样解释，未免对“志好鲜洁”的桧君太不尊敬；然而惟其如此，才更加具有讽刺的意味。

大夫眼看君主日益荒淫，国势随之渐次衰颓，心中的忧愁也一步比一步加深，各章的末句便抒写了他心灵的历程。首章末句“劳心忉忉”，尚可作“烦恼、忧愁”理解；二章的“我心忧伤”，“忧”的程度已比上章加进一层；三章末句“中心是悼”，《毛传》释“悼”为“动”，《郑笺》解作“哀伤”，《孔疏》作“心神震动，故为‘动’也，与《笺》‘哀伤’同”。可见，这几个词的选用在感情色彩上是相当考究的，它们一个比一个程度加深，力度加强，贴切地反映了大夫对桧君由失望到绝望的情感发展脉络。据郑玄说，大夫谏君，三谏不从，将离君而去。大夫是否已离君而去，另择明主？诗篇各章第三句“岂不尔思”有所暗示，说并非无所眷念，意味着不得不忍痛离开。我们还知道，大夫对桧国命运悲观的预感，不幸竟成为事实。公元前 769 年，郑国灭亡了桧国。不过，那已经是后话了。

（詹杭伦）

素　冠

原文	译文
庶见素冠兮，①	幸见您戴着白帽，
棘人栾栾兮。②	瘦棱棱变了容貌。
劳心传传兮！③	我的心忧伤难熬！
庶见素衣兮，	幸见您素白衣衫，
我心伤悲兮！	我的心悲伤难言，
聊与子同归兮。④	愿和您一同归天。
庶见素韠兮，⑤	幸见您围裙素淡，
我心蕴结兮！⑥	我的心忧郁难宽！
聊与子如一兮。⑦	愿和您同赴黄泉。

注释

①庶:幸。素冠:白布冠。与下文的“素衣”“素韠”都是死者的服饰。②棘:同“瘠”。栾(luán)栾:枯瘦的样子。③传(tuán)传:忧愁的样子。④聊:愿。同归:即同死。⑤素韠(bì):白皮的皮围裙。⑥蕴结:愁苦不堪,忧思难解的样子。钱钟书以此为“情结”之始,参阅《管锥篇》。⑦如一:即“同归”。

鉴赏

《素冠》一诗,旧有三解:一曰桧臣哀君被执,二曰同情孝子丧亲,三曰妇悼亡夫。而以姚际恒之说最为通达:“此诗本不知指何事何人,但劳心伤悲之词,同归如一之语,或如诸篇以为思君子可,以为妇人思男亦可。”(《诗经通论》)这就是说,此诗的审美意蕴是开放性的,后人的理解只要同诗中的感情基调契合,便能言之成理。

本文取妇悼亡夫说,理由是春秋齐国杞梁妻哭悼亡夫的故事与此诗中描写的情景近似。《列女传》记载,杞梁随齐庄公偷袭莒国,战死疆场。“杞梁之妻无子，内外皆无五属之亲，既无所归，乃枕其尸于城下而哭。内诚动人，道路过者莫不为之挥涕，十日而城为之崩。”时人赞道：“杞梁之妻，贞而知礼。《诗》云：‘我心伤悲，聊与子同归。’此之谓也。”故事中所引的诗句正是出于《素冠》。

《素冠》中的主人公是一位与杞梁妻同样不幸的女人。丈夫死了，将入殓时，她见到丈夫最后一面，抚尸痛哭，伤心地表示愿意和丈夫一同死去。

诗篇的开首用了一个“庶”字，“庶见”是“幸而见到”的意思。或许这位女子是从外地赶来，幸而见到了丈夫最后的一面。她跌跌跄跄地扑向棺木，首先映入眼帘的是一顶洁白的布冠，冠盖下是一张瘦骨嶙峋的脸。她一时怔住了不敢相认，丈夫平时熟悉的容颜哪儿去了？她一定睛看清了这眼前无情的现实，便一头扑在丈夫身上失声痛哭起来。她从上到下细细抚摸丈夫已失去温暖的躯干，那洁白的衣衫、那素淡的围裙告诉她，丈夫已去了另一个世界。她哭啊，哭得天昏地暗，哭得星移斗转，她没有哭诉夫妻生前的千般恩爱，只是反反复复、撕心裂肺地哭喊着一个心愿：愿和他一道归天！愿和他同赴黄泉！

这是一个葬礼的场面，但没有背景，没有围观，作者只是把聚焦镜始终对准男女主人公：一具浑身素裹的僵尸上横卧着他那哭得神志不清的妻子。

震撼人心的悲剧的力量从这里升起，回荡在人们心头的是一曲唱了三千多年的哀歌。后世人们对女主人公的所作所为，给出了各式各样的道德评价：道学家为她树立起一块贞节牌坊，现代人或许又会说她是“爱情至上”。但实际上她没有勇气也没有权利重新获得生活的“欢颜”。杞梁妻在丈夫下葬后的一番话，真切地传达出殉节者的心声：“吾何归矣？夫妇人必有所倚者：父在则倚父，夫在则倚夫，子在则倚子。今吾上则无父，中则无夫，下则无子。内无所依，以见吾诚；外无所倚，以见吾节。吾岂能更二哉？亦死而已。”可见，在封建势力压迫下，妇女没有自身独立存在的价值，丧夫之后，又孤独无靠，摆在她们面前的便只有一条路：与丈夫同归于尽。《素冠》一诗，为此留下了历史的见证。

（詹杭伦）

隰有苌楚

隰有苌楚，[1]　　洼地有羊桃，

猗傩其枝。②	婀娜枝叶好。
夭之沃沃，③	柔嫩多光泽，
乐子之无知。④	羡你啊无烦恼。
隰有苌楚，	洼地有羊桃，
猗傩其华。	婀娜花儿美。
夭之沃沃，	柔嫩多光泽，
乐子之无家。	羡你啊无家累。
隰有苌楚，	洼地有羊桃，
猗傩其实。	婀娜果实好。
夭之沃沃，	柔嫩多光泽，
乐子之无室。	羡你啊无妻小。

注释

①苌(cháng)楚:羊桃,猕猴桃。②猗(ě nuó)傩:同“婀娜”,轻盈柔美的样子。③夭:嫩美。沃沃:光泽貌。④子:指苌楚。

鉴赏

这是一首悲观厌世之作。朱熹说是“政烦赋重”下人民的哀告,沈德潜更将此诗与《小雅·苕之华》相提并论。但《苕之华》中明有一个饥民的形象,悲愤却并不颓废;与此诗中虽有室家而不乐者,是显有区别的。生活告诉我们,对痛苦比较敏感,容易绝望的人,往往是被命运突然抛弃的破落者,世态的炎凉与生计的艰辛,常使他们感到不堪忍受。“不承权舆”(《秦风·权舆》)之痛,“尚寐无吪”(《王风·兔爰》)之悲,常常萦绕在他的胸际,不像长作牛马的劳动者那样麻木,那样乐天。《隰有苌楚》一诗中人哀叹“自己这样有知识罣虑,倒不如无知无识的草木!自己这样有妻儿牵连,倒不如无家无室的草木!做人的羡慕起草木的自由来,这怀疑厌世的程度真有点样子了”。“这种极端的厌世思想,在当时非贵族不能有,所以这诗也是破落贵族

的大作。”（郭沫若《中国古代社会研究》）

这首诗在写法上有一显著的特点，就是并没有直接表现悲观厌世的思想，倒是反反复复在那里欣赏赞叹羊桃的欣欣向荣，羡慕草木的无知无识、无家无室之乐。诚如居维叶所说，植物不为痛苦所困，只有恋爱而无妒忌，有美丽而无炫耀，有强力而无横暴，有死亡而无痛楚，与人类绝不相同。（陈子展《诗经直解》转引）但这种差异，也只有别有怀抱的伤心人，才容易深切感到。诗人着重通过这种心理刻画，表现出难言的悲苦，而“凡苦之可言者，非其至也”（钟惺语），以不言言之，可谓得宜。

各章前三句均触物起情，这在全诗占有较大比重，具体手法与《周南·桃夭》颇有异同，可以对读。《桃夭》诗也发兴于树木之欣欣向荣，三章易词，逐次对其枝叶花果之美盛加以形容。彼此不同的是，《桃夭》由树木的欣荣，义归于家室之好；《隰有苌楚》则由树木的欣荣，义归于有家而不乐。前者是最习见的起兴手法，后者则是较特殊的兴法，通常称之“反兴”，这是一种逆向的形象思维，故有别趣。

（周啸天）

匪　风

匪风发兮，[①]	风儿发发响呀，
匪车偈兮。[②]	车儿飞一样呀。
顾瞻周道，	回头瞻望大道，
中心怛兮！[③]	心中多凄凉呀！
匪风飘兮，	风儿打着旋呀，
匪车嘌兮。[④]	车儿快快赶呀。
顾瞻周道，	回首瞻望大道，
中心吊兮！	心中多凄惨呀。
谁能亨鱼？[⑤]	谁有能耐烹鱼？
溉之釜鬵。[⑥]	为他洗锅我愿。
谁将西归，	谁要回转西方，

怀之好音。⑦　　　　传语捎个平安。

注释

①匪:彼。发:发发,风声。②偈(jié):疾驰貌。③怛(dá):悲伤。④嘌(piāo):轻疾貌。⑤亨:通“烹”。⑥鬵(xín):大锅。⑦怀:送。

鉴赏

《诗经》中不少作品本缘事而发,但表现上只系于抒情,而不及史实。力求其具体情事,便成了后儒说诗的义务,其间创获甚多,失误也不少。现代研究者颇有趋向于就诗的本文立言,将诗意说得宽泛而概略,如《匪风》,只说是旅客思乡之作,对旅客的具体身份则不予考究,这样做固然避免了前人穿凿之弊,但也不无遗憾,那便是某些特定环境下产生的作品,其特殊的情味难于阐明,有隔靴搔痒之嫌。看来实事求是、探明本事,对于解诗还是必要的。《匪风》一诗,《毛诗序》认为是“(桧)国小政乱,忧及祸难,而思周道焉”,方玉润概括为“伤周道不能复桧”,于诗之本文,信而有征。因此诗中人非一般的游子,而是周室东迁,桧逼于郑的形势下,逃难于大路的桧国士大夫一流人物。汉王吉《上昌邑王疏》所说:“东迁之初,士大夫各以车马载其孥贿疾驱而至。小国实逼处此,何以安存?故诗人忧之。”便是针对此诗而言的。

即使无风的情况下,车子飞跑,也会四轮生风。何况一路上风吹得很厉害。“匪风发兮,匪车偈兮”,风与车辅存:风疾适见车快,车快益觉风疾。车辚辚,风萧萧,作用在行人心理上,是什么滋味呢?须知这不是乘车兜风去,而是流徙避难呢。坐在颠狂飞驰的车中,回看尘土飞扬的大道,故园越离越远,前程渺茫难卜,诗中人怎能不“中心怛兮”!诗的前两章是联吟,易词申意,重复中有新的感伤。“匪风飘兮,匪车嘌兮”,风旋起来了,车转得更轻疾了,人更感到“行迈靡靡,中心摇摇”了。心中之伤由“怛”而“吊”,当有层次上的加深。方玉润《诗经原始》云:“桧当国破家亡,人民离散,转徙无常,欲住无家,欲逃何往?所谓中心惨怛,妻孥相吊时也……行之偈也,漂摇难安。此何如景况乎,果谁为之咎也?非周辙之东不至此。”所以诗中“周道”含义是双关的。一方面就诗中意象而言,这是指大道,《诗经》中屡见;另一方面就诗之含义言,又隐射王道,即文武之道。这就直接关联到第三章的“烹鱼”之喻,它显然与一般以鱼象征性爱的用法不同,因为这诗无关爱情,不必硬往上面扯;这个比喻与治国之道攸关,使我们联想到孟子“治大国若烹小鲜”那个说法。“谁能亨鱼?溉之釜鬵”,质言之等于说:谁能复兴周道,再振王纲,使我小国无危亡之苦,我将举双手赞成,且助以一臂之力。出以比兴,便觉含蓄。有了这个飘飘然的想法,诗人由此又生一念,希望眼前出现一个西归的人,替他向家乡捎个好信。当然,第三章这个光明的尾巴只是存在于诗人的幻想之中,是望梅止渴的表现。既然眼前无此西归的人,天下也没有诞生重整河山的贤圣,一路上他的心儿还不免继续“怛兮”“吊兮”。

此诗第三章构思绝妙。余冠英先生曾以为与岑参《逢入京使》意境相似,那首唐诗写道:“故园东望路漫漫,双袖龙钟泪不干。马上相逢无纸笔,凭君传语报平安。”两诗都有故乡之恋,且结尾都写到捎报平安,可说是不谋而合。然而,那怀着“功名只向马上取”的唐代投笔之士,尽管难舍家园,却是自觉远征,目的明确,前景乐观,诗末洋溢一片豪情。就这方面而言,两诗又不可同日而语。《匪风》中那桧国流亡者,其希望多么渺茫,而心情又是多么凄恻哟。

(周啸天)

曹　风

蜉　蝣

蜉蝣之羽，①	蜉蝣绒羽薄闪闪，
衣裳楚楚。②	真像透明新衣裳。
心之忧矣，	深深忧虑埋心中，
于我归处？	我将存身在何方？
蜉蝣之翼，	蜉蝣张开双翅膀。
采采衣服。	衣服华丽真漂亮。
心之忧矣，	深深忧虑塞满怀，
于我归息？	我将栖息在何乡？
蜉蝣掘阅，③	蜉蝣穿穴飞出来，
麻衣如雪。	洁白如雪麻衣衫。
心之忧矣，	深深忧虑痛断肠，
于我归说？	我的归宿寻觅难？

注释

①蜉蝣：虫名。体软弱，触角短，翅半透明，能飞，腹部有等于体长的尾须两条，常在夏天日落后成群飞舞。成虫寿命很短，往往只活几天。②楚楚：鲜明、华美的样子。③掘：穿。阅：穴。掘阅：昆虫穿穴而出。

鉴赏

曹为公元前11世纪周分封的　　诸侯国，始封之君为周武王弟叔振铎,建都陶丘(今山东定陶西南),位于齐晋之间,公元前487年为宋所灭。曹国小邦危,无以自守,统治者沉酣宴乐,贵族阶级人物虽锦衣玉食,仍不免感叹前途渺茫,人生短促,故借蜉蝣而发出如此的哀歌。

蜉蝣成虫寿命不长,短的数小时或一二日,长的约一周,一般均朝生暮死。生命这般短促,虽"羽"犹如透明的衣裳,可护体、保温以至于飞翔,也是瞬息荣华,转眼即逝,因此有"于我归处"之叹。

首章言"蜉蝣之羽",次章言"蜉蝣之翼","羽""翼"虽都可解作翅膀,但仍有微小的区别。成鸟的羽,通常分为正羽、绒羽和毛羽三种。这里的"羽",即含"绒羽"意,极言其新而薄。闻一多《风诗类钞》:"蜉蝣的羽极薄而有光泽,几乎是透明的。古人形容麻织品做成的衣服,往往比作蜉蝣的羽,因此便称这种衣服为羽衣。"以此"羽"为衣,故给人以"楚楚"(鲜明、整洁)之感。"翼"者,即三羽俱有,暗示其翼已成。以此"翼"为衣,故给人以"采采"之感。"采采",既有如朱熹《诗集传》:"采采,华饰也"意;更有《秦风·蒹葭》"蒹葭采采,白露未已"的"采采"意,即表示繁密和茂盛。极言衣的华丽、漂亮,如百彩簇集。我们常见日将落时蜉蝣大群舞空中,正此境也。

这样,虽同是"心之忧矣",悲伤无限,而最后的失落感也不尽同:一曰:"于我归处",一曰:"于我归息"。"处"有"居住"意,如《易·系辞下》:"上古穴居而野处",可引申为存。"生年不满百,常怀千岁忧",此身虽在,但不知何处可寄,四顾茫茫,天遥地远,表现的是一种深沉落寞情绪。"息",歇止、休息,如《召南·殷其雷》:"何斯违斯,莫敢遑息。""归息",犹言收场、结局。至此,失落感递进一层:尽管衣饰粲粲,富贵尊荣如日中天,但归息有日,未知欢乐尚有几时!

"羽"进而为"翼",是物象的转化演绎;"处"进而为"息",是意象的转化演绎;藉蜉蝣而抒怀,诗人之感慨显然步步深沉了!一字之差,造成了不同的艺术境界。

三章转从蜉蝣之由来写起。"掘",本挖掘义。据《广雅》:"掘,穿也。""阅",马瑞辰《毛诗传笺通释》:"阅,读为穴,宋玉《风赋》'空穴来风',即《庄子》'空阅来风'也。"可知"掘阅"即穿穴。《汉书·王褒传》有"蜉蝤(蝣)出以阴"语。三国吴人陆玑在其所著《毛诗草木鸟兽虫鱼疏》谓蜉蝣"夏月阴雨时地中出"。此言蜉蝣之卵在泥中演变成幼虫,又羽化成蜉蝣,便从土中穿穴而出。"麻衣",古代的常服,即"深衣"。郑玄笺:"麻衣,深衣。诸侯之朝朝服,朝夕则深衣也。"实则"麻衣如雪"不过喻蜉蝣半透明的羽翼,显示出蜉蝣破土而出,令人瞩目。即使如此,仍是"心之忧矣",因为归根结底还是:"于我归说?"

“说”音“税”。《郑笺》:“说,犹舍息也”,即止息意。既然始终难觅归宿,则其心之惨伤,真是“至矣,尽矣,蔑以加以”了。

本诗借蜉蝣以寓意,直是咏怀,非复赋物,盖此中有我在也。古人或谓“刺奢也”(《毛诗序》);或谓“以时人有玩细娱而忘远虑者,故以蜉蝣为比而刺之”(朱熹《诗集传》);以至认为“均于诗旨未当”,“难以臆测”(方玉润《诗经原始》),不得而知。诗意的确比较隐晦。但联系曹共公当国时,地处一隅,无所作为,贵族集团嬉于宴乐而又心怀惴惴,可知此诗以朝生暮死的蜉蝣而寄寓,发出了这一曲“浮生若梦,为欢几时”的哀音。

(艾治平)

候　人

彼候人兮,	你看那个候人啊,
何戈与祋。①	肩上扛着戈和棍。
彼其之子,	无才无能新权贵,
三百赤芾。	红皮蔽膝三百人。
维鹈在梁,	鹈鹕栖在鱼梁上,
不濡其翼。	居然不曾湿翅膀。
彼其之子,	无才无能新权贵,
不称其服。	朝服哪配穿在身。
维鹈在梁,	鹈鹕栖在鱼梁上,
不濡其咮。②	长嘴何曾沾水浪。
彼其之子,	无才无能新权贵,
不遂其媾。③	称意得宠难久长。
荟兮蔚兮,	草木葱茏云舒卷,
南山朝隮。	南山早上彩虹展。
婉兮娈兮,	真娇小啊真美好,

季女斯饥。　　　　候人幼女饥肠转。

注释

①何:通“荷”,扛物也。②咮(zhòu):亦作“噣”,鸟嘴。③遂:遂意,称心。媾(gòu):宠爱。朱熹《诗集传》:“遂,称。媾,宠也。遂之为称,犹今人谓‘遂意’为‘称意’。”

鉴赏

《左传·僖公二十八年》载僖公二十八年春,晋文公伐曹。“三月,丙午入曹。数之以其不用僖负羁,而乘轩者三百人也。”贤人僖负羁不被见用,故《毛诗序》谓:“刺近小人也。共公远君子而好小人焉。”不过广义地说,这首诗表达的是对候人小官的同情,并讽刺了“不称其服”的新权贵。

首章开门见山,直叙其事,用对比写法:候人扛着戈和棍,迎宾送客,而那些身穿朝服的贵族们,高视阔步,全无表德。“候人”,周代整治道路及迎送宾客的小官。《周礼·夏官·候人》:“各掌其方之道治与其禁令,以设候人。”《国语·周语中》:“敌国宾至,关尹以告,行理以节逆之,候人为导。”韦昭注:“导宾至于朝,出送之于境也。”“祋”,兵器名,即殳,竹制,长一丈二尺,头上不用金属为刃,八棱而尖。《卫风·伯兮》亦云:“伯也执殳,为王前驱。”“赤芾”,《毛传》:“大夫以上,赤芾乘轩。”古代大夫以上的官,入朝乘轩车,穿用熟皮制成的蔽膝。《小雅·斯干》亦云:“朱芾斯皇,室家君王。”总之,首章诗有四句,意分两层:一则为人役使,一则朝服赤芾,对比何其鲜明!而“彼其之子”一句,铿然锵然,又何其不恭!看似“敷陈其事”,但怨恚之情,蕴含于字里行间。

二、三章联吟,紧承首章后二句,诗人内心的积郁,汪洋恣肆,一发不可收拾。此处采用比喻手法。“比者,比方于物也”(郑众语);或说,“以彼物比此物也”(朱熹语);或说,“索物以托情”(李仲蒙语)。这里则是以鹈鹕比权贵者。鹈鹕,又称“伽蓝鸟”。大型鸟类。《尔雅·释鸟》:“鹈,鴮鸅。”郭璞注:“今之鹈鹕也。好群飞,沈水食鱼,故名洿泽,俗呼之为淘河。”本是靠“沈水食鱼”以为生的鹈鹕,如今却是“不濡其翼”“不濡其咮”,翅膀不曾沾水,嘴巴不曾沾浪!用之以喻人,则尸位素餐、不劳而获之态毕见。正是“物虽胡越,合则肝胆”(刘㚖语),巧喻给予了人以鲜明、形象的艺术美感,以致后人谓居官而不称职者。如刘禹锡《代谢赐春衣表》云:“在身不称,恐招鹈翼之讥。”这里先指斥其“不称其服”,鄙夷之状已可见,再斥其“不遂其媾”,简直是诅咒语了。至此,对“彼其之子”的愤怒,溢于言外。

末章笔锋一转,呼应首章开头的“彼候人兮”,而且换用抒情句法。“荟蔚”,今之注本都沿旧说作“云兴貌”,或“云霞迷漫的样子”,但其义并非止此。“荟”“蔚”本义均为形容草木茂盛。潘岳《射雉赋》:“翳荟菶茸”;班固《西都赋》:“茂树荫蔚”;可证。“荟蔚”二字连用,亦有草木繁盛意,如李格非《洛阳名园记》“水北胡氏园,林木荟蔚,云烟掩映”。故这里应是云霞草木概而言之。“脐”,虹。《周礼·春官·眡祲》:“掌十辉之法……九月脐。”郑玄注:“脐,虹也。”《鄘风·蝃蝀》亦云:“朝脐于西,崇朝其雨。”草木葱茏,朝云舒卷,彩虹在天,一派美景,清新蓬勃。可是面对南山的候人呀,这时他想起:“婉兮娈兮,季女斯饥”!“婉娈”,年少而美好的样子。亦见《齐风·甫田》:“婉兮娈兮,总角丱兮。”“季女”,少女。王先谦《诗三家义集疏》:“详味诗义,季女即候人之女也。盖诗人稔知此贤者沉抑下僚,身丁困阨,家有幼女,不免恒饥,故深叹之。”诚哉斯言,颇有见地。

本诗在结构上除保持了《诗经》分章复沓的形式特点和多用叠字的语言特点外,尤在二、三章联吟,一、四章呼应。其讽刺“不称其服”的新贵们,笔力尖刻,凛然在目。而对候人的同情,既用叙述句(首章前两句),更用借景抒情、情与景异的手法。“荟兮蔚兮,南山朝脐”,其景何等鲜明俏丽,生态蓬勃,但“婉兮娈兮,季女斯饥”,其情又何等可怜可悯,伤痛深哀!如此“以乐景写哀”,便“一倍增其哀”。景情交融,达到了泯然无迹的程度。这在我国古代早期诗歌中也是不多见的。

(艾治平)

鸤鸠

鸤鸠在桑,①	布谷栖息桑树间,
其子七兮。	喂养幼儿心不偏。
淑人君子,	善良正直君子人,
其仪一兮。	行为守则永不变。
其仪一兮,	行为守则永不变,

心如结兮。	心如磐石意志坚。
鸤鸠在桑，	布谷栖息桑树间，
其子在梅。	幼儿学飞梅树颠。
淑人君子，	善良正直君子人，
其带伊丝。	丝绸大带真不凡。
其带伊丝，	丝绸大带真不凡，
其弁伊骐。	缀珠饰玉帽色鲜。
鸤鸠在桑，	布谷栖息桑树间，
其子在棘。	幼儿飞在枣树上。
淑人君子，	善良正直君子人，
其仪不忒。	行为守则无偏妄。
其仪不忒，	行为守则无偏妄，
正是四国。	四方各国齐颂扬。
鸤鸠在桑，	布谷栖息桑树间，
其子在榛。	幼儿藏身灌木丛。
淑人君子，	善良正直君子人，
正是国人。	举国人民皆称赞。
正是国人，	举国人民皆称赞，
胡不万年。	怎不流芳亿万年。

注释

①鸤鸠(shī jiū)：布谷鸟。

鉴赏

诗以鸤鸠起兴，称颂淑人君子，而实则讽刺那班在其位不谋其政的当者权。“鸤鸠”,即布谷,因其鸣当播种时,故相传为劝耕之鸟,以致杜甫《洗兵马》诗云“田家望望惜雨干,布谷处处催春种”。此诗以结构匀称见长,共四章,每章六句,各章的首二句均写布谷及其幼雏,后四句则申言理想中的君子该当如何,映托出题旨所在。

布谷或栖于桑,或栖于梅,或栖于酸枣树,或栖于灌木丛。良禽择木而栖,从“劝耕”“择木”,已暗示此鸟非凡鸟。首云布谷喂七只小鸟,其心不偏。朱熹《诗集传》谓:“饲子朝从上下,暮从下上,平均如一也。”正是由于其心不偏,故七只小鸟都健康地成长起来:在梅树上学飞,在酸枣树上嬉游,最后落在枝繁叶茂而又幽僻的灌木丛中。各章的首二句,看似不过叙述鸤鸠及其子的活动,但作为欣赏主体的我们,却应看到诗人的“情”“志”已寓其中。何况,“作者之用心未必然,而读者之用心何必不然?”(谭献《复堂词话》)

那么,理想中的君子又是怎样的呢?首先必须做到“其仪一兮”。“仪”,法度,即行为的准则。《国语·周语下》:“所以宣布哲人之令德,示民轨仪也。”《淮南子·修务》:“设仪立度,可以为法则。”就是说对其信守之行为准则,应始终如一,而且犹如“物之固结而不散也”(朱熹《诗集传》)。

如果说“其仪一兮”为衡量“淑人君子”之最基本最重要的一项,其次便是对他服饰衣冠的要求。“伊”,通“系”,是。《小雅·蓼莪》“匪莪伊蒿”(不是莪而是蒿)。“‘其带伊丝’,谓大带也,大带用素丝,有杂色饰焉。”(《郑笺》)“弁”,古代贵族的一种帽子,有皮弁、爵弁。皮弁,武冠;爵弁,文官。“骐”读为“璂”,缀于弁中缝的五彩玉石。总之,腰间束着宽宽的丝带,头上的帽子缀着玉珠。这里似表示衣冠整洁,美观大方。再次,这“淑人君子”尚须“其仪不忒”。“忒”者,差误。《周易·豫》:“故日月不过,而四时不忒。”以身作则,不能出现差误,只有如此,才会赢得美誉。“正是四国”,闻一多《风诗类钞》云:“正,法也,则也。‘正是四国’,为此四方之法则。”成为国人学习的典范。苟能具备此三者,便是诗人理想中的好君子。因此末章发出热情的赞赏:“正是国人,正是国人,胡不万年!”“国人”,全国的人。《孟子·梁惠下》:“国人皆曰可杀,然后察之。”但“国人”又是西周、春秋时对居住在城邑人的通称。《周礼·地官·泉府》:“国人郊人,从其有司。”贾公彦疏:“国人者,谓住在国城之内,即六乡之民也。”按前说则是指全国人民;按后说则是专指有参与议论国事权利的统治阶级人物。那么,他便是国人学习的好榜样,他的声誉也将流传万年了!

本诗作者提出了他所理想的

"淑人君子"的标准,而这样的人实际上是不存在的。或者说这些人虽"其仪一兮","其带伊丝","其仪不忒",却是金玉其外,败絮其中,不称职,而连鸤鸠也不如!就诗的章法说,鸤鸠起到了"先言他物以引起所咏之词也"(朱熹《诗集传》)或"触物以起情"(王应麟《困学纪闻》引)的"兴"的作用,同时兴中有比,这在一章的头两句已透出消息。如《毛诗序》所云:"《鸤鸠》,刺不一也。在位无君子,用心之不一也。"但它正面着笔,而从反面见意,即看似称颂,却意在陈古以讽今,成为后来诗歌中常用的手法。

(艾治平)

下　泉

洌彼下泉,	地下泉水透根凉,
浸彼苞稂。①	浸得童梁难生长。
忾我寤叹,	日日夜夜唉声叹,
念彼周京。	想念周京心凄凉。
洌彼下泉,	地下泉水透根凉,
浸彼苞萧。	浸得蒿艾难生长。
忾我寤叹,	日日夜夜唉声叹,
念彼京周。	想念周京心凄怆。
洌彼下泉,	地下泉水透根凉,
浸彼苞蓍。	浸得蓍草难生长。
忾我寤叹。	日日夜夜唉声叹,
念彼京师。	想念周京痛断肠。
芃芃黍苗,	蓬勃一片黍苗壮,
阴雨膏之。	雨水滋润生势旺。
四国有王,	四方诸侯仰周王,
郇伯劳之。	又有郇伯慰劳忙。

注释

①苞:丛生。稂(láng):童粱,又名狼尾草。

鉴赏

本诗为曹国贵族伤周王室卑微,诸侯小国时有遭受大国侵凌的危机,发为感慨唏嘘的哀吟。

地下流出来的泉水,何其寒冷,以致浸透大片丛生的童粱草的根。与《小雅·大东》"有冽氿泉,无浸获薪"不同:一是希望"无浸",一是"已浸",而无希望了。

二、三章首二句仍用比体。凛冽的泉水,浸透丛生的蒿草根。"萧",蒿类植物,即艾蒿。《王风·采葛》:"彼采萧兮,一日不见,如三秋兮。"再说凛冽的泉水,浸透丛生的蓍草根。"蓍",多年生草本植物,别称蓍草,可药用,我国古代常用以占卜。这里用稂、萧、蓍诸种植物尽被水浸害,比喻小国遭受大国的侵凌。

前三章诗的末二句句式全同。"忾",叹息声。"寤",睡醒。《史记·赵世家》:"七日而寤。""忾我寤叹",或曰:"醒后我只长叹息";或曰:"我一直醒着叹息";或曰:"我清醒地在唉声叹气。"从三句连用和前后句意看,这句实际是说无时无刻不在叹息,极言愁苦之深。这里的"念",如借用《关雎》中的一句便是:"寤寐思服"(白天黑夜无时或忘);而这"念"又是步步往前,步步推进,步步加深,感情越来越沉重,绝不都是一个样。大抵一章之"念"是凄凉,孤寂冷落;二章之"念"是凄怆,悲哀痛苦;三章之"念"是凄断,伤痛欲绝,字面含意虽同("周京""京周""京师"),而蕴贮之感情,却是"一转一深,一深一妙"的。《诗经》在结构形式上的特点之一是:重章叠句。有时表示出事物的进展程度和顺序(如《王风·采葛》);但也有时重复歌吟,只是为了换韵,加强抒情效果(如《鄘风·桑中》)。本诗前三章的章句完全重复或基本重复,而每章的前三句所表达的意思如果不说是完全重复,也是基本重复的。唯独每章的末句同为"念",却是愈"念"愈有所不同,这又须于"言外求之"了。

末章调子似稍轻快,仍用比体,写法稍有变化。"芃芃黍苗"是"果","阴雨膏之"是"因",比喻诸侯小国若没有周王朝的支持很难生存;而"四国有王",何尝不是由于

"郇伯劳之"！又前者是"果"，后者为"因"。正是当西周盛世，四方诸侯之国仰望周王，同时还有协助周王管理诸侯的郇伯时来慰劳，而今呢？如花落水流，皆成过去！抚今思昔，感慨万分，于末章尤见精神。

（艾治平）

豳　风

七　月

七月流火，①	七月“大火”偏向西，
九月授衣。	九月本该发寒衣。
一之日觱发，②	十一月北风呼呼吼，
二之日栗烈。③	十二月冻得索索抖。
无衣无褐，	粗麻衣服没一件，
何以卒岁？④	怎能熬过腊月天？
三之日于耜，⑤	正月要把犁整好，
四之日举趾。⑥	二月下地春耕早。
同我妇子，	老婆孩子都操劳，
馌彼南亩，	把饭送到南田郊，
田畯至喜。	农官看到喜眉梢。
七月流火，	七月“大火”偏向西，
九月授衣。	九月本该发寒衣。
春日载阳，	三月阳光开始暖，
有鸣仓庚。	黄莺枝上在歌唱。
女执懿筐，	姑娘手挎深竹筐，
遵彼微行，	沿着小路步蹒跚，
爰求柔桑。	在此寻找柔嫩桑。
春日迟迟，⑦	三月日子真够长，
采蘩祁祁。⑧	采下白蒿这么满。
女心伤悲，	姑娘心里暗悲伤，

殆及公子同归。[9]	将同小姐出嫁到远方。
七月流火，	七月“大火”偏向西，
八月萑苇。[10]	八月芦苇收割急。
蚕月条桑，	三月要把桑枝修，
取彼斧斨，[11]	拿起那斨与斧头，
以伐远扬，	过长高枝砍不留，
猗彼女桑。[12]	采下嫩桑绿油油。
七月鸣䴗，	七月伯劳叫得欢，
八月载绩。	八月妇女纺织忙。
载玄载黄，	染了黑的又染黄，
我朱孔阳，	我染大红最漂亮，
为公子裳。	为那小姐做嫁裳。
四月秀葽，	四月师姑草结子，
五月鸣蜩。	五月蝉叫报暑至。
八月其获，	八月庄稼将收割，
十月陨萚。	十月草木叶脱落。
一之日于貉，[13]	十一月要去猎取貉，
取彼狐狸，	剥下狐狸那皮毛，
为公子裘。	好给小姐做皮袄。
二之日其同，	十二月猎人来集中，
载缵武功，	继续打猎练武功，
言私其豵，	捕得小兽自己烹，
献豜于公。	大的野兽全充公。
五月斯螽动股，	五月里蝗虫弹大腿，
六月莎鸡振羽。	六月纺织娘振翅飞。
七月在野，	七月野外蟋蟀威，

八月在宇，	八月屋檐下徘徊，
九月在户，	九月迁移到屋内，
十月蟋蟀入我床下。	十月往我床下退。
穹窒熏鼠，⑭	堵上墙洞熏鼠类，
塞向墐户。⑮	门窗泥好风不畏。
嗟我妇子，	啊，我的老婆和孩子，
曰为改岁，	眼看又要换一年，
入此室处。	暂到这屋度新岁。
六月食郁及薁，	六月吃那野李山葡萄，
七月亨葵及菽。⑯	七月野菜豆类一锅烧。
八月剥枣，⑰	八月要把枣子打，
十月获稻，	十月割稻收庄稼，
为此春酒，	酿成春酒香气佳，
以介眉寿。⑱	延年益寿顶呱呱。
七月食瓜，	七月靠瓜充饥肠，
八月断壶，	八月葫芦是主粮，
九月叔苴，	九月麻子全拾完，
采荼薪樗，⑲	采荼砍柴苦不堪，
食我农夫。	我们农夫菜当饭。
九月筑场圃，	九月筑坚菜园作谷场，
十月纳禾稼。	十月要把谷物收进仓。
黍稷重穋，⑳	糜子高粱有迟早，
禾麻菽麦。	粟麻稻麦都藏好。
嗟我农夫，	可叹我们农夫苦，
我稼既同，	庄稼刚刚归仓完，
上入执宫功。㉑	还得为东家室内忙。
昼尔于茅，㉒	白天上山割茅草，

宵而索绹。	夜里搓绳太辛劳。
亟其乘屋，㉓	急急忙忙盖屋顶，
其始播百谷。	将要播种得赶紧。
二之日凿冰冲冲，	腊月里凿冰响通通，
三之日纳于凌阴。	正月里藏进冰窖中。
四之日其蚤，㉔	二月里举行"早"祭礼，
献羔祭韭。	羔羊韭菜都献齐。
九月肃霜，㉕	九月天高又气爽，
十月涤场，	十月清扫打谷场，
朋酒斯飨，㉖	两壶酒儿大家尝，
曰杀羔羊。	宰了小羊杀大羊。
跻彼公堂，	大伙登上那公堂，
称彼兕觥，	举起酒杯斟满觞，
万寿无疆！	同声祝贺寿无疆！

注释

①火：古星名，或称"大火"。每年夏历六月黄昏出现于正南方，位置最高，七月以后偏西向下，所以叫"流"。②一之日：一月之日。这里用的是周历，周历一月，当夏历十一月。③栗烈：同"凛冽"，寒气袭人。④卒岁：终岁，指度过寒冬。⑤于：为，指整修。耜（sì）：古代翻土农具，似犁。⑥举趾：抬足，指下地。⑦迟迟：缓慢的样子。⑧祁祁：很多的样子。⑨及：与。公子：指女公子，古代诸侯之女亦可称"公子"，如《左传·桓公三年》："公子则下卿送之"。杜预注："公子，公女。"第三章、第五章"公子"同此。归：出嫁。⑩萑（huán）苇：即蒹、葭，皆芦苇类。⑪斨（qiāng）：斧类，柄孔方形。柄孔圆形叫斧。⑫猗：借作"掎"，向下攀。指攀下枝条采。⑬貉：像狐狸一类兽。⑭穹：洞。窒：塞。⑮向：北窗。⑯亨："烹"的本字。⑰剥：借作"扑"。⑱介：求。眉寿：人老时眉上有长毛，叫"秀眉"，故称长寿为"眉寿"。⑲薪樗（chū）：以樗为柴。樗：臭椿。⑳重穋（lù）：即"穜穋"。先种后熟叫穜，后种先熟叫穋。㉑上：同"尚"。宫功：室内事。㉒于：往。㉓乘：登。㉔蚤：同"早"，古代一种祭祀名称。㉕肃霜：肃爽。㉖飨：同"享"。

鉴赏

《七月》是一篇现实主义杰作，有高度的文学价值和史料价值。它是风诗中篇幅最长、结构最复杂、内容最丰富的，也是研究中存在问题最多的诗，诸如诗的作者、时代、主旨乃至词语解释无一没有分歧。这里不细加辨析，只就个人理解作一些阐述。

关于《七月》的作者，《毛诗序》说："周公遭变故，陈后稷、先公风化之所由，致王业之艰难也。"认为作者是周公。《毛诗序》这样推想：一是因为《七月》是豳歌，而豳地是周民族最初发祥地；二是《左传·襄公二十九年》记载鲁乐工为季札"歌《豳》"时，他说过"其周公之东"的话；三是因为《尚书·无逸》载有周公告诫成王"先知稼穑之艰难，则知小人之依（隐）"之语，而《七月》正好有一些写"稼穑之艰难"的，因此便引出了以上的附会。其实《七月》很难见出什么"后稷、先公风化之所由"的。方玉润分析得好："《七月》一篇所言皆农桑稼穑之事，非躬亲陇亩久于其道者，不能言之亲切有味也如是。周公生长世胄，位居冢宰，岂暇为此？且公刘世远，亦难代言。"（《诗经原始》）考察本诗的内容，"躬亲陇亩者"所作当无疑问。不过近人对此"躬耕陇亩者"的身份理解又各不同：或认为是封建社会的农奴；或认为是奴隶社会的农业奴隶；或认为是农村公社的自由民。（参见孙祚云《诗经与周代社会研究》）各持一端，都能从诗中找出一些立论根据。这是为什么呢？因为民歌本是人们的口头创作，非成于一时一人之口，像《七月》这样内容极广泛的长篇，自然更是经过较长时期的口耳相传，不断润饰加工，至写定时，还免不了有最后总成者手笔。这样形成的一首诗，内容有其复杂性，自是情理中事。再加上诗歌表达的跳跃性，语言的简短古朴，又增加了理解的歧义。不过，撇开《七月》中的枝节问题，它总的思想倾向还是可以把握得住的。从全诗看，"诉苦"的基调非常明显，绝不像是表现"西周农家乐"的，所诉说的也大都不是"农村公社中自由民"的生活。至于是"农奴"还是"奴隶"所作，从文学角度去看倒不必深究，在目前也很难有一致意见。为此，不妨姑从现在大多《诗经》研究者之说，把《七月》作为"奴隶之辞"。

至于《七月》产生的时代，粗略言之，主要有三说：公刘时代、西周时期、春秋时期。公刘时代作品之说很难成立，因为从《诗经·大雅·公刘》看，公刘时代当属于原始社会后期父系家长制阶段，与《七月》"诉苦"内容不符，这已如上述。也不可能是春秋时代的作品，因豳地在幽王时为犬戎所占领,春秋时代又已入秦国的版图。如果是春秋时代的作品,本诗当入《秦风》,而不应是《豳风》。所以我们认为《七月》产生在西周前期可能性大,诗中透露的阶级矛盾较为缓和。

《七月》共八章,八十八句,以奴隶自述的口吻,诉说了自己一年的生活苦况和劳动艰辛。全诗像一卷农事速写连环画,诗人以月份为经,以每月的农事、杂务为纬,纵横交错,叙、议结合,组成了一幅幅生动的画面:

第一章从岁寒授衣写到春耕生产。大火星由正南而偏西,是暑气已退,寒气将至的标志,诗人由此而想到天寒授衣之事。1976 年湖北云梦县睡虎地出土的秦简——《金布律》载有对奴隶、囚犯发放“夏衣”“冬衣”的条文,按照这个规定:“冬衣以九月尽十一月禀(禀,发给)之”,“有寒者为褐衣”(《文物》1976 年第 7 期)。这虽是战国时期秦国的法律,但可与本诗相参证。“九月授衣”当是诗人根据当时规定发出的呼吁,“无衣无褐,何以卒岁”的反问,很显然是在天气渐冷而寒衣未发的情况下,流露出的忧怨。以下便转到写“食”,姚际恒说:“‘七月’至‘卒岁’言衣;‘三之日,至末言食。衣以御寒,故以秋冬言之;农事则以春言之。”(《诗经通论》,下同)本章前半表示时令用夏历月份;后半改用周历月日。这一变化,按姚际恒的理解,只是“变文取新”而已,别无深义。首章是总述衣食问题,以下各章则是承此分述。第一章从七月说到二月,第二章即从三月说起,写春天女奴从事蚕桑劳动。春光明媚,万物复苏,本是一年中最美好的日子,可是女奴们却一点领略不到春天的欢乐。“春日迟迟”两句是从女奴的感觉上着笔的,她们由于厌倦采蘩,觉得春天太阳运行特别缓慢,蘩已采得很多了,天色居然还不晚,当然这样的心情也包括采桑女奴在内。但是最使他们伤心的,还是“殆及公子同归”。这句旧注很混乱:《毛传》说“豳公子躬率其民,同时出同时归也”;《郑笺》云“春女感阳气而思男……欲嫁焉”;朱熹释为“许嫁之女,预以将及公子同归,而远其父母为悲也”(《诗集传》);姚际恒以为“公子,豳公之子,乃女公子也。此采桑之女……于采桑时忽然伤悲,以其将及公子同于归也”。今人多从郭沫若之说,解作“怕的是有公子们把她们带回家去”(《由周代农事诗论到周代社会》)。我们以为姚说近是,闻一多《风诗类抄》亦取此说。在奴隶社会,奴隶主女儿出嫁,以奴隶陪嫁,古书记载屡见不鲜。姚说较符合情理,因为“公子”有意于某个女奴,大可不必先亲自到桑园,再与她“同归”。第三章由蚕桑劳动说到布帛衣料的制作。诗人思路很明晰,他从八月收割芦苇用作来年蚕箔,而联想到下年开春蚕桑之事，再又回到当前的织布染色。“我朱孔阳，为公子裳”，也不妨看作就是前章说的“女公子”，“为裳”当指做嫁衣。作如是看，我们就好理解女奴为何要在采桑的时候“悲伤”了。第四章承前章八月写秋收以后的打猎活动。这里叙述四、五月的物候，只是借以表示时间的推移，以与上章“蚕月”相衔接，使以下叙事不觉突然。这里“为公子裳”，当然还是为女公子出嫁准备。旧注不明乎此，所以不免要产生“为裘为裳，何不以奉君公而必以奉公子”（方玉润《诗经原始》）的疑问。第二、三、四章是承第一章前半段分述关于“衣”方面的事。第五章由前章叙述为裘御寒，过渡到为自己修缮破屋过冬。这里叙述“斯螽”“莎鸡”的动作和蟋蟀的迁徙，也是表示季节更替，气候由暑而寒。陈奂说：“盖古者在野有庐，在邑有室，春夏居庐，秋冬居室。”（《诗毛氏传疏》）前章首以四月，此章首以五月，第六章则从六月叙起，从“衣”而入“食”，写夏秋之际果蔬稻酒一类农事，从中可以见出奴隶与奴隶主饮食的差别。崔述说：“云食我农夫者，别于上文春酒介寿之养老者而为言也。”（《读风偶识》，下同）他的话只对了“别于春酒”这一半，因“老者”并不能与农夫构成对文，从“献豜于公”推断，与“农夫”相对者只能属于“公”的人。第七章写庄稼收打归仓后，还要为奴隶主家事服务。崔述指出：“前言‘八月其获’，此何以言‘十月纳禾稼’也？禾熟先后不齐，此举其终而统言之故也。”第八章写从事储冰备暑和准备祭品一类杂役以及举行年终宴会的情况。第六、七、八章是承首章后半段分述关于“食”方面的事。

从上面可以看出《七月》像排长历似的，诗人按月排列了虫鸟的情态，草木的荣实，作物的生长过程和人们的劳作、生活状况。吴闿生说：“此诗天时、人事、政令、教养之道，无所不赅。”（《诗义会通》）但最基本的正如崔述所说：“《七月》一篇，自正月至十二月，趋事赴功，初无安逸暇豫之一时：男子耕耘于外；女子蚕绩于内。未‘举趾’而先‘于耜’，甫（才）纳稼而即‘执宫功’。虽农隙之时而亦有‘剥枣’‘断壶’‘采荼’‘薪樗’，取狐狸、缵武功之事，乃至……一切之事皆毕，而犹使之冒寒凿冰，无奈过于劳乎！”然而农夫一年的辛劳成果却大部分被奴隶主所占有。农夫只能吃粗劣食物，住破屋，连御寒的粗麻衣也没有，终岁啼饥号寒，而奴隶主却是夏绸冬裘，吃的是细粮酒肉，还要以冰消暑，住的是好房子。从衣食住各方面作了鲜明对比，但是诗人并不是像《魏风》的《伐檀》《硕鼠》那样大声疾呼，表示强烈反抗，而是通篇冷峻地以赋直陈其事，既不作夸张渲染，也不直接表露情感，只是一件件诉来，在叙述客观事实中，把自己的苦与恨蕴藏于其间，含而不露，真实地绘出了三千年前奴隶生活的图画，在对比强烈的画面中，显示出社会的不合理，透露了奴隶们的初步觉醒。《七月》是西周社会的一个缩影。

《七月》虽是通篇叙事，但诗人已开始留心景物描写与人物心情相配合的问题。这点颇可注意。如第二章诗人先描绘了一幅阳光和煦、黄莺歌唱的欢乐春景，这本是采桑、采蘩女奴劳动的环境，然而引起她们的却不是轻松愉快的情感，相反却带来了厌倦和悲伤。通过这一强烈的画面对比，以乐衬哀，从中更可见出她们的哀伤。第五章借对候虫动态的勾画，寥寥几笔，绘出了一幅秋冬之际寒凉的画面。姚际恒说这几句"无寒字，觉寒气逼人"，从而烘托了农夫的忧怨之情。《诗经》大多数诗篇本不很注意景物本身，景物往往只是借作比兴用，因而也就不必单独描绘景物的意象。《七月》"点缀时景，却与本事相映"(《诗义会通》)，这一点就更觉得宝贵了，尽管还只是不着色彩的素描，却可看作是后来诗歌"同物之境"的肇端。

还有与前一点相联系的，便是正笔与闲笔的运用，首先揭示本诗这一艺术特点的是姚际恒。所谓正笔，当指诗中那些关于衣食劳作的叙说；所谓闲笔则是那些关于物候变化的描述。正笔表达主旨，当然不可少；即所谓闲笔，在《七月》中也绝不是可有可无的，它在诗中往往起到了在时间上的连续作用，把各个活动空间拼接起来，化静态为动态，造成叙事的绵延不断，感情的低回往复。我们读《七月》总觉得它像长幅农事风俗连环画卷，其艺术奥秘大约就在此。

《七月》以四言为主，穿插五言、六言、七言，既凝练又有参差之美；叙事多为农家语，巧妙地运用了一些联绵词与叠音词，如"觱发""栗烈""肃霜""涤场""迟迟""祁祁""冲冲"等，拟声、状情、绘形，生动活泼，各尽其妙；用韵也有特色，全诗韵脚涉及十四个韵部的字，一般是每章换三个或四个韵，独第七章换五个韵，而第五章又一韵到底，全用"鱼部"韵。就句法说，全诗除"一之日于貉""嗟我妇子""曰为改岁""嗟我农夫"四句不用韵外，其余则是两句、三句一韵，或四句、五句、七句一韵。这些复杂变化，体现了"《毛诗》之韵，动于天机，不费雕刻"(陈第《毛诗古音考》)的自然之妙。

(蒋立甫)

鸱　鸮

鸱鸮鸱鸮！①	猫头鹰啊猫头鹰！

既取我子，	你已抓走我娃娃，
无毁我室。	不要再毁我的家。
恩斯勤斯，②	日夜操劳费尽心，
鬻子之闵斯！③	为养孩子累又乏！
迨天之未阴雨，④	趁着天晴没阴雨，
彻彼桑土，⑤	取些桑杜枝和皮，
绸缪牖户。⑥	修补窗子和门户。
今女下民，⑦	现在你们下面人，
或敢侮予！	有谁还敢来欺侮！
予手拮据，⑧	我手发麻太疲劳，
予所捋荼，⑨	我采芦花来垫巢，
予所蓄租，⑩	我还贮存干茅草，
予口卒瘏，⑪	我的嘴巴累痛了，
曰予未有室家！⑫	窝还不曾修理好！
予羽谯谯，⑬	我的羽毛已枯焦，
予尾翛翛。⑭	我的尾巴像干草。
予室翘翘，⑮	我的窝儿险又高，
风雨所漂摇，	风吹雨打晃又摇，
予维音哓哓！⑯	吓得我啊吱吱叫！

（程俊英译，略有改动）

注释

①鸱鸮（chī xiāo）：猫头鹰，一种猛禽。我国民间传统的看法以为它是凶恶、不吉祥的鸟。②恩：殷。恩勤：殷勤。斯：语助词。③鬻（yù）：通“育”，养育。闵（mǐn）：病。④迨（dài）：及，趁着。⑤彻：取，在此为裂取、剥啄之意。土：“杜”的借字。桑土：桑树、杜树，这里指鸟儿用嘴啄来筑巢用的桑、杜的树皮枝干。

⑥绸缪(móu):缠缚,此指鸟编织、垒砌(鸟巢)。牖(yǒu)户:窗和门。⑦女:“汝”,你们。下民:树下所居的人。⑧拮据:手爪过累而拘挛不灵便。⑨捋:手从上往下勒取。荼(tú):茅草的花。⑩蓄:积聚。租:“蒩”的借字,茅草。⑪卒:通“悴”。卒瘏(tú):口因太累而致病痛。此句与首句相排比,似应在二、三句之前,疑有错简。⑫曰:通“聿”,语助词。家:古音读 gū。⑬谯(qiáo)谯:形容羽毛稀少枯干。⑭翛(xiāo)翛:形容羽毛枯焦而无光泽。⑮翘翘:形容其窝高而危险。⑯哓(xiāo)哓:因恐惧发出的哀鸣。

鉴赏

这首特殊形式的抒情诗,表现手法独特新颖,具有强烈深沉的情感和浓郁的悲剧意味,千百年来不知扣动了多少人的心扉。

诗中的抒情主人公是一只痛失爱子的鸟儿,是一个在敌人(鸱鸮)、破坏者(下民)和自然界的凄风苦雨包围夹攻下满心惊惶的弱者,是一个为了生存、为了延续后代在悲痛中撑持着、拼命劳作、身心交瘁的小生命。她悲愤地向凶恶的敌人——民间传统观念中的恶鸟猫头鹰求告:“你既已夺走我的孩子,就不要再毁我的家了!”面对空了的鸟巢,她回想孕育之艰辛,哀泣自己“恩斯勤斯,鬻子之闵斯!”屋漏偏遇顶头风,天又要阴沉下来,她趁风雨还没来,一趟趟飞去寻找、剥啄筑巢的桑枝杜叶、树皮草根,衔回来把窝捆扎结实,铺暖和。那些树下居住的人类,常常投石、捣窝,带来意想不到的灾难。所以她警惕着、注视着,看会不会有谁来欺侮?又担心又焦急,她捋下芦花,贮存干茅草,不停地采集搬运,直累得手爪发僵活动不灵,嘴巴磨痛,可是用尽了全力,窝还是没有修好!这不幸的鸟儿被痛苦辛劳折磨得羽毛凌乱无光,枯焦衰败,尾巴乱如干草。疾风骤雨扑打来了,又高又险的鸟窝摇晃动荡,她被吓得惊叫悲鸣,发出“哓哓”的声音。

这是怎样一个忧心如焚、恐惧万端而又顽强拼搏的生灵啊!这是一种多么令人心酸、令人同情的命运啊!当人们为之动容,与之共鸣时,听到的已不再是一曲鸟儿的悲歌,而是人类在存殁冻馁、苦难忧患面前,从内心深处发出的饱含痛楚悲伤的歌。

生民之初,痛苦忧患就像影子一样,与人类相厮守。可以说没有痛苦忧患就不成其为人类,就没有人生。只不过在人类的自我感觉还不够敏锐、自我意识还十分朦胧时,这种痛苦忧患不为文学所表现罢了。一样是“离离原上草,一岁一枯荣”,一样是鸟兽及虫鱼,相灭又相生,对远古人类来说真可谓“干卿底事?”——一点不关痛痒。那时的人类正热心于神话和史诗。神话的中心不是个别人物生活中的事件,而是集体的命运;而英雄史诗突出的则是集体中的英雄,也不涉及个人命运。可是,在风诗产生的年代,有这样一只鸟儿,她的子女被抢走了,她拼命筑巢,她在风雨飘摇中悲鸣。豳地之人耳闻目睹了这一切,他们关注这鸟儿,把这自然界中小小的飞禽“人化”,用人类家破人亡、面临天灾人祸时所感受到的惊恐、忧虑、悲伤、绝望等情绪,去体会鸟儿的鸣叫,于是这“音乐的耳朵”听出了鸟儿是在长歌当哭,这才“翻译”出这样一首浸透血泪的诗歌来。对诗中这只鸟儿命运的透彻观察和深切关注,正是人类对自身命运的观照,是人类心底忧患意识的延伸。

“人类只是一棵芦苇,原是世间最脆弱的东西。”在洪水猛兽、酷暑严寒、生老病死面前,特别是在阶级社会里敌对阶级间的仇恨、残杀中,在一切有形无形的灾祸面前,人似乎太弱小了。“用不着全宇宙武装起来把人类轧碎;一股气流,一滴流水,足以灭亡他。然而,即使宇宙轧碎他,他也比灭亡他的宇宙更高贵:因为他知道自己的死亡,知道宇宙的优势,而宇宙却什么也不知道。”(巴斯卡《思想录》第一卷264条)人类这棵“有思想的芦苇”,可以感知痛苦,可以回味咀嚼痛苦,而痛苦灾难带给人们的忧患意识,也正是人类的生机与希望所在。因为痛苦的烈焰熔炼着人类,使他们在这亘古就燃的、永不会熄灭的毒火中涅槃升华——为摆脱这痛苦去作不屈的努力,去实现进一步的追求。《豳风·鸱鸮》中的这只鸟儿,正是这样一棵“有思想的芦苇”——一个有丰富深挚情感、不甘欺凌顽强地活下去的人。

古老的豳人用自己敏感的心、高超的文学技巧,为我们塑造了这样一个有血有肉、忧心殷殷的形象。这是一只鸟,因为生活环境、一举一动、外貌声音都是鸟类逼真的描摹写真;但这更是一个人,一个忧思深远、会说话、会劳作的人。高妙的拟人手法使人与鸟浑然一体,形为鸟而神为人,新奇可喜。在具体细节上,写这鸟的说话是如泣如诉,第一章末二句的三个语助词“斯”字直可令人听到哀极而恸哭的抽泣之声。三、四章也较多排比句,整齐而有变化,酷似反复哭诉的口气神情。第四章一、二、三、五句末的叠字“谯谯”“翛翛”“翘翘”“哓哓”,第四句末的叠韵联绵词“飘摇”的使用,收到了声形兼备的效果,从视觉听觉上同时传达出鸟儿的惊惧、劳瘁。同时几乎各章都在末句用一个五言或六言的句子来感慨悲叹,在内容与音乐两方面,都与前三句形成对比,造成变化,参差错杂,美不可言!

不少研究著作称本诗为“禽言诗”,其实,“在中国古代文学作品里,'禽言'跟'鸟言'有点分别"(钱钟书《宋诗选注·周紫芝》注)。想象鸟儿叫声是在说我们人类的方言土语,模仿着叫声给鸟儿起一个有意义的名字,如"布谷""思归乐""婆饼焦",再从这个名字上引申生发,来抒写感情,就是"禽言"诗。名以"禽言",依据的是宋之问《谒禹庙》中一句诗"禽言常自呼"。可是本诗不是想象鸟儿叫声在说人话,而是在说它们鸟类的"话",经诗人"翻译"而成。(说本钱钟书《宋诗选注·禽言》注一)所以,应当说本诗是中国最早的一首鸟言诗。

如果凡有寓意的作品都可称为"寓言"的话,这首寄寓颇深的诗也不妨姑妄称之。但如果说寓言是为了进行劝诫讽刺、以形象故事来表现深奥抽象的事理的文体,那么本诗显然不是寓言诗,而是一首以表现情绪体验为专长手段的抒情诗。

据《尚书·金縢》记载:"武王既丧,管叔及其群弟乃流言于国,曰:'公(周公)将不利于孺子(指成王)。'周公乃告二公(召公奭、太公望)曰:'我之弗辟(避),无以告我先王。'周公居东二年,则罪人斯得。于后,公乃为诗以贻王,名之曰《鸱鸮》。"所以流传的说法一般都以为此诗乃周公所作,且周公自比于大鸟,"鸱鸮"比殷武庚,"既取我子"的"子"比管叔、蔡叔,"鬻子"比成王,"室家"比周围。从这一思路理解下去,遂有关于本诗"其词艰苦深奥,不知当时成王如何便即理会得"(《朱子语类》)之类的议论。可是,就连说这话的老先生也疑心"诗词多是出于当时乡谈,杂而为之。如鸱鸮、拮据、捋荼之语,皆此类也"。魏源认为此诗应为"邠(即豳)国旧风"。我们认为:这显然是一首民歌体的作品,和其他这类作品一样"出于乡谈,杂而为之",是周人居豳时所作。近人已考证出《尚书·金縢》是伪作,周公作《鸱鸮》一说自然靠不住。但如果说周公救乱居东之初,征引本诗,所谓述而不作,或创造性地征引(述而加工),那么,他可谓深得诗心,用这首诗来表达他痛定思痛、居安思危的感慨,暗喻现实、表明心迹,是再恰当不过的了。

(宗小荣)

东　山

我徂东山,[①]	我到东山去打仗,
慆慆不归。[②]	好久不归岁月长。
我来自东,	今天我从东方回,

零雨其濛。[3]	细雨濛濛倍凄凉。
我东曰归，[4]	我刚听说要回乡，
我心西悲。	西望家乡心悲伤。
制彼裳衣，[5]	缝好一套平时装，
勿士行枚。[6]	不再衔枚上战场。
蜎蜎者蠋，[7]	山蚕蠕动曲又弯，
烝在桑野。[8]	息在野外桑树上。
敦彼独宿，[9]	孤身独睡缩成团，
亦在车下。[10]	兵车底下权当床。
我徂东山，	我到东山去打仗，
慆慆不归。	好久不归岁月长。
我来自东，	今天我从东方回，
零雨其濛。	细雨濛濛倍凄凉。
果赢之实，[11]	瓜蒌结实一串串，
亦施于宇。[12]	蔓延挂在房檐上。
伊威在室，[13]	屋里尽是地鳖虫，
蠨蛸在户。[14]	门前结满蜘蛛网。
町畽鹿场，[15]	田地变成野鹿场，
熠燿宵行。[16]	入夜萤火点点亮。
不可畏也，	家园虽荒也不怕，
伊可怀也！[17]	越是荒凉越怀想！
我徂东山，	我到东山去打仗，
慆慆不归。	好久不归岁月长。
我来自东，	今天我从东方回，
零雨其濛。	细雨濛濛倍凄凉。
鹳鸣于垤，[18]	鹳立土堆伸颈叫，
妇叹于室。	妻守空房长嗟伤。

洒埽穹室，[19] 洒扫房舍多整洁，
我征聿至。[20] 盼我征夫早回乡。
有敦瓜苦，[21] 团团苦瓜本已苦，
烝在栗薪。[22] 何况结在苦菜上。
自我不见， 自从我们不相见，
于今三年！ 于今三年想断肠！

我徂东山， 我到东山去打仗，
慆慆不归。 好久不归岁月长。
我来自东， 今天我从东方回，
零雨其濛。 细雨濛濛倍凄凉。
仓庚于飞，[23] 黄莺翻飞春已晚，
熠燿其羽。 毛羽鲜明闪闪亮。
之子于归，[24] 想她当初做新娘，
皇驳其马。[25] 迎亲花马白里黄。
亲结其缡，[26] 娘替女儿结佩巾，
九十其仪。[27] 仪式繁多求吉祥。
其新孔嘉，[28] 新婚夫妇真美满，
其旧如之何？[29] 久别重逢该怎样？

（程俊英 译）

注释

①徂(cú)：往。东山：诗中军士远戍之地。一说在今山东蒙阴县南，亦名蒙山，商时属奄国（在今山东曲阜县东）。《孟子·尽心上》说"孔子登东山而小鲁"的东山，当是一处。②慆(tāo)慆：长久。③零雨：徐雨，断续不止之雨。其濛：即濛濛。④曰：助词。⑤裳衣：指普通百姓的服装。此言不必再从事军旅生活了。⑥士：通"事"，从事于。行：借作"横"。枚：筷子似的短木，两端有带，可系于颈上。行枚：即横枚。古人行军，口衔横枚，避免出声。这里代指军伍征战。⑦蜎(yuān)蜎：蠕动貌。蠋(zhú)：蛾蝶幼虫，此指野蚕。⑧烝(zhēng)：长久。一说为发语词。⑨敦(duī)：孤独貌。一说通"团"，圆形，状人蜷曲成团。

⑩亦：助词。⑪果赢（luǒ）：葫芦科植物，一名栝楼或瓜蒌。⑫施（yì）：蔓延。⑬伊威：又名鼠妇，体形椭圆，灰色多足，栖于阴湿壁角处。俗称地虱、地鳖虫。⑭蟏蛸（xiāo shāo）：即喜蛛，长脚蛛。⑮町畽（tǐng tuǎn）：舍旁空地。⑯熠燿（yì yào）：闪闪发光。下文"熠燿"作光彩鲜明解。宵行（háng）：萤火虫。一说"熠燿"指萤火，"宵行"状萤火在夜色中流动，亦通。⑰伊：是，此。⑱鹳（guàn）：水鸟名，形似鹤亦似鹭。垤（dié）：蚁冢。蚁洞口的小土堆。⑲穹窒：尽行堵塞。此言治尽其鼠穴。此句译文当以"洒扫房舍塞鼠洞"为宜。⑳聿（yù）：助词。㉑敦：通"团"，圆形。瓜苦：即"苦瓜"。一说苦同"瓠"，瓜苦即"瓠瓜"，指用瓠瓜一剖为二瓢叫巹。古时结婚行合巹礼，夫妇各执一瓢饮酒，类今之饮交杯酒。此言妻睹物生情。㉒栗：通"蓼"，即蓼，苦菜。一说栗薪即蓼薪，聚薪、束薪也。此言瓠瓢闲置柴堆上长久无人理睬。㉓于：助词。㉔之：这。子：女，古代"言子者，通男女"。之子：指妻。于归：出嫁。㉕皇：毛色黄白相杂的马。驳：马毛色杂而不纯。㉖亲：指妻母。缡（lí）：妇女的佩巾。结缡，古代嫁女的一种仪式。女临嫁，其母为之结缡，以示至男家后应尽力操持家务。㉗九、十：极言其多。㉘新：指新婚。孔：甚。嘉：美。㉙旧：久，指久别。

鉴赏

《毛诗序》云："《东山》，周公东征也。周公东征三年而归，劳归士。大夫美之，故作是诗也。"这是说武王伐纣克殷后二年（前1025）死去，其子成王继位而年尚幼，由武王之弟、成王之叔周公姬旦代行国政时，纣王之子武庚拉拢武王之弟管叔等人，联合原商之嬴姓同盟国（在灭夏过程中出过力，商王朝建立后也成为统治民族）徐、奄、盈以及熊、薄姑等东方氏族、邦国发动叛乱，于是周公领兵东征，诛杀武庚、管叔等人，历经三年才平定了叛乱，解除了周初统治的危机。可视为周人第二次克商，是西周史上的一件大事。周公东征三年而归，慰问并奖励将士，大夫赞美他，因而作《东山》诗。然以诗代归士述室家想望之情，西周大夫不能如此立言；况此诗又毫无称美周公一语，其非大夫所作显然。朱子《诗序辨说》云"此周公劳归士之词，非大夫美之而作"，认为是周公所作。然此诗乃一归士自叙其离合之情，于一般归士无涉，可见主周公所作亦与诗的内容、情调不符。即使此诗的社会背景与周公东征有关，从内容看，此诗亦当为战士所作，是征人解甲还乡途中抒发思乡之情的诗。

全诗四章章十二句。首章写征人久戍得归，悲喜交集；次章写途中想象家园残破荒芜，倍增怀念之情；

第三章写想象妻子在家思念自己;卒章回忆出征三年前的新婚生活,急盼早归团聚。每章都以"我徂东山,慆慆不归。我来自东,零雨其濛"四句开端,以简括的叙事和绘景作复沓,写出征人西归时阴雨绵绵的凄凉环境和难以言喻的忧伤心情。朱熹《诗集传》说:"章首四句,言其往来之劳,在外之久,故每章重言,见其感念之深。"特别是"零雨其濛"一句,用"细雨织愁"的渲染描写,状其愁怀之深沉;而四章重复歌唱,又使这种反复烘托出的悲凉气氛浓郁弥漫,笼罩全诗。既增强了诗歌韵律的节奏感和优美感,又直接配合各章的内容,创造出感人至深的意境。《小雅·采薇》的"昔我往矣,杨柳依依;今我来思,雨雪霏霏"用的是同一抒情手法。行者思家,唯雨、雪之际最难为怀。愁思如同断续不止的雨、雪啊,无边无际,没完没了!

这四句开头,犹如银幕上的背景,衬托出一个久戍还乡的风尘仆仆、疲惫不堪的战士,正在濛濛细雨中赶路;而各章四句以下的内容就是从征人的脑海里不断闪现出的联想的片断。其中有回忆有想象,交织出一幅幅生动的画面。首先出现的画面,是"我东曰归"时"制彼裳衣,勿士行枚"的激动和喜悦,表达出征人对战争的厌恶和对和平生活的向往。然而非人的军旅生活记忆犹新,还心有余悸。"蜎蜎者蠋"四句就是对过去行军打仗情景的回忆,那真是苦不堪言。诗人以蠋为喻,和人对照,人"敦彼独宿"车下的形状如蠋"烝在桑野",但蠋于桑间是得其所哉,人在野地露宿是不得其所。这是对当时统治阶级滥施兵役的揭露和控诉。回忆引起内心的痛苦,而西望家乡又不知现在家乡怎样了。作品正是通过以悲写喜而又富于实感的片断回忆为反衬,充分表达了征人西归时又高兴又辛酸、"我东曰归,我心西悲"、悲喜交集的复杂心情。一说末四句不是回忆,而是征人归途中无处住宿,只好孤独地蜷曲在路边的破车下,表现归途的艰辛。也不无道理,可供参考。

其次出现的画面,是紧接"我心西悲"的思绪而来的对久别的家乡的想象。"近乡情更怯,不敢问来人。"(唐宋之问《渡汉江》)征人离家越近,忧虑越深,伴着濛濛细雨,脑海里自然展现出家园荒败的景象:蔓藤挂满屋檐,屋里爬满地虱,门前到处是蛛网,田土变成了野鹿场,入夜萤火飘荡!往日房舍的整洁与家人团聚的欢乐已不复存在,剩下一片可怕的凄凉。然而"不可畏也,伊可怀也",两句承上转折反衬,越是残破越牵挂。诗巧妙而生动地透过征人的幻觉,入木三分地既写出了近乡归客的疑惧心理,又进一步表现了征人对故乡一往情深的热爱。作品虽然写的是想象,然而也可看作是频繁而持久的战乱对人民生活的破坏的形象缩影。这第二章诗写战乱中家园的荒芜，曾被后人推崇为南朝诗人鲍照的“芜城赋之祖”，并非过誉。

再次出现的画面，由承上从面到点、因物及人而来。妻子怎么样了？征人思妻，作者却巧妙地通过联想，幻现出妻思征人的情景。“鹳鸣于垤”是起兴，以禽鸟的呼朋唤友引出妻子因思念征人而叹息。“有敦瓜苦”是比喻，以苦瓜而结在苦蓼上喻妻心之苦而事又苦。这就把三年不见征人的妻子在家的勤劳和艰辛以及“洒埽穹窒”以待征人的深切怀想表现得淋漓尽致。写妻思念自己，是更深一层写自己思念妻子。这种变直抒胸臆为以人衬己的写法，既符合生活的真实又不落俗套。恰如杜甫《月夜》所写对妻子的思念：“今夜鄜州月，闺中只独看。遥怜小儿女，未解忆长安。”可谓一脉相承，深得诗歌表现艺术的三昧。

最后出现的画面，是对三年前新婚的回忆，以此将征人想家思人的情感推向高潮。从“仓庚于飞”用兴并点明时令起，便出现了欢乐幸福的新婚燕尔场面，好像黄莺也来助兴闹新房了。新嫁娘的娇美，迎娶队伍的热闹，岳母对女儿的叮咛，仪式的讲究，无一不勾起这甜蜜的回忆。这一章越是写得热烈红火，当征人的思绪在“零雨其濛”中又回到悲苦的现实中来时，就越形成鲜明的对比。还能见到妻子吗？若能见到，久别胜新婚，那情景又将如何？想到此，归心似箭，感情的潮水已推向顶峰，直逼出结尾的反问来：“其新孔嘉，其旧如之何？”文势放纵之极，而至此如异峰突起，戛然而止，给人以强烈的艺术感染，真是出人意表，余味无穷。文似看山不喜平，信然！

此诗历来被认为是《诗经》中最出色的抒情佳作之一。它之所以写得好，除了调动多种艺术的抒情手段，诸如章首的和声重叠、丰富的想象、强烈的对比、情景的水乳交融，以及语言上双声、叠韵、重言的运用等等之外，至关重要的是“情真”二字。诗贵乎情，情贵乎真。有真情才有真性灵、真景物、真境界，才有神韵。而这些又必须源于对真实生活的切身感受，“饥者歌其食，劳者歌其事”，用心灵和热血去谱写它。曹操在《苦寒行》中说：“悲彼《东山》诗，悠悠令我哀。”可见其感人之深，影响之大。

（蓉　生）

破　斧

既破我斧，	既砍破了我的大斧，

又缺我斨。① 又砍缺了我的大斨。
周公东征， 周公发兵东征，
四国是皇。② 军威镇服四方。
哀我人斯， 可怜我们士兵呀，
亦孔之将。③ 也还算是坚强。

既破我斧， 既砍破了我的大斧，
又缺我锜。④ 又砍缺了我的锜凿。
周公东征， 周公发兵东征，
四国是吪。⑤ 军威镇服四国。
哀我人斯， 可怜我们士兵呀，
亦孔之嘉。 不死就是快乐。

既破我斧， 既砍破了我的大斧，
又缺我銶。⑥ 又砍缺了我的 矛。
周公东征， 周公发兵东征，
四国是遒。⑦ 四国望风倾倒。
哀我人斯， 可怜我们士兵呀，
亦孔之休。 运气还算美好。

（袁梅译，略有改动）

注释

①斨（qiāng）：柄孔是方形的斧。②皇：匡正。③孔：很。将：壮。④锜（qí）：长凿状的兵器。⑤吪（é）：教化。⑥銶（qiú）：三面有刃的矛。⑦遒（qiú）：顺服。

鉴赏

周成王初即位，派驻东方的管 叔、蔡叔勾结殷、徐、奄、淮夷等属国，发动叛乱。周公帅军征讨，三年而乱平。这首诗就是从征战士在归途中歌唱的。

全诗三章，每章三层，意思相同。头两句写战争的艰苦、长久。斧、斨等代表各种武器，“既破”“又缺”，见出武器破损、废替的多，使人不难想象战斗如何频仍、激烈，战斗者如何出生入死，这正类乎唐人边塞诗所描写的“黄沙百战穿金甲”（王昌龄《从军行》）的情形。中间两句是对周公东征的颂扬。这两句典重、有力。按《诗经》中可信的称颂周公的作品不过数首，明确歌颂“周公东征”的仅此一首。“四国是皇”的语序颠倒，比平叙有力，显示了周公拨乱反正的威力。后两句是感叹，写到战争中自我的处境，可谓生命意识的警醒。人在生命的角逐中能出生入死，但事后回想，往往会产生“后怕”，何况这群“被驱不异犬与鸡”（杜甫《兵车行》）的大军呢。这两句感叹，表现了战士们对生还的庆幸。

关于本诗的主旨，甚多歧见。陈子展《诗经直解》谓：“东征兵卒既美戡乱，又庆生还。三章只此一意。”又引孙鑛云：“破斧缺斨，盖亦于美中微寓伤叹意。”看法甚是中肯。这首诗确是表露了东征战士这些心情。周公东征本是正义战争，其平乱求治的行动是代表了华夏各族首先是周民族利益的，诗作者称颂周公，显扬武功，自是当然。诗中又对战争表现出了某种程度的厌烦、畏惧，这也是自然的，这是战争的本质使然，恋生恶死也是人之常情。这样的表现是真实而深刻的，《诗经》中不乏这样的作品，因为这些作品大都出自身经战争磨难的战士之口。

这首诗在《国风》中是有年代可考的早期作品，是一首为时为事之作，显现了诗人的现实主义态度。这首诗纯为赋体，文字朴实。由于它是以第一人称述说、嗟叹，“我”字频频使用，加上章句的重沓，感情的表达颇有力度。

（汤华泉）

伐　柯

伐柯如何？[①]	如何砍个斧柄？
匪斧不克。[②]	没有斧头不行。
取妻如何？[③]	如何娶得妻子？
匪媒不得。	有了媒人就成。

伐柯伐柯，	砍斧柄呀砍斧柄，
其则不远。④	斧柄样式近在旁。
我觏之子，⑤	我盼到了意中人，
笾豆有践。⑥	今儿晚上就拜堂。

注释

①柯：斧柄。②匪：通“非”。克：能。③取：通“娶”。④则：准则，样子。⑤觏（gòu）：遇见。之子：这个人，指其妻。⑥笾（biān）：竹制的食器。豆：木制的食器。践：陈列整齐。《诗集传》谓“笾豆有践”为“同牢之礼”（即婚礼）。

鉴赏

这是男子在婚礼上唱的歌。开口即言“伐柯”，比中有兴。《诗经》中言及男女婚配常及“伐柯”“析薪”“束薪”。这样开头，渲染出了喜庆气氛。下面用伐柯须斧比娶妻须媒，连用两个“匪……不……”双重否定的条件句，似乎把娶妻说得难乎其难，殊不知这是新郎官的狡狯，他是有意在耍弄那些恭听“恋爱经验”的小伙子，请听下面的歌唱，又说得是那么易而又易。“伐柯伐柯，其则不远”，砍斧柄照手中的样子砍一个就是了，那么“取妻”呢，他没有直说，也许那样对新娘子有点亵渎，他只说桌上礼品摆了一排排，这不就是娶到手了么？比照前段“伐柯”“取妻”的对仗，后两句也许可以换成：“娶妻娶妻，就在眼前。”不这样说而那样说，显得委婉风趣些，同时，以特写突出“笾豆”，也使得这个婚礼在场面气氛上显得更为生动、更为热烈。

人们阅读此诗，兴趣是在感受那种喜庆气氛，并体会主人公如愿以偿的心情，而不是真的领教“恋爱经验”。或许此诗产生较早，曾作为歌谣广为流传，不经意间真的成了关于婚姻和生活经验的谚语，这首诗前面几句也出现在《诗经》的《齐风·南山》中，《礼记·中庸》亦引以谈说修身治人，而“作伐”“伐柯”“执柯”一直使用到今天。

关于这首诗的意旨，旧说皆以为“美周公也。周大夫刺朝廷之不知也”《诗集传》。于字句解释多有可取，但仍附会上美周公之意，因此显得生硬。近人多认为是婚姻歌谣，虽然具体解说也有点不同，但总的来说是接近诗的原意的。

（汤华泉）

九 罭

九罭之鱼，①	密网撒向河中心，
鳟鲂。②	网着鲜鱼鲂与鳟。
我觏之子，	今个见到心上人，
衮衣绣裳。③	盘绣衣裳一色新。
鸿飞遵渚，④	大雁飞飞沿沙滩，
公归无所，⑤	您要回去道路难，
於女信处。⑥	愿您和我住两晚。
鸿飞遵陆，	大雁飞飞沿高陆，
公归不复，⑦	您要分手难回复，
於女信宿。	愿您和我住两宿。
是以有衮衣兮，⑧	我得到了这件绣衣哟，
无以我公归兮，⑨	莫让我的人儿分离哟，
无使我心悲兮。	别使我的心儿伤悲哟。

注释

①九罭(yù)：捕小鱼的细孔网。②鳟(zūn)、鲂(fáng)：两种较大的鱼。③衮：通“卷”。衮衣：这里是指用盘贴工艺绣成的衣服，与“绣裳”并对。《诗经》中衣裳常对举，如“绿衣黄裳”“黻衣绣裳”，词性皆相当。④遵：沿着。渚(zhǔ)：沙滩。⑤公：敬称。⑥於：同“与”。女：同“汝”。信：两宿。⑦复：回来。⑧是以：这里是“于是”的意思。⑨无以：即“毋使”的意思，与下句“无使”同。

鉴赏

这首诗的意思传统的说法认为　　是攀留周公，近代学者有认为是贵族的留客,有认为是一般的恋歌。比较诸说,后一种说法近乎实际。这首诗用以起兴之物是鱼,据闻一多说,“鱼本是象征廋词,在情歌中男女用以称其对方”(《风诗类钞》)。诗中还有“之子”这样的称谓,“之子”在《诗经》中十数见,绝大多数也是“男女用以称其对方”。而诗中语言的狎昵,正宜为爱情的表达。

本诗以鱼起兴的,兴中有比,本是捕小鱼的网,却意外地捕到了大鱼,以表现“我觏之子”的喜出望外。第二句只两字,并非脱阙,同样句法见《小雅·鱼丽》这显然是诗人的有意为之:读着这两个字,语气自然加重,印象自然加强,“鳟鲂”仿佛特写似的凸现在我们面前。下面的“衮衣绣裳”也是写骤然之间见到“之子”最强烈、最鲜明的印象,而且上面鳟鲂那鲜活、美丽的鳞甲与衮衣绣裳也是映衬。

第一章是写“我觏之子”的欣喜,第二章、第三章就是留宿了。这两章都是以鸿起兴,“鸿雁于飞”象征了“之子于征”,也表现了女主人公依依惜别之情。说“公归无所”,并不是说他真的无住所、无处安身,只不过代为设想前途茫茫,找一些留宿的理由罢了。这正如周邦彦词所写的佳人留客情形:“低声问,问谁行宿?城上已三更。马滑霜浓,不如休去,直是少人行。”(《少年游》)“公归不复”才是真正的担心和忧虑,“别易会难”“此别何时见也”,这是一忧;“士也罔极,二三其德”,这样的担心也不能说没有。于是这个女子一再要求心上人留下,话语说得既委婉又恳切,自然心上的人是会情通心许的。

末章写她如愿以偿后的激动。“是以有衮衣兮”,眼前就是属于她的穿衮衣绣裳的人儿,叫她惊喜得不知如何是好了,这句话似乎是她喊了出来,真是“今夕何夕,见此粲者!子兮子兮,如此粲者何!”(《唐风·绸缪》)她在尽情享受这巨大的幸福,她生怕这幸福失去,又接连喊道:“无以我公归兮,无使我心悲兮。”姚际恒云:“忽入急调,攀留情状如见。”(《诗经通论》)他说的攀留对象与这里所说不同,但他对这种喷薄而出的热烈情感体会是真切的。

本诗以表情见长。前三章的比兴,后一章的直赋,以及句式的变换,都很好地配合了感情的起伏变化。女主人公的大胆直率、对爱情的追求及强烈的占有欲望,表现得淋漓尽致,“若喜若欢,姿态煞是横溢”(孙鑛《孙月峰先生批评诗经》)。

(汤华泉)

狼 跋

狼跋其胡，①	老狼踩着脖子底下耷拉皮，
载疐其尾。②	又把它的尾巴踩。
公孙硕肤，③	这位公孙大肚皮呀，
赤舄几几。④	穿着大红勾勾鞋。
狼疐其尾，	老狼踩着它的长尾巴，
载跋其胡。	又踩着脖子底下皮耷拉。
公孙硕肤，	这位公孙大肚皮呀，
德音不瑕。⑤	他的名声可不佳。

（余冠英　译）

注释

①跋：踩。胡：老狼颈下垂肉。②疐（zhì）：同“跋”，踩。③公孙：指豳公的后代。肤：肚皮。硕肤：大肚皮。④赤舄（xì）：红鞋，为公侯所服。这种鞋前端尖而上翘。几几：弯曲的样子。⑤瑕：读作“假”，义同“嘉”。

鉴赏

这首诗是对一位贵族的讽刺。诗用漫画似的笔法描绘了这位公孙丑笨的步态和体型。他的步态活像一只老狼。据说，老狼颈下长有悬肉，向前走就踩住了这悬肉，朝后退又踩住了它的长尾巴，进退两难。（《毛传》）一说是：“狼性不能平行，每行，首尾一俯一仰。首至地则尾举向上，胡举向上则尾疐至地。”（《朱子语类》）总之都是丑态百出。何以如此呢？就是因为太胖了，脂肪太多，而皮肤又松弛，又腆着个大肚子，试想，这人的步态，是多么令人发笑。下面又写他的“大红勾勾鞋”，在我们现代人看来，这副尊容简直就是马戏团里的小丑；但是作者的本意是标明他的身份：他原来还是个大官呀！或者是说：他还在那里自显尊荣、大摆架子呢！把他的丑态与他的身份联系起来，讽刺来得更为深刻。啊！原来当官的就是这副蠢相。这无意中就由对公孙个人的嘲讽上升为对养尊处优的贵族阶层的鞭挞了。

第二章前三句是第一章的重复，值得注意的是，第一句、第二句次序换了一下，这除了更换韵脚、以求变化外，似乎更有一种揶揄的味道：颠而倒之，尽情戏耍。以上的描写和渲染是比较充分了，作者最后水到渠成，点出了“他的名声可不佳”，卒章显志，戛然而止。一幕喜剧结束了，其深长的意味留到了落幕之后。

关于这首诗的讽刺，还有一种说法，说是和一个脑满肠肥的贵族开玩笑，比喻他胖得像老狼一样，行走艰难，一起一伏，但又宣扬他声名德行很好。这样说来就是一首谐谑诗了。如果“德音不瑕”的“瑕”读本字，可以这样理解，古时不少人就是这样理解的，韩愈在《进学解》中也用这首诗前面两句意思以自嘲，道是“公不见信于人，私不见助于友，跋前踬(同疐)后，动辄得咎”。

(汤华泉)

小　雅

鹿　鸣

呦呦鹿鸣，	呦呦地鹿儿鸣，
食野之苹。	吃着野地的青苹。
我有嘉宾，	我有一些好客人，
鼓瑟吹笙。	弹起瑟，吹起笙。
吹笙鼓簧，	吹起笙来奏起簧，
承筐是将。①	把一筐币帛来奉上。
人之好我，	人们呀，爱护我，
示我周行。②	指示我向大路行。
呦呦鹿鸣，	呦呦地鹿儿鸣，
食野之蒿。	吃着野地的青蒿。
我有嘉宾，	我有一些好客人，
德音孔昭。③	说的话呀多精妙。
视民不恌，④	人民见他不敢轻佻，
君子是则是效。⑤	官儿向他学习、把他仿效。
我有旨酒，	我的酒，多美好，
嘉宾式燕以敖。⑥	客人们饮着乐陶陶。
呦呦鹿鸣，	呦呦地鹿儿鸣，
食野之芩。	吃着野地的水芹。
我有嘉宾，	我有一些好客人，

鼓瑟鼓琴。	弹起瑟呀弹起琴。
鼓瑟鼓琴,	弹起瑟,弹起琴,
和乐且湛。⑦	乐得大家都尽心。
我有旨酒,	我的酒,多美好,
以燕乐嘉宾之心。⑧	用来安慰客人的心。

注释

①承:奉上。将:行。奉筐而行币帛。②周行(háng):大路。③德音:善言。孔:甚。昭:明。④视民:即民视。不恌(tiāo):不为偷薄之行。⑤则:法。效:仿效。⑥敖:舒畅,快乐。⑦湛(dān):长久的快乐。⑧燕:安。

鉴赏

这首诗为《小雅》的首篇,又系描写宾主宴饮之乐的诗篇,所以一向为人们所重视。诗写主人宴客,客对主人加以忠告,主人表示感激,咏之于诗,享之以酒。

诗为三章,章八句,为重调组成,仅二章第六句、第八句为六言,三章第八句为七言,稍加变换,使诗篇有曼声多意之趣,增加诗的音乐美。诗虽为重调,但每章主旨不同。首章系赞美嘉宾奉礼品、献忠言,敷衍其事,意态恳挚。诗开头以“呦呦鹿鸣”起兴,“鹿”“禄”谐音,“呦呦”“悠悠”同声,当有福禄长久之祝。“食野之苹”,则含有食物广多之意,而“我有嘉宾”到来之时则奏乐献礼,热闹非凡。然而不落俗套,嘉宾之来非徒为酒食,而有美言之告,“人之好我,示我周行”,所谓君子爱人以德,客人对主人的爱护,是指示他向大路行,也就是不走旁门左道。诗是有积极意义的。旧解以为君臣相得之乐,亦通。但我们今天从文学角度来欣赏这首诗,以主客友朋之款待来看待这首诗,当更有广阔的社交意义。二章首二句仅以“蒿”字换了“苹”字,而描述嘉宾则发挥了他的“德音孔昭”,说话精妙,因而“视民不恌”,人民见他不敢轻佻。“君子是则是效”,则是官儿们向他学习、把他仿效。这又是从上章的“人之好我,示我周行”引申、扩展而来,诗意则似断实联。于是为着优待嘉宾,“我有旨酒,嘉宾式燕以敖”,点了宴宾之旨,而又不是徒为酒食。三章“呦呦鹿鸣,食野之芩”

又只换来一个“芩”字。但在“我有嘉宾”之下，则是“鼓瑟鼓琴”。“鼓瑟鼓琴，和乐且湛”。一再重复，极显宾主契合之趣。而“我有旨酒，以燕乐嘉宾之心”，又以长句来拖长这一音响，延续这一乐趣，真是其乐无穷，宾主尽兴，而诗味则无有已时。

这首诗，音节顿挫，音响悠扬，读起来朗朗上口。叠字、虚字运用得极为巧妙，如“呦呦鹿鸣”之“呦呦”，“食野之苹”“人之好我”之“之”字，“君子是则是效”之两“是”字，“嘉宾式燕以敖”之“式”字、“以”字，“以燕乐嘉宾之心”之“以”字、“之”字，等等，均能以虚字传神，舒缓诗的语气，增加韵味。而顶真续麻的写作手法在诗中用来，又特别增加欢乐气氛，如首章之“鼓瑟吹笙，吹笙鼓簧”，三章之“鼓瑟鼓琴，鼓瑟鼓琴”，不但不觉重复，反而觉有诗趣，和宾主之欢乐燕饮，又都是和谐的、一致的。诗为重调，一、三章章法相同，每章前六句均写鼓瑟、吹笙、鼓簧、鼓琴欢乐场面，只是一章末二句为写嘉宾告主人以大道，三章末两句写主人感激嘉宾享之旨酒。二章则突出写嘉宾之仪容言行堪为官民之表率。末两句则又与三章之末两句相似。这样，在重调中又有变化，增加了诗歌的句式美。

综上所述，可以看出这首诗歌是社交场合中的一篇常用乐章，其写宾主的融洽，相敬以礼，相爱以德，相享以乐，相慰以酒，是可以增友谊而敦风俗的，无怪乎历来都为各朝各代举行大宴会的命名，或亦奏此乐章。现在我们虽因原有乐谱的失传，听不到它的乐音，但当今某音乐家曾为其谱出新曲，演唱其辞，曾风行一时，历久不衰。足见这首诗具有极强的生命力，并有其青春的魅力。

（金启华　金小平）

四　牡

四牡骓骓，①	四匹马儿匆匆忙忙，
周道倭迟。②	大路弯弯大路长。
岂不怀归？	我难道不想回家乡？
王事靡盬，③	官家的差遣没收场，
我心伤悲。	我的心里真悲伤。
四牡骓骓，	四匹马儿匆匆忙忙，

啴啴骆马。[4]	黑鬣的白马喘得把口张。
岂不怀归？	我难道不想回家乡？
王事靡盬，	官家的差遣没收场，
不遑启处。[5]	哪有空儿着席上。
翩翩者鵻，[6]	鹁鸪鸟翩翩地飞翔，
载飞载下，	飞上去，飞下来，
集于苞栩。[7]	歇在茂密的栎树上。
王事靡盬，	官家的差遣没收场，
不遑将父。[8]	哪有空儿把父亲来奉养。
翩翩者鵻，	鹁鸪鸟翩翩地飞翔，
载飞载止，	飞上去，停下来，
集于苞杞。[9]	歇在茂密的杞树上。
王事靡盬，	官家的差遣没收场，
不遑将母。	哪有空儿把母亲来奉养。
驾彼四骆，	驾起那四匹黑鬣的白马，
载骤骎骎。[10]	搭搭搭地赶前方。
岂不怀归？	我难道不想回家乡？
是用作歌，	这儿编支歌来唱，
将母来谂。[11]	母亲啊，使我多怀想。

注释

①騑（fēi）騑：行走不停。②周道：大道。倭迟（wēi yí）：迂回辽远。③靡：不。盬（gǔ）：息，止。④啴（tān）啴：喘息貌。⑤遑：暇。启处：安息。⑥鵻（zhuī）：鹁鸪鸟。⑦栩（xǔ）：栎树。⑧将：养。⑨杞：枸杞树。⑩骤：疾走。骎（qīn）骎：马前进貌。⑪来：语助词。谂（shěn）：念。

鉴赏

这首诗,写小官吏行役的苦恼,叹息他不能回乡奉养父母。诗分五章,章五句,一、二章重调,三、四章重调,五章单独成篇。在重调的一、二章,三、四章中,均兴而比,比尤具有特殊意义,紧扣所赋的行役之事来对比,显示出诗的深刻性。首章的"四牡骓骓,周道倭迟"极写四马驾车奔驰在弯弯长长的大路上,而自己的行役自不待言。"岂不怀归"一问,诗意翻腾,语言跳跃,振起全篇。为何如此,实以"王事靡盬",官家的差遣没停止,老百姓的供给更可想而知,所以只落得"我心伤悲"。二章再写马之奔驰,突出马的疲劳,"啴啴骆马",具体地写黑鬣的白马跑得气嘘嘘的,马犹如此,人何以堪!三句之提问与首章同,答语亦相同。而自己则"不遑启处",哪有片刻停息。以上重调两章实写在路上的奔忙,以马起兴,以马为比,赋出一己的辛劳与叹息。

三、四章的重调在手法上仍是以兴而比,以赋其事。不过以走兽变为飞禽,把四牡换为雏鸟。以三句铺写雏鸟之行止,是"翩翩者雏,载飞载下,集于苞栩",四章也只换了"下"为"止",换了"栩"为"杞"。极写雏鸟之飞飞停停,还能聚落在茂密的栎树、杞树上。雏又名鹁鸪,是孝鸟。更显出鸟还能孝顺父母,而自己则是"王事靡盬","不遑将父","不遑将母"。痛息人不如鸟,而"王事靡盬"之差役,迫使人不能奉养父母,其罪恶可想而知。诗富有揭露性,但又寓意幽深,综观一、二、三、四章,以重调加深涂抹,但又提顿见意,使诗情翻腾而又深刻。小官吏之忙迫,身心辛苦,倾泻无余。

五章又回应到首章的诗意来,以"驾彼四骆,载骤骎骎"遥应首、二章之骆马之奔驰,继续前行。三句之"岂不怀归"仍系以提问见意。但嗟叹之不足,又咏歌之,以"是用作歌,将母来谂"点明作诗宗旨,是永远忘不了母亲,以结束本诗。揭露性强,而又充满孝思,是一首思想意义很强的诗篇。

本诗在结构上,虽为重调,但写法上仍有差异。一、二章之一、二句均系写马之行驰,以"岂不怀归"提问,再叹息劳役之苦。三、四章则写鸟之自由,飞飞停停。以三句铺写之,然后再转到己身之服役,不能奉养父母。重调中均显出同中有异,以扩大、深入写其内容。又用提笔以振起全篇,用铺写来曲尽诗意,显示诗的有起伏,有波澜,而又倾怀泻出、淋漓尽致。其语言则随所写对象之不同,有的凝重,如"四牡骓骓,啴啴骆马”；有的则轻快，如“翩翩者雏，载飞载下”。以显示其不同之音调，增加诗的乐感，收到诗的美学效果。

如把本诗和《北山》对读，可以看出《北山》铺写劳役之不公，是以多许胜少许，本诗则是以简练称，以少许胜多许，各臻其妙。如把它和《蓼莪》对读，又可以看出《蓼莪》是铺写孩儿对父母的怀念，悲痛不能终养，铺写得详尽无遗，也是以多许胜。本诗也是怀念父母，不能奉养，又是以少许胜。两诗各有特色，而其孝思则一。这都可以起到敦风俗、兴教化的作用。

（金启华　金小平）

皇皇者华

皇皇者华，①	花儿开得多灿烂，
于彼原隰。②	开遍原野和湖岸。
駪駪征夫，③	跋山涉水我征夫，
每怀靡及。④	王事未了无心看。
我马维驹，	我驾着四匹千里驹，
六辔如濡。⑤	六条缰绳多自如。
载驰载驱，	跑呀跑呀快快跑，
周爰咨诹。⑥	四面八方谋良图。
我马维骐，	我驾着四匹大青马，
六辔如丝。	六条缰绳攥一把。
载驰载驱，	跑呀跑呀快快跑，
周爰咨谋。	四面八方访贤达。
我马维骆，	我的白马飘黑鬃，
六辔沃若。⑦	缰绳柔润不放松。
载驰载驱，	跑呀跑呀快快快，
周爰咨度。⑧	收集舆论献我公。

我马维骃，　　我的黑马杂白毛，
六辔既均。　　缰绳如一不动摇。
载驰载驱，　　跑呀跑呀快快快，
周爰咨询。　　广求善策不辞劳。

注释

①皇皇：犹“煌煌”。华：同“花”。②隰(xí)：低湿的地方。③骁(shēn)骁：急急忙忙。④靡(mǐ)及：不及。每怀靡及：常常想到做不完。⑤六辔：六条缰绳(古代一车驾四马，每匹马两条缰绳，旁边两匹马的内辔系在轼前不用，故为六辔)。濡：沾湿，形容柔软。⑥周：广泛。爰(yuán)：于。咨诹(zōu)：征求意见。⑦沃：润泽，沃若，柔润的样子。⑧度(duó)：商量。

鉴赏

据说周代有派使者到各邦国征集舆论的制度，这诗就是写使者出外访问途中情形的。

开头的兴是以景色反衬征夫的心情，花儿开得那么美丽而安闲，但是征夫的公务在身，哪有闲心去欣赏呢。“骁骁”，写出他的行动，“每怀靡及”，写出他的心理，看来这个使者是有很强的使命感的。这一章好像是序曲，下面各章反复写他的驰驱：“我驾着四匹千里驹，六条缰绳多自如。跑呀跑呀快快跑，四面八方谋良图。”他驾的是好马，他的御术多么娴熟，他就是如此马不停蹄地到各地访求良方善策。这四章的不断反复，使人感到奔驰速度的快，时间的久、地域的广远。这几章的句子，都是两字为一意群，自然构成节拍，特别是第三句的重叠，形成了鲜明的节奏感，读着有如听到那有节奏的马蹄声、车轮的滚动声，甚至似乎可以感觉到御手身体的颠簸、心肺的律动。这些都把他那勤于王事、急如星火之状表现得如闻如见。这反复的几章也表现了这位使者在驰驱途中情绪的兴奋、愉快。每章都是“我”字开头，辕中是好马，手中是良辔，马的毛色在变换，辔的质地在变换，都显示了他的自豪、自得、自我欣赏。看来，“王事靡盬，不遑启处”(《小雅·四牡》)虽是辛劳，但也不乏乐趣，他作为王朝的使者，当然是有着光荣感的。

据《仪礼·乡饮酒礼》载，这首《皇皇者华》常在典礼、宴会上歌唱。试想歌手在高唱“我的马儿跑呀跑”“我的马儿跑呀跑”……那情绪、那气氛将是怎样的热烈、欢快哟。

（汤华泉）

常　棣

常棣之华，[1]	常棣的花儿，
鄂不韡韡。[2]	花蒂都有光彩。
凡今之人，	如今一般的人，
莫如兄弟。	谁像兄弟相待。
死丧之威，[3]	死丧的威胁，
兄弟孔怀。	兄弟最是关心。
原隰裒矣，[4]	众人聚在原野，
兄弟求矣。	兄弟往来相寻。
脊令在原，[5]	鹡鸰困在陆地，
兄弟急难。	兄弟赶来救难。
每有良朋，	往往有些良朋，
况也永叹。[6]	相赠只有长叹。
兄弟阋于墙，[7]	兄弟在家相争，
外御其务。[8]	同心抵抗外侮。
每有良朋，	往往有些良朋，
烝也无戎。[9]	长期没有帮助。
丧乱既平，	乱事平定之后，
既安且宁。	日子过得安宁。
虽有兄弟，	这时虽有兄弟，

不如友生。⑩	又不如朋友相亲。
傧尔笾豆，⑪	陈列竹碗木碗，
饮酒之饫。⑫	饮宴心足意满。
兄弟既具，⑬	兄弟今日团聚，
和乐且孺。⑭	互相亲热温暖。
妻子好合，⑮	夫妻父子相亲，
如鼓瑟琴。	就像琴瑟谐调。
兄弟既翕，⑯	兄弟今日团聚，
和乐且湛。⑰	永远欢乐和好。
“宜尔室家⑱	“使你全家相安，
乐尔妻帑。”⑲	妻子都能快乐。”
是究是图，	好好体会力行，
亶其然乎！⑳	这话真是不错！

（余冠英　译）

注释

①常：借为“棠”。常棣：即棠梨树，花两三朵为一缀。②鄂：通“萼”。不（fū）：通“柎”，花蒂。鄂不：花萼。韡（wěi）韡：光明貌。③威：通“畏”。④裒（póu）：聚集。余冠英说，聚于原野似指战争一类的事。联系下句是说此时弟兄彼此关心生死，互相寻觅。通常对这两句的解释是：弟兄有死亡葬在野外的，其弟其兄总往求其尸。⑤脊令：即鹡鸰（jí líng），水鸟，据说其“飞则鸣，行则摇，有急难之意”（《诗集传》）。⑥况：通“贶”，赐给。⑦阋（xì）：争斗。阋于墙：即在墙内，也就是在家争吵。⑧务：通“侮”。⑨烝（zhēng）：久。或谓通“曾”。戎：帮助。⑩友生：朋友。⑪傧（bīn）：陈列。笾（biān）豆：竹、木食具。⑫饫（yù）：满足。⑬具：同“俱”。⑭孺：相亲。⑮妻子：即妻。按此句似译为：“夫妻相爱相亲”。⑯翕（xī）：聚合。⑰湛（chén）：通“沉”。⑱宜：安。⑲帑（nú）：通“孥”，子。⑳亶（dǎn）：信。其：指上面那两句话。

鉴赏

这是在家庭宴会上歌唱兄弟友爱的诗。诗八章,可分五段。第一段即首章,以常棣之花比兴,歌颂兄弟感情的亲密、美好、崇高。常棣之花光辉灿然,常棣之花花萼相依,常棣之花相生相聚,这些形象都能引起人们的联想,而常棣树又本是常见的,也见出手足之情的自然、显见,这样,“凡今之人,莫如兄弟”,这意思就自然地表达出来而且易于让人理解了。下面三章列举三种情况下兄弟的友爱:对待死亡威胁时,兄弟彼此间是那么关心,不顾生死地访求;遇到灾难时,兄弟是义无反顾地急救;面临外侮,兄弟是同心协力抵抗。这里是选择典型情境、常人难能的情事来表现兄弟感情,并以“良朋”的态度来对比,见出兄弟之情的深厚、精纯,发自深衷,出自天然。当然,兄弟间也难免有点口角,但那是无根本利害的冲突,外侮当前,就立即一致对外。一面是“阋于墙”,一面是“外御其务”,情绪、行为的转变是在顷刻间,这里没有过渡词句,见得兄弟们没有片刻犹疑、半点考虑,“天伦”之情来得多么自然。这个情境提炼得更为典型。这三章是承接第一段的“凡今之人,莫如兄弟”,行文至此,这个道理就表达得很透彻了。上面是第二段。第五章自成一段:“丧乱既平,既安且宁。虽有兄弟,不如友生”。上面写的是“难”时,这里写的是“平”时。难时兄弟互相救援,友朋徒作壁上观,而平时的对待适得其反,见出悖谬。这情况虽则悖谬,实则也是常见的世相,诗人将这一般人习以为常、恬不为怪的现象用几句精练的语言将其揭示出来,并且放在“丧乱既平”的背景上,这就发人深省、促人警醒了。在兄弟友爱的歌唱中加入这一章,似觉不和谐,其实这是从反面告诫人们要珍视手足之情,莫要“好了疮疤忘了疼”,使诗的主题更加鲜明,而且更能起到补救世俗人心的作用。

第五章承上转下,第六章、第七章为第四段,直接写兄弟在家宴上的欢乐。宴席上陈列了那么多的食品,大家吃喝得是那么开心。宴会上还有妻子,夫妻的感情也是那么融洽,这就更衬托了兄弟感情的亲密无间。在诗人看来兄弟之情比夫妇之情更高,就像《谷风》所说的“宴尔新婚,如兄如弟”。新婚的甜蜜也不超过兄弟的感情。这两章反复赞美兄弟聚会的和乐,意在说明:兄弟和睦是家庭和睦的基础。兄弟和,则室家安;兄弟和,则妻帑乐。于是诗人卒章而显志,告诫人们要记住这个道理,并真正在行动上能够做到。

中国古代家庭是以血缘关系为基础的,因此十分重视兄弟之间的关系。这首诗就是宣传这种伦理观,并且在后代发生了广泛的影响,以至"棣""常棣""棣华""脊令"成了兄弟的代名词,"棣萼""花萼"常用来比喻兄弟友爱,兄弟同举进士被称为"棣萼榜",兄弟诗文合集被命名为《花萼集》,唐玄宗为了表示弟兄亲善还建了"花萼相辉"之楼。对这首诗的思想观念,应当历史地对待,我们当然不同意作者对兄弟之情的不适当地夸大及无原则地强调,但对处置好兄弟关系乃至家庭关系,是并无异议的。在中国现代家庭中,兄弟仍是其中重要成员,或是重要的"社会关系",当然要妥善处之。

这首诗虽近乎"宣传品",说理的成分很重,但也不失文学的意味。首先,说理是富于感情的,那些话是从内心深处说出的,正如钟惺所说,"说得委曲深至,要哭要笑只是一个真"(《诗经直解》引)。这种挟情韵以行的说理是易于打动人的。其实,使用了一些加强形象性、生动性的艺术手法,如比兴、对比、映衬等,有些情境的提炼也较典型。至于音节的谐调,章法的组织,都较便于歌唱,因此它是一首兄弟友爱之歌,而不是一篇说教文。

(汤华泉)

伐　木

伐木丁丁。①	砍树响叮叮。
鸟鸣嘤嘤。	鸟儿叫嘤嘤。
出自幽谷,	出了深谷底,
迁于乔木。	飞上高树顶。
嘤其鸣矣,	鸟儿为何嘤嘤叫,
求其友声。	要把朋友声音找。
相彼鸟矣,②	请看鸟儿多殷勤,
犹求友声;	要把朋友声音找;
矧伊人矣,③	人比鸟儿更有情,
不求友生?	反而不把朋友交?
神之听之,	人的友爱神听着,
终和且平。④	既保平安又和好。

伐木许许。[5]	锯树呼呼响。
釃酒有藇。[6]	筛酒扑鼻香。
既有肥羜，[7]	我家宰了小肥羊，
以速诸父。[8]	众位伯叔请来尝。
宁适不来？[9]	哪儿去了还不来？
微我弗顾！[10]	可别不肯来赏光！
於粲洒埽，[11]	打扫房子生光彩，
陈馈八簋。[12]	八大件儿席上摆。
既有肥牡，[13]	我把肥壮公羊宰，
以速诸舅。[14]	众位长亲请过来。
宁适不来？	哪儿去了还不来？
微我有咎！[15]	千万别见我的怪！
伐木于阪。[16]	砍树砍倒山坡上。
釃酒有衍。[17]	筛酒漫出酒缸边。
笾豆有践，[18]	盘儿碗儿摆齐整，
兄弟无远。[19]	老哥老弟别疏远。
民之失德，[20]	有些人们伤和气，
乾餱以愆。[21]	饮食小事成祸源。
有酒湑我，[22]	咱们有酒把酒筛啊，
无酒酤我。[23]	没酒也得把酒买啊。
坎坎鼓我，[24]	咱们冬冬打起鼓啊，
蹲蹲舞我。[25]	跳跳蹦蹦一起舞啊。
迨我暇矣，[26]	趁着今儿有功夫啊，
饮此湑矣。[27]	来把请酒喝个足啊。

（余冠英　译）

注释

①丁(zhēng)丁:伐木声。②相:看。③矧(shěn):况且。④这两句祈求神灵鉴听,以赐和平之福。⑤许(hǔ)许:锯木声。⑥酾(shī):滤酒。藇(xù):甘美。⑦羜(zhù):羊羔。⑧速:召请。诸父:同姓长辈。⑨宁:何。适:往。⑩微:无,勿。顾:念。这句倒装,就是勿弗顾我。按上二句一说:宁,宁愿;适,刚巧;微,非;弗顾,不去往请。大意即朱熹说:“宁使彼适有故而不来,而无使我恩意之不至也。”⑪於(wū):叹词。粲:明净。⑫馈:食物。簋(guǐ):食具。八簋言其多。⑬牡:指公羊。⑭诸舅:异姓长辈。⑮咎:过错,可作使动。⑯阪(bǎn):山坡。⑰衍:满溢。⑱笾豆:竹、木食具。践:陈列。⑲兄弟:平辈亲友。⑳民:人。失德:失去恩德,谓招致怨恨。㉑乾餱(hóu):干粮。愆(qiān):过失。这句意谓因饮食小事而失和。㉒湑(xǔ):滤酒使清。我:语助词。㉓酤:同“沽”。㉔坎坎:鼓声。㉕蹲(cún)蹲:同“墫墫”,舞貌。㉒迨(dài):及,趁。㉗湑:指清酒。

鉴赏

这是民间宴请亲友的乐歌,由三章皆以伐木起兴可知。

第一章由叮叮伐木声引起嘤嘤鸟鸣声。“嘤嘤”象声叠词,见出鸣声的和谐、柔美。“出自幽谷,迁于乔木”,不单纯写鸟的飞翔,也是听者对鸣声的捕捉,这里鸣,那里鸣,山林幽谷之中到处都是鸣声嗜嗜,多么殷勤、多么欢乐啊。听着这样的鸟鸣,自然引起人们的联想:鸟是呼群引伴的,鸟儿之间那么和乐,人类中更需要友爱,更需要亲情和友情的维系。于是诗人想象:若是如此,神灵就会降福给我们了。这里的比兴、联想是非常自然的,鸟的和鸣引起思亲求友的意绪往往是人之共感,后来陶渊明在思亲友的《停云》诗中也是这般写的:“翩翩飞鸟,息我庭柯。敛翮闲止,好声相和。”杜甫《春望》有“恨别鸟惊心”之句,其思妇念子之情也是由鸟的鸣声引动的。

第一章对亲友之爱的呼唤由“伐木许许”“伐木于阪”这样的“过门曲调”传递到第二章、第三章。这两章更具体地写出了施爱的举动。第二章写以最甜蜜的酒、最肥美的羔羊、最谦恭的态度宴请同姓和异姓的长辈。“以速诸父”“诸舅”两小节于整齐中又有参差,以起互见、补足作用,第三章前四句亦复如此。由第二章的诸父、诸舅到第三章的兄弟,行文次第井然,也见出内外、长幼的次序。最后六句写歌舞的场面,歌声、鼓声、欢舞的人们交融在一起，真是痛饮无长幼，忘形到尔汝。宴会进入高潮，乐曲也进入最强音区，亲友之间的友爱自在不言之中了。这六句差不多都是排比，句句用韵，每句最后一字和倒数第二字都是韵脚，这样的节奏和韵律很适宜表现这热闹的场面和热烈的情绪。

（汤华泉）

天　保

天保定尔，	上天保你永安康，
亦孔之固。	君权稳固殷国邦。
俾尔单厚，	使你实力更雄厚，
何福不除。[①]	一切幸福无不享。
俾尔多益，	使你财才多丰盈，
以莫不庶。	没有一件不兴旺。
天保定尔，	上天佑你基础固，
俾尔戬穀。[②]	使你安乐享幸福。
罄无不宜，	万事顺心多如意，
受天百禄。	蒙受天赐种种禄。
降尔遐福，	长远幸福降临你，
维日不足。	犹嫌时光太仓促。
天保定尔，	上天庇护你安宁，
以莫不兴。	没有一样不兴盛。
如山如阜，	好比高山和大阜，
如冈如陵。	好比山冈和丘陵。
如川之方至，	好比百川汇大海，
以莫不增。	福禄寿喜样样增。
吉蠲为饎，[③]	择吉斋戒置酒浆，

是用孝享。　　献给祖宗来安享。
禴祠烝尝，④　　春秋冬夏皆祭祀，
于公先王。　　奉祀先公与先王。
君曰卜尔，　　尸祝替神来传话，
万寿无疆。　　赐你万寿永无疆。

神之吊矣，　　祖宗神灵已降临，
诒尔多福。⑤　　多种幸福赐你家。
民之质矣，　　黎民质朴且安居，
日用饮食。　　日常饮食也不差。
群黎百姓，⑥　　无论庶民与贵族，
遍为尔德。　　被你恩德所感化。

如月之恒，⑦　　犹如上弦月牙新，
如日之升。　　犹如旭日正东升。
如南山之寿，　　犹如南山寿延长，
不骞不崩。　　既不亏蚀亦不崩。
如松柏之茂，　　犹如松柏常茂盛，
无不尔或承。　　枝叶不衰相传承。

注释

①除(zhù):赐予。②戬(jiǎn)穀:福禄,幸福。③蠲(juān):清洁。饎(chì):酒食。④禴(yuè)祠烝尝:古代宗庙之祭,春曰祠,夏曰禴,秋曰尝,冬曰烝。⑤诒(yí):通“贻”,赠送。⑥群:众。黎:黑。群黎:众民。百姓:百官。⑦恒:月上弦貌。

鉴赏

这是一首优美的祝祷诗，一组和谐的赞美曲，它表达了以血缘关系为纽带的我国早期奴隶制下臣子对君王由衷的祝福和歌颂。

当我们吟诵这首古老的诗歌时，它将我们带到那遥远的古代宫廷宴会（或许是周天子的寿宴吧）之上，在那里，我们仿佛看到那君临万国的周天子南面而坐，诸侯公卿北向侍坐。突然间琴瑟笙簧齐鸣，臣下纷纷起立，兕觥交错，高高举过头顶，同祝天子得到皇天保佑，基业稳固，幸福久远，万事俱兴！在庄严肃穆的音乐和一片“皇天保佑”的祝祷声中，人们似乎感到神灵下降，“上帝与人同在”！然后群臣再次致辞，祝列祖列宗赐福于当今天子，使其恩泽天下，感化百官万民，赐其寿如南山，王位万代递传，永不衰竭！在阵阵不息的祝福声中，周天子亦起立致谢。这时宴会气氛达到高峰，群臣齐呼君王之福“如山如阜，如冈如陵，如川之方至”，高祝君王之寿与基业“如月之恒，如日之升，如南山之寿，如松柏之茂”！一时之间君臣欢娱，融融乐乐，好一派和乐景象！

本诗的前三章表现了周人心中原始的“天人合一”和“君权神授”的观念，后三章则在祖先神灵赐福的讴歌中折射出原始儒家所描绘的“百姓足，君孰与不足”（《论语·颜渊》）、“近者悦，远者来”（《论语·乡党》）这样一种原始民主和原始人道主义的光辉。本诗的主旨体现了“敬天保民”的思想，歌颂有德之君德施万民，“群黎百姓，遍为尔德”是其民主性精华所在。正因为祝君长寿多福是着眼于“民之质矣，日用饮食”，即使淳朴的人民能安居乐业，所以诗人的祝福才显得如此真实自然，仿佛发自肺腑、出自心田一般，以至诗中之辞颂祷之极不觉为谀，反复譬喻不显其夸。

《天保》以其优美的言辞和良好的祝愿，数千年来为人们交口相赞，特别是诗中连用九个“如”字，以九个明喻来祝人福寿，产生绵绵不绝、日月常新、永不枯竭的联想，加之篇名“天保”又给人一种吉祥如意之感，所以后世人们便以“天保九如”作为祝寿之辞，表达祝寿者真诚的心意和良好的祝福。这种用法沿用至今。

（田耕宇）

采　薇

采薇采薇，[①]	采薇菜呀采薇菜，
薇亦作止。[②]	薇苗已经出土。

曰归曰归，	说回去呀说回去，
岁亦莫止。	已经到了岁暮。
靡室靡家，	我们远离家园，
猃狁之故。③	是由于猃狁的侵入。
不遑启居，	我们无暇休息安居，
猃狁之故。	是由于猃狁的侵入。
采薇采薇，	采薇菜呀采薇菜，
薇亦柔止。	薇苗已经柔嫩。
曰归曰归，	说回去呀说回去，
心亦忧止。	心中实在忧闷。
忧心烈烈，	内心有如火焚，
载饥载渴。	腹内饥渴难忍。
我戍未定，	我们戍边还没定止，
靡使归聘。	没人给我往家带信。
采薇采薇，	采薇菜呀采薇菜，
薇亦刚止。	薇叶已经粗硬。
曰归曰归，	说回去呀说回去，
岁亦阳止。④	一年又到了初冬。
王事靡盬，⑤	王事没有宁息，
不遑启处。	我们无暇安居休整。
忧心孔疚，	忧闷之心真痛苦，
我行不来。	回归之事又落空。
彼尔维何？⑥	那光彩鲜艳的是什么？
维常之华。	是盛开的棠棣之花。
彼路斯何？⑦	那高大华丽的是什么？
君子之车。	是将帅乘坐的车马。

戎车既驾，　　兵车已经起驾，
四牡业业。[8]　　四匹雄马高又大。
岂敢定居，　　怎敢安然驻扎，
一月三捷。　　一月三次把猃狁攻打。

驾彼四牡，　　驾起那四匹雄马，
四牡骙骙。　　四匹马威风凛凛。
君子所依，　　将帅乘车指挥，
小人所腓。[9]　　士兵依车蔽体。
四牡翼翼，　　四匹马步伐整齐，
象弭鱼服。[10]　　弓和箭袋装饰美丽。
岂不日戒，　　怎能不天天戒备，
猃狁孔棘。[11]　　猃狁来犯太紧急。

昔我往矣，　　昔日出征之时，
杨柳依依。　　杨柳飘拂依依。
今我来思，　　而今归来之日，
雨雪霏霏。　　雨雪漫野纷飞。
行道迟迟，　　道路崎岖漫长，
载渴载饥。　　腹中又渴又饥。
我心伤悲，　　我的心何等哀伤。
莫知我哀。　　谁能了解我的深悲。

注释

①薇(wēi):野菜名，又名野豌豆，多年生草本，可食。②作:生。这里指薇芽刚开始长出。下文的“柔”“刚”分别指薇初生的嫩苗和已老而粗硬的薇叶。止:语尾助词。③猃狁(xiǎn yǔn):北方少数民族。西周时称猃狁，春秋时称北狄，秦汉以后称匈奴。④阳:夏历十月。⑤盬(gǔ):休止。⑥尔:同“薾”，花繁盛

貌。⑦路：大，指车的高大。⑧业业：高大貌。下文的“骙骙”“翼翼”分别为强壮貌、整齐貌。⑨腓（féi）：隐蔽。⑩象弭（mǐ）：象牙镶饰的弓。鱼服：鱼皮制成的箭袋。⑪棘：同“亟”，急。

鉴赏

读《小雅·采薇》，会自然联想到宋人范仲淹的名作《渔家傲》。两篇作品悬隔千载，无论叙事、抒情的方式，还是风格和意境都有显著不同，但若细加体味，它们的内在含蕴和感情基调却是息息相通的。从内在含蕴上看，《采薇》写的是边塞戍卒在出征归途中，对同玁狁作战的回顾及其哀怨；而《渔家傲》写的是守边将士在防卫西夏入侵过程中所生发的愁闷。从感情基调上看，前者的哀怨是因盼归不能归而终于得归、在归途中受物色感发，抚今追昔、痛定思痛所产生；而后者的愁闷乃是由盼归不能归而终于不得归、面对“塞下秋来”的荒凉景色，置身“羌管悠悠霜满地”的环境所导致。如果说，哀怨和愁闷是这两篇作品的主要倾向，那么，在这倾向的掩蔽下，我们还能探查到与此相背离的另一种倾向，那就是在思归的同时，戍卒和将士们都具有一种保卫和平、戮力王室的心念。从前者看，诚如《汉书·匈奴传》所云“（周）懿王时，王室遂衰。戎狄交侵，暴虐中国，中国被其苦。诗人始作，疾而歌之曰：‘靡室靡家，玁狁之故。……岂不日戒，玁狁孔棘。’”士卒们是为了抗击玁狁的入侵而踏上征途的。从后者看，作者在“浊酒一杯家万里”的感慨之后，紧继之以“燕然未勒归无计”，点出了未能归家的原因，即尚未破匈奴于大漠，在燕然山刻石纪功。在这里，一方面是以国家利益、民族利益为前提的社会责任感，一方面是基于人的基本需要而萌生的强烈家园感。两种思想感情都是真实的，但又是相互矛盾的，正是这种既真实又矛盾的思想感情，构成了两篇作品虽然抑郁、低沉但又不乏紧张、明快的情感基调。纵观中国文学史，这种情感基调在众多的边塞诗中并不鲜见，但其肇始者，却无疑当首推《采薇》。

《采薇》用倒叙手法写起。前三章以“采薇采薇”起兴，通过“薇亦作止”“薇亦柔止”“薇亦刚止”中的“作”“柔”“刚”三字，形象地展示了薇从发芽、长苗到成熟的过程，它同“岁亦莫止”和“岁亦阳止”一样，都喻示着时间的变化。同时，采摘薇菜的目的是为了食用，边地将士竟到了借野菜来充饥的地步，则其生活之艰苦可想而知。看来，为了抗击玁狁，这位戍卒已在艰苦的边地滞留很久了，从薇破土而出的时候起，就说要回去、要回去，可是直到薇叶已经粗硬的岁暮，仍然不能成行。频繁、持久的军旅生活不仅使人“不遑启居”“不遑启处”（意皆谓无暇休息），而且还得以薇为食，忍饥受渴。更有甚者，连给家中捎封信的人也没有，和家人的联系已彻底断绝。在这种情况下，他怎能不倍加盼望那安宁恬静的家园呢？然而，大敌当前，八方多难，王事无止无息，他又怎能回去得了呢？客观上讲，严酷的现实不允许他回去；主观上讲，忠于职守、效力王室、保卫家园的社会责任心也不允许他回去，正是这两难的处境，导致了主人公内心深刻的矛盾和极度的痛苦。

四、五两章承上“王事靡盬”而来，转写紧张、激烈的军旅生活。前四句，作者自问自答，用“维常之华（棠棣之花）”兴起“君子之车”，接着便以战车为引线，展开了具体的战争描写。“戎车既驾，四牡业业。岂敢定居，一日三捷。”前两句借进发的兵车和四匹高头大马来侧面表现威武的阵容和高昂的士气，后两句通过“一”和“三”两个数词的对照，点出了战斗的频仍和生活的艰苦。“驾彼四牡，四牡骙骙”回应前面“戎车”两句，进一步烘托士气和阵容，并为下文的“君子所依，小人所腓”作张本。“君子”，将帅也；“小人”，士卒也。将帅在兵车上指挥作战，士卒跟在车后隐蔽着，准备出击。写完战斗场面，作者抽出笔来，进一步描写战马的训练有素和武器的精良——“四牡翼翼，象弭鱼服”。在这里，作者从战争开始写到战斗的具体进行，从阵容、士气写到将士们的作战方式和武器装备，从而细致地勾勒了战争的全貌。最后指出“岂不日戒，猃狁孔棘”——之所以日日戒备，乃是因为侵略者来犯太紧急、太凶猛了啊！这样，就又交代了当时的形势。

第六章结束了对整个军旅生活的回忆，遥接二、三章盼归文意，转写归途忧思。本来，诗中主人公因盼归而不得归，故生无穷哀怨；如今愿望已经实现，应该欢喜才是，为什么还忧思绵绵呢？仔细分析可知，这忧思首先来自对往事回忆所引起的心理刺激。试想，抚今追昔，痛定思痛，一幕幕艰辛的往事浮现在眼前，梗塞于胸中，欲罢难休，欲吐不能，他怎能不悲感交集，叹喟无穷？这忧思也来自归途的种种险阻和物资的匮乏。你看，空中雨雪横飞，则遍地泥泞是无疑的了。而他所穿衣服大概还是单装（因与家人断了联系），随身所带干粮也必定极少（因在边塞时即已食不饱腹、采薇度日）。在这种情况下，头顶雨雪，脚踩泥泞，身受严寒，腹忍饥渴，他又怎能不发出“行道迟迟，载渴载饥。我心伤悲，莫知我哀”的悲叹呢？当然，主人公的忧思还可能包含着对家人的担忧。一别经年，音讯阻隔，生死存亡，两不可知，当此回归之际，他自然会生发出“近乡情更怯”的恐惧心理。然而，与上述原因相比，引起他忧思的最直接根源却在于景物的变迁以及这种变迁所导致的更深层的心理感受。“昔我往矣，杨柳依依。今我来思，雨雪霏霏。”短短四句诗，不假雕琢，平平道来，却充满着强大的情感力量，令人读后，不禁黯然神伤。这里，同是一个“我”，但有“昔”与“今”之分；同是一条路，却有“杨柳依依”和“雨雪霏霏”之别；而所有这些，又都是在一“往”一“来”中变化、生成的。这是时间的往来，是生命的往来，也是欢乐和痛苦的往来。刘勰有云：“情以物迁，辞以情发。一叶且或迎意，虫声有足引心。”（《文心雕龙·物色》）在人与自然之间，本就存在着一种相互感发的关系，何况主人公面对的是眼前这样一片惨淡景色？更何况主人公在面对这景色时又偏偏想起了昔日那“杨柳依依”的景象？今“来”和昔“往”，痛苦和欢乐，在此形成了鲜明的对照，从而愈发加深了人物内心的痛苦程度，所谓“以乐景写哀，以哀景写乐，一倍增其哀乐”（王夫之《薑斋诗话》卷上），指的正是这种情况。这四句千古传诵，并视为三百篇中最佳之句，是有一定道理的。

当然，本诗的艺术魅力还不止于此。自然物使得诗人触景生情，并引起相应的心理活动和感情变化，只是问题的一个方面；从另一方面看，不仅这种心理活动和情感变化还将反过来加深景物的感情色彩，而且从终极意义上讲，人的情感一开始就支配了景物，并使其具有相应的情感基调，从而人化了自然。犹如迎风摆动的杨柳本无知觉，但由于人有惜别之意，并将此惜别之意熔铸为“杨柳依依”这一具有高度概括力的意象，遂使得这一意象广为后人接受，以至成了送别、分手时不可或缺的定式。这样看来，诗中的景物已有别于纯自然的景物，而凝聚了浓郁的人的情趣。也就是说，它是主体情志和客体特征的有机结合体。在文学作品中，景物的情感内涵愈丰富、愈深刻，它的感染力就愈大。《采薇》一诗的景物描写之所以对后代文学创作产生了深远的影响，以至“历汉、魏、南朝至唐，屡见诗人追摹，而终有弗逮”（陈子展《诗经直解》），恐怕就在于它不仅具备了上述特点，而且达到了情与景的最和谐、最完美的统一。

（尚永亮）

出　车

我出我车，	我出动我的兵车，

于彼牧矣。　在那牧地之上呀。
自天子所，　从天子那里，
谓我来矣。　叫我来做大将呀。
召彼仆夫，　召集那些人伕，
谓之载矣。　叫他们装载呀。
王事多难，　王事正多灾难，
维其棘矣！[1]　这事要赶快呀！

我出我车，　我出动我的兵车，
于彼郊矣。　在那城外远郊呀。
设此旐矣，[2]　设着这绣龟蛇的旗是旐呀，
建彼旄矣。[3]　建立那旗杆头上的是旄呀。
彼旟旐斯，[4]　那绣鸟鹰的旗是旟和旐哟，
胡不旆旆？[5]　这些旗帜怎么不飞扬旆旆？
忧心悄悄，[6]　忧惧的心只自悄悄，
仆夫况瘁。[7]　人伕更加累得憔悴。

王命南仲，[8]　王命令了南仲，
往城于方。[9]　前往筑城于方。
出车彭彭，　出动了的兵车都是响声彭彭，
旂旐央央。[10]　交龙的旂旗和旐旗鲜明央央。
天子命我，　天子命令了我们，
城彼朔方。[11]　筑城那个朔方。
赫赫南仲，　威仪赫赫的南仲，
玁狁于襄！[12]　为了除玁狁而往！

昔我往矣，　从前我们去呀，
黍稷方华。[13]　黍子稷子正在扬花。
今我来思，　如今我们来哟，

雨雪载涂。	雨儿雪儿满路泥巴。
王事多难,	王事正多灾难,
不遑启居。[14]	不暇危坐安居。
岂不怀归?	难道不想归家?
畏此简书!	怕这紧急文书!
喓喓草虫,[15]	喓喓叫的是草虫,
趯趯阜螽。[16]	跃跃跳的是蚱蜢。
未见君子,	还没有见到君子,
忧心忡忡;[17]	忧闷的心头冲冲;
既见君子,	终于见到君子,
我心则降。[18]	我的心里就放松。
赫赫南仲,	威仪赫赫的南仲,
薄伐西戎。[19]	正在讨伐西戎。
春日迟迟,	春天日脚迟迟,
卉木萋萋。	草木茂盛萋萋。
仓庚喈喈,[20]	黄鹂儿正叫的喈喈,
采蘩祁祁。[21]	采白蒿的人一堆堆。
执讯获丑,[22]	拷问所捉许多俘虏。
薄言还归![23]	于是胜利而归!
赫赫南仲,	威仪赫赫的南仲,
猃狁于夷![24]	为平猃狁而来!

（陈子展　译）

注释

①维:发语词。棘:急。②旐(zhào):画龟蛇之旗。③旄(máo):旗杆头上的羽毛。④旟(yú):画鸟隼之旗。斯:语助词。⑤旆(pèi)旆:飞扬之貌。⑥悄

悄:忧貌。⑦况:益,更加。瘁(cuì):憔悴。⑧王:周王。南仲:当时的大将。⑨方:指朔方。⑩旂(qí):画有交龙图形之旗。央央:鲜明貌。⑪朔方:北方。⑫猃狁(xiǎn yǔn):游牧种族殷周之际,主要分布在今陕西、甘肃北境及内蒙古西部。春秋时称为戎、狄。襄:除。⑬黍:比小米稍大的一种谷类,带黏性。稷(jì):不黏的黍。⑭遑:暇。启:小跪。居:安坐。⑮喓(yāo)喓:拟声词。⑯趯(tì)趯:跳跃貌。阜螽(zhōng):蝗类。⑰忡忡:忧虑不安貌。⑱降:古音 hóng,放下。⑲薄:发语词。西戎:古代西北戎族的总称。分布在黄河上游及今甘肃西北部,后逐渐东迁。⑳喈(jiē)喈:拟声词。㉑蘩(fán):白蒿。用煮蘩的水滋润蚕子,蚕易生出。㉒执讯获丑:朱熹《诗集传》:"讯、其魁首当讯问者也。丑、徒众也。"㉓薄、言:皆语助词。㉔夷:平定。

鉴赏

《出车》是《诗经》重要的篇章之一。此诗写的是西周大将南仲带兵抗御猃狁。全诗共六章。

首章为南仲口吻。"我出我车,于彼牧矣。"劈头从强大周师闻警而动写入。牧在郊外,周师正在越过牧地。接着才追述天子命我为将,我集结军队,装载出发的出师经过。结以"王事多难,维其棘矣",将当时国家多难、军情火急的紧张氛围全盘推出,真是扣人心弦。

次章仍为南仲口吻,追述周师建旗场面,但重点却是突出全军上下的一种临战心理。部队在郊地建旗,树起了龟蛇旗,立起了鸟鹰旗,旗上旄头,一应俱全。可是,这些旗帜为啥都不飘扬呀?"胡不旆旆"是一个极巧妙的反诘,表现出旗帜垂然的一片肃穆气氛,象征着面临战争的一种真实心理。"忧心悄悄,仆夫况瘁。"作大将的,因为责任重大而心情沉重;作士兵的,则由于有所恐惧而面容憔悴呀。(参朱熹《诗集传》)此章揭示人类心理对于战争的反应,极为深刻。但是,杀敌卫国之精神,终究是将士心理的主要取向。三章即转入描写士气振奋。

三章为随征军士口吻。诗中反复歌唱"王命南仲""天子命我""城彼朔方",鲜明地体现了全军上下同仇敌忾的昂扬士气。朱熹《诗集传》说:"兵事以哀敬为本,而所尚则威,二章之戒惧,三章之奋扬,并行而不相悖也。"可谓智言。此章突出的是周师强大的军容与声威——"出车彭彭,旂旐央央","赫赫南仲,猃狁于襄"。全诗对战争场面及其结局,都未加以正面描写,但通过军容军威的描写,却作出了充分的启示。

四章仍为军士口吻。诗境再转,写出将士守边的艰苦卓绝与怀土思归。这正是边塞诗内涵的应有之义。将士们深情回忆:“昔我往矣,黍稷方华。”我们部队出征之日,正当黍稷扬花之时。中国古代是农业社会,士兵是穿上军装的农民。他们对庄稼的天然情感,对和平生活的向往,从此二句即可体会。“今我来思,雨雪载途。”戍边生涯的艰难辛苦,亦可从此二句加以体会。然而周师将士之可敬,更在他们那种艰苦卓绝、奋不顾身的气概。“王事多难,不遑启居。”爱国精神,激励着他们去奋战、去克敌制胜。结二句“岂不怀归,畏此简书”,暗示正当抗御猃狁可告一段落之际,又另有一番军事行动。

五章变为南仲妻室之口吻,实呼应上章“岂不怀归”一句,乃构成戏剧式之场景组接,别是一番温柔风光。草长虫鸣,春天又回来了。夫君呵,也该回来了。“未见君子,忧心忡忡;既见君子,我心则降。”前两句,是全部离别生涯的心态缩影;后两句,则为久别重逢心态的瞬间写照。“未见”与“既见”,极生动、极典型地揭示了思妇的情感世界,这也是边塞诗内涵的应有之义。不过,“既见”情景,此时尚未实现,犹是思妇神魂颠倒的一番悬想。“赫赫南仲,薄伐西戎”二句,暗承上章“畏此简书”一句,一笔便交代了周师北征之后又西征的情节。

末章描绘将士们凯旋的盛大喜庆。《毛传》云:“《出车》,劳还率(帅)也。”当为诗人拟南仲、军士及思妇口吻而作,语气较活。末章口吻,可属军士,亦可属思妇,视为诗人口吻亦可。“春日迟迟,卉木萋萋。仓庚喈喈,采蘩祁祁。”此绝非闲笔。生机勃勃的大自然,和平劳动的生活,是因为征人的凯旋才格外美好呵。大获全胜的周师,胜利归来了。“赫赫南仲,猃狁于夷!”猃狁平定了,西戎不消说也平定。《郑笺》说得对:“此时亦伐西戎,独言平猃狁者,猃狁大,故以为始,以为终。”那西戎,是捎带着就平定了。

《出车》,以及《采薇》《六月》等诗,实为中国边塞诗之源头。它们共同具有几点特征:首先,爱国精神与同仇敌忾。其次,边地苦寒与艰苦卓绝。(中国历史上主要的侵略威胁,来自北方与西北方向的游牧族,故传统的边塞诗主要产生于北方与西北边塞。)再次,怀土思归与思妇哀怨。最后,尤可注意的是它们描写战争,绝不渲染杀伐流血场面;对于战争的胜利,是从军容军威之强盛的描写来加以暗示的。如实地说,中国边塞诗的这一特征,是体现了中华民族爱好和平之天性,中国文化不尚武力之精神。比较古希腊史诗,如《伊利亚特》,则颇以描写杀人流血为能事。中西文化差异,由此可见。上述诸特征并行不悖,有机结合,即为中国边塞诗之生命特质。《出车》等诗具有的这些特征,为后世尤其唐代边塞诗所嫡亲继承并弘扬光大。如谓不信,请证唐诗。

(邓小军)

杕　杜

有杕之杜,[①]　　棠梨孤生在山冈,
有睆其实。[②]　　果实累累圆又光。
王事靡盬,[③]　　没完没了服官差,
继嗣我日。[④]　　期限已满又延长。
日月阳止,[⑤]　　眼看到十月,
女心伤止,　　为妻心泣血,
征夫遑止。　　征人何时歇?

有杕之杜,　　棠梨孤生在山陇,
其叶萋萋。　　绿叶成荫枝繁茂。
王事靡盬,　　没完没了服官差,
我心伤悲。　　叫我伤悲泪沾胸。
卉木萋止,　　草木齐吐翠,
女心悲止,　　为妻独心悲,
征夫归止。　　征人何时归?

陟彼北山,　　天天登上北山脊,
言采其杞。　　登上北山摘枸杞。
王事靡盬,　　没完没了服官差,
忧我父母。　　抛开爹娘心忧戚。
檀车幝幝,[⑥]　　檀木车破烂,
四牡痯痯,[⑦]　　四马奔驰倦,
征夫不远。　　征人应不远?

匪载匪来，[8]	无人存问慰寂寥，
忧心孔疚。	忧愤成疾实难熬。
期逝不至，	过期不见来接替，
而多为恤。[9]	更生新愁如涌潮。
卜筮偕止，[10]	卜龟占草灵，
会言近止，	都说人已近，
征夫迩止。	快要到家门。

注释

①杕（dì）：树木孤立貌。杜：棠梨树的一种，即野梨。②睆（huǎn）：光泽貌。一说果实浑圆貌。③靡（mǐ）：不，没有。盬（gǔ）：停息。④嗣：续。⑤阳：旧称农历十月为阳月或小阳春。止：语气词，下同。⑥幝（chǎn）幝：破敝的样子。一说车声。⑦痯（guǎn）痯：疲惫的样子。⑧载：存问。来：慰劳。⑨而：是。恤：忧。⑩卜筮（bǔ shì）：古时算卦用龟壳叫卜，用蓍草叫筮，根据灼龟壳的裂纹和揲蓍草的排列预测吉凶叫占。偕：吉。

鉴赏

孔颖达《毛诗正义》说此诗是周文王慰劳远征归来的将士所作的歌诗，而探究其内容，应是一位征人与在家的妻子互相思念所唱的怨歌。

全诗四章。每章七句，前四句写征夫，后三句写思妇。夫妇悬隔万里，而在每一章中对应出现，似乎在各诉衷肠，冲破了空间的阻绝，宛如戏剧舞台上的旁白，或所谓心理感应。这是一种合理的想象，是匠心独运的巧妙组合。双线并行，两者交互倾吐心曲。双方的心思常常看似矛盾，而互相映衬，强化了悲剧气氛。征人一线，由于久戍不能归，忧心如捣，悲愁日深，情绪直线下跌；思妇一线，却与之反向而行，由思念之切而入于盼望，入于猜度，入于幻想，心灵获得暂时安慰，情绪自抑转扬，由悲境而折入乐境。两条线索，一主一辅，一正一反，一抑一扬，一实一虚，并行而不悖，相反而相生。作者运思之妙，真令人叹为观止。

首章以茕茕孑立的棠梨起兴，自有隐喻征夫远离亲人之意，而特立的棠梨犹然果实圆润，得以繁衍滋蔓，可叹人不如物，男女失时，“行役劳苦，不得安于室家以尽天性而生子孙”（孔颖达《毛诗正义》）。至此，令人豁然想起“狂风落尽深红色，绿叶成阴子满枝”（杜牧《怅诗》）和“花开堪折直须折，莫待无花空折枝”（唐无名氏《金缕衣》）等许多以花落子熟喻青春难驻、芳时易逝的唐诗佳句。而《杕杜》一诗却没有遍采洛城花的奢望，没有行乐须及春的颓唐。

“继嗣我日”是激化悲感的近因。周时兵制，轮番代戍，秋去春还，春去秋还。延宕归期，令人由失望而生怨。从“日月阳止”云云，我们不难想象，在征人望还的同时，诗中这位贤淑深情的少妇，自夫君离家，便屈指计日，旦暮盼归，好不容易挨到深秋十月，役期总算满了，她深深地吐了一口气，遥遥念叨着：夫君呀，你该空闲了吧？该收拾行装了吧？

然而，棠梨再度发出青枝绿叶，花草树木再度丰茸葱茏，秋去春又来了，这少妇仍在凄厉地呼唤：夫君呀，你回来吧！呼声在旷野里滚向远方，回答她的是死一般的沉寂。

“苍苍烝民，谁无父母。提携捧负，畏其不寿。谁无兄弟，如足如手？谁无夫妇，如宾如友？”（李华《吊古战场文》）战争的烽火，怎能烧断思想感情的纽带？辽远的山川，怎能阻绝至亲骨肉的思念？征人登上北山，采摘枸杞。哪里是为了采枸杞呀？他遥思亲人，忧念父母，“悲歌可以当泣，远望可以当归”（汉乐府《悲歌行》），日日思乡峰头望，禁不住肝肠断绝，泪倾巅崖。当征夫在残酷现实的折腾下百无聊赖而登山望乡之时，他的妻子却因忆念情切而进入了美妙的幻想。她不是认为丈夫应该返家，而是觉得丈夫已经归来，驾着四匹雄马，乘着檀木坚车，荣耀地归来了。她还似乎看到，坚车敝了，雄马乏了，可见千山万水被抛在身后，启程已非止一日了。

思妇的团圆梦到尾章中仍在发展。她又是问神龟，又是占蓍草，都吉祥如意。她喜出望外，断定亲人离家已很近了。准备隆重地为他洗尘了。她怎么也不会想到，丈夫的戍期又一次被拖延，在那苦寒的边地，连慰问的人也没有一个，正以“乡路眇天外，归期如梦中”（岑参《安西馆中思长安》）而忧心如焚、憔悴难支呢。这不幸的少妇美梦醒后的悲哀将如何煎熬她那已碎的心，诗人再也不忍捅破这一层薄纱而予以揭示了。

（程瑞钊）

鱼　丽

鱼丽于罶，[1]	鱼落在笼鱼篓，
鲿鲨。[2]	有黄鲿、有小鲨。
君子有酒，	君子有酒，
旨且多。[3]	美而且多。
鱼丽于罶，	鱼落在笼鱼篓，
鲂鳢。	有鳊鱼、有乌鳢。
君子有酒，	君子有酒，
多且旨。	多而且美。
鱼丽于罶，	鱼落在笼鱼篓，
鰋鲤。	有鲇鱼、有大鲤。
君子有酒，	君子有酒，
旨且有。	美而且有。
物其多矣，	物资的多呀，
维其嘉矣。	这是它的可嘉呀。
物其旨矣，	物资的美呀，
维其偕矣。	这是它的完备呀。
物其有矣，	物资的常有呀，
维其时矣。[4]	这是它的按季候呀。

（陈子展　译）

注释

①丽:罹,落入。罶(liǔ):竹制捕鱼器具。②鲿(cháng):黄鲿,黄颊鱼。③旨:味美。④时:及时,时鲜。

鉴赏

这是一首贵族宴飨宾客的诗,"乐酒今夕,君子维宴"(《小雅·頍弁》),同类诗作在小雅中为数不少。因为诗盛赞肴酒的多且美,又推广到"美万物盛多"(《毛诗序》),故后来成为"燕飨通用之乐歌"(朱熹《诗集传》)。

诗六章,明显地分为前后两部分。前三章章四句,具体地渲染主人设宴的丰盛,可视为诗的主歌。诗人没有描绘宴会的全景,笔墨只集中在鱼、酒的鲜美与丰富上。我国古代的饮食文化中,鱼与酒皆占有重要地位。鱼乃美食,孟子说起"鱼,我所欲也"是津津有味的,冯谖没吃上鱼还和孟尝君闹过意见。《诗经》中提到酒的地方,竟有五十余处之多,"君子有酒",只这一句就见于三首诗中(《鱼丽》《南有嘉鱼》《瓠叶》)。直到宋代的苏轼还说"有客无酒,有酒无肴。月白风清,如此良夜何!"(《后赤壁赋》)非得"携酒与鱼,复游于赤壁之下"不可。而《鱼丽》诗中正是客、酒、肴三全其美。"鱼丽于罶"是兴兼赋义,联系《豳风·九罭》那同一格调的开头,有以鱼入网譬喻留客之意,那么这儿的兴义,也应是众多鱼客的鱼贯而入。而宴会上确有多鱼,则"鱼丽于罶"又使人联想到在鱼篓里毕剥活跳的鲜鱼,唯其鲜,其味更美。三章中每章并列两种鱼名:鲿呀鲨呀,鲂呀鳢呀,鰋呀鲤呀,津津乐道,全是夸口的语气。下面只说"君子有酒,旨且多",其实上面写鱼,已间接地、形象地写出鱼肴的"旨且多"呀。写鱼形象而具体,写酒概括而直接,正是实与虚,象与言的相互为用,相得益彰。用三章反复(间有鱼名变化)抒写、渲染,真令人目不暇接。这里虽无宴会场面的描写,但从那兴致勃勃的口气中,使人恍若目击那类乎"琉璃钟,琥珀浓,小糟酒滴真珠红。烹龙炮凤玉脂泣,罗帏绣幕围香风"(李贺《将进酒》)的觥筹交错的热闹场面。

后三章章二句,系抓住前三章中的三个重要的形容词:多、旨、有(有即不乏),又从具体的鱼酒推广到更大的"物"的范畴,反复重唱,似乎在赞美自然的赐予,又似乎在赞美人类的创造。这是诗的副歌往往是直接点出主题的，“物”既着眼于眼前食物又属意于地方万物，“物其多矣”“物其旨矣”“物其有矣”，三复斯言，加强了“美万物盛多”的主题表现。这几句须和《頍弁》中“尔酒既旨，尔肴既嘉”“尔酒既旨，尔肴既时”“尔酒既旨，尔肴既阜”对读，可知此诗中的旨、多、有、嘉、时等形容词，是针对酒、肴双方而设，而此诗更有推美于一般的物产之义。这组副歌在主歌基础上“重重再描一层”（方玉润《诗经原始》），对这首宴飨诗章有着不可忽视的升华作用，它不只是反映了贵族追求生活享受的狭隘意识，也在更高层次上反映了先民对物阜年丰、和平安乐的祝愿。这种肯定的评价，不是拔高，而是指出它的深层含义。

作为一首歌诗，《鱼丽》的语言形式之美妙，是应予以特别注意的。它似乎直接暗示了这诗的唱法，虽然诗经唱法失传，我们仍不难通过这种暗示，作出最佳唱法的设计。先看主歌：由于是具体的形象的描绘，故每章诗句较副歌为多；又采用四二四三的长短句形式，明显地与合乐有关。尤其值得注意的是由鱼名组成的二字句，这种短句在唐五代词里一般出现在“和声”，如《采莲子》中的“举棹”“年少”，《竹枝》中的“竹枝”“女儿”。因为短，便成为长句的间隙，宜用帮腔（即和声）唱法。由此可以假设推想，在宴会演唱《鱼丽》，众乐齐举，一人领唱道：“鱼儿落进笼鱼篓啊”，于是齐声应和：“鲿呀鲨呀”，该是多么动人。后两句也可照此一唱一和，唱来极有顿挫抑扬之妙。唱得众宾客情绪都上来了，于是杂然相和，满座尽欢。再看副歌：由于是点题和渲染，每章都很短，每句重音落在多、旨、有、嘉、偕、时等字眼上，句末都带一个语助“矣”，更重反复咏叹。此部最宜大合唱，此在今日，甚至可用轮唱，把宴会的气氛推向欢乐的高峰。

（周啸天）

南有嘉鱼

南有嘉鱼，	南方有好鱼，
烝然罩罩。①	群群游水中。
君子有酒，	主人有好酒，
嘉宾式燕以乐。②	宴会宾客乐融融。
南有嘉鱼，	南方有好鱼，

烝然汕汕。③	群群游水里。
君子有酒，	主人有好酒，
嘉宾式燕以衎。④	宴会宾客乐无比。
南有樛木，⑤	南方曲树弯，
甘瓠累之。⑥	葫芦缠树上。
君子有酒，	主人有好酒，
嘉宾式燕绥之。⑦	宴会宾客真欢畅。
翩翩者雏，⑧	鹁鸪轻飞翔，
烝然来思。⑨	成群落树上。
君子有酒，	主人有好酒，
嘉宾式燕又思。⑩	宴会宾客敬一觞。

（程俊英　译）

注释

①烝(zhēng)：众多。罩罩：即“鯙鯙”，鱼儿摆尾游动的状态。②式：语气词。燕：宴会饮酒。③汕汕：群鱼游水的样子。④衎(kàn)：乐。⑤樛(jiū)木：弯曲的树。⑥累：缠绕。⑦绥：安乐。⑧雏(zhuī)：鹁鸪。⑨思：语气词。⑩又：通“侑”，劝酒。

鉴赏

有人认为此诗是太平君子宴享贤者之乐，但无确证，其实未必。朱子《诗集传》说它与《鱼丽》《南山有台》一样，“皆为燕享宾客上下通用之乐”，不单为君王、贤者而设，乡间饮酒常用之，很有道理。细玩全诗，它是一首很富民间情趣的充满深情的祝酒歌，通过巧妙的艺术形式，展示了当时南方地区主客欢聚、融洽和乐的生活场面，表达了主人对宾客的淳朴真挚之情。

然而，此诗虽重在写情，却不从“情”字落笔，而是采用兴中有比、赋比结合的手法，先从与宴饮有关的具体事物写起，给人以形象生动的印象，从而曲折地表达出深切的情意。第一、二章开首两句就反复咏唱：这南方之地啊，水中的鱼儿多美好，一群群游来游去多活跃！通过这个具体事物，我们立刻想到：为了宾客在宴饮间一饱口福，主人不仅备下了好酒，还特意准备了鲜美的鱼。这席间菜肴的丰盛，宴会气氛的热烈，以及主人待客之殷勤，都在不言之中了。而且，那纷纷而来的宾客，一个个、一群群，兴高采烈，谈笑风生，不正与那水中的游鱼一样，自由自在，欢快无比么！鱼乐，人也乐，二者交相感应。这样，既有铺陈、叙述，又通过比兴而曲陈其事，主客之间的鱼水情意，就十分鲜明地跃然诗中。读至此，我们仿佛看到了主人在热情劝酒，宾客们喝得其乐陶陶；那宴饮时的欢乐场面，主客们的绸缪情态，历历如在目前。诗歌虽只短短数句，但婉曲含蓄，意在言外，使人回味无尽。

写情，如不辅之以景，则难免抽象、单薄。此诗又一个重要特色，就是根据地方风物特点，借景抒情，融景于情，达到了情景相生、烘云托月的良好效果。“南有樛木，甘瓠累之”，“翩翩者鵻，鵻然来思”。其中，“瓠”是一年生攀援草本，性喜温暖湿润，不耐寒；“鵻”又叫水鹁鸪，因天将雨，其鸣甚急，故名。这两种动植物，都是南方最常见的，写入诗中，很富地方风味，这在绝大部分是写中原地区风物的《诗经》中，真是别具特色，一股清新明秀之气，直透心肺。我们不难想象：叶子鲜嫩、挂着果实的葫芦藤，缠绕在弯曲的、枝叶扶疏的树木上；鹁鸪翩翩地飞来，群集树中，咕咕地鸣叫。在这样的环境中，有好酒，有佳肴，再加上宜人的美景，主客怎能不尽情而饮呢！大家“献酬交错，宴笑无方”，“饮酒并醉，纵横灌灌”（曹植《酒赋》），不禁手之舞之，足之蹈之，真是心欢情畅，其乐无比了。这一幅宗周时代的南国宴饮图，在我们今天看来，也仍然是令人心驰神往的呢！其艺术魅力，真是历久不衰！不仅此也，诗中还隐以葫芦缠树比喻宾主相得的难舍难分，以鹁鸪成群落树暗喻宾客众多和宾至如归，可谓用笔曲折，颇具匠心。通过这样的情景结合，景因情而愈美，情因景而更浓，淋漓尽致地表达了宾主畅饮、和乐美好的感情。

与表达欢快活泼的宴饮情绪相应，本诗在章法、句式上，也自有特色。在复沓叠唱上，它既具民歌回环往复的特点，又有交叉错综的匠心。在具体句式上，每章都重复一句“君子有酒”，每章末句或易一字，或易二字，而“嘉宾式宴”四字则各句相同。这样就突出了宴饮祝酒的主题和主人好客的盛情。《诗经》以四言为主，此诗本不难写成一首整齐的四言诗，但每章末句都增加了两个虚词，这从诗义来说，似乎无足轻重。但对表达感情而言，却十分重要，因为增加一个音步，与每章前三句的二音步，形成节奏上的对比，这就使得整首诗的节奏在整齐中有错落，在单纯中寓变化，消除了可能产生的局促、呆板之弊。另外，在实际演唱上，每章末句增加了字数，乐句当自然延长，歌者满含深情地缓缓唱去，乐章如行云流水般徐徐结束，这样，就显得余音绕梁，而韵味悠长。

（周建忠　管遗瑞）

南山有台

南山有台，①	南山有莎草，
北山有莱。②	北山有野藜。
乐只君子，③	快乐呀君子，
邦家之基。	国家之根基。
乐只君子，	快乐呀君子，
万寿无期！	万岁无穷期！
南山有桑，	南山有桑木，
北山有杨。	北山有白杨。
乐只君子，	快乐呀君子，
邦家之光，	国家之荣光。
乐只君子，	快乐呀君子，
万寿无疆！	万寿啊无疆！
南山有杞，	南山有杞木，
北山有李。	北山有李树。
乐只君子，	快乐呀君子，
民之父母。	民众之父母。
乐只君子，	快乐呀君子，
德音不已。④	美名永流布。

原文	译文
南山有栲，	南山有栲木，
北山有杻。⑤	北山有杻树。
乐只君子，	快乐呀君子，
遐不眉寿！⑥	怎不享福长！
乐只君子，	快乐呀君子，
德音是茂。	美名广传扬。
南山有枸，⑦	南山有拐枣，
北山有楰。	北山有苦楸。
乐只君子，	快乐呀君子，
遐不黄耇！⑧	黄发驻朱颜！
乐只君子，	快乐呀君子，
保艾尔后。⑨	子孙永绵绵。

注释

①台：莎草。②莱：亦作“藜”，草名。③只：语助词。④德音：令誉，美名。⑤杻(niǔ)：檍树。⑥遐：通“何”。⑦枸(jǔ)：枳椇，拐枣。⑧黄耇(gǒu)：老寿。⑨艾：养育。后：后代。

鉴赏

这是一首颂德祝寿的乐歌，或以为“乐得贤”(《毛诗序》)、或以为颂天子、或以为祝宾客。但从诗中“乐只君子”“邦家之基”“民之父母”等措辞看，寿主既不是天子，也不是一般的宾客，而应是贵族中的头面人物。据朱熹说，此诗后来成为“燕飨通用之乐歌”(《诗集传》)，是可信的。因为诗中不涉及具体的人事，而是较抽象的歌功颂德和祈福，这正是通用乐章的特征。

全诗五章，章六句，诗不算短，但内容却单纯。因为五章基本上是叠咏，分析一下不过三重意思。其一是各章通用的兴语，“南山有台，北山有莱”等等。以“山有”句格起兴本是民歌习语，主要功效在于增强音乐性，而此诗的兴语与歌颂的对象仍有较深隐的象征意义。山，本来就是以高大、稳固、永恒为特征，这与诗中为国柱石（“邦家之基”）的君子能构成象喻关系；而它的化育万木（诗中列举树木达十种之多：台、莱、桑、杨、杞、李、栲、杻、枸、楰，给人以种类繁多的印象），与“为民父母”的君子能构成另一层象喻。这样的兴语，使乐章开头就给人以肃穆庄重之感。其二便是对君子的赞美，既赞其功（即对国家的重要作用）如“邦家之基”“邦家之光”；又表其德，如“民之父母”“德音不已”“德音是茂”。这种赞辞是概括性的，似乎有些空洞，却相当得体。因为颂诗就是要从大处着笔，宜于用最光辉的词语；说坏一点就是不怕溜须、戴高帽子。唱的高兴，听的才满意。其三是对君子的祝福，首先祝他长寿：“万寿无期”“万寿无疆”“遐不眉寿”“遐不黄耇”，何啻三复斯言。大爷长寿了，好永远为民做主。其次祝他家族兴旺，嗣息延长，这在以家庭为基础的古代社会，是幸福的基本观念。但子孙绵绵与个人长寿毕竟还不大相容，既然祝福，不妨拣最好听的说，又是一场皆大欢喜。这三层就构成了这首颂诗的基本内容。而全诗的主词便是“乐只君子”一句，必须突出他的绝对权威，诗中反复亲切地呼唤了十次。

这位无名的颂诗作者真是高明得很啊！他懂得：颂词不必多，但要入耳；既要突出歌颂的中心，又要造成热烈的气氛；有反复可加深印象，有层次可感觉庄严；用最精简的文字材料，可造成最奇妙的颂声盈耳的感觉。就此而言，他一点也不比后代歌德派诗人逊色。

（周啸天）

蓼　　萧

蓼彼萧斯，①	青苍苍的那香蒿呀，
零露湑兮。②	露珠儿滋润它啦。
既见君子，	我看见了那人儿，
我心写兮。③	我的心里舒畅呀。
燕笑语兮，④	饮着笑着说着呀，
是以有誉处兮。⑤	这真是多么安逸呀。
蓼彼萧斯，	青苍苍的那香蒿呀，

零露瀼瀼。⑥	露珠儿滚滚在蒿上。
既见君子，	我看见了那人儿，
为龙为光。	像飞龙、像太阳。
其德不爽，⑦	他的恩情没偏党，
寿考不忘。⑧	长寿百岁人不忘。
蓼彼萧斯，	青苍苍的那香蒿呀，
零露泥泥。⑨	露珠儿浸润在蒿上。
既见君子，	我看见了那人儿，
孔燕岂弟。⑩	摆盛宴、喜洋洋。
宜兄宜弟，	哥呀好、弟呀好，
令德寿岂。⑪	好品德、乐寿考。
蓼彼萧斯，	青苍苍的那香蒿呀，
零露浓浓。	露珠儿浓浓在蒿上。
既见君子，	我看见了那人儿，
鞗革冲冲。⑫	辔首的铜儿垂下方。
和鸾雝雝，⑬	铃呀响得叮叮当，
万福攸同。⑭	万般福禄聚一堂。

（金启华　译）

注释

①蓼（lù）：青苍之色。一说，长、大的样子。萧：艾蒿，菊科植物，有香气。斯：语气词。②零：落。湑（xǔ）：润泽。③写：输写，舒畅。④燕：宴饮。⑤誉："与"之假借。与处：即相处，如《小雅·黄鸟》"此邦之人，不可与处"（见于省吾《泽螺居诗经新证》）。⑥瀼（ráng）瀼：露盛的样子。⑦爽：差。⑧考：老。⑨泥泥：沾濡。⑩孔燕：盛宴。岂：乐。弟：易。岂弟：同"恺悌"，和乐平易。⑪令：善，美。⑫鞗（tiáo）革：辔。冲冲：下垂的样子。⑬和鸾：都是车铃，在轼为和，在衡为鸾。雝（yōng）雝：铃声谐和。⑭攸：所。同：聚。

鉴赏

这是写宴会的诗。全诗共四章,从内容来看,大抵可以分为两层。第一章为第一层,抒写参与宴会者在席间初见君子时的愉悦之情;第二、三、四章为第二层,写对倾心敬仰的君子的真诚颂扬和美好祝愿。全诗感情真挚,手法别致,具有感人至深的艺术力量。

此诗有一个明显特点,就是在感情的表达上,一开始就形成高潮,如异峰突起,出人意表。第一章开头两句,即以得到零露润泽的高大青苍的香蒿作为意象来象征君子的美好,表达了敬慕之情。这既是起兴,也是比喻,比兴巧妙结合,开了楚辞"香草美人"的先河。接着,"既见君子,我心写兮",是明白而急切地倾诉出见到朝思暮想的君子之后,自己的舒畅情怀。从这两句诗的背后,我们不难设想:与宴者在未见君子之前,心情显然有些忐忑不安,君子的美名当然是知道的,但见面后的具体情形到底怎样呢?在和他相处时,会不会感到别扭呢?人们在思念渴慕和焦急不安的矛盾心情中,盼望着宴会的到来。今天,宴会终于盼来了,悬念中的君子也终于见到了。啊,原来他是那样很好相处,大家在席间与他有说有笑,他的态度是那样落落大方、蔼然可亲,原先的种种疑虑,都一齐烟消云散,面对这位尊敬可爱的君子,心情是多么舒畅惬意啊!这时,对君子的爱戴之情,一下子全都迸发出来,欢欣、鼓舞、兴奋、激动,交织在一起,难以用语言来一一尽诉。

为了加强这陡然而起的情感,第一章连用了四个"兮"字。当然,诗歌以节奏为基础,汉语的发音法又以双音节为主,本诗又基本上是较为整齐的四言体,因此,"兮"字自然有衬补音节的作用,这是一方面。但更重要的另一方面是,四个"兮"字,开始是偶行才用,到后来竟句句连用,十分强烈地表达了初见君子时难以遏止的喜悦之情,收到了兴致淋漓的效果。"兮"字的运用,后来成为楚辞语言上、节奏上的重要特点,本诗已经导乎先路。

与宴者在感情强烈激动之后,随之而来的是逐渐平静和理智。本诗第二、三、四章与第一章形成鲜明对照,详细地写出了与宴者对君子进一步深入的审视和观察,表现了在感情变化中的新的曲折与波澜。如果说初见君子时的强烈喜悦之情,还只是表面的、初步的,那么接下来对君子的种种比喻和美好的祝愿,就是在更深层次上对君子的深切关心和衷心敬仰,而且,这种感情是在不断升华,层层加深。始则说他像飞龙,夭矫活泼,意态飞动;像太阳，明朗热情，光辉照人。继则说他像蔼然长者那样，有一种天赋的凝聚力，善于把大家团结得如同兄弟一般。最后竟然“爱屋及乌”，连君子的马匹及其辔首的铃铛也赞美起来，不觉其悦之至而敬之深了。对君子的祝福，也从“寿考”“令德”到“万福攸同”，一步步递进、扩展，不断深化。在每章的起兴中，也采用“易词申义”的办法，从“瀼瀼”“泥泥”“浓浓”这些叠字意义的细微变化中，我们不难看出与宴者感情的发展和敬爱程度的不断加深。当然，这种感情的发展，自始至终都是与盛大宴会上的欢快喜悦气氛，与觥筹交错、人声喧哗的宴饮场面交织在一起的，而不是静止的描写。本诗的高妙之处，就在于能够把复杂的场面与人物内心感情的微妙变化，天衣无缝地结合在一起，通过热烈的氛围和明快的节奏，将感情表达得真挚、浓烈，叩人心肺、感人肺腑！

本诗在风格上，没有靡辞艳语，也没有村巷俚句，在活泼中显得庄重典雅。情感有如江河浩荡、高山巍巍，深沉而又崇高；意境忠厚恳挚，没有一点虚假做作之态。这是一首“歌德”的颂诗，而颂诗是不好写的：颂得不够，感情不充沛，失之浮泛；颂之太过，则又有矫情虚伪之嫌。而且，“搔痒不着赞何益”（郑燮语），要赞颂得体，这分寸很难掌握。然而此诗却处理得极好，只是如实道来，纯任天机，是胸怀的自然坦露，是真情的汩汩流淌，语语得体，句句恰当，那一片敬仰爱戴之心，实在是动人之至。看来，写诗（不只写诗），的确离不得“情真意切”四个字，我们反复讽诵这首诗之后，不是可以会心默悟、举一反三么！

（周建忠　管遗瑞）

湛　露

湛湛露斯，①	夜里下露露水寒，
匪阳不晞。②	太阳不晒不会干。
厌厌夜饮，③	安闲欢畅开夜宴，
不醉无归。	酒不醉时家不还。
湛湛露斯，	夜里下露露水浓，
在彼丰草。	下在那些茂草丛。
厌厌夜饮，	安闲欢畅开夜宴，

在宗载考。④	设宴就在宗室中。
湛湛露斯，	夜里下露露水深，
在彼杞棘。⑤	湿遍杞树和枣林。
显允君子，⑥	明达诚实众君子，
莫不令德。⑦	酒后仍有好德行。
其桐其椅，⑧	林中生长桐和椅，
其实离离。⑨	累累果实挂枝里。
岂弟君子，⑩	平易快乐的君子，
莫不令仪。⑪	酒后仍有好威仪。

（袁愈荽　译）

注释

①湛(zhàn)湛：露盛貌。斯：语气词。②匪：通“非”。阳：读为“旸”，日出。晞(xī)：干。③厌厌：安闲貌。夜饮：《毛传》：“私燕也。”④宗：宗庙。考：击，敲。姚际恒《诗经通论》：“考，击也，击鼓也。”⑤杞：枸杞。棘：枣树。⑥显：显赫高贵。允：诚信。⑦令德：美德。⑧桐：梧桐。椅：山洞子树。⑨离离：犹累累。⑩岂弟(kǎi tì)：即“恺悌”，平和近人。⑪令仪：美好的容态礼节。

鉴赏

宗庙落成，贵族宴请宾客，宾客作诗恭维和感激主人。

从内容看：第一章写痛快饮酒，不醉不归。极写其心情的高兴，宾客的兴致也很高。但醉而不失礼仪，这才显出君子气度、素养有致。醉中可以观人德，所以古人以为醉而不改乎其度者为高，醉而失礼仪者为下。第二章写宴饮的地点设在宗庙，以乐钟的撞击声来渲染场面气氛的隆重和热烈。第三、四章主要写主人的尊贵、品德、名望、风度、为人为众宾客所赞赏。“莫不令仪”“莫不令德”，美中寓诫，即赞美之中也暗寓告诫。前三章以“湛湛露斯”起兴。第四章又以桐椅果实累累作比。

全诗着重写夜宴。写景全着眼

于夜间的特点。露水在夜间才有,且在夜深时。仅从写景来说,露水在各章中的写法不同:第一章直接点明是夜间,露水没有阳光照射是不会干的;第二章写露水之多,它散布在遍地的野草上;第三章写露水在树木上,选择于人有益的杞树和枣树。诗人选择露水起兴,暗寓各种植物需得露水的滋润。正如宗庙的落成,整个宗族受到恩惠一样。第四章虽未直接以露水起兴,而以桐、椅树上的累累果实来作比衬,也是祝贺主人的功德遍及众人,祝愿整个宗族兴盛发达。在钟鼓声乐中,大家互相劝酒进食,气氛显得十分亲热融洽。

这首诗的前二章侧重写夜饮的场面,后二章侧重写人物。在“夜饮”的场面中,人们的情态是安闲舒坦的,伴随着燕享时的乐钟声,人们边饮边谈,兴致越来越高,于是开怀畅饮,“不醉无归”。既然是写“夜饮”,酒就成为人们交流情感的媒介,成为诗人勾画人物的原料。这就使酒与“君子”发生了关系。那些显赫尊贵的宾客,酒后“莫不令德”“莫不令仪”,始终保持着清醒的头脑,这就和酒后失态的凡夫俗子区别开来。这样写,暗寓劝诫。在这样的典礼宴会上,既要开怀畅饮,又要保持礼节,方合君子气度。否则就会有伤大雅,为人不屑。

诗分四章,每章四句,每句四字,显得整齐划一。诗中使用了较多的叠字,其中“湛湛”三次,“厌厌”二次,“离离”一次。“湛湛”放在前三章的首句,形容露水众多貌,读起来音调悦耳。“厌厌”是形容宾客的安闲,读起来音调平缓。“离离”是形容树上的果实累累貌,读起来音调短促。叠字的反复运用,可以增强诗歌节奏感和音响的回环。

(殷光熹)

彤　弓

彤弓弨兮,①	弦儿松松红漆弓,
受言藏之。②	诸侯受赐藏家中。
我有嘉宾,③	我有如此好宾客,
中心贶之。④	诚心赠物表恩宠。
钟鼓既设,	钟鼓乐器齐备好,
一朝飨之。⑤	从早摆宴到日中。
彤弓弨兮,	弦儿松松红漆弓,

受言载之。⑥　　诸侯受赐带家中。
我有嘉宾，　　我有如此好宾客，
中心喜之。　　心里欢喜现笑容。
钟鼓既设，　　钟鼓乐器齐备好，
一朝右之。⑦　　从早饮酒到日中。

彤弓弨兮，　　弦儿松松红漆弓，
受言櫜之。⑧　　诸侯受赐插袋中。
我有嘉宾，　　我有如此好宾客，
中心好之。　　无限宠爱喜气浓。
钟鼓既设，　　钟鼓乐器齐备好，
一朝酬之。⑨　　从早敬酒到日中。

（程俊英　译）

注释

①彤(tóng)：朱红色。彤弓：红漆涂弓以御霜露。周以赤为重。弨(chāo)：弛貌，指放松弓弦。②言：语气助词。③我：天子自称。嘉宾：指有功的诸侯。④贶(kuàng)：赏赐，赠送。⑤一朝：指上午。飨(xiǎng)：用酒食款待。⑥载：装载。⑦右：通“侑”，劝进酒食。⑧櫜(gāo)：弓囊。⑨酬(chóu)：宾主彼此敬酒。

鉴赏

这是一首描写天子欢宴有功诸侯的诗。周重赤色，故用红漆涂弓。彤弓之赐，是周初所定的礼制，百世不废。其赐必须是有功诸侯，一般不轻易赐之。“一朝飨之”“一朝右之”“一朝酬之”，是说赐弓之日不仅赐弓，且要设宴飨之，二者在一朝进行。前者说明典礼之隆重，后者说明宴会的富盛。

赐弓之制，虽系周初礼制，但后来因周室逐渐衰落，周天子在表面上为了维护天子的尊严，竭力将这一传统礼制承传下去。名誉上仍象征周朝的天下仍然存在。各路诸侯表面上不得不打着周天子的旗号。再者，诸侯受赐，也是一种荣誉。

全诗以天子的语气，描写赐弓的典礼和宴会的情景：赐者的欣喜、好客、同饮；受赐者则把受赐之弓矢视为珍宝。上下显得融洽和谐，宾主都沉浸在欢悦的气氛中。

诗分三章，每章字数、句数相同，只在二、四、六句的第三字换一字。“藏之”“载之”“櫜之”都是写受赐者把天子赏赐的朱弓收藏起来，视为珍贵之物，也是荣誉的标志。“贶之”“喜之”“好之”是从天子的角度写。写众诸侯聚集一堂，接受天子之赐。天子看到这种场面，喜悦之情油然而生，对诸侯表示出爱戴之情。“飨之”“右之”“酬之”，写天子设宴款待有功诸侯。重点突出场面的隆重和气氛热闹。宴会中，钟鼓齐鸣，大家喜气洋洋，相互劝酒进食，一派欢洽景象。

这首诗在选取的角度方面有自己的特点。作者只选取赐弓典宴这个侧面，却把当时周室的传统礼仪作了生动形象地描绘。在这个赐典宴会上，把各种人物的内心感受、外在形象、场面气氛再现出来。例如诗中的“我”，主要写其内心的感受；“嘉宾”，则重点写其虔诚和喜悦之情。

在章法结构上，这首诗也有自身的特点。诗共三章，每章六句，每章首句末字均用“兮”字，每章二、四、六句末字均用“之”字。各章的一、三、五句全部相同，每章的二、四、六句，每句都在第三字更换一字。可见作者写此诗时，是经过了认真细致地推敲的。“兮”字用在每章首句末尾，从唱诵的角度看，它可以清楚地将诗的章节段落分开，同时“兮”字可以拉长音调，无论从唱的角度还是从朗诵的角度欣赏，都有它的韵味。

从渲染气氛的视角看，全诗紧紧围绕着一个“喜”字大造气氛。为了配合这种情感气氛，作者在环境描写和人物感觉上作了巧妙的安排。例如从声、色、味的描写来看：红漆涂抹的弓，钟鼓乐器的声音，可口的美酒佳肴，从视觉、听觉、味觉方面给人一种舒服愉快的感觉。这样写，和诗歌的基调协调，同诗歌所要抒发的情感相融，“喜”的气氛自然形成。

（殷光熹）

菁菁者莪

菁菁者莪，①	莪蒿茂盛长得多，
在彼中阿。②	生长在那大山阿。
既见君子，③	既已看见诸君子，

乐且有仪。[4]	又有威仪又快乐。
菁菁者莪，	莪蒿长得很茂盛，
在彼中沚。[5]	在那河中小洲生。
既见君子，	既已看见诸君子，
我心则喜。	我的心里真高兴。
菁菁者莪，	蒿莪茂盛长成丛，
在彼中陵。[6]	生长在那丘陵中。
既见君子，	既已看见诸君子，
锡我百朋。[7]	好比赐我一百朋。
汎汎杨舟，[8]	杨木船儿水中游，
载沈载浮。[9]	有时沉来有时浮。
既见君子，	既已看见诸君子，
我心则休。[10]	我心快乐不发愁。

（袁愈荌　译）

注释

①菁菁：茂盛貌。莪(é)：蒿的一种，又名萝蒿。②中阿：即阿中。大丘陵称“阿”。③君子：指受过教育的子弟。④仪：仪表。⑤沚：水中小洲。⑥陵：大土山。⑦锡：同“赐”。朋：古时以贝壳为钱币，五贝为一串，两串为一朋。⑧杨舟：用杨木做的船。⑨载：则。沈：今字作“沉”。⑩休：《广雅》释为“喜”。王引之《述闻》：“休休犹欣欣。”

鉴赏

育材是治国之本。这首诗对培养人才的成功给予极大的关怀和赞扬。全诗字面上并没有直接写育材一类字，但处处又紧扣育材问题。

作者是直接抒发自己的感受。前三章开头两句都是以景物起兴，后两句直接表白自己的喜悦心情。“菁菁者莪”为三章的起兴句。意在以萝蒿生长的茂盛来衬托人才的繁盛状况。前三章的第二句：“在彼中阿”“在彼中沚”“在彼中陵”，都是滋润萝蒿成长之地。作者写丘陵、小洲、土山这些适宜草木生长之地，目的主要是为后两句作铺垫，也是一种比兴手法。第四章换为“汎汎杨舟，载沈载浮”，从写陆地转入写水上。这两句写水中之舟，时沉时浮，令人忧愁担心，实际是写作者原来的担心。他看到人才聚集，人人都彬彬有礼，心中不胜欣喜，消除了原先的担忧，所以说“我心则休”。

全诗从第一人称视角来观照育材事物。由于“我”的心中希望人才成长，所取景物自然是以繁茂景象最为贴切。“我”亲眼见到“君子”时，不禁欣喜快乐，把“君子”视为楷模，甚至胜过赏“我”千百文。“锡我百朋”一句，点明“我”对人才的珍惜和敬重。“乐”“喜”“休”，表明育材的成功。这是采用由己及彼的写法，正好与重点谈自己的感受相适应。这种写法，更有利于抒发自己的主观感受，可以自如地、直接地发表自己的观感，也可以作出自己的评价。“我”的所有感受和看法，都是在“既见君子”的基础上产生的。所以全诗四章把“我”之所以“乐”“喜”“休”，都置于“既见君子”之后。“锡我百朋”的价值判断也是如此。从这里，我们可以看出作者的构思方法。

“君子”是此诗的赞美对象，至于“君子”具体好在哪些地方，诗中并没有写，而是通过“我”的心理反应烘托出来的。不难看出，诗中侧重写“我心”。全诗通过每章第四句的变化来表现欣喜心情的微妙变化。写忧，又用时沉时浮的船来作比，显得更形象生动。“我”对“君子”既表现了赞美、羡慕之情，又表现了一种深深的敬意。可见，写“我心”是这首诗在艺术上成功之处。

（殷光熹）

六　月

六月栖栖，①	六月出兵好紧张，
戎车既饬。②	整理兵车备战忙。
四牡骙骙，③	四匹公马肥又壮，

载是常服。[4]	士兵军服装载上。
狎狁孔炽，[5]	可恨狎狁太猖狂，
我是用急。[6]	我军急行守边防。
王于出征，[7]	周王命令我出征，
以匡王国。[8]	保我邦国保我王。

比物四骊，[9]	四匹黑马选得壮，
闲之维则。[10]	驾马技术练习忙。
维此六月，[11]	就在盛夏六月里，
既成我服。[12]	军服制成好穿上。
我服既成，	新制军服穿上身，
于三十里。[13]	日行州里赴边疆。
王于出征，	周王命令我出征，
以佐天子。	帮助天子战强梁。

四牡脩广，[14]	四匹公马高又壮，
其大有颙。[15]	大头大脑气昂昂。
薄伐狎狁，	同心勉力讨狎狁，
以奏肤公。[16]	建立大功安周邦。
有严有翼，[17]	将帅威武又谨严，
共武之服。[18]	共管战事守国防。
共武之服，	共同管好国防事，
以定王国。	卫我国家安我王。

狎狁匪茹，[19]	狎狁不弱非窝囊，
整居焦获。[20]	驻兵焦获战线长。
侵镐及方，[21]	侵略宁夏和朔方，
至于泾阳。[22]	深入甘肃到泾阳。
织文鸟章，[23]	我军挂徽竖鹰旗，

白旆央央。[24]	旗端飘带白又亮。
元戎十乘，[25]	大型战车有十乘，
以先启行。[26]	冲开敌垒勇难挡。
戎车既安，[27]	战车安然奏凯还，
如轾如轩。[28]	俯仰自如无损伤。
四牡既佶，[29]	四匹公马真雄壮，
既佶且闲。	说它雄壮却驯良。
薄伐猃狁，	同心勉力讨猃狁，
至于大原。[30]	深入大原敌胆丧。
文武吉甫，[31]	能文能武尹吉甫，
万邦为宪。[32]	四方诸侯好榜样。
吉甫燕喜，[33]	宴请吉甫庆喜事，
既多受祉。[34]	接受赏赐多吉祥。
“来归自镐，	“我从固原班师还，
我行永久。”	路上行军日子长。”
饮御诸友，[35]	邀请战友作陪客，
炰鳖脍鲤。[36]	蒸鳖脍鲤佳肴香。
侯谁在矣，[37]	宴会座中还有谁？
张仲孝友。[38]	孝友张仲有名望。

（程俊英　译）

注释

①栖（xī）栖：忙碌紧张貌。《诗集传》：“犹皇皇不安之貌。”可参。②戎车：兵车。饬（chì）：整顿。③骙（kuí）骙：马匹强壮貌。④载：装载，即装在车上。常服：军服，士兵作战时穿。⑤猃狁：北狄。孔：很。炽：盛。⑥是用：犹“是以”。急：紧急，指急行军。⑦王：指周宣王，名靖。于：同“曰”。一说借为“呼”。⑧匡：救助。⑨比：犹配也。物：指马。比物：同色之马配在一起。骊：黑色马。⑩

闲:练习。维:犹“以”也。则:法则。⑪维:发语词。⑫服:军服。⑬于:往。⑭脩:同“修”,长也。广:大也。脩广:即高大。⑮有:助词。颙(yóng):《说文》:“大头也。”引申为大貌。⑯奏:成。肤:大。公:通“功”。⑰严:威严貌。翼:恭敬谨慎貌。⑱共:共同。武:指战争。服:事。⑲匪:通“非”。茹:柔弱。一训为“度”,释“匪茹”为不自量力。可参。⑳整居:列队而处(占据)。焦、获:周之地名,在陕西泾阳县西北。㉑镐(hào):通“鄗”,地名,但不是周朝京都镐京。方:地名,朔方。㉒泾阳:地名,在今甘肃平凉县西。㉓织:通“帜”,即旗帜。文、章:花纹。这句说旗帜上织有鸟形花纹。㉔白旆(pèi):帛做的旗。央(yīng)央:鲜明貌。㉕元:大。元戎:大型战车。㉖启行:开道。此言大型战车在前开道。㉗安:平安。㉘如:犹“乃”也。轾(zhì):车向下俯(前低后高)。轩:车向前仰(前高后低)。此写兵车仍俯仰自如,安稳适调。㉙佶(jí):健壮貌。㉚大原:地名,在今甘肃省固原县。㉛文武:能文能武。吉甫:姓尹,字吉甫,周宣王的大臣,这次出征的大将。㉜万邦:泛指各诸侯国。为:犹“之”也。宪:法则,榜样。㉝燕:犹“欢”也。㉞祉(zhǐ):福。指受赏赐之福。镐(hào):古都名。㉟御(yà):进,陪。㊱炰(páo):同“炮”,烹煮。脍(kuài):生食鱼片。㊲侯:发语词。㊳张仲:人名。《郑笺》:“张仲,吉甫之友,其性孝友。”《诗集传》:“善父母曰孝,善兄弟曰友。”

鉴赏

这是一首军事题材的史诗。诗中对尹吉甫率兵北伐猃狁有功进行了赞美,同时又从一个侧面反映了“宣王中兴”的史实。

周王朝自周厉王开始就渐渐走下坡路,政治上的腐败,导致国势的衰弱,于是四方异族乘虚入侵,不断进行骚扰,其中对周威胁最大的是猃狁。周宣王即位后,力主振兴,一面命南仲驻兵朔方,加强防卫力量;一面派尹吉甫率兵主动出击,大胜而归,从而稳定了周王朝的局面。据《汉书·匈奴传》云:“宣王兴师,命征将伐猃狁,诗人美大其功。”《汉书·韦元成传》亦云:“周室既衰,四夷并侵,猃狁最强……至宣王而伐之。诗人美而颂之,曰:‘薄伐猃狁,至于太原。’”可见,这是一首再现真实历史的诗歌。

这次战争发生在六月,故诗以“六月”开头,并以《六月》为题。全诗共六章:前三章主要写战前情景;四、五两章写战争;末章写凯旋之后设宴庆贺,以幕宾作陪献诗作结。

诗中对这次出征的原因、重大意义和影响作了交代:“猃狁孔炽”,不仅“侵镐及方”,且“至于泾阳”,

来势汹汹,逼近京邑。为此,“王于出征”,“以匡王国”,“以定王国”,“以佐天子”。这是发兵前不可缺少的思想基础。正因为有了这样的思想基础,官兵们懂得这次出征北伐的正义性,士气特别旺盛,理直气壮,先声夺人。从出征至归来,整个部队都显现了较好的素质及战斗力。而直接指挥这次战役的大将则是尹吉甫。

全诗对“我”方采用了实写的方法,将这次战役的全过程作了生动、具体的描述。无论写哪个侧面的人或事,都有所侧重或强调的地方。写军队,突出军威军容军纪,仅战马或战车,全诗六章中就有四章提及。战车在当时可以说是重型或先进作战工具,可以显示作战能力之强。从整个军队来看,阵容强大,穿着整齐,纪律严明,长长的队伍,飘扬的旌旗,浩荡向前,气派非凡。两军交锋,战车开道,步兵跟随冲杀,使敌人丧胆。

写主将尹吉甫,更是一篇之主。“文武吉甫,万邦为宪”二句,是对尹吉甫这个文武全才的高度概括。他奉命北伐,体现了周宣王对他的信任和厚望。他率领军队冲锋在前,狠狠地打击了猃狁的嚣张气焰,一战而胜,“以奏肤公”。他命部队乘胜追击,至太原而停,所谓“穷寇勿追”,古人认为是御边良法。因为穷追的结果,必然会遇到敌人的拼命反抗,双方伤亡都很大。尹吉甫深知此中道理,不愿意使自己的部队损兵折将,故到太原而止。这从另一个侧面体现了他不贪功为己、不穷兵黩武的品德。诗中还展示了他在军事思想上“以逸待劳”的指挥才能。这支军队在往返征途中,日行三十里,从容不迫、安闲自如、井然有序,全靠平时有良好的法度。他“有严有翼”,又威严又恭敬谨慎。他有功受赏,私宴宾客,还把有名望的好友请来作陪客,热情好客,落落大方。这些都说明,一个有武略的将军,还须有文德相辅。像尹吉甫这样一位文武双全的功臣,的确是诸侯们效法的榜样。

诗中对猃狁一方的描写比较简略,重点突出猃狁的强悍与嚣张气焰,“侵镐及方,至于泾阳”,直接威胁周朝京邑。这样,周朝派兵“薄伐猃狁”也就师出有名了。猃狁虽然被写得强悍猖狂,而周朝军队却能挫败他们,说明尹吉甫率领的军队更为强大,也更显出主将指挥的才能超群出众。这场战争是正义的一方战胜了非正义的一方。

值得注意的是,诗中写军容的威武雄壮时,多次写到战马的高大肥壮。如第一章的“四牡骙骙”,第二章的“比物四骊”,第三章的“四牡修广”,第五章的“四牡既佶”。与马有关的兵车,诗中有“戎车既饬”“戎车既安”“元戎十乘”等三处。这除了炫耀军队的威武和实力外，大约这次出征与猃狁作战，骑兵占着相当重要的地位。要突破猃狁的优势，没有强大的兵车和骑兵部队是不行的。

（殷光熹）

采　芑

薄言采芑，[1]	急急忙忙采苦菜，
于彼新田，	在那郊外新田间，
于此菑亩。[2]	又到这块初垦田。
方叔莅止，[3]	方叔亲临来检验，
其车三千，	战车排开整三千，
师干之试。[4]	战湾持盾勤操练。
方叔率止，	方叔领兵上前线，
乘其四骐，[5]	乘上战车驰在先，
四骐翼翼。[6]	四匹青鬃肩并肩。
路车有奭，[7]	朱漆战车红艳艳，
簟茀鱼服，[8]	鱼皮箭袋细竹帘，
钩膺鞗革。[9]	马鞅马勒光耀眼。
薄言采芑，	急急忙忙采苦菜，
于彼新田，	在那郊外新田间，
于此中乡。[10]	又到这块初垦田。
方叔莅止，	方叔亲临挂帅印，
其车三千，	战车威武有三千，
旂旐央央。[11]	军旗招展多光鲜。
方叔率止，	方叔领兵去出征，
约軧错衡，[12]	皮饰车毂雕花辕，
八鸾玱玱。[13]	车铃叮当走得欢。
服其命服，[14]	王赐官服身上穿，

朱芾斯皇，[15]	鲜红蔽膝亮闪闪，
有玱葱珩。[16]	玉佩铿锵响声传。
鴥彼飞隼，[17]	鹞鹰疾飞快如箭，
其飞戾天，[18]	忽然高飞上九天，
亦集爰止。	忽然停息落地面。
方叔莅止，	方叔亲临来检验，
其车三千，	战车排开整三千，
师干之试。	战湾持盾勤操练。
方叔率止，	方叔带兵去出征，
钲人伐鼓，	钲人击鼓声喧阗，
陈师鞠旅。[19]	列队誓师好庄严。
显允方叔，[20]	方叔军纪明又信，
伐鼓渊渊，	击鼓咚咚号令传，
振旅阗阗。	士兵动作应鼓点。
蠢尔蛮荆，	荆州蛮子太愚蠢，
大邦为雠。	敢同周朝做仇人。
方叔元老，	方叔乃是元老臣，
克壮其犹。[21]	雄才大略兵如神。
方叔率止，	方叔领兵去出征，
执讯获丑。	打得敌人束手擒。
戎车啴啴，[22]	战车隆隆起烟尘，
啴啴焞焞，[23]	排山倒海军容振，
如霆如雷。	势如雷霆动乾坤。
显允方叔，	方叔军纪明又信，
征伐猃狁，	曾经北伐克猃狁，
蛮荆来威。[24]	荆蛮闻风已惊心。

（程俊英　译）

注释

①芑(qǐ):野菜名。②于:在。新田、菑(zī)亩:都指新开垦的田。《尔雅·释地》:“田一岁曰菑,二岁曰新田,三岁曰畬。”③方叔:周宣王的大臣。莅:来临。④师:众,军队。干:盾,泛指武器。试:用,指从事战争。⑤乘:驾。骐:青黑色的马。⑥翼翼:整齐的样子。⑦路车:大车,诸侯所乘,此指统帅方叔的车。奭(shì):红色。⑧簟茀:竹席制的车帘。鱼服:鲨鱼皮制的箭袋。⑨钩膺:以金钩为饰的马缨,垂于马膺(胸)。鞗(tiáo)革:皮制铜饰的马勒。⑩中乡:同“中田”,即田中。⑪旂(qí):画有蛟龙的旗。旐(zhào):画有龟蛇的旗。央(yīng)央:鲜明的样子。⑫约:束,缠绕。軧(qí):车毂。错:花纹。衡:车辕前的衡木。⑬鸾:车铃。玱(qiāng)玱:铃声。⑭命服:天子赐给的礼服。⑮芾(fú):《鲁诗》“芾”作“绋”,蔽膝,缝于长衣之前,为古代礼服中的一种服饰。皇:辉煌。⑯珩(héng):亦作“衡”,佩玉上的横梁。葱珩:爵位高者之服饰。⑰鴥(yù):鸟疾飞貌。隼:鹞鹰一类的鸟。⑱戾:至。⑲鞠:告,即誓师的意思。⑳显:明。允:信。㉑克:能。犹:同“猷”,谋略。㉒啴(tān)啴:车行声。㉓焞(tuī)焞:盛大的样子。㉔来:略同于“是”。威:畏,畏服。

鉴赏

西周到了周厉王之世,政治腐败,国势衰微,先后有玁狁南侵,荆楚、徐淮北叛,严重威胁着周王朝的安全。周宣王即位以后,励精图治,内修朝政,外治武功,先后用尹吉甫、方叔、召虎为将,北伐玁狁,南讨荆楚,再平徐淮,诸侯归服,史称中兴。在有周一代,周人引以为骄傲的军事上的重大胜利都在宣王之世,所以《诗经》中所记载的战争纪功诗也都集中在宣王一代,而《小雅》中的《六月》颂尹吉甫北伐,《采芑》赞方叔的南征,可以说是周朝贵族所作战争纪功诗的姐妹篇章。

《采芑》共四章,第一章写练兵,第二章写行军,第三章写临战前阅兵誓师,第四章写荆楚畏服,各有侧重,井然有序。

诗的第一、二章都先以采芑起兴:“薄言采芑,于彼新田,于此菑亩”;“薄言采芑,于彼新田,于此中乡”。对于以上兴词的解释,《郑笺》说:“宣王能新美天下之士,然后用之。”这种牵强的笺说,目的在于歌颂宣王的美政,不足为信。《孔疏》引《陆疏》云:“芑似苦菜,茎青白色,摘其叶,白汁出,肥可生食,亦可蒸为茹。”甚至说：“西江、雁门芑尤美，胡人恋之不出塞是也。”可见芑是古代北方人民颇为喜爱食用的一种蔬菜。在战争时，人马的大量集中，采芑已不是个人所为，而是一种大规模的集体行动；它的本身就具有一种象征意义，所以诗人直赋其事，用以起兴，领起全诗，与《小雅·采薇》用采薇起兴颇有异曲同工之妙，而非《郑笺》所附会的说教意义。读着兴词，我们似乎可以看到，一群群身着甲胄的武士从这一片菜田到另一片菜田摘采芑菜的图景，预示着一次战争将要开始了。紧接着兴词之后，首章着重写统帅方叔和他的随从们来到了军营，于是三千辆战车摆开了阵势，战士们持盾扬戈进行操练，统帅的红色战车由四匹雄壮高大的黑色战马迈着整齐的步伐拉着驰驱在车队的最前面，战车上竹制的车帘和甲士身佩的鲨鱼皮箭袋特别引人注目，战马身上铜饰的马鞅马勒金光闪闪。

第二章的写法与第一章大体相同，在兴词之后着重写的是行军中的方叔形象：这支由三千辆战车组成的部队在方叔率领下浩浩荡荡地行进，战马飞驰，鸾铃叮当。方叔身穿周王赐给的帅服，红色的蔽膝辉煌耀眼，绿色的珮玉发出玱玱的声音。方叔的衣着华丽、贵重；方叔的形象高大、威武。

第三章，作者变换了写法，描述的重点由方叔个人转到了部队的群体。诗的开头先用具有鲜明象征意义的鹞鹰起兴，引出全章：“鴥彼飞隼，其飞戾天，亦集爰止。”诗人用猛悍迅疾的鹞鹰忽地直冲云霄，忽地又飞回到原来的大树上，象征着方叔士卒的勇猛迅疾，训练有素，进退有节，然后着重写方叔临战前夕在钲鼓声中，检阅部队，庄严的列队誓师，“钲人伐鼓，陈师鞠旅，伐鼓渊渊，振旅阗阗”。我们看到了在钲人鼓手的调节下，部队陈列成阵，方叔向部队宣告荆楚的罪状和作战纪律，然后开始了阅兵：在渊渊的鼓声中，部队进击、冲锋；在阗阗的鼓声中，部队前军作后军，相当于今天的向后转然后有秩序的返回。在这一章里，诗人通过方叔的誓师和阅兵，充分表现出方叔率领的部队军容之盛，军纪之严。

第四章，全用赋法，首先正面谴责了荆楚的愚蠢，胆敢与大国为仇，必然要失败。然后着重描写部队的声势：“戎车啴啴，啴啴焞焞，如霆如雷”，接连用了六个拟声词，渲染出征讨大军那种“如霆如雷”的声威，荆楚闻风而降服。

诗人大概是受“立言之体要，以见天子之师，有征而无战”这种正统观念的束缚吧，所以在《采芑》包括前篇的《六月》这类专事反映战争题材的诗中，都没有两军对垒的阵势，更没有短兵相接、杀声震天的格斗场面，甚至也没有战云密布、羽书飞驰的临战气氛。从全诗来看，诗人的视点集中在两处：一是统帅方叔的形象，一是王者之师的群体形象。统帅方叔是作者赞美的主要对象，也是作者着力刻画的形象，作者一方面通过叙述性的语言直接赞美他的老成持重、纪律严明、雄才大略（“显允方叔”，“方叔元老，克壮其犹”）；更重要的是通过对他华美、贵重的车驾、服饰的反复铺陈，浓墨重彩地描绘，突出他庄严的统帅身份和显赫的贵胄地位，把庄严、威武和贵重、华美和谐地统一于一身，这固然体现出作者的审美标准和价值取向，同时也要看到，作者是把方叔作为这支讨伐部队的灵魂和代表来刻画的，在他的身上使人们看到这支讨伐之师的不可抗拒的意志和所向无敌的力量，他成了这支王者之师的象征。这种通过赞美统帅方叔来表现战争的性质并预示战争的必然结局的间接描写方法，我们在后来的史传文学如《左传》等作品中可以找到许多的例证，可见这首诗出自于周宣王史官之手的痕迹和它对后世文学产生的影响。

部队的群体形象是作者所着力表现的另一对象。但诗人对这支浩大的部队群体不再作正面地、具体地描绘，而改变了手法。除了用鹞鹰这一生动而特具象征意义的比喻，把所描写的对象形象化，取得举重若轻、以少胜多的效果外；另一手法就是拟形和拟声。如用“四骐翼翼”写方叔驾马的步伐整齐；“旂旐央央”状旌旗鲜明之貌；“八鸾玱玱”拟马铃清脆之声；“伐鼓渊渊，振旅阗阗”，通过鼓声烘托出军容之盛，给读者以身临其境、如见其形、如闻其声之感。尤其是在第四章里，连续用了一系列的拟声词：“戎车啴啴，啴啴焞焞，如霆如雷”，这些重叠的拟声词，累累如贯珠，通过对部队行军声音的渲染，写出部队霆雷万钧之势，泰山压顶之力，使敌人闻风而丧胆，不怒而威，不战而克。正如方玉润所评：“词色俱厉，有泰山压卵之势。”（《诗经原始》）

全诗语言虽然华美，但没有堆砌辞藻的毛病；语气虽然严肃，但没有肃杀的气氛。就在这种从容不迫的叙述和描绘中，王者之师的浩大声势和不可战胜的威力被淋漓尽致地渲染了出来，使宣王的南征得到了艺术地再现。正如孙鑛所评：“叙述军容处，华而不堆，壮而有度。”陈鹏飞云：“《六月》之辞迫，《采芑》之辞缓；《六月》以讨而定，《采芑》以威而服也。”（《传说汇纂》）这些评论，都准确地指出了《六月》和《采芑》二诗的特色。

（陈维国）

车攻

我车既攻，[1]	我们的车儿制造精工。
我马既同。[2]	我们的马儿动作齐同。
四牡庞庞，[3]	四匹雄驹肌肉饱满，
驾言徂东。[4]	驾起车来奔驰向东。
田车既好，[5]	我们的猎车全都完美，
四牡孔阜。[6]	四匹马儿高大雄伟。
东有甫草，[7]	大块草泽就在东边，
驾言行狩。[8]	驾起车儿前去打围。
之子于苗，[9]	那位君子出发打猎，
选徒嚣嚣。[10]	清点步卒人声喧喧。
建旐设旄，	龟蛇旗杆上挂牛尾，
搏兽于敖。[11]	为了打猎要上敖山。
驾彼四牡，	那些车子驾着四马，
四牡奕奕。	四马的车儿络绎纷纭。
赤芾金舄，[12]	金色的鞋子红皮蔽膝，
会同有绎。[13]	诸侯们纷纷前来会盟。
决拾既佽，[14]	扳指和射鞲全都便利，
弓矢既调。	弓儿和箭全都相配。
射夫既同，	弓箭手们会合拢来，
助我举柴。[15]	帮我们猎获禽兽成堆。

四黄既驾，	驾起四匹马毛色金黄，
两骖不猗。⑯	两旁的马儿没有偏向。
不失其驰，⑰	四马的步儿一丝不乱，
舍矢如破。⑱	箭才离了弦就有杀伤。
萧萧马鸣，	声萧萧马儿嘶唤，
悠悠旆旌。	轻悠悠旌旗招展。
徒御不惊？⑲	车上车下谁不警戒？
大庖不盈？⑳	大厨房里怎不充满？
之子于征，㉑	那位君子走上归程，
有闻无声。	只听见车马不闻人声。
允矣君子，㉒	君子的措施果然得当，
展也大成！㉓	如今真个是大功告成！

（余冠英　译）

注释

①攻：通“工”，坚固。②同：整齐。③庞（lóng）庞：厚实，强壮。④东：指东都雒邑，今河南洛阳县西。⑤田：通“畋”。田车：打猎所乘的车。⑥孔阜：很高大肥壮。⑦甫草：甫田之草。甫田，一名圃田，地名，今河南开封中牟县西北，宣王时其地在王畿之内，后归郑国。⑧行狩：进行田猎。冬猎为狩，这里泛指田猎。⑨之子：那人，指宣王。于：往。苗：猎，夏猎曰苗。⑩选（suàn）：通“算”，点数。嚣嚣：众多。⑪敖：山名，和甫田相近。今河南开封荥泽西北有敖山。⑫赤芾：红色的蔽膝，诸侯之服。金舄（xì）：黄红色的金头鞋，诸侯之鞋。⑬会同：古代诸侯朝会天子的专称。有绎：犹绎绎，盛貌。⑭决：射箭拉弦时所用的扳指，用象牙或兽骨制成，用时套在右手大拇指上。拾：又名臂韝，兽皮制成，射箭时套在左臂上用以护臂。佽（cì）：利。⑮柴（zì）：这里借为“胔”，堆积的动物尸体。⑯猗：同“倚”。不猗：不偏斜，和中间两马保持一致。⑰不失其驰：指御者不违法则。射和御相配合，有一定的法则。⑱舍矢：放箭。破：破的。⑲徒：步行者。御：驾车者。惊：应作“警”。不警，警也。全句说车上车下都警戒着。⑳大庖：

周宣王的厨房。不盈:盈也。连同上句,都是诘问语气。㉑征:行,指归来。㉒允:当。㉓展:诚。

鉴赏

狩猎,在奴隶社会里是奴隶们生产劳动的一项重要内容,奴隶们依靠狩猎获得生活来源,而贵族和统治者却把它变成与娱乐相结合的一种练兵演武活动,并且把它加以制度化,成为一种"岁时常典"。统治者通过大田之礼,获取祭祀祖先的祭品和宴享的美味,同时,也通过田猎训练和检阅军队。因此,历史上的帝王和诸侯们不仅通过田猎的形式来娱乐,通过田猎来演武练兵,而且还常常通过隆重而盛大的田猎活动来炫耀武力、威慑列邦。田猎在奴隶社会里的政治、经济生活中有如此重要的作用,所以成为文学作品的一个重要题材。在《诗经》里,直接描写狩猎活动的就有《兔罝》《驺虞》《叔于田》等十篇,其中描述王侯们含有政治目的的大规模的田猎活动的有《秦风》中的《驷驖》和《小雅》里的《车攻》,尤以《车攻》所记叙的周宣王大会诸侯于东都的田猎最为盛大隆重。关于这首诗的主题,《毛诗序》云"(《车攻》)宣王复古也"。何以把田猎与复古联系在一起呢?根据《周逸书·王会解》《竹书》的记载,武王死后,周公辅佐成王,为了提高成王在诸侯中的地位,曾营建洛邑为东都。成王二十五年,东都建成,成王在这里大会诸侯,四夷也前来朝拜。这次朝会,成为巩固周室在诸侯中的统率地位的一项壮举。后经厉王之世,周室衰微,诸侯朝会中断。宣王接位,"内修政事,外攘夷狄,复文武之竟(境)土,复会诸侯于东都……"(《毛诗序》)说明周宣王的这次田猎,是借田猎以会诸侯,目的在于"修复先王旧典",是慑服诸侯的中兴之举,曾在历史上产生过较大的影响。《毛诗序》的解题是准确的。《车攻》所形象地反映的这一历史事实,在其他的古籍上曾有类似记载。《墨子·明鬼篇》云:"昔周宣王合诸侯而田于圃田,车数百乘。"《易林》中的《履之夬》《鼎之随》都曾有类似的记载。从秦《石鼓文》的文辞中亦可看到模仿《车攻》的句群。所以《车攻》一诗,不仅具有较大的文学价值,而且还具有较大的史料价值。

《车攻》全诗八章,从田猎的准备活动写起,到胜利归来结束,依次写来,有条不紊。第一章以第一人称手法,开门见山,直赋其事:大批的战车,整饰一新,精美、坚固;高大的战马,训练娴熟,步伐整齐。大队车马,浩浩荡荡,向东都进发,其盛大、隆重,非一般田猎可比。据记载，这次田猎，三军相从，战车数百乘，是宣王的精锐部队，其浩大的声势，壮观的场面可想而知。第二、三章，写宣王的部队，先猎于甫田，后猎于敖山。这支部队战车华美，战马高大，点名时人声震天，行军时旌旗逶迤。第四章写诸侯会同。各国的诸侯们乘着战车，身穿朝拜天子的礼服：朱红色的蔽膝，金饰的靴子，络绎不绝地前来朝拜宣王，场面盛大，整肃有序，礼仪隆重。五、六两章，描写射猎的盛大场面，以及射手、御夫们的高超技艺。射手们"弓矢既调"，"舍矢如破"，射技娴熟，箭不虚发，无坚不摧，即使是凶禽猛兽，无不应弦而倒坠；御夫们"两骖不猗，不失其驰"，配合有序，步伐合度。当然所获猎物之多，自不待言，"助我举柴"，堆积如山。第七章，写猎后军营景象：十里营寨，只听得战马嘶鸣，只见到旌旗飘扬，马鸣声声中衬托出静穆的气氛，旌旗飘扬中显示出盛大壮观的场面。第八章，写猎毕而归，以赞美宣王大功告成作结。"之子于征，有闻无声"，猎队胜利归来，大军过处，车辚马啸而无士卒喧哗之声，军行整肃，显示出一派王者之师的气象。这场田猎到此结束，周宣王会同诸侯之举大功告成，胜利而归。

周宣王举行的这次盛大的田猎活动，重在会诸侯而不重在事田猎，不过是借田猎以会诸侯，也就是说田猎是名，而炫耀武力慑服列邦以巩固周王朝的盟主地位是实。这在列国诸侯说来，自然亦深知个中奥妙，宣王、诸侯双方彼此心照不宣，因此，双方必然都是以临战态度来对待这次田猎的。对于诸侯们的戒备和心态，诗中没有描写，我们无法窥见，但在周宣王这方面，我们从"我车既攻，我马既同"，"之子于征，有闻无声"等描叙中可以看出，周宣王在田猎之前是做了充分准备的，兵强马壮，战车坚固，士兵处于高度戒备状态，一旦需要，这支猎队会立即成为一支精锐的讨伐之师，或者对付敌人的突然袭击，或者对不前来参与会同的诸侯施加讨伐。从"萧萧马鸣，悠悠旆旌"二句中也可以看出，猎队的大营是戒备森严，枕戈待旦，以防不测的。尽管全诗重点似乎在写田猎的过程和射猎活动，诸侯会同的场面表面上一派和平闲暇气象，但实际上幕后的紧张、严肃气氛，双方的临战姿态仍然是可以体味得到的。

《车攻》是《诗经》中的名篇之一，其原因不仅在于它珍贵的史料价值，更重要的还在于它精湛的描写技巧，它以生动、形象地再现了奴隶社会帝王的田猎生活而闻名于文学史。全诗纯用赋法，有叙述，有描写，有抒情，而以正言直陈为主，语言文字在总体上呈现出一种庄严厚重的色调，与前篇的《采芑》一样，都可能是出自于史官之手。但诗中"写气图貌"，随物宛转，达到了"瞻言而见貌”，“物色尽而情有余”（《文心雕龙·物色》）的艺术效果。如“四黄既驾，两骖不猗。不失其驰，舍矢如破”，写四匹黄马，并驾齐驱，御夫射手配合默契，特别是射手挽弓发矢，猛兽应弦而倒之状，历历可见。又如“之子于征，有闻无声”，把周宣王的这次田猎的性质和行军时的高度戒备状态写得情貌无遗。我们读着这两句，不禁想到欧阳修在《秋声赋》里的一段描写：“又如赴敌之兵，衔枚疾走，不闻号令，但闻人马之行声。”欧文写的虽然是秋夜肃杀之声，但我们从这段文字中总是可以看到“之子于征，有闻无声”的影子，虽然不能肯定地说，欧文是从《车攻》脱胎而出，但把欧文作为这两句的注脚，却是再好不过的了。

再如“萧萧马鸣，悠悠旆旌”，写周宣王的猎队大营既处于高度的戒备状态，但毕竟是田猎而不是真正的战争，所以士兵的内心又是闲暇的。“萧萧马鸣”，以马之声反衬军营之整肃，静中有动；“悠悠旆旌”，以飘扬的旌旗之状形容士卒闲暇的心态，动中有静。情景相生，虚实并举，成为文学史上叹为观止的诗中高境。刘勰在《文心雕龙·物色》篇中说，好的描写名句“思经千载，不可易夺”。“萧萧”二句就是千百年来交口称誉而“不可易夺”的佳境名句。张戒在《岁寒堂诗话》中说：“萧萧马鸣，悠悠旆旌，以萧萧悠悠字，而出师整暇之情状宛在目前。此语非惟创始之为难，乃中的之为工也。”张戒所说的“中的”，就是所写的景物能够恰当地表达所抒的情。隋朝的颜之推激赏“萧萧”两句中“动中见静，静中见动”的手法，认为梁代诗人王籍《入若耶溪》中的名句“蝉噪林逾静，鸟鸣山更幽”便是从此中生发出来的。宋人还指出，杜甫的“落日照大旗，马鸣声萧萧”（《前出塞》）二句亦从《车攻》中的“萧萧”二句中化出。还有人指出苏轼、王安石、陆游的一些诗句也从“萧萧”二句中点化而来。

（陈维国）

吉　日

吉日维戊，[1]	时逢戊辰日子好，
既伯既祷。[2]	祭了马祖又祈祷。
田车既好，	猎车坚固更灵巧，
四牡孔阜。	四匹公马大又高。
升彼大阜，	驾车登上大土坡，

从其群丑。[3]	追逐群兽飞快跑。
吉日庚午，[4]	庚午吉日时辰巧，
既差我马。[5]	猎马已经选择好。
兽之所同，[6]	查看群兽聚集地，
麀鹿麌麌。[7]	鹿儿来往真不少。
漆沮之从，[8]	驱逐漆沮岸旁兽，
天子之所。[9]	赶向周王打猎道。
瞻彼中原，[10]	放眼远望原野头，
其祁孔有。[11]	地方广大物富有。
儦儦俟俟，[12]	或跑或走野兽多，
或群或友。[13]	三五成群结队游。
悉率左右，[14]	把它统统赶出来，
以燕天子。	等待周王显身手。
既张我弓，	按好我的弓上弦，
既挟我矢。	拔出箭儿拿在手。
发彼小豝，[15]	一箭射中小野猪，
殪此大兕。[16]	再发射死大野牛。
以御宾客，[17]	烹调野味宴宾客，
且以酌醴。	做成佳肴好下酒。

（程俊英译，略有改动）

注释

①戊：古人以天干（甲、乙、丙、丁、戊、己、庚、辛、壬、癸）、地支（子、丑、寅、卯、辰、巳、午、未、申、酉、戌、亥）相配计日。这里“戊”指戊辰日。②伯：“祃”的假借字，指马祖，即“天驷星”，又名“房星”。祷：祈祷。③从：追逐。群丑：兽群。

④庚午:庚午日,在戊辰日祈祷后的第三天。⑤差:选择。⑥同:聚集。⑦麀(yōu):雌鹿。麌(yǔ)麌:鹿众多的样子。⑧漆、沮:水名,在泾渭之北,今陕西省内。⑨所:处所,宣王狩猎的地方。⑩中原:原野之中。⑪祁:大,指原野广大。孔有:很富有,指禽兽很多。⑫儦(biāo)儦:兽疾跑的样子。俟俟:兽缓行的样子。⑬群、友:《毛传》:"兽三曰群,二曰友。"⑭率:驱逐。⑮豝(bā):母猪。⑯殪(yì):死。大兕(sì):大野牛。⑰御:进。

鉴赏

《吉日》全诗四章,叙述了周宣王从戊日祭祀马祖、庚午日出猎到以猎物宴饮群臣结束的田猎活动全过程。

第一章,写出猎前的准备工作:祭祀马祖和整治车马。在奴隶社会里,天子一年四季都要举行大田之礼。从《周礼·夏官·校人》"春祭马祖,夏祭先牧,秋祭马社,冬祭马步"的典则来看,这次田猎的季节可能是春天。这是周宣王亲自举行的岁时常典,非同一般的狩猎可比,所以在正式出猎之前作了充分的准备:卜巫们择定戊日祭祀马祖,然后整治车马。这章的最后两句:"升彼大阜,从其群丑",是说一切准备业已就绪,以便登上大丘陵,追逐群兽,戊日去没有正式出发打猎。第二章,写出猎:卜巫们选定祭马祖后的第三天——吉日庚午正式出猎。"既差我马"的"差"是"选择"的意思。据《礼记·月令》记载,在正式出猎之前,天子要颁布用马的政令,校人要根据厩马毛色的不同和力量的强弱、身材的大小分类编队,并选定天子及随从的驾马,这就是"既差我马"的意思。接着写猎队出发。他们在漆、沮二水之滨发现了鹿群,猎队沿着河岸设围,虞人们追赶着鹿群向周宣王守候的地方驰去。第三章,写猎队来到一个大原野,举目眺望,广袤无垠,水草丰茂,野兽很多,成群结伴,或走或跑。虞人们再次驱赶着兽群,供周宣王射猎。据《礼记·月令》记载,古代天子出猎有三军随从,每到一处,事先设围,天子居中军,东西为左右军,三军分别垒门,然后田仆之官设"驱逆之车",率领虞人驱赶着兽群向垒门驰去,左右军为了使天子有更多的射猎机会以讨其欢心,所以把奔驰到自己垒门前的兽群驱赶到天子所在的中军垒门,以供天子射猎,这就是第二章所说的"漆沮之从,天子之所",和本章里的"悉率左右,以燕天子"的意思。第四章,写周宣王张弓挟矢,大显身手,获物很多,并用猎物宴享臣下。

《吉日》与前篇《车攻》虽然写的都是周宣王亲自举行的田猎活

动,结构也大体相同,但是,两首诗所描述的田猎目的、内容、气氛和语言特色等方面都有较明显的差异。《车攻》写的是周宣王为了“复先王之旧典”、会同诸侯、威慑列邦而举行的田猎,地点在离镐京较远的东都洛邑附近的甫田和敖山,有长途行军,沿途还要经过若干诸侯的境土,狩猎时还有许多诸侯的部队参加,处处都有威胁和危险存在,随时都会有不测事件发生的可能,所以诗中十分醒目地突出天子的威严,王者之师的军容整肃、声势盛大和高度戒备的行军、宿营场面,而有关射猎的内容和场景却成了诗的次要部分,只有“决拾既佽,弓矢既调。射夫既同,助我举柴”和“不失其驰,舍矢如破”等虚写之笔和概括的叙述。对于田猎的主角周宣王的直接描写则更少,除了“会同有绎”一句以外,他在整个田猎过程中几乎没有露面。而《吉日》所写的则是周宣王举行的一次常规性的岁典,实际上是天子同臣下的一次纯娱乐性的田猎活动,地点就在西京王畿以内的渭北原野,狩猎成为全诗描述的重点和主要内容。诗里描写兽群出现的场面较多,而且成为全诗最为生动的部分。周宣王是这次田猎的主要人物,不论是在漆、沮之滨,还是在兽群众多的大原野里,虞人们驱赶着兽群供周宣王射杀,所有的人都围绕着他在活动,使他有更多的射猎机会,以讨得他的高兴。诗里还用精彩的笔墨突出周宣王的高超射技和勇猛的狩猎场面:“既张我弓,既挟我矢。发彼小豝,殪此大兕。”他张弓挟矢,一箭射中了一只小母猪,又一箭射死了一头大野牛。最后还写他用所获猎物宴饮群臣,体现了天子“恩隆于臣下”,从而结束全诗。这里没有诸侯的会同,没有整肃的行军和戒备森严的宿营场面,没有紧张严肃的气氛。这是一场名副其实的狩猎活动,写出了天子之猎的特征。

其次,《车攻》与《吉日》在写作艺术上也呈现出各自的特色。在《车攻》里,诸侯会同是全诗的主脑,其他的叙述和描写都为突出这一“主脑”服务;而显示王者之师的军容和声威,成为周宣王炫耀武力、慑服诸侯的重要手段,自然也成为作者着力之笔,也是全诗写得最为精彩之处。正如方玉润所评:“(《车攻》)虽言猎事,其实归重‘会同有绎’及‘展也大成’二句,其余车徒之盛,射御之能,固是当时美观,抑亦诗中丽藻,其诗所系不在此也。”(《诗经原始》)而《吉日》则是一场名副其实的天子之猎,周宣王举行这次田猎的目的是“意在适乐”(《孔疏》)。所以全诗以叙写田猎过程和射猎场面为主要内容,周宣王的形象刻画成为全诗精彩之笔,全诗洋溢着轻快的气氛。在《诗经》中,还没有像《吉日》这样把天子之猎写得这样完整、具体、生动的诗篇,我们从中可以看到奴隶社会天子之猎的状况和特点,了解奴隶社会生活的一个侧面。在语言上,《吉日》语言生动活泼,具有劲健活脱的特色,与《车攻》语言的庄重雍容成为鲜明的对比。

（陈维国）

鸿　雁

鸿雁于飞,①	大雁大雁远飞翔,
肃肃其羽。②	振动双翅沙沙响。
之子于征,③	那人远行服役去,
劬劳于野。④	郊野做工累又忙。
爰及矜人,⑤	劳役加给穷苦人,
哀此鳏寡。⑥	可怜鳏寡更惨伤。
鸿雁于飞,	大雁大雁远飞翔,
集于中泽。⑦	成群落在湖沼上。
之子于垣,⑧	那人服役筑墙垣,
百堵皆作。⑨	一时筑起百堵墙。
虽则劬劳,	虽然忙累受苦辛,
其究安宅?⑩	究竟安身在何方?
鸿雁于飞,	大雁大雁远飞翔,
哀鸣嗷嗷。	嗷嗷哀鸣多凄凉。
维此哲人,⑪	只有这些明白人,
谓我劬劳。	说我辛苦累又忙。
维彼愚人,	那些愚昧昏庸者,
谓我宣骄。⑫	说我骄傲又纵放。

注释

①于:语助词。②肃肃:鸟飞拍翅声。③之子:这些或那些人,服役者自指。征:远行。④劬(qú)劳:辛苦劳累。⑤爰:语助词。及:到,加给。⑥哀:怜。鳏(guān):老而无妻。寡:老而无夫。⑦集:停聚。中泽:泽中。⑧垣:墙,此指筑墙。⑨百:泛言其多。堵:指一堵墙。⑩究:究竟。安:何,何处。宅:此指居住。⑪哲人:明智之人。⑫宣骄:骄傲,放纵。

鉴赏

《鸿雁》这首诗表现了什么样的内容?历代解诗者意见纷呈。《毛诗序》说是赞美周宣王安集离散“万民”,使得其所;朱熹《诗集传》说是流民作歌咏其“虽劳苦而终获安定也”;方玉润《诗经原始》说是“使者承命安集流民”而“费尽辛苦,民不能知,颇有烦言,感而作此”,等等。今世学者持论与上述观点大同小异的不乏其人,但多数研究者认为,这是一首诅咒徭役或者说是倾诉徭役痛苦抒发内心不平的诗,诗中抒情主人公就是应征服役的民夫。细品诗意,这种看法很有道理。

诗分三章,章六句。首章因物起兴,抒写被驱远行、奔劳旷野的苦景苦情。远飞的大雁,勾起役民们流离之感,触发了对劳瘁生活的嗟叹。他们四处漂流,不安其居;他们辛苦劳碌,连鳏寡之人也难幸免。一腔苦情,化作哀怨的倾诉,倾诉中透露出深沉的思索,思索里饱含着对繁重徭役的怨尤之情。其声苦,其情悲,读来令人动容。次章承上而来,具体描述役民们服役筑墙的情景。他们像鸿雁落集泽中一样,群居作息,辛勤劳累,筑起了一堵堵墙,造好了一幢幢房,然而,到头来自己竟无一席安身之地。对此,他们深感痛苦和不平。“虽则劬劳”二句,旧说多训为虽然辛苦,但终能安居,这是不确切的。试想如果役民们都有了安居之所,理应喜不自胜,怎么会发出嗷嗷哀鸣呢?第三章写役民们哀诉自己的悲惨命运,冀求得到同情和理解,可是却横遭责难。充塞他们胸臆的是难以尽言的哀苦和对愚顽暗昧的统治者的怨愤。诗章末尾对“愚人”的指斥,在一定程度上表达了他们对现实的不满和反抗情绪。

这是一首优秀的现实主义诗作。前人曾以“饥者歌其食,劳者歌其事”概括《诗经》的现实主义特征。可以说,《鸿雁》就是一首饥者、劳者歌咏其苦难生活的哀怨之歌,具有强烈的现实性和批判意义。

这首诗在艺术上也颇有值得称道之处。最突出的一点是比兴手法的运用,极具艺术匠心。此诗三章均以鸿雁发端,有着丰富的形象意义。鸿雁是候鸟,居无定处,南来北去,随季节的更移不断迁飞,这与役民们被驱使服役、奔走四方的景象何其相似!以之作比兴之物,是非常恰当的。更值得指出的是,三章虽都以鸿雁为歌吟之始,但在比兴关系上又不尽相同。一、二两章正如陈子展先生所说,是"以鸿雁肃羽,兴之子于征"、"以鸿雁集泽,兴之子于垣"(《诗经直解》),都是兴中含比,义类相贯,颇有象征意味;第三章则是"以鸿雁哀鸣自比而作此歌也"(朱熹《诗集传》),是比而兴者,其喻意直接而鲜明,形象生动地再现了役民们哀诉苦难的情景。通过比兴手法的交融互渗,形象更为丰满,韵味更见深长,大大增强了诗歌的艺术表现力。后世常以"哀鸿"作为流离失所、哀伤痛苦之人的代称,可以说就是《鸿雁》一诗成功运用比兴手法的极好证明。

这首诗在结构安排上也富有特色。三章句数相等,句法相近,兴物相同,且"劬劳"这一表达中心意思的词语在三章中反复出现,这就使诗篇具有重章叠唱的某些特点,形成往复咏叹的韵调。但具体内容又各章有异,首言出行,次咏劳作,末表哀诉,三章内容逐层发展,连属而下,深化主题,可谓得结构艺术之妙。

这是一首抒情诗,是一曲役民的哀歌,但又带有一定的叙事成分,展现了一定的社会生活画面,且能做到叙事、抒情和议论的有机结合,这也是此诗为人们称道的一个原因。

这首诗形象鲜明,感情浓烈,语言朴素,音韵谐畅,具有国风民歌的特点,因此高亨先生说"此篇当是一首民歌",这是很有见地的。

(林心治)

庭　燎

夜如何其?[1]	现在夜里啥时光?
夜未央,	长夜漫漫天未亮,
庭燎之光。[2]	是那火炬烧得旺。
君子至止,[3]	诸侯朝见快来到,
鸾声将将。[4]	远处车铃叮当响。

夜如何其？　　　现在夜里啥时光？
夜未艾。　　　　夜色蒙蒙天未亮，
庭燎晣晣。⑤　　是那火炬明晃晃。
君子至止，　　　诸侯朝见快来到，
鸾声哕哕。⑥　　铃声渐近响叮当。

夜如何其？　　　现在夜里啥时光？
夜乡晨。　　　　长夜将尽天快亮，
庭燎有辉。⑦　　火炬渐熄烟气香。
君子至止，　　　诸侯朝见已来到，
言观其旂。⑧　　只见旌旗随风扬。

（程俊英　译）

注释

①其(jī)：表疑问的语气词。②庭燎：宫廷中用麻秸等物扎成的火炬，用以照明。③君子：指朝见周王的诸侯。止，语气词。④鸾声：车铃声。⑤晣(zhé)晣：微明。⑥哕(huì)哕：铃声。⑦煇(xūn)：烟光相杂貌。⑧旂(qí)：绣有交龙，竿头系铃的旗。

鉴赏

《庭燎》一诗赞美周宣王勤于政事。作者没有脱离具体形象，抽象地创作一首对任何君主都适用的赞美诗，而是通过对周宣王一次视朝前的举止行动、心理活动的描摹刻画，塑造出一个自勤于政的中兴君主形象，这种创作手法产生于数千年前的《诗经》时代，值得重视。本诗共三章，作者塑造周宣王形象亦分三步完成。

每章诗的前两句描写宣王夜间问时之早晚的情形。“夜未央”“夜未艾”之“央”“艾”同义，训为“尽”；“夜乡晨”犹言“夜向晨”，天将晓也。这里的三个时间词所表达的时间概念是模糊的，大致指夜色将尽未尽时刻，在这不明显的三段时间变化中，作者描写了宣王频频问时这一细节，从而使读者窥见宣王急于视朝理事的心理。这一举动的客观描述，采用窥一斑以见全豹的手法，凸现了宣王为政自警，夜不安寝、励精图治的形象。

各章第三句，从表面看写的是庭燎燃烧的变化，稍进一层，可以看出火炬燃烧发生的光亮变化是作者借宣王的视觉观察来表现的，火炬由明亮到微亮，进而到烟光相杂，暗示着时间的缓慢推移。一方面是宣王急于视朝理事的心理活动，另一方面则是时间分秒交替的迟缓，一急一缓形成强烈的反差，这样宣王心中长夜难挨的焦急情绪也就格外突出。以庭燎细小的变化来写人物细腻的心绪变化，正所谓“传神写照，正在阿堵中”，作者的高妙正在于此。

诗写到上面，一个宵衣旰食的中兴君主形象已跃然纸上，但作者犹嫌刻画不足。诸章诗的最后两句再作渲染，这里，作者集中笔墨写宣王对夜间宫廷外动静的观察注视。“鸾声将将”与“鸾声哕哕”侧重听觉描写。“将将”即“锵锵”，形容系在马颈上鸾铃发出的急促悦耳的声音；“哕哕”形容铃声的舒缓而有节奏。这种由急促到舒缓的铃声变化是微妙且历时颇久的，在宫廷之上的宣王能感觉到这种变化，可见其专注，他大概在推想各路诸侯驰赴早朝的情形：披星戴月，一路疾驰，将近宫门唯恐惊动天子，诸侯们放慢了马步，缓缓接近。宣王的推测不错，你看，那绣着交龙的彩旗在晨曦中已经依稀可辨了（“言观其旂”）！这段描写十分精彩，它将宣王由盼望“君子”来临的急切，到迎来“君子”的喜悦的复杂心理变化刻画出来了。诗至此戛然作结，至于此后各路诸侯会齐，“九天阊阖开宫殿，万国衣冠拜冕旒”（王维《和贾至舍人早朝大明宫之作》）那种庄严肃穆，宏伟壮观的早朝景象，也都在作者妙笔之下传达给了读者，令人掩卷遐想，回味无穷。

《庭燎》一诗写景雍容华贵、庄严肃穆，富于气象；描写人物行动逼真传神、呼之欲出；刻画人物心理真实细致、入木三分。以人物举止行动、心理活动的描摹，景物的烘托渲染塑造出丰满的形象，而用睹竿知影之法见出作者的歌颂赞美之情，以这样的方式进行歌颂，远远胜过空泛的赞美。

（田耕宇）

沔　水

沔彼流水，[1]　流水盈盈向东方，

朝宗于海。	百川归海成汪洋。
鴥彼飞隼，②	天空隼鸟任疾飞，
载飞载止。	飞飞停停不慌忙。
嗟我兄弟，	可叹同姓诸兄弟，
邦人诸友，	可叹朋友和同乡，
莫肯念乱，	无人考虑国事乱，
谁无父母？	你们难道没爹娘？
沔彼流水，	流水盈盈向东方，
其流汤汤。③	浩浩荡荡入海洋。
鴥彼飞隼，	天空隼鸟任疾飞，
载飞载扬。④	扇动翅膀高翱翔。
念彼不迹，	上边做事没准则，
载起载行。	坐立不安我徬徨。
心之忧矣，	心忧国事这模样，
不可弭忘。	终日焦虑不能忘。
鴥彼飞隼，	天空隼鸟任疾飞，
率彼中陵。	沿着山陵高翱翔。
民之讹言，	民间谣言纷纷起，
宁莫之惩。⑤	不去制止真荒唐。
我友敬矣，	告我友朋须警惕，
谗言其兴。	谗言蜂起要提防。

（程俊英　译）

注释

①沔（miǎn）：水流盛满。②鴥（yù）：鸟飞的样子。隼：一种凶猛的鸟，鹰属。③汤（shāng）汤：水大的样子。④扬：往上升。⑤惩：制止。

鉴赏

这是一首忧乱的诗。平王东迁后，周室衰微，诸侯不再拥护天子，镐京一带，危机四伏，作者忧虑，故作此诗。

全诗三章，第一、二章各八句，用"流水"起兴，第三章六句，没有"流水"句，朱熹《诗集传》说"疑当作三章，章八句，卒章脱前两句耳"。这首诗用盛满的流水和疾飞的隼鹰起兴，随着诗人思路的开展，诗人分别用流水和飞隼的不同形态来引出自己心中深深的忧虑。第一章，诗人通过盛满而朝宗于海的流水和时起时落的飞隼，写出在和平、宁静的环境中隐伏着深重的危机，可是自己周围的人，不论是亲属朋友还是同居一邦的国人，谁也没有认真地对待这些隐患。灾难逐渐逼近，眼下这种安宁太平的日子能维持多久呢？一家之中，父母兄弟、儿女子孙共聚一堂同享天伦之乐的日子只怕也不多了。"谁无父母"一句把国家的安定和家庭的幸福连在一起，言近意远，切入肌肤、发人深省。第二章用汹涌浩荡的水流、冲击长空的猛禽渲染了一种动荡不安的情绪，与此相应的是诗人耳闻目睹那些不循正道的人正飞扬跋扈、横行无忌，天子的权威被公然蔑视。对此，一直为国担忧的诗人更感到压在心头的忧伤与日俱增，既没法排解，更不能忘怀。第三章从顺着山岭飞去的隼鹰联想到不翼而飞、四处流传的谣言，它扰乱人心，造成社会动荡不安，可是没有人来制止这些谣言。诗人因此痛心疾首，他再一次呼吁他的朋友们警觉起来，谨慎地供奉自己的职责，不要让陷害人的谗言有可乘之机。从全诗的口气来看，本诗的作者是一个当权的贵族，他深以周王室的兴隆为己任，又痛感自己孤掌难鸣，"我友敬矣，谗言其兴"是他对自己同僚的大声疾呼，诗人止不住的忧国忧民之情，溢于言表。

（俞理明）

鹤　鸣

鹤鸣于九皋，[①]	白鹤长鸣沼池边，
声闻于野。	鸣声嘹亮四野传。
鱼潜在渊，	鱼儿潜游在深渊，

或在于渚。② 有时浮在浅水滩。
乐彼之园， 看那园林多可爱，
爱有树檀，③ 园里檀树高参天，
其下维萚。④ 又有桴树在下面。
它山之石， 别个山上的石头，
可以为错。⑤ 可做磨石把它留。

鹤鸣于九皋， 白鹤长鸣沼池边，
声闻于天。 鸣声嘹亮响彻天。
鱼在于渚， 鱼儿浮在浅水滩，
或潜在渊。 有时潜游在深渊。
乐彼之园， 看那园林多可爱，
爱有树檀， 园里檀树高参天，
其下维榖。⑥ 又有楮树在下面。
它山之石， 别个山上的石头，
可以攻玉。⑦ 可以琢玉把它留。

注释

①皋：沼泽。九：是虚数，言其多。②渚（zhǔ）：水中小洲，这里指小洲边浅水处。③树檀：为叶韵而倒文。檀树高大，是贵重木材，可为轮为辐。爰：发语词。④萚（tuò）：草木脱落的皮叶。此句与上句对应，当作"桴"，即酸枣树，矮小。⑤错：砺石，磨物工具。⑥榖（gǔ）：楮（chǔ）树，古代以其树皮造纸。⑦攻玉：琢磨玉器。

鉴赏

《鹤鸣》是《小雅》中的名篇之一。作者是当时朝廷里的一位士大夫，他以这首诗讽喻王朝统治者重视使用下层的人才，注意招贤纳士。通篇采用借喻的手法，以白鹤鸣、鱼儿游、檀树长、桴榖矮、石可琢玉等一连串鲜明的形象作譬,抒发对国家使用人才的主张。全诗两章,章各九句,两章间只调换几个近义字和有一个倒句,句式、结构和内容相同。这种重章复沓的形式,出于合乐演奏的需要,在《诗经》中较为普遍。

周王朝统治者从文王时代开始兴建园囿。《大雅·灵台》一诗就描述了当时王室园囿的规模和盛景。东周时各诸侯国(如秦、卫、郑等国)也热心于园囿建设。古文献记载,在这些园囿里树木繁盛,松鹤满园,鸟兽翔驰,池沼鱼跃,是国王的养息之所。诗人即以园林譬于国家,借园中各种眼前景物为喻。

首二句以鹤鸣起句:在那美丽的九曲沼池,白鹤嘹亮的鸣叫声传遍四野,响彻九天。鹤是珍奇动物,历来为园主珍养赏玩,在这里借以象征为国王所重视的人才。他们的功业"声闻于野""声闻于天",理应受到重视。可是园林不仅仅是鹤的世界,在三、四句,诗人又取鱼儿作譬,"鱼潜在渊,或在于渚"。除了在上面的鹤,在下面深水潭里还有鱼儿潜游,不过它有时也会浮到浅水滩上来,还是可以发现的。第二章采用倒句:"鱼在于渚,或潜在渊";浮游在浅水滩的鱼儿,有时又潜游到深水潭去了。这四句的意思是说:人才不只有上面飞的,也有水里游的,一旦发现就应起用他们,不然他们就埋没于深渊了。

五至七句:"乐彼之园,爰有树檀,其下维萚(榖)"。意思又推进一层:那令人喜爱的园林,在高大珍贵的檀树下面,也生长着矮小的柽、楮之类的树木。这三句的含义明白而深刻,一个美丽的园林必须生长各种树木,如同一个国家需要各种各样的人才。贵重的檀木可以制轮制辐,柽、楮是下等木材,但柽可以制橛,楮皮可以造纸,它们都有各自的用途。治理国家也像管理园林,要注意发掘并善于使用下面的人才,使他们各尽其才,为国家出力,为园林添彩。

末二句以"它山之石,可以为错""它山之石,可以攻玉"作譬,把意思再推进一层,取别国的人才,也可以为我所用,为什么不可以招贤纳士、延聘天下的人才呢?一说"它山"的"它"字是山名,不是指示代词(《玉篇》:"它,古文陀字,蛇也。")。但历代说《诗》,已经把古写的"它"字,变为近体的"他"字,成为"他山之石,可以攻玉"这条历代人民习用的成语,启发人们虚心学习和借鉴别人、外地、外国的长处。好在二说并不悖谬,对这个字的考释不必过于胶柱,我们这里就采用通行的解释。

这首诗以诗代论,但它没有一句枯燥的议论,而用一连串鲜明的形象来借喻,把事理喻于其中,此乃本诗在艺术上的最大特色。

(夏传才)

祈　父

祈父，①	大司马呀大司马，
予王之爪牙。②	我是国王的爪牙。
胡转予于恤？③	为啥调我到战场？
靡所止居！④	害得我背井离家！
祈父，	大司马呀大司马，
予王之爪士。⑤	我是国王爪牙的卫士。
胡转予于恤？	为啥调我到战场？
靡所厎止！⑥	害得我有家难回到乡里！
祈父，	大司马呀大司马，
亶不聪。⑦	你真不了解情况。
胡转予于恤？	为啥调我到战场？
有母之尸饔！⑧	有娘主管熟食的菜和汤！

（程俊英译，略有改动）

注释

①祈：亦作“畿”，即邦畿。祈父：指掌管都城禁卫的长官，亦称司马，相当于后世的卫戍司令。②予：我。③胡：为什么。转：移，调动。恤：忧，指可忧的战地。④靡：无。所：住所。止居：居住。⑤爪士：爪牙之士。⑥厎（zhǐ）止：与“止居”同义。《尔雅·释诂》：“厎，止也。”⑦亶（dǎn）：诚，确实是。不聪：不闻，不了解下情。⑧之：则，表示转折语气。尸：主管。饔（yōng）：亦作“雍”，熟食，包括饭和菜。

鉴赏

这首诗，《毛诗序》称“刺宣王也”，《毛传》云“刺其用祈父不得其人也”,《郑笺》又说“‘予’,我。‘转’,移也。此勇力之士,责司马之辞也,我乃王之爪牙,爪牙之士当为王闲守之卫,女(汝)何移我于忧,使我无所止居乎?谓见使从军,与羌戎战于千亩而败之时也”。《毛诗》是汉朝毛公(一说毛亨,一说毛苌)传的《诗经》,有序。《毛传》即毛公的解释。《毛诗》认为这首诗是周宣王末年,大司马把王宫的卫士调出去与羌戎作战,战败,卫士怨愤而作。“予王之爪牙”,卫士说:“我是王的爪牙”,即王的卫士,不该调出去作战。又第二章“予王之爪士”,“爪士”即爪牙之士,也指卫士,译作“你是卫士的领班”,即卫士的头领,即大司马,不合。又“予”不能译作“你”。朱熹《诗集传》:“军士怨于久役,故呼祈父而告之曰:予乃王之爪牙,汝何转我于忧恤之地,使我无所止居乎?”朱熹提出一种解释,认为军士怨于久役。方玉润《诗经原始》:“案成周兵制,籍乡遂(地方区域名)之众以作六军……郑康成所谓征行之士,例不取王之爪牙之士也……是禁旅原不出征、偶一用之,尚且致怨,况久戍乎?且自古兵政,亦无有以禁卫戍边方者,故当以《笺》《疏》为长。”认为《毛诗》说胜于《诗集传》。那么诗中的“予”皆当译作“我”,“予王之爪牙”当译作“我是国王的爪牙的卫士”。“有母,之尸饔”,当译作“有母,主管熟食的菜和汤”。以上是根据《毛传》来改动所据译文。

这首诗,写王的卫士的怨恨,用反复唱叹的调子。第一、二章,只把“爪牙”换作“爪士”,“止居”换作“底止”,别的都一样。第三章,第一、第三句跟第一、二章相同,只三、四句有变化。以此表达怨愤的感情。从这里可以看出:作为一个战士,敢于唱出反对司令官的歌,这样的歌没有被禁止,还给采诗官采录,收入《诗经》,这说明当时士兵和司令之间的关系,士兵还敢于吐露他的不满的怨情,司令还能容许他们唱。这种关系,到春秋时还保存着。如《左传·宣公二年》,宋国的统帅华元与郑国作战,被俘,逃回。宋人筑城、华元作主管。筑城的工人唱歌笑华元“弃甲而复”“弃甲复来”,华元只是让他们去唱,不加禁止,所以当时工人唱的歌还保留在《左传》里。

这首诗,一方面说明我是王的卫士,不该把我调出去作战,批评大司马处置不当。再指出他“亶不聪”,批评大司马糊涂。再说明作为王的卫士,他还有回家供奉父母的职分,现在却让母亲一人劳动,这也是大司马处置失当。这也说明当时卫士的职守,还有回家供奉父母的一分劳作,反映当时卫士的生活。

孔颖达《正义》称:“司马掌禄士,故司士之官属焉。是爵禄黜陟,由司马也。其属又有司右之官,主勇力之士,故爪牙属司马也。司马主爪牙之士，其职得爵人，今转爪牙之士于可忧之地，故所以怨之也。”这是说，司马手下有司士、司右的官，司士主管战士，司右主管勇力之士。司士、司右把战士或勇力之士推荐给司马，司马加以任用，给予爵禄。现在司马把王的爪牙即卫士，调出京都去作战，不符合司马的职掌，所以卫士要怨他。《正义》对这首诗作了进一步的说明。

（周振甫）

白　驹

皎皎白驹，	白白的小马儿，
食我场苗。	吃我场上的青苗。
絷之维之，	拴起它拴起它啊，
以永今朝。①	延长欢乐的今朝。
所谓伊人，②	那个人那个人啊，
于焉逍遥。③	来到这儿寻乐。
皎皎白驹，	白白的小马儿，
食我场藿。④	吃我场上的豆茎。
絷之维之，	拴起它拴起它啊，
以永今夕。	延长今晚的良辰。
所谓伊人，	那个人那个人啊，
于焉嘉客。	我家尊贵的客人。
皎皎白驹，	白白的小马儿，
贲然来思。⑤	把光辉带到此地。
尔公尔侯，⑥	高贵的客人，
逸豫无期。⑦	此地十分安逸。
慎尔优游，	好好儿乐一乐吧，
勉尔遁思。⑧	甭打走的主意。

皎皎白驹，	白白的小马儿，
在彼空谷。⑨	回到山谷去了。
生刍一束，	咀嚼着一捆青草，
其人如玉，	那人儿啊玉一般美好。
毋金玉尔音，⑩	别忘了给我捎个信啊，
而有遐心。⑪	别有疏远我的心啊。

（余冠英　译）

注释

①永：长也。这句是留客之词。拴马是为了留客，客人多留一刻，这欢乐的早晨就多延长一刻。②伊人：指白驹的主人。③焉：此也。逍遥：闲散自在的样子。这句是说“伊人”在此游息。④藿（huò）：初生的豆。⑤贲（bì）：饰也。贲然：光彩貌。思：语助词。⑥这句指白驹的主人。⑦逸豫：安乐。期：读为“綦（qí）”。无綦就是无极。⑧勉：抑止之辞。这句是嘱客人别想离去。⑨空：《韩诗》作“穹”。穹谷就是深谷。⑩金玉尔音：就是说珍惜你的音信。⑪遐：远。遐心：疏远的心。

鉴赏

这首诗，旧说约有三种，余冠英先生又提出一种解释，共约有四种。一、《毛诗序》：“《白驹》，大夫刺宣王也。”《毛传》：“刺其不能留贤也。”按《毛诗序》认为这首诗是周宣王的大夫所作，用来讽刺宣王不能用贤人。二、朱熹《诗集传》：“为此诗者，以贤者之去而不可留也。”认为作者只是要留贤者，却留不住。三、方玉润《诗经原始》：“此王者欲留贤士不得，因放归山林而赐以诗也。”四、余冠英先生说：“就是留客惜别的诗。”从诗看，关键在“尔公尔侯，逸豫无期”。一说，《毛传》：“尔公尔侯邪？何为逸乐无期以反（返）也。”即责备客人，您是公您是侯吧？为什么要回到山里去求安乐。主人招待客人，连客人是公还是侯都弄不清，不近情理。客人倘是公爵，当坐有四匹马拉着的马车来，不会骑一匹小白马来，不近情理。倘是侯爵，应当回到侯国去，怎么到山谷里去做隐士呢？不近情理。照《毛诗》讲，就有三点不合情理，讲不通。二说，朱熹《诗集传》："言此乘白驹者，若其肯来，则以尔为公，以尔为侯，而逸乐无期矣。犹言'（田）横来，大者王，小者侯也'。"刘邦派使者去对田横说，田横来，大者封王，小者封侯。照朱熹说，骑小白马来的贤人，周宣王派臣子去接待他，对他说，您肯来，则以您为公，或以您为侯。这样《毛传》里不合情理的三点都解决了。三说，方玉润《诗经原始》："其时中兴初定，安知宣王不有贫贱至交不肯出仕王朝，如严光之于汉光武……此诗之作，正光武所谓'咄咄子陵，不能相助为理耶？'"这样讲，同朱熹"以尔为公，以尔为侯"一样，但不如朱熹讲得确切。方玉润认为"尔公尔侯"是周宣王对贤人讲的，像汉光武帝对严光讲的那样。这样讲，要周宣王在宫里亲自接待贤臣，宫里不会有菜园子，怎么可以"食我场苗"呢？所以方玉润的解释也不如朱熹的合情合理。把"尔公尔侯"译作"高贵的客人"即是"你是公或侯"，用《毛诗》说不合情理，不如朱熹说合情合理。

这首诗，一、二两章是反复唱叹，只换了几个字，一章的"苗""朝""逍遥"换成二章的"藿""夕""嘉客"，别的词语都一样。反复唱叹，表达留客人的深情。三、四两章，除首句相同外，别的句子都不同，表达的情思曲折而丰富。《诗经原始》说："观其初则欲絷白驹以永朝夕，继则更欲縻以好爵，而不暇计贤者之心不在是也；终则知其不可留，而惟冀其毋相绝，时惠我以好音耳。诗之缠绵亦云至矣。"指出这首诗的情思是极为缠绵悱恻的，风格是柔婉的。再就一、二章看，借白驹的食我苗，食我藿，把它拴起，实际是要借此来留住客人"以永今朝""以永今夕"，正表达主人留客的深情。

这首诗运用修辞也可注意，一、二两章用的是复叠格，此外每一章的头一句都是复叠。"皎皎"是摹状格，光说"白驹"嫌不够，还用"皎皎"来写出它的光彩。"爱屋及乌"，由于爱客人连带客人骑的白驹也显得有光彩了。"逍遥"也是摹状格，摹状客人自得的样子。"贲然"摹状客人的光彩貌。"其人如玉"，"如玉"是明喻，赞美客人的品德。"毋金玉尔音"，把"尔音"比作"金玉"是隐喻，这首诗运用了许多修辞手法加强了诗的形象性，表达了对贤人的赞美。

（周振甫）

黄　鸟

黄鸟黄鸟！[①]　　　　黄雀啊黄雀！

无集于榖！[2]	我的楮树你别上！
无啄我粟！	我的小米你休想！
此邦之人，	这儿的人啊，
不我肯榖。[3]	待我没有好心肠。
言旋言归，	回去了，回去了，
复我邦族。	回我的本族归家乡。
黄鸟黄鸟！	黄雀啊黄雀！
无集于桑！	别在我的桑树息！
无啄我粱！	别吃我的高粱米！
此邦之人，	这儿的人啊，
不可与明。[4]	没法叫他通情理。
言旋言归，	回去了，回去了，
复我诸兄。	和我哥哥在一起。
黄鸟黄鸟！	黄雀啊黄雀！
无集于栩！	不许落在橡子树！
无啄我黍！	不许偷吃我的黍！
此邦之人，	这儿的人啊，
不可与处。	谁能和他一块住。
言旋言归，	回去了，回去了，
复我诸父。[5]	回去见我的众伯叔。

注释

①黄鸟：比剥削者。②榖（gǔ）：树名，桑科，落叶乔木。又名“构”。③榖：善，或训“养”也可以通。（《甫田》篇郑玄笺：“榖，养也。”）④本句就是“不可与言”的意思，也就是“有理说不清”的意思。⑤诸父：指周姓的长辈。

鉴赏

这首诗旧有三说：一、《毛诗序》："刺宣王也。"《毛传》："刺其以阴礼教亲而不至，联兄弟之不固。"认为周宣王教民婚姻之道不够，联结兄弟不牢固。二、朱熹《诗集传》："民适异国，不得其所，故作此诗。"三、方玉润《诗经原始》："刺民风偷薄也。""此不过泛言邦人之不可与处……总以见人心浇漓，日趋愈下，有滔滔难返之势。"余冠英先生认为"离乡背井的人在异乡遭受剥削和欺凌，更增加了对邦族的怀念"，同朱熹说。从诗看"此邦之人，不我肯穀，言旋言归，复我邦族"跟朱说、余说相合。《毛诗》解作"阴礼教亲而不至，联兄弟之不固"，诗中无此意。《诗经原始》解作"刺民风偷薄"也不合。

这首诗也是反复唱叹的，三章多数的句子只有一两个字不同，一章的"穀""粟""邦族"，二章换成"桑""粱""诸兄"，三章换成"栩""黍""诸父"。有的句子完全相同，如"黄鸟！黄鸟""此邦之人""言旋言归"三句。三章中只有"不我肯穀""不可与明""不可与处"不同，并且这后两句又只有一个字不同。这样用相同或稍异的句子来反复唱叹，适于表达一种感情。

这首诗的"黄鸟"是修辞的比拟格，用黄鸟来比剥削者，再用"集于穀""集于桑""集于栩""啄我粟""啄我粱""啄我黍"来表达对"我"的欺凌和剥削。在这几句里都用个"无"字来表示反对。这里称"我粟""我粱""我黍"点明是我的，对"穀""桑""栩"上没有加"我"字，译文点明"我的楮树""我的桑树"，这是体会诗人的用意，是应该点明是"我的"。因为这诗用的四字句，倘作"无集于我穀"就成了五字句了，所以省去一个"我"字。由于下句的"无啄我粟"点明"我"字，上句蒙后省，"穀"指"我穀"比较清楚。译文点明"我的楮树"是能够体会诗人蒙后省略的用意的。这两句用了"无"字，是劝告"此邦之人"不要这样干，但"此邦之人，不我肯穀"，不肯对我好，不听劝告，我又无可告诉，所以想回去了。

这首诗的首句"黄鸟！黄鸟！"三章相同，是修辞的复叠格。这句"黄鸟！黄鸟"是呼叫黄鸟，提出劝告，所以又是呼告格。这个呼告格又用了感叹口气，所以又是感叹格。在诗中出现了六次黄鸟，具有三个修辞格的作用，正表明作者感情的强烈。"无集于穀！无啄我粟！"这两句用了感叹号，是修辞的感叹格。穀是楮树，在屋外；粟是小米，在屋内。从集屋外的楮树，到啄屋内的小米，是进了一步，这是修辞的层递格。二章的“无集于桑！无啄我粱！”三章的“无集于栩！无啄我黍！”也都是感叹格，又是层递格。从一章的“此邦之人，不肯我穀”对我不和美，到第二章的“此邦之人不可与明”对我不讲道理，到三章的“此邦之人，不可与处”也是一层进一层，是修辞的层递格。从一章的“言旋言归，复我邦族”回到本邦本族；到二章的“言旋言归，复我诸兄”和诸兄在一起，更亲了，三章“言旋言归，复我诸父”，和诸父在一起，诸父是长辈，更可以帮助我，更亲了。这是一层高一层，也是修辞的层递格。三句“言旋言归”又是复叠格。就三章看，除了复叠句外，句调又是相同或相似的，这就构成了修辞的排比格。在一首诗里运用了这样多的修辞格，收到了抒情的作用，风格是比较刚健的。

（周振甫）

我行其野

我行其野，	我在郊外独行路，
蔽芾其樗。[1]	臭椿枝叶长满树。
昏姻之故，[2]	因为结婚成姻缘，
言就尔居。[3]	才来和你一块住。
尔不我畜，[4]	你却无情不爱我，
复我邦家。	只好回家当弃夫。
我行其野，	我在郊外独行路，
言采其蓫。[5]	采棵臭蓫情难诉。
昏姻之故，	因为结婚成姻缘，
言就尔宿。	夜夜才和你同宿。
尔不我畜，	你却无情弃逐我，
言归斯复。[6]	只好离你回家住。
我行其野，	我在郊外独行路，
言采其葍。[7]	摘株葍草心凄楚。

不思旧姻,	不念旧夫太狠心,
求尔新特。⑧	追求新配真可恶。
成不以富, ⑨	不愿服从受摆布,
亦祇以异。⑩	只得离异上归途。

(程俊英译,略有改动)

注释

①蔽芾(fèi):草木茂盛状。樗(chū):臭椿。②昏姻:即婚姻。③言:乃。就:相从。④尔不我畜:即"尔不畜我"。畜:喜爱,一解为养。⑤蓫(zhú):草名,即羊蹄菜。⑥斯:语助词。⑦葍(fú):草名,多年生蔓草,地下茎可蒸食。⑧特:配偶。⑨成:同"诚",确实。富:借为"服",服从。⑩祇:只,只好。异:离异。

鉴赏

历来的说解都把《我行其野》说成是一首弃妇诗。其实相反,这应当是一首"弃夫"诗。郑振铎先生曾认为此诗是写"入赘"的事,又说"赘婿之不为人重,古今如一"(《中国俗文学史》),说颇中肯。一个男子被妇家所逐,他愤而出走,唱出了这首发泄愤懑的诗。

为什么这样讲?理由有三:首先,诗三章有"不思旧姻,求尔新特"二句。这里"不思"的主语究竟是夫还是妇?也就是说,究竟是夫弃妇,还是妇弃夫?据《尔雅·释亲》和《说文》对"姻"和"婚"的解释,这两个字有明确的分工。"姻"指婿家,而"婚"指妇家。可见"不思"者为妇,而非夫;被弃者为夫而非妇。其次,下一句"求尔新特"的"特"字,朱熹训为"匹",后有学者指出当读如《鄘风·柏舟》"实维我特"之"特",亦即配偶的意思。但"匹"和"特"也是有区别的。"特"的本义是公牛,引申为雄性动物,再引申为男性配偶。《诗经》中出现的"特"字,凡指称人的,都是讲的男性,可作旁证。而"匹"字则泛指配偶,不论性别。诗中用"求尔新特"不讲"求尔新匹",正说明诗中人物要另觅的新人是男性而非女性。可见被弃者是夫而非妇。第三,我们详品诗旨,这诗也不像出自女子之口,尤其是其中"昏姻之故,言就尔居""昏姻之故,言就尔宿",表现出一种不得已的委屈情绪。从女嫁男娶来说,女子结婚后住到夫家,这是天经地义的事,没有发牢骚的理由,唯事情倒过来了，才有人感到一肚子的不高兴。这也说明这首诗的作者是男子。值得一提的是王安石早已看破了此中秘密，他说："此民不安其居而适异邦，从其婚姻，而不见收恤之诗也。"（《诗义钩沉》卷十一）可惜他的解说已佚，我们无从看到进一步的阐述。

这种夫从妇居，而又被妇家驱逐的现象，是野蛮时代特有的婚姻形态——对偶婚在《诗经》中的反映。恩格斯指出，对偶婚和母权制有着血缘上的关系，这种婚姻极不稳定。在这种婚姻中，"通常是女方在家中支配一切"，那些不幸的丈夫或情人"要随时听候命令，收拾行李，准备滚蛋"（《家庭、私有制和国家的起源》）。这就是为什么《我行其野》中的男主人公要"屈尊"从妇而居，并被毫不客气地赶出门外的原因。但是母权制必然要受到历史的挑战。在《诗经》时代，对偶婚虽有遗存，但男权绝不会甘于屈从的地位。所以诗人大声发出"昏姻之故"这样的牢骚、并在全诗的结尾对妇家人的颐指气使表示愤怒的反抗："成不以富"——诚不能以服从为务！"亦祇以异"——那就只得离异而去了！这首诗很可能作于出走成行之际，他的一腔委曲、怨恨、不平，统统倾吐而出，算是出了一口闷气。

《小雅》中的诗，大多为贵族士大夫所作，但也有少数民歌。我们看《我行其野》比兴的使用，重章复句的结构，都显出民歌的特点。此外这首诗感情深沉，怨而不怒，而且很讲究措词的准确和变化，又可看到文人加工的痕迹。

（朱杰人）

斯　干

秩秩斯干，[①]	流水潺潺小溪涧，
幽幽南山。[②]	林木幽幽终南山。
如竹苞矣，[③]	绿竹苍翠好形胜，
如松茂矣。	青松茂密满山峦。
兄及弟矣，	兄弟同住多和睦，
式相好矣，[④]	相亲相爱心相关，
无相犹矣。[⑤]	胸怀显露不欺瞒。

似续妣祖,[6] 继承先祖的遗愿,
筑室百堵,[7] 盖起宫室千百间,
西南其户。[8] 东西南北开门户。
爰居爰处,[9] 这里居来这里住,
爰笑爰语。 说说笑笑乐相处。

约之阁阁,[10] 绳绑木板紧密密,
椓之橐橐。[11] 用力夯土通通响。
风雨攸除, 从此不怕风和雨,
鸟鼠攸去, 麻雀老鼠都赶光,
君子攸芋。[12] 君子居住多舒畅。

如跂斯翼,[13] 像人立那么端正,
如矢斯棘,[14] 像箭杆那样笔直,
如鸟斯革,[15] 宏壮像大鸟举翅,
如翚斯飞。[16] 彩檐像雉鸡飞升。
君子攸跻。[17] 君子登堂心欢喜。

殖殖其庭,[18] 庭院宽阔平而正,
有觉其楹。[19] 屋柱笔直高又挺。
哙哙其正,[20] 亮处光线多明亮,
哕哕其冥。[21] 屋角深处也宽明。
君子攸宁。[22] 君子居室心安定。

下莞上簟,[23] 下铺莞席上竹簟,
乃安斯寝。 高枕无忧没烦恼。
乃寝乃兴,[24] 睡得早来起得早,
乃占我梦。[25] 占卜梦境好不好。
吉梦维何?[26] 好梦梦见啥东西?

维熊维罴，[27]　　是熊是罴显吉兆，
维虺维蛇。[28]　　有虺有蛇好运道。

大人占之：[29]　　太卜占梦细细讲：
“维熊维罴，　　“梦见熊罴有名堂，
男子之祥；　　预兆生男有吉祥；
维虺维蛇，　　梦见长蛇梦见虺，
女子之祥。”　　那是象征生姑娘。”

乃生男子，　　如若生个男孩子，
载寝之床，[30]　　给他睡张小眠床，
载衣之裳，[31]　　给他穿衣又穿裳，
载弄之璋。[32]　　孩子抓弄白玉璋。
其泣喤喤，[33]　　他的哭声真洪亮，
朱芾斯皇，[34]　　朱红祭服真辉煌，
室家君王。[35]　　不是国君便是王。

乃生女子，　　如若生个小姑娘，
载寝之地，　　给她铺席睡地板，
载衣之裼，[36]　　一条小被包身上，
载弄之瓦。[37]　　纺线瓦锤她要玩。
无非无仪，[38]　　无偏无邪多柔顺。
唯酒食是议，[39]　　料理农务烧烧饭，
无父母诒罹。[40]　　不给父母添麻烦。

（余冠英、程俊英译，略有改动）

注释

①秩秩：水流貌。斯：是。干：通“涧”。②幽幽：深远貌。南山：终南山，在

镐京(今西安西南)之南。③如:非喻词,犹“有”。(用赵佑《诗细》说)苞:与“茂”同义,指草木丛生。④式:发语词。⑤犹:通“猷”,欺诈。(用马瑞辰说)⑥似:通“嗣”,继嗣,绍续。妣(bǐ):本称亡母。“妣祖”,等于说先妣、先祖,指远祖。⑦百堵:方丈为“堵”,“百堵”言墙多,以示建筑面积之大。⑧户:门。此句言四面有门。⑨爰:于是。⑩约:捆束。之:筑墙板。阁阁:毛亨传“犹历历”,捆扎稳妥貌。⑪椓(zhuó):槌筑,夯土。橐(tuó)橐:夯土声。攸:此章三“攸”字,皆为“所”义。⑫芋:通“宇”,居住。(用王引之《经义闻述》说)《鲁诗》作“宇”。⑬跂:同“企”,踮脚竦立。斯:本章三“斯”字皆指示代词。翼:端正貌。⑭棘:《韩诗》作“朸”,棱角。⑮革:通“翱(jí)”,鸟翅。《韩诗》正作“翱”。⑯翚(huī):雉,野鸡。⑰跻:登。⑱殖殖:平正貌。⑲觉:高大直立。楹:柱子。⑳哙(kuài)哙:同“快快”,形容屋宇轩豁宽明。正:向明之处。㉑哕(huì)哕:犹“焆焆”,明亮。冥:幽暗,此指屋之深处。(用《正义》引某氏及《诗集传》说)㉒宁:安。㉓莞(guān):似蒲,生水中,此指莞草席。簟(diàn):竹(或苇)席。㉔兴:起。㉕占:卜,推断。㉖维:是。㉗罴(pí):似熊而大。㉘虺(huǐ):蛇类。㉙大人:或许即指太卜,占梦官。㉚载:全章“载”字皆发语词。一说犹“则”,就,亦通。㉛衣:穿。裳:裙,上古男子的下衣。㉜弄:玩。㉝喤喤:大声。㉞芾(fú):通“韨”,古时祭服上的蔽膝,形似今之围裙。天子用朱色,诸侯用黄色。皇:同“煌”。斯皇:即“煌煌”。㉟君:诸侯。王:天子。㊱裼(tì):褓衣,裹婴儿的小被。㊲瓦:古人纺线用的陶制纺锤。㊳无非:犹“无违”。仪:通“俄”,邪。(用林义光《诗经通解》说)无仪:犹言“无邪”。㊴酒食:指饮食等家务事。议:考虑。㊵诒:通“贻”,给。罹(lí):忧。

鉴赏

这是大型建筑群落成的祝颂歌辞,气氛近似今日庆祝典礼或开业剪彩。卜筑者谁,说者有宣王、武王、成王之异。姚际恒估摸说:“南山自是终南山,在镐京,则谓武王、宣王者近是。若谓在洛,则南山无着落……然谓武王者,武王诗不应厕于宣王诸诗中……故不若依《序》谓宣王也。”(《诗经通论》)意度之,宣王遭厉王之厄,然诗无衷而复兴之象。又《斯干》前后诸篇并非宣王时诗,似以武王为当。今人多说是“周王”,虽嫌模糊,却稳妥审慎。

诗分九章,四章章七句,五章章五句。首章总述宫室所处之地势,并祝处此兄弟亲睦。“秩秩斯干”言临水,“幽幽南山”言面山,青山秀水,是为可居处。次二句说,这儿有丛集密生的修竹,有苍翠蒨茂的青松,是为宜人处。开首四句“道尽作室佳处,风度绝胜”(孙鑛《孙月峰先生批评诗经》)。这赞美的颂辞是赋笔实写,也是潜意识的祝愿:居于斯的族人将兴旺发展如涧水流之不竭;繁荣强大而如万物丰积的南山;长盛不衰就像那冬夏常青的松竹。这总起之笔,从形胜整体着眼,具有宏观的完美感。“兄弟”三句,祝家族和乐,永相敦睦。“无相犹矣”,即“尔无我虞,我无尔诈”之意,是“式相好矣”的变换说法。此章写地理人情而不及屋,实则是居此胜地,必得人和,而托出卜筑“考(成)室”之意,为全诗总冒。五“矣”字,胪列赞颂语气于句尾,两叠音形容词于句首,烘染出一片颂祝庆贺的氛围。

下两章写筑室始终,二章先统言室之所成。“似(嗣)续妣祖”,是说承绪先祖,创建新业,筑成此室,当是古人祝颂大典的惯语。“筑室百堵”,以墙多写面积之大,见屋宇之多,也就是“覆压三百余里”一类的说法。“百”非实指。“西南其户”,前人所指不一,或许指“四面其户”,不言“东北”者,文之省也。唐人“千门万户次弟开”与此相类。此句上接“百堵”,下接“居处”。“居”“处”;“笑”“语”,分属两句,反复见意。四“爰”字频频重复,古朴稚拙,饶有意趣,肆意渲染居室佳美,与《大雅·公刘》“于时处处,于时庐旅。于时言言,于时语语”为同一笔致。

三章方言筑室之始,与上章前后倒置,先叙终成,后言初始,当系“考室”祝辞常情。此章结构映前带后,内容写始含终。筑屋工序极多,繁事约取,择其要者言之。古建筑,筑墙为初事,也最为重要。以板夹土筑墙(此法关中民间今日犹存),先用绳束板紧密停当,此谓“约之阁阁”。用石锤捣土,其声“橐橐”。此二句以少总多,是极简之笔。和上章“筑室百堵”联系,容易使人想起《大雅·緜》古公亶父率领族人在周原建室筑墙的热烈宏大的劳动场面:“俾立室家。其绳则直,缩板以载。作庙翼翼。捄(盛土)之陾陾,度(填土)之薨薨。筑之登登,削屡冯冯。百堵皆兴,鼛鼓弗胜。”这里只写了“缩板以载”,“筑之登登”,然其间盛土、倒土、夯土、削土的声音似乎都容纳在拟声词“橐橐”之中,而且筑墙前的“爰始爰谋,爰契我龟。曰止曰时,筑室于兹”(《緜》),以及“相其阴阳,观其流泉”(《公刘》)都可在“阁阁”中想见,这是至细处。所谓“以少总多,情貌无遗”,此二句近之。“风雨”二句虚笔荡漾,衬写墙之结实坚密,风雨不能侵,鸟鼠不能穿,末句“君子攸芋(宇)”,以居此美室挽结。三“攸”字嵌于句中,两叠音词居章之首,笔法与首章同。

四章,着意描绘屋宇的壮丽美盛,是此篇最为出色文字,三百首之名章。观察事物,人们总是先感受其大,次察其微。“如跂斯翼”当为瞬间直观,把握巨大空间感受的最初印象,那端正、挺耸的具象,严整、肃穆的气象,如巨人企足恭立,似乎观者须踮脚引领方能领略其貌。上古极重礼仪,这自是极美之喻。高大、充实的壮美使人震慑、惊讶,钦仰之后,视觉和意识就自须细细领受这完整美的每一局部,而寻求强作用的魅力之源的所在。以下三句顺着观赏者的这一心态渐次进行描绘:那高屋四隅的棱角,像箭杆一样笔直;那飞檐峻峣如鸟舒展双翅;那五彩十色的檐宇犹如锦鸡腾空欲起。鸟之两喻,一写其势,一写其色。四喻铺排而至,历历如贯珠,可和《硕人》的排喻相媲美。有趣的是,一把活生生的人,全以静物为喻;一把无生命的静物,全以动态物象作比(竦立本属人的一个动作;箭总和射连在一起),各臻其美。建筑是冻结的艺术。不动为实,动为虚。我国古建筑屋宇檐角总是追求轩举飞动美,在静止中求动,凝结中求空。以动态喻体刻画建筑,犹如以"美目盼兮,巧笑倩兮"写人的风韵流动,而体现了建筑的"势"和"神"。这四"如"句描绘的只是一座宫室,其"百堵"之建筑群体,逶迤成片,则可想见。气势恢宏肃穆,笔致细腻,开后世京殿赋的先河。从雄壮轩翥具象看,是为堂屋,言望其外之观感,所以用"君子攸跻"收束。言方升堂,则省去堂内笔墨,下章则径写"入室"。孙鑛云:"上章述筑构之坚好,此章说形势之壮丽,下章写气象之深邃,宫室之美尽矣。简而浓,华而不聘,有境有态。"

五章,写庭院平阔,室内轩敞豁亮。庭院本是建筑物的组成部分,愈是宽绰"殖殖",愈显得地面建筑高大,故"殖殖其庭"并非闲笔。上应轩翥之堂,下开深邃之室。入其庭,"有觉其楹"直逼眼帘。楹之觉然高大,室之轩昂气势则约略可见。观者的"移步"是在"换景"中体现。"哙哙"二句,是本章精神焕发处,无论是屋内正面,还是深邃角落;无论是宽敞的正室,还是幽邃的侧室,都是熠然显明,光线充足。这是相反见义,也是处处见义。言室美明可居,故"君子攸宁",乐处其中。方玉润说三、四、五章"皆筑室事,先垣,次堂,次室,层次井然。须玩他炼字有法,垣则曰'攸芋',(方氏释'芋'为尊大)堂则曰'攸跻',室则曰'攸宁',一一分贴细腻处"。上章只写堂之外观,此章于室着重内貌,正是互文章法。

以上两章实笔叙写,以下两章由实入虚。"下莞上簟"只言寝物,以概室内设置其余。莞簟分明,应"哕哕"意。"乃安斯寝"之"安"承上章末句"宁",引出"寝"字,自然成章。"乃占我梦"以下,及第七章章五句,借梦作兆,是空中传响之笔。《诗经通论》说:"堂室之制已备言之,下乃颂祷之词,犹后世作上梁文也。居室之庆莫过于子孙繁衍,故言其生男子、女子;且必愿其男女之善,方可承先启后,为父母光。然男女之善于何可见,乃借物类之熊、罴、虺、蛇比之。然何以见其可比于熊、罴、虺、蛇,则又借梦言之。梦何以知,则又借大人占之而知之。于是下始以'乃生男子''乃生女子'二章结之。如此层层结构,深见作者用意之精妙。正大之言出奇幻,斯为至文。"姚氏之论颇有会心,故不嫌繁引:"又室成而与后妃寝处,方能诞育。今但轻轻言'莞、簟安寝',即接入梦,其与后妃寝处略而不道,而已在隐约之间。起雅去俗,妙笔妙笔!又居此室者,一家和乐好合,无过兄弟、妻子。首章已言兄弟,此处当言妻子。于兄弟则明言之,于妻子则隐言之,此尤作者之自得,而不望后世之人知之也。"此可谓善于读诗者。无容置喙,只是梦动物生子,或许与原始图腾意识变态遗传有关,至今关中梦蛇生子的遗说犹存。旧说熊罴猛兽,以像男子;虺蛇穴处属阴,以像女子。这两章祝颂新居安乐,可得吉梦。"乃占我梦"至篇末,全是缘波作浪的幻衍祝颂之词。

七章的男女之祥,借梦言之,开下两章。八章说居新室可生男子,能当诸侯,能当天子。九章祝所生女子定为贤妻良母。两章延展相对,都是设想拟议之词,也是祝颂者幻中生幻、摇笔即来之语。写男孩"其泣喤喤",是为大吉。先民认为初生儿哭声洪亮日后必有出息。《生民》即有"后稷呱矣。实覃(长)实讦(大),厥声载路。"此处的"弄璋""弄瓦",或许是"抓周"(《红楼梦》第一回有宝玉抓周的描述)习俗的始先。《诗经》时代视玉至贵,以喻德行。因而能"弄璋"而又声喤喤然,所以说"室家君王"。"朱芾斯皇",红色辉煌的佩芾,是当时尊贵君王的形象说法。女孩子"弄瓦"预示着将来会勤劳持家,"精五饭,幂酒浆,养舅姑(公婆),缝衣裳"(朱熹《诗集传》)。以下三句均为"弄瓦"预言。"无非无仪",以闺门为修,无有偏邪。操劳内务,主办中馈,是女子的天职,只要不给父母带来忧虑,就犹如男子而有建树那样值得称道。全诗在一片室家美好,子孙繁衍祝颂的吉庆声中戛然而止。《诗经原始》说这两章"生男育女,两大段对写作收,与篇首聚族承先,遥遥相应。"

这首"考室"祝颂诗,把现在的室成,过去的卜筑,将来的希望巨细不遗的铺写,本是"雅"诗的风神,庆典的需要。因是落成大典,故详室之壮美,而略卜筑之始;因是喜庆性质,所以于"未来"不惜笔墨,而幻衍出后半四章。室为人之所居,故章章人、室并现,首章与末之七、八、九章,写人而室美自见。二、三章人、室双双夹写。四、五章为"考室"中心,故铺写室,居者映带轻轻一点。因为祝室成,即祝室之所居者,居室之庆，又莫过于子孙之繁衍，故以此颂祷之语以终之。就其内容，于今日看无甚重大，当初则极为庄重，所以全诗热烈而严正，犹如所颂之室华彩而轩翔。这虽然有“财富被当做最高福利而受到赞美和崇敬”（恩格斯《家庭、私有制和国家的起源》）之嫌，且事属宣王或周王的范畴，但平心论之，周王是周民族的代表人物，美室为族人所建，因而读这首诗“仿佛被一种强大的力量运载超度。在这一瞬间，我们不再是个人，而是整个族类……的声音一齐在我们心中回响。个体的人不可能充分发挥他的力量，除非他从我们称之为理想的集体表象中得到援助”（荣格《心理学与文学》）。这首诗可看做周民族史诗之一页，也有值得后人骄傲的地方，而能在精神上得到一种绵远历史的“援助”。

（魏耕原）

无　羊

谁谓尔无羊，	谁说你家羊儿少，
三百维群。①	一群就是三百条。
谁谓尔无牛，	谁说你家没有牛，
九十其犉。②	黄牛就有九十头。
尔羊来思，③	你的羊儿都来了，
其角濈濈。④	羊儿觭角挨觭角。
尔牛来思，	你的牛儿都来了，
其耳湿湿。⑤	牛儿都把耳朵摇。
或降于阿，⑥	有的牛羊正下坡，
或饮于池，	有的饮水在湖泊，
或寝或讹。⑦	也有蹦跳也有睡。
尔牧来思，	你们牧人都来了，
何蓑何笠，⑧	背着蓑衣和斗笠，
或负其餱。⑨	有把干粮袋子背。
三十维物，⑩	牛羊毛色三十种，

尔牲则具。[11]	各色祭牲都齐备。
尔牧来思,	你们牧人都来了,
以薪以蒸,[12]	一路还捡柴和草,
以雌以雄。[13]	又捉雌鸟和雄鸟。
尔羊来思,	你的羊儿都来了,
矜矜兢兢,[14]	谨慎争先相依靠,
不骞不崩。[15]	不奔不散不亏少。
麾之以肱,[16]	抬起胳膊动一动,
毕来既升。[17]	一股脑儿上山坡。
牧人乃梦,	牧官做梦真稀奇,
众维鱼矣,[18]	梦里见到许多鱼,
旐维旟矣。[19]	数不清的是鸟旗。
大人占之:	占梦先生来推详:
众维鱼矣,	梦见鱼儿数不清,
实维丰年;	来年丰收多牛羊;
旐维旟矣,	梦见鸟旗数不清,
室家溱溱。[20]	添人进口喜洋洋。

(余冠英译,略有改动)

注释

①三百,九十:虚数,言其多。维:犹"为"。②犉(rún):黄毛黑唇的牛。③思:助词,下同。④濈(jí)濈:亦作"戢戢"众多聚集貌。⑤湿湿:牛反刍时耳动貌。⑥阿:山冈。⑦讹:通"吪",动。⑧何:同"荷",披戴。⑨餱(hóu):干粮。⑩物:指牛羊的毛色。⑪牲:用于祭祀的牲畜。⑫薪:粗柴枝。蒸:细柴枝。⑬雌、雄:指鸟兽,如雉兔之类。⑭矜矜兢兢:形容群行之羊恐失群以争先,(因拥挤)而步实缓。(用姚际恒、余冠英说)⑮骞:亏损,指畜群稍有走失。崩:溃散,完全失群。⑯麾:同"挥"。肱(gōng):臂。⑰毕、既:义皆为"尽"。升:蹬。⑱

众维鱼矣:犹“维众鱼矣”。(用余冠英说)⑲旐(zhào):通“兆”,量词,泛指众多。(用于省吾说)旟(yú):画鹰隼的旗,用来聚集众人。“旐维旟矣”,犹“维兆旟矣”。⑳溱(zhēn)溱:亦作“蓁蓁”,众多貌。

鉴赏

以起兴手法开头,于《诗经》为常见。即以“雅”诗来看,“正月繁霜,我心忧伤”(《正月》),“緜緜瓜瓞,民之初生”(《緜》)。以赋笔出之者,如“终朝采绿,不盈一匊”(《采绿》),“厥初生民,时维姜嫄”(《生民》)。都是自然入题。可是此首张口即道“谁谓尔无羊”“谁谓尔无牛”起势突兀,顶空作响,劈面喝问。方玉润据毛、郑而申之:“宣王当板荡之余,牧养之政久废,何有乎牛羊?至是乃修而复之,亦中兴所恒有事。”依此认为“‘谁谓’二字飘忽而来,是前此凋耗,今始蕃育口气”(《诗经原始》)。方氏盖以为“谁”者何人,“谓”者何因,似无头绪,故曰“飘忽”云云。细味全诗,前三章,除二章末二句外,纯然是首牧人自己歌,与“王”无涉。起首四句借“谁”拟设,故意连连发问,然后一一作答,当是民歌乐用的自问自答手法,意在言“牧事有成,而牛羊众多”(朱熹《诗集传》),故用反诘夸张语夸耀牧者“有成”,所以“凋育”、“飘忽”之说似是而非。“三百维群”“九十其犉”答得巧妙,两“无”字和“三百”“九十”的极数,成反差性极大的对比。问得冷漠、否定,答得热烈、肯定。反掉相衬,以见豁露,且语含言外之意:“羊以三百为群,其群不可数也;牛之犉者九十,非犉者尚多也。”(《诗集传》)上四句虚写其多,为题前盘旋语。下四句接入正题,先推出一个由近而远的镜头:一大片一大片前拥后挤的羊群、擦头磨尾的牛群悠然而来。唯其近,牛耳反刍时的“湿湿”微动,和丛集密聚的羊角可见;唯其远,只见耳、角,不见牛羊,如看远处的人群只是“人头攒攒”一样,显出牧者所指挥的这个队伍的绵长,以申“三百”“九十”之意。

二章是本诗主体。首章就牛羊的整体着眼,此则化整为散,分组描绘。这是理想的牧场,一片平坦洼地,中间有一个小小的湖泊。旁有小山。牛羊三五成群,有的撒欢儿从山坡奔下,有的俯首饮水于湖,有的四蹄舒展在草地上睡息,有的像被什么惊动,支耳向四面观望。这里只写了“降”“饮”“寝”“讹”四个动态,但却使人想得更多:其间相抵触者有之,母子依偎者有之,追逐嬉闹者有之,伸颈长鸣者有之;或则有的闷头吃草,有的抬头咀嚼而目视远方……如果说与此同为牧歌的

《鲁颂·駉》是幅色彩厚重的油画，那这就是一幅单色勾勒、楚楚动人的白描，“诗中有画”的滥觞，韩愈《画记》、苏轼《韩幹马十四匹》，显然受益于此。“尔牧”三句，刻画牧人头戴斗笠，身披蓑衣，背着干粮袋子。写牧者，只见装束，不见须眉，是丹青“远人无目”笔法。就布局看，洼地牧场为构图中心，牛羊围绕，“或饮”“或寝或讹”，与山阿牛羊，聚散呼应，疏密有致。写牛羊动静，体物入微，各具生态。画面缭绕一层静谧、安宁、自得自在的气氛。牧人点缀其间，全局更活，增添了生活的气息和情趣，这和山水画中山间小道上的樵夫一样具有人和自然的协调感。王士祯说这幅放牧图，“字字写生，恐史道硕、戴嵩画手擅场，未能如此尽妍极态”（《渔洋诗话》）。这不过是牧人生活的一个镜头，平日的顶风冒雨，远野跋涉，风餐露宿，从那笠蓑、干粮袋子，是可以看清楚的。

“三十维物，尔牲则具”，是说牛羊品类繁盛，各样毛色（物）就数十种之多，祭祀要用的各色牲畜应有尽有。说此诗是牧歌不会有多大问题，那么作者如果不是牧者自己，就是于此非常熟悉的人，这从本诗生动质朴的描写中可以感受到的。而这两句，显然不是出自“何蓑何笠”者之口，牧人面对牛羊，欣赏它们吃草，高兴它们健壮，若何有“为牲”之想。作者如是熟知其道者，看那上下三章说得如此亲切有味，而此处忽然冒出这样两句扫兴话来，使人难以置信。疑此当是采诗者或删诗者将这首牧歌原来或许很生动的两句删去，而增涂上了一层现在这样的祝颂气氛，以借花献佛，成为一首“考牧”的颂辞。姚际恒说：“‘尔牲则具’一句是正意，余皆闲笔。”方玉润说此句“尤要”，“为全诗主脑”。看来，当反其意而视之，而且它与前后语意不属，很有楔进的嫌疑，值得鞫讯一番。

三章写牧者的勤劳和牧技的熟练。牧人除本职外，还得兼营副业，一有空暇就得拣柴禾（薪、蒸），猎野物，否则就得整天啃干粮。其生计之窘迫，恐怕和“无衣无褐”的农夫相差无几。钱钟书先生说：“西洋文学里牧歌的传统老是形容草多么又绿又软，羊多么既肥且驯，天真快乐的牧童牧女怎样在尘世的干净土里谈情说爱。有人读得腻了，就说这种诗里漏掉了一件东西——狼。我们看中国传统的田园诗，也常常觉得遗漏了一件东西——狗，地保公差这一类统治者阶级的走狗以及他们所代表的剥削和压迫农民的制度。”（《宋诗选注》）这首牧歌是快乐的，原本不愿提那些酸辛事。但它毕竟来自生活，那“以薪以蒸，以雌以雄”句子似乎笼罩了一层可感而不可见的阴影——狼，或者狗。“矜矜兢兢”，姚际恒释得极好，“羊之步履欲争先而实缓”。羊群行，似乎老怕牧人的鞭子或者旁边突然冒出的狼，希望走在最为安全的头羊后边而唯恐落后，个个如此，自然拥挤，欲速实缓而不能前，愈缓而愈争先。我们不能不赞叹先民们如此简练而细致的“描摹物理”本领。“不骞不崩”承上写羊群的驯顺，谨慎相随，一个也不散失。写羊不缺不少，也显示劳作者的技艺娴熟而悠然自得，这自然引出牧人“麾之以肱，毕来既升”的妙笔。一挥手臂，牛羊都顺从地爬上山坡，这是具体写牧人动态唯一之笔，然这一“麾”，给人印象极深。众羊群行，且须出力爬坡，却一挥臂而使之，欲来而来，欲升而升。不但“毕来”，而且“既（尽）升”，真是整齐如一，随心所欲了。这里只说“麾肱”，而不言“麾鞭”，更体现了羊顺乎人，人体惜羊，“人物并处，两相习自不觉两相忘”（方玉润语）的物我谐和情景。《毛传》释“升”为“升入牢也”。后人多从。圈牢是否筑在高处而须“升”，无法知道。只有马瑞辰说：“‘升’，对上章‘或降于阿，或饮于池’言，盖谓升于高处，非入牢之谓也。”（《毛诗传笺通释》）马氏意谓来时“降”于山坡，此时当归，就应是升于山坡。或可解为又升上另一山梁，到另一牧场去放牧，那里有更多的草和更清的水，或许还有柴可捡，有鸟可捕。

四章，借梦祝颂牛羊丰盛、人口增多。“众维鱼矣，旐维旟矣”是梦中之象，梦见鱼大为吉祥。闻一多说：“鱼是蕃殖力最强的一种生物，所以在古代，把一个人比作鱼，在某一意义上，差不多就等于恭维他是最好的人。而在青年男女间，若称其对方为鱼，那就等于说‘你是我最理想的配偶！’”（《神话与诗·说鱼》）比喻和象征是多边性的，鱼的繁衍也可以成为牛羊丰多、庄稼丰稔的征兆。“鱼”的谐音“余”，有余，又是丰收的概念。时至今日，胖孩子抱一大鲤鱼，仍是民间最喜爱的年画之一，它有格外的喜庆意味。所梦鱼多，占卜结果必然是“实维丰年”了。又梦“旐维旟矣”，于省吾说，“旐”通“兆”，“众维鱼矣”之“众”，与“旐（兆）”均为量词，为众多之泛称，“此诗本谓牧人所梦的是鱼之众与旟之多，众鱼为丰年之征，兆旟为室家繁盛之验”（《泽螺居诗经新证》）。对于“牧人”有二释，一说即指“何蓑何笠”的牧者。那么，虽然梦鱼人人都可以的，但梦旟恐怕就不是整日与牛羊为体的牧者所享有的福分。因而有人说是指司牧，但这与上文看不出有何联系。于是姚际恒站出来说：“畜牧蕃盛固富国之一端，而年丰民庶，家给人足，尤为治年攸赖，故颂祷必及之。然何以遽及，则借梦言之，鱼丽（疑“众”字之误）为万物盛多之象，故为丰年，旟、旐所以聚众，故为民庶。假微贱之梦，通乎国计民生，此岂常人思虑所及！”（《诗经通论》）姚氏据《毛诗序》“宣王考牧”立论，认定

"当有颂祷之词以终之",倒不见得一定如此。不过,他确有审美眼光,看出末尾颂祷与上文"遽及"不连,因而发"假梦"之说。与其说是"假",不如说是缀,后人追加之笔。因为诗写到"毕来既升",那是很理想的结尾,可以篇外生思,使人味之不尽。把一首生动的牧歌要改装成对"王"的祝颂辞,可能与"三十维物"二句同出一手。所以末章与前风格迥异,牧歌味道消失了,颂祝的气息增浓了。因而由"微贱"的"风"诗,上升到"尊贵"的"雅"诗,弄得后人,对其主题颇伤脑筋。好在补笔也很高明,借虚幻之笔藏补缀之章,还不算勉强。方玉润说:"四章幻情奇想,深得化俗为雅,变板成活之法。"说上三章为"俗",末章为雅,这又为上面的疑想添一理由。

这首诗在布局上,颇为别致。或"人物杂写,或牛羊并题,或牛羊浑言,或单咏羊而不咏牛,而牛自隐喻言外。总以牧人经纬其间……其体物入微处,有画手所不能到。晋、唐田家诸诗,何能梦见此境?"(方玉润《诗经原始》)掩卷细味,眼前总出现:爬到山脊的羊群和天上的白云混成一片,还在绿色山坡上的羊群,像朵朵白云悠悠上升。山上的野风吹得青草齐齐偃伏,把"何蓑何笠"者悠扬的歌声飘到上空,飘到刚才放牧的洼地,那美妙的歌辞就是《无羊》。

(魏耕原)

节　南　山

节彼南山,	南山巍峨高耸,
维石岩岩。	怪石迭迭重重。
赫赫师尹,	太师尹氏煊赫,
民具尔瞻。①	黎民尽看眼中。
忧心如惔,	君子忧心如火,
不敢戏谈。	谁敢戏谈此公。
国既卒斩,	国运即将断送,
何用不监?②	为何又瞎又聋?
节彼南山,	南山险峻嵯峨,

有实其猗。[3]	草木塞满山坡。
赫赫师尹，	太师尹氏煊赫，
不平谓何？	不公平将奈何。
天方荐瘥，[4]	天公屡降灾厄，
丧乱弘多。	丧乱既大且多。
民言无嘉，	庶民金无好话，
憯莫惩嗟。[5]	君然不加止遏。
尹氏大师，	尹氏太师煊赫，
维周之氐。[6]	我周倚为根基。
秉国之钧，	执掌宗国大权，
四方是维。[7]	四境由他维系。
天子是毗，	天子赖以弼辅，
俾民不迷。[8]	黎民不致失迷。
不吊昊天，	奈何天不扬善，
不宜空我师！[9]	使民穷苦无依！
弗躬弗亲，	国政无人亲躬，
庶民弗信。	民意谁来听从。
弗问弗仕，	良臣不睬不理，
勿罔君子。[10]	君子遭受欺弄。
式夷式已，	这些理当制止，
无小人殆。[11]	莫让小人害公。
琐琐姻亚，	亲戚连襟琐琐，
则无朊仕。[12]	岂可高官任用。
昊天不佣，	天公何等不公，
降此鞠讻。[13]	降此特大灾凶。
昊天不惠，	天道何等不惠，

降此大戾。[14]	降下如此败类。
君子如届，	设若贤者在位，
俾民心阕。	民众必无怒怼。
君子如夷，	贤者如果心平，
恶怒是违。[15]	民怨自然消退。
不吊昊天，	天公竟不良善，
乱靡有定。[16]	无处消弭祸乱。
式月斯生，[17]	摧残百姓生灵，
俾民不宁。	民众不得安宁。
忧心如酲，	忧心恰似病酒，
谁秉国成？[18]	谁堪秉政分忧？
不自为政，	既不亲政驭国，
卒劳百姓。	百姓终是劳愁。
驾彼四牡，	且驾四马之车，
四牡项领。[19]	四马肥壮高大。
我瞻四方，	放眼天涯云低，
蹙蹙靡所骋。	天地总太促狭。
方茂尔恶，	当他怒火正旺，
相尔矛矣；	二目直看刀枪；
既夷既怿，	忽而气平心喜，
如相酬矣。[20]	接连劝酒飞觞。
昊天不平，	苍天高远不平，
我王不宁。	天子不得安宁。
不惩其心，	尹氏心术不改，
覆怨其正。[21]	必定翻脸杀人。

家父作诵，	家父作诗谏讽，
以究王讻。	为清君侧之凶。
式讹尔心，	望君回心迁善，
以畜万邦。㉒	畜养万邦为重。

注释

①节：高峻貌。南山：终南山，在丰镐的南面。维：句首语气词。岩岩：山石堆积的样子。赫赫：势位显盛的样子。具：俱，都。尔瞻：瞧着你。②惔（tán）：通“炎”，焚烧。既：即，即将。卒：尽，全。斩：断绝。何用：以何。监：视，察。③其：那。猗：“阿（ē）”之借（据王引之《经传释词》），山隅。④荐：多次。瘥（cuó）：病也，引申为灾难。弘：大。⑤憯（cǎn）：曾，竟然。惩：制止。嗟：句末语气词（据王引之说）。⑥大师：即“太师”。氐：通“柢”，根本。⑦均：同“钧”，本为制陶器模子下面的转盘，用以比拟权柄。一说均训平，谓“持国政之平”（《郑笺》），亦通。维：维持，维系。⑧毗（pí）：或作“埤”、“裨”，厚，辅助。迷：这里指迷失方向。⑨吊：善，好。空：穷。师：众。⑩罔：欺诳。⑪式：语气词。夷：平。止：这里为制止。殆：危殆，指因小人而危殆国家大业。⑫琐琐：微小貌，此指小人才智短浅。姻：女婿之父曰姻。亚：两婿互称为亚（俗曰连襟）。膴（wǔ）：厚。⑬傭（chōng）：平，均。鞠讻：大凶。⑭戾（lì）：恶。⑮届：至，指君来参与政治。阕：息，意谓民众的怒气平息。恶（wù）：憎恶。违：去，消除。⑯定：止。⑰式：乃。月：俞樾认为是“抈”的另一写法，“抈”即“抚”，抚杀。抚斯生即抚杀此众民。一说“用月此生，言月月益盛也”（郑玄）。⑱酲（chéng）：病酒。国成：国政的成规。一说成训平，国成谓国家稳定。⑲牡：此指公马。项：大。项领，指马肥壮。⑳相：视。怿（yì）：喜悦。酬：酬酢，劝酒。㉑惩：警戒。其：自己（指尹氏）。覆：及。怨：怨恨。㉒家父：作者自报其名，一作嘉父、嘉甫，周大夫。诵：此指诗。讻：恶人，指太师尹。式：表希望之发语词。讹（é）：化，改变。畜：养。

鉴赏

此篇一名《节》，卢辨注《大戴礼·卫将军文子篇》引“式夷式已”二句云：“此《小雅·节》之四章”，是周大夫家父所作的一篇有名的政治讽喻诗。

有名的作品往往也是争议大的作品,《节南山》即其一例。诗云:“家父作诵,以究王讻。”那么家父是谁呢?王又指的哪个?有的认为是桓王时代的家父,而《毛诗正义》(毛亨)根据“古人以‘父’为字,或累世同之”的情况,说“此家父或父子同字‘父’,未必是一人也”,否定了家父是桓王时人的说法。胡承珙(《毛诗后笺》)、魏源(《诗古微》)等人则进一步肯定家父就是幽王时候的人,诗里所说的王就是周幽王。至于这首诗的题旨,说法也各有不同。《毛诗序》谓为“家父刺王也”,《毛诗后笺》说是“专责尹氏,而刺王之旨自在言外”,《诗毛氏传疏》(陈奂)又认为它“讽王亦讽尹”,还有一种意见认为主要是刺尹氏,“唯末二章及王”(姚际恒《诗经通论》)。也就是说,各家都肯定它对太师尹氏的揭露,分歧点仅在于应该怎样理解诗人对幽王的态度,是讽?是怨?还是爱呢?其实研究诗歌应该从作品本身的实际出发,用不着也没有必要恪守“为尊者讳”之类的老教条,更何况此诗屡屡点着幽王的过失说话呢。幽王尽管是王,可他干了那么多的错事、蠢事和坏事,为啥刺不得?明明刺了,偏要曲为掩饰,显然不合乎作品本身的实际情况。现在,学者们一般都承认这是一首控诉执政者的诗,诗人对穷凶极恶的太师尹氏表示了无比的愤怒。全诗酣畅饱满,神完气足,自有一股庄肃而又热烈的情绪流溢其间。

诗以南山起兴,历数师尹的罪恶而幽王不察之。威势显赫的太师,位列三公(太师、太傅、太保),主持朝政,他把国家搞得乌七八糟,但是幽王一点儿也没看见。接下去说的是太师尹氏已经弄得天怒人怨了,“憯莫惩嗟”,竟然没有人来制止他所推行的恶政。太师原本是国家的根本,国运系于一身,其重要达到这样的高度,幽王当然“不宜空我师”,不该重用坏人,让他把民众整得如此穷困。幽王身为国君,既不躬亲朝政,又不制止尹氏的倒行逆施,师尹自然就要拉帮结伙,大刮裙带风了。诗人从局势的危殆、黎民的怨恨、国力的耗损以及小人的乘时这四个方面层层写来,把尹氏之恶,国人之忧,幽王之昏,悉包举无遗,做到了理正辞达,确是大手笔的路数。

上面提到的那一切,问题自然是严重的,不过从人治的观点看起来(我们当然不能要求两千七百多年前的人讲法治),只要国君能够做到远小人而任君子,问题其实不难解决。基于这样的认识,所以诗人在五、六两章里头,分别从正反两方面对比陈词,反复申说,希望周天子要从“组织路线”开刀。可谓对比强烈,态度鲜明。

诗做到这里,照说可以收笔了,因为既摆清楚了情况,又提出了解决办法。然而不然，诗人偏偏一口气连用四章的篇幅来浓化情感，强调题旨。首言天地虽广，楚马也堪奔驰，就是容不下一己之身。局缩不得舒展谓之蹙蹙，“蹙蹙靡所骋”表面上是说没有驰骋的地方，实际上是讲国中无容身之所。次言师尹的个人品质很恶劣，他是那种“爱则加诸膝，恶则投诸渊”的小人，反复无常，不堪信赖。复言恶人不除，人家肯定会秋后算账或曰反攻倒算。总之，生存空间甚小，不安全感很大，所谓“庆父不死，鲁难未已”，盖此之谓也。当然，就诗的情绪脉络讲，它又正是前面两大部分的自然延伸。

卒章明志，自己报出名字，讲明目的：清君侧以巩固周王朝的统治。结穴处简劲明确。

很清楚，这首诗反映了奴隶主统治集团内部尖锐而激烈的斗争，即奴隶主当权派同失意派之间你死我活的斗争。看来家父其人相当富于斗争经验。他的目标非常明确，那就是非把师尹搞下台不可，所以打击方向始终朝着那一个人，火力很集中。但在斗争的策略上，却绝不马虎，他处处代天立言，为民请命，替国分忧，总是把国君同师尹既联系又区别开来，述志陈情绝不挟带个人纠葛。这样，斗争目标的明确，斗争策略的成熟，以及表情达意的节制，三者相互作用，于是就赋予全诗一种堂正之气，给人精力弥满的印象。加之造语畅达，尤为生色不少。排比句的整饬，以及排比句的大量使用和反复出现，此诗较之《诗经》中的其他篇什，要算相当突出的。它们总是在诗情激越之处出现，使整首诗越发显得气势酣畅。既精力弥满，又酣畅明达，《节南山》就是这样重重地叩击着你的心扉，使你无法拒绝它。

（蒲健夫　曹渝扬）

正　月

正月繁霜，①	六月下霜不正常，
我心忧伤。	这使我心很忧伤。
民之讹言，	民间已经有谣言，
亦孔之将。	沸沸扬扬传得广。
念我独兮，	想我一身多孤单，
忧心京京。	愁思萦绕常怅怅。
哀我小心，	胆小怕事真可哀，

癙忧以痒。②	又怕又闷病一场。
父母生我，	爹娘既然生了我，
胡俾我瘉？③	为啥使我受创伤？
不自我先，	我生不早又不晚，
不自我后。	乱世灾祸偏碰上。
好言自口，	好话凭他嘴里说，
莠言自口。④	坏话凭他去宣扬。
忧心愈愈，	反复无常真可怕，
是以有侮。⑤	受人欺侮更懊丧。
忧心惸惸，	没人了解满腹愁，
念我无禄。⑥	想我命苦泪暗流。
民之无辜，	平民百姓有何罪，
并其臣仆。⑦	国亡都成阶下囚。
哀我人斯，	可怜我们这些人，
于何从禄？	爵位俸禄何处求？
瞻乌爰止，	看那乌鸦往下飞，
于谁之屋？⑧	停在谁家屋脊头？
瞻彼中林，	看那树林密层层，
侯薪侯蒸。⑨	粗干细枝交错生。
民今方殆，	人民处境正危险，
视天梦梦。⑩	老天糊涂太昏昏。
既克有定，	世上一切你主宰，
靡人弗胜。⑪	没人能够违天命。
有皇上帝，	皇皇上帝我问你，
伊谁云憎？⑫	究竟你恨什么人？

谓山盖卑，　　人说山矮像土冢，
为冈为陵。　　却是高冈耸半空。
民之讹言，　　民间谣言既发生，
宁莫之惩。[13]　　怎不警惕采行动。
召彼故老，　　召来元老仔细问，
讯之占梦。　　再请占梦卜吉凶。
具曰“予圣”，　　都说自己最高明，
谁知乌之雌雄！[14]　　不辨乌鸦雌或雄！

谓天盖高，　　是谁说那天很高？
不敢不局。　　走路不敢不弯腰。
谓地盖厚，　　是谁说那地很厚？
不敢不蹐。[15]　　走路不敢不蹑脚。
维号斯言，　　人们喊出这些话，
有伦有脊。　　确有道理说得好。
哀今之人，　　可恨如今世上人，
胡为虺蜴？[16]　　为何像蛇将人咬？

瞻彼阪田，　　看那山坡坡上田，
有菀其特。　　一片茂密长禾苗。
天之扤我，　　老天拼命折磨我，
如不我克。[17]　　好像非把我压倒。
彼求我则，　　当初朝廷需要我，
如不我得。　　找我唯恐找不到。
执我仇仇，　　邀去却又撂一边，
亦不我力。[18]　　不让我把重担挑。

心之忧矣，　　心里忧愁没办法，
如或结之。　　就像绳子结疙瘩。

今兹之正，	试看今日朝中政，
胡然厉矣？[19]	为啥暴虐乱如麻？
燎之方扬，	野火蓬蓬正烧起，
宁或灭之？	有谁能够浇熄它？
赫赫宗周，	赫赫镐京正兴旺，
褒姒威之！[20]	褒姒一笑灭亡它！
终其永怀，	心中已经常忧伤，
又窘阴雨。[21]	又逢阴雨更凄凉。
其车既载，	车子已经装满货，
乃弃尔辅。	却把拦板全抽光。
载输尔载，	等到货物遍地撒，
将伯助予！[22]	才叫大哥帮帮忙。
无弃尔辅，	请勿丢掉车拦板，
员于尔辐。	还要加粗车轮辐。
屡顾尔仆，	经常照顾你车夫，
不输尔载。	莫使失落车上物。
终逾绝险，	这样才能渡险境，
曾是不意！[23]	你却总是不在乎！
鱼在于沼，	鱼儿虽在池里游，
亦匪克乐。	并不能够乐逍遥。
潜虽伏矣，	虽然潜在深水中，
亦孔之炤。[24]	水清仍旧躲不掉。
忧心惨惨，	心中不安常忧虑，
念国之为虐！[25]	想想朝政太残暴。
彼有旨酒，	他有美酒喷喷香，

又有嘉殽。　　鱼肉好菜供品尝。
洽比其邻，　　狐群狗党相勾结，
昏姻孔云。[26]　　亲朋好友周旋忙。
念我独兮，　　想我孤零无依靠，
忧心慇慇。[27]　　忧心如捣痛断肠。

佌佌彼有屋，　　卑劣小人住好屋，
蔌蔌方有谷。　　鄙陋家伙有五谷。
民今之无禄，　　如今人民最不幸，
天夭是椓。[28]　　天降灾祸命真苦。
哿矣富人，[29]　　富人享福哈哈笑，
哀此惸独！　　可怜穷人太孤独。

（程俊英　译）

注释

①正月：夏历四月，周历六月。因为是“纯阳用事”的正阳之月，故称正月。繁霜：多霜。②讹言：或作“讹言”，即伪言、妖言、谣言。将：大，盛。京京：大也。癙忧：深忧也。癙（shǔ）：通“鼠”，《尔雅·释诂》：“癙痒，病也”，《释文》引舍人云：“心忧惫之病也”。③胡：何。俾：使。瘉（yù）：病，苦痛。④莠：丑，恶。一说莠是丑（醜）的借字。⑤愈愈：益甚之意。一说为“瘐瘐”之异文，病也，忧而成病。是以有侮：因是而受诬陷侵侮。⑥惸（qióng）惸：孤独的意思。无禄：不幸。⑦辜：罪。并：俱，都。⑧从：就。从禄：受福。爰：犹“之”，语助词。⑨中林：林中。侯：犹“维”“是”。薪：粗柴。蒸：细柴。⑩殆：危，艰难。梦梦：不明，即乱。⑪既：终。克：能。定：止。靡人弗胜：没有人不被上天战胜。⑫有皇：犹“皇皇”，大也。伊：句首语助词。云：句中语助词。⑬盖：“盍（hé）”的通假字，何其。冈：山脊。陵：大阜。冈陵：这里借为高大的意思。宁：乃，却。惩：止，制止。一说当读无征不信之征。⑭故老：旧臣，元老。讯：问。占梦：占卜之官，太仆之类。具：犹“俱”。⑮局：本或作“跼”，屈曲不伸。蹐（jí）：累足，用最小的步子走路。⑯号（háo）：长言之也，呼叫，呼号。斯：犹“而”，或作“此”字讲，均可。伦：理。脊：通“迹”，迹训道，又可训理。伦脊：道理。虺蜴（huǐ yì）：一说是蝾螈，又叫蛇蜥、蛇医（陆机《毛诗草木鸟兽虫鱼疏》）。一说是两样东西，虺为毒蛇，毒虫

之名，蜴为蜥蜴。⑰阪（bǎn）田：山坡田，硗薄之田。菀（yù）：茂盛貌。特：特生之苗。扤（wù）：摧残。如：唯恐。⑱则：语尾助词。仇仇：缓执之意。⑲结：绳结。正："政"的借字。厉：猛厉，暴虐。⑳燎：山野之火。扬：炽盛。宁：岂，乃。烕（miè）：亦"灭"。㉑终：既。永：深长。怀：愁怀。窘：困。一说训仍。㉒其：那。既：已。载：装载，装满货物。辅：车厢板。载输尔载：句首之载犹"则""乃""且"字，下一载字指所装载之物。输：堕。将：请求。伯：古人对男子的敬称。㉓员（yún）：增益。辐：车辐，车厢下面钩住车轴的木质部件，叫伏兔，一说就是车轴。仆：仆从。一说仆为"轐"之通假，即《说文》所谓"伏兔"。逾：度过。绝险：极大的险阻。曾：何，犹"岂"。意：通"億"，测度，谋虑。㉔炤：又作"昭"，明。㉕惨惨：深忧也。㉖彼：他们。旨酒：美酒。嘉殽：美味的菜殽。洽："佮"的借用字，合也，聚合。比：亦合，亲近。邻：指声气相投的人。昏姻：此泛指亲缘关系。云：周旋。孔云，大事周旋。㉗慇（yīn）慇：痛心。㉘佌（cǐ）佌：小的样子。蔌（sù）蔌：鄙陋。谷：谷物，借代俸禄。夭：灾祸，摧残。是：且，将。椓（zhuó）：打击，残害。又，天夭一作"夭夭"，章怀太子注引《韩诗》即作"夭夭是椓"，夭夭系美盛貌，意谓虽美盛如此，仍受摧折也。㉙哿（gě）：嘉也，快乐。

鉴赏

《正月》是孤独者的哀歌，是忧患者的心语。这首长达九十四行的抒情诗，以其深沉的感情，丰赡的比喻，流美的语言，在大约三千年前就把抒情主人公的主观感情强调得如此鲜明，表现得如此饱满，很值得我们注意。

诗从繁霜取象，一开始就于主体同客体的关系着墨，用"我心忧伤"统摄全篇，或广泛取喻，或反复咏叹，情绪波澜全从心底涌出，把社会主导思潮批判者的抒情形象，有力地推到读者面前。

"正月"指周历六月，已属初夏反而多霜，是气候反常，引出"心忧"一语。这是开门见山的写法。凡下，全诗紧紧扣住"忧"字，以"我"为主线层层展开。由"我"的身世、经历、遭遇带出忧患之情，逐渐而及世之谣诼，而及国民大众，而及昊昊苍天，而及世事，而及朝政，直至卑劣的新贵。我们分明地感到，浸润全诗的并不是事理的铺陈，而是强烈的主观色彩，是"我"的思想、人格和情感的反复咏唱，主体性极其鲜明。在这里，"我"既是时代、社会和人生之不幸的承受者，更是它们的诘责者。诗中所表达出的个人的悲愤、恐惧和孤独的复杂情感，其急切之状，其哀痛之深，具有强烈的时代特征，是个人之情对于人生之情和时代之情的聚光。

诗人首先拉大自己跟整个世界的距离，把现实同自己的不合拍所形成的强烈反差投入情感之中，在“民之讹言”中感念自身的孤独无援，在天之梦梦中悲叹自身的渺小，在君臣的“为虐”中宣泄自己的愤懑。举头问青天，天是个谜，“有皇上帝，伊谁云憎？”四处讯问故老巫觋，他们只晓得欺世盗名，“谁知乌之雌雄？”凡此种种，如“鱼在于沼”“潜虽伏矣”“亦匪克乐”，愁怀如此深长，怎能排解？强烈的主体感情色彩形成一种浓郁的氛围，它于是又反过来使得“我”的情感具有沉重性。“父母生我，胡俾我瘉？不自我先，不自我后。”尽管它们明白无误地讲出了生不逢时的苦恼，但是，回荡在字句之外的那对现存秩序的否定之情，又何等凝重！

一般说来，人之所以为人，作为生命实体与精神实体的统一物，就在于他不但能够感知世界，更在于他能够认识世界，总是要不断地从自身出发去把握外部世界。人的这种不间断的探求活动就是有意识的生命活动，是人类进化的精神杠杆。马克思明确指出，“有意识的生命活动直接把人跟动物的生命活动区别开来”；而且，“只是由于这个缘故，他的活动才是自由的活动”（《政治经济学——哲学手稿》）。因此，对有意识的生命活动的自觉，即人的主体意识的强化，这正是人的本质的觉醒。我们说《正月》很值得注意，道理就在这里。

那么《正月》对主体意识的强化，究竟表现在什么地方呢？把前面已经提到的东西归纳起来，主要表现在“我”与“时”（一至三章）、“我”与“天”（四至五章）、“我”与“君”“人”（六至七章）、“我”与“政”（八至十一章）以及“我”与新贵诸方面。这五个方面（或层次）彼此区别又相互联系着，主体同客体共处于尖锐的对峙关系中，并在这对峙中显示着自己的充分存在。而渗透全诗的那种危机感、孤独感和失落感，则强调了主体对于客体的理性观照与情感判定。正是因为这样，主体不但没有为客体所湮没，相反，恰恰是获得了更为饱满的活力。于是，诗中不断出现的句子“念我独兮”“哀我人斯”“心之忧矣”“忧心惨惨”“哀此惸独”，正如一部交响乐中的主旋律一样，它们不仅仅是表现手法上的重言申意，同时，更是作为对“我”的本质觉醒的一种特别肯定。甚至连乌鸦止屋、阴雨行车的比喻，也不再限于技巧的范围了，而是浸透着主体意识所产生的意象上的飞跃。

传统的说法，大多认为《正月》是周室大夫刺幽王的篇什，这样讲也未尝不可，可惜却把诗本身的丰富内蕴讲得狭窄了。它远远不止于刺刺幽王而已，它让我们具体地感受到了一场社会大变动所激起的精神裂变。

（蒲健夫　曹渝扬）

十 月 之 交

十月之交，	十月反常日月交，
朔月辛卯。	本月初一是辛卯。
日有食之，	出现灾异有日食，
亦孔之丑。[①]	这也真是大坏事。
彼月而微，	那月亮，昏无光，
此日而微；	这太阳，昏无光；
今此下民，	如今不幸众黎民，
亦孔之哀！	无比哀痛怨难伸！
日月告凶，	太阳月亮显凶兆，
不用其行。[②]	不合法度不循道。
四国无政，	普天之下无善政，
不用其良。[③]	不用良臣用奸佞。
彼月而食，	这月食，虽不好，
则维其常；	它比日食算平常；
此日而食，	这日食，更不好，
于何不臧！[④]	奈何坏事突然降！
烨烨震电，	烈电闪闪雷隆隆，
不宁不令。[⑤]	天下受灾不安宁。
百川沸腾，	百河千江洪波涌，
山冢崒崩。[⑥]	崇山峻岭尽碎崩。
高岸为谷，	高高崖岸陷为谷，
深谷为陵。	深深山谷升作陵。
哀今之人，	可叹今日众奸佞，

胡憯莫惩![7]	何不惩止这暴政!
皇父卿士,	皇父为首是卿士,
番维司徒,	番氏担任司徒职,
家伯维宰,	家伯宰夫是总管,
仲允膳夫,	仲允膳夫掌馐膳,
聚子内史,	聚子内史管人事,
蹶维趣马,	蹶氏司马管马匹,
楀维师氏。[8]	楀氏官职为师氏。
艳妻煽方处。[9]	列居高位,美妻势正炽。
抑此皇父,	哎呀,这皇父,
岂曰不时?[10]	为何役民不以时?
胡为我作,	为何调我去服役,
不即我谋?[11]	事前不跟我商议?
彻我墙屋,	撤毁我的墙和屋,
田卒汙莱。[12]	积水长草田荒芜。
曰"予不戕,	却说:"不是我为害,
礼则然矣。"[13]	礼法这样是应该。"
皇父孔圣,	人家皇父是大圣,
作都于向。[14]	建都向邑土木兴。
择三有事,	自选亲信有三卿,
亶侯多藏。[15]	他们真是大富翁。
不慭遗一老,	一个老臣也不要,
俾守我王。[16]	使他保卫我王朝。
择有车马,	车马富豪被选去,
以居徂向。[17]	迁往向邑定新居。

黾勉从事，[18]	尽心竭力去从公，
不敢告劳。	不敢叫苦献赤诚。
无罪无辜，	没有罪，没有辜，
谗口嚣嚣。[19]	众口交谗将我诬。
下民之孽，	黎民百姓受灾殃，
匪降自天。	灾殃并非从天降。
噂沓背憎，[20]	当面欢合背后恨，
职竞由人。	祸患都因有坏人。
悠悠我里，	悠悠绵绵我心伤，
亦孔之痗。[21]	积忧成为大病恙。
四方有羡，[22]	四方之人乐康宁，
我独居忧。	我独深陷愁海中。
民莫不逸，	人家无不享安逸，
我独不敢休。	我独不敢稍休息。
天命不彻，	天命不循法度行，
我不敢效我友自逸。	我不敢独自逸乐效众卿。

（袁梅　译）

注释

①交：交会，指日月交会，即日食或者月食。朔月：一本作“朔日”，误。月之始日叫做朔。辛卯：按照阮元（《揅经室一集·诗“十月之交”四篇属厉王说》）、陈遵妫（《从十二月十四日日环食谈起》）的考订，即周幽王六年十月（前776年9月）。丑：不祥，古人以日月食为凶兆。②告凶：预示灾祸。《汉书·刘向传》引作“鞠凶”，按“鞠”为“告”之假。行（háng）：道，轨道。用其行：即遵循它的轨道。③无政：无善政。用良：用贤良。④于何：犹“奈何”。一说“于”为“吁”的借字，叹词。臧：善，引申为吉利。⑤烨（yè）烨：电光闪耀貌。震：雷。宁：安徐。令：善。⑥百川：众水。冢（zhǒng）：此指山峰。崒崩：《毛诗传笺通释》认为是“碎崩”的假借，碎裂崩塌貌。又，《经义述闻》训“崒”为“猝”，急也，暴也，言山

家猝然崩坏，亦通。⑦胡憯（cǎn）莫惩："胡憯"二字均训何，复语连说，意在强调；莫惩，不止；全句是说昏君佞臣为何不醒悟，而不终止其暴政。⑧关于皇父等七人，皇父或作"皇甫"，《诗毛氏传疏》引《郑语》史伯说幽王时事，"疑皇父即虢石父，或皇父徂向，更以虢石父代之"。卿士，是三公中执掌朝政者。番（pān）、聚（zōu）、蹶（guì）、楀（yǔ）均为其人的姓氏，而皇父、家伯、仲允，则为他们的字。司徒，金文作"司土"，掌管土地人民，负责征发徒役，西周时始置。宰，殷始置，周承之，掌王家内外事务。膳夫、内史、趣马、师氏，均古官名。⑨艳妻：美丽动人的妻子，指褒姒。煽：本作"偏"，炽盛。方：并，并列。处：居，居其位。⑩抑：犹"噫"，发语词。岂：何，难道。曰：犹"为"。不时：不在农闲时役使人民。⑪即：就。谋：商量。⑫徹：通"撤"，撤除。卒：尽，完全。汙（wū）：或作污、汚，水洼。莱：草莱。⑬戕（qiāng）：伤害。礼：礼法，泛指周代的社会制度和思想道德规范。⑭作：此为兴建。于：在。向：地名。据《诗三家义集疏》的意见，"皇父所邑当为尉氏之向"，可信。地点在今河南尉氏县西南五十里处。⑮有事：即有司，三有事即三卿。姚际恒以为三有事即后文的三事大夫。亶（dǎn）：诚然。侯：犹"维""是"。多藏：多有库藏之省。⑯慭（yìn）：愿，或勉强，姑且。俾：使。⑰以居徂向：是徂向以居的倒装，以便叶韵。徂：往也。⑱黾勉：本作僶勉，《释文》曰"黾勉，犹僶勉也"，努力的意思。黾（mǐn）亦可读萌（méng），勉或作偭、愐。一说黾即蟾蜍，黾勉谓如蟾蜍爬行之奋力。⑲嚣（áo）嚣：众口谗毁貌，他书引作"嗸嗸""敖敖"，盖以嚣、嗸（敖）义通也。⑳噂（zǔn）：聚。沓：合。《经传考证》引《天问》"天何所沓"句王逸注云："沓，合也。言小人之情，聚则相合，背即相憎。"此同。㉑里：《韩诗》作"悝（kuī）"，忧思之意。痗（mèi）：积忧之疾。㉒羡：愿，欣喜。

鉴赏

《小雅·十月之交》是周王朝一位大夫所作的政治抒情诗。全诗反映了奴隶主统治集团内部由于财产和权力的再分配而出现的社会阵痛与精神痛苦。两千七百多年前写成的这首诗，结撰清爽，笔力健举，具有滂沛的感情。通体流贯着一种孤独感，即使今天读起来也不能不心动。

诗起笔于周幽王六年十月一日发生的日食，一开始就把一个探究于天人之际的抒情主人公凸现在我们面前。基于周人的天命观，在自然界的反常同政治上的无道之间，他看到了必然联系，不管是日食或者地震，他认为都是为政者逆天背德，激怒了上帝（"天"）所致，是天降灾异以"示凶"，而直接承受大痛苦的则是现今的“下民”。起笔视域开阔,有情感。既叹曰“亦孔之哀”,复申以“哀今之人”,正见出感情的强烈。

接下去的四章,承“四国无政,不用其良”而来。就“不用其良”讲,诗人公开点了七位大员的姓或字,那就是“男士”皇父、番、家伯、仲允、棸子、蹶、楀,另外还有一位“女士”即当今天子的“艳妻”,并且指出他们同时受到宠幸,目前威势正炽。事态既已弄到公开地点名道姓,从诗人方面观之,自然是忍无可忍了。就“无政”讲,其荦荦大端,约略为三。一是不使民以时,“徹我墙屋,田卒汙莱”,破坏了生产和生活。二是作都向邑,擢拔亲信做三卿,把天子身边的老臣排除得一个不剩,还徙国中富户以实新京。周人特别看重宗庙,迁都自然非同小可,你居然让老祖宗的祭享都受到影响,诗人怎么会接受得了?三是整个社会的道德风气越来越糟,谗口销金,好人受气。并且,诗人明确指出,所有这些全是人为的灾难,而不是上天的肆虐。所谓“下民之孽,匪降自天”,“职竞由人”,不唯扣合篇首又翻出新意,结构上显得紧密,同时还把“胡憯莫惩”一语进一步坐实,增强了感情的力度。古罗马人说“愤怒出诗人”。《十月之交》的这位诗人,指斥政敌亮名亮姓,列举罪状斩钉截铁,揭示病根直言不讳,真是个须眉奋张的金刚呢。

卒章转到诗人自己,他清楚地意识到,他只能选择忧愁和孤独。两个“独”字,加上一句“我不敢效我友自逸”,把选择的痛苦与坚毅作了准确的揭示。

这首诗是由两组意象支撑着:一组是日食、地震等自然界的异常变化,其中大地震尤其写得惊心动魄;另一组是政治上的动乱,内中以迁都向邑写得最悲愤。二者互相补充,互相生发,把诗的境界推向更深的层次。自然界的异常变化一旦被诗人纳入笔底,就由于社会的大动荡而人格化了,简直成了社会变乱和诗人忧愤的一种外化手段,因而把诗的抒情效应和形象性特征发挥得淋漓尽致。至于诗人笔下的社会震荡,则由于有了关于自然现象的生动描摹做映衬,尽管通体出之以赋,而赋在这里实际上已经发生转化,变成了一种特殊方式的抒情,那呼告直白的句子不但不再显得叫嚣和浅露,而且刚好表现出诗人肝肠的激烈。诗人,作为统摄两组意象的抒情主人公,面对自然灾异的可怕,面对幽王因宠幸褒姒和七个奸佞所导致的政治灾难,他既惶惑又愤懑,但最终还是勇敢地接受了命运的挑战。

于是,在我们面前浮现出这样一位诗人:他一方面呼天抢地,敬畏天命,另一方面又不得不发出“天命不徹”的怨怼;他一方面坚决反对暴政,主张仁政,维护礼,另一方面眼见着皇父等人的政治措施如“百川沸腾,山冢崒崩。高岸为谷,深谷为陵”,急剧地改变着原有的一切,却只能被动接受,是那样的无力,甚至连同一圈子的朋友也离开了他;他一方面主张厚民,对“下民”怀有相当的同情,另一方面是那些“下民”并不领情,“民莫不逸”,仿佛把他遗忘了。

他是痛苦的,更是孤独的。

他,浓缩着历史的巨变。

(蒲健夫)

雨　无　正

浩浩昊天,	悠悠苍天高远,
不骏其德。①	不能永施德泽。
降丧饥馑,	竟降丧乱饥馑。
斩伐四国。	战伐起自四国。
旻天疾威,②	苍天也太暴虐,
弗虑弗图。	竟无深谋远图。
舍彼有罪,	如何放跑罪犯,
既伏其辜;	更将罪责隐伏;
若此无罪,	至若良善无辜,
沦胥以铺。③	反而陷入苦毒。
周宗既灭,	我周即或殄灭,
靡所止戾。	我辈将何棲宿。
正大夫离居,	长官大夫离居,
莫知我勚。④	谁又知我劳碌。
三事大夫,	三事大夫在朝,
莫肯夙夜;	却不日夜推毂;
邦君诸侯,	邦畿君侯环列,
莫肯朝夕。	谁又尽心宗祖。
庶曰式臧,	指望天子自强,

覆出为恶。[5]	他偏权杖乱舞。
如何昊天，	苍天呀悠悠苍天，
辟言不信。	一切乱了法度。
如彼行迈，	譬如驾车远行，
则靡所臻。	前程一片模糊。
凡百君子，	诸位大人君子，
各敬尔身。	惟请严肃自处。
胡不相畏，	乱世更宜谨慎，
不畏于天？	天道十分清楚！
戎成不退，	战祸连绵不断，
饥成不遂。[6]	饥荒不肯杀威。
曾我暬御，	唯我区区侍御，
憯憯日瘁。[7]	还在日夜忧虑。
凡百君子，	诸位大人君子，
莫肯用讯。[8]	有话实难面说。
听言则答，	何况谀者高升，
谮言则退。[9]	直言屡遭斥废。
哀哉不能言！	可悲呀我还能再说什么！
匪舌是出，	并非是嘴笨舌僵，
维躬是瘁。[10]	是忧患重压着我。
哿矣能言，	快乐属于巧言者，
巧言如流，	花言巧语像水流，
俾躬处休！[11]	他们处处享福优！
维曰于仕，	如果说继续做官，
孔棘且殆：[12]	仕途急迫艰难：

云不可使，　　若主张不施暴政，
得罪于天子；　　周天子绝不会喜欢；
亦云可使，　　若是曲意奉承，
怨及朋友。　　定招致朋友的不满。

谓尔迁于王都，　　我只是劝你们迁回王都，
曰予未有室家。　　你们或许会推说没住处。
鼠思泣血，⑬　　我忧虑重重带着血泪，
无言不疾。　　请相信我的至诚和痛苦。
昔尔出居，　　先前你们离开京城，
谁从尔作室？　　那时又有谁给兴建宫府？

注释

①浩浩：广大貌。昊（hào）：大。骏：常也。②旻（mín）天疾威：天公暴虐。旻天：泛指天。一说系“昊天”之误。疾威：暴虐。③伏：藏也；隐也（用王引之的解释）。胥：相，皆。铺：“痡（pū）”的假借字，痛苦。④勚（yì）：这里是贤劳。⑤庶（shù）：希冀之词。曰：语中助词。式：用。臧：善，此指良将贤臣。覆：反。出：指教令。为恶：行暴政。⑥遂：进也。⑦曾（zēng）：竟。暬（xiè）：亲近。暬御：左右亲近之人。憯（cǎn）憯：《唐石经》作“惨惨”，忧伤，悲痛。瘁：或作“悴（cuì）”，忧病。⑧讯：《鲁诗》作“谇（suì）”，谏诤，告也。⑨听：顺。谮言：诤言。⑩出：“拙”的借字。一说“痂”，病也。维：犹而。躬：自身。是：语助词。⑪哿（gě）：可，乐。俾：使。处：居。休：福气。⑫仕：做官。于：这里相当于去。维：发语词。孔：大。棘：急，迫迮。殆：危殆。⑬鼠：通“癙”，忧、病。思：语气词。泣血：流着血泪。

鉴赏

此诗首先令人注意的，是它的题目跟正文对不上号。为什么用上这么个题目呢？《毛诗序》强为解说，以为“雨，自上下者也。众多如雨，而非所以为政也”。这个解说当然很牵强，朱熹引欧阳公的意见加

以反驳，不过也没有讲出个所以然来。也有人说《韩诗》有《雨无极》篇，篇首较之《毛诗》多了“雨无其极，伤我稼穑”两句，因而认定本篇应题作《雨无极》才对。言之虽然凿凿，奈何《韩诗》早佚，“死”无对证，所以姚际恒、方玉润等主张“不必强论”。今人袁梅则疑“雨”是“周”之讹误，本篇以意取名，犹《巷伯》之类（参见《诗经译注》），可惜根据并不充分。《雨无正》就叫《雨无正》吧，且不必过多纠缠这个问题。另一个棘手的问题，就是本诗的题旨究竟是什么，也一直聚讼纷纭。有一种意见断它为平王东迁以前之所作，目的在于刺幽王，如《毛诗序》、方玉润、陈启源、马瑞辰等就是这个主张。另一种意见却不同，认为此诗是东迁洛阳后痛定思痛的作品，大要在于总结历史教训，以为后来的执政者鉴戒，如朱熹、吴闿生等即持此种观点。也有人认为它是刺厉王的，我们认为，断为西都陷落前夕的篇章，比较切合作品的实际情况。

细玩诗意，《雨无正》很可能是周天子的执御之臣劝说凡百君子重回王都的诗简，用的是私人名义和非正式文告，而目的是要稳定局势。

一场特大自然灾害发生了，周王朝面临着严重的政治危机，国祚日浅，这已经成为谁也无法否认的事实。表现之一是“斩伐四国”，宗祖国同分封国之间的矛盾闹到了动不动就打仗的地步，可见形势非常紧张。其二，众叛而亲离，连正大夫也已离居，更不消说凡百君子之离散京都了。其三，周天子现在仍然被一帮尸位便佞之徒所包围，火都烧到眉毛尖了，他还不知道迁善图强。因此，这位忧祖忧国的亲近之臣便站出来打通渠道（或说是回答凡百君子向他发出的某种试探，也可以讲通），以诗代简，在正视现状的前提下劝告昔日的袍泽们以道义自重，重新回到京都来。

全诗由四部分组成。第一部分含诗的一、二两章，总写当前形势的危殆。诗人向大家提出了一个十分尖锐的问题：“周宗既灭，靡所止戾。”周宗，按照《左传·昭公十六年》的称引，《毛氏传笺通释》认为是“宗周”的误写。“周宗”系指周的同姓者，而“周宗”则指宗国。“既灭”就是“即灭”，“既”可训为“即”，即表即或之意（参见王引之《经传释词》）。两句意谓周国即或灭亡，大家也必将无处安定。虽然天不长施德惠，遍降丧乱、战祸、灾荒，可是周天子仍外事征伐而内乱法度，弄得亲近离散却仍不愿改弦更张，这就更加令人忧虑焦灼了。第三章为第二部分，呼吁离开了京都的凡百君子在此动乱关头，各宜敬身畏天。言外之意是不可踩虚了脚招致万世羞。一个“敬”字，两个“畏”字，既庄重又沉重，分量端的不轻。第三部分共包含四、五、六三章，专就自身的处境与态度用墨，可谓情理兼擅。先说兵祸与灾荒迄未断绝，要走的走了，从此不问王事，个别留下来的却又不堪谋国，唯有自己还在岗位上辛苦着，成天忧虑着。继而说周天子执迷不悟，便佞巧言之辈受到擢拔，重用，这就使自己越发忧虑重重。进而说，在这样的情况下诗人更是左右为难：继续做官，不是得罪天子就是致怨于朋友，仕途也太可怕了。这一切全由篇首生发出来，其态度之坦诚，情辞之真切，忧患之深沉，足以动人。末章为第四部分，诗人“鼠思泣血”地吁请外出者“迁于王都”。至于回到王都来做什么呢？他一不用廉价的乐观去开支票，二不用豪言壮语来煽动情绪，什么也不说，戛然而止，把思考推给了凡百君子，也推给了三千年来的读者。

周代的奴隶主统治者们，长期以来受到以“畏天命”为基本特征的天命观的制约，又基于以血缘关系为根柢的世卿世禄制度，早就养成了怀土重迁的心理和情感。诗人明知局势已不可逆转，他仍然向凡百君子反复陈词，奉劝他们回到京都，他确实是抓到了一个心理上、情感上的突破口，这是完全可以理解的。他是宗周的正统派人物，纵然“覆餗”在即，还是要为协调奴隶主统治集团的内部关系而竭尽愚忱。“明知其不可而为之”，这种独任其难的勇毅精神，赋予全诗以庄肃之气，典重之中时见悲怆。也唯其如此，《雨无正》所贡献给我们的东西，其认识价值之高也就不言而喻了。

（蒲健夫）

小　旻

旻天疾威！①	可怜的天呀暴虐！
敷于下土。	遍及于下面国土。
谋犹回遹，②	政策邪僻，
何日斯沮？③	何日就停止没有？
谋臧不从，④	政策好的不行，
不臧覆用。	不好的反而要用。
我视谋犹，	我看政策，
亦孔之邛。⑤	也有好大的毛病。

潝潝訿訿，⑥	唯唯否否可没是非，
亦孔之哀！	也是好大的悲哀！
谋之其臧，	政策定的可好，
则具是违。	就都这样违背。
谋之不臧，	政策定的不好，
则具是依。	就都这样依随。
我视谋犹，	我看政策，
伊于胡底？⑦	这将何所依归？
我龟既厌，⑧	我们占卜的龟灵已经厌倦，
不我告犹。	不再告诉我们政策的吉凶。
谋夫孔多，	划策的人好多，
是用不集。	所以没有成功。
发言盈庭，	发言的人满庭，
谁敢执其咎？	谁敢负他的责任？
如匪行迈谋，⑨	像那赶路的谋于路人，
是用不得于道。	所以得不到一定路程。
哀哉为犹！	可哀哟，所行的政策！
匪先民是程，⑩	不是要效法古代的人，
匪大犹是经。⑪	不是有大计划要进行。
维迩言是听，	只是浅近的话就听，
维迩言是争。	只是浅近的话就争。
如彼筑室于道谋，	像那造屋的谋于路人，
是用不溃于成！⑫	所以不至于有成功！
国虽靡止，⑬	国虽不大，
或圣或否。	有的圣智，有的则否。
民虽靡膴，⑭	人虽不多，

或哲或谋，[15] 有的明哲，有的善谋，
或肃或艾。[16] 有的严肃，有的干才。
如彼泉流， 像那流动的泉水清澈可爱，
无沦胥以败！[17] 莫使它相率而至污浊腐败！

不敢暴虎，[18] 不敢徒手打虎，
不敢冯河。[19] 不敢徒步渡河。
人知其一， 人都知道这一类事情危险，
莫知其他。[20] 没人知道其他的危险还多。
战战兢兢， 戒慎恐惧呀战战兢兢，
如临深渊， 好像怕坠，面临了深水，
如履薄冰！ 好像怕陷，跨上了薄冰！

（陈子展　译）

注释

①旻(mín)天：犹言皇天、老天。旻：幽远。②犹：通“猷”，谋划。谋犹：犹今言政策。回遹(yù)：邪僻。③斯：语助词。沮：止。④臧：善，好。⑤邛(qióng)：病。⑥潝(xì)潝：随声附和的样子。訿(zǐ)訿：诋毁。⑦伊：语助词。于：往。胡：何。底：至，终极，尽头。⑧龟：指占卜用的龟甲。⑨如匪行迈谋：这里的“匪”通“彼”，那。行迈：行路的人。⑩匪先民是程：这里的“匪”通“非”。⑪经：行。⑫溃：遂，成就。⑬止：至，极，引申为大。⑭膴(wǔ)：厚，引申为众多。⑮哲：聪明，智慧。⑯肃：态度庄重，办事认真。艾：同“乂”，治理。⑰沦：陷，溺。胥：相率。⑱暴：通“搏”。⑲冯(píng)河：徒步涉水渡河。⑳他：读作“拖(tuō)”，与“河”叶韵。

鉴赏

此诗《毛诗序》说是“大夫刺幽王”，宋代朱熹《诗集传》谓“大夫以王惑于邪谋，不能断以从善，而作此诗”，所论极是。从作品看，作者对于当时朝政非常了解，当是亲身参与了其事，是统治阶级中的一员。

关于诗题何以加一“小”字,《郑笺》以为本篇所刺之事较之与它同列的《十月之交》《雨无正》为小,故曰《小旻》;《诗集传》引苏氏说认为是为了有别于《大雅》的《召旻》;清姚际恒则认为“‘旻天’涉泛,故去‘天’字,加‘小’字”(见《诗经通论》)。说法不同,可以存疑。

周幽王是我国历史上一个著名的昏君。由于他的倒行逆施,终于导致犬戎等入侵,他本人被杀于骊山,西周灭亡。此诗就是讽刺他的政治腐败。

本篇通篇讲到“谋”或“谋犹”的共九处。所谓“谋”或“谋犹”,即今所谓政策,这是全篇议论的中心问题。开头两章揭露政策的错误。人们极端悲痛时,常常会呼天悲号。此诗开头“旻天疾威,敷于下土”两句:虽然其中包含着上天主宰一切的宿命论因素,但主要的却是在抒发对当时政治腐败的悲愤和对幽王的无比愤懑,给全诗笼罩上一层悲凉的气氛,读之令人心情为之一震。三、四两句是通篇的主旨。“谋犹回遹”是说执行的政策全是荒唐的,错误的;说“何日斯沮”,表明这种情况并非刚刚发生,而是已经持续了相当长的时期,已经给国家带来了巨大的灾难,而且当时还看不到半点即将结束的迹象,还要继续发展,不知还要带来多大的祸害,见出它的无比严重性,也见出作者是何等忧心。以上是总说,下面直接转到幽王身上。“谋臧不从,不臧覆用”,并不是当时没人提出好的办法、政策,但幽王偏偏不予采用,反而去任用奸邪之人,奉行邪僻之谋。对于国君来说,任用贤能,听取正确意见,是最重要的,像幽王这样的倒行逆施,简直是不可救药。最后总结两句,政策糟糕透顶,国家的前途真是不堪设想。第二章转从群臣说。“潝潝訿訿”是对朝中小人丑恶嘴脸的形象写照:他们对邪僻之谋,便一起同声附和,对正确的主张,则群起诋毁。姚际恒说这四句写出“小人群然和之如此”(《诗经通论》),所论极确。群小人多势众,受到重用,正人势孤力单,遭到排挤,腐败的朝政,就没有改变之日,因而使作者发出“伊于胡底”的慨叹。

三、四两章探究政策错误的原因。这两章的开头,写得也很沉痛。古代用火灼龟甲,据裂纹形状预卜吉凶。裂纹的暗示,就是神的意旨。“我龟既厌,不告我犹”,是说周王朝已经遭到神的厌弃,也是近于绝望的激愤之言。作者把朝政的失误,归结为两个方面的原因。这两章同一、二两章一样,也是分别从臣、王两方面说。第三章从群臣方面说,指出出谋划策的人太多,每议一事,众说纷纭,难有结果,“发言盈庭”,谁也不负责任;“虽有一二正直臣,而忠不胜奸,朴不胜巧,亦难力与为争”(方玉润《诗经原始》),小人因此得售其奸。明代钟惺云:“‘执其咎'三字难言，非胆识兼到不能。"（《评点诗经》）孙鑛云："此章特露精神，说得最中人情，最醒快。"（《孙月峰先生批评诗经》）若非个中人，确实说不到这样深刻。第四章从幽王方面说，指责他不效法古人，不奉行远大的谋略，而唯便僻习近之言是听，唯便僻习近之言是争。"唯迩言是争"的"争"是争着施行之义，与普通的争论之义不同。作者用了两个生动的比喻来形容这两种情况：就好像行路之人不向当地了解情况的人打听而向路上的行人询问道路，肯定找不到正确的路线；像在大路旁边修建房屋向行路之人征求意见，这个这样说，那个那样说，房屋肯定修不起来。寓意深刻，很有说服力。后来的"道谋"一词，就是由此而来。

作者作为统治阶级中的一员，王朝的前途直接关系到他的命运。面对着这种政治腐败的局势，他悲愤填膺。五、六两章即写他的忧惧和悲愤。诗中说，即使小国寡民，也有才智之士，言外意思是，何况周室地广人众，才智之士更多。他希望他们像清澈的泉水，长流长清，为复兴王朝有所作为，不要被腐败政治的浊流淹没腐败。他眼看着朝廷的昏暗，感到极大不安。末章暴虎、冯河、临渊、履冰，反复设喻，用没有武器徒手打虎，没有舟楫徒步渡河，比喻治国没有正确政策的危害，告诫人们不要只知暴虎、冯河这类易知的危险，看不到政治腐败这个更加可怕的祸胎。诗中用临渊、履冰的生动比喻，形容他忧心忡忡，惶惶不可终日，表明他已预感到西周王朝的覆亡即将来临。这些比喻生动形象，寓意精警，后来都成为成语，常被引用。

这是一篇论政之作。通篇全用赋体，中心突出，一气呵成，神完意足。论政本来容易呆板无味；本篇在议论中夹用一些抒情诗句，同时又用了不少生动的比喻，因此在一定程度上克服了枯燥板滞的毛病，增强了作品的表现力和感染力。尤其因为作者深知内情，故所发生议论均切中时弊，有不少还富有深刻的政治哲理意义，很能给后人有益的启发。

（王思宇）

小　宛

宛彼鸣鸠，[①]	短尾的那鸣鸠，
翰飞戾天。[②]	高飞到了天空。

我心忧伤，	我的心里忧伤，
念昔先人。[3]	想念昔日先人。
明发不寐，	醒了达旦不睡，
有怀二人。[4]	还想他们二人。
人之齐圣，[5]	凡是正直聪明的人，
饮酒温克。[6]	饮酒能够蕴藉和缓。
彼昏不知，	那些糊涂无知的人，
壹醉日富。[7]	聚饮沉醉日益自满。
各敬尔仪，[8]	各自警惕你们的威仪，
天命不又。[9]	天命去了就不能再返。
中原有菽，[10]	田野里有大豆，
庶民采之。	庶民去采摘它。
螟蛉有子，[11]	螟蛉蛾有幼子，
蜾蠃负之。[12]	蜾蠃蜂抱了它。
教诲尔子，	教诲好你的儿子，
式榖似之！[13]	就教好接代的呀！
题彼脊令！[14]	细看那些鹡鸰！
载飞载鸣。	一边飞，一边鸣。
我日斯迈，	我日日的前进，
而月斯征。[15]	你月月的前行。
夙兴夜寐，	早而起，晚而睡，
毋忝尔所生！	莫辱没生你的人！
交交桑扈，[16]	飞来飞去的蜡嘴桑扈，
率场啄粟。	沿着场圃去啄食小米。
哀我填寡，[17]	可哀我穷困寡财的人，

宜岸宜狱?[18]	该罚做苦工,该关在牢里?
握粟出卜,	抓一把小米出去问卦,
自何能穀?[19]	从哪里能够得到吉利?
温温恭人,	温温恭谨的人,
如集于木!	好像打住在树木!
惴惴小心,	惴惴小心,
如临于谷!	好像面临于深谷!
战战兢兢,	战战兢兢,
如履薄冰!	好像脚踏着薄冰!

(陈子展　译)

注释

①宛:小而短尾的样子。鸠:斑鸠。②翰飞:高飞。③先人:作者自称其祖先。④二人:即前文之“先人”。⑤齐:正,正直。圣:智慧超绝。⑥温:通“蕴”,蕴藉,指文雅自持。克:克制。⑦壹:聚。富:义为“畐”,自满。⑧仪:威仪,容貌举止。⑨天命:上天的命令、意旨,这里指国运。又:复,再。⑩原:原野。中原:即原中。⑪螟蛉:螟蛾的幼虫。⑫蜾蠃(guǒ luǒ):一种细腰土蜂,又名细腰蜂。体有黄褐、赤褐及黑褐斑纹,常捕螟蛉喂它的幼虫。⑬式:语助词。穀:善。⑭题:通“谛”,视。脊令:鸟名,即鹡鸰。⑮而:通“尔”,你,作者称他的兄弟。⑯交交:来来往往的样子。桑扈:青雀,俗名蜡嘴,可笼养供观赏。⑰填寡:清马瑞辰《毛诗传笺通释》:“填,病也。寡,贫也。填寡犹言贫病交加。”⑱岸:通“犴”,也是监狱。⑲穀:善,吉。

鉴赏

此诗《毛诗序》说是“大夫刺幽王也”,朱熹《诗集传》说是“大夫遭时之乱,而兄弟相戒以免祸之诗”。从原诗看,朱熹所说不误,但第二章当是暗刺幽王纵酒败德,政治黑暗,必将导致覆亡。

首章用鸣鸠起兴。作者看见斑鸠在高高的天上来回飞翔,悠然自得，自由自在，想到自己却充满忧患，心里无限忧伤，是对比的写法。为何忧伤？诗中没有明说。作者是王室的一员，从下文看，此时王朝正充满危机，若王室倾覆，他自己当然也难逃厄运；而且，从第五章看，作者还常常遭到迫害。正是自身的不幸遭际，使他想到自己的祖先，夜里不能成眠。"二人"即上文的"先人"，指周室祖先中两个特别杰出的人。《毛传》认为指周文王、周武王，言作者追念周朝开国的君主；或说指作者的父母，下文"毋忝尔所生"可证(高亨《诗经今注》)，似觉与次章的"天命"不甚协调。第二章紧承"我心忧伤"，写感事伤时，暗写幽王饮酒败德，王室堪忧。写的是醉酒，着眼的却是政治，观下文"天命"可知。虽然没有点明所指，但可以肯定主要是针对幽王，因为只有他才与下文的"天命"和诗中所写的政治情势相合。商纣之亡，即与他作酒池肉林有关。周成王的叔父康叔封于殷的故乡，因为殷民嗜酒，周公特别以成王之命戒之，作了《酒诰》，历数纵酒之危害，并特别提到文王在西土时就常教谕部下勿多饮酒，要康叔牢记。此诗的用意亦在于此，上章的"念昔先人"，亦当包含文王的教谕在内。诗中将正直聪明的人同昏妄无知的人饮酒加以对比，对后者聚众狂饮，滥醉失德，丑态百出，狂妄无礼，进行愤怒的鞭挞。作者警告说，如果一味纵酒失德，败坏威仪，就必然遭到上天的厌弃。《酒诰》云："庶群自酒，腥闻在上，故天降丧于殷，罔爱于殷，惟逸。"说纣王和群臣沉湎于酒，腥秽闻于上天，故天无爱于殷，使之灭亡，就是因为纣王只贪图逸乐。此诗命意与此相同。以亡国警告，揭露是尖锐的，作者的心情也是沉痛的。

王朝的前途如何，作为它的一员，作者不能不想自身今后的命运。由此引到他同兄弟的自勉上面。第三章写教子。前四句举了两事，庶民采摘田野里的大豆，蜾蠃负养螟蛉之子，是兴，也是比，姚际恒称为"双起兴"，构思极新奇，后一事尤其见出作者观察的细致。蜾蠃常产卵于螟蛾幼虫体上，螫入毒汁，令其麻痹，然后把它背入树洞中，蜾蠃幼虫孵出后，即以这被麻痹的螟蛉为食粮，古人因误以为蜾蠃养螟之子为己子。诗中讲的就是这个意思。后来以螟蛉为养子的代称，即源于此。螟蛉蜾蠃均为叠韵，四句的句式又两两对称，富有唱叹之致，深化了诗的思想感情。"教诲尔子"指作者兄弟两人而言。教子以承祖德，以继家业，是把希望寄托在后代身上，也有以幽王为戒之意。第四章以脊令起兴，写兄弟二人起早睡晚，辛苦奔波。脊令在《诗经》中用来比喻兄弟，此诗而外，《小雅·常棣》也有"脊令在原，兄弟急难"的诗句。"所生"指父母。朱熹释"我日"四句说："言当各务努力，不可暇逸取祸，恐不及相救恤也;夙兴夜寐,各求无辱于父母而已。”(《诗集传》)三国魏徐干在《中论》中特别引录这四句,说“迁善不懈之谓也”,这些说法都是不错的。教子和律己,写出了身处乱世的人忧虑恐惧的心理状态。

第五章应与第二章合看,既是伤时,也是自伤。因为政治腐败,致使国人处于水深火热之中。桑扈鸟本来食肉,现在也相率到场圃上来啄食小米,喻民生困苦。贫病交加的人,无端被投进监狱。遭逢乱世,人人自危,都纷纷求人占卜,以求生路。姚际恒说:“持粟问卜,古人常事。近代以来,然后用银钱也……《管子》曰,握粟而筮者屡中;《史(记)·日者传》曰,卜而有不当,不见夺糈粮,皆可证。《集传》谓言握粟以见其贫窭之甚,此以后世事说古,非也。”所论极确。此章所写既指众人,也包括作者,画出了当时哀鸿遍野,人心惶惶的景象。末章写畏祸心情,也兼作者和众人而言。诗中连用三个比喻,声调急促,文意一层紧逼一层,把人们的恐惧心情,写得惊心骇目。“集于木”言好像扒在树上,“如临于谷”言好像站在崖边,下临万丈深谷,都是讲害怕坠落。“如履薄冰”言害怕陷没在冰水中。《郑笺》云,这是写“衰乱之世,贤人君子虽无罪犹恐惧”。读本章,人们朝不保夕的惊恐神态,仿佛就在眼前。

此诗在内容和艺术表现方面,有两点值得注意。一是兼用赋、比、兴三体,将议论和抒情结合起来,而以抒情为主,有的章低回不已,有的章悲愤激烈,读来非常感人。二是无论内容和表现形式,都富有变化。从内容讲,从追念先人,到暗刺幽王,到兄弟相戒,到忧惧时势,有许多转折。从形式讲,不仅比兴方面双起兴,而且全章都用比喻这样的特别手法。就韵律言,除了通常的一章一韵之外,还有全章都以一字为韵的特别押韵法,更有第五、第六两章一三、二四、五六为韵的神妙变化(第五章一、三句古音扈与寡叶韵,属鱼部)。另外,叠韵、叠字的运用,也很突出。除了上面讲到的“螟蛉”“蜾蠃”外,尤其末章,六句中连用四对叠字,第五句全用叠字组成。所有这些,都大大增加了作品的表现力和感染力。

(王思宇)

小　弁

弁彼鸒斯,①	快乐的雅乌啊,
归飞提提。②	从容飞飞还巢。

民莫不穀，[3]	人人都过得很好，
我独于罹。[4]	只有我被忧伤撂倒。
何辜于天？	我对天有什么罪过？
我罪伊何？	我的错到底是什么？
心之忧矣，	心里忧伤啊，
云如之何！	叫我把它奈何！
踧踧周道，[5]	平坦的大道，
鞫为茂草。[6]	长满了野草。
我心忧伤，	心里忧伤啊，
惄焉如捣。[7]	就像棒子舂捣。
假寐永叹，[8]	睡梦里也要长叹，
维忧用老。[9]	忧伤使我衰老。
心之忧矣，	心里忧伤啊，
疢如疾首。[10]	头痛身如火燎。
维桑与梓，[11]	想到桑树梓树，
必恭敬止。	我总是毕恭毕敬。
靡瞻匪父，[12]	我尊敬的只是父亲，
靡依匪母。	依恋的只是母亲。
不属于毛，[13]	难道我既连不上皮衣的毛，
不罹于里？[14]	又挨不着皮衣的里？
天之生我，	上天让我生下来，
我辰安在？[15]	我的好运在哪里？
菀彼柳斯，[16]	密密的柳树，
鸣蜩嘒嘒。[17]	上有蝉鸣嘒嘒。
有漼者渊，[18]	深深的水潭，
萑苇淠淠。[19]	长着茂盛的芦苇。

譬彼舟流，	像在漂荡的船上，
不知所届。[20]	不知漂向哪里。
心之忧矣，	心里忧伤啊，
不遑假寐。	要睡也不容易。
鹿斯之奔，	鹿儿奔跑起来，
维足伎伎。[21]	四足轻快如飞。
雉之朝雊，[22]	雉鸡早晨鸣叫，
尚求其雌。	呼唤母鸡相随。
譬彼坏木，[23]	好比臃肿的病树，
疾用无枝。[24]	病得不长枝条。
心之忧矣，	我心忧伤啊，
宁莫之知。	难道就不知觉。
相彼投兔，[25]	瞧那投网的兔子，
尚或先之。[26]	或许还有人放它。
行有死人，[27]	路上有了死人，
尚或墐之。[28]	或许还有人葬他。
君子秉心，	君子啊你的居心，
维其忍之。	为什么这样残酷，
心之忧矣，	我的心多么悲伤，
涕既陨之。	泪流如何能住。
君子信谗，	君子听信谗言，
如或酬之。[29]	好像喝人家的敬酒。
君子不惠，	君子没有慈心，
不舒究之。[30]	不肯慢慢推究。
伐木掎矣，[31]	伐树还使绳索拉住，
析薪扡矣，[32]	砍柴还要看看理路，

舍彼有罪，　　真正的罪人轻轻放过，
予之佗矣。㉝　　反而把罪名横加给我。

莫高匪山，　　没有高的不是山峦，
莫浚匪泉。　　没有深的不是水泉。
君子无易由言，㉞　　君子别轻率出言，
耳属于垣。㉟　　有耳朵贴在墙垣。
无逝我梁，㊱　　别让人上我的鱼梁，
无发我笱，㊲　　别让人开我的鱼笥，
我躬不阅，　　如今我自己不能被容，
遑恤我后。　　哪顾得到我的身后。

（余冠英　译）

注释

①弁："昪"的假借字，快乐。鸒(yù)：鸟名，似鸦而小，腹色白，喜群飞。斯：语助词。②提(shí)提：群飞安闲的样子。③穀：善，指生活美好。④罹(lí)：忧。⑤踧(dí)踧：平坦的样子。周道：大路。⑥鞫(jú)：阻塞。⑦惄(nì)：忧思伤痛。⑧假寐：和衣而睡，打盹。⑨维：因。用：犹"而"。⑩疢(chèn)：热病。疾首：头痛。⑪桑、梓(zǐ)：宅旁常种的两种树，桑可养蚕，梓可作器具，可传子孙。⑫靡：无。匪：非。靡……匪……：两个否定词放在一起，表示肯定。瞻：瞻仰。⑬属(zhǔ)：连。毛：古代皮裘毛在面上，以布作里子。诗中以裘为喻，毛、里喻父、母。⑭罹：读为"丽"，附着。⑮辰：时，时运。⑯菀(yù)：茂盛的样子。⑰蜩(tiáo)：蝉。嘒(huì)嘒：蝉声。⑱漼(cuǐ)：水深的样子。⑲萑(huán)苇：芦类植物。淠(pèi)淠：茂盛的样子。⑳届：至。㉑伎(qí)伎：奔跑的样子。㉒雊(gòu)：雉鸣。㉓坏：假借为"瘣(huì)"，病。㉔用：以。"疾用无枝"即"用疾无枝"，树因病而无枝。㉕相：视。投兔：投入捕兽网里的兔。㉖先：读为"掀"，指开网放兔。㉗行：道路。㉘墐(jìn)：埋。㉙酬：敬酒。言君子(作者的父母)信谗，好像有人向他敬酒一样乐于接受。㉚舒究：从容考察。㉛掎(jǐ)：伐木时以绳拉树控制下倒方向。㉜析薪：劈柴。扡(chǐ)：顺着木材的纹理劈开。㉝佗(tuó)：加。㉞由：于。㉟属：连。此句即隔墙有耳之意。㊱梁：拦鱼的水坝。㊲笱(gǒu)：捕鱼的竹笼，置于堤堰缺口处以捕鱼。

鉴赏

这是被父亲放逐的人抒写忧伤怨愤的诗。《毛诗序》认为是周幽王宠爱褒姒，立褒姒子伯服而逐太子宜臼（即周平王），宜臼的老师为此作诗，以刺幽王（朱熹《诗集传》则以为宜臼自作）；《鲁诗》《韩诗》认为宣王时大臣尹吉甫惑于后妻而逐前妻之子伯奇，伯奇因作此诗，但都缺乏具体根据。

此诗开头六章，有五章都以"心之忧矣"作结，集中写作者的忧伤之情。这五章有一个共同的特点。每章都采用兴的手法，进行对比描写，从而大大加重表现了主题。

同《诗经》中那些通篇都用一种事物起兴的作品（例如《豳风·东山》每章都用"零雨其濛"起兴）不同，本篇每章用来起兴和对比的内容都不一样。鸒鸟快乐地飞归巢里，更反衬出作者的无家可归；那充满生机、欣欣向荣的"茂草"，同作者的痛心疾首、"维忧用老"正好成为强烈的对照；绿柳在风中飞舞，蝉儿愉快地歌唱，芦苇在那深深的水潭中茂盛地生长，作者却像一只破旧的孤舟，随水漂流，不知漂向何方；鹿儿成群地飞奔，雉鸟成对成双，作者却像一株病树，没有人理解他的忧伤；甚至就连那投进罗网的小兔，弃置在路旁的死者，也有人同情怜悯，作者的父亲却不念父子之情，忍心把他逐出家门，怎能不使他泪流满面，痛裂肝肠！总之，在作者的心中、眼中，世上的一切人都是幸福的，唯独自己是这样的不幸，"民莫不穀，我独于罹"；世间的万物都是美满的，唯独自己只有无尽的忧伤。作者怀着满腔怨愤，向天发问："何辜于天，我罪伊何？"表达了他心中的不平。"天之生我，我辰安在"，想到自己的悲惨命运，几至痛不欲生。

应当注意的是，诗中所举绝不是想象中的事物，而是作者在放逐中亲历亲见，它们描写的正是作者放逐后的不幸生活：他孤苦无依，日复一日在大路上蹒跚而行，在水潭边踟蹰彷徨，在鹿群奔驰的茫茫旷野上漂泊；没有目的，没有希望，也不知道要漂泊到什么时候、什么地方。由于心情非常痛苦，所以见到的一切，好像都在从反面刺痛着他的心。正因为如此，诗中的对比描写才显得既生动，又贴切，不是有意想象造作出来的，而是作者的生活和思想感情的真实反映。这些描写的具体内容虽然各不相同，但都是在反衬作者被放逐后的不幸遭遇。正是通过这些反复描写，就把忧伤这种抽象的感情，生动具体地表现了出来。同时，描写中，作者还反复采用生动的比喻，如用"惄焉如捣""疢如疾首"喻心灵的痛楚，用"譬彼舟流"喻漂泊无依，这都大大增强了作品的感染力。

在作者的忧伤感情中,包含着对父亲的怨恨,然而这种怨恨的本身,同时又包含着对父母的眷恋。第三章写的就是这种感情。开头四句是说,桑、梓生长在宅旁,看见它们就想起父母,因而作者对它们也很恭敬。这几句含蕴非常丰富。人们对家园的一切,都是印象深刻、终身不忘的。这里不仅意味着作者被放逐后醒里梦里时时都在怀念着故园,还表现了他在流浪中见到野外桑、梓便唤起他对故园的回忆;同时,还是在写他被放逐后曾经多少次回到故乡,暗暗地向故园张望,看着那熟悉的桑、梓,想起原来在家时的种种情景,禁不住心如刀割。这里包含着对父母、对故园多么深厚的感情!后来用"桑梓"代指故乡,即源于此。皮裘保护着人的身体,给人带来温暖,诗中以喻儿子对父母的依恋,用自己不能挨着皮裘的皮毛和里子,喻远离父母,由此想到今后的不幸命运,不禁悲痛万分。清方玉润称此章"沉痛迫切,如泣如诉,亦怨亦慕,与舜之号泣于旻天何异?千载下读之,犹不能不动人"(《诗经原始》),此言极精当。第七章揣测被放逐的原因,认为是因为"君子(父亲)信谗",希望有朝一日父亲会识破谗言,自己能够重新回到父母的身边。"舍彼有罪,予之佗也",作者真正痛恨的,是进谗言的坏人。

末尾一章也是写对父母、对家园的依恋。"莫高匪山,莫浚匪泉",言父母在作者心中的地位比山还高,父母对他的恩情比泉水还深。作者希望父母言语谨慎,以免被进谗的人利用,更希望父母终能觉悟,自己能重回家中,同父母团聚。他还惦念着在家时捕鱼的鱼梁和鱼笱,希望别人不要去动它,他今后还要回来捕鱼。继而想到连自己此刻的命运还不能掌握,何必去想今后的事情呢?然而,不想是不可能的,"我躬不阅,遑恤我后",不过是无可奈何的自我开解的怨愤之辞,他同父母、同家园,是永远分不开的。鱼梁、鱼笱同桑梓一样,永远牵动着他的心,可见他对父母、对家园有着多么深厚的感情。此章字字句句,都是血泪写成,明人孙鑛说它"语语割肠裂肝"(《孙月峰先生批评诗经)》,读之令人欷歔悲叹。

本篇是《诗经》中篇幅较长的抒情诗,它用对比和比喻的手法,把作者复杂的内心活动,写得极细微深刻。清姚际恒称"此诗尤哀怨痛切之甚,异于他诗"(《诗经通论》),方玉润说它"或兴或比,或反或正,或忧伤于前,或惧祸于后,无非望父母鉴察其诚,而怨昊天之降罪无辜。此谓情文兼到之作。……至其布局精巧,整中有散,正中寓奇,如握奇率;然离变幻,令人莫测"。分析均极精辟。本篇堪称《诗经》中上乘抒情之作。

(王思宇)

巧　言

悠悠昊天！[①]	我想想昊天呀！
曰父母且！[②]	以为是父母啦！
无罪无辜，	没有罪没有辜，
乱如此憮。[③]	乱子像这样大。
昊天已威，	昊天呀很可畏！
予慎无罪。	我真是没有罪。
昊天泰憮，[④]	昊天呀太糊涂！
予慎无辜。	我真是没有辜。
乱之初生，	乱子的初生，
僭始既涵。[⑤]	谗言开始已受了宽容。
乱之又生，	乱子的又生，
君子信谗。[⑥]	君子听信说谗言的人。
君子如怒，	君子假如该恼的就恼，
乱庶遄沮。	乱子庶几快快停了。
君子如祉，[⑦]	君子假如该喜的就喜，
乱庶遄已。	乱子庶几快快而止。
君子屡盟，[⑧]	君子屡和谗人誓言，
乱是用长。	乱子所以就愈增添。
君子信盗，[⑨]	君子听信骗子胡闹，
乱是用暴。	乱子所以愈见凶暴。
盗言孔甘，	骗子胡闹的话听起来好甜，
乱是用餤。	乱子所以好像吃甜的又添。
匪其止共，[⑩]	不是他们要做到尽职，

维王之邛。[11]	只是造成了王的过失！
奕奕寝庙，[12]	奕奕高大的宫室寝庙，
君子作之。	这是君子造作的。
秩秩大猷，	秩秩明智的大政方针，
圣人莫之。	这是圣人计划的。
他人有心，	他人有了心事，
予忖度之。	我可以测度的。
躍躍毚兔，[13]	躍躍地跳的毚兔，
遇犬获之。	遇犬会被捕获的！
荏染柔木，[14]	种下荏染随人的柔木，
君子树之。	这是君子自己所做的。
往来行言，	往来无定的流言谣说，
心焉数之。	这是人的心里有数的。
蛇蛇硕言，[15]	夸夸其谈的大言，
出自口矣！	出来从一张口呀！
巧言如簧，[16]	巧言好像吹簧，
颜之厚矣！	真是脸皮的厚呀！
彼何人斯？	他是什么人儿？
居河之麋。[17]	住在大河的水草之边。
无拳无勇，[18]	看他无力无勇，
职为乱阶。[19]	但他常是祸乱的根源。
既微且尰，[20]	既烂腿子又肿脚，
尔勇伊何？	你的勇气是什么？
为犹将多，[21]	施的阴谋诡计太多，
尔居徒几何？[22]	你蓄养的党徒几何？

（陈子展　译）

注释

①昊天:天。昊:元气博大貌。②曰、且(jū):语词,无义。③怃:大。④泰怃:大而又大,甚而又甚。⑤僭始既涵:《毛诗传笺通释》:"谓言未信而姑容之也。"僭:"谮(zèn)"的假借字,谗言。⑥君子:此指周王。⑦祉:喜。这里用作动词,意为君子如能喜纳贤人的忠言。⑧君子屡盟:旧注多未指明与盟者,或以为"各邦国之君,彼此有疑,则会同订盟以相约束。"今从陈子展译文,此指王屡次与谗人盟约要誓。⑨盗:谗人,骗子。《毛传》:"盗,逃也。"胡承珙《毛诗后笺》云:"《传》意以谗人谓之盗者,义取于逃,谓隐匿其情,而以言诱人。下文'盗言孔甘',所谓以甘言诱之也。"⑩止:礼。共:音恭,一本又作恭。止共:止、共二字义近连文,正像《诗》中的靖共、敬恭、虔共等用语一样。⑪邛(qióng):病,引申为过失。⑫寝庙:古代统治阶级的宗庙中有寝和庙两部分。寝,指后面藏其祖先衣冠的地方;庙,是前面举行祭祀的地方。⑬躍(tì):"趯"的假借字。躍躍:腾跳快跑之状。毚免:狡兔。《诗三家义集疏》:"彼谗人者有心破坏之,我安得不忖度其故,忖度之则情状得。譬如狡兔之躍,遇犬则获矣。"《诗经通论》云:"(他人有心二句)此意亦在下,又起末章将获是人而杀之之意。"⑭荏染:柔弱的样子。⑮蛇(yí)蛇:"訑訑"的借字,又通作"诧诧",欺诈貌。蛇蛇硕言:骗人的大话。⑯簧:乐器里的发声振动体,薄叶状。《诗三家义集疏》:"一簧两舌,佞言谄言。"形容谗言之动听。⑰麋:"湄"的假借字,水边。⑱拳:勇壮,气势。⑲职:祇,专,适。阶:阶梯,引申为由来、根源之意。职为乱阶:恰是祸根。⑳微:"癥"的假借字,小腿生疮。尰:脚肿。㉑犹:欺诈。将:且。㉒居:语词,无义。尔居徒几何:你的徒众(同谋者、追随者)有多少?

鉴赏

《巧言》是周代的一首政治讽刺诗。旧说"大夫伤于谗","伤谗致乱"而作,或以为"刺幽王也"。这首诗的作者、产生的具体时间和讽刺的具体对象,都已无法确指。但通过这首诗,我们却可以从一个侧面了解到周王朝的政治环境,周王与其臣、臣与臣之间的复杂矛盾。

这位大夫——诗人,认为"君子信谗"是祸乱的根由,而谗言之所以被相信,则是因为讲谗者的佞巧,善于甘言媚辞,以逐渐浸淫的手段,中人于不自知觉之间;同时也因为"君子"的昏聩糊涂。诗人对信谗者与进谗者深恶痛绝,发而为诗,一无所讳,往复咏唱,尖锐深刻,而又淋漓尽致。

全诗共六章。方玉润说“前三章皆言信谗”(《诗经原始》),吴师道说“前三章刺听谗者,后三章刺谗人”(清王鸿诸等《诗经传说汇纂》),都只是言其大体上的侧重而已。“君子信谗”,本来是一件事的两个方面,作为一首政治讽刺诗,则更是诗人复杂而又浑融一体的思想感情的火花。在这首诗中,诗人的感情表现为由惨痛呼号而痛定思痛,由极度愤怒而深刻怨恨,其间有一个狂澜之后的冷静的分析思考;怨恨是愤怒的持续和深化,经过冷静的分析思考的怨与怒,其声音不同于轻浮无力的空响,也才真实地反映出了其时其政之乖。

诗人痛极呼天,在第一章里,三呼昊天,一言父母。接着也只是喊出了一个“乱”字和自己的“无罪”。司马迁说:“夫天者,人之始也;父母者,人之本也。人穷则反本,故劳苦倦极,未尝不呼天也;疾痛惨怛,未尝不呼父母也。”(《史记·屈原贾生列传》)这里没有更多的语言,但诗人的满腔悲愤,却迸发为一声冤呼,强烈地震撼着读者的心灵。

次章,紧承“乱”字而溯其源。“涵”与“信”点明谗言的渐入;“初生”“又生”点明祸乱的滋大。两者同时而互为因果。诗人屡言“君子”,因为“君子”是有权力可以主宰国事和其臣民命运的人。诗的咏叹又似乎在伤心地数诉着:“君子”,当初你为什么不“如怒”,为什么不“如祉”啊?而今,一切都已是无可挽回的了!

第三章亦承“乱”字,进一步追述着“乱”的发展过程,讽刺“君子”不辨诚伪。清人胡承珙《毛诗后笺》云:“大夫伤于谗者,非独一己伤困于谗,谓大夫伤听谗言之乱政,故其辞屡言乱,而深望君子能察而止之。”又引《诗测》曰:“始未尝不知其为谮言也,但欲兼听并观,姑涵容之以为御下之术,迨涵之既久,遂为谮言所化矣。始未尝不知其为盗言也,但欲调停中立,姑盟约之以消羽党之风,迨盟之既屡,遂为盗言所夺矣。盖正言不若盗言之甘故也。”在这一章里,诗人凡三言“乱”,而“乱是用长”“乱是用暴”“乱是用餤”,言之历历,明白指出其责任则皆在于“君子”。“君子”之信之愈深,才终于酿出乱子。《诗测》的两个“始未尝不知”,本为“君子”粉饰,但其“知”而姑息,而听之信之,实在客观上已说明了“君子”的愚不可及。在这一章里,诗人怒过而思,更多的已是理想性上的痛苦的反刍。

下面两章接着用“兴而比”的手法,深怨君子,归咎下流。诗言“奕奕寝庙,君子作之。秩秩大猷,圣人莫之”。寝庙,本是王祭祀祖先之所,居中朝之左,王于国之大事如聘享、命官等俱在此处举行,所以古人认为兴建寝庙是非常了不起的作为。诗人以此引出所咏,意思是说:

(君子)你可以修造寝庙,可以筹划大政,他人的居心如何,当然能够揣测得到的了;即使他狡诈为兔,一遇上犬也必然会被捕获的。潜台词则为:你怎么一遇谗人,就不辨忠奸而昏眊至此!

后面又说:"荏染柔木,君子树之。"《毛传》《郑笺》以柔木为好树木,朱熹更具体地说是桐梓之类的树木。其实,这树木柔弱的、左右随人的体性,正是由于人使之如是的,它是按照人的意向成长的。所以诗意仍是:(君子)你既然可以种植培养"柔木",也理所当然能理解流言蜚语之所由产生,辨识它的真假和目的了吧。可悲的是,对于那些夸夸其谈的大话,和那些十分动听的谗言,你为什么竟看不出是善于逢迎的坏人厚颜无耻地张口乱说的呢?语极辛辣。

最后一章说:"彼何人斯,居河之麋。"朱熹以为"此必有所指矣,贱而恶之,故为不知其姓名,而曰何人也"(《诗集传》)。陈子展说:"写其形象,显露特征。此中有人,呼之欲出。当时写实,今不可考矣。"(《诗经直解》)总之,诗人对于那个谗人是熟悉的,怨恨也极深刻。如果说本篇的前五章还勉强有点含蓄的味道,那么这第六章就连那一点含蓄的味道也都丢尽,而简直像是面对谗人的诅咒了。诗人集中地揭露谗人的阴贼的心性和伎俩,如闻切齿之声。

(秦效侃)

何人斯

彼何人斯!	他是什么人儿!
其心孔艰?①	他的用心好深?
胡逝我梁,②	为啥过我的鱼梁,
不入我门?	不进入我的大门?
伊谁云从,	他听从谁的话,
维暴之云?③	就是说的暴公?
二人从行,	二人相随而行,
谁为此祸?	谁弄出来这个祸?
胡逝我梁,	为啥过我的鱼梁,

不入唁我？	不进门来慰问我？
始者不如今，	当初不像于今，
云不我可！④	说我不是好家伙！
彼何人斯！	他是什么人儿！
胡逝我陈？⑤	为啥过我的前庭？
我闻其声，	我听到他的声音，
不见其身。	不见他的人身。
不愧于人？	不惭愧于人情？
不畏于天？	不畏惧于天神？
彼何人斯！	他是什么人儿！
其为飘风，⑥	岂是一阵飘风？
胡不自北，	为啥不于北行，
胡不自南？	为啥不于南行？
胡逝我梁，	为啥过我的鱼梁，
祇搅我心？	只是搅乱我的心？
尔之安行，	你的缓行，
亦不遑舍。	也不暇来休息一下。
尔之亟行，	你的快行，
遑脂尔车？⑦	有暇停住你的车吗？
壹者之来，⑧	一昨的你来，
云何其盱！⑨	我怎样的张眼望煞！
尔还而入，	你回头而进我的门，
我心易也。	我的心里就好呀。
还而不入，	回头而不进我的门，
否难知也。⑩	隔阂就难知道呀。

壹者之来，	一昨的你来，
俾我祇也！[11]	已经使我病倒呀！
伯氏吹埙，[12]	你是阿哥、吹的乐器是埙，
仲氏吹篪。[13]	我是阿弟、吹的乐器是篪。
及尔如贯，	我和你好像一串东西，
谅不我知？	真的是你不对我深知？
出此三物，	拿出了这三牲猪犬鸡，
以诅尔斯！	来凭神诅咒你该死的！
为鬼为蜮，[14]	是鬼是害人的妖精，
则不可得。[15]	就不可能料到。
有靦面目，[16]	这样偭然面目，
视人罔极？[17]	也示人不可靠？
作此好歌，	作了这篇善意的诗歌，
以极反侧！[18]	来穷究你的反复颠倒！

（陈子展　译）

注释

①孔艰：十分深险。②梁：鱼梁。用石头堵成的堤坝，中间留有一段空隙，使鱼得以往来。③暴：暴公，周王卿士（依旧说，陈译）。一说，暴：凶暴，指代诗中所指斥的那个人。④可：犹“哿”，好。⑤陈：堂下至院门的甬道。⑥飘风：暴起之风，疾风。⑦遑脂尔车：承上句言，更不暇停车止息之意。清人马瑞辰《毛诗传笺通释》：“脂音支，即支字之假借。支与榰通。《尔雅》：榰，柱也。《楚辞》王逸注：轫，榰车木也。《玉篇》：轫，碍车轮木。”⑧壹者：是人。壹：语词。⑨盱：望。《字林》：“盱，张目视也。”⑩否：《易》卦名，坤下乾上，表示天地不交，上下隔阂、闭塞不通之象。⑪祇：通“疷”，病。⑫伯：兄弟的次第。氏：指其人。埙(xūn)：古乐器。一般为陶制，也有石制、骨制的。大如鹅蛋，锐上平底，形似秤锤，孔数多少不一。⑬篪(chí)：古乐器，用竹管制成。六孔，或七孔，或八孔，即横笛。⑭蜮：古代传说中的一种含沙射人的动物，一名射工。⑮得：得知。《艺

文类聚·灾异部》引《诗》作“则不可测”。⑯靦:形容人的面目的样子。⑰视:“示”之借字。罔极:无准则,不公正。⑱极:穷究。反侧:反复无常。

鉴赏

《毛诗序》:“《何人斯》,苏公刺暴公也。暴公为卿士而谮苏公焉,故苏公作是诗以绝之。”后来不少学者又繁征远引,多方证成其说,乃至苏、暴二公其人其地,以及彼此构隙始末,都一一言之凿凿,使人不能不信其当时“或有所传”了。其实,《毛诗序》所据,亦仅诗中“伊谁云从,维暴之云”而已。所以有人认为“暴”不一定就是指的暴公,诗里没有“苏”字,也没有说何王之朝,上引二句,“或不斥指其名,以‘暴’呼之耳”(姚际恒《诗经通论》)。这种意见也不无道理。我们认为以上两种说法都讲得通,因为无关宏旨,不必过于深考,《何人斯》毕竟是诗而非史。

从全诗看,假如说“暴”是暴公,诗人即苏公,那么,暴公也并非诗里所直接刻画的人。诗里直接刻画的人乃是暴公的依附者,但因其人之所以能够为恶应该归咎于暴公,故曰“刺暴公也”。总之,诗人和其讽刺的对象,原是甚为亲密的朋友,后来那位朋友由于和他发生利害冲突(或慕暴公权势),依附了暴公,对他掉头不顾,甚至进行倾陷,行为凶狠,诗人因而遭遇不幸。唯其曾经是“及尔如贯”的朋友,所以诗人对他知之甚悉,而又怨恨特深,其诗也格外感人。

诗里“彼何人斯”的“彼”,“尔之安行”的“尔”,“我闻其声,不见其身”的“其”,都是指的同一个人,即诗人直接刻画的那位“朋友”。前四章里只说“彼何人斯”,后面五、六章里则称“尔”,由“何人,亦若不知其姓名也”(《诗集传》),而径直呼“尔”,像戟指面斥一样,可以清楚地看出诗人感情的变化,其内心的痛苦与愤怒终于不可遏抑,喷薄而出,火花溅射。那位“朋友”的形象也终于完全裸露了出来。方玉润说:“小人斯天罔人,毫无畏忌,亦不知耻。是以交友则始合终离,行事则有影无形,居心则忽南忽北,行踪诡秘,令人莫测。所谓‘为鬼为蜮’,心极奸险,不徒以谮愬为工者也。”(《诗经原始》)诗里所刻画的“小人”,其思想行为在中国奴隶社会、封建社会中,乃至其后久久的历史长河中,都具有典型意义。

诗里“二人从行”,以及取譬的“伯氏吹埙,仲氏吹篪”,自然便是诗人说的那位“朋友”和自己先前相交厚的事了。正由于二人间的复杂关系,诗人的感情才反映出多次的回荡、起落,每一思索,每一回忆,每一希望与失望,甚至一个幻觉,都会引起自己更深的痛苦,也都会激起自己对那位“朋友”更大的愤恨。这回流跌宕的而又逐渐上升的痛苦与愤恨,构成了全诗感情的主旋律。它符合其生活的真实,而且具有相当的艺术魅力,使读者不自觉地完全同情了诗人。

诗分八章,第一章不指实其人,但揭出“其心孔艰”,已带有暗示性。那个人城府很深,心地奸险,四个字是概括了其思想品质的。它为全篇所讽刺的各种现象提了个纲,也作了合乎逻辑的解释。那人过门不入,和第二章的“不入唁我”联系起来,可以看出诗人遭遇不幸,看出那人的张扬及其对于旧日朋友的态度。这不能不引起诗人的反思,他对我前后判若两人,这隔阂,这不幸,究竟是“谁为此祸”?这诘问是始终没有得到回答的。诗人的意思固然是罪不在己,然而,想申辩却无从申辩!

第三、四两章进一步刻画那人。他,性情无常,行如飘风,变幻莫测;陷害了人,却使人不晓得为什么被陷害,被怎样陷害的,更找不到对手,的确是一个十分厉害的防不胜防的对手!另一方面,诗人又未尝不想:他或许仍有一丝友情的眷顾?所以,“胡逝我梁”“胡逝我陈”,与其说是空间距离上的由远而近,不如说是诗人心里活动中的由真而幻,他没有来,也根本不会来。

第五、六章,诗人更非常细腻、非常充分地表现了此时此际的内心状态。那位“朋友”的过门不入,有如一石激水,“尔之安行”“尔之亟行”“尔还而入”“还而不入”,重沓反复的种种设想,就像千层雪浪,跌落卷起。旧说诗人委曲以相望,未能指出诗人除了愤恨之外,其所以“仍望其来者再”(方玉润《诗经原始》),实质上还存在着一种潜在的忧惧,那个看不清的影子,时时在窥伺着自己,自己随时有再次受到伤害甚至被吞噬的危险。这是一种在互相倾轧的旋涡里挣扎的复杂而又矛盾的心理,倒并非出于什么顾念“君子交友大道”。

第七章仍是上述诗人心里活动的继续。伯氏仲氏是兄与弟,埙与篪是相和鸣的吹奏乐器,诗人用这两两融谐的关系来比喻他们的夙昔交往,那不是“及尔如贯”么?然如是,忍不住质问:“真的是你不对我深知?”这中间仍然闪着一线希冀之光,诗人实在想摆脱自己处于劣势的这场纠葛,哪怕是带点屈辱的和解。然而,没有这个机会,一切是无可挽回的了。于是内心深处的愤恨再度炽烈地燃烧起来,压倒了怀旧和悚惧的心情,压倒了一切,也顾不了谦谦君子的风仪,终于摆出三牲祭品,“来凭神诅咒你该死的”!

最后一章詈其“朋友”“为鬼为蜮”,杠披人皮,并表明作这篇诗的用意。“好歌”二字,也可以理解为反语,就像今人有时愤怒至极,明明用的是最难堪的语言斥责对方，口头却反说我只有这句“好话”！

《何人斯》所刻画的那个人，始终“不见其身”，而身受其祸的诗人却被搅得惶惑、悚惧、怨恨、愤怒，百感交集。在诗篇里，朵朵大大小小、或暗或明的感情的火花，都表现出诗人的艺术才华。尤其值得注意的是，诗人注彼写此、目送手挥之际，成功地刻画出了一个始终不曾“亮相”的形象，而其人的特点则是“其心孔艰”。

（秦效侃）

巷　伯

萋兮斐兮，[1]　　色彩缤纷花不棱登，
成是贝锦。[2]　　织成锦缎晃人眼睛。
彼谮人者，[3]　　你这罗织罪名的害人精，
亦已大甚！[4]　　加油添醋实在太狠心！

哆兮侈兮，[5]　　龇牙咧嘴烂嚼舌头，
成是南箕。[6]　　就像那天上的簸箕星。
彼谮人者，　　你这中伤别人的害人精，
谁适与谋？[7]　　是哪个让你昧良心？

缉缉翩翩，[8]　　叽叽喳喳手舞足蹈，
谋欲谮人。　　造谣中伤胡乱编造。
慎尔言也，　　请你说话要负责任，
谓尔不信。[9]　　不然人们说你不忠信。

捷捷幡幡，[10]　　卖乖取巧反复无常，
谋欲谮言。　　心怀鬼胎飞短流长。
岂不尔受，[11]　　你靠欺骗暂时得逞，
既其女迁。[12]　　总有一天会现出原形。

骄人好好，[13]	编造谎言的眉飞色舞，
劳人草草。[14]	忠厚老实的憔悴困苦。
苍天苍天，	苍天呵苍天呵，
视彼骄人，	管一管那些飞扬跋扈的害人精，
矜此劳人！	哀怜哀怜那些受苦受难的老实人！
彼谮人者，	你这个中伤别人的大坏蛋，
谁适与谋？	谁是和你密谋策划的伙伴？
取彼谮人，	捉住那些编造谎言的害人精，
投畀豺虎；[15]	丢到深山老林去喂豺饲虎；
豺虎不食，	如果豺狼虎豹不啃他的骨头，
投畀有北；[16]	再丢到北边荒无人烟的旷野；
有北不受，	如果那不毛之地容不得他们，
投畀有昊！[17]	只好把他交给苍天严惩！
杨园之道，[18]	到杨园去，
猗于亩丘。[19]	要越过一个小坡。
寺人孟子，[20]	我是名叫孟子的下人，
作为此诗。	不揣冒昧来写诗。
凡百君子，	诸位君子请留心，
敬而听之！	我唱一曲你们听！

注释

①萋、斐：彩色花纹。②贝锦：贝形花纹的锦缎。③谮（zèn）：造谣中伤。④大：通“太”。⑤哆（chǐ）、侈：张口伸舌貌。⑥箕：星宿名，四星相联，形似簸箕，俗称簸箕星。⑦适：往。⑧缉缉：口舌声。翩翩：往来相告貌。⑨信：诚实。⑩捷捷：卖乖取巧貌。幡幡：反复貌。⑪受：听信。⑫女：通“汝”，你。迁：迁怒。⑬骄人：指谮者。好好：得意貌。⑭劳人：指被谮者。草草：忧愁貌。⑮畀（bì）：给予。⑯有北：北方荒凉之地。有：语气词。⑰昊：昊天，苍天。⑱杨园：园名。⑲猗（yǐ）：

加,在……之上。亩丘:有田的高地。⑳寺人:侍从,宦官。孟子:寺人名。

鉴赏

诗以《巷伯》名篇。巷,指宫内小道。伯,官长的尊称。巷伯,指本诗作者孟子。他大约是一个颇受王室信任的忠诚义士,因为遭受谗言而被处以宫刑,成了阉官,留在宫中担任侍从,故又称寺人。

“众口烁金,积毁销骨”“苍绳间黑白,谗巧令亲疏”(曹植《赠白马王彪》),古往今来,有多少英雄豪杰、志士仁人以此蒙不白之冤,遭无妄之灾,成杀身之祸。人们把人际关系中这一灾难,总结成谚语谣辞警告世人;诗人就这一社会现象写下了不少传世的杰作。司马迁曾说:“屈平疾王听之不聪也,谗陷之蔽明也,邪曲之害公也,方正之不容也,故忧愁幽思而作《离骚》。”(《史记·屈原贾生列传》)而司马迁的终身恨事,使他“肠一日而九回,居则忽忽若有所亡,出则不知其所往”(《报任安书》)的,也正是因为他“信而见疑,忠而被谤”。屈原、司马迁和《巷伯》的作者,真可谓身世仿佛,异代同悲。所以班固《司马迁传赞》谈到司马迁《报任安书》时说:“迹其所以自伤,《小雅·巷伯》之伦。”确是抓住了他们惊人的相似之处。由此,可以看出《巷伯》一诗具有多么典型的社会意义,多么深刻的思想内容。

诗共七章。前四章为诽谤者画像。在古典诗歌中,正面描绘并揭露诽谤者的丑恶,这首诗是极为突出的。诽谤者的显著特点是善于编造谎言,罗织罪名,故首章即以织锦成兴,形象地指出诽谤者都是一些中伤他人的能工巧匠。次章描述谎言制造者播弄是非,挑拨离间,密谋策划,工于辞令,其龇牙咧嘴,摇唇鼓舌的丑态,就像天上的灾星——簸箕星一样。诗人以人们厌恶的簸箕星为喻,生动传神地描绘了诽谤者可恨可憎的丑恶嘴脸。三章揭露诽谤者散布谎言,飞短流长,扬扬自得,必欲置人死地而后快的丑态恶行。此时,诗人以一片忠厚之心发出由衷的规劝:不要不负责任地乱说,到真相大白的时候,人们就会说你不老实,说你是骗子。四章揭露诽谤者讨好卖乖,反复无常,不择手段,以售其奸的险恶用心。诗人又以满腔愤懑对之提出严重的警告:一切谎言虽然能骗人于一时,但假象一旦戳穿,真正受到惩罚的正是那些编造谎言的人。这四章,每章四句,都是针对诽谤者说的。边叙述,边议论,亦揭露,亦忠告,以委婉曲折、反复咏叹的怨言恨语,使诽谤者狡狯、谄媚、丑恶的形象和卑鄙、奸诈、险恶的灵魂暴露无遗。

但是，造谣诽谤的后果毕竟是可怕的。它的受害者都是些忠实、真诚、仁爱、义勇的大好人。即使诽谤者阴谋败露，真相大白，从而受到人们的唾弃和应得的惩罚，但因他们的谎言而遭受杀伐的翠柏苍松、幽兰芳草，却再也不能挺立世间、装点山河了。造谣中伤、诬蔑陷害在政治斗争中最为激烈，最为残酷，而且常常与君臣上下、主奴尊卑等复杂的人际关系相联结，与贤愚庸隽、是非得失、荣辱兴衰等实质利害相纠缠，所以历来在政治舞台上反复演出了一幕幕"信而见疑，忠而被谤"的悲剧，和"忠者不忠，贤者不贤"的闹剧。"骄人好好，劳人草草"一章，正是对这一社会现象的揭露和思索。从全诗情调和结构看，如果前四章还只是"恩怨相尔汝"的忧愁暗恨，从第五章开始则是"划然变轩昂"（韩愈《听颖师弹琴》）的呼唱诅咒。随着诗人感情的急遽变化，满腔的义愤如飙风，似暴雨，纷至沓来，汹涌澎湃，形成了全诗的高潮。因此，以后三章在句法上也就一反前四章整齐匀称，反复咏唱的格调，而变为随着情绪昂扬激烈的自由抒发，句式发生了五句、八句、六句等参差不齐的变化，以尽兴称情，肆言泄愤；诽谤者罪不容诛，造谣者十恶不赦。

俄罗斯伟大作家莱蒙托夫在著名长诗《逃亡者》中，为表达对叛徒的憎恨，这样写道："野兽不啃他的骨头，雨水也不洗他的创伤。"这与我国这首古老诗篇中的"取彼谮人，投畀豺虎；豺虎不食，投畀有北；有北不受，投畀有昊"何其相似！它们都是写天怒人怨、物我同憎的绝妙好辞，都是对那些罪大恶极、不可救药者的无情鞭挞，恶恶之甚，让人拊掌击节，慷慨高歌。据说，孔子当年读诗，曾特别注意到这首诗的教育意义。他说古诗中的《缁衣》"好贤"，《巷伯》"恶恶"，懂得"好贤"和"恶恶"就能治理好国家。他把"好贤"和"恶恶"看成处理人际关系的两大原则。"恶恶"和"好贤"是一个问题的两个方面。"恶恶"作为"好贤"的补充是必不可少的。俗话说：懂得爱，还要懂得恨。本诗作者"恶恶"之甚，实在也是由于他的"好贤之甚"。作者推己及人，不仅在泄一己之愤，而是在泄举世之愤。所以作者在最后表明身份——自己原是一个卑微的服侍人的下人；同时申明写诗的目的——希望人们吸取教训，提高警惕！

（陈昌渠）

谷　风

习习谷风，　山风呼啸呜呜吹，

维风及雨。	又是风来又是雨。
将恐将惧，	在苦难的岁月里，
维予与女。	只有我来帮助你。
将安将乐，	现在生活得安乐，
女转弃予。	你却反而抛弃我。
习习谷风，	山风呼啸呜呜吹，
维风及颓。①	大风变成龙卷风。
将恐将惧，	在苦难的日子里，
寘予于怀。②	你曾把我抱在怀。
将安将乐，	现在生活得安乐，
弃予如遗。③	你却将我来遗弃。
习习谷风，	山风呼啸呜呜吹，
维山崔嵬。	高山崔嵬不动摇。
无草不死，	没有什么草不死，
无木不萎。	没有什么树不枯。
忘我大德，	你忘记了我的大德，
思我小怨。	却记住了我的小错。

注释

①颓(tuí)：龙卷风。②寘(zhì)：置，放。③遗：遗弃。

鉴赏

全诗采用第一人称叙述方式和比兴手法，在沉郁悲痛的气氛中，女主人公倾诉了对能共患难却不能共安乐的丈夫的怨恨和谴责，充分展示了春秋时期妇女社会地位的低下和心灵的痛苦。

头两章因风因雨起兴，既是对生活环境的现实的观照，也是对生事艰难的象征性描写。“维风及雨”“维风及颓”，什么风雨没有经历过，什么困难没有见识过。过去那种雨暴风狂的苦难日子，曾经给他们带来过多少不安和恐惧。但苦难也使他们更加相亲相爱，相互支持，相互勉励。他们在“将恐将惧”中患难与共，风雨同舟，深深地沉浸在爱的暖流中，分享着伟大的爱的赐予。“维予与女”“寘予于怀”，正是他们这对贫贱夫妻风雨飘摇、同舟共济的高度概括和真实写照。这是爱情的胜利，也是爱情的颂歌。但是，正当他们经过奋斗，摆脱困难，从失意中走出来，开始过着安定、富裕的生活时，女主人公却被丈夫无情地抛弃了。一个幸福的家庭就这样被背信弃义的丈夫瓦解了。这对勤劳、善良、正直的女主人公是多么的不公平啊！

末章女主人公从哀怨中站了起来，对忘恩负义的丈夫进行道义上的谴责。在经历了多少困难曲折、暴雨狂风之后，那依然故我的嵬嵬高山，仿佛正是女主人公特殊心态的外化，她正好借助这嵬嵬高山的巨大形象来展示自己矢志不二的崇高精神和坚贞不屈的伟大人格。和这嵬嵬高山相比，“无草不死，无木不萎”。春去秋来，万物凋零，没有什么荣华富贵没有尽头，人的生命也不过如此。那个记小过而忘大德的人，那个朝三暮四、负义忘恩、可共患难而不可共安乐的人，还有什么值得她留恋的呢?

从全诗看，音调是由徐缓逐渐转为昂扬，情绪亦由低沉凄婉逐渐变为高亢激越。一、二章在特定的风雨交加的氛围中咏唱，如泣如诉的倾吐，使读者对弃妇的悲惨命运产生了强烈的共鸣和深切的同情。而末章则展示了弃妇情绪的转变，思想的觉醒和人格的升华，使读者同女主人公一起从沉郁中走了出来，感到精神的振奋。因为真正遭到世人“遗弃”的，是那个能共患难而不能共安乐的卑鄙小人，而我们的女主人公却在不幸的命运中获得了自我意识的觉醒，自我价值的确认。因此这首诗不仅在题材上具有时代性，同时在思想上具有进步性。这种既怨且怒的弃妇诗，在《诗经》中是不多见的，此诗正是其中的佼佼者。因此，它不仅在当时广为流传，而且对后世产生了深远的影响。在我国民歌的第二个高峰——汉乐府中，我们从《白头吟》等名篇，又看到了《谷风》的回响和发展。这是一个永恒的主题，只要男尊女卑的社会习俗不根除，只要物质的嗜欲仍在腐蚀人们的灵魂，则这样的长恨之歌还将唱下去。因此，这首古老的悲歌到今天仍没有失去它的现实意义，仍能激起当代读者的共鸣。此外，我们从这首诗中也可以看出古代妇女自我意识觉醒的过程，因此，可以说这首诗表现妇女从自卑到自重再到自强的人格发展三部曲。

（陈昌渠）

蓼　莪

蓼蓼者莪，[1]	长大了，那又香又美的茵陈长大了，
匪莪伊蒿。	那不是香美的茵陈而是下贱的艾蒿。
哀哀父母，	可怜的父亲母亲啊，
生我劬劳。	生我养我多么辛劳。
蓼蓼者莪，	长大了，那又香又美的茵陈长大了，
匪莪伊蔚。[2]	那不是香美的茵陈而是难闻的牡蒿。
哀哀父母，	可怜的父亲母亲啊，
生我劳瘁。	生我养我积劳成病。
缾之罄矣，[3]	盛酒的小瓶空无所有，
维罍之耻。[4]	原是大酒坛子的羞耻。
鲜民之生，[5]	连父母都无法赡养的人，
不如死之久矣！	倒不如早些去死！
无父何怙？[6]	没有父亲何所依？
无母何恃？	没有母亲何所靠？
出则衔恤，[7]	走出家门心中多悲伤，
入则靡至。[8]	走进家门心中无着落。
父兮生我，	父亲啊，你生养我，
母兮鞠我，[9]	母亲啊，你哺育我，
拊我畜我，[10]	抚爱我，喜欢我，
长我育我，	养大我，教育我，
顾我复我，[11]	照顾我，庇护我，
出入腹我，[12]	进进出出抱着我。

欲报之德，　　你们的恩德我怎能报答，
昊天罔报！[13]　　它就像苍天一样博大辽阔呵！

南山烈烈，　　南山崔嵬多艰险，
飘风发发。　　飘风噼啪苦难言。
民莫不穀，[14]　　人人都有法养活父母，
我独何害！　　为什么我就如此艰难！

南山律律，　　南山崔嵬多崎岖，
飘风弗弗。　　飘风飒飒伤肌肤。
民莫不穀，　　人人都有法养活父母，
我独不卒！[15]　　为什么我就不能养老送终！

注释

①蓼(lù)蓼：长大貌。莪(é)：茵陈蒿，抱根丛生，俗名抱娘蒿。②蔚：牡蒿。③缾：同"瓶"。罄：尽。④罍：酒坛子。⑤鲜：斯，此。⑥怙：依靠。⑦衔恤：含着忧愁。⑧靡至：无所适从，没有着落。⑨鞠：养育。⑩拊：抚爱。畜：爱，喜欢。⑪复：通"覆"，庇护。⑫腹：抱。⑬罔极：无限。⑭穀：善，美好。⑮不卒：不得终养父母。

鉴赏

情志藏于胸中，看不见，摸不着，人不知，鬼不晓。情志的表现一定要借助于声音、动作、表情等符号才能为人所感知。这就决定了诗之言情达志一定要通过意境、形象等，才能使读者受到感动。前人所云："事难显陈，理难言罄，每托物连类以形之；郁情欲抒，天机随触，每借物引怀以抒之，比兴互陈，反覆唱叹，而中藏之欢愉惨戚，隐跃欲传，其言浅，其情深也。"（沈德潜《说诗晬语》）说的就是这个道理。这首诗，由"蓼蓼者莪"起兴。"莪"草成了触发和表现诗人感情感受的审美中介。"蓼蓼"，长大貌。用复字作形容语，本有着意刻画的妙用，节奏

感亦极强烈，但实实在在也是由于诗人对“莪”草的成长、茁壮、香美印象深刻，使其心神怡荡所致。“莪”草以其抱根而生，具有鲜美芳香等特质，在古人心目中成了美好事物的象征。诗“菁菁者莪，在彼中阿；既见君子，乐且有仪”(《小雅·菁菁者莪》)。以“莪”兴起君子之感，即其明证。“蓼蓼者莪”本可令人高兴，但是第二句立即来了个一百八十度的大转弯——“匪莪伊蒿”，在感情感受上与前一句形成了巨大的反差。那不是一株“莪”而是一株“蒿”，这里的“莪”和“蒿”已经成了贤愚美丑的象征，已经注入了诗人强烈的主观感情。眼前的“莪”和“蒿”仍是诗人感情和心态的外化。其意若曰：我不是株“莪”，我只是株“蒿”。“蒿”比起“莪”来要下贱得多，无用得多。我和那些有才能的人相比，实在自愧弗如。为什么？因为“哀哀父母，生我劬劳”，“哀哀父母，生我劳瘁”，父母终生劳碌贫困，辛辛苦苦把我养大，而我却无力为他们养老送终，不能报答他们的深恩大德于万一，实在无地自容。“哀哀父母”的惨痛郁结于心，借助于“莪”“蒿”的联想与对比使其悲痛欲绝，神情恍惚的心态得到了形象的表现。次章即以同样的声情格调反复咏叹，再次强调父母的不幸和自己的无能，使感情得到进一步的宣泄。

第三章，承“匪莪伊蒿(蔚)”而来，着重就“我”一面说。先以瓶为喻，酒瓶子空了，本来可以到大坛子中去舀，可是现在的大坛子也是空的；父母劳苦多病，本来要靠子女来赡养，可是子女没有能力。空坛子是无用的，不能赡养父母的子女是可耻的。一个连父母都不能赡养的人和行尸走肉又有什么区别。“鲜民之生”二句，是对“耻辱”心态的进一步形容。失去父母自己也就失去了支持，失去了依靠。“出则衔恤，入则靡至”，以极简练的语言，极典型的概括，使一个因失去父母而进退失据、坐卧不安、悲痛欲绝、神情恍惚、惶惶不可终日的贫穷孝子的形象，活鲜鲜地浮现在读者的眼前。第四章，承“哀哀父母”而来，着重就“父母”一面说。这章没有用托物言志的比兴手法，而用的是赋的直书其事的叙事手法。由于赋具有再现性的特征，所以这些看起来直质敷陈，不需含蓄的言辞，不仅贯注着强烈的感情，而且也使“生我劬劳”“生我劳瘁”这些感受得到生动的具体的表现：生我、鞠我、拊我、畜我、长我、育我、顾我、腹我，朴质无华，明白如话的叙述中涌动着深沉的感情波澜，极为精练地概括了“我”的成长过程和父母劳累的一生。一连串的短语，历历数出，有如急鼓繁弦，一气贯注，声情并茂，欲罢不能，最后发为“欲报之德，昊天罔极”的呼号。仰望苍天，心事浩茫，“谁言寸草心，报得三春晖？”伟大的父母之爱,炽热的赤子之情,这个永恒的文学主题在这里得到了独具特色的表现。流溢在字里行间的纯真的人性美和人情美,更使千百代读者为之唏嘘叹息,心灵震动。

诗人的感情显然在经历了一番汹涌澎湃的激荡之后,逐渐趋于平缓。所以,最后两章,在声情心态的表露上又回到了头两章的句式和格调。那烈烈律律、崔嵬险峻的南山,那发发弗弗、声振林木的飘风,不就是世路险阻和人事艰难的见证?它们对任何人都是一样的存在,一样的考验。为什么有的人生活得幸福美满,而我却多灾多难?有的人父母寿而且康,而我的父母却贫病交加,不能享其天年?至此,诗人终于陷入了沉思,歌声也终于戛然而止。但它的遗音余韵仍然在读者心中缭绕;诗人沉痛的声音仍然在读者耳边震响:这是为什么?这是为什么?这种特殊的心态,仰可问天,俯可问地,或愤为政贫残,或怨徭役繁重,或质诸人,或责诸己。读者于此,正可在抑扬俯仰之间咨嗟咏叹,结合自己的感情体验而含情自读得。

"老者安之,少者怀之"(《论语·公冶长》),从来是我们民族理想社会和理想人格的精神所系。事父母能"竭其力",则是衡量一个人的道德修养的重要标准之一;而如何使人民"仰足以事父母,俯足以畜妻子,乐岁终身饱,凶年不免于死亡"(《孟子·梁惠王》),更是对为政者的一个严峻的考验。因此,这首诗可读可讽,对今天的读者仍然是有教育意义的。

(陈昌渠)

大　东

有馕簋飧,①	碗里装满了好吃的,
有捄棘匕。②	枣木长勺才好舀东西。
周道如砥,③	宽阔的大路磨石般平,
其直如矢;	宽阔的大路箭一般直;
君子所履,	正直的政治家就是这样办事的,
小人所视。	勤劳的老百姓就是这样盼望的。
睠言顾之,	想着过去的正直公平,看着今朝的邪道歪门,
潸焉出涕!	禁不住眼泪汪汪痛哭流涕!

小东大东，④	请看那东方的大国小邦，
杼柚其空。⑤	织布机上也被搜刮精光。
纠纠葛屦，⑥	人们穿着葛藤编的麻鞋，
可以履霜。	在霜雪天行走手冻足僵。
佻佻公子，⑦	就连那些轻佻惯了的公子王孙，
行彼周行。	也得和大家一样奔忙。
既来既往，	看着人们来来往往劳累困顿，
使我心疚！	怎能不使人含恨悲伤！
有冽氿泉，⑧	从旁边流来的寒泉冰水呵，
无浸获薪。⑨	请不要弄湿了我砍好的柴薪。
契契寤叹，⑩	眼看我们个个都在忧愁叹息，
哀我惮人。⑪	您就哀怜我们这些劳苦人吧！
薪是获薪，	如果砍下的柴禾不遭水淹，
尚可载也；	我们就可以把它载回家去；
哀我惮人，	您就哀怜我们这些劳苦人吧，
亦可息也！	让我们也能歇一歇气！
东人之子，	我们东方邦土上的子弟臣民，
职劳不来；⑫	生来就劳累终年不受奖赏；
西人之子，⑬	你们西边系城中的子弟臣民，
粲粲衣服。	生来就衣着华丽悠闲玩耍。
舟人之子，⑭	你们周家宗族的子弟，
熊罴是裘；	哪一个不享有裘皮的衣服；
私人之子，	你们周家宗族的奴仆，
百僚是试！⑮	哪一个不捞个一官半职！
或以其酒，	我们进献的纯甜美酒，
不以其浆；	你们说它是薄水酸汤；

鞙鞙佩璲，[16]	你们身佩晶莹美玉，
不以其长。	却不见有什么才智特长。
维天有汉，[17]	好比那天上的银河，
监亦有光；[18]	看上去只有些微弱的清光；
跂彼织女，[19]	再看那三角形的织女星呵，
终日七襄。[20]	她一天混过七个时辰。
虽则七襄，	她虽然能混过七个时辰，
不成报章。[21]	却不见她织成有文采的衣裳。
睆彼牵牛，[22]	再看那闪烁的牵牛星呵，
不以服箱。[23]	也没见着它去拉车载箱。
东有启明，	东方启明星怎比初升旭日，
西有长庚；[24]	西方长庚星怎比火红夕阳；
有捄天毕，[25]	那长长的弯弯的天毕星呵，
载施之行。[26]	搏兔张网也排不上它的用场。
维南有箕，[27]	南方的簸箕星闪闪发光，
不可以簸扬；	却不能用它来簸米扬糠；
维北有斗，[28]	北方的北斗星闪闪发光，
不可以挹酒浆。[29]	也不能用它来舀酒装汤。
维南有箕，	南方的簸箕星是个灾星，
载翕其舌；[30]	长舌头大嘴巴活像饿鬼；
维北有斗，	北方的北斗星贪馋得很，
西柄之揭！[31]	从西向东老是长伸勺柄！

注释

①饛：饮食满盈貌。簋（guǐ）：食器。飧：熟食。②捄（qiú）：长而弯曲的柄。棘：枣木。匕：饭勺或汤匙。③周道：大路。砥：磨刀石。④小东大东：泛指东方

诸侯领地。⑤杼柚：梭子和机柚。⑥纠纠：绳索缠绕。葛屦：葛藤编的草鞋，适用于夏天。⑦佻佻：轻佻、安逸。⑧氿（guǐ）泉：从旁边流来的水。⑨获薪：砍好的柴禾。⑩契契：愁苦。寤：醒着。⑪惮：劳苦。⑫职：只。来：同"赉"，赏赐。⑬西人：泛指居住京城的西周王朝贵族。⑭舟人：即"周人"。⑮试：任用。⑯鞙（xuàn）鞙：佩玉貌。璲：美玉。⑰汉：银河。⑱监：观看。⑲跂：分歧。织女三星成三角形，三角分出，故用跂字形容。⑳七襄：不详。以形容终日似指七个时辰。㉑章：文采。㉒睆（huǎn）：明亮。㉓服箱：驾车拉箱。㉔启明、长庚：金星日出前出现在东方，日落后出现在西方，古人以为二星，故别为二名。㉕天毕：星宿名。星八颗，斜挂天空，形似打猎用的长柄网。㉖载：则。施（yí）：斜行。行：行列。㉗箕：星宿名。四星连成梯形，形似簸箕。㉘斗：北斗七星。其形有斗有柄。㉙挹：舀。㉚翕（xì）：收缩。㉛揭：高举。

鉴赏

《大东》是一篇针砭时弊的佳作。面对劳民伤财、营私舞弊、卖官鬻爵、尸位素餐、贪得无厌等社会问题，作者久已郁结于心，终于喷薄而出，吟成了一首长歌。歌中描绘了一幅王政不平、民贫国困、匹夫抗争的惊心动魄的社会画卷。

全诗七章。一开始我们即看到：令诗人"睠言顾之，潸焉出涕"的是社会已经失去了公平、正直的原则，上层统治者已经成了奴役人、剥削人、压迫人的集团，成了为一小撮人谋取私利的集团。俗话说："锅里有，碗里有；大路不平旁人铲。"诗人就是从锅瓢碗盏的关系，从如砥如矢的大路，联想生发开去，慷慨激昂地抒发了他参政抗争的情怀。王夫之《诗广传》云："'有饛簋飧，有捄棘匕'，知势之谓也。下之既有余，而以奉上，情之所安，义之所正，顺矣。"反之，"则不饛之簋而急试之匕，求之而不得，得之而之盈，势愈迫，情愈躁，将一举以空其簋，而簋空矣，簋空而国固未盈。"王夫之正是从这里领悟到簋空则匕空，民贫则国困的道理。一个国家如果到了这个地步，而统治者还不思其反，其结果必然是"竭泽焚林以动天下之疾憾，死亡于野而瓦解于廷"。统治者拼命剥削，老百姓拼命反抗，民怨沸腾，朝廷瓦解。

次章的"小东大东，杼柚其空"，使我们想起了杜甫的《兵车行》，"君不闻汉家山东二百州，千村万落生荆杞，纵有健妇把锄犁，禾生垄亩无东西"。这里"东人"的悲哀，东方诸侯邦国的悲哀，实际上代表了周家东部广大人民群众的悲哀。"杼柚其空"，碗里、簋里、织布机上都空了，剩下来的只是一片凄凉，"千村万落生荆杞”。这里最巧妙、最入情的是作者并没有直接去刻画劳动人民,而是勾画了一个“佻佻公子”的形象,连平素轻佻、安逸,不事劳作的公子王孙,如今也同样困于行役,疲于奔命,那么一般的老百姓的悲惨命运自然也就不言而喻了。表面上好像在说公子王孙也在受苦,实际上是为了突出人民群众的深重苦难。

第三章,诗人以获薪为喻,说明已经晒干了的柴禾,不能让它渍水腐烂;已经疲惫不堪的老百姓,不能再让其贫病不堪。人民有了积薪方可以御冬防寒,人民有了生养休息的机会,才能继续从事生产,使民富国强。打柴煮饭,本是日常的生活琐事,看似平平,实则饱含着诗人丰富的生活体验和深思自得的事理人情。他把“积薪”作为表现感情的媒介,由“积薪”表达出来的既是感情的需要也是事理的必然,情与理由此达到高度的交融统一。这里的理已融于情而不是外在于情的抽象的理,它给人的不是概念而是形象。

唐武后朝萧至忠《谏卖官鬻爵宰相子弟居要职疏》曾节引此诗云:“臣窃见宰相及近侍子弟多居美爵,此并势要亲戚,罕有才艺,递相嘱托,虚践官荣。诗云:‘东人之子,职劳不来;西人之子,粲粲衣服。……私人之子,百僚是试。或以其酒,不以其浆;鞙鞙佩璲,不以其长。’此言王政不平,众官废职,私家之子,列试于荣班,非任之人,徒长其饰佩。”四、五两章就是针对这样不公平的社会现象所作的大胆的揭露。它那愤怒的吼声,在漫长的封建社会中曾使不少上层统治集团中的有识之士为之不安,引以为戒。历史告诉我们:当一个政治集团被人身依附、裙带关系以及亲族、山头、地域、帮派等关系网弄到“百僚是试”的时候,必然是生活上腐化堕落,政治上贪婪肆虐,从而激起人民对它的怨恨和抗争!

诗人面对着如此严酷的政治现实,无法自解。所以,自第五章后,他的目光逐渐由人间转向天上。仰望茫茫夜空,那些闪烁不定的群星,好像都在变换着脸谱,有如地上的物事人情。此时,他突然发现了一个巧妙的方式可以宣泄满腔悲愤。这方式就是怨天。于是,他嘲笑织女,迁怒牵牛,责启明、长庚、天毕虚有其名,斥南箕、北斗其形可憎,仿佛天上群星没有一个有用,没有一个可亲,没有一个可信。在古代,天是可畏的,官员们则把自己比着天上的星宿,也是为了让老百姓畏惧。而诗人却无畏于天,讽刺挖苦,嬉笑怒骂,写成了一段绝妙的文字。“维南有箕,载翕其舌;维北有斗,西柄之揭。”这难道不是那那些贪得无厌,永远填不满酒囊饭袋的家伙的绝妙写照么?“南箕北有斗,牵牛不负轭。”名实相乖,相欺以假,成了后世诗人托物言志的一个传统形象。

在感情结构上，这四句也回应了首章的“有饛簋飧，有捄棘匕”。伸着长柄勺，张着大嘴巴的家伙们，只知吃喝，只会搜刮，把老百姓们刮得衣不蔽体，食不果腹，日子怎么过？出路在哪里？诗人的情绪经过一个又一个的回旋起伏，逐渐推向高潮，又逐渐由愤怒转入沉思。而读者则从诗人悲愤情绪的发泄中感受到了人民的深重苦难，看到了统治集团的可恨可憎，同时也预感到他们的必然灭亡。

（陈昌渠）

四　　月

四月维夏，①	四月被逐是夏天，
六月徂暑。②	六月盛暑将过完。
先祖匪人，③	祖先不是别家人，
胡宁忍予？④	为啥任我受苦难？
秋日凄凄，⑤	秋风萧瑟真凄清，
百卉具腓。⑥	百草干枯尽凋零。
乱离瘼矣，⑦	祸乱使我心忧苦，
爰其适归？⑧	何处可去何处行？
冬日烈烈，⑨	三九寒天彻骨凉，
飘风发发。⑩	阵阵狂风呼呼响。
民莫不穀，⑪	人们生活都很好，
我独何害！⑫	我独受害离家乡！
山有嘉卉，	好树好花山上栽，
侯栗侯梅。⑬	也有栗子也有梅。
废为残贼，⑭	肆无忌惮为残贼，
莫知其尤。	还不承认是犯罪。

相彼泉水，	看那泉水下山坡，
载清载浊。	又清澈啊又混浊。
我日构祸，⑮	天天碰上倒霉事，
曷云能穀？⑯	日子怎么会好过？
滔滔江汉，	长江汉水浪滔滔，
南国之纪。⑰	总揽西方小河道。
尽瘁以仕，⑱	鞠躬尽瘁为国家，
宁莫我有。⑲	可是没人说声好。
匪鹑匪鸢，⑳	为人不如鹰和雕，
翰飞戾天。㉑	高飞能够冲云霄。
匪鳣匪鲔，㉒	为人不如鲤和鲟，
潜逃于渊。	逃进深水真逍遥。
山有蕨薇，㉓	山上一片蕨薇菜，
隰有杞桋。㉔	低地杞桋真不少。
君子作歌，㉕	作首诗歌唱起来，
维以告哀！㉖	心头悲哀表一表！

（程俊英译，略有改动）

注释

①四月：指夏历而言。下文“六月”同。维：为，是。②徂（cú）：往。徂暑：是“暑徂”的倒文，言盛暑将过去。③匪：非。④胡：何。宁：乃，竟。忍：忍心。⑤凄凄：寒凉。⑥卉：草的总名。具：通“俱”，全。腓（féi）：枯萎。⑦瘼：病，引申为疾苦。⑧爰：何。适：往。⑨烈烈：同“冽冽”，寒冷貌。⑩飘风：旋风。发发：风吹迅疾貌。⑪穀：善。⑫何：通“荷”，蒙受。⑬侯：维，是。⑭废：《毛传》：“废，大也。”一说训“忕（shì）”，习惯。残贼：摧残损害别人的人。⑮构：借作“遘”，遇。⑯曷：何。云：语助词。⑰纪：纲纪。⑱仕：事，指从王事。⑲莫：不。有：通

"友",亲善。莫我友,不友我。⑳鹑(tuán):《说文》作"鷻",猛禽名,即雕。鸢(yuān):鸷鸟名,俗称鹞鹰。㉑翰:高飞。戾:至。㉒鳣(zhān):鲤鱼。鲔(wěi):鲟鱼。㉓蕨、薇:皆菜名。㉔隰(xí):低湿之地。杞(qǐ):木名,枸杞。桋:木名,赤楝。㉕君子:作者自称。㉖告:诉说。

鉴赏

此诗题旨颇多争议。方玉润《诗经原始》云:"此诗明明逐臣南迁之词,而诸家所解,或主遭乱,或主行役,或主构祸,或主思祭,皆未尝即全诗而一诵之也。"今考察全诗,方说可信。

全诗八章,章四句。末二句说"君子作歌,维以告哀",即逐臣告遭祸南迁之哀也。"告哀"二字点明诗意,实乃全篇眼目。故八章诗以"告哀"贯之。

前三章言"我"初夏被逐,历经秋冬,触景伤情,孤苦无告。其特点是写"我"被逐之后的历经三时,均以时令开头,触景伤时亦自伤。"四月"点出被逐江南的时间,开始踏上流亡的茫茫长路。接下去历述途中感遇。"六月"冒暑而行,苦不堪言,只能抱怨先祖的不能默佑,可见怒愤之深而又无可奈何。"秋日凄凄",草木凋零,身遭祸乱,何处是归途。可见形势之黑暗,前途之渺茫。"冬日烈烈",寒风怒号,"我独何害"。可见路途之遥远,跋涉之艰辛,心境之凄凉。三章诗,按时间顺序,依次写来,所选时令景物不多而各具典型,所写心境应时应景而生,贴切而充满无限辛酸。以景托情,寓情于景,既渲染了气氛,又表达了流亡者的愁思。正所谓情中景,景中情,"一切景语皆情语也"。

中四章承上而来,将"我"的形象由表面向深层推进,极言其忧伤哀痛之由。其特点是各章均用比兴开头,然后引出所咏之辞,写了四个方面的内容。一是以山间美好的卉、栗、梅无故遭到摧残,而"残贼"还不自知其罪,喻自己为残贼所挤,无过受害。二是以泉水的有清有浊,比兴权贵们却浊而不清;同时又以泉水的清能变浊,浊能复清,比兴"我"苦难的处境,却没有好转的希望。可见"我日构祸"而不愿同流合污,前途可悲。三是写"我"来到江汉合流之地,即求兴怀:江汉能为"南国之纪",而王朝反不能为天下之纪纲;江汉之所以能成为主河,是因为有南国小流的汇聚,而"我"为国事而鞠躬尽瘁,却"宁莫我有"。可见"我"的忠而见逐,源于当权者的昏庸。四是以鸟能高飞于天,鱼能深潜于水,反兴自己的无计逃祸,何处容身。至此,作品继前三章忧乱之后，又从被害、构祸、尽瘁、思隐等四方面尽情地抒写了“我”被逐谪迁的复杂而痛苦的心情，完成了“告哀”的主题。因此，这一部分是全诗的主体，而又妙在均以比兴手法出之，这就使形象更为生动感人，而意义更为含蓄深刻。

末章以草木各得其所寄兴，言人反不得其所，只好作诗，聊以志哀而已。这是篇末点明作歌目的即“卒章显志”的写法。这种写法既在篇章结构上起结束全诗的作用，又在主题思想上起画龙点睛、点明题旨的作用，可谓一石双鸟。通过“告哀”，加深了读者对诗中抒情主人公思想感情的理解，看出诗人心绪激切之动机，属“发愤之所为作也”；也增强了这首抒愤诗浓郁的悲凉气氛和感染力，使人读后不禁为之敛容。

综观全诗，诗中的“我”是一个被逐南放，一年之间自夏历秋至冬；途中由西而南，路程又远，感遇良多；曾为国事操劳而后遭迫害，无力抗拒，又无可逃避，辗转南国，走投无路，仅以长歌当哭的形象。通过这个形象在被逐后心路历程的坦露，我们似可看出“我”是一个在周王朝中受到大奴隶主贵族统治集团迫害的正直的官吏，从而认识到由“残贼”所代表的统治者的昏庸与罪恶，以及当时社会的黑暗。正因为作品中的“我”是一个未指明确切身份的“君子”，其形象的容量更大，内涵更深，给人留下想象的余地，从一个侧面获得了解当时奴隶主统治时期阶级斗争、社会矛盾的普遍性信息。一个“尽瘁以仕”的官吏遭遇尚且如此，小民百姓的处境就可想而知。这大概就是此诗的价值所在吧。

（蓉　生）

北　山

陟彼北山，①	登上那座北山岗，
言采其杞。	采点枸杞尝一尝。
偕偕士子，②	士子身强力又壮，
朝夕从事。	从早到晚工作忙。
王事靡盬，③	国王差事无休止，
忧我父母。	没法服侍我爹娘。
溥天之下，④	普天之下哪片地，

莫非王土；	不是国王的领土；
率土之滨，[5]	四海之内哪个人，
莫非王臣。	不是国王的臣仆。
大夫不均，	大夫做事不公平，
我从事独贤。[6]	派我工作特别苦。
四牡彭彭，[7]	四马拉车把路赶，
王事傍傍。[8]	王事紧迫没个完。
嘉我未老，	他们夸我年纪轻，
鲜我方将。[9]	夸我身体真壮健。
旅力方刚，	说我年富力又强，
经营四方。	奔走四方理当然。
或燕燕居息，[10]	有的人坐家中安乐享受，
或尽瘁事国。	有的人忙国事皮包骨头。
或息偃在床，	有的人吃饱饭高枕无忧，
或不已于行。[11]	有的人在路上日夜奔走。
或不知叫号，	有的人从不知民间疾苦，
或惨惨劬劳，	有的人忧国事累断筋骨。
或栖迟偃仰，[12]	有的人专享福悠闲自得，
或王事鞅掌。[13]	有的人为工作忙忙碌碌。
或湛乐饮酒，[14]	有的人寻欢作乐饮美酒。
或惨惨畏咎，	有的人担心灾难要临头。
或出入风议，	有的人夸夸其谈发议论，
或靡事不为。	有的人样样事情要动手。

注释

①陟(zhì):登。②偕偕:强壮的样子。③靡盬(gǔ):没完。④溥:普。⑤率:循、沿。滨:水边。⑥贤:艰苦。⑦彭彭:不得休息貌。⑧傍傍:不得已貌。⑨鲜:重视。将:强壮。⑩燕燕:安栖貌。⑪行(háng):道路。⑫栖迟:游息。偃仰:安居。⑬鞅掌:公事忙碌。⑭湛(dān)乐:过度享乐。

鉴赏

这是篇苦于劳役之作,在这个意义上它与《召南·小星》《邶风·北门》属于姊妹篇。但着重表示对等级森严、劳逸不均的不满乃至怨愤,是这诗的独特之处。从《诗序》始,或指为刺幽王之作,未为傥论。因为劳逸不均之事恒有,并非乱世末代仅见的现象。由殷商迄于周代,等级制已发展完备,且具有宗法性质,即常以与王室血缘之亲疏,以确定等级尊卑。在这一等级制中,"士"属于统治阶级的最基层,他们常怀不满也是很自然的。此诗结撰精心,在《雅》诗中也算得技巧高明的作品。

诗的兴起很自然,"陟彼北山,言采其杞",兴语显然有民歌的影响。这使人想起宋人王禹偁的"北山种了种南山,相助力耕岂有偏"(《畲田词》)那味儿。登山采杞,正可兴力役岂偏之义。果然以下便是"偕偕士子,朝夕从事",部分点到主题,且点到为止。以下就用了"王事靡盬"这一熟句,结穴到"忧我父母"。不"忧我"而"忧我父母",《孟子》谓为劳于王事不得养父母,则立言在孝的观念,算是看到了诗句的表层。更进一层,这话则有类唐人"无那金闺万里愁"之写法,撇开一身之忧苦,牵入亲人,意味倍加丰厚。

二章进而要点到全部的主题:"不均"。却又欲进先退,欲夺故予,先承认国家服役的合于天理:"溥天之下,莫非王土;率土之滨,莫非王臣",这四句后来成为封建时代的名言(《左传·昭公七年》有"天子经略,诸侯正封,古之制也。封略之内,何非君土?食土之毛,谁非君臣",意同语近),就在于它用铿锵的语言讲出了"君权神授"天下一家的大道理。诗人并没有超越时代限制,他不敢将矛头指向更上级,因而只能不满于高他一等的"大夫"了。"天王圣明,臣罪当诛"(韩愈语),反贪官不反皇帝,真是由来已久啊。尽管打了折扣,诗人终于还是揭露了"不均"不公的社会现实。章末说

"我从事独贤",这"独贤"二字,前人或以为"奇峭"(孙鑛评),或以为"不必深解"。其实这是很高明的反讽之语,即钟惺所谓"嘉我未老三句,似为独贤二字下一注脚,笔端之妙如此"(《评点诗经》)。

三章抒情主人公登场亮相:他驾着驷马,经营四方,疲于奔命,不敢渎职。这里专门转述了似乎是出于顶头上司"大夫"的话,"嘉我未老,鲜我方将。旅力方刚",真是生动形象极了。用今人的语言说,便是那上司拍着肩膀把"我"的腿脚身体夸上一番,再叫"我"好好儿干。卖命的差使,廉价的奖赏!讽刺见于无形之中,作者写实手段真正到了家。

如果就此打住,也不失为一首好诗,但还不能称奇作。此篇之奇妙,尤在于前三章克制地叙写之后;赓即有后三章的一连十二个"或"字领起的排比句,作尽情地宣泄。先前的克制便成为一种蓄势,使最后的喷发更加有力。排比之中,又有对比(六组),以劳逸、苦乐、善恶、是非,两两相形。"或安居在家,或尽瘁于国,或高卧于床,或奔走于道,则劳乐大大悬殊矣,此不均之实也。或身不闻征伐之声,或面带忧苦之状;或退食从容而俯仰作态,或经理烦剧而仓卒失容,极言不均之致也,不止劳逸不均而已。或湛乐饮酒,则是既已逸矣,且深知逸之无妨,故愈耽于逸也;或惨惨畏咎,则是劳无功矣,且恐因劳而得过,反不如不劳也。或出入风议,则已不任劳,而转持劳者之短长;或靡事不为,则是勤劳王事之外,又畏风议之口而周旋弥缝之也,此则不均之大害,而不敢详言之矣。"(傅恒等《诗经折中》)此一节反复对比铺排,然因"情至,不觉音之繁,词之复也"(沈德潜《说诗晬语》)。

此诗前三章写法各不相同,后三章则同一句式一气贯注妙语连珠,最后更不加收结,戛然而止,而"是可忍,孰不可忍"之意,溢于言表。章法、句法无一不佳,足见作者为深于诗者。

(周啸天)

无将大车

无将大车,①	莫把那辆大车推,
祇自尘兮。②	推车无功自蒙尘。
无思百忧,	莫把忧心事儿想,
祇自疷兮。③	想也无益自取病。

无将大车，	莫把那辆大车推，
维尘冥冥。④	推车徒劳扬灰尘。
无思百忧，	莫把忧心事儿想，
不出于颎。⑤	翻来覆去想不明。
无将大车，	莫把那辆大车推，
维尘雝兮。⑥	推车扬尘漫天飞。
无思百忧，	莫把忧心事儿想，
祇自重兮。⑦	想也无用累自身。

注释

①将：用手推进。②祇：只。自尘：使自身蒙上灰尘。③疷（qí）：忧病。④冥冥：昏暗貌。⑤颎（jiǒng）：光亮。⑥雝：同"壅"，这里作"遮蔽"解。⑦重：犹言"累"。

鉴赏

对比、兴这两种表现方式的定义和界说，论者的见解比较明确，趋于一致，然而一涉及具体作品中比、兴运用的寓意及其作品主题思想的联系，却往往会出现不同的理解和诠释。本篇即为一著例。此诗首章前两句"无将大车，祇自尘兮"（下二章前两句与此意思相同），前人就有不同的解释。郑玄《笺》云："鄙事（指将大车）者，贱者之所为也；君子为之，不堪其劳。以喻大夫而进举小人，适自作忧累，故悔之。"此申发《毛诗序》"大夫悔将小人"一义。王先谦《诗三家义集疏》云："小人扶进大车而尘及己，君子扶进小人而病及己也，故以为喻。"认为此诗是用比。朱熹《诗集传》则说是"兴"，云："此亦引役劳苦而忧思者之作。言将大车而尘污之，思百忧则病及之也。"因讥《毛诗序》"不识兴体，而误以为比也"（《诗序辩说》）。朱熹之说在近现代较有影响，有学者认为此诗系"劳者歌其事"之作，盖本其说。依朱熹的理解，此诗的"将大车"和"思百忧"当是叙写平列的两事，姚际恒《诗经通论》驳之曰："若是则为赋，何云兴乎？"然观其章法文意，前两句言"将大车则尘污之”与后两句言“思百忧则病及之”，文虽平列，义实有主从之分。诗人所歌并非“将大车”其事，只不过借此以明思忧自病这层意思，章旨在后两句，前两句乃是作为这一抽象旨意的一种具体形象的说明而已。

按比、兴这两种不同的艺术表现方式有密切的关系，前人所谓“兴而比”“比而兴”的情况，在《诗经》的创作实际中确实存在，但这并不意味着比、兴可视为一体，混同无别。一般说来，兴是触物以起情。这种由外物触发诗人感情的思维活动，大都是具有直觉感性性质的形象思维，不必含有“理性的思索安排”。比，是比方于物，借物为比，诗人已有某种思想情感借另一种有相类似特征的事物拟状表述出来。而这种“借物”的思维活动本身就含有“理性的思索”。《汉广》有章前四句“南有乔木，不可休思。汉有游女，不可求思”，上下者有“不可”两字，与本篇“无将大车，祇自尘兮。无思百忧，祇自疷兮”章法略同。但《汉广》篇诗人对“汉有游女”的恋慕深情，当是由“南有乔木”这一具体的形象引发的，是触物起情。休于“乔木”和追求“游女”本身无必然联系，它们在诗中通过诗人的感情为纽带产生了一种意蕴丰美、具有某种暗示性的特殊联系。从其表现手法的主要特征而论，还是应当属于“兴”。《无将大车》这四句意思的表达，则有不同，诗人似是先有“思百忧则自疷”这一想法，然后再借“将大车而自尘”这一事物形象地表述出来。诗人未必亲见“将大车而起尘”这一具体事物，然后感其事而生思，即便诗人亲见其事，但在诗中所描绘的并非事件的本身情形，而是“无将大车，祇自尘兮”这种带劝诫意味的告谕，明显是经过所谓“理性的思索安排”的。它与《汉广》的表达形式在性质上有显而易见的区别。因此，郑玄、王先谦说《无将大车》篇是用比喻，应当是确切的，尽管他们对这一喻意的诠释迂曲难通，使人感到十分牵强附会。

明白了此诗所用的比喻手法，全篇意思就很清楚了。诗中“将大车”一喻，含义并不复杂。大车，是古时一种“平地任载”的牛车，倘若不用牛来拉而用人力去推，不管任何人，或“小人”，或“君子”去推，都将是徒劳无功的，岂但徒劳，而且会弄得自身满是尘垢。其喻义显然在奉劝人们不要去干那些力所不能及的蠢事。在诗人看来，“思百忧”就同“将大车”一样，都是徒劳无益反自寻病累的愚蠢行为，既然如此，那与其作茧自缚地纠缠于“百忧”之中，倒不如从中超脱出来，无思大虑，落得个自在逍遥。诗中所说的“百忧”，指的是感时伤世之忧，是遭际坎坷落魄之忧，还是百年身世之忧等等，语焉不详；诗人作为此篇是自宽自解，还是奉劝他人之言，亦觉模棱两可。但这种语意的含混和模棱两可，并不会影响读者对诗意的理解，反能调动读者的想象。然诗中反复提到“百忧”，似乎又在暗示其忧之深重。观诗人之言，颇似达观，“乐天知命”；复又觉得有点无可奈何，“听天由命”，全诗一意演为三章，且首尾两章隔句用一“兮”字，长吁短叹，又像有难言之隐。方玉润寻其言外之旨云：“（诗人）故作此旷达，聊以自遣之词，亦极无聊时也”（《诗经原始》），是耶？非耶？

（易　平）

小　明

明明上天，	日悬中天明又亮，
照临下土。	光照大地遍四方。
我征徂西，①	我应官差行往西，
至于艽野。②	来到边地真荒凉。
二月初吉，③	二月初吉始离家，
载离寒暑。④	已历寒暑未还乡。
心之忧矣，	百忧盘结我心头，
其毒大苦。⑤	味如毒药苦难尝。
念彼共人，⑥	想那朝中诸同僚，
涕零如雨。	泪下如雨湿衣裳。
岂不怀归，	早早归家岂不想，
畏此罪罟。⑦	唯恐触法落罪网。
昔我往矣，	忆昔西行路漫长，
日月方除。⑧	旧岁刚辞新年降，
曷云其还，⑨	不知何日把家还，
岁聿云莫。⑩	岁暮时节犹望乡。
念我独兮，	念我在外身孤单，
我事孔庶。⑪	公务成堆事繁忙。
心之忧矣，	忧塞心头愁肠结，

惮我不暇。[12]	劳得啥也顾不上。
念彼共人，	想那朝中诸同僚，
眷眷怀顾。	眷眷怀顾独悲伤，
岂不怀归，	早早归家岂不想，
畏此谴怒。	唯恐触法遭谴谤。
昔我往矣，	忆昔西行路漫长，
日月方奥。[13]	东风解冻阳气上。
曷云其还，	不知何时把家还，
政事愈蹙。[14]	公务愈急事紧张。
岁聿云莫，	眼看一年又将尽，
采萧获菽。[15]	割蒿收豆家家忙。
心之忧矣，	我心忧伤又悲凉，
自诒伊戚。[16]	自种苦果自家尝。
念彼共人，	想那朝中诸同僚，
兴言出宿。[17]	长夜难眠起彷徨。
岂不怀归，	早早归家岂不想，
畏此反覆。[18]	唯恐无故遭罪殃。
嗟尔君子，[19]	哎呀朝中老爷们，
无恒安处。[20]	莫长处优又养尊，
靖共尔位，[21]	谋事恭谨尽职守，
正直是与。[22]	正直贤者要亲近。
神之听之，	上天神明若有闻，
式穀以女。[23]	会降好处于你身。
嗟尔君子，	哎呀朝中老爷们，
无恒安息。	莫长处优又养尊。
靖共尔位，	谋事恭谨尽职守，

好是正直。	要爱正直与贤人。
神之听之,	上天神明若有知,
介尔景福。㉔	大降洪福于你身。

注释

①征:行。徂:往。②艽(qiú)野:荒远之地。③二月:指周历二月,即夏历十二月。初吉:古时一月分为四分,自一至七、八日称“初吉”。此句是诗人追述始行之词。④载:则,乃。离:历。历寒暑:指经历一年。⑤毒:毒药。大:同“太”。⑥共人:指同僚,“即下‘靖共’之人”(范家相《诗瀋》)。⑦罪:捕鱼的竹网。罟(gǔ):网。这里“罪罟”二字连用,指法网。⑧除:除旧。这里指旧岁刚除新年来临。⑨曷:何,何时。云:语助词。还:指还家。⑩聿:则。云:语助词。莫:古“暮”字。⑪孔:很。庶:多。⑫惮:通“瘅”,劳苦。⑬奥:通“燠”,暖。⑭蹙(cù):急迫。⑮萧:即艾蒿,一种多年生草本植物,可入药。菽:豆。⑯诒:通“贻”,留下。伊:此。戚:忧。⑰兴:起,指起身。出宿:指出外过夜。⑱反覆:指任意加罪。《郑笺》:“反覆,谓不以正罪见罪。”⑲君子:指朝中的权臣,即上文的“共人”。⑳恒:常。安处:与下文“安息”义同,这里有养尊处优,苟自安逸之意。㉑靖:谋。共:同“恭”。位:职位。㉒正直:《毛传》:“正直为正,能正人之曲曰直。”㉓式:用。穀:善。以:同“与”,给予。㉔介:与“景”义同,大。

鉴赏

本篇是一位久役远方官吏的牢骚怨愤之作。诗人被差遣至西部远荒之地,经年未见召还。岁暮时际,归期无望,乡关之思刻骨煎心,使之不堪其苦;沉重繁杂的公务缠身,无片刻休暇,使之不堪其务。身既困于官事,心为形役,又痛感于仕途多风险,吉凶难卜,忧谗畏讥,心寒胆战。诗人在诗中自述久役思归的苦楚,同时也极真实生动地写出其内心忧愤不平的情怀和复杂的心理。由此可以看出当时政治黑暗与官场情势的险恶。前人多认为它是一篇“乱世”之作,是有道理的。

此诗的四、五两章,历来多有争议,说者纷错,歧义迭出。如何理解这两章章旨,是关系到评析全篇诗义的重要问题。

《小明》头两句是“明明上天,照临下土”。它与《大雅·大明》篇头两句“明明在下,赫赫在上”,从字面上看,都是说上天昭明,广照下土,似乎没有什么不同。然而一联系到下文,其义显然有别。《大明》篇是颂扬周文王、武王之诗,头两句言上天昭明带有象征意味,《郑笺》云:“文王、武王施明德于矢下,其征应炤晢见于天。”而《小明》篇起笔便有微词,为何这“照临下土”的“明明上天”独独未及“我”所在的“艽野”?莫非天道亦有所不公?郑玄认为此言带有“刺”意,良有见地。开篇这两句出语虚含,似美实刺,领起下文一片忧忿之辞。这种皮里阳秋,反言若正的笔法,是本篇值得留心玩味的特点。看明诗人所用的这种笔法,本篇末两章的意思就比较容易理解了。

四、五章是意思相同的两重章。这里“嗟尔君子”句的“君子”,一般认为与前三章“念彼共人”句的“共人”,俱指诗人的“同僚”。诗人要这班“君子”“靖共尔位”,则其人当是居朝为官者而非“处者”,毋庸置疑。谢枋得说此“共人”“君子”是“与诗人志同道合者”,严灿解末两章旨在“以己之所自处告其同志”(《诗缉》)。近人遂沿其说谓本篇有“思友”“戒友”之意,这些说法皆似是而实非。今观前三章,言“涕零如雨”、言“眷眷怀顾”、言“兴言出宿”,反复申诉自己的忧虑悲苦;接下又言“岂不怀归,畏此罪罟”“畏此谴怒”“畏此反覆”,既说思归心切,复又视归途为畏途,置叹不已,凡此种种忧戚恐惧,俱由“念彼共人”引发,可曾有这种“思友”之情理?且三章自表心迹,戚戚怨嗟,一副不堪之穷愁形于言表,更有“自诒伊戚”之悔恨,显见诗人本无恪尽职守之诚,其于职事不敢怠慢,实乃畏“罪罟”“谴怒”而已。若视末两章为“正言”规劝其“同志”要“靖共尔位”,岂不陡然间变换出一副道貌岸然的假面目,口出违心之言,自欺欺人?因此,把这两章看作诗人“劝友”“诫友”之类的正经话,与前三章文理扞格难通,亦殊乖文情。如果调换个角度,把它看作反话讥辞,前后诗意即可融通,诗人用心亦昭然若揭。范家相云:“此(指《小明》)与《北山》大旨略同,《北山》直而《小明》婉。”(《诗瀋》)姚际恒云:“此诗自宜以行役为主,劳逸不均,与《北山》同意。”(《诗经通论》)确为揭诗人之心的高见。《北山》是一首揭露统治阶级内部劳逸不均的诗作,该诗中“经营四方”“尽瘁事国”“惨惨畏咎”者即作者本人,他与《小明》中“我征徂西”“惮我不暇”“畏此罪罟”的“我”境遇相同;《北山》诗所抨击“燕燕居息”“出入风议”的朝中官僚,与《小明》中的“共人”“君子”都是指同一类当权的小人。范家相谓《小明》“以在朝燕息之小人称之曰‘共人’”,甚确。只不过《北山》直言不讳,词情激愤;《小明》“其词甚隐”(王先谦语),婉而多讽。在诗人看来,正是这帮在朝燕息的小人当道,坏乱朝纲,致使人心惶惶。明白了这层“深隐”“微至”之笔意，再看末尾两章，好像句句是正言，劝告朝中“君子”要“无恒安处。靖共尔位，正直是与”，其实笔笔含讽带刺，旨在斥责群小当权，“燕燕居息”，荒误国政，不与正直。结尾曰“神之听之，式榖以女”云云，更以神明有鉴，奖善惩恶以示警告。通章反话正说，词面上堂堂正正，骨子里满是嫉愤怨恨，话说得极庄重正经处，“愈显得世道之乖，人情之妄”（借用林纾评韩愈《进学解》语）。所谓曲达其意，婉而成章。这副笔调与首章头两句并无二致，“其旨微而婉矣”（《诗瀋》）。朱熹云：“此章又戒其僚友”（《诗集传》），吴闿生云：“末章所谓‘无恒安处’，亦自慰勉之词”（《诗义会通》），殆不明诗人用心，反被其狡狯之笔所蒙骗了。

本篇抒写思乡之情感人，表现手法极有特色。大凡久役征夫，远游客子羁旅之愁和思归之悲，莫过于有感离家时间之漫长和去乡路途之遥远。

本篇突出远役异乡之人最敏感的时令变易，以富于变化的笔触抒发心中的情感。一章“二月初吉，载离寒暑”两句，是写辞家远役，历时长达一年之久。接下两句“心之忧矣，其毒大苦”之思乡悲情，由此而生。次章以“日月方除”接“岁聿云莫”，亦是“载离寒暑”之意，其间穿插“曷云其还”一句，似问似叹以表岁暮之际，最是离人盼归时。诗意自然比前章深入一层。三章写法又有变化，此章“日月方奥”接“岁聿云莫”，与二章略同，表示经年未返。而在“曷云其还”句下带上一笔“政事愈蹙”，便把前章的“我事孔庶”“惮我不暇”这层意思概括进去，既写出岁暮盼归之急切，又写出归期无望的苦衷，情意益见深化。此章，这章的“日月方奥”句是追溯昔时征途上所见的情景。时值东风解冻，阳气初上，草木欲萌。下文的“采萧获菽”，则是写眼下深秋的景象。萧菽已收，黍稷登场，木叶摇落。这两句遥相接应，“以验星移物变”，使人产生触物惊心，感时生哀之悲绪，物候的变化暗示时令的更替，春去秋来，亦与首章“载离寒暑”相关合，却比仅从时间长久一面来写乡关思更富有感染力。陈奂评本诗章法云：“三章上六句皆错综以变其体，其实一线穿成。”（《诗毛氏传疏》）所谓“一线”即以“载离寒暑”句所标识的时间为结构线索，诗人以此安排错综变化的章法，展开多层次的描写，将痛苦的思乡之情抒发得极为深刻感人。其次，此诗还巧妙地通过时令来表现空间距离的遥远。首章的“我征徂西，至于艽野”两句，是概言诗人所至之处的荒僻辽远。诗中直接写空间距离之长远仅此两句。此下“二月初吉”句，是说辞家西行的出发时间（此言“二月”，是周历二月，即夏历十二月）。次章言“日月方除”，三章言“日月方奥”与首章的"二月初吉"相与应承。这两句是追忆征途中印象最深刻的两事:一是旧岁刚辞,新年来到;二是节气的变化,春回大地,由寒转暖。这三句语义前后连贯,"皆本行时次第言之"(黄焯《毛诗郑笺平议》)。诗人自"二月初吉"始行,及至"日月方除""日月方奥"犹未抵达役所,足见旅行之费时,借此暗表去乡之遥远,虽未言愁,而愁已隐见于言外。又首章有"我征徂西"句,二、三章起句以"昔我往矣"为叠唱应和,即寓"行行重行行,道路阻且长"之意于叹唱之中,声情凄婉,运思尤见精妙。然此诗之感人,并非仅仅由于诗人文笔之工巧、技法之高明,更在于诗人融自己的真情实感于篇中,倘无亲身经历远役之艰辛和体验过官海生涯的苦楚,很难写出如此真挚动人的诗篇来。

(易　平)

鼓　钟

鼓钟将将,①	编钟敲响声锵锵,
淮水汤汤,②	淮河水流浩荡荡。
忧心且伤。	我心忧郁且悲伤。
淑人君子,	善人君子有美德,
怀允不忘。③	令人长思实难忘。
鼓钟喈喈,④	编钟敲响声喈喈,
淮水湝湝,⑤	淮河水流波汩汩,
忧心且悲。	我心忧郁且悲戚。
淑人君子,	思念善人与君子,
其德不回。⑥	道德无邪又正直。
鼓钟伐鼛,⑦	击起大鼓敲编钟,
淮有三洲,⑧	淮河三洲乐声动,
忧心且妯。⑨	我心忧郁且悲恸。
淑人君子,	善人君子德行美,

其德不犹。⑩	令人愈思愈敬重。
鼓钟钦钦，⑪	编钟敲起钦钦响，
鼓瑟鼓琴，	琴瑟悦耳多悠扬。
笙磬同音。⑫	笙磬和鸣声嘹亮。
以雅以南，⑬	雅南齐奏更吹龠，
以龠不僭。⑭	繁音交响声和畅。

注释

①鼓：动词，敲击。将将：同“锵锵”，拟声词。②淮水：淮河。汤（shāng）汤：犹言“荡荡”，水流浩荡貌。③允：信、诚。④喈（jiē）喈：鸟儿和调而圆亮的和鸣声。⑤湝（jiē）湝：水流声。⑥回：邪。⑦伐：击。鼛（gāo）：一种大鼓。⑧三洲：指淮河上的三个小洲。朱后曾《诗地理微》云：“案《水经注》曰：淮水又东为安风津，津中有洲，俗号兰洲。盖津关所在，故洲纳厥称。通校全淮，唯有此洲，在今霍邱县北也。”徽邱县在今安徽省西部，淮河南岸。⑨妯（chōu）：同“怞”，忧伤。⑩犹：同“訧”，诟病。一说，《方言》：“犹，诈也”。⑪钦钦：拟声词，钟声。⑫笙：古时一种簧管乐器。磬（qìng）：古代一种打击乐器，用石或玉制成，悬于架上击之而鸣，周代多有以十几个大小相次的磬组成编磬。同音：犹言“齐声”，指两种声音和谐相合。⑬雅、南：近人章太炎、郭沫若等认为“雅”“南”是两种古乐器。雅，状如漆筒，两端蒙有羊皮，以手击拍发声；南，其状似钟。（说见章氏《大雅小雅说》，郭氏《甲骨文字研究》）今从此说。⑭龠（yuè）：古时一种编管乐器，类似后世的排箫。僭（jiàn）：乱。不僭：指各种乐器奏出的声音节奏不乱，配合协调。

鉴赏

这是一首描写音乐的诗歌。诗人在淮河旁听到美妙的钟鼓乐队演奏，不禁产生对道德高尚的君子深情怀恋。

本篇旨义，旧说多认定有讽刺寓意。《毛诗序》说是刺“用乐不比德”的周幽王，《郑笺》则认为是周昭王时的作品，昭王于淮上作“先王之乐”，有违“嘉乐不野合”的礼规，诗人为之忧伤。由于本篇写作年代今难确考，乐为谁奏及所奏何乐器等亦不明，故毛、郑之解诗旨俱属有说无据，我们只能就诗论诗，把它当作一首描写音乐的作品来看。至于诗人何以闻乐而思“淑人君子”，这就涉及古人对音乐的认识。古时，音乐被视为与伦理道德关系密切的一种艺术。《礼记·乐记》云：“乐者，德之华也”，“乐者，所以象其德也。”意思说美好的音乐，是美的人格道德的表征，听其乐可想其人。“作乐”是极庄严之事，唯有圣人、有德的天子才有资格作乐，“治定功成”之世才能“兴礼作乐”，所以，诗人淮上闻乐时，才会如此低回流连，才会对“淑人君子”深表仰敬和怀恋。诗中的“淑人君子”所指不明，可能是古之有德贤人。即便如此，诗人发思古之幽情，却没有忧时伤今之意。方玉润云：“玩其词意，极为叹美周乐之盛，不禁有怀在昔。淑人君子，德不可忘，而至于忧心且伤也。”(《诗经原始》)这种见解在旧说中算是较为客观公允的。

本篇所描写的是一支大型钟鼓乐队的演奏。这种乐队在春秋战国时相当流行。乐队以钟鼓为主，有鼓和编磬及管弦乐器笙、瑟、排箫等多种配合组成。在七十年代，湖北随县战国初曾侯乙的墓葬中曾经出土过一个以整套六十五枚编钟及其他配合组成的钟鼓乐队，其规模之宏伟，声部之全备，使今人叹为奇观。早在春秋战国之际，我国的音乐艺术已经发展到惊人的水平。《鼓钟》一诗以精彩的描写，生动地再现了周代钟鼓乐队的表演，是《诗经》中的一篇杰作。

用四言诗的形式来描写音乐，殊非易事，而本篇仅用八句三十二字写出一支庞大的钟鼓乐队演奏美妙的乐曲，艺术技巧相当高明。诗人写法别出机杼，无一句正面描写音乐，笔墨全用在写乐器上。描写众多乐器的演奏固然有助于表现演出的盛况，但写乐器非诗人的目的。诗人意在通过描写乐器的演奏来表现音乐的丰富与美妙，用这种“借宾形主”的手法，达到遗音弦外，使人回味无穷的艺术效果。

诗中写到的乐器众多，但主次分明，详略得宜。诗人重点描写乐队的主器编钟，兼带其余。全诗四章，各章均以“鼓钟”起句，突出编钟奏出的旋律在乐曲中的主导地位。一、二章的“鼓钟锵锵”“鼓钟喈喈”，皆用叠声词来状描钟声。“锵锵”是撞击低音钟甬发出的雄浑低沉的音响，奏出气势磅礴的乐曲前奏。“喈喈”，本是鸟儿“和调而圆亮”的和鸣声，这里用来形容编钟高音部发出的清脆和婉的声响。钟声的不同显示出音乐旋律的变化，由深沉洪亮转而为流畅悠扬和抒情，令人心驰神往。三章言“鼓钟伐鼛”。钟声中出现有节奏的鼓点，隆隆的鼛鼓伴随着金钟长鸣，震撼人心。末章写众乐合奏。这章五句写出钟、磬、瑟、琴等八种乐器和谐奏鸣，是全诗最难措手之处，也是最见精妙的一章。诗人以"鼓钟钦钦"一句领起全章，接下根据不同器乐的性能和演奏方式，采用不同的写法。如琴瑟同属弦乐，则连用两"鼓"字；笙、磬一是管乐，一是打击乐，用"同音"一词，则表现异器异声而又协调，且"笙在堂上，磬在堂下"，言"笙磬同音"以见"堂上、堂下之乐皆和也"（姚际恒《诗经通论》）。接下连用三个"以"字连贯南、雅、籥三器，笔法参差错落，可谓描写众乐之能事。然众乐之于编钟，犹群星拱月，各自有声，又都随编钟的主旋律和鸣交响，融汇一体。此章章法虽错综变化，然错综之中见统一，变化多端而又井然有序，成功地表现出乐曲高潮时多声部合奏的那种金声玉振，急弦促管，众音繁会的音乐效果，使读者领略到美妙和谐的音乐境界。前人激赏此诗"写奏乐绝妙，直画出音来"，"诗人之善言如此"！

诗人之"善言"，不仅能用文笔"画出音来"，还善于表现音乐的巨大感染力。除前三章末尾以叠唱抒发诗人听乐的悲感外，这三章写淮水更有妙趣。首章的"淮水汤汤"句描写浩荡的淮河水流与洪亮雄浑的"将将"钟声同声相应；次章的"淮水湝湝"句描写淮水随婉转悠扬的"喈喈"钟声轻波荡漾。前者"汤汤"写水形，因形见声；后者"湝湝"写水声，寓声于形。水流的形象衬托音乐形象，水声与钟声共鸣，相得益彰。三章的"淮有三洲"句承"鼓钟伐鼛"而来，写钟鼓乐声动地，以至"求落而洲见"（苏辙语）。这句尤见奇情异想。诗中写淮水急缓起落变化，皆非写实，乃声音感动于人，令人心想其形状如此。音乐力量之大，致使水随声变，发生共鸣，其美妙和感人之深，可以想见。这几笔形象地表现了音乐声动万物，"响遏行云"的神奇魅力，堪称有化工之妙。

《鼓钟》篇描写音乐是富有想象和创造性的。尽管它与后世咏乐佳作，如后世被誉为"摹写声音至文"的白居易的《琵琶行》、韩愈的《听颖师弹琴》和李贺的《李凭空篌引》相比，还显得有些古朴简略，却仍能给人以音乐和诗歌双重艺术美的享受。

（易　平）

楚　茨

楚楚者茨，[1]　　遍野丛丛是荆棘，

言抽其棘。[2]	披荆斩棘开荒地。
自昔何为？	自古开荒为何事？
我艺黍稷，[3]	我种庄稼黍与稷。
我黍与与，[4]	我的黍子真繁盛，
我稷翼翼。[5]	我的稷穗密又齐。
我仓既盈，	我的谷仓装不下，
我庾维亿。[6]	我的粮囤满盈盈。
以为酒食，	收获粮食做酒饭，
以享以祀。[7]	用来祭祖奉神灵。
以妥以侑，[8]	请尸安坐又劝酒，
以介景福。	想求福禄得靠神。
济济跄跄，[9]	仪态有度又恭谨，
絜尔牛羊，[10]	你把牛羊洗干净，
以往烝尝。[11]	牛羊用来作祭品。
或剥或亨，[12]	宰牛烹羊忙得欢，
或肆或将，[13]	有人摆设有人端。
祝祭于祊。[14]	祝官司仪庙门内，
祀事孔明，[15]	祭礼事事按规章。
先祖是皇。[16]	先祖先宗来庙堂，
神保是飨，[17]	神灵把这酒肉享。
“孝孙有庆，[18]	“孝孙祭祖有吉祥，
报以介福，	神降大福由你当，
万寿无疆！”	赐你长命寿无疆！”
执爨踖踖，[19]	厨子烧菜慎又勤，
为俎孔硕，[20]	大块祭肉案上陈，
或燔或炙。[21]	烧烧烤烤忙不停。
君妇莫莫，[22]	主妇清静又恭敬，

为豆孔庶，[23] 大碗菜肴满满盛，
为宾为客。 迎宾待客实殷勤。
献酬交错，[24] 敬酒酬答怀交错，
礼仪卒度，[25] 宾主举止合礼仪，
笑语卒获。[26] 言谈笑语有规矩。
神保是格，[27] 祖宗神灵此时到，
“报以介福， “神降大福报孝孙，
万寿攸酢！”[28] 赐你长命寿无尽！”

我孔熯矣，[29] 我心敬惧且精诚，
式礼莫愆。[30] 祭祀依礼无差失。
工祝致告：[31] 祝官致词告神意：
“徂赉孝孙。[32] “去赐大神给孝孙。
苾芬孝祀，[33] 祭品芬芳见孝心，
神嗜饮食， 神灵爱吃又爱饮，
卜尔百福。 报以洪福赐你身。
如几如式，[34] 祭祀规范合时令，
既齐既稷，[35] 办事快当又齐整，
既匡既敕。[36] 仪式整饬又严谨。
永锡尔极，[37] 永将大福作报偿，
时万时亿！”[38] 亿万福禄赐孝孙。”

礼仪既备， 祭祖礼仪既安备，
钟鼓既戒，[39] 庙堂钟鼓已俱齐，
孝孙徂位。 孝孙祭毕回原位。
工祝致告： 祝官致词告神意：
“神具醉止。”[40] “神灵个个都饱醉。”
皇尸载起，[41] 大尸起身辞众人，
鼓钟送尸， 钟鼓敲响送尸归，

神保聿归。[42]	祖先神灵俱返回。
诸宰君妇，[43]	一帮厨子和主妇，
废彻不迟。[44]	赶紧撤席去祭品。
诸父兄弟，[45]	诸父兄弟在一起，
备言燕私。[46]	摆设家宴共欢聚。
乐具入奏，	备乐进庙奏乐曲，
以绥后禄。[47]	坐吃胙肉享清福。
尔殽既将，[48]	你把酒菜全端出，
莫怨具庆。	酒肉下肚宿怨无。
既醉既饱，	吃饱喝足将辞行，
大小稽首：	老小叩头谢祭主：
"神嗜饮食，	"美酒好肉神爱吃，
使君寿考。[50]	赐您长寿有后福。
孔惠孔时，[51]	祭祀顺礼又适时，
维其尽之。[52]	尽了孝心尽礼数。
子子孙孙，	但愿子孙长相续，
勿替引之！"[53]	永保祭祀不废除！"

注释

①楚楚：植物丛生貌。茨：荆棘。②抽：除，芟除。棘：刺，指荆棘。③艺：种。黍稷：我国古老的粮食作物。黍子实黏，稷是黍的变种，子实不黏。④与与：茂盛貌。⑤翼翼：整齐貌。⑥庾：在露天场地上用席子围起，上面加盖的粮囤。亿：十万曰亿，此极言其多。一说作"盈"解。⑦享：献祭。⑧妥：安坐。侑(yòu)：劝人饮食。古时祭租时，由活人代表神灵受祭，称"尸"。祭祀时，由主祭者将尸迎入宗庙安坐于神位上即"妥"，祭者献酒食劝尸饮食即"侑"。⑨济济：庄重敬慎貌。跄跄：步趋有节貌。⑩絜：同"洁"，洗净。⑪烝(zhēng)尝：古时祭名，冬祭曰烝，秋祭曰"尝"。⑫剥：宰割。亨：同"烹"，煮。⑬肆：陈，指陈肉于俎。将：持，指捧着。⑭祝：祭祀时司仪者。祊(bēng)：宗庙门内设祭之处。⑮

孔:很。明:指祀礼明晰,有条不紊。⑯皇:大。一说归来。⑰神保:祖先神灵。⑱孝孙:祭祀时主祭人对先祖的自称。有庆:有福。“孝孙”三句,是祝为尸致福于祭主之词。⑲爨(cuàn):炊。踖(jí)踖:敏捷而恭敬貌。⑳俎(zǔ):古代祭祀时用以载牲的礼器,青铜制,也有木制漆饰的。㉑燔:烧肉。炙:烤肉。㉒君妇:主妇。莫莫:清静而敬慎貌。㉓豆:古代祭祀用的器具,亦是一种食器。㉔献:敬酒。㉕卒度:指尽合礼规。卒:尽。度:法度。㉖获:同“矱”,矩矱。㉗格:至。㉘攸:犹“乃”。酢:报。㉙我:指祭主,即“孝孙”。熯(nǎn):通“戁”,敬惧。㉚式:发语词。愆:过,差错。㉛工祝:祝官。工:官。致告:代神致词告祭主。㉜赍:赏赐。㉝苾(bì)芬:芬芳。㉞几:通“期”,指祭期。一说与“式”义同。式:法,指礼规。㉟稷:通“畟”,疾,敏捷。㊱匡:端正。敕:修饬。㊲锡:赐。极:至。㊳时:是。㊴戒:备。㊵具:同“俱”。㊶皇:表示赞美的形容词。载:乃。㊷聿:乃。㊸宰:即膳夫,厨师。㊹废彻:撤席,把供席上的祭品撤去。彻:通“撤”。㊺诸父:伯、叔父。兄弟:指同姓同辈兄弟。㊻燕私:宴请自己的亲属,这是祭祀后举行的家宴。燕:通“宴”。㊼绥:安,指安然享用。后禄:后福,这里指祭神后所余的酒肉。古人认为食祭余之酒肉是接受神所赐之福。㊽殽:同“肴”。㊾小大:指小孩、大人。㊿寿考:犹言“长寿”。51惠:顺,指顺于礼。时:指得其时。52尽之:指尽祭祀之礼。53替:废。引:长。

鉴赏

本篇是一首周王祭祀祖先神灵的乐歌。诗中的主祭“孝孙”,是周王对先祖的自称。

周代统治者对祖先极其崇拜,经常要举行隆重的祭祖典礼,这在当时是一项重大的国事活动。崇拜和祭祀祖先的目的,无外乎向神灵祈求保佑,借先祖之亡灵来加强人间君主的权威,维护宗族团结,巩固奴隶社会的宗法制度。周时祭祖礼仪规制繁而严,祭祀名目众多。除特定的祭祀和临事祭祀外,一年四季均有定时祭祀。《礼记·王制》云:“天子,诸侯宗庙之祭,春曰礿、夏曰禘、秋曰尝、冬曰烝。”本篇所写的大概是“烝尝”之祭。诗中详尽地记述了周王宗庙之祭的活动情形,对于研究周代宗教思想和典章制度,具有极珍贵的文献史料价值。它又是一首早期的长篇叙事诗,在叙事艺术方面有值得重视的特点。

全诗凡六章,章十二句,所记周王祭祖典礼,周详备至,可谓“煌煌大篇,备极典制”(姚际恒《诗经通论》)。要在诗中写出如此繁多复杂的祭祀内容,首先得在篇章结构方面有统筹安排。此诗的谋篇布局颇具匠心。“古人于祭,虑其不极诚敬则神不飨”（同上），所谓心诚则神灵。本篇各章都是紧紧围绕表现主祭孝孙对先祖“诚敬”这个主旨，以祭祀先后时间为线索，有重点地展开描述。前三章是祭前诸事，着重写祭品，突出一个“盛”字。首章写年丰物备，以见祭祀酒食之丰美；二、三章写临祭前大办祭宴，以见牲醴俎豆之盛洁。这三章描写祭品的美洁丰盛，旨在表明主祭对先祖的崇敬和孝诚。四、五章则扣住礼仪来写宗庙祭事，极言祭祀礼仪的隆重与整饬，这也是主祭对先祖敬诚的表现。末章写私宴的丰盛和宾客对主祭的满意，同样表现主祭的诚意。又，除五章外，“各有颂祷之辞，见于章末，明主祭节节尽其诚，幽又不格也”（范家相《诗瀋》），显然是寓有“心诚神灵”这层意思。由于篇旨鲜明突出，诗中记述的事项虽繁多复杂，却显得繁而不乱，组织很紧凑，层次井然。其次，全诗各章节层次之间内容的转换和文意的承接也自然巧妙，不露痕迹。如首章有“以为酒食，以享以祀”两句，前句将上文的稼穑之事引归祭祀“酒食”，后句点出“享祀”二字，切入正题；次章即以“以往烝尝”句为应，文势便转入二、三章写祭前置备祭宴。又如四章写正祭，头两句为“我孔熯矣，式礼莫愆”；五章写绎祭，头两句为“礼仪既备，钟鼓既戒”，各在本章中起承上启下的作用，又前后呼应，以表宗庙之祭程序之始终。且四章的“‘苾芬’两句，结上黍稷、牛羊、俎豆；‘既齐’二句，结上济济跄跄，踖踖莫莫，卒度卒获”（吴闿生《诗义会通》）。这些方面都很见诗人运思用笔之精心。由于诗人对记述诸事有通盘的构思安排，加上关联承转之语的巧用，偌大一篇内容复杂的文字，融通一体，条理历历分明，结构严谨而完整。

祭祀典礼，本是一套礼数繁缛枯燥的程式，如刻板地照其程序来写，很难写生动，写出诗意。而本篇写祭祀活动虽详备，却避免了繁冗板滞和程式化的弊病，在表现手法上有独到之处。诗人没有简单地记录祭祀的过程，而是在叙事中插入大量的描写，笔调也较为灵活。如首章不写祭事，却从远古叙来，以“楚楚者茨”两笔概言先人垦辟维艰，语含追古思远之情。再由昔谈到今，写黍稷的长势和秋收时仓盈廪满，生动的描绘中略带夸张之辞，丰收之喜悦和对先祖敬缅之情意俱见言表，写得富有诗意。再如二、三章前一节也写得相当出色。诗人不直接写牺牲、菜肴之丰盛，而是通过祭前酒宴的准备活动来表现这一意思。诗人不惜笔墨，大肆描绘人众繁忙、宰牛杀羊、为俎为豆的场面。这里的“或剥或亨，或肆或将”，“或燔或炙”等句，写厨子们紧张的宰割烹饪，简练生活。叠字如“济济跄跄”“踖踖”“莫莫”，都较为形象。以上描写显示出一种紧张繁忙而又有节奏、热烈盛大而又庄重敬肃的景象和气氛,这些描写确如前人所评点的“古茂生动”“有境有态”。即以写祭祀中最重要的正祭部分的第三章而言,诗人也不拘于记录仪式的本身,而用大段篇幅写“工祝致告”,从工祝传达神祇之意中写出祭祖礼仪的齐备整饬和祭品的丰美,“因言以见事”。这种手法能用简驭繁,省却不少冗赘的叙述。它也是本篇在剪裁方面的一个特点。再从句法来看,有不少处也显得很活脱。首章连用五个“我”字、四个“以”字起句,整齐而流畅,读来朗朗上口。二、三章前一节同是写祭前置办宴席,却别为两章,错综为文,寓散于整,饶有兴味。

本篇叙事艺术对后世叙事文学有一定的影响,前人认为《礼仪》的《特牲》《少牢》两篇“皆从此脱胎”。其实,此诗叙事艺术影响所及,并不限于记述典礼、仪式那类文章。

《楚茨》这首祭祀诗作,确有一种朴茂闳整,典雅庄重的风格,与《颂》诗的格调很相近。今在《小雅》内,朱熹认为“恐《正雅》之篇有错脱在此者耳”(《诗序辨说》),近人或认为它就是《小雅》中的“颂”(孙作云《论二雅》),后说似不无道理。

(易　平)

信　南　山

信彼南山,①	终南山坡绵延长,
维禹甸之。②	大禹治过这山冈。
畇畇原隰,③	田原平坦又宽广,
曾孙田之。④	曾孙耕作田原上。
我疆我理,⑤	我划田界开沟洫,
南东其亩。⑥	界渠南东有方向。
上天同云,⑦	上天沉沉布密云,
雨雪雰雰,⑧	大地纷纷扬雪花,
益之以霢霂。⑨	再加绵绵春雨下。
既优既渥,⑩	雪盛雨足年成好,
既霑既足,⑪	滋润大地宜庄稼,
生我百谷。	催我百谷快发芽。

疆埸翼翼，[12]	田界齐整排成行，
黍稷彧彧。[13]	黍稷茂盛长势旺。
曾孙之穑，[14]	曾孙庄稼大丰收，
以为酒食。	做成酒美饭又香。
畀我尸宾，[15]	酒饭敬神待宾客，
寿考万年。	保佑我寿万年长。
中田有庐，[16]	田中长着大葫芦，
疆埸有瓜。	田边陇头种香瓜。
是剥是菹，[17]	切开瓜儿做腌菜，
献之皇祖。	祭祖供神得用它。
曾孙寿考，	上天神灵来保佑，
受天之祜。[18]	曾孙添寿增年华。
祭以清酒，	祭祖要用清醇酒，
从以骍牡，[19]	再加红毛大黄牛，
享于祖考。	酒肉供奉神享受。
执其鸾刀，[20]	鸾刀明亮握在手，
以启其毛，[21]	披开皮毛宰黄牛，
取其血膋。[22]	取出牛血和膏油。
是烝是享，[23]	进酒献肉供神享，
苾苾芬芬，	膏油燃起满屋香，
祀事孔明。	祭祀事事按规章。
先祖是皇。[24]	先祖神灵临庙堂，
报以介福，	降以大福为报偿，
万寿无疆！	赐我长命寿无疆！

注释

①信:同“伸”,指延伸长远。南山:即终南山,在今陕西省西安市南。②甸:治理。③畇(yún)畇:田地平整貌。④曾孙:周王对祖先神的自称。⑤疆:田界。理:田地的沟垄。这里“疆”“理”均作动词用,指规划田界,整治沟垄。⑥南东其亩:谓田地的界和沟垄或南向、或北向,皆因地制宜。⑦同云:指天被云层遮住。⑧雰雰:犹“纷纷”。⑨霡霂(mài mù):小雨。⑩优:充足。渥:润泽。⑪足:通“浞”,润湿貌。⑫疆埸(yì):田界。⑬彧(yù)彧:同“郁郁”,茂盛貌。⑭穑:收割庄稼。⑮畀(bì):给予。⑯庐:旧说多解为庐舍。“庐”与下句“瓜”字相对为文,当指一种植物,或曰为葫芦一类东西,疑近是。⑰剥:剥,切。菹(zū):腌菜。⑱祜(hù):福。⑲骍(xīng)牡:毛色赤红的公黄马。⑳鸾刀:一种带有鸾铃的刀。㉑启:开。㉒膋(liáo):脂膏,指牛脂。㉓烝:进。享:献。㉔皇:归来。

鉴赏

本篇也是一首周代统治者祭祀祖先的乐歌,诗中的“曾孙”是周王的自称。它记的可能是荐新之祭,即“尝祭”(也有学者认为是冬之“烝祭”)。此诗与《楚茨》篇虽同属祭祀诗一类,但又有明显的差异,王质《诗总闻》云:“《楚茨》烝尝之祭也,其仪差详;《信南山》荐新之祭也,其仪差略。”从内容上来看,《楚茨》篇详叙祭祀仪礼典制和祭祀活动的情形,而《信南山》对这些却写得其极简略,诗人的兴趣似乎不在以写祭祀诸事来表明祭主对先祖的崇拜和诚敬,他更注重“因祭祀而推原粢盛之所自出”(方玉润《诗经原始》)。这就见出本篇作者的创作意图与《楚茨》篇有所不同。因此,它在构思、表现手法和风格上都有不同于《楚茨》的特点。

全诗有六章。首章写田原。头两句“信彼南山,维禹甸之”,从大禹疏理河川,整治山原写起。这两句并没有追古思远,克返先圣功烈的含义,也没有如后儒所说的禹创“丘甸之法”“三代相因”之类的意义,它只是表明曾孙拥有终南山下这片广阔肥沃的原野,古时曾经大禹亲手整治。所以,接下有“畇畇原隰,曾孙田之”两句,即明此意。章末的“我理我疆,南东其亩”,写宽广平整的田原上,界垄沟洫依其地势错综布列,所谓“物土之宜而布其利”(《左传·成公二年》)。此章言田原之美,是对万物赖以生长的大地的歌颂。次章由地利写到天时,冬之盛雪、春之雨霖,覆原盖野,润泽大地,极宜于农作物生长。此章言冬春雪雨充沛,是对“生我百谷”的天时的歌颂。三、四、五章分别写黍稷、瓜果、牲畜。黍稷“以为酒食”,瓜果腌制为菹,骍牡杀为牺牲,都是用作祭祖的供品。祭品之丰盛美洁,以见五谷丰登,六畜兴旺,皆出之于大地,得之于天时。这三章言物备年丰,旨在歌颂养育万物的大地与美好的年成。末章以“是烝是享”一句,总随前三章所写的黍稷、瓜果、牲畜,转入到祭祀事上来,用省洁几笔,结束全篇。

此诗用了相当多的篇幅来写祭祀供品。诗人多描写祭品之丰洁,与其说旨在表明曾孙对先祖神灵的敬诚,毋宁说是在对奉献出如此富饶物产的大自然表示深情的赞美。这就与《楚茨》篇有显而易见的不同。

这首诗在章法结构方面也极为精巧,体现出诗人的创作意图和经营匠心。全诗紧紧围绕赞美大自然这一主题组织描写。这里着重谈谈二至四章。二章重点写天时之美,“雨雪雰雰,益之以霢霂”两句,描绘雪雨丰盛饶洽,又见出冬春两季的更替,这里所举冬、春,实兼概夏秋,以表四时充美,风调雨顺。接下“既优既渥”两句,以天时映带地利,末句“生我百谷”承此而来,言春天草木苏生,百谷萌发,遥领三章的“黍稷彧彧”和四章的“中田有庐,疆埸有瓜”,由春之百谷萌发到夏之庄稼旺盛和秋之收成丰硕,实有对天时颂美这一暗脉贯穿。又三、四章都扣住疆埸、田地来写,明示自与首章对田原的颂美一意相承,巧妙地表示出庄稼生长收成之好,乃受益于地利,得惠于天时这层意思。五章首句的“祭以清酒”与三章的“以为酒食”相呼应,以“清酒”概美“食”,双绾前两章之言黍稷、庐瓜。以下转出“从以骍牡”一句,由写农作物过渡到祭前杀牲,表现牲畜的膘肥毛纯。这几章把天时地利与庄稼春生秋熟一并写出,相互映衬,笔意浑融绵密,结构完美,章法错综多变,实在高明。

与《楚茨》的铺叙详赡周密相比,本篇笔调显得舒展灵活,有浓郁的抒情意味。诗中描写自然风物很有特色,诗人善于运用不同的笔墨来表现不同自然景物的特点。如写田原,从大处落墨,突出田界沟洫纵横交错,笔直延伸向远方,给人以一种辽阔苍茫之感,又写连峰叠嶂,逶迤绵延的终南山脉为之屏障,更显示出雄浑气象。首章写田原高山,只用粗线索几笔简洁勾勒,却有涵千里于尺幅之中的艺术效果。再如写冬雪,云“上天同云,雨雪雰雰”,上句写天,阴云万里,沉沉欲坠,天云浑然一色;下句写地,霰雪乱舞,纷纷扬扬,山原银装素裹,画面极为开阔壮观。写春雨,则另换成一副轻柔笔触,云“益之以霢霂”,那“当春乃发生”的春雨轻盈细密,大地一片迷蒙的景象,如在目前。冬雪、春雨这两幅风调截然不同的景致,经诗人妙手组接在一起,刚劲之中含温润娟秀,给人以特殊的美感。这几句景笔墨跌宕多姿,疏宕之中融入细腻柔婉,十分动人。此章四、五两句“既优既渥,既霑既足”,连用四个动词。“优”“渥”描绘雪雨覆盖大地,既充沛又均调,不浸不淫,恰到好处;“霑”“足”(浞)则写雪雨渗入土壤,滋润大地,霑溉万物。用词之贴切生动,运笔之细致入微,确如姚际恒所说“后世不能到”。全诗写景状物,纯用白描手法,字里行间充溢着诗人深挚的感情。

有位外国著名学者谈到中国文学特色时,曾说过,“那些在别国文学中不成其为文学素材的东西”,在中国文学中却以其出色的描写而成为文学名作。中国文学的各种“诗歌性”的“总体方面”,早在《诗经》的创作中就明显地表现出来。如《信南山》一篇,不仅用诗的形式来描写“别国文学中不成其为文学素材”的宗庙祭祀,而且描写得如此生动精美,如此丰富多彩,情致动人,足以表明中国文学自其源头《诗经》,就有着无限的创造性活力。

(易　平)

甫　田

倬彼甫田,①	一片大田广无边,
岁取十千。②	每年收粮万万千。
我取其陈,③	拿出仓里陈谷子,
食我农人。④	给我农民把肚填。
自古有年。⑤	古来都是丰收年。
今适南亩,⑥	我到南亩去巡视,
或耘或耔,⑦	锄草培土人不闲,
黍稷薿薿。⑧	小米高粱一大片。
攸介攸止,⑨	庄稼长大收上场,
烝我髦士。⑩	田官向我来进献。
以我齐明,⑪	黍稷装满碗和盆,
与我牺羊,⑫	配上羊羔毛色纯,

以社以方。[13]　　祭祀土地四方神。
我田既臧，[14]　　我的庄稼长得好，
农夫之庆。　　召集农夫同欢庆。
琴瑟击鼓，　　击鼓奏瑟又弹琴，
以御田祖，[15]　　迎神赛会祭农神，
以祈甘雨，[16]　　祈求上天降甘霖，
以介我稷黍，　　使我庄稼得丰收，
以穀我士女。[17]　　养活老爷小姐们。

曾孙来止，[18]　　曾孙来到大田间，
以其妇子，　　农民叫他妻和子，
馌彼南亩。[19]　　一齐送饭到田边。
田畯至喜，　　田官一见心喜欢，
攘其左右，[20]　　拿起身边菜和饭，
尝其旨否。[21]　　尝尝味道鲜不鲜。
禾易长亩，[22]　　满田庄稼密又壮，
终善且有。[23]　　既好又多是丰年。
曾孙不怒，　　曾孙欢喜笑开颜，
农夫克敏。[24]　　农夫干活很勤勉。

曾孙之稼，　　曾孙庄稼堆满场，
如茨如梁。[25]　　高如屋顶和桥梁。
曾孙之庾，[26]　　曾孙粮囤只只满，
如坻如京。[27]　　就像小丘和山岗。
乃求千斯仓，　　快造仓库成千座，
乃求万斯箱。[28]　　快造车子上万辆。
黍稷稻粱，　　黍稷稻粱往里装，
农夫之庆。　　农夫同庆喜洋洋。
报以介福，[29]　　神灵报王以大福，

万寿无疆！　　　　长命百岁寿无疆！

（程俊英　译）

注释

①倬(zhuō):大,指面积广阔。甫田:大田。②十千:一说十千是虚数,指收成多。一说十千是确数,指一万亩的公田。③我:即指第三章中的曾孙。这里,诗人拟其口吻以第一人称出现。陈:陈粮。④食(sì):养。农奴在耕种公田的时候,由农奴主供给农奴吃粮。⑤有年:丰年。⑥适:往。⑦耘:除草。耔(zǐ):给禾苗培土。⑧薿(nǐ)薿:茂盛的样子。⑨攸:乃,就。介:长大。止:至。⑩烝:进。髦士:英俊之士,当指田畯(田官)。⑪齐(zī)明:即粢盛,古时盛在祭器内以供祭祀的谷物。⑫牺:祭祀用的毛色纯一的牲口。⑬以:用。社:土地神。方:四方之神。⑭臧:善,指收成好。⑮御(yà):迎接。田祖:农神。⑯祈:祈求。甘雨:适时的好雨。⑰穀:养。士女:指贵族男女。⑱曾孙:周王对他的祖先和其他的神灵,都自称曾孙。诗人自此改用第三者口吻叙述。⑲馌(yè):送饭。⑳攘:取。左右:指田畯两旁农夫妇子送来的菜饭。㉑旨:味美。㉒易:禾苗茂盛的样子。长:满。㉓终:既。有:丰。㉔克:能。敏:疾。指工作干得又好又快。㉕茨:草房顶。梁:桥梁。㉖庾:粮囤。㉗坻(chí):小丘。京:大丘。㉘箱:车箱。㉙介:大,指社神田祖报周王以大福。

鉴赏

这首诗的作者是西周的农奴主,有的研究者认为就是周天子。全诗从统治者的角度,写了他田地的广阔,庄稼的茂盛,祭祀的热闹,粮谷的丰收等。格调明快热烈,洋溢着颇为喜悦自得的神情。

第一章,写农奴主到田间督耕和丰收在望的景象。开始两句就以“倬彼甫田,岁取十千”破题,开宗明义,领起全篇。因为所占有的田土广阔,所以收成才成千上万;因为收成很多,仓库都装不下,所以才有“我取其陈,食我农人”的善举。这里的两个“我”字(包括第二章中的“以我齐明,与我牺羊”的“我”)是农奴主的自称,即指第三章中的“曾孙”。此处以第一人称叙写,更见声情逼真。“食我农人”一句,从字面上看似乎农奴主对农奴很关心,其实此举更有深意:且不说农奴本是粮食的直接生产者,却只配吃变质的陈粮,是多么的不合理。还因为土多地广，只是“岁取十千”的条件之一，大丰收的决定性因素还在于农奴们的辛勤劳作，而要农奴们不断地给他创造更多的财富，就不得不维持他们的生命。这样，就顺理成章地引发出“自古有年”的欣慰之言。这句话，既是承上，又是启下。“自古有年”，只能说明过去，要在未来的年月里继续获得大丰收，就必须督促农奴们尽力耕耘，因此就自然过渡到下文“省耕”的描写。据《孟子·梁惠王下》记载，古代农奴主有“春省耕而补不足”的惯例，主要目的是督促农奴们的劳动。所以，当曾孙“适彼南亩”，看到农奴们紧张繁忙的劳动景象，长势茁壮的连片庄稼，田官督耕进献的尽心竭力，不禁喜上眉梢：又是一个可以“岁取十千”的丰收年啊！

第二章，写收获之前的祭祀活动。在当时，由于生产力的低下，人们往往在自然灾害面前束手无策。在万物有灵的思想支配下，祭祀神灵的风气十分盛行。这种祭祀，反映了先民们对物质的要求，对丰收的期望，具有强烈的功利思想。正如《国语·鲁语》所记载：“及天之三辰，民所以瞻仰也；及地之五行，所以生殖也；及九州名山川泽，所以出财用也。非是不在祀典。”这一章中写祭祀土地神、四方之神、农神，其目的是请求这些神祇施展威力，使长势茁壮的庄稼不受旱、涝、虫的危害，确保丰收。在意脉上与前“自古有年”紧密照应。在行文中，诗人以赋的笔法，极尽铺陈之能事，祭礼则黍稷罗列，纯牺间陈；音乐或琴瑟缓奏，或鼓声激越；臣民则载歌载舞，欢庆喜悦。诗人这样从不同的侧面和角度，把祭祀的场面写得有声有色，热闹非凡，给人一种如闻其声，如见其人的艺术享受。而且在铺陈中，又注意笔墨的精练和变化，如“于方社则详礼物，于田祖则详乐器，互文以见义”（方玉润《诗经原始》）。同时，写祭祀始终与稼穑之事紧密相连，不但中间穿插以“我田既臧”的庆幸，而且在章末又以十分虔诚的口吻，唱出了“以介我稷黍，以穀我士女”的祈求之辞，使全章诗歌形散神聚，变不离本。

如果说第二章是写人和神的关系，那么，第三章则着重写人与人的关系。但此章与第一章相比，在同是写农奴主与农奴的关系时，统治者居高临下，盛气凌人的威风大为收敛，而代之以平易近人，体察下情的谦和之态。由于“督”的意味不浓，所以农夫对曾孙也颇为尊重，双方的关系是亲切融洽的，气氛是友好热烈的。诗人一改前两章第一人称的写法，用第三人称展开叙述，这既显得灵活，富于变化，而且“曾孙来止”这一发端，又声情毕肖地传达出农奴们对曾孙突然来到田间的由惊诧到兴奋、由兴奋到亲切的复杂感情的变化。为了表达他们淳朴的敬仰之情，他们马上招呼妻子把饭菜送到田边，供曾孙一行人享用。而曾孙一行人也毫不客气，“田畯至喜，攘其左右，尝其旨否”。此只言田畯而不言曾孙，实以田畯概言之也。这里，既有“田畯至喜”的心理刻画，又有先尝为快的细节描写。其迫不及待之情，笑容可掬之态，爱民重农之意，如浮雕般凸现在读者眼前，数千年之后读之，有如闻其声、如见其人之感。此为全诗最精彩之处，把君民同乐的欢快之情推向了高潮。不过，统治者与民同乐的根本目的，还是要激发农奴最大的劳动热情。看来，他们的目的是达到了。最后四句，诗人再扣稼穑之事的主题：放眼那满田茂密茁壮的庄稼，预示着又一个丰年的来临。并以“曾孙不怒，农夫克敏”补写双方配合默契的融洽关系，强调农夫劳作的尽心尽力，全章首尾照应，神完气足。

前三章的省耕、祭祀、同乐，根本目的是督促、鼓励农奴们忘我地劳动，给曾孙创造巨大的财富，第四章，便写终获丰收的喜庆景象。开始六句，诗人以流畅、紧凑的语言，运用一连串的比喻、夸张，把秋天丰收的景象写得如在目前：放眼望去，曾孙的庄稼，堆在广场上，高如屋顶和桥梁；脱粒归仓后，装满了大小粮囤，犹如小丘和山岗。尽管廪庾皆满，但由于粮食太多，只好临时赶快再造千万座粮仓，千万辆运粮的车子，才能容纳下丰收的果实。“乃求千斯仓，乃求万斯箱”两句，愈是写人们“临阵磨枪”的忙乱，愈益反衬出丰收硕果之大。与此相适应，开始六句中作者只写了场子上庄稼的堆积如山，高耸的粮仓鳞次栉比，而把收割、运输等劳动过程都省略了。这样，既突出了收获之多，同时又切合曾孙的心情。因为他当时所关心的，已不是农奴们的收割过程，而是为堆积如山的粮食所陶醉，为收藏他们而操心，为又一个丰年而庆祝。故文气顺势而下，以农夫喜庆，乞神赐福，祝周天子万寿无疆来收束全文。

此诗虽以赋法多铺陈，但结构严密，层次清晰。“稼穑之盛由于农夫克敏，农夫之敏由于君上能爱农以事神，全篇章法一线，妥贴周密，神不外散。”（方玉润《诗经原始》）。于此同时，生动的描写，比喻、夸张的笔法，也增加了诗歌的形象，使我们能看见远古人们丰富多彩的农业劳动生活。

此诗的主题思想，历来众说不一。《毛诗序》说，“甫田，刺幽王也，君子伤今而思古焉”，似有穿凿之嫌。

此诗作者虽然歌颂了农奴主到田间督耕，乞神赐福的活动，极力美化统治者与民同乐，共庆丰收的欢乐情景。但我们还是不难看出农奴主对农奴劳动赤裸裸的剥削和占有，只不过对农奴们像在《硕鼠》《伐檀》中强烈表现出的不满与反抗，被作者一笔抹杀了，而把他们描绘成一群浑浑噩噩,以被剥削为乐事的可怜虫。这种明显歪曲历史事实的思想局限,在《大田》一诗中也同样存在,这是我们必须认识和剔除的。

(佘正松)

大 田

大田多稼,① 大田大,庄稼多,
既种既戒,② 选种子,修家伙,
既备乃事。③ 事前准备都完妥。
以我覃耜,④ 背起我那锋快犁,
俶载南亩。⑤ 开始田里干农活。
播厥百谷,⑥ 播下黍稷诸谷物,
既庭且硕,⑦ 苗儿挺拔又壮茁,
曾孙是若。⑧ 曾孙称心好快活。

既方既皁,⑨ 庄稼抽穗已结实,
既坚既好, 籽粒饱满长势好,
不稂不莠。⑩ 没有空穗和杂草。
去其螟螣,⑪ 害虫螟螣全除掉,
及其蟊贼,⑫ 蟊虫贼虫逃不了,
无害我田稚。⑬ 不许伤害我嫩苗。
田祖有神,⑭ 多亏农神来保佑,
秉畀炎火。⑮ 投进大火把虫烧。

有渰萋萋,⑯ 凉风凄凄云满天,
兴雨祁祁。⑰ 小雨下来细绵绵。
雨我公田, 雨点落在公田里,
遂及我私。⑱ 同时洒到我私田。
彼有不获稚,⑲ 那儿谷嫩不曾割,

此有不敛穧；[20]	这儿几株漏田间；
彼有遗秉，[21]	那儿掉下一束禾，
此有滞穗，[22]	这儿散穗三五点，
伊寡妇之利。[23]	照顾寡妇任她捡。
曾孙来止，	曾孙视察已光临，
以其妇子，	农民叫他妻儿们，
馌彼南亩，	送饭田头犒饥人，
田畯至喜。	田畯看了真开心。
来方禋祀，[24]	曾孙来到正祭神，
以其骍黑，[25]	黄牛黑猪案上陈，
与其黍稷。	小米高粱配嘉珍。
以享以祀，	献上祭品行祭礼，
以介景福。	祈求大福赐曾孙。

（程俊英　译）

注释

①大田：即甫田，面积广阔的农田。②既：已经。种：选择种子。戒：音义同“械”，此作动词，修理农具。③乃事：这些事。④覃（yǎn）：通“剡”，锐利。耜（sì）：原始的犁。⑤俶：开始。载：从事工作。⑥厥：其。⑦庭：同“挺”，挺拔之意。硕：大。⑧若：顺。曾孙是若：即顺了曾孙的愿望。⑨方：通“房”，指谷粒已生嫩壳还没有合满。皁（zào）：指谷壳已经结成，但还未坚实。⑩稂（láng）：指穗粒空瘪的禾。莠（yǒu）：形似禾的一种杂草，亦名狗尾草。⑪螟：吃禾心的虫。螣（tè）：吃禾叶的虫。⑫蟊（máo）：吃禾根的虫。贼：吃禾节的虫。⑬稚：幼禾。⑭田祖：农神。⑮秉：拿。畀：给。炎火：大火。⑯有渰（yǎn）：即“渰渰”，阴云密布的样子。萋萋：“凄凄”的假借字，天气清冷的样子。⑰兴雨：下起雨来。按三家诗作“兴云”。祁祁：徐徐、慢慢的样子，意谓细雨而非暴雨。⑱私：私田。即指井田九百亩中公田百亩之外，分与农夫八家八百亩之田。公田的收获归农奴主所有，私田的收获归农奴自己。⑲获：收割。穉：嫩谷。⑳敛：收。穧（jì）：禾把。不敛穧：指已割而漏掉收的禾把。㉑秉：把，将禾捆成一把把。㉒滞：遗留。

㉓伊：是。利：好处。㉔禋（yīn）祀：古代祭天的一种仪礼。先烧柴升烟，再加上牲体、五谷、玉帛等于柴上焚烧。㉕骍（xīn）：指赤黄色的牛。黑：指黑色的猪。

鉴赏

此诗主旨，与《甫田》大同小异。《甫田》侧重写奴隶主的督耕、祈年、大获，故从王者一面尽力描摹，“详于察与省，而略于耕；此篇（指《大田》）详于敛与耕，而略于省与察”（方玉润《诗经原始》），《大田》则侧重描写了农奴们及时春播、消除虫害、雨泽及时、收获丰厚，最后仍以曾孙巡田、祭神结束。形象地反映了西周时期农业及生产关系的真实面貌，具有重要的文学和史料价值。

第一章，写春播的准备和劳作。首句“大田多稼”，从字面上看似平常，但实际上有提纲挈领的作用。它交代了劳动任务的繁重，暗示准备工作的众多，生发出下面一系列的追叙：正是由于田土广大，自然所种必多，而在播种之前，要选择优良的种子，这是保证丰收的首要任务。其次，是修理好农具，所谓“工欲善其事，必先利其器”。“既种既戒，既备乃事”，就说明了他们的精心准备。然后，他们扛着锋快的犁铧，带着优选的种子，结伴到南亩“播厥百谷”，开始了一年中最紧要的春播劳动。功夫不负有心人，播下的种子转眼间长成了连片挺拔茁壮的庄稼，曾孙看在眼里，不由得心花怒放。这里，不言农夫而言曾孙的心情，一是说明奴隶主对农奴们的劳动十分满意，欢娱之情不容掩饰；二是为曾孙在后面丰收祭神的出场埋下伏线，使文势在意脉上前后连属。此章在写法上犹如连续转换的电影镜头，一句话呈现出一幅动态的画面，表现一个或两个动作，干净利索，具有跳跃腾挪之势，但又环环紧扣，一气呵成，与紧张繁忙的春耕播种相映成趣。

第二章写夏季的田间管理——耘草除虫。此章运用倒叙的笔法，先以“既方既皁，既坚既好，不稂不莠”三句，描绘出庄稼长势茂盛，果实丰满坚挺的可喜景象。但是这丰收在望的成果里面，浸透着多少农奴们辛勤的汗水，包含着多少农奴们与自然灾害的艰苦斗争啊！故“不稂不莠”以下，文意上溯，予以补叙。一写了除草，二写了驱虫，其中驱虫作为重点描写。这样的详略安排是有深意的。这就是二者相比，除草的工作要容易得多，故对禾苗的危害较小。而夏季的各种虫害，在生产力和科学技术极为低下的当时，自然就难办得多。稍一疏忽，虫灾过后，赤地千里，一年的心血化为乌有，所以虫灾的危害就特别大。但是我们的祖先是勇敢聪明的，面对虫灾肆虐,他们不是听天由命,而是严正地警告他们:“无害我田稚!”进而驱赶坑埋,“秉畀炎火”,使猖狂的害虫遭到灭顶之灾。这在后来成为古代人们灭虫的传统方法。如唐代“开元四年,山东蝗虫大起,(姚)崇奏曰:‘《毛诗》云:秉彼蟊贼,以付炎火。又汉光武诏曰:勉顺时政,劝督农桑,去彼蝗蜮,以及蟊贼。此并除蝗之义也。虫既解畏人,易为驱逐。又苗稼皆有地主,救护必不辞劳。蝗既解飞,夜必赴火。夜中设火,火边掘坑,且焚且瘗,除之可尽……’乃遣御史分道杀蝗”(见《旧唐书·姚崇传》),终于扑灭虫害,保住了庄稼。由此可见,《大田》灭虫经验的记载对后代的重大影响。

第三章,写秋季的雨泽及时和大丰收。章首四句,紧接第二章耘草除虫的描写,勾画出一幅“好雨知时节”的细雨图。“有渰萋萋,兴雨祁祁”两句,连用“萋萋”“祁祁”两对叠字,形象地描绘出天空暗转,阴云密布,细雨纷纷的天象变化和濛濛雨景。不过,在农奴们眼里,这雨好像有知,先雨公田,连带着才下到私田里。这种新颖的构思和想象,传达出农奴们“先公后私,忠恳可爱”(方玉润《诗经原始》)的神态。如果说耘草、除虫是尽人事,那么兴云下雨就是写天时,这有利的天时似乎善解人意,和人们辛勤的劳动共同促成了庄稼的空前丰收。至此,诗笔再回到前面长势茂盛、果实丰满的庄稼上面,从“彼有不获稚”到篇末,顺势极写收获之多。不过,诗人在写此事时,却别开生面,避免正面叙述,而以寡妇拾取田间众多的遗穗这样的些许小事,采取平淡、闲适的笔调,从侧面尽情地渲染、烘托出收获之多。关于这一点,前人曾有一些精辟的分析。姚际恒说:“‘彼有不获稚’至末,极形其粟之多也,即上篇千仓万箱之意,而别以妙笔出之。”(《诗经通论》)方玉润的分析更为详尽:“凡文正面难以著笔,须从旁渲染,或闲处衬托,则愈闲愈妙,愈淡愈奇。前篇省耕,只尝馌食二语写出圣王爱民之情,千古如见其诚。此篇省敛,本欲形容稼穑之多,若从正面描摹,不过千仓万箱等语,有何意味?且与上篇犯复,尤难出色。诗只从遗穗说起,而正穗之多自见。其穗之遗也,有低小之穗,为刈获之所不及者;有刈而遗忘,为束缚之所不备者;亦有束缚虽备,而为辇载之所不尽者;且更有辇载虽尽,而折乱在垅,为刈获所不削,而束缚之难拾者,凡此皆寡妇之利也。事极琐碎,情极闲淡,诗偏尽情曲绘,刻摹无遗,娓娓不倦。无非为多稼穑一语设色生光,所谓愈淡愈奇,愈闲愈妙,善于烘托法耳。”(《诗经原始》)方氏此说,可谓深谙个中三昧。

第四章,以曾孙巡田祭神求福作结。开端“曾孙来止”,既与第一章末“曾孙是若”相呼应,正面描写曾孙的出场。同时，也不难体味到农奴们奔走相告“曾孙来了”的欣喜之情。然后，再以“以其妇子，馌彼南亩”的具体行动，把欣喜之情写得更为真切生动。如果说作者写曾孙、农奴们的喜悦还略有含蓄，那么“田畯至喜”就是喜气洋溢了。总之，诗人抓住曾孙、农奴、田畯这些不同阶层的人物，他们此时、此地的共同心理和表情特征——“喜”的层层皴染、描绘，展现出一幅普天同庆的欢快画卷。再通过后面黄牛黑猪、小米高粱等祭品的铺陈，君臣祭祀祈福场面的展现，把丰收的欢乐推向了高潮。

总之，此诗以春、夏、秋的时间发展为经，以人们不同季节的生产活动为纬，展示出一幅远古时代民情风俗，社会生活的生动画卷，至今仍有重要的认识和审美价值。在结构上既层次井然、条分缕析，又曲折往复、富于变化。另外，别开生面的渲染烘托，也为诗歌增添了最大的艺术效果。这些，也无不具有借鉴意义。

（佘正松）

瞻彼洛矣

瞻彼洛矣，①	看那洛水呀，
维水泱泱。②	水势泱泱。
君子至止，③	君子来这里阅兵，
福禄如茨。④	福禄没有尽藏。
韎韐有奭，⑤	戎装蔽膝鲜红，
以作六师。⑥	六军士气昂扬。
瞻彼洛矣，	看那洛水呀，
维水泱泱。	水势泱泱。
君子至止，	君子来这里阅兵，
鞞琫有珌。⑦	佩剑饰玉辉煌。
君子万年，	祝福他万岁，
保其家室。	永保王室安康。

瞻彼洛矣，	看那洛水呀，
维水泱泱。	水势泱泱。
君子至止，	君子来这里阅兵，
福禄既同。[8]	福禄如聚较场。
君子万年，	祝福他万岁，
保其家邦。	永保国家安康。

注释

①洛:东都水名,在今洛阳。②泱泱:水势深广的样子。③至:到达。止:助词。④福禄:爵命为福,赏赐为禄(依郑玄说)。茨:积也,言福禄之多。⑤韎韐(mèi gé):染红的熟皮革做成的蔽膝物,古人戎服以韎韐护膝。奭(shì):赤色。⑥作:犹"起"也。六师:六军也,天子六军。⑦鞞琫(bǐng běng):有纹饰的刀鞘。珌(bì):纹饰的样子。刀鞘上的纹饰,天子以玉,诸侯以金(见《说文》)。⑧同:犹"聚"也。

鉴赏

朱熹《诗集传》云:"此天子会诸侯于东都以讲武事、而诸侯美天子之诗。"这个理解是大致不错的。至于它产生的具体"本事",已不可详考。清人方玉润主张"阙疑以俟知者"(《诗经原始》),是比较科学的态度。对于文学艺术,"以史证诗",甚至强为比附,总是费力不讨好的事,反而会把文学欣赏弄得枯燥乏味、如同嚼蜡。

这首诗长期遭到古今选家和评论家的冷落,大约就因为它的主旨是赞美周天子大会诸侯,"以作六师"。因为,"讲武"既不是修文论艺的雅事、颂词之类,又不如刘勰所云"辞必清铄,敷写似赋,而不入华侈之区"(《文心雕龙·颂赞》),一无艳丽辞藻,二无柔美情思,今人则更谓有"拍马"(鲁迅语)之嫌!所以,它无论从内容到形式都似乎与文学欣赏绝缘。其实,生活于数千载之后的读者,大可超脱一点,从美学的角度予以玩赏,那么这首"小雅"也值得一读。

《礼记·乐记》:"情动于中,故形于声。""诗三百"的"乐"之"声"固然已经失传,但"乐之声气本乎诗,诗之声气得矣,于乐有不闻可也"(许学夷《诗源辨体》)。就是说要把握这首诗的情感内容,我们"只将本文熟读玩味"(朱熹语),便可收到"思过半矣"之效。诵读《瞻彼洛矣》,全诗由"脂""束"两个韵部所形成的"声气"、调子显然是和乐肃穆、从容适度的。"治世之音安以乐。"《毛传》以为此诗"刺幽王也",是太不审音了。反复吟咏诗文的语调我们怎么也体味不出一点"怨刺"之情来。刘熙载《艺概·诗概》云:"《雅》《颂》相通",认为不少《颂》诗近《雅》,《雅》诗近《颂》。《瞻彼洛矣》便是一首近于《颂》的小诗。也许它在当时,常常是周天子大会诸侯、检阅六军的"典礼用乐",在长期流传的加工完善中,逐渐获得了某种普遍意义。

全诗三章,每章六句,均用"兴"的手法"先言他物以引起所咏之词"(朱熹《诗集传》)。然而都与全诗有机统一,给天子"讲武事"活动描绘了一个深广壮美而气象浑然的背景:"瞻彼洛矣,维水泱泱",使人油然而生浩大仰慕之情。然后诗人进入正题,对天子作了种种至高无上的礼赞:"福禄如茨""君子万年""福禄既同",说不尽他无限的荣光和富有。是不是太空洞了呢?不,作者对天子的戎装服饰作了入微的刻画,"韎韐有奭","鞞琫有珌"。新染的皮革蔽膝鲜红灼目,佩剑的刀鞘玉饰琳琅有声,多么色泽辉煌,多么英武高贵!是不是徒有其表,以势宣威呢?不,六军为之奋起,实力多么雄厚,声望多么崇高;君子万年,永保家邦,意义多么伟大,多么深远!整首诗,就在这种重章叠句的反复赞颂中把主题逐步推向高潮,使诗人的情志得到了充分的展现,具有相当的艺术技巧。

天子"以作六师"是全诗的触发点,但不是全诗的目的和一切。诗人的情思和想象超越"武事"的"诗料"而飞向新的宏远境界,脱尽了肃杀之气和凌厉之声。军人的神圣职责不是攻伐,而是自卫。"赳赳武夫,公侯干城",这才是我们民族传统的骄傲。在这首诗中,军队、国家、天子三位一体,而由此与整个民族的幸福和命运紧密地联系在一起,表达了华夏各族人民和平友好的共同理想和信念,从而使全诗具备了一种从容有序、肃敬和乐的艺术意境,显示了泱泱大国的恢宏气度和振振威仪。总之,透过《瞻彼洛矣》,我们仿佛看到了周代统一大国的仪容、风范,甚至中华古国优秀文化意识长流不息的传统风格特色。

当然,如果我们苛求古人,天子和他的军队、国家都不是什么值得颂扬的东西。但是,历史地看待问题,就会理解,这毕竟是当时各民族共同的必然选择。

(蒲友俊)

裳裳者华

裳裳者华，[①]	盛开的鲜花，
其叶湑兮。[②]	绿叶多么茂盛。
我觏之子，[③]	我遇见这个人，
我心写兮。[④]	一见就倾心。
我心写兮，	一见就倾心啊，
是以有誉处兮。[⑤]	所以生活欢欣。

裳裳者华，	盛开的鲜花，
芸其黄矣。[⑥]	花儿一片黄色。
我觏之子，	我遇见这个人，
维其有章矣。[⑦]	举动多有礼节。
维其有章矣，	举动多有礼节啊，
是以有庆矣。[⑧]	所以万事和谐。

裳裳者华，	盛开的鲜花，
或黄或白。	黄黄白白多美呀。
我觏之子，	我遇见这个人，
乘其四骆。[⑨]	他驾着高车驷马。
乘其四骆，	他驾着高车驷马，
六辔沃若。[⑩]	条条缰绳真潇洒。

左之左之，	向左向左，
君子宜之。[⑪]	他赶得多乐。
右之右之，	向右向右，
君子有之。	他得心应手。

维其有之，　　　　因为他富有才德，
是以似之。⑫　　　所以操作自由。

注释

①裳裳：犹“尚尚”，花盛开的样子。华：古“花”字。②湑（xǔ）：茂盛的样子。③觏（gòu）：遇见。之：指示代词，这。子：男子。④写（xiè）：古“泻”字，倾倒。⑤誉：通“豫”，乐也，安也。誉处：安处也（依王先谦说）。⑥芸：读如纷纭之纭，盛也。⑦章：指文化修养，举动气度。⑧庆：福。⑨骆：黑鬃的白马。⑩辔：缰绳。沃若：柔软的样子。⑪君子：指“之子”。宜：适合。⑫似：《毛传》解释为“嗣”，继承。朱熹《诗集传》谓“维其有之于内，是以形之于外者，无不似其所有也”。此从朱熹说。

鉴赏

关于这首诗的解释众说纷纭。或以为是前篇的互相赠答，即周天子赞美诸侯之词；或以为是某人受到一个贵族的扶持，唱了这首歌来颂扬他；或以为是情诗，写一女子爱慕某个青年人，等等。其实，种种说法都没有确凿的依据，无非是“以意逆志”。古人云：“诗无达诂。”对这几种解释，你不妨自己去选择判断，所谓“作者何必然，读者何必不然”。

但是，这些不同的解释，讲的都是人与人之间的某种关系，有其同构或类似的情感基础，就是一个人对另一个人的好感、赞美。而且，全诗的重点似乎并不在于抒发诗人自身情感的具体内容，而在于塑造了一个德才兼备的贵族青年（“之子”）的艺术形象，通过这个艺术形象才体现了“我”或信任寄托，或感激祝福，或爱慕倾心的感情。因此，与其拘泥地说这首诗是赞美诸侯，或感激恩人，或表达爱情，不如在某种层次上找到这些人情关系的相通之处，把这首诗看作是对美的人或美的事的企慕、赞美。

全诗四章，每章六句。第一章“我觏之子，我心写兮”，这是全诗抒情拟物的逻辑起点，一切美誉都发自内心，情不自禁，并非应酬或吹捧。第二章写“之子”很有文化修养，见于升降进退之容，“彼都人士”“出言有章”，无愧于颂扬祝福。第三章写“之子”擅长驾御，即不但能文，亦且能武。“六辔沃若”，娴熟的技巧和爱慕之情通过一个细节特写得到了生动的表现，后者使人想起北朝乐府《折杨柳枝歌》“愿作郎马鞭，出入擐郎臂”，甚至陶渊明《闲情赋》中那一连串令人荡魄的倾述“愿在丝而为履，附素足以周旋”等等。

一、二、三章都用“兴”的手法领起，但“兴”中有比。从“裳裳者华”的茂盛枝叶，到鲜艳、繁茂的花朵，对“之子”的形象显然具有某种比拟性和烘托作用。第四章则转而用赋直接描写，“左之左之”，“右之右之”，诗人用极朴素的语言铺叙，反而更增添了感人的效果。“之子”御术的高超真是得心应手、游刃有余，达到了出神入化的自由境界，无往而不胜。“维其有之，是以似之”，这是为历代人们广为引用的名言，左右皆宜，表里相称，有其内则必形之于外。这个富于哲理意味的结尾，使“之子”的驾驭之术获得了某种象征意义，诗的境界由此升华到一个新的高度，耐人寻味。

就内容看，诗的第四章可以同第三章合而为一。现在分作两章写，是为了照顾全诗的和谐整齐，但改而运用“赋”的手法，把两章紧凑地衔接了起来，使我们能一口气诵读下去。倘使再用“兴”的手法来写这一相同的内容，不仅重复累赘，诗的气韵和情感逻辑也被打断了。这是作者技巧的高明之处。

可以看出这首诗的层次是很清晰的。“之子”的形象，随着全诗乐章的展开而逐渐鲜明、丰满、完美；诗人的感情则“通过场面和情节自然地流露出来”（恩格斯语），使赞美的主体和赞美的对象得到了有机和谐的艺术统一。

陆时雍《诗镜总论》云“《小雅》婉娈”。“婉娈”者美好而亲爱也。《裳裳者华》庶几当之矣。

（蒲友俊）

桑　扈

交交桑扈，	小巧玲珑青雀鸟，
有莺其羽。[①]	彩色羽毛多俊俏。
君子乐胥，[②]	祝贺诸位常欢乐，
受天之祜。[③]	上天赐福运气好。
交交桑扈，	小小青雀在飞翔，
有莺其领。	头颈彩羽闪闪亮。
君子乐胥，	祝贺诸位常欢乐，

万邦之屏。	各国靠你当屏障。
之屏之翰,[4]	为国屏障为骨干,
百辟为宪。[5]	诸侯把你当典范。
不戢不难,[6]	克制自己守礼节,
受福不那。[7]	受福多得难计算。
兕觥其觩,[8]	牛角酒杯弯又弯,
旨酒思柔。[9]	美酒香甜性儿软。
彼交匪敖,[10]	不求侥幸不骄傲,
万福来求。[11]	万福齐聚遂心愿。

(程俊英　译)

注释

①莺:鸟羽有文采。②胥:语助词,无义。下同。③祜:福。④翰:"干"的假借。⑤辟(bì):君主,指诸侯。⑥不:语助词,无义。下同。戢(jí):克制;一说借为"濈",和也。难(nuó):通"傩",守礼节;一说通"戁",敬也。⑦那(nuó):多。⑧觩(qiú):犀牛角弯曲的样子。⑨思:语助词,无义。⑩彼:通"匪",非。交:通"儌",侥幸。敖:通"傲"。⑪来:乃。求:通"逑",聚合。

鉴赏

这是一首写周天子大宴宾客,赞美其贤明的诸侯,并为之颂德祝福的诗。作者采用了周天子直白的口吻来抒写,显得真切自然,使人体会到周天子对其"君子",即贤明的诸侯之信赖与期望。另外,此诗虽然从周天子主观直白的角度来写,没有对宴会本身作客观描述,我们却可以感受到一种庄重、欢庆的盛宴气氛,是以情写景。

全诗分四章,有祝福、有感谢、有赞美、有期望,脉络清晰,含义比较丰富。在表现方法上赋比兴兼用,而每章换韵又自见层次。

第一章写周天子对"君子"的一般性祝福,是宴会"祝酒词"的开头。

“交交桑扈，有莺其羽”两句是起兴。“交交”是形容“桑扈”，即青雀鸟小小的样子（一说是形容鸟鸣声，亦通）。这里采用叠字修辞格来描摹青雀的体貌，恰如《诗经》中以“‘灼灼’状桃花之鲜，‘依依’尽杨柳之貌”（《文心雕龙·物色》）等等一样，虽仅二字，却有“以少总多，情貌无遗”（同上）之妙。“有莺其羽”则描写了青雀有一身色彩漂亮的羽毛，使其外观更具象化，亦更惹人喜爱。这个“桑扈”的起兴与下文在意思上并没有直接的联系。但桑扈俊俏美丽，作者是把它视为吉祥之物的，这就为盛宴增添了喜庆吉祥的氛围，对诗的情调起到渲染作用。此外，它为比较单调的祝福之词映衬上一层绚丽的色彩，又使诗显得生动委婉，避免了诗的呆板、木质之弊。在起兴之后，诗转入正文，即祝福之词：

“君子乐胥，受天之祜。”这两句是“赋”，即“敷陈其事而直言之也”（朱熹《诗集传》）。他祝愿参加宴会的“君子”心情快乐，受到上天的赐福。这固然是最高统治者与诸侯联络感情之词，但他希望统治集团能保持其地位与既得利益，亦是由衷之言。这个祝福无疑会博得诸侯的感激，使君臣达到感情上的和谐。

第二章开头“交交桑扈，有莺其领”仍是起兴，与第一章开头相近，只是把“羽”字换为“领”字，同时换韵。而“交交桑扈，有莺其羽”与“交交桑扈，有莺其领”这两组起兴又属于章节复叠的手法，它增强了诗的节奏感与音乐性。此乃受到《国风》民歌表现手法的影响。正文“君子乐胥，万邦之屏”，这是周天子对“君子”的赞扬与感激之言，亦道出了他之所以要祝福“君子”的原因，即“君子”为他保住各自的王国，使周朝天下平安无事。而把“君子”称为“万邦之屏”又是“比”的手法，“比者，以彼物比此物也”（朱熹语），这里是一个借喻。“此物”是“君子”，但省去；“彼物”是“屏”，二者相比是赞扬“君子”为捍卫疆土的重要力量。

第三章头两句“之屏之翰，百辟为宪”，又改变了前两章以起兴开端的写法，采用的是“顶真”修辞格，即后一句的“之屏”与上一句的“之屏”，首尾相承，过渡得相当自然。“之翰”亦是比喻。“翰”借为“干”，是筑墙时支撑在两边的木柱，用以比喻“君子”是国家的栋梁、骨干。“之屏之翰”两个比喻连用，是一种博喻手法，借以极力突出“君子”在治国中的重要性，为此才被周天子树为“百辟”的典范，表彰其为巩固周王朝统治的表率。“君子”之所以能成为“万邦”“之屏之翰”，乃在于他们“不戢不难”，即克己守礼。这也是周天子所倡导的为臣的节操，并以“受福不那”来鼓励群臣或者说“引诱”群臣。如果“百辟”都能成为万邦“之屏之翰”，那么周王朝将江山永固了。这是周天子的最高政治理想。

第四章“兕觥其觩，旨酒思柔”，是借周天子之口写宴会上的牛角酒杯与甘醇美酒。“兕觥（sì gōng）”，是形如犀牛角的酒器；“旨酒”即美酒；“柔”，指酒味可口不烈。这两句实际亦是起兴，但与正文意思相连，并渲染出宴会幸福、甜美的情调。其引出的正文“彼交匪敖，万福来求”，是周天子在赞美“君子”的同时，又不忘对群臣提出期望与要求，他希望“百辟”都能克制侥幸心理与骄傲情绪，兢兢业业治理国家、保卫国家，那么就会“万福来求”。周天子的“祝酒词”到此戛然而止，他宴请诸侯的目的也达到了。

统治集团中的君与臣是唇齿相依、休戚相关的。天子笼络住了诸侯，亦即保住了天下。这首诗表达的是统治阶级的意志与感情是十分鲜明的，我们从中可以考察到当时统治者企望江山永固的心理，君与臣相互依附的关系，有其认识价值。《毛诗序》认为“《桑扈》，刺幽王也。君臣上下，动无礼文焉”，其实并不确切。此诗在艺术表现方面成功地运用了赋比兴与章节复叠等手法，还是可以借鉴的。

（王英志）

鸳　鸯

鸳鸯于飞，①	鸳鸯双飞不分开，
毕之罗之。	用网用罗捕回来。
君子万年，	敬祝君子寿万年，
福禄宜之。②	安享福禄永相爱。
鸳鸯在梁，	鸳鸯对对在鱼梁，
戢其左翼。	嘴插左翅睡得香。
君子万年，	敬祝君子寿万年，
宜其遐福。③	美满家庭福禄长。
乘马在厩，④	棚中四马拴得牢，
摧之秣之。⑤	粮草把它喂喂饱。
君子万年，	敬祝君子寿万年，

福禄艾之。⑥	福禄助您永和好。
乘马在厩，	迎亲四马系在槽，
秣之摧之。	喂它粮食又喂草。
君子万年，	敬祝君子寿万年，
福禄绥之。⑦	安享福禄永偕老。

（程俊英　译）

注释

①于：语助词。②宜：安。③遐：远。④乘（shèng）马：四匹马。⑤摧（cuò）：通“莝”，铡草，此指铡草喂马。秣：以谷喂马。⑥艾：辅助。一说艾为“养”，亦通。⑦绥：安。

鉴赏

朱熹《诗集传》认为此诗与《桑扈》相对，是诸侯答谢周天子的。其实细味诗意，它应该是描写贵族新婚之作。鸳鸯是成双作对的鸟，秣马是古代亲迎之礼，诗的起兴都与新婚有关。（参见程俊英《诗经译注》）《白华》诗有感伉俪不终，亦用“鸳鸯在梁，戢其左翼”作比兴语。亦可互参。

全诗共四章。两章为一个层次。此诗主要采用了兴与赋两种表现方法，但兴中间亦有比。作者以祝福的口吻来抒写，表达了对新婚夫妻幸福长寿的祝愿，亦间接表现了婚礼上的喜庆气氛。

第一章“鸳鸯于飞，毕之罗之”两句以比兴开端。“鸳鸯”一雄一雌，双宿双飞，感情深笃，常被视为恩爱夫妻的象征；“毕之罗之”，则可以使之有个永久、安定的归宿。“毕”，是有长柄的捕鸟小网；“罗”，是无柄的捕鸟大网；这里“毕”与“罗”都是名词作动词用，指以网捕捉。这两句是“兴”，以引起下文；但未尝没有暗示使新婚夫妻安家立业之意，所以又是一种“比”。用“鸳鸯”喻夫妻十分贴切，在后世诗文中屡见不鲜，已成为含有固定喻义的喻体了。“君子万年，福禄宜之”，是比兴所引出的正文祝福之词，属于“赋”。“君子”是对新婚贵族新郎的美称，诗人祝愿他能健康长寿，可以安享婚姻的幸福与生活的富裕。这对于新婚夫妇自然是最吉利的奉献之词了。

第二章“鸳鸯在梁，戢其左翼”两句仍以“鸳鸯”的比兴开端。“梁”是拦鱼的水坝。“戢”，《经典释文》引《韩诗》曰：“戢，捷也，捷其噣于左也。”指鸳鸯休息时把嘴插在左边的翅膀里。这个细节十分生动地描写出一对鸳鸯恬静、幸福地进入梦乡的情态，“细腻如画”（方玉润《诗经原始》），亦是借以比喻新婚男女结为伴侣后亲密无间、共同生活的幸福情景。这两句又自然地引出祝福之词“君子万年，宜其遐福”。诗人进一步祝愿新婚的君子健康长寿，幸福的家庭生活无比深长。

前两章是第一层次。其祝福之词意思相同，而且所采用的比兴亦大体一致。“君子万年”一句两次出现，这属于反复吟唱、章节重叠的表现方法，读来音韵和谐、朗朗上口。比兴之物选择得甚为贴切，这就完美地突出了祝福“君子”夫妻幸福和美的旨意。

第三章“乘马在厩，摧之秣之”两句亦是以起兴开端，虽然其本身没有明显的“比”的喻意，但它与新婚迎亲却密切相关。“乘马”是贵族迎亲的工具。此时，它们停在马棚里，说明新娘子已经娶回家；“摧之秣之”，是对“乘马”的犒劳。这两句可以启人联想到乘马迎亲时的热闹场面，因此间接地渲染了婚礼的喜庆气氛。“君子万年，福禄艾之”两句仍是祝福之词，其意与第一、二章的祝词并无二致。第四章仍以“乘马在厩，秣之摧之”起兴，只是把“摧之抹之”前后词序颠倒了一下即有变化之致。后两句祝词“君子万年，福禄绥之”同前几章亦同出一辙，是反复咏唱，强调其美好祝愿。第三、四章为全诗第二层次，祝福之词只是稍有变化，但起兴之句却迥然不同，这样可以增添诗的新鲜感。

综观全诗，祝福之词意思一致，如同全诗的一条红线，串起两组比兴的珍珠，使单调的诗意显得璀璨多彩，而不觉其冗长枯燥，反而逐渐加深了诗意。

（王英志）

頍　弁

有頍者弁，①	皮帽尖尖顶有角，
实维伊何？②	戴着它来做什么？
尔酒既旨，	您的酒味既甘醇，

尔殽既嘉。 您的菜肴也不错。
岂伊异人？[③] 难道来的是外人？
兄弟非他。 兄弟非他同一桌。
茑与女萝，[④] 攀藤茑草和女萝，
施于松柏。[⑤] 蔓延依附松和柏。
未见君子， 还没见到君主时，
忧心弈弈；[⑥] 心神不定难诉说；
既见君子， 如今见到君主面，
庶几说怿。[⑦] 心里舒畅又快活。

有頍者弁， 皮帽尖尖角在上，
实维何期？[⑧] 戴着它是为哪桩？
尔酒既旨， 您的酒味既甘醇，
尔殽既时。[⑨] 您的菜肴喷喷香。
岂伊异人？ 难道来的是外人？
兄弟具来。 至亲兄弟聚一堂。
茑与女萝， 攀藤茑草和女萝，
施于松上。 蔓延缠绕松枝上。
未见君子， 还没见到君主时，
忧心怲怲；[⑩] 心里痛苦又忧伤；
既见君子， 如今见到君主面，
庶几有臧。 希望能够得赐赏。

有頍者弁， 新制皮帽尖尖顶，
实维在首。 戴在头上正相称。
尔酒既旨， 您的酒味既甘醇，
尔殽既阜。[⑪] 您的菜肴更丰盛。
岂伊异人？ 难道来的是外人？
兄弟甥舅。[⑫] 兄弟舅舅和外甥。

如彼雨雪，⑬	人生好比下场雪，
先集维霰。⑭	先霰后雪终融尽。
死丧无日，	不知何日命归阴，
无几相见。	能有几番叙天伦。
乐酒今夕，	不如今夜痛饮酒，
君子维宴。⑮	及时宴乐各尽兴。

（程俊英　译）

注释

①頍（kuǐ）：形容帽顶尖尖的样子。弁：贵族戴的一种皮帽子。②实：是。维：为。伊：语助词。③伊：是。④茑（niǎo）：一种攀援植物。女萝：一名兔丝，也是攀援植物，常缘树而生。⑤施（yì）：蔓延。⑥奕奕：心神不定的样子。⑦说：通“悦”。怿（yì）：喜。⑧期：语末助词。⑨时：善，美。⑩怲（bǐng）怲：忧愁的样子。⑪阜：盛，多。⑫甥舅：古代称女婿为甥，岳父为舅；姊妹的儿子为甥，母亲的兄弟为舅。这里代表异姓亲戚。⑬雨雪：下雪。⑭集：落。霰（xiàn）：雪珠。⑮维：同“惟”，只有。

鉴赏

这是一首写周天子宴请同姓兄弟与异姓亲戚等贵族的诗。作者当是被宴请的贵族之一，因此诗从赴宴者的角度来描写宴会的丰盛，并反映了贵族与周天子的依附关系，抒发了统治阶级人生无常、及时行乐的思想感情。另外，亦有人认为此诗是写某贵族宴请其兄弟亲戚的，自无不可。总之，它描写的是贵族享乐的生活与没落的心理。

全诗共三章。第一、二章侧重于反复咏唱宴会酒菜的丰美及贵族对天子的爱戴和依赖之情。第三章则主要表达人生无常，应及时行乐的思想。

第一章以“有頍者弁，实维伊何”的设问句式开端，既生动形象地描写出贵族所戴的皮帽子之形状，又逗引起读者对皮帽子的好奇心，并含蓄地暗示了贵族们如此衣冠楚楚是为了参加周天子的盛宴。诗开头两句可谓收一石三鸟之功。后两句“尔酒既旨，尔殽既嘉”，则转向描写与赞美酒宴之丰美，这正是对头两句贵族们为什么戴着尖尖有角的皮帽子之设问的解答。这两句以“尔”,即“您”的第二人称来写,又饱含着贵族对天子盛宴的赞美之意。以上四句是第一层次,采用赋的手法交代贵族赴天子酒宴一事。接下四句“岂伊异人?兄弟非他。茑与女萝,施于松柏”为第二层次,借助比喻表现贵族与周天子的依附关系。戴着皮帽子来的不是外人,这层意思以“岂伊异人”的反问句式道出,是在强调赴会的贵族与天子具有非同寻常的同姓血缘关系。对这种关系诗中又用“茑与女萝,施于松柏”的比喻来形容:“茑与女萝”喻贵族,他们蔓条细软,必须有所依附才能生存;“松柏”喻周天子,他是贵族挺拔的靠山。这种关系自然使贵族对天子充满了爱戴与信赖之情。第三层次“未见君子,忧心奕奕;既见君子,庶几说怿”即是这种感情的抒发。“未见”与“既见”两相对照,以“未见君子”之忧衬托“既见君子”之喜。这就具体形象地表现了贵族对天子之情,几达到“不可一日无此君”的程度。

第二章的层次与意思同第一章基本相同,许多诗句是第一章的重复,有些诗句虽然遣词用字稍有变化,如“实维伊何”改为“实维何期”,“尔殽既嘉”改为“尔殽既时”,“兄弟非他”改为“兄弟具来”,“忧心奕奕”改为“忧心怲怲”等,但意思并无二致。只有最后一句“庶几说怿”改为“庶几有臧”,意思有所递进,即在求得精神上喜悦的同时,还希望有物质上的好处,即能受到赏赐。这就从另一个侧面道出贵族对周天子的期望与信赖。

第一、二章反复吟咏贵族对天子的感情,亦可见周天子是他们既得利益的保障,天子与贵族本是同根生的。

第三章内容上则有很大变化。此章借酒宴“反映了西周末年统治集团对国家前途悲观失望和及时行乐的心情”(程俊英《诗经译注》)。这种复杂的心态正是国家政治局面走向衰亡的反映,它对于我们认识西周末期的政治状况颇有参考价值。诗此章开头“有頍者弁,实维在首”不再采用前两章的设问句式而改为陈述句,这就更明显地见出诗内容的转化。但第一句与前两章第一句仍相同,这又保持了节奏感的协调,而此章第一层次与前两章第一层次亦无甚区别,使其内容具有连贯性。此章第二层次“岂伊异人?兄弟甥舅。如彼雨雪,先集维霰”,已不再是前两章内容的反复。它不仅增添了“甥舅”这异姓亲属,扩大了赴会贵族的范围,更重要的是借此表达了贵族们普遍存在的消极、没落的人生观。诗人对此采用比喻,形象地把人生比为天上落雪,先下雪珠后降雪,但终归要融尽而化为虚无。人之“生年不满百”(《古诗十九首》),因为“人生非金石,岂能长寿考?”(同上)天下毕竟没有不散的筵席,“兄弟甥舅”的贵族地位再高,都难逃“奄忽随物化”(同上)的结局。这本是人生的自然法则,但对于奢侈享受的贵族来讲,由于见气数将尽,就特别忧生惧死,为了填补心灵的空虚,就只有及时行乐了。故第三层次先云“死丧无日,无几相见”,意谓生命如朝露,料不到什么时候结束,没有多少光阴可供他们再欢聚行乐了;然后云“乐酒今夕,君子维宴”,意谓只有抓住今夜眼前的时光,狂欢痛饮了,大有“昼短苦夜长,何不秉烛游?为乐当及时,何能待来兹”(同上)之意。而“君子”即周天子(当指周幽王)亦与其“兄弟甥舅”等贵族灵犀相通,他就只有召开盛宴与其亲戚贵族们作死亡前的狂欢而已。末句点出周天子宴请贵族的原因,这表明西周末世的君与臣都是在惶惶不安中寻欢作乐的。此诗乃是对没落的统治集团矛盾心态的一种写照。

这首诗以赋为主,兼有比兴。虽不乏章节之叠复,但不像《鸳鸯》那样纯然单一地作同义反复;而是叠复之后又有拓展,使内容显得曲折变化,意蕴亦比较丰厚。

(王英志)

车　舝

间关车之舝兮,①	安装好车上的辖啊,
思娈季女逝兮。②	把美丽少女迎回家啊。
匪饥匪渴,	并非因为饥与渴,
德音来括。③	思慕你贤淑有美德。
虽无好友,④	虽无琴瑟亲近你呀,
式燕且喜!⑤	宴饮喜庆也欢乐!
依彼平林,⑥	那片平林多茂密,
有集维鷮。⑦	漂亮的锦鸡林中栖。
辰彼硕女,⑧	妙龄年华的好姑娘。
令德来教。⑨	美德使我受教益。
式燕且誉,⑩	既宴乐来又赞誉,
好尔无射!⑪	我爱你呀情不移!

虽无旨酒，　　　　　　虽然咱们没好酒，
式饮庶几。[12]　　　　　勉强可以干几杯。
虽无嘉殽，　　　　　　虽然咱们无佳肴，
式食庶几。　　　　　　希望你也尝尝味。
虽无德与女，[13]　　　　虽无美德与你配啊，
式歌且舞！　　　　　　载歌载舞乐无极！

陟彼高冈，　　　　　　登上那座高山冈，
析其柞薪。[14]　　　　　去把山上柞树砍。
析其柞薪，　　　　　　砍下柞树背回来，
其叶湑兮。[15]　　　　　绿叶柔嫩多鲜艳。
鲜我觏尔，[16]　　　　　难遇你这好姑娘啊，
我心写兮！[17]　　　　　我心花怒放喜洋洋！

高山仰止，[18]　　　　　德如高山人敬仰，
景行行止。[19]　　　　　行如大路人向往。
四牡騑騑，　　　　　　四匹公马跑得忙，
六辔如琴。　　　　　　六辔如同琴弦张。
觏尔新昏，[20]　　　　　娶下你这位好姑娘啊，
以慰我心。　　　　　　我甜蜜幸福心欢畅！

注释

①间关：安装车辖。《毛传》："间关，设舝也。"陈奂："以舝设车轴间日间关。"舝(xiá)：同"辖"，车轴两头的铁键。②娈(luán)：美好貌。季女：少女。逝：往，指出嫁或迎娶。③德音：有美德的言谈，代指美德。括：同"佸"，会合。④友：亲爱。⑤燕：通"宴"，宴饮。⑥依：茂密的样子。⑦鷮(jiāo)：长尾雉。⑧辰：时，及时，正值妙龄之意。硕女：美女。⑨令德：美德。⑩誉：赞美。⑪好：爱。射(yì)：通"斁"，厌。⑫庶几：勉强可以，含有希望的语气。⑬与：给予。这里有

相配之意。⑭析：劈。柞（zuò）：柞栎，树名。薪：柴。⑮湑（xǔ）：形容柔嫩鲜美。⑯鲜：罕有、难得之意。觏（gòu）：遇合，特指男女相爱而结合。⑰写：通“泻”，宣泄，指心情舒畅。⑱止：通“之”，语助词。⑲景行（háng）：大路。行：往。⑳昏：同“婚”。古代夫称妻为昏，新婚与新妇同义。

鉴赏

《毛诗序》以为本诗是“大夫刺幽王”之作，显然是牵强附会。从诗的内容看，它是一首歌咏新婚的乐章。《左传·昭公二十五年》载叔孙昭子为季平子如宋迎女，赋《车舝》，便是很好的佐证。

全诗五章，都是抒写作者在迎娶途中的无比喜悦和对佳偶的热切思慕。诗以“间关车之舝兮，思娈季女逝兮”发端，开宗明义点出了迎娶的主题。出现在读者面前的主人公（即诗人），满面春风，喜气洋洋，正在那里整理车辆，安装车辖。车辖是车轴两头的铁键，“无事则脱，行乃设之”，现在设辖，表明要出门了。他出门干什么？又为何这样高兴？“思娈季女逝兮”点明了事因：他在想念那美丽的姑娘，就要去迎娶她啊！在这里，诗人运用六言长句和语气词“兮”，造成舒缓的节奏，把他那按捺不住的激动欢欣传神地表现了出来，洋溢在字里行间，正如明人孙鑛所说“首两语曼声、绵丽，有姿态”（《孙月峰先生批评诗经》）。诗人的欢欣究竟从何产生的呢？仅仅来自于一般的男女爱慕吗？“匪饥匪渴，德音来括”作了回答。“饥渴”在《诗经》中多作性欲的隐语，诗人在此声明，他娶这位姑娘，并非只是生理上的需要，而首先是出于对她所怀美德（“德音”）的爱慕。这便具有了超越一般性爱的审美意义。这样的窈窕淑女，怎能不令诗人倾心！怎能不激起他爱的涟漪！好像姑娘已来到了眼前，他情不自禁地喃喃自语：“虽无好友，式燕且喜”——“尽管我无以表达对你的亲爱，但愿和你欢笑宴饮，使你愉快”。这恳挚的“心里话”，包含着多么深厚的情意啊！诗人还在设辖装车，心却早已沉浸在“之子于归”的欢乐中了。

进入第二章，迎亲的车子已经登程，穿行在一片茂密的平林中，诗人可能看到了一只长尾锦鸡，触景生情，顺口唱道“依彼平林，有集维鷮”。又由栖息在林中的“鷮”，联想到闺中待娶的“硕女”。“鷮”那流光溢彩的毛羽，不正好像那妙龄“硕女”如花似玉的容貌吗？姑娘的容貌是美丽的，更令人景慕的，还有她那高出容貌的“令德”，会给诗人带来教益。诗人的思绪再一次扬起，接续着原来的想象，构思与新娘欢宴的情景:他与佳人“式燕且誉”,一边宴饮,一边赞美她。他要告诉她:“好尔无射”——“我爱你终生不渝”!诗人的爱情,是多么深挚!他此刻的思慕,又是何等热切!这时诗人的心里,已完全被其佳偶占据,言之不足故重言之,重言不足故三言之,用了整个第三章来继续描写他与佳人对饮欢宴的想象。他对她说:虽然咱们没有“旨酒”“嘉殽”,但希望你“式饮”“式食”,畅饮饱尝;虽然我“无德与女”,和你不配,但愿咱们“式歌且舞”,尽情欢娱。这亲切的话语,正如春风细雨,有多温馨、醉人!这排比而下的诗句,涌泻着诗人澎湃的激情,倾注着诗人热切的憧憬。同时,这流畅的笔势,奔泻的情思,又与马车驰骋在平地上的情景,也配合得十分和谐。

迎亲的车子继续前行,诗人眼前出现了一座长满柞树的高冈。举目望去,那葱茏的枝叶又引发了诗人蓬勃的诗兴,一连串的诗句便脱口而出,“陟彼高冈,析其柞薪。析其柞薪,其叶湑兮”。在《诗经》中,“析薪”大多隐喻婚娶。如《齐风·南山》“析薪如之何,匪斧不克。取妻如之何,匪媒不得”,就以析薪兴喻娶妻。这里的登山析薪也是如此。诗人在眼前景物的触发下,顺手拈来这一人所熟知的隐语来象征自己前往迎亲。又沿着这一隐喻,象征蝉联而下,由砍伐树木写到“其叶湑兮”,推出了进一层的比喻:那柔嫩鲜美的树叶,不正象征着容光照人的新妇吗?诗人熔咏物与比兴于一炉,巧妙地表现了自己的欢悦和对佳人的喜爱。如果说前几章的情调欢快明朗的话,那么这里随着蜿蜒盘旋的山路,诗人的情致也显得委婉曲幽了。它犹如东去的河流,由平原旷野进入了逶迤掩映的群山之间。诗人的万千思绪,都离不开他迎娶的对象,因此,在上述的即兴隐喻之后,“鲜我觏尔,我心写兮”二句便水到渠成、自然而然地转入对佳偶的直接赞美和抒情。诗人称颂她是天下少见的姑娘,为自己找到这样的“好逑”而心花怒放,意气飞扬。

第五章是全诗的终结。这时车子正行驰在宽广的大路上。“高山仰止,景行行止”。诗人仰望着高山,远望着大路,心情该是多么的高兴啊!“一切景语皆情语”(王国维《人间词语》),此时诗人的感情也溢满高山,铺满大路。在他的眼中,这山、这路,全都和自己前往迎娶的对象联系到了一起(或许她就住在山麓路旁)。那美丽贤淑的姑娘,不正如同这高山大路一样令人仰望和向往吗?正因为这两句气象高远、意蕴丰厚的诗句带有一定程度的象征意义,便成为后人表达某种仰慕之情的千古名句。司马迁在《史记·孔子世家》中就引用这两句诗,表达了对孔子的无限敬仰。诗人的目光由远而近,跳宕飞驰的诗思又落在了自己所驾的车马上。"四牡騑騑，六辔如琴"，这两句不仅"正与车舝为首尾之词"（胡承珙《毛诗后笺》），前后照应，而且给我们描绘出了一幅形神飞动、意趣盎然的"驱车迎亲图"：四匹肥硕的公马，拉着披红挂彩的车子欢跑，御手技艺娴熟，纵控自如，手中的六条缰绳调和得如同琴弦一般。这样的动态画面，充满了如酣如醉的情致，洋溢着欢快和谐的美感，实在耐人寻味。最后，作者再次深情地呼告："觏尔新昏，以慰我心"。在笔酣墨饱、情畅意足中结束了全篇。

《车舝》是一首美妙的新婚乐章，更是一曲美好爱情的颂歌。它在艺术上的显著特点，是诗人选取迎亲途中这一典型环境，通过丰富的想象，来展示自己内心的喜悦和思慕。诗人从安装车辖起，就展开了"式燕且喜"的想象。启程之后，这种想象更得到了随意翱翔的空间。一路上，随着景物的变换，诗人的想象不断更迭，联翩而出。林中的锦鸡，山冈的柞树，同及眼前的高山大路，无不激发着诗人的情思，无不与他对佳偶的思慕交织在一起。诗人在想象中，交替运用比兴、象征、独白、烘托、描绘，更加深了全诗的意蕴和情趣。而这一切，又被诗人巧妙地安排在迎亲途中这一特定的情境之中。因此，不妨这样说，《车舝》是诗人在迎亲途中洒下的一路诗情，一路欢歌。

（刘生良）

青　蝇

营营青蝇， 止于樊。① 岂弟君子，② 无信谗言。	绿头苍蝇闹营营， 篱笆上面停。 和蔼可亲的君子， 谗言千万莫轻信！
营营青蝇， 止于棘。③ 谗人罔极，④ 交乱四国。	绿头苍蝇闹营营， 枣树上面停。 谗毁之人可没准， 四方之水全搅浑！

营营青蝇，	绿头苍蝇闹营营，
止于榛。	榛树上面停。
谗人罔极，	谗毁之人可没准，
构我二人。⑤	离间你我绝恩情！

注释

①樊：篱笆。②岂弟（kǎi tì）：同"恺悌"，和悦。③棘：酸枣树。一说荆棘。④极：准则。⑤构：构陷。

鉴赏

这是一首斥责谗毁者并对信谗的统治者致忠告的诗。《毛诗序》说是刺幽王，后之论者更落实到"废后放子"的史实，很难确信。因为谗毁作为一种社会现象无时无之，诗的本文既未牵涉具体的人事，读者也就无须指实为何朝何代、何人何事而作，而应视为一种艺术概括，典型形象。积毁可销骨，而谗言作为毁谤的特殊方式，因其目的险恶、手段隐秘而后果严重，尤为可怕。无怪斥谗之作在《诗经》中为数不少。"苍蝇贝锦喧谤声"（李白《答王十二寒夜独酌有怀》）。诗人孟子与本诗作者，大概都是有切肤之痛的谗言受害者，所以这两首诗也就成了同类中的名篇。比较起来，孟子的怨毒更深，故《巷伯》一诗咬牙切齿之声闻于纸上，必欲将谮人"投畀豺虎"而后快。因而诗的矛头是直接指向进谗的谮人的，其集中声讨有类檄文。《青蝇》一诗的作者，似乎较及时发现了谗人的构陷，所以他一面警惕着，一面向信谗的"君子"发出忠告。故诗中对谗佞的蔑视、厌恶多于痛恨。

诗人对谗佞的蔑视、厌恶见于三章兴语，他用了一个很有创造性的比喻意象——"青蝇"，作为工谗者的化身。青蝇是一种绿头大蝇，其粪便可以污白使黑，虽璧玉亦不能免；因其飞声之众（"营营"）可以乱听；又驱之难去，用来比喻以中伤、蛊惑、媚附为能事的谗佞者极为切贴。言其"止于樊""止于棘""止于榛"，可见无往不入，防不胜防，只好避而远之。虽然没有直接的褒贬字面，诗人满腔憎恶已见于言外。

谗佞者捣鬼有术，往往难与计较，诗人似乎也不屑与之计较，他遂把全部希望寄托在谗言作用的对象——"君子"身上。三章后半均为殷勤的致意。首言“岂弟君子,无信谗言”,言“无信”,正以其可能听信或竟然听信也。“苍蝇不叮没缝的蛋”,诗人在“君子”称呼上还要加上“岂弟”二字,是不无微词的。“岂弟”是平易近人的样子,但倘若“近小人”,结果必然“远贤臣”了;诗人希望他幡然醒悟,倒个个儿。次言“谗人罔极,交乱四国”,这似乎危言耸听,有些夸饰。其实谗佞者一旦取信于上层统治者,成为亲随,其破坏的能量确乎不可低估。三言“谗人罔极,构我二人”,是由远及近,说到眼前已有的恶果。“构我二人”一句,暗示了许多未尝明言的人事内容,由此可会:诗人与“君子”始必相得,但目前已被离间;诗人已中谗言之祸,而被“君子”疏远。可见“无信谗言”的忠告,绝不是泛泛而谈的劝诫,而是感事有为而发的棒喝。

总之,《巷伯》一诗以赋为主,意激而言质,风格豪辣;本篇则以比兴见长,词约而义丰,风格委婉。“青蝇”从此成为谗毁者的代称,长期活在历代诗人笔下,略见此诗的深远影响。 (周啸天)

宾之初筵

宾之初筵,①	来宾入座开宴席,
左右秩秩。	宾主谦让守礼节。
笾豆有楚,②	杯盘碗盏摆整齐,
殽核维旅。③	鱼肉干果全陈列。
酒既和旨,	醴酒味浓醇又美,
饮酒孔偕。	觥筹交错真热烈。
钟鼓既设,	钟鼓乐器都齐备,
举酬逸逸。④	往来敬酒杯不绝。
大侯既抗,⑤	虎皮把子竖起来,
弓矢斯张。	张弓搭箭如满月。
射夫既同,	射手云集靶场上,
献尔发功。	表演技术逞英杰。
发彼有的,	人人争取中目标,
以祈尔爵。	要叫对手罚一爵。

籥舞笙鼓，[6]	执籥起舞笙鼓响，
乐既和奏。	众乐齐奏声铿锵。
烝衎烈祖，[7]	祖宗灵前进娱乐，
以洽百礼。	按礼行事神来享。
百礼既至，	祭礼周到又完备，
有壬有林。[8]	隆重盛大又堂皇。
锡尔纯嘏，[9]	神灵赐你大福气，
子孙其湛。[10]	子孙个个都欢畅。
其湛曰乐，	人人欢喜又快乐，
各奏尔能。	各献其能射靶场。
宾载手仇，[11]	来宾各自找对手，
室人入又。	主人相陪比短长。
酌彼康爵，[12]	斟上满满一杯酒，
以奏尔时。	祝你胜利进一觞。
宾之初筵，	客来入席叫声请，
温温其恭。	态度温雅又恭敬。
其未醉止，	酒过一巡人未醉，
威仪反反；[13]	仪表庄重又自矜；
曰既醉止，	酒过三巡醉态露，
威仪幡幡。[14]	举止失措皆忘形。
舍其坐迁，	离开坐席乱走动，
屡舞僊僊。[15]	手舞足蹈不肯停。
其未醉止，	他们还没喝醉时，
威仪抑抑；[16]	看来谨慎又文静；
曰既醉止，	待到喝得醉酩酊，
威仪怭怭。[17]	嬉皮笑脸骨头轻。
是曰既醉，	还说这是喝醉酒，
不知其秩。	不守规矩不要紧。

宾既醉止，	客人已经喝醉了，
载号载呶。[18]	又是叫来又是闹。
乱我笾豆，	打翻杯盘和碗盏，
屡舞僛僛。[19]	跌跌撞撞把舞跳。
是曰既醉，	还说这是喝醉酒，
不知其邮。[20]	糊里糊涂不害臊。
侧弁之俄，[21]	头上歪戴鹿皮帽，
屡舞傞傞。[22]	疯疯癫癫跳舞蹈。
既醉而出，	如果喝醉就出门，
并受其福；	大家托福都叫好；
醉而不出，	如果醉了不肯走，
是谓伐德。	那就叫做缺德佬。
饮酒孔嘉，[23]	宴会喝酒本好事，
维其令仪。	只是要有好礼貌。
凡此饮酒，	参加宴会尽阔佬，
或醉或否。	有人清醒有醉倒。
既立之监，[24]	设立酒监察礼节，
或佐之史。[25]	又设史官写报导。
彼醉不臧，	酗酒本来是坏事，
不醉反耻。	反说不醉是脓包。
式勿从谓，	不要随人乱劝酒，
无俾大怠。[26]	害他失礼又胡闹。
匪言勿言，	别人不问别多嘴，
匪由勿语。	语涉非礼勿乱道。
由醉之言，	醉汉话儿不可靠，
俾出童羖。[27]	胡说公羊没犄角。
三爵不识，[28]	饮限三杯也不懂，

矧敢多又。[29]　　　何况多喝更糟糕。

（程俊英　译）

注释

①筵（yán）：竹席，古人席地而坐，故以称宴席。②笾（biān）：古人盛果品的竹器。豆：古人盛肉的木器。③殽（xiáo）：带骨的肉。核：果品。④逸逸：通“绎绎”，来往不绝。⑤侯：兽皮制成的箭靶。抗：张挂。⑥籥（yuè）：一种古代乐器。⑦烝：进献。衎（kàn）：娱乐。⑧壬：大。林：盛。⑨锡：赐。纯嘏（gǔ）：大福。⑩湛（dān）：通“耽”，喜乐。⑪手：作动词，选取。⑫康爵：大酒杯。⑬反（pàn）反：和善谨慎的样子。⑭幡幡：轻浮轻率之状。⑮僊（xiān）僊：舞姿轻盈的样子。⑯抑抑：小心严肃的样子。⑰怭（bì）怭：轻佻粗俗。⑱呶（náo）：喧闹声。⑲僛（qī）僛：歪斜摇摆。⑳邮：通“訧”，错误，过错。㉑弁（biàn）：礼帽。俄：歪斜。㉒傞（suō）傞：胡舞乱扭之状。㉓孔嘉：很好。㉔监：酒监，宴会上监察礼仪的人。㉕史：史官，记载宴会情况的人。㉖怠：失礼。㉗童：光秃。羖（gǔ）：黑色公羊。㉘三爵：古代君臣小宴以三爵为限。㉙矧（shěn）：况且。

鉴赏

酗酒之患，大则贻误国事，小则损害健康，古今明识之士，深以为忧。《宾之初筵》以饮酒为题材，描述宴会上种种胡言乱语、癫狂无礼之态，讽刺统治集团纵酒狂放的荒唐行为，暴露了剥削阶级的精神腐败的现状，有深刻的认识价值。

全诗五章，按照事物发展的进程，先写入席之初彬彬有礼，相互敬酒，不失规矩；次写酒酣耳热，渐次放肆，手舞足蹈，不遵礼度；最后写酩酊大醉，糊里糊涂，疯疯癫癫，胡作非为，胡言乱语，不成体统。作者在叙述中时加评论，以表明自己的批判态度，给人以深刻的印象。

第一章写宴会开始时的盛况。参加宴会的人“秩秩”，谦恭有序，彬彬有礼。我国传统礼仪，连宴会菜肴的放置也有一定的程式，因此，诗人在“笾豆”“殽核”之后，缀以“有楚”“维旅”字样。“有楚”和“维旅”皆排列有序、合乎程式之意。这些叙述为下文酒醉之后的“载号载呶”“乱我笾豆”伏线。以下极写宴会的气氛融洽、和谐、热烈：有美酒醇肴，大家痛饮；有钟鼓声声，助人酒兴；有弯弓射的，以决雌雄，为的是让对方饮酒……凡此等等，给宴会设置了一个大场景。只有在这样的场景气氛下,才使盛大宴会欲止不可、欲罢不能地狂热进行,演出下边醉态的闹剧来。"射夫既同,献尔发功。发彼有的,以祈尔爵"四句,把酒场上两相对垒、力求让对方饮酒的"狠劲"表达得淋漓尽致。

第二章承接第一章,继续深化强化饮酒的气氛。

在人的情绪活动中,音乐和舞蹈是起兴和助兴的重要手段之一。因此,第二章便从这里开始。上一章中,音乐仅"钟鼓既设"一句,这里便发展成"籥舞笙鼓,乐既和奏"。"籥"是一种竹制管乐器,六孔,长三尺,持之以舞。不仅笙鼓齐鸣,而且籥舞翩翩,乐与舞又和谐相配,令人心旷神怡,忘乎所以,一增酒兴;进献列祖列宗,求其快乐,以尽人臣子孙之道,不饮酒不合礼数,二增酒兴;"百礼既至",礼仪周到完备,"有壬有林",规格盛大隆重,气氛热烈,三增酒兴;祖宗赐福子孙,子孙快乐幸福,四增酒兴。因此,"其湛曰乐,各奏尔能"。这"各奏尔能",程译为"各献其能射靶场",似乎应是各人放开海量来痛饮,"能"是痛饮之"能"。顺理成章的下文是"宾载手仇",客人选择喝酒的对手;"室人入又",主人又来陪酒。"酌彼康爵,以奏尔时",举起大杯来痛饮,这才是一醉方休乃至醉而不休的好时机哩!诗人用扶人上台阶的办法,把参加宴会的人送到不醉不止的境地里。在艺术上却是娓娓说来,使人尽入彀中,平易中见高妙。

第三章开始趋入醉的境界。起首两句"宾之初筵,温温其恭",从文字和情绪两个方面呼应前文,造成结构的紧密感;另一方面,这起首两句又将第二章末尾的"酌彼康爵,以奏尔时"推开一步,造成结构上的摇曳之态,堪称妙手天成。随后,诗人用两个醉和未醉的强烈对比造成鲜明的反差,说明醉态的可憎。第一个反差是"其未醉止,威仪反反;曰既醉止,威仪幡幡。舍其坐迁,屡舞僊僊"。这里的"未醉"和"既醉","反反"和"幡幡"是绝对对立的。它们从"事件"和"情态"两个方面给人深刻的印象。至于"舍其坐迁,屡舞僊僊"两句描绘醉酒者离开席位胡走乱动,手舞足蹈,狂态百出,不仅给"幡幡"作了生动形象的注释,而且强化了第一个反差的艺术力量。第二个反差是"其未醉止,威仪抑抑;曰既醉止,威仪怭怭"。用"未醉"和"既醉","抑抑"和"怭怭"相比较,从格式上说,似乎是第一个反差的重复,但是,这里重复却起着强调的作用,是音乐性文学共同特性的反映。本章的最后两句"是曰既醉,不知其秩",明显地表达了诗人的态度,以肯定来否定,讽刺之情跃然纸上。绝妙的是"不知其秩"。人生在世,不知有礼仪,不知有道德,不知有纪律,岂不退化为非类了?掩卷深思,酗酒者的丑态,岂不令人叫绝！

第四章是第三章的深化与强化，把醉酒者漫画化。“载号载呶。乱我笾豆，屡舞僛僛”显然比上文的“威仪幡幡”和“威仪怭怭”更进了一层。质言之，“幡幡”和“怭怭”是仪表方面的；而“载号载呶。乱我笾豆，屡舞僛僛”则是行动方面的。由仪态不雅，发展成大号大叫、掀翻杯盘、歪歪斜斜、跌跌撞撞，简直是不成体统。“不知其邮”，是丧失理智，不知是非对错；“侧弁之俄”，是丧失自尊，不知美丑；“屡舞傞傞”，是神经失控，癫放疯狂，凡此等等，皆酗酒之过。人们对酗酒滥醉者的厌恶之情，油然而生，“既醉而出，并受其福；醉而不出，是谓伐德”。本来，宾主相聚，饮酒叙情，是人生快事，如今事与愿违，弄到不散伙不滚开就令人难以容忍的地步，实在是有背“宾之初筵”的初衷。因此，诗人以赤子心肠扳回一笔，“饮酒孔嘉，维其令仪”。相聚欢饮，本是好事，只希望饮酒的人有良好的道德素质。以旁观者的宽容和善良，来反衬酗酒者的放纵少德，是软中见硬的笔法。至此，诗人将醉酒癫狂的颓放行为搁置在高潮之中，为进一步的评论做好了准备。

第五章是前四章的深入，通过叙事来议论，表明自己的观点。“凡此饮酒，或醉或否”，重在“醉”。下文以“醉”为中心，进行议论。诗人认为，既然有“监”进行监督，既然有“史”进行记载，而醉酒又是“不臧”之事，那些饮酒的人还追求一醉方休，以不醉为耻，令人纳闷。在纳闷中包含着讽刺。随后诗人又退一步，告诫世人不要劝酒，不要让好酒的人犯过失。只要大家在宴会上“匪言勿言，匪由勿语”，不该说的不说，没有道理的也不说，更不必和醉汉计较，他们胡言乱语是“由醉之言”。“三爵不识，矧敢多又”，一片菩萨心肠。令我们感兴趣的是，诗人用菩萨心肠来反衬酒徒的恶鬼性格，别出心裁，使人啧啧。

（汤贵仁）

鱼　藻

鱼在在藻，	水藻丛中鱼藏身，
有颁其首。①	不见尾巴见大头。
王在在镐，②	周王住在镐京城，
岂乐饮酒。③	逍遥快乐饮美酒。

鱼在在藻，	水藻丛中鱼儿藏，
有莘其尾。④	长长尾巴左右摇。
王在在镐，	镐京城中住周王，
饮酒乐岂。	喝喝美酒乐陶陶。
鱼在在藻，	鱼儿藏在水藻中，
依于其蒲。⑤	贴着蒲草岸边游。
王在在镐，	周王在镐住王宫，
有那其居。⑥	居处安逸好享受。

（程俊英　译）

注释

①有颁（fén）：颁颁，头大的样子。②镐：镐京，西周都城，在今陕西西安市西。③岂：通“恺”。岂乐：欢乐。④有莘（shēn）：莘莘，尾巴长长的样子。⑤蒲：蒲草，一种水生植物。⑥有那（nuó）：那那，安逸的样子。

鉴赏

《鱼藻》主题，长期争议。陈子展以为是“刺周王高居镐宫饮酒作乐之诗”（《诗经直解》），较为中肯。

《鱼藻》采用“兴”的手法，“以鱼之在藻兴王之在镐”（方玉润《诗经原始》）。第一章借鱼的自然生存习性比喻周幽王的生活情态：鱼依于水藻之中，食藻为生，被水藻养得头儿肥硕，仪态优游；幽王居于镐宫之中，饮酒作乐，养得脑满肠肥，体态雍容。从语气上看，似以鱼的闲适与肥美夸赞周幽王的快乐与富有，但这是明显的正话反说，夸赞的不是幽王的英明而恰恰是昏聩，因为王之沉溺于酒色往往是国家破灭的先兆。两相对比，讽意自现。第二章与第一章诗意相同，只对个别词汇做了改变和更换，进行反复咏唱。不过，这并不是简单的重复，而是对诗意的进一步渲染和深化。词序的稍一变化便暗示出一个结论：周幽王终日除了饮酒享乐就是享乐饮酒。这与鱼儿的饱食终日完全一致。第三章表面看依然以鱼喻幽王，但比喻的内涵有所变化，在平静中掀起一点波澜，引起人们的联想：

鱼儿食藻为生，尚且以蒲为家；而幽王以民为生却独居高阁，与民隔绝。尽管作者此时没有直接表露自己的意见，但谴责的意图却变得强烈而明显，诗也随即戛然而止，在悬念中引人回味。

这首诗结构简约明晰，时有起伏。以自问自答的方式叙述，语意委婉，用词含蓄。在风格上很像国风，所以方玉润认为此诗是出自“细民声口”。

（汤贵仁　陈伟军）

采　菽

采菽采菽，	采大豆呀采豆忙，
筐之筥之。①	方筐圆筐往里装。
君子来朝，	诸侯来朝见我王，
何锡予之？	天子用啥去赐赏？
虽无予之，	纵使没有厚赏赐，
路车乘马。	一辆路车四马壮。
又何予之？	此外还有什么赏？
玄衮及黼。②	花纹礼服画龙裳。
觱沸槛泉，③	在那翻腾涌泉旁，
言采其芹。	采下芹菜味儿香。
君子来朝，	诸侯来朝见我王，
言观其旂。	遥看龙旗已在望。
其旂淠淠，④	旗帜飘飘随风扬，
鸾声嘒嘒。⑤	铃声不断响叮当。
载骖载驷，⑥	三马四马各驾车，
君子所届。⑦	诸侯乘它到明堂。
赤芾在股，⑧	红皮蔽膝垂到股，
邪幅在下。⑨	绑腿斜缠小腿上。

彼交匪纾，[10]　　不急不慢风度好，
天子所予。　　这是天子所奖赏。
乐只君子，　　诸侯公爵真快乐，
天子命之。　　天子策命赐嘉奖。
乐只君子，　　诸侯公爵真快乐，
福禄申之。[11]　　洪福厚禄从天降。

维柞之枝，[12]　　柞树枝条长又长，
其叶蓬蓬。[13]　　叶子茂盛多兴旺。
乐只君子，　　诸侯公爵真快乐，
殿天子之邦。　　辅佐天子镇四方。
乐只君子，　　诸侯公爵真快乐，
万福攸同。[14]　　万种福禄都安享。
平平左右，[15]　　左右臣子很能干，
亦是率从。[16]　　顺从君命国安康。

汎汎杨舟，[17]　　杨木船儿河中漾，
绋缅维之。[18]　　系住不动靠船缆。
乐只君子，　　诸侯公爵真快乐，
天子葵之。　　天子准确来衡量。
乐只君子，　　诸侯公爵真快乐，
福禄膍之。[19]　　厚赐福禄有嘉奖。
优哉游哉，　　优游闲适过日子，
亦是戾矣。[20]　　生活安定清福享。

注释

①莒(jǔ)：圆形竹筐。②玄衮(gǔn)：黑色祭祀礼服，上画卷龙。黼(fǔ)：也是一种礼服，上画黑白相间的斧纹。③觱(bì)沸：泉水涌腾。槛："滥"的假借

字,泛涌的意思。④淠(pèi)淠:飘动的样子。⑤嘒(huì)嘒:车铃声。⑥骖(cān):三马驾一车。驷(sì):四马驾一车。⑦届(jiè):到达。⑧芾(fú):古代官服外的蔽膝。⑨邪幅:类似绑腿。⑩彼交:即"匪佼",不急躁。⑪申:多。⑫维:语首助词。⑬蓬蓬:茂盛的样子。⑭攸(yōu):是。⑮平平:或作"便便",强干精明。⑯率从:服从。⑰汎(fàn)汎:漂流。⑱绋(fú):麻绳。缡(lí):绳子一类。维:系。⑲膍(pí):丰厚。⑳戾(lì):安定。

鉴赏

前人以为,《采菽》是讽刺周幽王侮慢诸侯的,细味全诗,当是朝廷礼仪性的颂歌。全诗五章,前两章是主歌,后三章是副歌。从结构的安排看,歌唱的特征十分明显。

第一章和第二章写诸侯朝见周王、周王赏赐诸侯的盛况。"采菽采菽,筐之筥之"和"觱沸槛泉,言采其芹"是诗人写诗的"起兴"。就《采菽》一诗的主题和题材本身而言,采收大豆,放置在方筐、圆筐里;在涌腾的清泉之旁采摘芹菜,与下文并无内在的逻辑联系,不过是唱歌人顺手拈来,借以启齿而已。第一章在兴起之后,以六句写周王赏赐诸侯。"君子来朝,何锡予之?""锡",赏赐之意。以一问开始,引起人们的重视。"虽无予之,路车乘马。"两句一抑一扬,造成行文的曲折变化。"又何予之"再一问,"玄衮及黼"又一答。这六句三组,构筑的方式各不相同,足见作者的用心良苦。从内容上说,诸侯来朝见周王,周王赏赐车、马及豪华的礼服,奢侈之至,隆重之至。第二章在兴起之后,以六句写诸侯朝见周王的盛况。"君子来朝,言观其旂。"言盛况,首见其旂,盖旗帜高扬,色彩鲜明,最引人注目。"其旂淠淠,鸾声嘒嘒。"言盛况,见其态,闻其声。旗帜飘飘,盛况空前;铃声叮咚,气氛热烈。"载骖载驷,君子所届。"车水马龙,诸侯云集。这六句从视觉到听觉,从静态到动态,全方位、多层次地把诸侯朝见周王的场景展现在读者眼前,隆重之至,壮观之至。

从第三章至第五章,是颂歌性质。反复歌唱,反复称颂,既是礼仪进行的时间需要,也是礼仪的热烈气氛的需要。

第三章的"赤芾在股,邪幅在下。彼交匪纾,天子所予"四句,写诸侯受天子华贵礼服的赏赐之后,穿着在身,风度翩翩,气宇轩昂的得意之态。"芾"是缝在腹下膝上的一种装饰品,"邪幅"是小腿上用的装饰品,这两种东西在身,别具风采。腹下有饰,显得华丽;小腿绑扎,显得精神。前人考证,"彼"通"匪","交"是"佼"的假借。"彼交匪纾",

就是不急不慢，风度雍容。这正是古代朝廷礼仪的典型姿态。“乐只君子，天子命之。乐只君子，福禄申之”四句是庆颂之词。诸侯们只要受到皇帝的关心与宠爱，那就一定多福多禄，富贵荣华了。从行文结构说，第三章前四句叙事，后四句称颂，略去了前两章与后两章开头的起兴，是力求结构上的呆滞，造成摇曳多姿的变化。在整齐中求变化，在变化中求整齐，是本诗的结构特色。

第四章和第五章的开头“维柞之枝，其叶蓬蓬”和“汎汎杨舟，绋缅维之”，都是“起兴”。其意义和第一、二章相同。第四章的“乐只君子，殿天子之邦。乐只君子，万福攸同。平平左右，亦是率从”六句是颂词。“殿”是镇守的意思。诸侯们为皇帝镇四方，天下安定，皇帝有赏，诸侯快乐，皇帝和诸侯，万福同享。皇帝贤明，赏罚有序；诸侯尽职，听从指挥，天下太平，一片欢乐景象。这称颂确乎尽善尽美。第五章的“乐只君子，天子葵之。乐只君子，福禄膍之。优哉游哉，亦是戾矣”六句也是颂词。“葵”是“揆”的假借字，估量的意思。说诸侯们心满意足，是因为皇帝对他们的评价公正而正确；诸侯们称心如意，是因为皇帝的赏赐十分丰厚。精神的满足加物质的满足，自然而然地产生了“优哉游哉，亦是戾矣”的情绪。

值得注意的，还是结构的变化。在第三章中“乐只君子”以下四句，放在本章的最后，而同样构句方式的“乐只君子”四句，在第四、五章中，则放在中间。在整齐结构中求变化，体现了一种“综合平衡”（黑格尔语）的追求。

（汤贵仁）

角弓

骍骍角弓，[①]	角弓调和绷紧弦，
翩其反矣。[②]	卸弦就向反面弯。
兄弟昏姻，[③]	兄弟骨肉和亲戚，
无胥远矣。[④]	相亲相爱别疏远。
尔之远矣，	你若疏远亲和眷，
民胥然矣。[⑤]	人民都会学坏样。
尔之教矣，	你若言教加身教，

民胥傚矣。	人民也会来模仿。
此令兄弟,[6]	兄弟和好不倾轧,
绰绰有裕;[7]	平安和气少闲话;
不令兄弟,	兄弟关系搞不好,
交相为瘉。[8]	相互残害成冤家。
民之无良,[9]	如今人们不善良,
相怨一方,	不责自己怨对方,
受爵不让;	接受官爵不谦让;
至于己斯亡。[10]	事关私利道理忘。
老马反为驹,[11]	老马反当驹使唤,
不顾其后。	后果如何你不管。
如食宜饇,[12]	如请吃饭该吃饱,
如酌孔取。[13]	如请喝酒该斟满。
毋教猱升木,[14]	猴子上树哪用教,
如涂涂附。[15]	泥浆涂墙粘得牢。
君子有徽猷,[16]	只要君子有美政,
小人与属。[17]	人民自会跟着跑。
雨雪瀌瀌,[18]	纷纷雪花满天飘,
见晛曰消。[19]	太阳出来就融消。
莫肯下遗,[20]	小人对下不谦虚,
式居娄骄。[21]	态度神气耍骄傲。
雨雪浮浮,[22]	纷纷雪花飘悠悠,
见晛曰流。[23]	太阳一出化水流。

如蛮如髦,㉔	小人无知像蛮髳,
我是用忧。㉕	为此使我心烦忧。

(程俊英　译)

注释

①骍骍:调和的样子。角弓:两端镶牛角的弓。②翩:"偏"字的假借。偏其:偏偏,反过来弯曲的样子。弓上弦后,两端向内曲;卸弦后,两端向反面弯曲。③昏姻:指异姓的亲戚。④胥:通"疏"。⑤胥:都,和上章的胥字意义不同。然:如是、这样。⑥此:这些。令:善,指兄弟关系好。⑦绰绰:宽裕舒缓的样子。有裕:裕裕,气量宽大的样子。⑧瘉:病。⑨民:当作"人"。刘向《说苑·建本篇》引这句诗作"人之无良"。⑩至于已:临到自己身上。斯:语助词。亡:通"忘"。⑪驹:小马。这句说把老臣当青年使用,压以重担。⑫饫:饱。⑬酌:喝酒。孔取:多给。⑭毋:发声词,无义。猱(náo):猴子。升木:上树。⑮如:而。涂:泥土。涂附:用泥浆涂在上面。⑯徽:美好。猷:道,指修养,本事。⑰小人:指人民。与:从。属:跟随。⑱雨雪:下雪。瀌瀌:雪大的样子。⑲晛(xiàn):日气。曰:同"聿",语助词。⑳遗:《荀子》引这句诗作"莫肯下隧"。隧与随通,随顺。㉑式:发语词。居:通"倨",傲慢。娄:"屡"的假借字,屡次。㉒浮浮:与"瀌瀌"同义。㉓流:指雪化成流水。㉔蛮:周人称南方的部族为南蛮。髦:亦作"髳",古代西南的部族名。这儿以蛮髦比小人的无知粗野。㉕是用:因此。

鉴赏

周幽王时期,奸佞当道,朝政日非。《角弓》就是"王室父兄刺王好近谗佞小人,不亲九族,而骨肉相怨之诗"(陈子展《诗经直解》)。

第一章开门见山,以形象的比喻挑明了全诗的旨意:完美的角弓,是弓木与弓弦相合而成,稍有不谐,便会分崩离析;兄弟亲友之间,应该相亲相爱,不要彼此疏远。两相联系,说理简洁明了,比喻贴切生动。

第二章紧承上文,从国王的角度,假设正、反两方面的结果来深化上述道理。说明国家风气的好坏,主要取决于君王,只要君王广布德泽,与人为善,人民便会竞相效仿,蔚然成风,否则便会道德沦丧、民风日下。这种方法的运用使说理更加丰厚、深刻,而且在程度上做了广义的推展,使"兄弟友善"越出了家庭的范畴,具有了影响整个国家风气的作用,大大强化了说服力。

第三章则进一步从民众的角度深化所述道理。善良、有修养的兄弟之间的和谐相处,可以彼此受益无穷;而丑恶小人则往往相互攻讦,使兄弟变为仇敌,结果深受其害。

以上三章只是委婉而略带忧伤地讲述一般性的道理,为下文的展开作了铺垫。结合当时的现实背景,不难看出是周王的父兄在遭到冷落后向周王进行规劝和说理,委婉中包含着讥刺,忧伤中带着愤怒。

第四、五章笔锋一转,结合现实,对不良兄弟进行了坚决的谴责。诗人以旁观者的身份,指责人们失掉了兄弟间的美好情谊,彼此怨怼。一面不断地抱怨对方不知相让,一面自己内心贪婪至极,见利忘义。显而易见,这是瞄准对方的指桑骂槐。尤其“相怨一方”一句,抓住了不善良兄弟普遍的龌龊心理,一语点破,所以钟惺说这一句“说尽千古人情”。第五章诗人恢复诗中的对称身份,继续申述,用形象、离奇的比喻说明自己一生不辞劳苦为君王效力,不仅得不到丰厚的薪俸和周到的照顾,而且连起码的生活待遇也没有保障。抱怨之情,谴责之意,溢于言表。陈子展先生说这一章“一喻小人不知优老,又两喻小人须知养老。确似‘父兄’口吻”。这两章与前三章形成鲜明对照,既使所述道理更加鲜明,又使现实的境遇得到更深刻的暴露。

第六章是诗人自我情怀、品德的表露,表明自己和臣民的美好禀性就像猴子爬树、泥浆附着一样是天生的本性,只要君王施仁布德,大家就会相亲相爱,连缀不离。这一章与前三章在意思上并无差别,但在对现实的境况表述之后,使诗章前后得到照应,结构上显得循环往复,气韵上流连不断,艺术上感染力大大增强。

第七、八两章转入收束全诗。在对君王提出恳切希望的同时,又表现了一种失落感,情绪呈现出忧苦色彩。这种结局的造成,表面看是小人作奸引起,其实是君王不施仁政,混淆视听所造成的。作者表面上忧的是小人,骨子里忧的是君王。为了表达难以排遣的忧愁,作者采用了反复的方法,重叠咏唱,把积郁的情怀表述得淋漓尽致。

总体上看,《角弓》反映了一种典型的封建宗法意识。而且,又表露了浓厚的“君本”观念,将君王置于决定历史的地位上。因此,内容上有较大的局限性。

在方法上,本诗结构复杂,富有变化。叙事、说理、抒情交叉出现,显示了作者高超的组织能力。修辞上多用奇巧的比喻和反复,表达了较为丰富的情感,哀怨、愤怒、忧愁,逐层变化,过渡婉转。不足的是有些地方表达得稍嫌晦暗。这大约和诗人的特殊身份有关联。

(汤贵仁　陈伟军)

菀　柳

有菀者柳，①	碧柳郁郁枝叶遮，
不尚息焉。②	人们能在树下歇。
上帝甚蹈，	上帝蹈厉尚有为，
无自昵焉。③	昏王不要自作孽。
俾予靖之，	派我辛苦从王事，
后予极焉！④	以后却又诛放我！
有菀者柳，	碧柳郁郁枝叶密，
不尚愒焉。⑤	人们能在树下息。
上帝甚蹈，	上帝蹈厉尚有为，
无自瘵焉。	昏王不要自暴弃。
俾予靖之，	派我辛苦从王事，
后予迈焉！	后又罚我远行役！
有鸟高飞，	有鸟高飞展双翼，
亦傅于天。	振翼翱翔至天际。
彼人之心，	那个昏王虎狼心，
于何其臻？	他将坏到何境地？
曷予靖之，	害我辛苦从王事，
居以凶矜！	陷我危难太无理！

（袁梅　译）

注释

①菀：茂盛。②不：语首助词，无义。“不尚息”就是“尚息”。尚：则，就。③昵：自取病，自作孽。④极：“殛”之假借，本义为诛，此处引申为责罚、讨伐。⑤

愒:休息。

鉴赏

这是一首揭露周厉王(或幽王)暴虐无道、赏罚不公的诗。作者大概是厉王属下一位有功获罪之臣。因此,他怀着满腔愤怨,发而为诗,言词相当激烈。

此诗有三个显著的特色。

一是比兴手法运用得非常自如。一、二两章用柳树的郁郁葱葱能供行人休息来反兴厉王的昏庸,由于赏罚不公而使人不得安宁,昏王简直还不如一棵柳树!比喻中往往只取喻体和本体某一点相同之处来比,而舍弃其余。此诗取喻体柳树能供人休息这一点,而又取本体厉王不能使人安宁这一点,喻体取正意,本体取反义,一正一反,不仅比喻自如,而且对照鲜明,人不如物,悖理至极,申斥自然有力。三章以鸟飞戾天来起兴,鸟飞得再高,也有极限,而昏君周厉王之心究竟坏到何等程度,竟难以预测!此意虽没有明讲,但读者是不难从鸟飞戾天的起兴中领略其意的。这种起兴手法的运用,显然是无法用其他手法来替代的。

二是对比有力。一、二两章将昏王和上帝对比。至高无上的天帝尚且发扬蹈厉,积极有为,一个人间的君王怎能自作孽、自暴弃呢?在"天命论"占绝对统治地位的周代,抬出天帝来对比人间昏王,使其再也无法找到卸罪口实。这种对比手法的运用,显得异常高明。

三是感情激愤,申斥有力。全诗三章的最后两句都是直接指着厉王的鼻子揭露其赏罚不公的,三章都是上句指出自己从事王事的辛劳,下句揭露厉王对他处罚的严重。有功之臣,不仅不赏,反要处罚,公道何在!天理何在!如此揭露,针针见血,使昏王无法遁其形!

(姜光斗　顾　启)

都　人　士

彼都人士,①	那位美男子,
狐裘黄黄。	狐皮袍子黄又黄。
其容不改,	仪容不改有常度,
出言有章。	言语应对合法章。

行归于周，	那人远行回周京，
万民所望。	众人爱慕万民仰。
彼都人士，	那位美男子，
臺笠缁撮。②	薹草斗笠黑带系。
彼君子女，	那位美女士，
绸直如发。③	秀发浓密直如丝。
我不见兮，	思而不见音书绝，
我心不说。	我的心中不愉悦。
彼都人士，	那位美男子，
充耳琇实。	佩戴充耳镶美石。
彼君子女，	那位美女士，
谓之尹吉。④	都夸德行美且直。
我不见兮，	我思我念不相见，
我心苑结。	我心郁结愁绪牵。
彼都人士，	那位美男子，
垂带而厉。⑤	佩带长长向下垂。
彼君子女，	那位美女士，
卷发如虿。⑥	卷发上翘如蝎尾。
我不见兮，	我思我念难聚首，
言从之迈。	我愿随你远行游。
匪伊垂之，	他那佩带向下垂，
带则有余。	佩带下垂长又长。
匪伊卷之，	她那卷发弯又弯，
发则有旟。⑦	卷发高翘又飞扬。
我不见兮，	我思我念不相见，

云何盱矣！⑧ 何其忧闷何其伤！

（袁梅 译）

注释

①都：美，漂亮，可指容貌、仪表、风度，亦可指品德。②臺："薹"之假借。薹，草名，多年丛生植物，茎呈扁三棱形，质硬，可制蓑笠。缁撮：黑色的系带。③绸直如发："发如绸直"之倒置。绸：丝也。④尹：正。吉：善。尹吉：指其美德正而善。⑤厉：《诗毛氏传疏》："古厉、烈声相通。《尔雅》，烈，余也。烈谓之余，厉亦谓之余。'垂带而厉'即下章言'匪伊垂之，带则有余'也。"⑥虿（chài）：蝎类毒虫尾部之刺，曲而上翘，以此来形容卷发之美。⑦旟：飞扬、飞举、上翘的样子。⑧盱："吁"之假借，忧伤。

鉴赏

这是一首描写男女不得见面、双方都沉浸于相思之苦中的情歌。由于男女双方的形象都在诗中出现，诗人对他们的美都作了具体描写，再加上对"都"字字义理解上的分歧，历来对其主旨的理解分歧极大，或以为"周人刺衣服无常"（《毛诗序》），或以为"乱离之后，人不复见昔日都邑之盛、人物仪容之美，而作此诗以叹惜之"（朱熹《诗集传》），或以为系"忆念故人之辞"。细味此诗，当作男女相思之辞来理解最为妥帖。

首章单赞男子之美，暗念女子对他的思念。先从衣着、仪容、语言之美写起，然后说到他在周国的京城简直是万众瞩目的美男子，姑娘倾心于他正是情理之中的事。

二至五章都是男女并提，先用第三人称将男女之美分写，然后用第一人称合写男女双方的心事，构思极其巧妙。

首先我们必须注意诗中对于男子和女子之美的描写各有所侧重：写男子主要从佩戴物来烘托其美，无论是系黑带的斗笠，还是镶美石的充耳，或是长长下垂的佩带，都不是直接写男子之美，因为在第一章已对男子的衣着、仪容、语言之美作了直接描写，现在再以佩戴物来烘托，男子之美就写得更加全面了。写女子主要从她的头发和品德之美直接来显示，因为头发可以代表她的面貌、仪态和风度，品德可以代表她的思想，这样也很全面了。至于二章写她秀发浓密直如丝（“绸直如发”），四章写她卷发上翘如蝎尾（“卷发如虿”），是否矛盾呢？我们以为并不矛盾。诗意是说她的秀发有的如丝绸那么平直，有的如蝎尾那样卷曲，曲直相配，真是美极了。

其次我们必须注意诗中合写双方相思之苦时上句都是“我不见兮”，即男不得见女，女不得见男，四章句子重复，加浓了双方思念之苦。更加巧妙的是在第二句的变化上，从“我心不说”“我心苑结”“言从之迈”到“云何盱矣”，采用递升修辞格，显示痛苦的程度愈来愈浓，到最后，简直有点无法控制了。如此运笔，使我们不得不佩服古代诗人杰出的才华！

（姜光斗　顾　启）

采　绿

终朝采绿，①	采绿采到日东南，
不盈一匊。	双手一捧还不满。
予发曲局，	我的美发蓬卷卷，
薄言归沐。	回去洗发整容颜。
终朝采蓝，②	采蓝采到日三竿，
不盈一襜。③	兜起围裙还不满。
五日为期，	五日为期长似年，
六日不詹。④	六天还未到我前。
之子于狩，	我那好人去打猎，
言韔其弓。⑤	我愿帮他收弓箭。
之子于钓，	我那好人去钓鱼，
言纶之绳。	我愿帮他理丝线。
其钓维何？	钓的那是什么鱼？
维鲂及鱮。	是那鲂鱼和白鲢。
维鲂及鱮，	是那鲂鱼和白鲢，

薄言观者。⑥	鱼儿多啊鱼儿鲜。

（袁梅　译）

注释

①终朝：从清晨到早饭时。绿：棫树子，形如桐子而小，所染色彩很美。②蓝：草名，可以提炼染料。③襜（chān）：系在胸腹前的一种围裙。④詹：到。⑤韔（chàng）：弓袋，诗中引申为将弓装入弓袋。⑥观：通"贯"，引申为众多。

鉴赏

这是一首抒写怨妇思念其夫的情歌。此诗民歌风味很浓，是一首典型的"风诗"，不知为何编入"小雅"。

首章写女子思夫心切，精神恍惚。先写她采摘棫树子，采了整整一个早晨，还不满一捧。忽又想到自己头发乱蓬蓬的，丈夫马上就要回来了，还没有来得及梳理，于是又急急忙忙地赶回家去沐浴梳妆。此章写怨女如醉如痴的情态如画，活脱脱地表现了主人公的典型心理。

次章开头，跟首章大同小异，写她采了一早晨的蓝草，还不满一围裙。但由于采用了重复咏唱的方式，使她精神恍惚、心不在焉的神态又得了进一步的表达。接着写她一边采集蓝草，一边心中盘算：约定五日回来，怎么已经六天了，还不见回来？仅差一日，对于一般人来说，本是无所谓的事。然而思妇心急火燎、度日如年的焦灼情态，正是通过算细账的办法，传神地表达出来的。文学作品中，数字的妙用，于此可见一斑。

三章进一步写思妇设想她丈夫回来后，愿跟他共同劳动的情景：不论是打猎还是钓鱼，都要跟他形影相伴，寸步不离，情愿帮他收弓箭、理钓丝。这一章的设想生活气氛极浓，透过一层，不再写盼夫不至的苦情，而是跃过一大步，写丈夫回家后共同劳动、夫唱妻随的欢情。但这欢情毕竟是虚拟的，冷静地一想，更反映出今日无由会面的怨情。其笔法精彩之至，亦委婉曲折之至！

既然三章打猎、钓鱼并提，那么，照理四章也应双承并写。可是，如今四章撇开打猎只字不提，只详细叙述钓鱼的巨大收获，既隐喻美满的夫妻鱼水之乐，又以将来共同劳动、取得丰硕成果的欢悦，反映今日思夫之怨苦。在章法结构上，单承钓事一项，显示其独异的特色。

（姜光斗　顾　启）

黍　　苗

芃芃黍苗，[1]	黍苗连田青蓬蓬，
阴雨膏之。[2]	雨露滋润禾苗盛。
悠悠南行，	道里悠悠往南行，
召伯劳之。	召伯辛勤去经营。
我任我辇，	人力挽车载辎重，
我车我牛。	牛力驾车随军行。
我行既集，	行役营谢已告成，
盖云归哉。[3]	何不归去且休整。
我徒我御，	人力挽车载缁重，
我师我旅。	士众成师又成旅。
我行既集，	行役营谢已告成，
盖云归处。	何不归去且安居。
肃肃谢功，	谢邑工事真严正，
召伯营之。	由于召伯来经营。
烈烈征师，	军威烈烈师旅行，
召伯成之。	召伯指挥大功成。
原隰既平，	原田洼地已治平，
泉流既清。	泉水河流已治清。
召伯有成，	召伯大功已告成，
王心则宁。	宣王心中得安宁。

（袁梅　译）

注释

①芃(péng)芃:草木茂密丛生的样子。②膏:滋润。③盖:“盍”的假借,跟“曷、胡、何”同义。

鉴赏

美刺之说,是前人对《诗经》思想内容的概括,固然有简单化倾向,但也符合部分诗作的实际。如本篇赞颂召伯经营谢邑的功绩,便属于“美”。《毛诗序》认为是幽王时借古讽今之作,则又兼有“刺”,但“刺幽王”说没有什么根据。周宣王时的召伯(名虎)是一个功德昭著,有口皆碑的历史人物。《诗经》中好几首作品都提到他的事迹(如大雅之《崧高》《江汉》),《召南·甘棠》及本篇都是为他树碑立传的作品。

周宣王封其母舅于申,命召伯为之经营,建筑谢城(申都)和宗庙。《大雅·崧高》也写到这件事,但那是朝臣尹吉甫颂美申伯的作品,“申伯之功,召伯是营”,诗中召伯只是配角。而此诗则是随从召伯建设申国的士役,在完成任务于归途之中的歌唱,召伯是歌中的英雄。

诗用民歌体的兴语发唱,“芃芃黍苗,阴雨膏之”,雨露滋润禾苗长,这显然是有所取义的兴象。据说《甘棠》的作意,便是因召伯在社前断狱听讼,公正无私,所以为人感戴,故尊及社木。看来这位老先生确实是封建时代较早的“青天”式人物。对召伯的崇敬,反映了在农业文明的社会我们先民的深层心理早已积淀了某种服从因素,并不能简单谓为非劳动人民意识。指明这一点对理解本诗及类似诗作是很有必要的。诗的首章兴语(前两句)与情语(后两句),采用了错综对仗形式,形式的同构暗示了内涵的联系。“黍苗”与“南行”者对应,“阴雨膏之”与“召伯劳之”对应,感恩戴德之意溢于言表。

从这由衷的赞美可以体味,召伯确乎是位“仁者爱人”的上司,说激进一点,至少也是深通统治驭下之术的贵人,故他的下属士役皆乐为之用。二、三章写营建谢邑大功告成之后,士役在归途愉快的心情。诗曰“我任我辇,我车我牛”“我徒我御,我师我旅”……一路熙熙攘攘,好不热闹。一连串十个“我”字,组成一个大我,足见召伯统率下的万众一心。而士役的归心,更是不赞美的赞美。虽只写“盖云归哉”“盖云归处”即归途情状,却能使人由此推想他们先前劳作的同心协力，共赞成功，如见“捄之陾陾，度之薨薨，筑之登登，削屡冯冯。百堵皆兴，鼛鼓弗胜”（《大雅·緜》）那样令人振奋的劳作场面。可以说是“众志成城”！

是谁创造了人类世界？奴隶，还是英雄？这是个久有争议的问题。可我们的歌者是毫不怀疑地归功于召伯，“肃肃谢功，召伯营之。烈烈征师，召伯成之”。这也许是英雄史观在隶役头脑中的反映。从另一角度看，召伯确乎是营谢工程的组织者，有经营管理之功。士役们将首功无条件地归于他，也不无道理。

诗的末章再次用了兴语，“原隰既平，泉流既清”，大有一种移山造河，征服自然的意味。这对营建城邑之功是很自然的起兴，显得那么雍容，那么踌躇志满。而诗的最后说召伯办事，周王放心，在封建时代算得是最高的颂辞了。

全诗首尾铢锱悉称，一由召伯及于下属，一由召伯及于天子，皆妙于兴象。中幅从虚处落笔，实得风流。如情不由衷，仅靠技巧，是难以如此出神入化的。

（周啸天）

隰　桑

隰桑有阿，①	洼地桑树美呀美，
其叶有难。②	叶儿多，多繁茂。
既见君子，	我看见了那人儿，
其乐如何！	心里快乐知多少！
隰桑有阿，	洼地桑树美呀美，
其叶有沃。③	叶儿绿，绿汪汪。
既见君子，	我看见了那人儿，
云何不乐？	心花怎能不开放？
隰桑有阿，	洼地桑树美呀美，
其叶有幽。④	叶儿青，黑黝黝。
既见君子，	我看见了那人儿，

德音孔胶。⑤　　多情的话儿说不休。

心乎爱矣，　　心里啊，爱他呀，
遐不谓矣？⑥　　何不向他倾诉呀？
中心藏之，　　心里深深藏起来，
何日忘之？　　哪天能够忘记他？

（金启华译，略有改动）

注释

①隰(xí)桑：长在低湿之地的桑树。阿：通“婀”，柔美貌。②难(nuó)：毛亨谓“难然，盛貌”。③沃(wò)：柔嫩、润泽、肥厚貌。④幽：陈奂《诗毛氏传疏》：“幽即黝之古文假借。《说文》：‘黝，微青黑色也。’”⑤德音孔胶：德行声誉美言十分盛多。⑥遐：朱熹《诗集传》：“与何同。”谓：严粲《诗缉》：“相与语也。”

鉴赏

《诗经》中写女子表达爱情，大多委曲婉转，含而不露。然而，此诗写一位女子对情人的思念，却言词坦直，感情热烈，几乎是一泻无余地将感情的洪流展示在读者面前，使读者心中也翻卷起感情的波澜，从而充分领略到这种纯真、炽烈而又深沉的爱情，唤起心灵的共振。

此诗大致可以分为两个部分。前三章为第一部分，以欢快的笔调，写出女子想象见到情人时的欢乐情状。第四章为第二部分，变换方式，进一步表现了女子对情人的深情。两个部分之间，接逗无痕，浑然一体，表现出布局上的巧妙匠心。

前三章以比兴手法写女子想象见到情郎时的喜悦与激动。诗人巧妙地安排约会的环境。“隰桑有阿，其叶有难”“隰桑有阿，其叶有沃”“隰桑有阿，其叶有幽”。这些自然景物既兴起下文，使恋人见面的环境富于典型特征，同时又有比喻作用。她的心上人年轻而美，不正像这些朴实的桑树、滴翠的叶儿么？其中作者又巧妙设色，以色彩变幻来组成抒情情节，从“难”到“沃”再到“幽”，即叶儿从茂盛到叶片肥厚闪光再到绿得变成青黑色，令人心向往之。这象征青春和爱情的绿色越来越浓，正与这对恋人与日俱进的感情相辉映,好像大自然也动情了,沉浸在一片欢乐气氛中。思想感情与景物融为一片,使读者感觉到清新的气息,闻到扑鼻的芳香。诗情画意,令人陶醉。这三章的后半“既见君子,其乐如何”“既见君子,云何不乐”“既见君子,德音孔胶”,正面写女子的感情世界。她想象见到心上人,从兴奋得无法形容到心花怒放,再到为情人的德行美盛而自豪,心理层次,极其分明。一个怀春女子的形象如在目前,她天真、痴迷、大胆、热烈、坦白、率真,感情如火一样烫人。诗句自然浑朴,声调铿锵,恰到好处地表达了欢乐的气氛。

按照以上的感情线索,第四章似乎应当继续写“既见君子”之后的绸缪之情,使两方感情得到契合,有一个圆满的归宿。然而,作者却出人意想之外,笔锋忽然一转,宕扬开去,写女主人公“欲说还休”的思想变化:暂时把火一样的感情藏在心中吧,等将来再倾诉,使思念之情如美酒窖藏一般,久而益醇,使自己对情人的爱恋,日日夜夜萦绕胸中,永不忘怀!朱熹在《诗集传》中说:“爱之根于中者深,故发之迟而存之久也。”这正如堤内之水,蓄之愈久,则积之愈深,一旦奔涌而出,是无法遏止的。从这个意义上说,这种由炽烈转为深沉、执著的爱情,是人类宝贵情感的升华,是对美好愿望的珍惜,它闪射出经久不灭的光辉,具有感人肺腑的力量。难怪几千年来,人们要一遍又一遍地引用“中心藏之,何日忘之”,以“赋诗言志”,来表达对亲爱者的念念不忘,或对某种事情、事业的热爱和留恋,使这两句诗成为千古传诵的名句,也使这首诗成为浩如烟海的诗作中的一颗璀璨的明珠。

(顾 启 管遗瑞)

白 华

白华菅兮,①	菅草开白花啊,
白茅束兮。	白茅捆成束啊;
之子之远,	那人不复来临,
俾我独兮。	使得我孤独啊。
英英白云,②	一朵朵的白云,
露彼菅茅。③	荫庇那些菅茅;
天步艰难,	我的命运不济,

之子不犹。[4]	那人已不可靠。
滮池北流，[5]	滮池水往北流，
浸彼稻田。	稻田靠它浸润；
啸歌伤怀，	长啸放歌当哭，
念彼硕人。	想起那个美人。
樵彼桑薪，	砍下桑木做柴，
卬烘于煁。[6]	行灶我烧起来；
维彼硕人，	就是那个美人，
实劳我心。	实在使我伤怀。
鼓钟于宫，	宫廷里面敲钟，
声闻于外。	钟声外传出宫；
念子懆懆，[7]	想您心中忧烦，
视我迈迈。[8]	您却对我汹汹。
有鹙在梁，[9]	秃鹙歇在鱼梁，
有鹤在林。	白鹤却在树林；
维彼硕人，	就是那个美人，
实劳我心。	实在使我伤心。
鸳鸯在梁，	鸳鸯双栖鱼梁，
戢其左翼。[10]	嘴插左边翅膀；
之子无良，	那人丧了天良，
二三其德。	三心二意无常。
有扁斯石，[11]	扁石摆在地上，
履之卑兮。	卑贱只为垫足；

之子之远,	那人不复来临,
俾我疧兮。⑫	使我忧思成疾。

注释

①华:花。菅(jiān):茅的一种,又名芦芒。②英英:云白貌。③露:覆,荫。④不犹:不堪。⑤滮(biāo)池:古水名,在今西安市北。⑥卬(áng):我。烘(chén):行灶,一种可以移动的、用来烘烤的炉灶。⑦懆(cǎo)懆:不安貌。⑧迈迈:《释文》引《韩诗》作"怖(pèi)怖",《说文》:"怖,恨怒也。"⑨鹙(qiū):秃鹙,一种贪残的水鸟。⑩戢(jí):收敛。⑪有扁:扁扁。⑫疧(qí):病。

鉴赏

古人尚无科学的文艺观,故汉儒说诗每强经就史,附会本事,其失在于主观绝对。然而,"千秋毛郑功臣在"(王士祯《论诗绝句》),前人说解中,毕竟有大量合理的因素,不容一概抛弃。有时,绝对否定和绝对肯定,都是缺乏根据的。如《白华》一诗,《毛诗序》说是"周人刺幽后也。幽王取申女以为后,又得褒姒而黜申后",故周人作此诗。诗用第一人称,故也有人认为是申后自作。关于这首诗的主题与本事,今古文、汉宋学无争论(详陈子展《诗经直解》)。考之于诗的本文,也没有不合之处。所以今人固无妨作广义的弃妇诗看;但要驳斥旧说,就缺乏根据了。由于此诗八章中仅每章后两句言情,又多重复,所以涉及的具体情事不多。但仍可以看出以下几点:第一,女主人公倾心于男方。第二,男方对她似有旧恩,但眼前已经变心。第三,变心的原因是有"第三者"插足。这里值得多说几句,诗中四次提到的"之子"(还有一次直呼"子"),与三次提到的"硕人",今人译注已视为同一个人即男方。但《郑笺》不然,它认为"之子"指幽王即男方,"硕人"指褒姒即"第三者"。这种说法实际是切合诗意(即男子喜新而弃旧),大有意趣的。今人合二而一,虽亦可通解,但诗意则较寡薄。所以我们愿引申旧说,非为抱残守阙也。第四,女主人公已陷入痛苦而不能自拔的境地,既对"硕人"耿耿于怀,又痛恨"之子无良"。

就凭以上几点,我们已可将此诗看作申后的《长门赋》来读。邹肇敏已经说过:"观于宫、于外、在梁、在林之咏,亦如后世之赋《长门》

耳。”（转引自方玉润《诗经原始》）这首诗在写法上有一显著特点，就是全篇各章都是先兴比而后赋，而且八章兴语都不相重，与赋语的重复形成对比，在《诗经》中实为仅见。

古之诗人常用束薪来比喻两情的绸缪（参《唐风·绸缪》），而“白茅纯束”（《召南·野有死麕》）还是一种聘礼的包装。所以此诗首章兴语“白华菅兮，白茅束兮”，可以使人联想到诗中人与“之子”当初的结合，又反兴起“之子之远，俾我独兮”，而大有往事不堪回首的悲哀。二章的兴语系由上章的菅、茅进一步发挥，说这些草儿还能受到白云的惠爱，反兴起女主人公的失爱、失宠。“天步艰难”似乎说得太严重了，但对于旧式女性，丈夫的变心就和变天一样严重。“日居月诸，胡迭而微”（《邶风·柏舟》），不是就有些天昏地暗么。三章以“滮池北流，浸彼稻田”，兴起男方恩爱之转移。“念彼硕人”什么呢？大概是“月明歌吹在昭阳”吧。而自己呢，已是“玉颜不及寒鸦色”，只好长歌当哭了。四章以桑薪烘煁为无釜之炊，兴起新人故人的易位、女主人公被弃，措语最奇倔。以致有人疑此二兴句“皆似里巷人之言，不类王后语气”（崔述《丰镐考信录》），而陈子展先生驳道：“此不知古今帝王家之经济生活丰啬苦乐大有悬殊也”（《诗经直解》），补充之：则又不知诗歌创作固有别趣，故白居易《长恨歌》写宫室有孤灯挑尽、夕殿萤飞之语。五章以“鼓钟于宫，声闻于外”兴而兼赋，大有昭阳歌吹之意。下即云“念子懆懆，视我迈迈”，即“得宠忧移失宠愁”。女主人公犹恋旧恩，而男方已有新宠，故不谐如此。六章以鹙、鹤对举起兴，同属水鸟，性恶者反而在梁得鱼，性驯者反而在林受饥，兴起下两句“硕人”与“我”的势不两立。七章用当时习语“鸳鸯在梁，戢其左翼”（又见于《小雅·鸳鸯》），再用鸟类起兴，双栖多情的鸳鸯鸟，反兴起“之子无良，二三其德”。这两节使人想起《长门赋》中的两段话，“翡翠胁翼而来萃兮，鸾凤翔而北南。心凭噫而不舒兮，邪气壮而攻中”“白鹤噭以哀号兮，孤雌峙于枯杨。日黄昏而望绝兮，怅独托于空堂”，表现出一种深切的“妾人自悲”之感。最后一章以乘石（古人垫脚登车的石头）自喻，自伤卑微，以忧积成病作结。

如以两句为一单位，则全诗各章均由一句起兴，一句言情组成，大类陕北民歌《信天游》的调式，使我们推测诗人当有意采用了当时民歌的格调。这种格调使得诗歌的抒情叙事变得很空灵，很有意味，唱起来“洋洋乎愈歌愈妙”。它的精义不在情语，反在兴比之中，故发人深省，耐人玩味。而这首诗的兴比，除少数采用了当时套句（如“鸳鸯在梁”二句），多属新创，在《诗经》中没有类似兴句。《诗经》多章用兴，每有重复，唯此诗八章无一重复兴语。凡此，都可见此诗作者的才情。诗中虽然有“我”“之子”“硕人”三个角色，但重在写情绪之纠葛，不着眼于事实的纠葛。所以它与《长门赋》和后代宫词有所不同，尤能一网打尽天下因丈夫喜新厌旧、第三者介入而导致的弃妇悲剧，从而使读者可以把它作为一首广义弃妇词来读。

（周啸天）

緜　蛮

緜蛮黄鸟，[①]　　黄鸟喳喳不住唱，
止于丘阿。[②]　　停在路边山坡上。
道之云远，[③]　　道路实在太遥远，
我劳如何！　　奔波劳累真够呛！
饮之食之，　　给他水喝给他饭，
教之诲之；　　教他劝他要坚强；
命彼后车，[④]　　副车御夫停一停，
谓之载之。[⑤]　　让他坐上也不妨。

緜蛮黄鸟，　　黄鸟喳喳叫得急，
止于丘隅。[⑥]　　山坡角落把脚息。
岂敢惮行，　　哪敢害怕走远路，
畏不能趋。[⑦]　　只怕慢了来不及。
饮之食之，　　给他喝的给他吃，
教之诲之；　　教他劝他别泄气；
命彼后车，　　副车御夫停一停，
谓之载之。　　让他坐上别着急。

緜蛮黄鸟，　　黄鸟喳喳叫得欢，
止于丘侧。　　停在路旁山坡边。

岂敢惮行，　　哪敢畏惧走远路，
畏不能极。⑧　　就怕难以到终点。
饮之食之，　　给他喝的给他吃，
教之诲之；　　教他劝他好好干；
命彼后车，　　副车御夫停一停，
谓之载之。　　让他坐上把路赶。

（程俊英译，略有改动）

注释

①緜蛮：鸟鸣声。②丘阿：山坡弯曲处。③云：句中语助词。④后车：后边的车，亦称副车。⑤谓：命，叫。载：装载。⑥隅：角。⑦趋：快走。⑧极：至。

鉴赏

这是一首写行役的诗。诗中表现了对征夫艰辛生活的同情，并对他们表示了热情的鼓励和劝勉。全诗富有生活的哲理意义，充满了积极向上、昂扬奋进的可贵精神。

诗作每章的开头，都采用赋的手法，点出行役之人所处的自然环境；同时用反衬的手法，写出他们的艰苦和忧虑。那正是夕阳西下、余光反照、山水苍凉的时候，一群群黄鸟已经倦飞而还，栖息在山丘的树林中，正叽叽喳喳地交谈着一天外出的艰辛，彼此得到安居时的慰藉。然而，此时此刻，那饥饿难忍、疲惫不堪的征夫，却还步履蹒跚地行进在崎岖的山道上，他们望着暮色苍茫的远处，不知哪里才是归宿，何时才能到达终点，心里不免产生了忧伤。诗作以极其简练的笔墨，描绘出情景交融的生动场面，真如一幅色彩浓烈、气氛悲壮的油画展现在读者面前。这里，“丘阿”“丘隅”“丘侧”，既是黄鸟投林之所，也是征夫行经之地。他们每到一处，黄鸟都已经归家，而自己却还行行不已，两相比较，怎能不发出“我劳云何”的忧叹！陈子展在《诗经直解》中说：“全诗三章只是一个意思，反复咏叹。先自言其劳困之事，鸟犹得其所止，我行之艰，至于畏不能极，可以人而不如鸟乎？”诗人十分巧妙地在每章第二句之末改动一个字，通过这些变换着的地点，把鸟和人不露痕迹地连在一起，形成鲜明的对照,鸟因人而愈显安然,人因鸟而更形劳顿,十分自然,也非常强烈地表达了征人的艰难和内心的痛苦,收到了极好的艺术效果。

此诗每章的后四句,是本首乐章的副歌。程俊英在《诗经译注》中认为后四句是一位大臣回答征夫时的对唱,处理很巧,不无道理,不妨备此一说。但是细考《诗经》,凡对唱之处,往往以"曰"字作提示;同时,如果是对唱,也应当针对征夫的自述有所变动,不应当每章后四句都一字不改地完全相同。这里,我们应当记起一个基本事实,那就是《诗经》中的诗作本是歌词,都是用来被之管弦、供人歌唱的。而歌唱时,不少歌曲都有重复的伴唱,即副歌,前后连贯,本是一体,此诗当属这种情况。

每章后四句虽是副歌,却是本诗的核心所在。如果说每章前四句的情绪有些低沉,那么副歌却迥然不同,它峰回路转,别开生面,以一种高屋建瓴的气势,从低沉的气氛中振拔出来,最终确立了全诗坚强、奋进的基调。诗人出于对征夫艰难困苦的深切同情,也出于对行役之事的责任感,在诗作中热忱希望对他们有所帮助,进行了感动人心的鼓励和劝勉。诗人知道,征夫之所以感伤,一方面是意志不够坚强,同时也因为条件十分艰苦,体力不支。因此,诗中先是动之以情,即"饮之食之",给他们吃饱喝足,得到感情上的慰抚和体力上的逐渐恢复。然后是晓之以理,即"教之诲之"。教诲什么呢?当然是劝他们不要泄气,不要忧伤,而要坚韧顽强,一步一步地走完那遥远的征程。最后是助之所需,即"命彼后车,谓之载之"。在天色已晚,前路正遥的时候,不妨暂时用车子带他们一程,以便早点到达歇息之地。副歌在这里所起的作用是劝勉、说理,然而却不是空洞的说教,而是把教育寓于热情关怀的实际行动中,写得婉转曲折,使诗人的古道热肠,情见于辞,深深地感动着征夫的心灵,也激励着后之来者。沈德潜在《说诗晬语》中说:"议论须带情韵以行,勿近伧父面目耳。"此诗正是深具情韵之致,使情和理水乳交融,读来一点也不乏味,而是充满着盎然诗意。可以想见,征夫在这样的关怀教诲之下,他们在日落前流露的伤感情怀,定然会像风卷残云一般一扫而光,当第二天迎着朝日再度前进的时候,他们定会精神抖擞,坚定地去完成行役的使命。这里面充满着坚强向上、敢于克服困难的生活哲理。这一点,在今天看来仍然有着积极意义。

这娓娓引人的副歌,使人想到集体合唱时那种磅礴有力、声震云天的雄伟气势。它如同贝多芬的一些交响乐一样,以如泣如诉开始,以昂扬奋发结束。那最后迸发出来的排山倒海之力,正是人类自身精神的体现,充满着感奋人心的伟大力量!

(周建忠　管遗瑞)

瓠叶

幡幡瓠叶，①	幡幡摇曳瓠瓜叶，
采之亨之。②	采摘它啊烹煮它。
君子有酒，	君子燕饮有美酒，
酌言尝之。③	且斟美酒品尝它。
有兔斯首，	野兔肉，是佳肴，
炮之燔之。④	涂泥烧，用火烤。
君子有酒，	君子备酒好又多，
酌言献之。⑤	且斟美酒敬宾客。
有兔斯首，	野兔肉，是美味，
燔之炙之。⑥	又烧烤，又炙灼。
君子有酒，	君子燕饮有美酒，
酌言酢之。	斟酒回敬主人喝。
有兔斯首，	野兔肉，是佳肴，
燔之炮之。	用火烤，涂泥烧。
君子有酒，	君子备有好酒浆，
酌言酬之。	斟酒再劝宾客尝。

（袁梅　译）

注释

①幡幡：犹言“翩翩”，摇曳不定的样子。②亨：“烹”字的古体。③言：而。④炮（páo）、燔（fán）：以泥包裹而烧叫炮；直接放在火上烧烤叫燔。⑤献：主人捧酒敬宾。古人宴宾，称献、酢（客用酒向主人回敬）、酬（主人再劝宾客饮酒，古

称导饮)，合称为“一献之礼”。⑥炙(zhì)：用物串肉在火上烧烤。

鉴赏

作为一首朋友燕饮之诗，它与《小雅·鹿鸣》《大雅·行苇》所表现的燕饮场面、宴会气氛有所不同。作为天子诸侯宴享宾客的《鹿鸣》和贵族卿大夫宴享宾客的《行苇》，除了写席上饮酒和桌上佳肴的陈设外，总要描绘助兴的丝竹钟鼓之美丽动听(《鹿鸣》)，或席间极热烈、够刺激的射箭竞技比赛(《行苇》)，其宴会的热闹气氛、欢悦情景，甚至主要靠它们来渲染烘托。而《瓠叶》一诗所表现的燕饮场面，没有喧嚣，没有沉醉狂热，场面有礼有节，气氛和谐谦让。

陈子展《诗经直解》说此诗的主人应该是一个穷困之士或没落为庶人的自由民。他矜持于君子燕饮“献、酢、酬”之礼，主来宾往，井然有序；但他的菜肴是简淡的，旋采旋烹的葫芦嫩叶，共同烧烤分食的野兔子，似乎有点倾其所有、捉襟见肘的不安。但这菜肴的简淡，全为主人劝酒的热忱所弥补；而其倾其所有、内外忙碌的举动，更显出主人待客之真诚、可敬。所以，此诗的燕饮绝无铺张奢华、挥霍无度之感，却似朋友把盏小酌，自得其乐。

全诗四章，首章说蔬菜与酒，二、三、四章并说兔肉与酒。酒贯穿全诗，是燕饮之主线，朋友之礼让谦和、陶然相乐，从“一献之礼”充分展示出来。素荤分说，增强了燕饮简朴闲雅的气氛，突出了主人的好客之忱、待客之诚。

第一章首二句，写瓠叶翻飞飘舞、摇曳不定的姿态，给人一片活脱脱生机之感，突出一个“鲜”字。当即采下，马上烹煮，使蔬菜的鲜嫩给宾主造成跃跃欲试的印象。故第四句以一“尝”字把酒与菜一并挽住，揭开了简朴而友好的燕饮序幕。尽管葫芦叶味道不美(《国风》有《匏有苦叶》之篇)，但主宾之间却不以为憾，津津有味地品尝着它。

自第二章开始，即描述主客饮酒的礼尚往来以及兴趣盎然的烧烤野兔肉，而“献”“酢”“酬”三次劝酒活动，清晰地记载着燕饮的进程。野兔子待客本来已算不得丰厚，诗中却再三说“有兔斯首”，尽管我们不会产生主客只吃了一只兔头的误解，但作者为何不直说全兔而特举兔首为言呢？兔头是骨多肉少的部分，令人自然联想到主人的贫瘠困窘，菜是匆匆忙忙从野外采来煮熟的，肉是捕获来的野兔，他平素常靠“野味”为生，这燕饮也充满一种简朴的野味。用泥包裹或直接投入火中烧烤，烧熟后带着烟尘，用黑乎乎的双手慢撕细嚼，与井然有序的劝酒礼节相比，似乎有点滑稽，但宾主进行得随便而认真，有礼而欢快。这三章中"一献之礼"的进行和烧烤野兔肉的反复迭现，使君子礼让的风度和朋友甘之如饴的友谊紧密地结合在一起，把燕饮表现得别致、淡雅。

陈子展说："诗之音节重沓，具有歌谣形式，似出自庶人歌手。"（《诗经直解》）了解了此诗燕饮主人的生活境况，其受民歌濡染并以民歌形式来表达朋友燕饮之情景气氛，当不足为怪。在音节重沓的歌谣形式之中，诗人巧妙地以饮酒进程作为叙述时序，条理清晰；同时又安排准备和食用菜肴活动与之齐头并进，使君子爱礼之风和朋友随便简淡的"野味"完美地结合起来，使燕饮活动表现出其特有的风味和气氛。

（杨胜宽）

渐渐之石

渐渐之石，[①]	石峰高崭崭，
维其高矣。	高啊高连天。
山川悠远，	山川悠悠路迢远，
维其劳矣。	行军劳瘁苦无边。
武人东征，	上下将士去东征，
不遑朝矣。	朝暮无暇大倥偬。
渐渐之石，	石峰高崭崭，
维其卒矣。[②]	高啊高又远。
山川悠远，	山川悠悠路迢远，
曷其没矣？[③]	何年何月能走完？
武人东征，	上下将士去东征，
不遑出矣。	深险绝地难出险。
有豕白蹢，[④]	黑猪有白蹄，
烝涉波矣。[⑤]	成群涉水溪。
月离于毕，[⑥]	月亮靠近天毕星，

俾滂沱矣。	大雨滂沱路泥泞。
武人东征，	上下将士去东征，
不遑他矣。	不顾他事若兼程。

（袁梅　译）

注释

①渐（zhǎn）渐：通“崭崭”，山势峻峭的样子。②卒：“崒”字之借，山势高险。③没：尽，终。④蹢（dí）：蹄。白蹢：谓白蹄，指其蹄干净。⑤烝：众。⑥离：犹言“丽”“罹”。毕：即二十八星宿的天毕。月离于毕：谓月亮行于天毕附近，欲与之相遇。

鉴赏

此诗是周王朝东征将士怨叹征战不息、劳苦无诉之作，与《何草不黄》命意相似。《毛诗序》指实东征的对象为荆舒、怨刺的对象为幽王，不必确指。周王朝几百年间，穷兵黩武之主非一，东征之举不可一二数，何必定为幽王征荆舒。

如果说《何草不黄》的作者在控诉周王朝把征戍将士当作战争工具（“哀我征夫，独为匪民?”）上立意，那《渐渐之石》则直接从远道出征、征途险阻的漫长切入，以沿途所见所闻为诉说线索，并由此生出深沉的怨怒和世道感慨，揭示出厌倦征战、期待和平安宁生活的主题。

首章开头几句，开门见山，展现出一幅行军图景。劈面而立的石峰，陡峭峥嵘、高不可攀。石峰的高峻厚重，把爬行其间的人流比照得何其渺小、何其微不足道。后世的山水画卷常用此布局方式。巍峨连绵的群山溪壑，占据了画面的主要空间，只在山峰的溪流之中，点缀一二轻舟人影，显示骚人高士寻幽览胜、高栖林壑的闲情逸致，令观赏者油然生神游八荒、情亲自然的向往之思。但此诗所勾勒的画面，不能勾起人的轻松闲情，而只会产生压抑感。诗的第三句“山川悠远”，直接逗出将士们对征战辛苦的浩叹：战争之路没完没了。诗的五、六句，即从时间的连续不断叹息东征将士的苦难无边。

第二章采用与前章相同的句式音节，只更换了关键的“卒（崒）”“没”“出”等字。如果首章尚有概括性地怨叹征途劳苦、历时久长，而为全诗定下一定哀怨基调的意义，那么，此章就更把着眼点实在地放在征途的空间范围内，由眼前山峰的险恶、脚下路途的崎岖无端，联想到此行险境的无法逾越，有力地表现了将士的不平、愤怨、哀叹和绝望。

昼往夜来，阴晴更移。疲乏的东征将士遇到了滂沱大雨，溪流暴涨，村舍零落，成群的家畜随波逐流，一片凄凉。第三章开首所描绘的这幅景象，虽然不定是某时某境的具体所见，必是以真实经历为基础的。道路泥泞的困难，举目凄凉荒芜，自然令远征将士生同情恻隐之心、发思家念亲之情，加剧其对战争的怨恨。种种情绪，纷至沓来，故诗以“武人东征，不遑他矣”作结，大有剪不断、理还乱之慨。钟惺评曰：“三不遑，皆有意，不遑他，更可怜。”

此诗从亲历东征的士卒口中道出，所经所见，历历成画。各章先叙后议，情出自然，使诗具有诗情画意，又能透过一次东征事件，轴绎出穷兵黩武的危害性，使将士们对东征的怨叹，具有憎恶战乱、期望安居乐业的普遍意义。

（杨胜宽）

苕之华

苕之华，[1]	凌霄藤上的花，
芸其黄矣。	它纷纭的黄呀。
心之忧矣，	心里的忧苦呀，
维其伤矣。	是那样的伤呀。
苕之华，	凌霄藤上的花，
其叶青青。	它的叶子青青。
知我如此，	早知我是这样，
不如无生。	那就不如莫生。
牂羊坟首[2]，	母绵羊瘦小了只见突出大头，
三星在罶[3]。	三颗大星静静照在捕鱼的罶。
人可以食，	人人个个都可以吃，

鲜可以饱。　　但是只有少数的人可以吃饱。

（陈子展　译）

注释

①苕(tiáo):即凌霄,又名凌苕、紫葳。②牂(zāng)羊:母羊。坟:大。③罶(liǔ):捕鱼具。置于水中,鱼经过即捕得之。《小雅·鱼丽》:"鱼丽于罶",《毛传》:"丽,历也。"

鉴赏

《苕之华》,写的是大饥荒。根据《毛诗序》,它产生于西周末年那一忧患的年代。

"苕之华,芸其黄矣。"凌霄花儿,盛开得多么的鲜黄哟。"黄"之一字,透射出诗人对凌霄花盎然生意的一份敏锐感觉。"心之忧矣,维其伤矣。"紧接着的是诗人对自己内心的一份关照。忧至于伤,可见其忧之深重积久。上下四句,表现出诗人对自然、对内心同样敏锐的察照,自然的生机与内心的忧伤,形成强烈的反差。

"苕之华,其叶青青。"青青之色,是生命的象征,是生命旺盛的象征。可是这生命的旺盛,如今是只属于自然了。"知我如此,不如无生。"人最宝贵的是生命,到了悲呼不如无生的境地,人生之悲惨、心灵之痛苦,显然已达到人类生命所能承受的极限。所谓"知我如此",究竟状况如何?且读下章。

"牂羊坟首,三星在罶。"此二句意象极突兀,极奇特。母羊瘦小得只突出个大脑袋。那母羊默默地,全然是一副病态。这一特写画面,隐然意味着大地已无青草。三颗大星映在捕鱼罶中的水面。那水面静静地,绝对是纹丝不动。这一特写画面,分明默示了水中鱼虾已尽。两幅画面别具匠心,具有一种恐怖之感、惨淡之"美",是饥饿的象征,是大饥荒的象征。"饥馑之余,百物凋耗如此"(朱熹《诗集传》),这才是当时自然界的真相。上二句言自然万物,下二句言人类社会。"人可以食,鲜可以饱。"人人都可以吃,可是极少有人能吃得饱。当时人们吃的是什么东西,可想而知。更何况,连那些东西也吃不饱!此二句,是大饥荒年代人类所发出的极其沉痛的呼号。透过惨淡的画面和沉痛的呼号,我们要看到那忧患的时代。

《苕之华》属诗学传统所说的变雅之诗。体会"心之忧矣,维其伤矣”,“知我如此,不如无生”等诗句,诗人所忧伤的似不仅是饥荒。《毛诗序》说:“《苕之华》,大夫闵(悯)时也。幽王之时,西戎东夷交侵中国,师旅并起,因之以饥馑。君子闵(悯)周室之将亡,伤己逢之,故作是诗也。”其说很值得重视。《朱子语类》指出:“周家初兴时,‘周原朊朊,堇荼如饴’,苦底物事亦甜。及其衰也,‘牂羊坟首,三星在罶。人可以食,鲜可以饱’,直恁地萧索。”这从诗歌比较的角度揭示了周代兴衰的历史,尤为深切。《苕之华》与变风变雅中许多作品一道,体现了诗人深刻的忧患意识。以悯时伤乱为根本特征的变风变雅,对后世诗史实具有极其深远的影响。

(邓小军)

何草不黄

何草不黄?	哪有草儿不枯黄?
何日不行?	哪有一天不奔忙?
何人不将?①	哪个人啊不出征?
经营四方。	往来经营奔四方。
何草不玄?②	哪有草儿不腐烂?
何人不矜?③	哪个不是单身汉?
哀我征夫,	可怜我们出征人,
独为匪民?④	为啥不被当人看?
匪兕匪虎,⑤	瞧那野牛和老虎,
率彼旷野。⑥	嬉戏旷野相奔逐。
哀我征夫,	可怜我们出征人,
朝夕不暇!	整天劳累受辛苦!
有芃者狐,⑦	狐狸尾巴毛蓬松,
率彼幽草。	歇在路边深草丛。
有栈之车,⑧	高高役车征夫挽,

行彼周道！⑨　　走在漫长大道中！

（程俊英译，略有改动）

注释

①行(háng)、将：指出征。②玄：赤黑色，百草由枯而烂的颜色。③矜(guān)：通"鳏"，无妻者。征夫离家，等于无妻。④匪民：非人。⑤兕(sì)：野牛。⑥率：循，沿着。⑦芃(péng)：兽毛蓬松的样子。⑧栈：役车高高的样子。⑨周道：大路。

鉴赏

这是《诗经·小雅》的最后一首，相传为周幽王的诗。朱熹在《诗集传》中说："周室将亡，征役不息，行者苦之，故作此诗。"当时，王室衰微，四郊多垒，战乱频仍，人民普遍被强迫从军，深受战争灾难之苦，这一首诗正是当时真实情形的生动写照。

全诗以一个兵士的口气，满腔悲愤地倾诉出苦于争战的愁怨，表达了对当时社会的不满，反映出渴望和平的心愿。首章以草枯起兴喻征人劳瘁，诉说了"万民无不从役，无一人可以幸免"的悲惨现实，道出了兵士一年四季到处奔走、经常转徙流离的苦痛。一开始就给读者展示了一幅宏大的画面：秋风肃杀，百草萎黄，狼烟四起，兵荒马乱，社会的动乱和人民的苦难，一下子清晰地凸现在读者面前。这就为以下各章兵士的自我悲叹，提供了一个广阔的社会背景，深化了本诗的主题：它绝不是个别人的自怨自叹，而是整个社会的齐声呼喊。秋风凄紧之际，正是征人思家之时，因此第二章紧接着就诉说了抛妻别子、形同鳏夫的内心悲苦，这里既有兵士的涕泗，更有天下妻子儿女的无尽的泪水，一片凄凉悲怆之情，使我们仿佛听到了"野哭千家闻战伐"（杜甫《阁夜》）的悲声，令人心酸。第三章承归家不得而来，深感没有自由之苦，发出了人不如兽的慨叹。最后一章，进一步诉说了自己的劳困不息，用"行彼周道"与第一章的"经营四方"相呼应，一气流转、首尾贯通，结构十分流畅而谨严。这种结构上的特点，正与兵士的心情相一致。可以想见，在常年征战中，兵士饱尝了多少人间辛酸，内心蕴蓄着多么深沉的痛苦，如今一旦倾诉出来，怎能不像江河之水一样，不可遏止地奔泻而下！全诗章章紧扣，层层深入，恰到好处地表现了兵士倾吐苦水时的急切心情，把战争给人民带来的苦难表达得充分而又深刻。

此诗在比兴的运用上，也很有特色。各章开头以枯草或野兽来起兴，很符合战场环境。枯黄、腐烂的野草，自由出没的野牛、老虎，安然歇息的狐狸，都是战后旷野中常见之物，写入诗中，十分自然贴切。从这些事物中，人们好像亲眼看到了景象的荒凉、凄惨，以及战争的酷烈和人民灾难的深重。同时，作者把比和兴密切结合在一起，使诗歌更显得寓意深刻，富有情趣。前两章是正比，即以枯黄的野草比喻兵士的疲惫不堪、精神委顿，以腐烂的野草比喻人生短暂、年华易逝，引起思家之念，并且，也兼有人如草芥之叹。后两章变换手法，改为反比，即以自由出入的野牛、老虎，反比兵士陷入军营的缧绁之中，丧失了人生的自由；安然歇息在草丛中的狐狸，反比兵士为战争所驱使，不得不到处忙碌奔波的痛苦。这样，人不如兽之叹，就跃然而出，使得全诗更富有悲剧气氛。本诗篇幅不长，而作者却精心组织，巧妙安排，在有限的文字中容纳了极为丰富的内容，颇具匠心。

全诗文字洗练，语言干净利索，读来铿锵有力。特别是第一、二两章总共八句，却有六个反问句，其中第一章一开始就连用了三个反问句，十分生动地表达了兵士质问的语气和愤激的心情，充分体现了人民内心的极端痛苦和对战乱的强烈憎恶。陈子展在《诗经直解》中说："此属于乱世之音、亡国之音一类作品。"周室将亡，不可救矣，编诗者以此殿《小雅》之终，盖有深意存焉。

（管遗瑞）

大　雅

文　王

文王在上，	文王神灵在天上，
於昭于天。①	在天上啊放光芒。
周虽旧邦，②	岐周虽是旧邦国，
其命维新。③	接受天命新气象。
有周不显，④	周朝前途无限量，
帝命不时。⑤	上帝意志光万丈。
文王陟降，	文王神灵升又降，
在帝左右。	常在上帝的身旁。
亹亹文王，⑥	勤勤恳恳周文王，
令闻不已。	美好声誉传四方。
陈锡哉周，⑦	上帝赐他兴周国，
侯文王孙子。⑧	文王子孙常兴旺。
文王孙子，	文王子孙都繁衍，
本支百世。⑨	大宗小宗百世昌。
凡周之士，⑩	天子臣仆周朝官，
不显亦世。⑪	世代显贵沾荣光。
世之不显，	世代显贵沾荣光，
厥犹翼翼。⑫	谋事谨慎又周详。
思皇多士，⑬	贤士众多皆俊杰，
生此王国。	此生有幸在周邦。

王国克生，⑭	周邦能出众贤士，
维周之桢。⑮	都是国家好栋梁。
济济多士，	济济一堂人才多，
文王以宁。	文王安宁国富强。
穆穆文王，	端庄恭敬周文王，
於缉熙敬止。⑯	谨慎光明又善良。
假哉天命，⑰	上天意志多伟大，
有商孙子。	殷商子孙来归降。
商之孙子，	殷商子孙繁衍多，
其丽不亿。⑱	数字上亿难估量。
上帝既命，	上帝已经下命令，
侯于周服。	殷商称臣服周邦。
侯服于周，	殷商称臣服周邦，
天命靡常。	可见天命并无常。
殷士肤敏，⑲	殷人后代美而敏，
祼将于京。⑳	来京助祭陪周王。
厥作祼将，㉑	看他助祭行灌礼，
常服黼冔。㉒	冠服仍是殷时装。
王之荩臣，㉓	成王所用诸臣下，
无念尔祖。㉔	牢记祖德永勿忘。
无念尔祖，	牢记祖德永勿忘，
聿修厥德。㉕	继承祖德发荣光。
永言配命，㉖	常顺天命不相违，
自求多福。	要求幸福靠自强。
殷之未丧师，	殷商未失民心时，
克配上帝。	能应天命把国享。

宜鉴于殷，　　借鉴殷商兴亡事，
骏命不易。[27]　　国运永昌不寻常。

命之不易，　　国运永昌不寻常，
无遏尔躬。[28]　　切勿断送你身上。
宣昭义问，[29]　　发扬光大好名声，
有虞殷自天。[30]　　须知殷鉴是天降。
上天之载，[31]　　上天意志难猜测，
无声无臭。　　无声无息真渺茫。
仪刑文王，[32]　　只有认真学文王，
万邦作孚。[33]　　万国诸侯都敬仰。

（程俊英　译）

注释

①於(wū):赞叹声。昭:光明。②旧邦:旧国。周自后稷开国,历夏、商两朝,故称旧邦。③命:天命。维:是。④不:通“丕”,大。显:光明。⑤帝:上帝。帝命:指上帝命文王建帝王之业。时:马瑞辰《通释》:“时读为烝,烝,美也。”⑥亹(wěi)亹:勤勉的样子。⑦陈:“申”的借字,一再,重复。锡:通“赐”。哉:通“载”,造。造周,建设周国。⑧侯:维,只有。⑨本支:周王一系为本,旁系为支。⑩士:周朝的百官群臣。⑪亦世:同“奕世”,累世。⑫厥:其,他的。犹:计谋。翼翼:忠敬的样子。⑬思:发语词。皇:美。⑭克:能。⑮维:是。桢:骨干。⑯於:叹美声。缉熙:形容文王品德的光明正大。敬:谨慎负责。止:语尾助词。⑰假:大,又可释为嘉、美。⑱丽:数目。不亿:不止于一亿,古时以十万为亿。⑲殷士:殷商后人。肤:壮美。敏:敏捷。⑳祼(guàn):灌祭,祭礼的一种仪式。将:献上祭品。京:周京师。㉑作:行。㉒黼(fǔ):殷商的礼服,上面刺着黑白相间的花纹。冔(xǔ):殷商的礼帽。㉓王:指成王。荩:进。荩臣:进用之臣。诗人故意对着荩臣说给成王听。㉔无:发声词。㉕聿:述。《说文》:“述,循也。”㉖言:语助词。配命:配合天命。㉗骏:大。不易:不容易。㉘遏:停止,断绝。㉙宣昭:宣明。义:善。问:通“闻”,声誉。㉚有:同“又”。虞:度,鉴戒。陈奂《毛诗传疏》:“度殷自天,言度殷之未丧师者,皆自天也。度,犹鉴也。”㉛载:事。㉜仪刑:效法。㉝作:则,就。孚:信。

鉴 赏

这是周人自述开国的"史诗"之一。

反映周代建国历程的诗篇都收在《大雅》之中。"文王之什"比较集中地反映了文王等人艰苦创业、建立周朝的历史进程。文王为周王朝的兴盛立下了不朽功勋,《文王》篇被作为《大雅》之始,正是对其卓越功绩的肯定。这篇创业史诗着重叙述歌颂的就是文王"受命作周"这一伟大历史事件。

周文王名昌,为季历之子,武王之父,在周国执政五十年。当时,周在名义上还是商朝的属国,但实力已相当强大。文王一面讨伐敌国,扩大势力,一面争取盟国,组成统一战线,逐步形成了与商朝对峙的部落中心,周、商已处于共主地位。而且,差不多是天下三分,周有其二。周将取而代商已成历史必然。文王积极创造伐商条件,以完成一统大业。临死前嘱太子发(武王)继续其未竟之业,武王日后继承父志,终于灭商。相传此诗正是周公在灭商之后,赞美文王,告诫后人而作。

全诗围绕着"天命"这个主题反复诉说。

从首章赞美文王在天之灵,可知此诗当作于文王身后。文王生前受命天帝,死后魂归天帝,俨然就是天神。好像是天神下凡,助兴周朝,一朝功成,重返天界似的。文王在周人心目中,就是一位创业之神。第一章是"总冒",开篇见义,赞美文王,接下来写文王恩德泽被后世。唯其神,唯其灵,所以能福及子孙,福及多士。如果说第二章是记叙文王之灵在天护佑,所以后人兴旺发达,那么,第三章的整段描写,倒没有"前人栽树,后人乘凉"的意味了。周代的臣子们颇能珍惜文王留下的这一份家业,他们兢兢业业,恭谨黾勉,扩大了祖上的产业。大好的局面吸引了更多的人才,从而形成优势。而"思皇多士,生此王国",难道不也是"天意"吗?正是众多的精英忠良,辅助文王,才最终完成了创国大业。没有这些人才,文王就失去了臂膀,国家就失去了栋梁,就不可能有如此安定繁荣的局面。君臣上下,通力合作,表现的是"天时、地利、人和"的大好形势。

文王以其非凡的才能,赢得了民心。民心才是"天命"。所以,周兴殷衰的现实,使殷人不得不俯首称臣。尽管在殷看来,这或许是一种无可奈何的"颠倒"。殷朝有漫长的历史,有广阔的国土和众多的民众,但"胜者为王"的历史法则是无情的。殷人也可以用"天命"来解释自己的失败。既然"天意"如此,战败称臣于周也就是大大方方的事了吧。这种解释对于胜败双方都容易接受。因此,尽管殷人一时还无法适应称臣的难堪,还不愿意脱下前朝衣冠,却不得不恭恭敬敬地去周朝的京都觐见朝参,规规矩矩行弟子之礼,作顺民。周人允许他们着殷服行周礼,倒表现出了胜利者的宽宏大度和自信心。第四、五两章着眼于殷人,实际上是以他们作陪衬,反映周王朝一统天下的伟大胜利。从表现手法上看,是非常含蓄的,在沉着冷静的描述中,透出了压抑不住的胜利者的喜悦。

周人的快乐是建立在殷人的悲哀之上的,不过,这并不残忍,但周人中有的人开始忘乎所以了,所以伟大的周公及时地告诫他们。历代研究者们大都认为这是在告诫成王。这种说法是有道理的。文王死时,天下还在动乱之中。武王克商才最后胜利,才可能有第四、五章中的"侯于周服""裸将于京"的场面。而"无念尔祖"之"祖",是文王,文王的孙辈,正是成王。成王此时尚小,周公精心培育、辅佐他,对成王讲祖先的创业史,正是极好的传统教育。呼"荩臣"而告之,不过是委婉的表达方式,周公资格再老,也是臣子,不宜大口大气,面斥其非。

周公怎么说呢?很客观也很严峻。将天人之际、兴衰之理,叮咛反复,语重心长,真个是"可思可畏"!第五章中,已从殷人称臣于周的现实中,点出了全诗的主旨:"天命靡常"。第六、七两章集中阐述这个道理。殷朝也曾有过辉煌的时期,当他们行为处事符合天理,尚未丧失民心之时,自然也得到天帝的庇祐。王权转移,是天帝根据人间君王的功过来决定的。此时周朝取代殷朝,不过是历史发展中的一个环节罢了,没有谁能保证天帝不再改变主意,把君权交给殷朝或其他王国,只要他们遵从天意,就有可能崛起。"天意从来高难问",他没有声音,没有形迹,在冥冥之中赏功罚过,主宰万物。要想周朝千秋万代永不衰微,唯一可行的,就是从殷朝的灭亡中吸取教训,效法祖宗文王,励精图治,取信于民,取信于万邦,取信于上天!

"天命"是全诗的核心。诗中多有描写,诸如"有周不显,帝命不时。文王陟降,在帝左右""商之孙子,其丽不亿。上帝既命,侯于周服""侯于周服,天命靡常""殷之未丧师,克配上帝,宜鉴于殷,骏命不易""命之不易,无遏尔躬"等等,充分表达了"君权神授"的观念,证明文王是"受命称王"。统治者自认是天神的化身或天神的子孙,无非是为了加强统治。不过,"顺天应人"常常是连类而及的。"天"是抽象的,神秘的;人是具体的,真实的。这句话的真理在于"应人"。只要我们剥去"天命"的神话外衣,用历史唯物主义的观点来考察周王朝的兴盛,就不难发现,文王是"应运而生","因人而成”。“天命”实为“民心”的代词，民心构成历史的必然。这才符合历史的本来面目。“受命”说虽属创业神话，但周人并非以此来吓唬殷人，或自欺欺人。

全诗的气氛是庄严肃穆的。先昭文王之德于天下，又诫乎后世之君臣。作为一首对文王的赞美诗，它是庄严深沉的，充满了神圣的历史感；作为对后世的劝诫，它又是严肃冷峻的，不乏深刻的教谕和启迪。一方面是赞美诗，一方面是劝谕诗，二者巧妙地融于一体。

此诗因其深厚的内容和庄重的情调，被认为具有“国歌”的风格（陈子展《雅颂选译》）。也许，庄严的国歌不需要花哨的比喻、双关。此诗全用赋法，直言到底。全诗主干突出，不枝不蔓，围绕文王之德，叙述了三代历史，显得结构紧凑，笔法简练。

艺术形式上，蝉联格的运用最为突出。蝉联，又名顶真，即“用前一句的结尾来做后一句的起头，使邻接的句子头尾蝉联而有上递下接趣味的一种措辞法”（陈望道《修辞学发凡》）。本诗第三、四、五章的四、五两句即用此法，章与章之间亦用此法联接，读来具有环环相扣、余音缭绕之妙。在《大雅·既醉》篇中，还可以看到这种技巧更为熟练的运用。这种技巧在后世诗歌中，得到了继承和发扬。

（刘明华）

大　明

明明在下，[①]	文王明德四海扬，
赫赫在上。[②]	赫赫神灵显天上。
天难忱斯，[③]	天命确实难相信，
不易维王。	国王也真不易当。
天位殷适，[④]	上帝有意王殷纣，
使不挟四方。	却又使他失四方。
挚仲氏任，[⑤]	挚国任家二姑娘，
自彼殷商，	从那遥远的殷商，
来嫁于周，	嫁到我们周国来，
曰嫔于京。[⑥]	来到京都做新娘。

乃及王季，⑦　　她跟王季配成双，
维德之行。　　专做好事美名扬。

大任有身，⑧　　太任怀孕降吉降，
生此文王。　　生下这个周文王。
维此文王，　　就是这个周文王，
小心翼翼。⑨　　小心谨慎很善良。
昭事上帝，　　明白怎样侍上帝，
聿怀多福。⑩　　招来幸福无限量。
厥德不回，⑪　　他的德行真不坏，
以受方国。⑫　　各国归附民所望。

天监在下，　　上天监视看下方，
有命既集。⑬　　天命已经属文王。
文王初载，⑭　　文王即位初年间，
天作之合。⑮　　上天给他配新娘。
在洽之阳，⑯　　新娘住在洽水北，
在渭之涘。⑰　　就在莘国渭水旁。

文王嘉止，⑱　　文王将要行婚礼，
大邦有子。⑲　　大国有位好姑娘。
大邦有子，　　大国有位好姑娘，
伣天之妹。⑳　　好比天上仙女样。
文定厥祥，㉑　　定下聘礼真吉祥，
亲迎于渭。　　文王亲迎渭水旁。
造舟为梁，　　联结木船当桥梁，
不显其光。㉒　　婚礼显耀真辉煌。

有命自天，　　上天有命示下方，

命此文王，	命令这个周文王，
于周于京。	周国京师建家邦。
缵女维莘，[23]	莘国有位好姑娘，
长子维行，[24]	她是长女嫁周邦，
笃生武王。[25]	婚后生下周武王。
保右命尔，[26]	天命所属天保佑，
燮伐大商。[27]	让他出兵伐殷商。
殷商之旅，[28]	殷商派出军队来，
其会如林。[29]	军旗密密树林样。
矢于牧野：[30]	武王誓师在牧野：
“维予侯兴，[31]	“我周兴起军心壮，
上帝临女，[32]	上帝监视看你们，
无贰尔心！”[33]	休怀二心要争光！”
牧野洋洋，[34]	广阔牧野作战场，
檀车煌煌，[35]	檀木兵车亮堂堂，
驷騵彭彭。[36]	四马威武又雄壮。
维师尚父，[37]	三军统帅师尚父，
时维鹰扬。[38]	好像雄鹰在飞扬。
凉彼武王，[39]	协助武王带军队，
肆伐大商，[40]	指挥三军击殷商，
会朝清明！[41]	一朝开创新气象！

（程俊英　译）

注释

①明明：指君王善恶至著，不可掩匿。②赫赫：威严显赫。③忱：通“谌”，信。④位：通“立”。适：通“敌”。句意为天立殷敌。⑤挚：国名。任：姓。句意

为挚国任姓之中女。⑥嫔:嫁。京:周之京都。⑦王季:太王之子,父王之父。⑧大:同“太”。大任:即上文说的挚仲。有身:有身孕。⑨翼翼:恭敬,谨慎。⑩聿:语气词。怀:来,招来。⑪回:邪僻。⑫方国:指周围诸侯国。⑬有命:指天命。句意为天命已经降下。⑭初载:指文王即位的初年。⑮合:匹偶。⑯洽:水名,今称金水河,在陕西合阳西北。洽阳:洽水之北,即古莘国所在地。⑰涘(sì):水边。⑱止:礼。嘉止:即婚礼。句意为文王将要举行婚礼。⑲大邦:指莘国。子:指莘国国君的女儿大姒。⑳伣(qiàn):好比。妹:少女。句意为大姒好比天上的少女一样。㉑文:文德,是说大姒有文德。句意为文王得贤妃,吉祥由此而定。㉒不:通“丕”,大。㉓缵:借为“嫧”,美好。莘:指莘国。句意为莘国有位好女子。㉔长女:指大姒。行:出嫁。㉕笃:发语词。㉖保右:即“保佑”。㉗燮:借为“袭”。燮伐:即袭伐。㉘旅:众,此指军队。㉙会:借为“旝”,意为旌旗。㉚矢:通“誓”。牧野:地名,在今河南淇县之南。㉛予:武王自指。侯:乃。兴:兴师。㉜临:监临,监视。女:指参加誓师伐纣的军队。㉝贰:心不专一。㉞洋洋:广阔。㉟檀车:檀木制的兵车。煌煌:鲜明。㊱骠:赤毛白腹的马。彭彭:强壮有力。㊲师:太师,官名。尚父:吕尚(即姜子牙、姜太公)的尊称。㊳时:是。鹰扬:如鹰飞扬,形容英勇无畏。㊴凉:辅佐。㊵肆伐:迅速进击。㊶会朝:一朝。句意为一朝而天下清明。

鉴赏

本诗叙述王季与大任、文王与大姒配偶天成,以及武王伐纣,代商而有天下的史实。它与《生民》《緜》《公刘》和《皇矣》同为周民族的史诗。这五篇史诗从周民族祖先的诞生写起,中经业绩的开创和发展,直到推翻商朝统治,建立周朝,天下清明,比较全面、概括地反映了自公元前21世纪至公元前11世纪周人的社会历史生活。

史诗产生在一个民族由野蛮向文明迈进的历史时期,是人类童年和艺术尚不发达阶段的产物。由于这五篇史诗在时间上跨度很长(希腊史诗《伊利亚特》和《奥德赛》所写故事的时间跨度都只有十几年),经历了原始社会和奴隶制社会两个阶段,所以在观念和内容上彼此差别很大。如果将它们按时间顺序加以排列,便可发现神话内容和原始宗教观念越来越淡泊,而宗教(人为宗教)内容和奴隶主阶级的思想则越来越明显。《生民》和《公刘》虽然也渗透着奴隶主阶级的思想意识,但却十分鲜明地保留着作为原始文学的神话的重要特征。所写的后稷和公刘不同于后来剥削阶级所供奉的尊神,而是对于民族发展作出重要贡献的伟大英雄。他们的事迹实际上是反映了全体氏族成员的才能、智慧和英雄品质,此外,诗中洋溢着征服自然的信心、对于劳动的热爱以及乐观主义精神,这些都是人类童年艺术的重要特征。在另外三篇史诗即《緜》《皇矣》和《大明》中,虽然也还程度不等地保留着这种特征,但更多的却是宣扬天命德化和奴隶主阶级统治的神威,因而具有明显的说教特色。

本诗共八章,可分三部分:第一部分即第一章,写皇天无亲,惟德是辅,灭商是上帝意志,此为全诗思想总纲;第二部分包括二至六章,写王季、文王行德事、拒邪僻,天赐美满婚姻;第三部分包括七至八章,写牧野之战,推翻商朝。全诗突出体现了周人的哲学、宗教思想。周人灭商以后,为了巩固其统治,吸取了商人的教训,总结出一套宗教、政治、道德互济互补的统治思想:一方面宣扬上帝、天命,肯定周人代商是上天的意志,迫使殷人贵族和广大奴隶臣服;另一方面又强调进德修业,防止行为浩荡,注意"保民",缓和阶级矛盾。这种君权神授、代天行治、敬德保民的思想观念成为贯串全诗的一条重要的思想线索。不过,由于当时周人奴隶主阶级尚处于上升的历史发展阶段,推翻商纣的残暴统治符合人民的要求和愿望,因而此诗虽然打着奴隶主阶级的思想烙印,但仍不能掩盖其历史进步性。

诗歌开头"天位殷适,使不挟四方",是周人借上帝之口宣判殷商统治行将就木,主宰天下的重任已经历史地落在周人头上。挚国本是殷商属国,但它的姑娘却不适其宗主,而"来嫁于周,曰嫔于京"。文王出生更是"厥德不回,以受方国",天下归附。看来,殷商统治已经摇摇欲坠、众叛亲离,周人取而代之已是大势所趋、人心所向。所以才有后边武王"燮伐大商",商朝顷刻土崩瓦解,一朝天下清明的历史结局。诗歌叙述周民族由弱小到强大的发展过程虽然比较隐含和简括,但字里行间却流露着不可抑制的民族激情,那就是朝气蓬勃的活力,锐不可当的进取精神,以及对于民族业绩、民族命运的自豪和信心。当然,这一切都是在上帝的神秘阴影下进行的。如果拨开天人感应、君权神授的宗教迷雾,还是不难看出其真率、自然的气质的。应当指出的是,就利用宗教伪装而言,它也不像后代郊庙文学那样的矫饰和造作,而带有直言不讳的朴拙特点。

本诗所写的历史时期(自王季至武王伐纣、建立周朝)是周民族历史上十分重要的历史时期,包括很多重要的历史事件,仅《史记·周本纪》所记就有:王季时诸侯归顺,文王礼贤下士,与伯夷、叔齐的关系,幽禁羑里推演周易,遇赦后伐犬戎、密须,攻耆国、邘和崇侯虎以及武王伐纣。但是,此诗对于这诸多内容一律略而不记,而只写了两件事:一是王季、文王敬天行德和美满婚姻,一是武王伐纣、天下清明。从篇幅看,前者的比重尤大。这是因为此诗不是一般地写婚姻,而是通过婚姻宣扬天意,突出他们"维德之行",此其一。其二,周人认为夫妻之道为"王化之基",他们代商而有天下,与王季、文王符合天意的婚姻有直接关系。"盖周家奕世积功累仁,人悉知之。所奇者,历代夫妇皆有盛德以相辅助,并生圣嗣,所以为异。使非'天作之合',何能圣配相承不爽若是?故诗人命意,即从此着笔,历叙其昏媾天成,有非人力所能为者。"(方玉润《诗经原始》)方氏的话道出了此诗剪裁、立意的特点与周人哲学政治思想之间的关系。

此诗后二章关于战争的描写极有特色。它形象而逼真地再现了牧野之战的巨大场面和威武雄壮的军容。浑雄壮观,神采飞动,给人以强烈的艺术感受。

它从交战双方分头布墨。先写敌人:"殷商之旅,其会如林。"一个简单的比喻,便写出殷人兵多将广、气势汹汹的特点。用墨不多,但十分传神。这样写敌人不仅是为自己的胜利作有力的铺垫,更重要的是为周人临战前的誓师提供一个紧张森严的环境。试想,面对铺天盖地而来的敌人发出讨伐暴君的誓词,岂不更能有力地表现出誓死杀敌、夺取胜利的决心,更加具有鼓舞人心的力量?

周人发起冲锋,两军交战是一个十分壮观的战斗场面,头绪繁多而难于驾驭,诗人运用以少胜多的原则,只选取那些富于特征并能诱发人的想象的事物加以点染,以便读者自己去补充和丰富诗人留下的空白。同时诗人对于两军采用了不同的写法:如果说对商军陈容采用静态描写的话,那么,对周军则采用了动态描写。商军数量虽多,但人心涣散,缺乏战斗力,而诗人又要以它为周军的胜利作铺垫,故宜从静态写其外观。周军人数虽少,但士气旺盛,一往无前,故宜从动态写其进军。"牧野洋洋"写战场之广和声势之大,"檀车煌煌"状军车之坚和军容之威,"驷騵彭彭"形战马之壮和冲锋之猛。寥寥数语足以使人想象出千军万马奋勇争先、刀光剑影闪烁而过的战斗情景。尤其突出的是,在激烈厮杀的浩大场面中特别写了周军将领太师姜尚。他雄姿英发,勇猛无畏,如同雄鹰一样指挥大军向敌人进击。这一笔如同广阔背景上的一个局部特写镜头,给人以十分强烈的印象。

所以,从总体来看,对于这场战争的描写可谓有声有色,有虚有实;有整体的鸟瞰,有局部的特写,具体形象地再现了它的各个不同的侧面。

在描写激烈的战斗之后,诗歌以"肆伐大商,会朝清明"结尾。这样写使人有驱散乌云、重见天日之感，从而不由自主地发出对武王伐纣的赞美。从艺术效果看，由于戛然而止，使人回味无穷，更增强了其艺术感染力。

（赵沛霖）

緜

緜緜瓜瓞，[①] 大瓜小瓜藤蔓长，
民之初生，[②] 周族人民初兴旺，
自土沮漆。[③] 从杜来到漆水旁。
古公亶父，[④] 古公亶父功业创，
陶复陶穴，[⑤] 挖洞筑窑风雨挡，
未有家室。[⑥] 没有宫室没有房。

古公亶父， 古公亶父迁居忙，
来朝走马；[⑦] 清晨快马离豳乡；
率西水浒，[⑧] 沿着渭水向西走，
至于岐下。[⑨] 岐山脚下土地广。
爰及姜女，[⑩] 他与妻子名太姜，
聿来胥宇。[⑪] 勘察地址好建房。

周原膴膴，[⑫] 周原肥沃又宽广，
堇荼如饴。[⑬] 堇葵苦菜像饴糖。
爰始爰谋，[⑭] 大伙计划又商量，
爰契我龟；[⑮] 刻龟占卜望神帮；
曰止曰时，[⑯] 神灵说是可定居，
筑室于兹。 此地建屋最吉祥。

迺慰迺止，[⑰] 这才安心住岐乡，
迺左迺右；[⑱] 这边那边同开荒；

迺疆迺理，[19]	丈量土地定田界，
迺宣迺亩。[20]	翻地松土垅成行。
自西徂东，	从西到东一片地，
周爰执事。[21]	男女老少干活忙。
乃召司空，[22]	找来司空管工程，
乃召司徒，[23]	人丁土地司徒掌，
俾立室家。	他们领工建新房。
其绳则直，[24]	拉开绳墨直又长，
缩版以载，[25]	树起夹板筑土墙，
作庙翼翼。[26]	建成宗庙好端庄。
捄之陾陾，[27]	铲土噌噌掷进筐，
度之薨薨，[28]	倒土轰轰声响亮，
筑之登登，[29]	捣土一片登登声，
削屡冯冯。[30]	括刀乒乒削平墙。
百堵皆兴，[31]	百堵土墙齐动工，
鼛鼓弗胜。[32]	声势压倒大鼓响。
迺立皋门，[33]	建起周都外城门，
皋门有伉。[34]	城门高大好雄壮。
迺立应门，[35]	建起宫殿大正门，
应门将将。[36]	正门庄严又堂皇。
迺立冢土，[37]	堆起土台作祭坛，
戎丑攸行。[38]	大众祈祷排成行。
肆不殄厥愠，[39]	狄人怒气虽未消，
亦不陨厥问。[40]	文王声誉并无伤。
柞棫拔矣，[41]	柞棫野树都拔尽，

行道兑矣。[42]	交通要道无阻挡。
混夷駾矣，[43]	昆夷夹着尾巴逃，
维其喙矣。[44]	气喘吁吁狼狈相。
虞芮质厥成，[45]	虞国芮国不再相争，
文王蹶厥生。[46]	文王感化改其本性。
予曰有疏附，[47]	我有贤臣相率来附，
予曰有先后，[48]	我有人才参预国政，
予曰有奔奏，[49]	我有良士奔走效力，
予曰有御侮。[50]	我有猛将克敌制胜。

（程俊英　译）

注释

①緜緜:连绵不断。瓞(dié):小瓜。②民:指周民族。③土:借为“杜”,水名。沮:借为“徂”,往,到。漆:水名。杜、漆二水皆在豳地。④亶(dǎn)父:号古公,文王的祖父,他为自己的民族定国号曰周。⑤陶:借为“掏”。复:借为“覆”,窑洞。穴:地洞。⑥家室:此指房屋。⑦朝:早。走马:驱马疾驶。⑧率:循着,沿着。浒:水边。⑨岐下:岐山之下。⑩爰:乃。姜女:姜姓的女子,指亶父之妻,又称太姜。⑪聿:发语词。胥:察看。宇:居处。句意为察看建造宫室的地址。⑫周原:地名,在岐山之南,地势广阔平坦。朊朊:肥美。⑬堇(jǐn):野菜名,可食,味苦涩。荼(tú):苦菜。饴(yí):饴糖,即麦芽糖。⑭始:意同“谋”,规划,谋划。⑮契:刻。龟:此指占卜用的龟甲。古代占卜先在龟甲上钻孔,然后烧灼,根据龟甲裂纹来预测凶吉。⑯曰:发语词。止:定居。时:借为“跱”,意同“止”。⑰迺:同“乃”。慰:安,安居。⑱句意为划定左右区域。⑲疆、理:划定疆界,整治土地。⑳宣:同“渲”,泄水。亩:筑田垄。㉑周:周遍。执事:从事工作。㉒司空:官名,掌管建筑工程。㉓司徒:官名,即司土,掌管田土和调配劳力的官。㉔绳:取直的工具。㉕缩:同“束”。版:筑墙用的木板。载:同“栽”,树立。句意为将筑墙用的木板捆在立柱上。㉖庙:宗庙,供祖先的宫室。翼翼:严正的样子。㉗捄(jū):将土装进筐中。陾(réng)陾:装土声。㉘度:向版筑内填土。薨薨:填土声。㉙筑:将版筑内的土夯实。登登:夯土声。㉚屡:古“娄”字,意为隆,指墙体隆起的部分。冯(píng)冯:刮土声。㉛百堵:言墙之多。兴:动工。㉜鼛

(gāo)鼓:大鼓。施工时敲这种大鼓给劳动者助兴鼓劲。句意为敲大鼓的声音胜不过劳动的声音。㉝皋门:郭门,外门。㉞伉(kàng):高大。㉟应门:正门。㊱将将:庄严堂皇的样子。㊲冢土:大社,指祭土神的坛。㊳戎丑:大众,意为很多人。攸:所。行:往。㊴肆:故,所以。殄(tiǎn):消灭。厥:其,指狄人,北方的少数民族。愠(yùn):愤怒。㊵陨:丧失。厥:其,指文王。问:同"闻",名声。㊶柞:灌木名,有刺。棫(yù):丛生小木,有刺。㊷兑:通"达"。㊸混夷:即昆夷,又称犬夷、犬戎。駾(tuì):逃跑。㊹喙:通"瘃",体弱疲劳。㊺虞:古国名,在今山西省平陆。芮(ruì):古名,在今陕西大荔。质:评断。成:相互友好。㊻蹶:动,感动。生:通"性",指人的天性。㊼疏附:指能使民亲近归附之臣。㊽先后:指辅佐之臣。㊾奔奏:奏借为"走",指奔走效力之臣。㊿御侮:捍卫国家之臣。

鉴赏

上古时代,一些民族由于种种原因要经常进行迁徙,这种民族整体的迁徙是民族历史上的大事。周民族也是如此。在周民族发展史上有过几次影响深远的迁徙:一次是由公刘率领的由邰到豳的迁徙,一次是由古公亶父率领的由豳到岐的迁徙。这两次迁徙都是周民族业绩开创史上的转折点:如果说第一次迁徙标志着周道兴盛之始的话,那么,第二次迁徙则是周道的发扬光大,从而为周代商而有天下奠定了基础。幸运的是这两次迁徙在《诗经》中都得到了反映:反映第一次迁徙的是《公刘》,反映第二次迁徙的即是此篇。

此诗包括两部分内容:一至七章为第一部分,写亶父率领周人在岐下营建庙宇宫室,一片兴国气象。八至九章为第二部分,写周民族强大,天下归附。其中第一部分叙述亶父之前周民族的历史只用了开头三句,自第四句起即入本题,开始叙述亶父的业绩。而亶父的业绩重点又放在营建周地,对迁徙过程叙述则很简单。此诗在剪裁上的这一特点完全由其立意所决定。

岐下营建作为第一部分的重点,首先写出营建的详细经过:先察看地形,进行谋划,占卜决疑;然后划定区域,丈量田界,开沟筑垄;接着建造宫室庙宇、修筑城墙祭坛,完整而具体地再现了周地的营建过程。这个过程完全符合实际建筑顺序,比如先写建宫室,后写修院墙,至今建房莫不如此,"可见诗人立言之有次第"(姚际恒《诗经通论》)。

周人营建自己的家园,大家一起出动,是一次全民族的动员。"自西徂东,周爰执事",岐山之下无垠的周原上热火朝天,充满了生机与活力。"迺……迺……"的排比短语,短促有力,一贯而下,给人以一往无前、势不可当的感觉,从节律上象征着周人事业的蓬勃兴旺;接着是一连串带有重叠拟声词的排比,烘托出渲腾热烈、群情高涨的场面,将这种意向更加明显地流露出来。而"百堵皆兴,鼛鼓弗胜"作为此章结句,更是举重若轻,将全章有力提起,进一步加强了那劳动场景的热烈的程度。

第七章写修筑皋门和应门,与前几章相比,手法又有变化:前四句两两相对,带有对偶特征;一、二句和三、四句各自之间则运用顶真,给人以严整庄重之感,这与国门既立,周人崛起的史实完全和谐一致。

所以,此诗写周人岐下营建的过程和具体的劳动场面,实际上表现了周人万众一心、奋发向上的进取精神和以辛勤劳动创造民族美好未来的坚定信心。而这正是周人不断壮大终于代商而有天下的根本原因。自亶父而后,经过文王的惨淡经营,"天下闻之而归者四十余国"(《毛传》),八、九两章所写的威服强敌、德感二君,正是这一事实的反映。所以通过岐下营建写民气进而赞美周之兴盛强大正是此诗命意之所在。诚如王夫之所说,"筑室之下而民气生焉,周之王自斯始矣"(《诗广传》卷四《大雅》之七)。诗中虽没有直接写古公亶父,但通过它所反映的周人的民族精神,不难想象到他一定是一个深得民心、受人拥戴、有远见、有魄力的杰出首领和英雄。诗中所写的这一切,从一定意义上说,也是对他的历史功绩的肯定和赞美。

本诗作为周民族的史诗之一,虽经周代乐师加工,掺入了很多奴隶主阶级的思想观念,但仍不能完全掩盖其天真烂漫的特质。这除了表现在出言不讳的直率以外,在章法上也有明显的表现。本诗章法富于变化,这种变化不是出自文人的刻意追求,而是诗意和感情自然发展的结果。如前七章叙述岐下营建,历历详备,至第八章笔锋一转,如骏马注坡,将很多史实数语收尽。这与前边舒徐有度的描绘形成鲜明对比。像这样的章法转换,开合度虽然很大,但却从容自然,别有一种雄劲之美。

诗歌结尾写文王内有贤臣辅佐,外有猛将御敌,居高临下,出语不凡,俨然王业昌大气象。诗歌妙在至此自然而终,颇出人意料,方玉润说它"收笔奇肆,亦饶姿态"(《诗经原始》),可谓中肯之论。

(赵沛霖)

棫　朴

芃芃棫朴,[①]　　棫树朴树多繁茂,

薪之槱之。②	砍作薪柴堆成山。
济济辟王，③	德高望重好君王，
左右趣之。④	左右贤臣来四方。
济济辟王，	德高望重好君王，
左右奉璋。⑤	左右贤臣捧玉璋。
奉璋峨峨，⑥	个个整齐又端庄，
髦士攸宜。⑦	举止得体人敬仰。
淠彼泾舟，⑧	百舸争流泾水上。
烝徒楫之。⑨	众人心齐船如箭。
周王于迈，⑩	周王出师去远征，
六师及之。⑪	六军奋勇齐争先。
倬彼云汉，⑫	银河浩渺宽无边，
为章于天。⑬	星光灿烂贯云天。
周王寿考，⑭	周王长寿临天下，
遐不作人。⑮	培育英才万万千。
追琢其章，⑯	精雕细刻出华章，
金玉其相。⑰	真金美玉显本相。
勉勉我王，⑱	我王勤勉永不倦，
纲纪四方。⑲	张纲立纪治四方。

注释

①芃(péng)芃：茂盛貌。棫、朴：两种丛生灌木名。②槱(yóu)：堆积。③辟(bì)：君。辟王：即君王的尊称。④趣：通“趋”。⑤奉：即捧。璋：是玉圭，臣下朝见国君时所执；一说璋指璋瓒，为祭祀时盛酒的器具，用玉制柄。⑥峨峨：

庄严貌。⑦髦士:英俊之士。⑧淠(pì):舟行貌。泾:水名,渭水的支流。⑨烝:众。烝徒:指众船夫。⑩于迈:于,往;迈,行也。⑪师:周时二千五百人为一师。⑫倬:广大貌。云汉:银河。⑬ 章:一般都释为花纹,此处似亦可释为彰明之意。⑭寿考:长寿。⑮遐:通"何"。⑯追(duī):"雕"的假借字。追琢:即雕琢。《诗集传》:"金曰雕,曰琢琢。"⑰相:本质。⑱勉勉:勤勉不懈。⑲纲纪:治理。

鉴赏

和前几首诗一样,本篇也是赞美文王的。《毛诗序》说是写"文王能官人也","官人"就是举贤授能之意。诗中形象地描绘了一位道德高尚的国君,赢得人们的信任,因而天下贤士归附于他。姚际恒认为仅说"官人"不够,应是"文王能作士也"(《诗经通论》),"作士"就是培养人才,这也是符合诗意的。

全诗只有五章,二十句。通过活泼的语言和生动的场面描写来活现人物,是本诗的特点。

首章以《诗经》常用的比兴起头,先写棫朴的繁茂,得以积下薪柴如山,引出君王德高望重,因而天下贤士归附。"济济"有的释为"庄严恭谨",有的释为"威仪",皆不准确。《诗集传》注为"盖德盛而人心归附趋向之也",则"济济"当释为道德盛美。这是从原义众多引申而来的,这样也正和棫朴之繁盛相对应。《史记·周本纪》记载文王"礼下贤者,日中不暇食以待士,士以此多归之"。此当可作"左右趣之"句的注脚。

二章描写周王朝中人才济济。通过祭祀场面的描写,用"奉璋峨峨,髦士攸宜"两句赞美贤臣的众多。三章则是兴兵的场面。以泾水中争流的百舸,由于众水手齐心协力而迅飞似箭,引出周王一下令出征,六军之士便准备为完成使命而赴汤蹈火,可见周王之得军心。古代"国之大事,在祀与戎",二、三章正是通过这两件大事的两种场面描写,反映出周王朝文武官员人才兴盛。

四、五两章,是比较具体描写周王的"作士",即培育人才。

四章中先以天河起兴,无数颗明星组成横贯夜空的星河,辉耀六合。接着写周王的长寿,他在执政的长时间里,培育了无数英才。这里是以群星来比喻英才之多。方玉润说"以天文喻人文"(《诗经原始》),也说明周王的"作人"是和他在长时间里不懈的努力分不开的,并非一朝一夕之功。史载,文王享年97岁。

五章的"追琢其章,金玉其相",许多人都释为赞美文王的美德如金似玉。其实,这里写的是他培育人才的生动而形象的过程:他像细心的匠人,精心雕金琢玉,使之焕发出夺目的光彩,显露出高贵的品德。后两句说明也正由于他勤勉不懈地培育了无数人才,才能依赖他们有条不紊地治理国家。

本篇多处采用"比兴"的创作手法,如蓬勃生长的棫朴、争流泾水的飞舟、辉映长空的星河、光彩耀人的金玉等,这些丰富多彩的、生动而具体的形象,引发人的想象力,产生强烈的艺术效果。诗中的具体形象,虽大多写的是贤士,但他们如灿烂的群星,更衬托出周王这轮照耀中天的明月之伟大,这是"烘云托月"的手法。诗篇的语言具体、形象、生动,即使是写王,也用"辟王""我王""周王"。正如顾广誉所说"以尊言,曰辟王;以实言,曰周王;以亲言,曰我王"(《学诗详说》)。这种变化的词汇,使词汇带上较强的感情色彩,不致使人觉得枯燥无味。

(汤漳平)

旱麓

瞻彼旱麓,①	遥望旱山那山麓,
榛楛济济。②	密密丛生榛与楛。
岂弟君子,③	平易近人好君子,
干禄岂弟。④	品德高尚有福禄。
瑟彼玉瓒,⑤	祭神玉壶有光彩,
黄流在中。⑥	香甜美酒流出来。
岂弟君子,	平易近人好君子,
福禄攸降。⑦	祖宗赐你福和财。
鸢飞戾天,⑧	鹞鹰展翅飞上天,
鱼跃于渊。	鱼儿跳跃在深渊。
岂弟君子,	平易近人好君子,
遐不作人。⑨	培养人才万万千。

清酒既载，[⑩]　　摆好清醇美味酒，
骍牡既备。[⑪]　　备好红色大公牛。
以享以祀，　　虔诚上供祭祖先，
以介景福。[⑫]　　祈祷神灵把福求。

瑟彼柞棫，[⑬]　　密密一片柞棫林，
民所燎矣。[⑭]　　砍下烧火祭神灵。
岂弟君子，　　平易近人好君子，
神所劳矣。[⑮]　　神灵保佑百事成。

莫莫葛藟，[⑯]　　茂密葛藤长又柔，
施于条枚。[⑰]　　蔓延缠绕树梢头。
岂弟君子，　　平易近人好君子，
求福不回。[⑱]　　不违祖德把福求。

（程俊英　译）

注释

①旱：山名，在今陕西南郑县。②榛楛（hù）：两种丛生的小灌木。榛结实似栗而小，楛似荆而赤。③岂弟（kǎi tì）：亦作“恺悌”，和易近人。君子：多认为指文王。④干：求。禄：福。⑤瑟：鲜洁貌。玉瓒：圭瓒，祭祀时所用的玉器。以圭为柄勺，以黄金为饰。⑥黄流：祭神所用的秬鬯。《毛诗正义》孔颖达疏：“秬，黑黍一秠二米者也。秬鬯者，釀秬为酒，以郁金之草和之，使之芳香条鬯，故谓之秬鬯。草名郁金，则黄如金色。酒在器流动，故谓之黄流。”⑦攸：所。⑧鸢（yuān）：鸟名，鹰类。戾：至。⑨遐：何。作人：造就、培育人才。⑩载：陈设。⑪骍：赤色。牡：公牛。周人尚赤，祭祀用赤色公牛。⑫介：求。景：大。⑬瑟：众多貌。柞棫：两灌木名。⑭燎：同“尞”，烧柴祭神。⑮劳：赐。《诗集传》：“劳，慰抚也。”⑯莫莫：茂盛貌。葛藟：葛藤。⑰施（yì）：蔓延。条：树枝。枚：树干。⑱回：违。《郑笺》：“不回者，不违先祖之道。”一训不回为“不邪”，言君子以正道求福，亦可通。

鉴赏

我国上古三代，极重祭祀，既祭祀自然神，更重视祭祀祖先。他们以为国王是受上帝之命，降于人间，治理万民，因此称为天子，死后仍升天为神。如《大雅·文王》诗中写："文王在上，於昭于天。……文王陟降，在帝左右。"如子孙祭祀得当，则可获福。本篇即是描写周人的祖先崇拜思想。方玉润说，本诗写的是"祭必受福也"(《诗经原始》)。本篇大体可分为两部分：前四章写君子(周王)隆重的祀神场面，而祭祀的目的是为了求福——"福禄攸降""以介景福"。后两章是写祭祀的必然结果——神降福于他！

首章以旱山下的榛楛繁盛起兴，接着引出"岂弟君子，干禄岂弟"。"干禄"意为求禄，但前人，如段玉裁、马瑞辰、俞樾等，都认为这首诗和后面的《假乐》篇中的"干禄"应为"千禄"。如马氏云："干禄与百福对言，干禄疑千禄形近之讹。此诗千禄岂弟，及《假乐》干禄百福，干皆当作千百之千，传伪已久，遂以干禄释之耳。"(《毛诗传笺通释》)《假乐》篇有"干禄百福，子孙千亿"句，显然为"千禄"较合理。而本章首以榛楛之"济济"起兴，后言君子得禄之多，前后连接，也是应为"千禄"无疑。二章紧接着描写祭祀的场面：这位"岂弟君子"，用金玉制成的鲜洁的祭器，盛满香气扑鼻的佳酿，恭敬地献给神祇，神受到感动，高兴之余，自然就降下福禄了。

可是第三章突然在"鸢飞戾天，鱼跃于渊"之后，冒出了"岂弟君子，遐不作人"。初看觉得很不协调：第二章、第四章都写祭祀，怎么中间讲起"作人"——培育人才的事呢？其实这里自有它的道理。因为古代在隆重的祭祀活动中，有主祭，有助祭。助祭人员的阵容，便可以看出这个国家的人才之多寡。所以《棫朴》一诗在描写祭祀场面时，赞美助祭者"奉璋峨峨，髦士攸宜"。方玉润说："上篇(即《棫朴》)言作人，于祭祀见其一端；此篇言祭祀，而作人亦见其极盛。"(《诗经原始》)正说出其中的关系。本篇开头两句，写鸟翱翔于蓝天和鱼跳跃于深渊，各得其所，实际上是喻文王之善于用人，能很好地发挥各种人才的特长。

第四章继续描写祭祀的场面之隆重，并把祭祀的目的写明：敬祀神祇，以求大福。

五、六两章，描写君子求福的必然结果：由于他的恭敬与虔诚，由于他不违正道，神灵自然要施福给他。两章均采用起兴手法。五章先以柞棫的兴盛，使人民得到众多薪柴，连写到君子恭恭敬敬地祭祀，神灵自然要加以佑福。“神所劳矣”，“劳”就是抚慰，极应。六章则先写葛藤自然地沿着大树干而爬上树梢，接着连写君子也如同葛藤的自然攀援一般，君子以敬祀神灵的正道求福，自然也能得到福佑。

本篇六章，始终围绕祭祀这一中心内容展开叙述与描写，安排得十分紧凑，篇中多处起兴，具有较好的艺术效果。其中有的诗句如“鸢飞戾天，鱼跃于渊”，实为后人常用的“海阔凭鱼跃，天高任鸟飞”这一名句之本。

（汤漳平）

思　齐

思齐大任，	大任端庄又严谨，
文王之母。	她是文王好母亲。
思媚周姜，	爱敬太姜行孝道，
京室之妇。	周京主妇传美名。
大姒嗣徽音，①	太姒承继好风尚，
则百斯男。	养育百男王室兴。
惠于宗公，	文王遵从祖宗愿，
神罔时怨，	诸神个个无怨容，
神罔时恫。②	欢欢喜喜不伤痛。
刑于寡妻，	文王为妻作表率，
至于兄弟，	要求兄弟也跟从，
以御于家邦。	以此治国树新风。
雝雝在宫，	在家和睦乐融融，
肃肃在庙。	宗庙恭敬祀祖宗。
不显亦临，	国家大事勤料理，
无射亦保。③	常备不懈记心中。

肆戎疾不殄，[4]	西戎兵灾已绝迹，
烈假不瑕。[5]	瘟疫恶疾去无踪。
不闻亦式，	闻善则从纳良策，
不谏亦入。	从谏如流人称颂。
肆成人有德，	如今成人品德好，
小子有造。[6]	儿童自幼得深造。
古之人无斁，[7]	皆因文王常教诲，
誉髦斯士。[8]	俊杰满朝誉满道。

注释

①嗣：继承。徽音：美誉。②恫（tōng）：伤痛。③此句中“不”“亦”是语助词，因此“不显亦临”即是“以显临之”，而下章的“不闻亦式，不谏亦入”即是“有闻则式，谏则入也”（见吴闿生《诗义会通》）。因此“不显亦临”是说明显的大事他都亲临处置。射：《诗集传》注：“与斁同，厌也。”保：守。这句是说文王常备不懈。另马瑞辰《通释》注：“古射字与夜、夕字叠韵亦通用……皆有暗冥之义”，因此，“无射亦保”是“言文王无时不警惕也”，也可通。④肆：所以。戎疾：戎指西戎，与猃狁等少数游牧民族同为周人的祸患。殄：绝。⑤烈：“疠”的假借字，《说文》作“疠”，释为“恶疾也”。假：“瘕”的假借字，即“蠱”字，害虫的总名。瑕：通“遐”，远去。⑥小子：未成年的人，和成人相对而言。⑦古之人：指文王。斁（yì）：厌。⑧誉髦斯士：高亨认为这句当作“誉斯髦士”，“斯髦”二字传写误倒。《小雅・甫田》“烝我髦士”，《大雅・棫朴》“髦士攸宜”，都是“髦士”连文，可证。（《诗经今注》）誉：有声望。

鉴赏

《毛诗序》认为本篇是写“文王所以圣”，朱熹则说是“歌文王之德”（《诗集传》），似嫌笼统。从内容看，这是一首比较全面地描写周文王道德和行为准则的诗篇。

周文王历来被称为圣人，他的言行举止，被当作后代圣君的楷模。诗共五章，围绕塑造文王这一“贤君”形象展开描写。

首章写有功于周朝的著名“周

室三母”：古公亶父之妻太姜（诗中称“周姜”）；王季之妻、文王之母太任（即“大任”，“大”同“太”）；文王之妻太姒（诗中作“大姒”）。刘向曾将她们的事迹载入《列女传》。诗中突出描写的是大任，首句即写“思齐大任，文王之母”。“思”是发语词。“齐”通“斋”，端庄之意。中间两句写大任敬重婆婆周姜，“媚”是爱的意思，“京”即周。作者写大任的美德，是为了推本求原，说明文王的成长具有良好的家庭环境。最后写文王妻子大姒，表彰她不仅能继承上辈的美德，还突出写她抚育了许多子女。文王多子女，仅《春秋》所载文王之子有名字的便有十八人，不见记载的自然更多。在古代，种族繁衍是极为重要的，大姒实际上为周族的兴盛作出了很大的贡献，自然值得大书特书。陈子展认为此章具有原始氏族社会母系中心意识的残留（见《诗经直解》），其中当然包含古人生殖崇拜意识。当然，“则百斯男”是极言其多，朱熹认为是把文王妻妾所生的儿子都算在大姒名下、由她养育，所以才有这么多。

二章专写文王的祀神和治家治国。前三句写文王敬祀祖先，得到赞许和佑福。“惠”是顺从，“宗公”即周人的先公，据《史记·周本纪》载，自始祖后稷始，周的先公有不窋、鞠、公刘等十余人。这里写的“神”是祖先神，敬祀祖先，得到佑福，这种思想在《旱麓》篇中反映得很充分。后三句写文王以自己为表率，影响妻子，再要求兄弟，再以此治国。“刑”通“型”，是榜样、表率之意。“寡”为帝王自称，“寡妻”即文王的嫡妻大姒。“御”即治理。

第三章形象地描绘了文王的行为举止。诗中以“雝雝”写其在家时的和睦气氛，以“肃肃”写其祭祀时的恭敬严肃。不同场合的语言表达，形象逼真，使人如见其人、如闻其声。后两句则写他勤于政务，常备不懈。“不显亦临，无射亦保”和下章的“不闻亦式，不谏亦入”句，把《大明》中描写的“维此文王，小心翼翼”的神态具体化了。屈原在《离骚》中写夏禹和商汤时，说“汤禹俨而祗敬兮”，“俨”是恭敬庄重，“祗”是敬畏天意。看来，古人心目中的贤君都是这种模式的。

第四章写文王治国善于采纳善言，听从劝谏，因而周族人丁兴旺，无天灾人祸之苦。四句诗实际上采用倒叙手法，前两句是果，后两句是因。

末章写文王培育人才，举用贤士，很能写出那种“壮有所用，幼有所长”的气象来。举贤授能是历代明君标志之一，此章赞美文王育人，周朝人才济济，也是周文王的重要功绩，可参看《棫朴》篇。

本篇并不长，但却是《诗经》中较重要的篇章，历代注家都指出它内容之重要。明人薛瑄说：“《思齐》

一诗,修身、齐家、治国、平天下之道备矣。”(《传说汇纂》)作为封建社会正统思想的儒家思想就是讲的这一套,正如孔子所说“家齐而后国治”。

在布局谋篇方面,这首诗也是颇有特色的,它从多侧面、多角度(如祀神、治家、理政、育人等)进行描写,把文王的形象刻画得具体而形象,极具立体感。即使在一章里,作者的描写也是煞费苦心的,如首章描写“周室三母”,“从太任发端,又逆推上及太姜,然后以(太姒)嗣徽音实之,极有波折。若顺下,便觉味短”(孙鑛语)。诗中除比兴句外,不少诗句也十分注意其形象性,读者自可体会。

(汤漳平)

皇　矣

皇矣上帝,①	上帝光焰万丈长,
临下有赫。②	俯视人间真明亮。
监观四方,③	洞察全国四方事,
求民之莫。④	了解民间疾苦状。
维此二国,⑤	想起夏商两朝末,
其政不获。⑥	不得民心国危亡。
维彼四国,⑦	思量四方诸侯国,
爰究爰度。⑧	天下重任谁能当。
上帝耆之,⑨	上帝意在岐周国,
憎其式廓。⑩	有心扩大它封疆。
乃眷西顾,⑪	于是回头望西方,
此维与宅。⑫	同住岐山佑周王。
作之屏之,⑬	砍掉杂树辟农场,
其菑其翳。	枯枝朽木全扫光。
修之平之,	精心修剪枝和叶,
其灌其栵。⑭	灌木丛丛新枝长。
启之辟之,	开出道路辟土地,

其柽其椐。[15] 除尽柽椐路通畅。
攘之剔之，[16] 剔去坏树留好树，
其檿其柘。[17] 留下山桑和黄桑。
帝迁明德，[18] 上帝卫护明德主，
串夷载路。[19] 犬戎败逃走仓皇。
天立厥配，[20] 上天立他当天子，
受命既固。[21] 政权巩固国兴旺。

帝省其山，[22] 上帝视察岐山阳，
柞棫斯拔，[23] 柞棫小树都拔光，
松柏斯兑。[24] 松柏直立郁苍苍。
帝作邦作对，[25] 上帝建立周王国，
自大伯王季。[26] 太伯王季始开创。
维此王季， 这位王季好品德，
因心则友。[27] 对兄友爱热心肠。
则友其兄， 王季热心爱兄长，
则笃其庆，[28] 他使周邦福无疆，
载锡之光。[29] 天赐王位显荣光。
受禄无丧， 永享福禄保安康，
奄有四方。[30] 统一天下疆域广。

维此王季， 这位王季真善良，
帝度其心， 天生思想合政纲，
貊其德音。[31] 他的美名播四方。
其德克明， 他能明辨是和非，
克明克类，[32] 区别坏人和善良，
克长克君。 堪称师范好君王。
王此大邦， 在此大国当君王，
克顺克比。[33] 上下和顺人心向。

比于文王，[34]	到了文王接王位，
其德靡悔。[35]	人民爱戴德高尚。
既受帝祉，[36]	既受上帝赐福禄，
施于孙子。[37]	子孙万代绵绵长。
帝谓文王，	上帝启示周文王，
无然畔援，[38]	不要暴虐休狂妄，
无然歆羡，[39]	莫羡他人当自强，
诞先登于岸。[40]	先据高位路康庄。
密人不恭，[41]	密人态度不恭顺，
敢距大邦，[42]	竟敢抗拒周大邦，
侵阮徂共。[43]	侵阮袭共太猖狂，
王赫斯怒，[44]	文王勃然大震怒，
爰整其旅，	整顿军队去抵抗，
以按徂旅。[45]	阻止敌人向莒闯。
以笃于周祜，[46]	周族福气才巩固，
以对于天下。[47]	民心安稳定四方。
依其在京，[48]	周京军队真强壮，
侵自阮疆。	从阮班师凯歌扬。
陟我高冈，[49]	登上岐山远瞭望，
无矢我陵，[50]	没人敢占我山冈，
我陵我阿；	高山大陵莽苍苍；
无饮我泉，	没人敢饮我泉水，
我泉我池。	清泉绿池水汪汪。
度其鲜原，[51]	规划山头和平原，
居岐之阳，[52]	定居岐山面向阳，
在渭之将。[53]	紧靠渭水河边旁。
万邦之方，[54]	你为万国作榜样，

下民之王。	天下人民心向往。
帝谓文王，	上帝告诉周文王，
予怀明德，[55]	美好品德我赞赏，
不大声以色，[56]	从不疾言和厉色，
不长夏以革；[57]	遵从祖训依旧章；
不识不知，[58]	好像不知又不觉，
顺帝之则。	顺乎天意把国享。
帝谓文王，	上帝又对文王说，
询尔仇方，[59]	团结邻国多商量，
同尔兄弟；	联合同姓众国王；
以尔钩援，[60]	用你大钩和戈刀，
与尔临冲，[61]	临车冲车赴战场，
以伐崇墉。[62]	讨伐崇国削殷商。
临冲闲闲，[63]	临车冲车声势壮，
崇墉言言。[64]	崇国城墙高又长。
执讯连连，[65]	捉来俘虏连成串，
攸馘安安。[66]	割下敌耳装满筐。
是类是祃，[67]	祭祀天神祈胜利，
是致是附，[68]	安抚残敌招他降，
四方以无侮。	各国不敢侮周邦。
临冲茀茀，[69]	临车冲车威力强，
崇墉仡仡。[70]	崇国城墙高又长。
是伐是肆，[71]	冲锋陷阵士气旺，
是绝是忽，[72]	消灭崇军有威望，
四方以无拂。[73]	各国不敢再违抗。

（程俊英　译）

注释

①皇：光明，伟大。②赫：明亮的样子。③监：视，视察。④莫：通“瘼”，疾苦。⑤二国：指夏、商二朝。一说，二为上之误，上国指商朝。⑥获：得。⑦四国：四方各国。⑧究：寻究。度：谋度。⑨耆：通“惜”“指”，意向。⑩式廓：规模。一说，式：用；廓：大；式廓即因而加大。⑪眷：眷念。西顾：注意西方，指注意岐周。⑫宅：居住。句意为上帝与周王居住在一起，意即上帝保佑周王。⑬作：通“斫”，砍伐。屏：屏除。⑭栵（liè）：斩而复生之树。⑮柽（chēng）：木名，又名西河柳、观音柳。椐（jū）：木名，又名灵寿木。⑯攘：攘除。剔：挑选。⑰檿（yǎn）：木名，即山桑。柘（zhè）：木名，即黄桑。⑱明德：有明德之人，此指太王。⑲串夷：即昆夷，又称犬戎。载：则。路：通“露”，失败。⑳配：辅佐。句意为天立君王以辅佐上帝。㉑固：坚固，巩固。㉒省：视察。㉓柞（zuò）：木名，即柞树。棫（yù）：木名。㉔兑：直。㉕作：建立。对：配，指辅佐上帝的君主。㉖大伯：太王的长子，即太伯。王季：太王的少子，即季历。此外，太王还有次子仲雍。太伯、仲雍为使季历继承王位，逃往吴地。太王死后，季历继位。㉗因：借为“姻”。姻心：亲热之心。㉘笃：厚，多。庆：福。㉙载：乃，就。锡：赐。光：光荣。㉚奄：包括。㉛貊（mò）：通“莫”，传布，传播。㉜类：指善恶的种类。㉝比：通“俾”，服从。㉞比：及，到。㉟悔：恨。㊱祉：福。㊲施（yì）：延续。㊳畔援：通“盘桓”，徘徊不前。㊴歆羡：羡慕。㊵诞：发语词。岸：高岸，比喻有利地位。㊶密：古国名，在今甘肃灵台县西。㊷距：通“拒”，抗拒。大邦：指周。㊸阮：古国名，在今甘肃泾川县。徂：到。共：古国名，在今甘肃泾川县北。㊹赫：大怒的样子。㊺按：抑制，阻止。旅：通“莒”，古国名。㊻笃：巩固。祜（hù）：福。㊼对：通“遂”，安。㊽依：凭借。京：高丘。㊾陟（zhì）：登。㊿矢：陈，陈兵。51度：计算，计划。鲜原：地名，在今陕西咸阳县东。52岐：岐山。阳：山的南面。53将：旁边。54方：法则，典范。55怀：归向、趋向。明德：指文王之美德。56以：与。色：严厉的脸色。57不长：不尊尚。夏：夏楚，体罚学生的工具。革：鞭革，体罚犯人的刑具。句意为不崇尚棍棒、皮鞭，即不靠暴力建立自己的威信。58不识不知：不知不觉。59询：谋划，商议。仇方：邻国。60钩：兵器，似剑而曲。援：戈上的横刃。61临：从上面攻城之战车。冲：从旁边攻城之战车。62崇：古国名，在今陕西西安沣水县西。墉：城墙。63闲闲：强盛的样子。64言言：高大的样子。65讯：俘虏。连连：接连不断的样子。66攸：所。馘（guó）：被割下的敌人的左耳，用以计功。安安：从容不迫。67类：祭天。祃（mà）：祭马神。68致：招致。附：通“拊”，安抚。69茀茀：强盛的样子。70仡仡：同“屹屹”，高耸的样子。71肆：通“袭”。72忽：消灭。73拂：抗拒。

鉴赏

本诗是周人五篇开国史诗中篇幅最长的一篇,有两条明显的线索贯串全篇:一是事件发展顺序的历史线索,一是宗教观念渗透于诗中所形成的思想线索。两条线索密切交织,使篇幅虽长而不散,头绪虽多而不乱。

就历史线索看,本诗主要写了以下史实:古公亶父迁岐营建,打败犬戎;王季修德进业,广有四方,国势迅速壮大;文王讨伐不恭的密、崇,周终于成为天下无敌的万邦之首。可以看出,本诗与《大明》一样,也是以周民族自太王至文王这段历史史实为反映对象,不过在取材上各有侧重而已。如果说《大明》重在写王季、文王的婚姻和家庭,那么本篇则是重在反映亶父至文王征服敌国,“王此大邦”的政绩。

就思想线索看,皇天无亲,唯德是辅的思想如同一条纽带内在地将全诗紧紧地联系起来。周人认为自己注意德行修养、敬事上帝,一定会得到上帝的嘉惠而代天行治。作为全诗思想总纲的第一章充满了神秘的宗教观念:“皇矣上帝,临下有赫。监观四方,求民之莫。维此二国,其政不获……乃眷西顾,此维与宅。”他们认为代商而有天下是上帝的意志,人间没有任何力量可以改变这一现实。这种思想观念在以下各章中时有流露:叙公刘事则是“天立厥配,受命既固”;叙王季事则是“维此王季,帝度其心”;叙文王事则更进一步,先后三次出现“帝谓文王”,似乎文王具有无限的神灵,可以直接与上帝通话,代表上帝的意志。这种对于圣王的神化从主观上壮大了周人的力量,使他们对于自己的事业充满了自豪和信心。

历史的叙述反映了作为人类童年艺术的史诗的重要特征,而神学说教则体现着奴隶主阶级的阶级意志。人类童年艺术的传统和奴隶主阶级的思想意识给这首史诗打上了特定的时代烙印。

本诗在叙述史实方面富于变化,它不是一般地叙述太王、王季、文王的历史经历,而是选择他们每一个人最突出的史实加以表彰。如太王则写其开辟周原,王季则写其与兄弟之间的手足之情,文王则写其征伐敌国。这样既突出了各自的特点,符合历史的真实;从诗歌角度看,又各有面貌,一章一个天地,整个诗歌呈现出规模宏阔,绰约多姿,变化中而有统一。

由于在内容上各章之间差异较大,形成了章与章之间过渡上的跳跃之感。虽然如此,但并不显得突然,而是气脉贯通,衔接自然。如前四章写亶父、王季事，而后四章写文王事，因而形成第四、五章之间的大间隔。为了克服这一点，第四章在叙述王季事后写道："比于文王，其德靡悔。既受帝祉，施于孙子"，很自然地引出文王。下章之意于此章出之，如同探马、斥候，给人带来千军万马将到的消息。

此诗语言富于表现力，不但能够准确地传达其意，而且能够巧妙地传达其神。第六章写文王警告敌人不得侵扰，特点十分鲜明：不但在"高冈""陵""阿""泉""池"等字之前统统加上物主代词"我"而且特别将"我陵""我泉"加以重复，使人感到义正词严，寸土不让，活现出一个严正坚毅，凛然难犯的诗歌形象。末章写伐崇之战，形容战车、城墙，连用重言，有声有色，形象鲜明。写亶父开发岐下更为别致：它不去具体描绘劳动的过程和场面，而只是将有关的八个动词如"作""屏""修""平""启""辟""攘""剔"并列排出，并在中间嵌入不同的树木之名，便使周人艰苦卓绝、英勇奋斗的精神跃然纸上。这样写既省去很多繁细的描述，又给人留下想象的空间，因而更加耐人寻味。另外，写同一个劳动过程竟连用了八个表示不同动作的动词，充分展示出两千多年前语言的丰富性。

（赵沛霖）

灵　台

经始灵台，①	文王打算营建灵台，
经之营之。②	一边筹划一边安排。
庶民攻之，③	民众立刻行动起来，
不日成之。④	不多几天竣工剪彩。
经始勿亟，⑤	文王本来并不求快，
庶民子来。⑥	民众如子效力不怠。
王在灵囿，⑦	文王歇息来到灵囿，
麀鹿攸伏。⑧	母鹿安然睡卧如旧。
麀鹿濯濯，⑨	母鹿肥美光泽闪耀，
白鸟翯翯。⑩	白鸟洁净毛羽皓皓。
王在灵沼，⑪	文王歇息来到灵沼，

於牣鱼跃。[12]	啊！满池的游鱼蹦跳。
虡业维枞，[13]	钟架鼓架安置堂中，
贲鼓维镛。[14]	挂起大鼓挂起大钟。
於论钟鼓，[15]	啊！依次地击鼓敲钟，
於乐辟廱。[16]	啊！演奏音乐在辟廱。
於论钟鼓，	啊！依次地击鼓敲钟，
於乐辟廱。	啊！演奏音乐在辟廱。
鼍鼓逢逢，[17]	鼍皮大鼓响声冬冬，
矇瞍奏公。[18]	盲人乐师演奏歌颂。

（韩峥嵘　译）

注释

①经始：开始兴建。灵台：台名，故址在今陕西西安西北。灵，有神灵、善美之义；周人因文王"承天命"，有善德，故称其台为灵台，囿为灵囿，沼为灵沼。②经：测量，规划。营：标划，建造。③攻：做，建造。④不日：不几天。⑤亟：同"急"。⑥子来：朱熹《诗集传》："如子趣父事，不召自来。"⑦囿：古代帝王畜养禽兽的园林。⑧麀（yōu）鹿：母鹿。攸：是，这。一说为语助词，亦通。⑨濯（zhuó）濯：肥美的样子。⑩翯（hè）翯：羽毛洁白丰满的样子。⑪沼：池。⑫於（wū）：叹词。牣（rèn）：满。⑬虡（jù）：悬挂钟磬的木架。业：装在木架上的大板。维：与，和。枞（cōng）：又名崇牙，大板上的一排锯齿，向上翘起以悬挂钟磬。⑭贲（fén）：大鼓。镛（yōng）：大钟。⑮论：通"伦"，排列有序，此指钟鼓之声和谐而有节奏。⑯辟廱（bì yōng）：此为文王水上离宫名。⑰鼍（tuó）：即扬子鳄，皮坚可制鼓面。逢（péng）逢：鼓声。⑱矇、瞍：都是盲人，古代常以盲人充任乐师。公：通"功"，成功。

鉴赏

这是一首叙写周文王营建灵台　和游赏作乐的诗，其要旨是赞颂文王有善德，倡礼乐，得人心。像《灵台》这样的诗，过去往往被责以“歌功颂德”“粉饰太平”而率加否定。但如果立足作品本身，作严格意义的历史分析，应看到这首诗描述了周文王时期事业兴旺、民心归附、和乐升平的景象，表现了周人对顺应历史潮流、奠定立国之基的领袖人物的崇敬和赞美，在一定程度上表达了人民群众反对殷商暴虐的腐朽统治，渴望“贤君”施行“文治”从而过上安定平和生活的美好愿望，其社会意义、认识价值和艺术价值是不应忽视的。

这首诗章节的划分，历来有五章（每章四句）和四章（前六后四）两种意见。从诗歌内容上看，后一种划分法更恰当一些。

第一章“经始灵台”六句，描述文王兴建灵台，百姓踊跃参加的情景。古代帝王建台，主要用以观天文气象，察妖祥凶吉，也作游观之用。从某种意义上说，这是关系邦国兴衰的大事，文王虑得于此，“经之营之”，可见是一位有作为的新兴之主。文王此举，得到百姓的广泛支持，“不日成之”，就是他深得民心的证明。正如方玉润所说：“落成之速，使非民情踊跃，胡以至是？”（《诗经原始》）“经始勿亟，庶民子来”在前面叙述的基础上又重重地加上一笔。写文王爱惜民力，显其确有善德；百姓事王如父，更突出了他们对文王的敬服。至此，一个有作为、得民心的仁德之君的形象便树立起来了。

第二章“王在灵囿”六句，描述文王游赏灵囿、灵沼的情景。文王所到之处，鸟兽虫鱼驯服安详，欢腾跳跃，各适其性，人物相得，呈现一派蕃育旺盛、自然安和的景象。而这一切，都是因为文王的德行所致。既然文王的“灵德”可以及于鸟兽，那么，举国上下所受的“福泽”不就可想而知了么？诗章中无一颂赞之辞，而颂赞之意已充溢字里行间。

三、四两章承上而来，描述文王在辟廱作乐的情景。我国古代，人们把礼乐看成是“文治”的重要内容。王朝音乐和谐，意味着教化施行，上下相得，国政安和。《礼记·乐记》中就有“治世之音安以乐，其政和”的说法。诗章极力描绘钟鼓、歌吟之盛，渲染离宫中一派和乐升平气象，其深意就在于褒美文王有善德，倡文治，表达了对“盛世贤君”的赞颂之情。

毋庸讳言，这首诗在为文王歌功颂德中有不少溢美夸饰成分。诗作者是谁已无从稽考，但《大雅》多为朝廷乐歌，其作者多系王朝士大夫，此诗作者当属其侪。而当时“天命”和“君权神授”观念已笼罩着人们的思想，“上帝既命”的“穆穆文王”已被奉若神明，因而诗中大赞其“灵德”。阅读此诗时应该注意到这些情况。

这首诗的艺术表现手法也有其

特点：首先，虽然诗章纯系歌功颂德，但并没有作空洞的说教和称颂，而是通过对具体事实的生动描写，形象地表达颂扬之情；各章所述内容互不连属，但紧紧围绕“善德”这一中心对文王给予热烈赞颂，可谓深得构思之妙，这在《大雅》和《颂》诗中是别具一格的。其次，诗歌通篇采用“赋”的手法，但各章又不乏变化：一章直陈其事，二章借物写人，三、四两章则着重描绘、渲染、创造气氛。这种写法，避免了赋体诗易流于平板枯燥的毛病，使诗歌显得生动活泼，跌宕多姿。第三，此诗语言朴素自然，句式整齐而不呆板，叹词“於”字的楔入使句法产生变化，叠字和叠句的运用增加了诗歌的形象感和音乐性。这些，都是颇可称道的。

（林心治）

下　武

下武维周，①	周室追随先王踵武，
世有哲王。②	世世代代明王相承。
三后在天，③	太王、王季、文王登遐，
王配于京。④	武王受命即位镐京。
王配于京，	武王受命即位镐京，
世德作求。⑤	先世之德唯所是求。
永言配命，⑥	天长日久上合天命，
成王之孚。⑦	王者之信有所成就。
成王之孚，	王者之信有所成就，
下土之式。⑧	天下四方奉为楷模。
永言孝思，⑨	天长日久孝顺祖考，
孝思维则。⑩	孝顺祖考臣民准则。
媚兹一人，⑪	臣民爱戴天子武王，
应侯顺德。⑫	当是他能顺行祖德。

永言孝思，	天长日久孝顺祖考，
昭哉嗣服。⑬	正大光明啊，祖业不折！
昭兹来许，⑭	正大光明啊，导引后人，
绳其祖武。⑮	踏上祖先所辟之途。
於万斯年，⑯	啊！亿万斯年，
受天之祜。⑰	永远享受天赐之福。
受天之祜，	永远享受天赐之福，
四方来贺。	四方诸侯皆来祝贺。
於万斯年，	啊！亿万斯年，
不遐有佐？⑱	岂不远人也来相佐？

（韩峥嵘　译）

注释

①下：后。武：继。维：语助词。②哲：圣明，贤而有智。③三后：指太王、王季、文王。④配：指配合上天。京：镐京，周的都城。⑤世：继承。求：通“逑”，配合。作求：指作配（相配）于三王。⑥言：语助词。命：天理。⑦成：成就，完成。孚：信，威望。⑧式：法式，榜样。⑨思：语助词。⑩则：法则，效法。⑪媚：爱。兹：此。⑫应：当，顺应。侯：语助词，同“维”“乃”。顺德：美德，和顺之德。⑬昭：昭明，宣扬。嗣服：后进。⑭兹：通“哉”。来许：同“嗣服”义。⑮绳：继续。武：足迹，引申为功业、品德。⑯於：叹词。斯：语助词。⑰祜（hù）：福。⑱遐：通“胡”“何”。不遐：何不，怎么没有。

鉴赏

这是一首赞颂周武王的诗。《毛诗序》说：“《下武》，继文也。武王有圣德，复受天命，能昭先人之功焉。”《韩诗外传》说此诗系“成王三年周公作”，殊难坐实。不过，此篇属周朝早期作品，且“如非史臣之笔，则为贺者之辞”（陈子展《诗经直解》），则是大体可以成立的。

全诗六章，章四句，形式工整。依其内容，这六章可归并为两大部分。前四章为一个部分，首先以“下武维周，世有哲王”提领全篇，颂扬周人能承祖业，代有明君，为后文作好铺垫；接着点出三王升天之后，武王顺应天命登上王位，建都镐京；然后叙武王能继先祖懿德，成就美好品行，上合天理，下得人心，对武王给予热情洋溢的赞颂。第四章末二句“永言孝思，昭哉嗣服”则承上启下，把诗意向前推进了一层。后二章为一个部分，以“昭兹来许”紧承上文，赞美武王功德昭示后世，王朝后继有人，得到上天的福祜；最后以“四方来贺”，不乏辅佐，国运绵远，万世不衰总结了全篇。对这两部分内容及其关系，袁梅先生以“继往推本于三后，开来立极于子孙”（《诗经译注》）加以概括，可谓精辟。

这首诗的主旨是赞扬周武王能继承光大先祖的文德功业，为臣民和后继君主树立了效法的榜样，推进了王业的发展。通篇都是歌功颂德之词，内容显得空乏单调。但作品中强调君王要注意自我修养，以诚信立威，以孝道治国（按，王引之《经义述闻》：“孝者美德之通称”），励精图治，锐意进取，作天下楷模，这些可说是反映了周朝初期统治阶级的精神风貌，在一定程度上体现了当时的时代要求。

此篇用的是“赋”的手法。“赋”法以铺写为其特征，而对人物、事物作具体的描摹刻画则是不可少的。《下武》一诗却偏偏不是这样。全诗从首至尾，既无人物形象的摹写，也无具体事物的勾画，几乎全是议论的颂美之辞。然而反复吟诵之下，总觉得此诗虽不形象生动，少一些情韵，但也不平板枯燥、味同嚼蜡。诗以周代世有贤王起笔，以武王能继祖德承上，以其德行昭示后世转折，以后继有人、周祚绵长收合，前因后果，首尾照应，逐层推进，落落有致，全篇结构既周密完整又有起伏变化，从而规避了平铺衍展的毛病。

这首诗成功地运用了蝉联辞格。六章之中，前后四章章末章首两句相承，“历历如贯珠，易睹而可悦”（任昉《文章缘起》），可算是此种修辞手法的“正格”；中间两章却以第三句相承，形成章与章之间的扣合关联，可谓此种手法的“变格”。正变相配，章章相衔，密切了章与章之间的联系，增强了诗歌的感情气势，形成全诗形式灵巧而美观，音节流畅而和谐，结构紧凑，一气贯注，抒情性强的特点。加之作者态度谨诚，言辞恳切，就使这首并不可人的诗变得颇堪讽诵了。

（林心治）

文王有声

文王有声，	文王有那美好名声，
遹骏有声。[①]	他的美名盛大无朋。
遹求厥宁，	谋求天下安宁，
遹观厥成。	观其大功告成。
文王烝哉！	文王美盛啊美盛！
文王受命，	文王受天之命，
有此武功：	大有赫赫武功：
既伐于崇，	讨伐崇国告终，
作邑于丰。	兴建王都于丰。
文王烝哉！	文王美盛啊美盛！
筑城伊淢，[②]	筑好城垣，挖好城壕，
作丰伊匹。	兴建镐京，配于丰京。
匪棘其欲，	不是急于实现欲望，
遹追来孝。	而是追继贤明祖宗。
王后烝哉！[③]	君王美盛啊美盛！
王公伊濯，	周王功业，盛大无比，
维丰之垣。	建成丰京，强固藩篱。
四方攸同，	四方诸侯归附会同，
王后维翰。	君王建成强国都城。
王后烝哉！	君王美盛啊美盛！
丰水东注，	丰水东流，注入河中，

维禹之绩。	这是大禹治水之功。
四方攸同，	四方诸侯归附会同，
皇王维辟。④	皇王真是楷模典型。
皇王烝哉！	皇王美盛啊美盛！
镐京辟廱，⑤	营建镐京，营建离宫，
自西自东，	在西在东，
自南自北，	在南在北，
无思不服。	四方无不诚心服膺。
皇王烝哉！	皇王美盛啊美盛！
考卜维王，	武王占卜已成，
宅是镐京。	测度营建镐京。
维龟正之，	龟卜占定吉庆，
武王成之。	武王建都成功。
武王烝哉！	武王美盛啊盛美！
丰水有芑，⑥	丰水之滨，杞柳成林，
武王岂不仕？⑦	武王岂不兴国治民？
诒厥孙谋，	顺天善谋，传留后人，
以燕翼子。	保安助成子子孙孙。
武王烝哉！	武王美盛啊美盛！

（袁梅　译）

注释

①遹(yù)：犹如“聿”“曰”等用为发语词。②淢：同“洫(xù)”，沟渠，此处指城壕。③后：此处指君主，古代常用，如《书》“徯我后，后来其苏”等。王后：方玉润《诗经原始》以为“王后”指文王，皇王指武王，本文从之。④辟：君主。⑤辟廱：在此诗为水上离宫作乐之所，所奏之乐亦曰“辟廱”。汉以后专指天子之学为辟廱，也有人认为武王时已为天子之学。⑥芑：此处通“杞”，指杞柳。⑦仕：

同“事”，指有所作为。或谓“岂不仕”指“岂不使之仕”，意较迂曲，然对国君用贤说亦有可取之处。

鉴赏

这是周人歌颂文、武筑丰、筑镐的功绩的诗篇。诗的结构为每章五句，前四句为叙述，后一句为赞叹，且都使用“烝哉”二字，八章一律，既不同于《大雅》一般不重复的特点，又不同于《风》里的重章复沓，在篇章上独具特色。题目用首句标出，武王是继承文王的，所以先叙文王，后叙武王。

“文王有声”，开门见山，因为周室的王业是从文王开始奠定和发展的，文王时，周才大有声名，所以用此句直接赞叹。“遹骏有声”，重复“有声”二字，又以“遹骏”对之修饰。那么以文王之德是不是追求声望呢？不是。“遹求厥宁，遹观厥成”，只是为了天下安宁。自然水到渠成，顺天应人，取得成功。“文王烝哉”一句褒赞。“烝”，《说文》解为“火气上行”，用来赞美文王功业日隆，声望日高，像火一样炽盛上升，这一“烝”字用得非常形象生动，八章都未改变。这一章用“遹观厥成”总写文王的功业。

第二章专谈建设丰都的功劳。文王的谥号顾名思义以文德为主，但这一章偏说他伐崇的武功。丰都即建在崇地，所以要谈伐崇。这一切都是顺天应人的，因此用首句“文王受命”领起本章，说明这一切都是正义的。

第三章“筑城伊淢，作丰伊匹”承前“作邑于丰”。“匹”，方玉润解为“称也”，是从匹配的意思引申的。但“丰”和谁“匹”呢，有些注家探下文云与“镐”相配，但丰作于前，镐作于后，前者预与后者相配，情理难通。解为称与“淢”相称，指城池相配，似较合理。“筑城伊淢，作丰伊匹”，城池规模喜人，但文王作此不是为了享受，“匪棘其欲”，而是为了追念太王、王季等创业之志，唯以继承发扬光大“遹追来孝”而已。

有了城池，还必须有人才，“固国不以山川之险”，得人者昌。“王公伊濯”，这批王公都是好样的（濯，著明之义），实在是丰都最坚固的围墙（译文解释为实指垣墙，则与上文无联系，我以比喻义释之）。四方诸侯会同于此，而我们文王就是最好的保障（翰，藩翰，此处依上文例为比喻义）。这四句从两方面说文王与诸侯相得益彰的关系，诸侯是丰都的捍卫者、文王又是四方诸侯的保护人，相辅相成，鱼水相得。

第五章从文王作丰过渡到武王建镐。丰镐之间，以丰水为枢纽，所以从丰水说起，“丰水东注，维禹之绩”。武王和文王一样，深得诸侯信赖，是诸侯真正的共主，所以也用“四方攸同”一句，而以韵脚关系，改“维翰”为“维辟”，文王用“王后”，这儿用“皇王”，以表区别。

第六章首句点明“镐京辟廱”，武王以武力推翻殷纣，这里却偏强调“辟廱”之文德（辟廱指乐名或指天子之学，此处均非武功），而四方无不心服。将四方分说成西东南北，意在强调“无思不服”。

第七章又追述建镐的经过，对上章来说是倒叙。“考卜维王，宅是镐京。维龟正之”，说明对筑镐迁都一事何等郑重，“武王成之”，一个成字写出武王的功业。

第八章写武王为子孙的谋虑。“丰水有芑”，从杞柳想到人才之盛，想到国事之繁，而其中最主要的，是使文王开创的基业代代相传，“诒厥孙谋，以燕翼子”，使人有传之不尽的感觉。这一章和前七章略有不同之处有二：一是“丰水有芑”叙述兼有比兴之义，近于《国风》；一是“武王岂不仕”忽然插入一五个字的反诘句，和前七章的直陈语气不同，这一句是反激后文，文气才不平缓。

八章前半叙文王，后半叙武王。叙文王全用顺叙直述，叙武王却有倒叙、有反诘，整齐中看出变化。前人对此诗亦多争议，方玉润之说较圆通，录以备考。《诗经原始》卷十三：

此诗专以迁都定鼎为言。文王之迁丰也，“匪棘其欲”，盖“求厥宁”以“追来孝”耳。然已兆宅镐之先声。武王之迁镐也，岂徒继伐，盖建辟廱以贻孙谋耳，又无非成作丰之素志。故文、武对举，并言文之心即武之心，武之事实文之事。自有日进于大之势，更有事不容已之机。文、武亦顺乎天心之自然而已，夫岂有私意于其间哉！《序》云“继伐”，固非诗人意旨；即《集传》所谓“此诗言文王迁丰、武王迁镐之事”，又何待言？盖诗人命意必有所在。《大雅》之咏文、武多矣，未有以丰、镐并题者，兹特题之，则必以建置宏谋为缵承大计。说者当从此究心以求两圣心心相印处，乃得此诗要旨。不然，泛言继述，与诗无涉；即呆说丰、镐，于事又何益耶？诗共八章，前四章乃说文王迁丰，后四章说武王迁镐。迁镐则“贻厥孙谋”，迁丰则“遹追来孝”，而皆以单句赞词煞脚，此两平　板格也。然八句煞脚中，前两章言“文王”，后两章言“武王”；中间四章，二言“王后”，二言“皇王”，则又变矣。不独此也。言“文王”者，偏曰伐崇“武功”，言武王者，偏曰“镐京辟廱”，武中寓文，文中有武。不独两圣兼资之妙，抑亦文章幻化之奇，则更变中之变矣！

（周本淳）

生民

厥初生民，	是谁生下第一代周人，
时维姜嫄。①	姜嫄就是那位母亲。
生民如何？	且说周人如何降生。
克禋克祀，②	有一天姜嫄行禋祭，
以弗无子。③	因为无儿求上帝。
履帝武敏，歆。	她踩着上帝的脚拇指印，心里欢喜。
攸介攸止。	就在那里停下来休息。
载震载夙，	她怀孕了不敢大意，
载生载育，	后来生了孩子，
时维后稷。	那就是后稷。
诞弥厥月，	姜嫄怀足了十月胎，
先生如达。	头生子像只小羊滑下来。
不坼不副，④	不破也不裂，
无菑无害，⑤	无灾又无害，
以赫厥灵。	这些事情显得多奇怪！
上帝不宁，⑥	莫非上帝不愉快，
不康禋祀，⑦	我的祭祀他不爱，
居然生子。	教我有儿不敢养白白生下来。
诞寘之隘巷，	把他扔在胡同里，
牛羊腓字之；⑧	牛羊一齐来喂乳；
诞寘之平林，	把他扔在树林里，
会伐平林；	恰巧有人来砍树；
诞寘之寒冰，	把他扔在寒冰上，

鸟覆翼之。　　鸟儿展翅将他护。
鸟乃去矣。　　鸟儿飞去了，
后稷呱矣，　　后稷哇哇哭。
实覃实讦，　　哭声又长又洪亮，
厥声载路。　　大路上听得满清楚。

诞实匍匐，　　后稷才会爬，
克岐克嶷，[9]　　就显出智慧，
以就口食。　　能把食物找到嘴。
艺之荏菽，　　他去种大豆，
荏菽旆旆。[10]　　大豆棵棵肥。
禾役穟穟。　　满田谷穗个个美。
麻麦幪幪。　　麻和麦子盖田野。
瓜瓞唪唪。　　大瓜小瓜都成堆。

诞后稷之穑，　　后稷种庄稼，
有相之道，　　有他的好方法，
茀厥丰草，　　先把乱草除，
种之黄茂。　　后把好种下。
实方实苞，　　苗儿整齐又旺盛，
实种实褎。[11]　　长高又高大。
实发实秀，　　慢慢发育出穗子，
实坚实好。　　结结实实谁不夸。
实颖实栗，　　无数的谷穗沉沉挂，
即有邰家室。[12]　　后稷到邰地成了家。

诞降嘉种：　　天降好种真出奇：
维秬维秠，　　两种黑黍叫做秬和秠，
维穈维芑。　　又有赤苗的穈和白苗的芑。

恒之秬秠，	黑黍遍地长，
是获是亩；	收割按亩来计算；
恒之穈芑，	穈和芑也是种满地，
是任是负；	抱起背起送家里；
以归肇祀。	回家开始把种祭。
诞我祀如何？	要问祭神怎么祭？
或舂或揄，	有人忙舂米，有人忙舀米，
或簸或蹂，	有人舂二道，有人簸糠皮，
释之叟叟，	响叟叟是淘米，
烝之浮浮。	气腾腾是蒸米。
载谋载惟，	然后商量好主意，
取萧祭脂，	采些香蒿和油脂，
取羝以軷。[13]	公羊先把道神祭。
载燔载烈，	烧起来，烤起来，
以兴嗣岁。	祈求来年丰产如人意。
卬盛于豆，	祭品盛在木碗里，
于豆于登。	木碗瓦碗都盛些。
其香始升，	香气开始升上天，
上帝居歆，	上帝安然来受祭，
胡臭亶时？	这香气为何真正合时宜？
后稷肇祀，	自从后稷创祭祀，
庶无罪悔，	无灾又无难，
以迄于今。	直到今日里。

（余冠英　译）

注释

①时：同是。姜嫄：传说中周始祖后稷之母。姜是姓，“嫄”一作“原”，是谥

号,取本原之义。②禋(yīn)祀:一种野祭。祭时用火烧牲,使烟气上升。这里似指祀天帝。一说是指祀郊禖。禖是求子之神,祀于郊外。③弗:"祓"的借字。祓是除不祥。祓无子:就是除去无子的不祥,也就是求有子。一说"以弗字(嫁人)而无子"。虽然增字解释,但符合只知有母不知有父的母系社会的特点。④拆(chè):裂。副(pì):破析。这句是说生得顺当,不致破裂产门。⑤菑:"灾"字的古写。⑥宁:指安康。不:一说通"丕",大也。一说如字,指姜嫄怀疑上帝不安,降下灾异。⑦康:安。不:解如⑥。⑧腓:隐蔽。字:乳育。⑨岐:知意。嶷:古音"逆",认识。"克岐克嶷":是说自幼聪明,能有所识别。⑩旆旆:即"芾芾",茂盛。⑪种:犹"肿",肥壮。褎(yòu):长高。⑫邰(tái):地名,故城在今陕西省武功县西南。这句是说后稷到邰地定居。相传后稷在虞舜时代佐禹有功,始封于邰。⑬羝:公羊。軷(bá):祭道路之神,将要郊祀上帝,首先要祭道路之神。

鉴赏

这是一首周人记述始祖后稷出生的灵异和功德巨大的祭祀诗。在我国,完整的神话传说诗歌及英雄史诗比较少见,这是其中出色的一首。全诗八章,在《诗经》中篇幅也是较长的。它不同于《国风》中多用重章复沓来叙事抒情的内容,而是各章连贯地叙述后稷的出生和功德,前半充满神话灵异的色彩,后半则充满浓郁的生活气息。这在《诗经》中也是比较少见的。

古人由于认识的局限,总认为有大功德于民的人,总是天生的不同凡响。要叙述后稷的灵异,以姜嫄受孕的灵异说起。第一章第一句点题,《诗经》的题目大半截取首句的词语,不像后出的诗题,但这一首"生民"既是第一句中的词语,又能概括全诗的内容。所谓生民,指后稷如何降生,所以从母亲受孕谈起。这个受孕非同一般。她没有嫁人,只是因为参加祭祀,脚踏到了一个大人的足拇指迹,忽然身体有了感应,要别人帮助,动荡不安的体态才停止(攸介攸止)。然后是"载震载夙,载生载育",结语"时维后稷",总出歌咏的主人公。也是对"生民如何"几句的结穴。"生民如何"一句设问,作用非常明显,叫醒下文,同时也使人明白"时维姜嫄"不是最后的答案,答案是"时维后稷"和"厥初生民"遥相呼应。

第二章写出生的灵异。到了足月,降生非常顺利,一点没有一般初生子那种困难。这里是现实的,但联系首章,所以还是认为天帝"以赫厥灵"。这五句是一部分。下面三句,庆幸中又有怀疑,怎么没有嫁人居然生下孩子，是不是上帝对我的惩罚呢。“上帝不宁，不康禋祀”是姜嫄的疑虑之词，这就导致了下章姜嫄想方设法抛弃孩子的各种做法。后稷又名“弃”，即由此而来。

第三章神话色彩也极为浓厚。它先用“诞”字(语助词)开头讲出三种奇异现象：抛到狭巷里，牛羊来保护它；抛到树林里，正好人们去砍树发现了；最后抛弃到寒冰上，非冻死不可了，却飞来了鸟类用翅膀盖住他，使他不会冻死。这多奇特。这六句是三组平列的语句。后面四句写后稷的哭声特大，这是婴儿体质强壮的表现。“实覃实讦，厥声载路”两句有声有色地写出后稷与生俱来的强大生命力。

第四章写后稷婴幼期的灵异。他还在匍匐爬行时，就能分别食物。稍大之后，试着种庄稼，表现了突出的农艺才能。“荏菽旆旆。禾役穟穟。麻麦幪幪。瓜瓞唪唪。”几个并列的语句，一律用叠词，铿锵有力，而且几乎把当时的农作物包括净尽。如果不是联系第二章和本章“诞实匍匐”几句，后面这几句完全是现实的描写。但在前述特定条件下，这几句却染上了神异的色彩。

第五章写后稷始封于邰的事。后稷是因为善于种植而受封。这章中第五句到第九句一律用“实……实……”的排比句，但排比是按植物成熟过程写的，有浓厚的生活气息。最后用“即有邰家室”一句写明后稷因功受封为周之始祖，为下章开始祭祀伏笔。

第六章写后稷对农业的伟大贡献，特别是天降了“嘉种”。这一章里也多用排比句增强气势，但它运用的方式和前几首又有区别。两个“维…维”表面是两句，实际是四种并列。接着用“恒之……是”的两组并列，每组两句，把“秬秠”与“穈芑”并列，而“是获是亩”“是任是负”又是互文，就是说“秬秠”与“穈芑”都“是获是亩”“是任是负”。这些动作又是按先后次序排列的。最后“以归肇祀”一句说明后稷开始祭天。这句和首句“诞降嘉种”相呼应，因为嘉种是天帝降下的，所以收获以后必须祭天以示报答。这一句在结构上用“祀”字引起下章。

第七章用“诞我祀如何”一问唤起下文，全写祭祀。句子也是整齐和变化相结合。“或”字两句四个动作，从上章“以归肇祀”来的。收获之后，将粮食“舂、揄、簸、蹂”接着对“释、烝”两个动作又加以描绘，用“叟叟”“浮浮”来象声象形。几个动作的描写，整齐中又有变化。下面“载谋载惟”和“载燔载烈”也是整齐对偶的句式，但一个下面承以“取萧祭脂，取羝以軷”两句，一个后面只以一句“以兴嗣岁”作结(表明今年祭祀为了来年)，整齐中又有变化。

第八章仍然写祭祀，但和上一章不同，上一章只讲人们的行动，这一章着眼于上帝的享用。先写各种祭器,“卬盛于豆,于豆于登”。由于祭者的诚心,祭物的香气上通于天,引起“上帝居歆”。这里和上章合看完成祭祀的全过程。下面全诗的结尾,用“后稷肇祀”和第六章末句呼应。“庶无罪悔,以迄于今”既是对过去的欣慰,又带着对未来的预祝。周人“郊祀后稷以配天”,被祭的对象表面上以天为主,但大量的篇幅却是写后稷,天帝是虚的,后稷是实的。再者,后稷也是上帝降生而又虔诚祭上帝的周代始祖。所以,这一首实际是周人祭始祖后稷的诗。

这首诗,以时间顺序写出后稷的灵异和受祀,一章接一章,有时用一句呼应。许多语句用“诞”字起头,也很奇特。但结构上却富于变化,整齐的语句和散句构成一个变化;整齐语句中一组与一组又有变化,使人不觉得平板乏味。在内容上神话和现实交织,构成绚丽的色彩,叫人目不暇接。前人对这首诗的内容争议很多,今人也未必看法一致。清人方玉润《诗经原始》卷十三的说法颇有见地,抄录在下以供参考:

此诗事异文奇,未免骇人听闻,故说者纷然各异。然所以异者,其亦有故:一由于不通文理,一由于不解人事。曷言之?诗曰:“生民如何,克禋克祀,以弗无子。履帝武敏歆,攸介攸止,载震载夙,载生载育。”《集传》云:“精意以享谓之禋;祀,郊禖也;弗之言祓也,祓无子,求有子也。”意盖谓“姜嫄出祀郊禖,见大人迹而履其拇,遂歆歆然如有人道之感,于是即其所大所止之处,而震动有娠”。其说本《史记》及《郑笺》,诸儒多非之。然证以二、三章“居然生子”,以屡弃置而屡逢庇护,虽牛羊禽鸟亦腓字而覆翼之,则“履迹”之说似非虚诞。唯从帝出祀郊禖,虽履迹而心动,安知其娠不为帝子而为异种,必多方以弃置之乎?若《毛传》云:“姜嫄出祀郊禖,履帝喾之迹,而行将事齐敏”,则尤不通。之祀盖从祀郊禖者,求有子也。求子而得子,又反弃之,有是理乎?凡此皆“克禋克祀,以弗无子”之文有未通耳。诗言禋祀,不过精意以祭,未言“郊禖”也。凡言“郊禖”者,皆后儒所增。何以知其为求子乎?“以弗无子”。郑氏谓“祓除其无子之疾”,已迂而凿。姚氏又谓“弗使其无子”,亦与下意弃置不相贯。唯郑潜谷与季明德两家以为姜嫄未嫁而生子者得之。盖“以弗”云者,以其弗嫁,未字于人也。“无子”者,以其未字于人,故尚无子也。下乃云“履帝武敏歆”,是倏然有感而心动;故下又云“居然生子”而弃置之。文气本自相贯,其奈诸儒不细心领会,何哉?然则禋祀谓何?愚意姜嫄其人,性必好道而敬神,故于天帝之类恒虔祀之。其所履者亦即天帝之迹,非别有所谓大人也。盖平日精神所聚，故不觉灵气感通，岂必待郊禖求子而后有所遇哉！此等事不必上世始有之，即后世之见于稗官小说及释典中者不一而足，固无足异。今黄梅意生寺为释子慧能所生地，居然尚存，亦其类也。即《春秋传》斗穀於兔之被弃，为虎所乳；《前汉书》高帝之母梦与龙交而娠，何一非骇人听闻者哉？唯高帝现有太公，故明知其为龙种而亦不忍弃之；子文母未嫁而孕，故虽知其为父后而亦不能不弃之，有名与无名之分也。是知后稷之生，必因无名而见弃。若从帝郊禖而娠，岂尚无名乎哉？愚谓诸儒不察文义且并不解人情者，此也。又况诗中溯源，但题其母，不及其父，则是无父而生也明矣。姜嫄为高辛氏世妃，或曰元妃，都无定解，然皆后日事。若此时，则尚未有夫也，故足怪。诗首章言受孕之奇。次言诞生之易。三言被弃而庇护者多。四言稍长即知稼穑。五言其有功农民，因以受封。六言其能降嘉种，以归肇祀。七言其祭祀之诚，并祈来年。八言周人世守其业不敢有懈，而因以得膺天命而有天下。是皆后稷所赐，故将尊之以配天，未为过也。然非姜嫄不及此，故曰“厥初生民”，自姜嫄始。

（周本淳）

行苇

敦彼行苇，	道边芦苇，团团丛生，
牛羊勿践履。	牛羊不要践踏苇丛。
方苞方体，①	方始含苞，方始长茎，
维叶泥泥。②	它的绿叶柔泽茂盛。
戚戚兄弟，	相亲相爱，广大兄弟，
莫远具尔。③	不要疏远，都应亲密。
或肆之筵，	于是层层铺好竹席，
或授之几。	陈设几案，大摆酒席。
肆筵设席，	铺好竹席，再加一层，
授几有缉御。④	安排几案，踧踖恭敬。
或献或酢，	主人献酒，宾客回敬，
洗爵奠斝。⑤	洗爵再献，受之暂停。

醓醢以荐，[6] 两种肉酱，端上案中，
或燔或炙， 烧肉烤肉，香气腾腾。
嘉殽脾臄，[7] 百叶牛舌，佳肴丰盛。
或歌或咢。[8] 伴琴歌咏，击鼓冬冬。

敦弓既坚，[9] 彩色画弓，十分强劲，
四鍭既钧，[10] 四支鍭矢，都很匀停，
舍矢既均， 放矢射箭，都能射中，
序宾以贤。 宾客座次，选其优胜。
敦弓既句，[11] 彩色画弓，十分美善，
既挟四鍭。 四支鍭矢，都已射完。
四鍭如树， 四射皆中，支支竖立，
序宾以不侮。 众宾有序，礼让恭谦。

曾孙维主， 周之曾孙，就是主人，
酒醴维醹，[12] 清酒浊酒，美味甘醇，
酌以大斗， 大勺大杯，斟满痛饮，
以祈黄耇。[13] 祝愿长寿，黄发老人。
黄耇台背，[14] 黄发老人，高寿长者，
以引以翼。 互相翼助，互相导引。
寿考维祺， 寿考万年，如意称心，
以介景福。 以求洪福，自天降临。

（袁梅 译）

注释

①苞：指芦苇初生之芽，像竹笋那样含苞未放。体：指芦苇之茎干，如人之身体。②泥泥："苨苨"之假借字，柔泽茂盛貌。③尔：通"迩"，近也。④缉：读为"戢"，聚也。御：进也。缉御：聚足而进曰缉御，半步半步地前进，踧踖庄敬之

貌。⑤斝(jiǎ):和爵同物,为商周时之酒器,夏曰醆,殷曰斝,周曰爵。⑥醓醢(tǎn hǎi):指肉酱,醓比醢汁水更多些。⑦脾:指牛羊之重瓣胃,俗呼为“百叶”。臄(jué):指舌头,或指口边之肉。⑧咢(è):只击鼓不唱歌。⑨敦弓:即雕弓,指弓上加以彩绘的。⑩鍭(hóu):箭名,金鍭剪羽谓之鍭。钧:同“均”,放置停当。⑪句:同“彀(gòu)”,有二义:一引满,二美好。⑫醹(rú):醇厚之酒,或指酒味醇厚。⑬耇(gǒu):长寿老人。黄耇:头发已经变黄的长寿老人,人老头发先变白,后再变黄。⑭台:同“鲐”,人老则背有鲐鱼文。台背:指高寿者。

鉴赏

这是写周代贵族燕饮酬酢的诗。诗中主人的热情款客,宾客的射乐畅饮,老年的备受尊重等等,表现出人情之厚,风俗之醇。

“敦(tuán)彼行(háng)苇,牛羊勿践履。方苞方体,维叶泥泥。”四句借物起兴,在《大雅》中很少见。生机盎然的幼嫩的芦苇,从出芽到长茎长叶,以至一丛丛地生于道旁。中间忽然插上“牛羊勿践履”一句叮嘱,可见诗人仁民爱物的忠厚之心。这是周家祖先的传统,对物如此,对人更不必说,所以后面引出一大堆亲亲敬老的燕饮镜头。为什么用勿践芦苇来起兴?周室祖先公刘,相传“行不履生草,运车以避葭苇”(《吴越春秋》);“牛羊践葭苇,恻然为痛之”(《列女传》),“公刘厚德,恩及草木,牛羊六畜且犹感德”(《潜夫论》);“昔文王葬枯骨,公刘敦行苇,世称其仁”(《后汉书·寇荣传》)。公刘对草木如此仁厚,那么公刘的子孙们应该如何呢?

“戚戚兄弟,莫远具尔。”“戚戚”表示亲密,大家都是亲密兄弟,不要见外,“莫远具尔”。何以表示亲密?“或肆之筵,或授之几”?都请入席就座,接受款待。这是第一章总提燕饮兄弟。

第二章承第一章来“肆筵设席,授几有缉御”,燕饮一开始就是亲切友好的气氛,恭恭敬敬地从事。“或献或酢,洗爵奠斝”两句写饮酒之尽兴。“醓醢以荐,或燔或炙,嘉殽脾臄”,写菜肴的美盛。“或歌或咢”,古代燕饮必有音乐,这一句专写歌咢,看出大家情绪高涨。从音乐引到下文的燕射,也很自然。这一章写主客间的酬酢,是燕会的主体。

第三章专讲射礼,是燕饮的插曲。这一章写法和前一章不同。“敦弓既坚”四句写准备和射,“敦弓既句”四句写射的过程和结果。这两层次序有同有异,中间许多语句相同,有点《风》中重章复沓的味道。“序宾以贤”“序宾以不侮”看到虽然角逐,但彬彬有礼,表现出雍容尔雅的君子风度。孔子说过："君子无所争，必也射乎！揖让而升，下而饮，其争也君子。"（《论语·八佾》）读这章诗，很容易联想起孔子的这番话。

第四章写尊敬耆老。因为人要终其天年，都得经过老的阶段，对老人的态度，反映社会风俗的厚薄。"酒醴维醹，酌以大斗，以祈黄耇。"醹酒大斗，为老人祝福，风俗之厚可见（古人的酒是今天的米酒之类，不是烈性酒，所以以大斗敬老）。"黄耇台背"一句画出老者的神态，"以引以翼"见尊老扶老的情形。"寿考维祺，以介景福"两句既是对尊老的祝颂，又是对全体主宾的共同祝福，收缩第四章，同时又收缩全诗，戛然而止，引人遐想。这一章和第三章都是写燕会中的事情，射是年富力强的人所从事，老者筋力已衰，不参加燕射，所以给他们"酌以大斗"使一座尽欢，老人也不寂寞。四章和三章是平列关系，而先说射后说敬老，就因为"寿考维祺，以介景福"可以结束全诗，而"序宾以不侮"只能结束射事的缘故。几章的安排，颇具匠心。

（周本淳）

既醉

既醉以酒，	畅饮美酒，已经陶醉，
既饱以德。①	尽都饱受主人恩惠。
君子万年，②	祝愿君子万年千岁，
介尔景福。③	为之祈求大福大贵。
既醉以酒，	畅饮美酒，已经酣醉，
尔殽既将。④	您的佳肴非常善美。
君子万年，	祝愿君子长寿万年，
介尔昭明。⑤	发扬光大，明德流传。
昭明有融，⑥	发扬明德，盛大融融，
高朗令终，⑦	高明善誉，显耀终生，
令终有俶。⑧	终生显耀，又续美名。

公尸嘉告。[9]	公尸祝福，善言相通。
其告维何？	公尸祝福，何言相告？
“笾豆静嘉。[10]	“竹笾、木豆，都很美好。
朋友攸摄，[11]	群臣、宾客，辅佐助祭，
摄以威仪。[12]	大家佐助，都很有礼。
威仪孔时，[13]	礼节完美，文质彬彬，
君子有孝子。[14]	君子又是纯孝子孙。
孝子不匮，[15]	孝子保持美德，不会穷匮，
永锡尔类。[16]	祖宗常赐奴隶族类。
其类维何？	那奴隶族类是何情形？
室家之壶。	千家万户的全部成员。
君子万年，[17]	祝愿君子万年永生，
永锡祚胤。[18]	祖宗永赐幸福绵绵。
其胤维何？	那连绵的幸福是何情景？
天被尔禄。[19]	上天赐您高官厚禄。
君子万年，	祝愿君子千载万年，
景命有仆。[20]	永远保有奴仆隶属。
其仆维何？	那奴仆隶属是何情形？
釐尔女士。[21]	老天赏赐女口男丁。
釐尔女士，	老天赏赐女口男丁，
从以孙子。”[22]	加上他们的子子孙孙。”

（袁梅译，略有改动）

注释

①德:恩惠。②君子:朱熹《诗集传》:“谓王也。”郑玄原笺:“成王祭宗庙。”于省吾《泽螺居诗经新论》:“某一贵族。”于说近似。③介:助,引申为施予。尔:您,代某贵族。景:大。④殽(yáo):通“肴”,鱼、肉等荤菜。将:《广雅·释诂》:“美也。”⑤昭:光也。昭明:何楷《诗经世本古义》:“谓助发其智虑,小事大事,皆无不明也。”⑥融:长远。⑦令终:朱熹云“善终也。”⑧俶(chù):始也。⑨尸:祭祀时,代死者受祭、象征死者神灵的人,以臣下或死者的晚辈充任,后世逐渐改为神主、画像。公尸:此贵族之祖先为公侯,则尸称公尸。嘉:当读为“嘏(gǔ)”,祝官代表尸向主祭者致赐福之辞。⑩笾(biān):盛果脯的竹器。豆:形似高足盘的食具。静:善也。⑪攸:则也。摄:佐也。⑫威仪:礼节。⑬孔:很。时:善也。⑭有:又也。⑮匮(kuì):竭。⑯锡:赐也。类:族类,指奴隶的族类即宗族种类,当时赏赐奴隶为常见之事。⑰壸:《毛传》,“广也。”⑱祚(zuò):福也。胤(yìn):《尔雅·释诂》,“继也。”⑲被:覆盖。禄:福也。⑳仆:奴仆,指奴隶和农奴。㉑釐:赐予,给予。女士:即“士女”,倒文协韵,指男女。㉒从:随也。孙子:即“子孙”,倒文协韵,此指奴仆的子子孙孙。

鉴赏

这是西周时期的一首祖庙祭歌。那时大大小小的奴隶主祭祀祖先,都用臣属或死者的后辈代死者受祭,象征死者的神灵。这人叫“尸”,恰似后代之偶像。尸在受祀时不可以讲话。仪式进行一定阶段,祖先神灵当表态,就由祝官代表尸致辞,向主祭者说一些赐福的话。此诗当为某贵族祭祖时祝官唱的歌。

这个主祭者的社会地位很高,诗中有“公尸”一词,该祖先当为公侯。主祭者拥有大量奴隶和土地,可是仍贪得无厌,无休无止。祝官即迎合其心理,说什么上天一定会保佑他获得更多财产。此诗从一个侧面反映了我国奴隶社会的情况,特别是奴隶主贵族的心态,说出了他们的理想与追求,因而有认识价值与史料价值。

全诗八章,每章四句。前三章是参加祭祀宴会的客人对主人的颂扬。他们帮助主人祭祀,酒饱食足,齿颊生香,于是好话连篇,谀词迭至。一是祝愿主人长命百岁,永远享乐。二是为之祈求大福大贵,光大祖业。三是吹捧主人的道德情操,会取得更高的声誉和威望。这些客人当然也是奴隶主贵族,说的话自然同声相应,同气相求了。第三章末“令终有俶,公尸嘉告”为承上启下之关键,转写祝官代公尸亦即代其祖先致答词。

以下五章皆为答词,活灵活现地吐出奴隶主阶级的心声。首先,祖宗的神灵对食品、祭器的美洁和祭祀礼节、助祭客人的文质彬彬表示满意。接着肯定主祭人是个大大的孝子。再说列祖列宗将保佑这个孝子及家族繁衍昌盛,个中核心乃是保佑其极大地增加物质财富,也就是大量增添奴隶和土地。这是奴隶主阶级注意力的集中点,是他们穷奢极侈享乐生活的基础,所以层层追问,越说越具体。“其告维何?”答曰:“永锡尔类。”“类”的本义为“族类”,此句说祖宗神灵请上天永远赐给该贵族奴隶之族类。那么,“其类维何?”答曰:“室家之壸。”即农业奴隶、手工业奴隶、牧业奴隶、家内奴隶、种族奴隶以及虏奴、债奴、刑奴等等,都是整个家族,全部赐你,男女老幼,一个不漏。当然还有土地,因为金文“锡臣若干家”,常与“田若干田”连言,不须详说。召伯虎簋有“仆庸土田”,《鲁颂·閟宫》亦言“土田附(仆)庸”等等,皆可证。通观《诗经》,义可互足。社会生产力的三要素为劳动者、劳动工具、劳动对象,奴隶既是劳动者,又是会说话的工具,二者得兼,正可谓所赐赅足。贵族不仅本人想获得更多奴隶与土地,而且谋及子孙,还要“永锡祚胤”,让后代继承财产,绵绵瓜瓞,永不断绝。那么,“其胤维何?”答得更具体:“天被尔禄。”赐给后代更多的福禄。当时周王是奴隶主头子,将土地连同土地上的奴隶赐给诸侯和臣下,他们再依样将土地和奴隶赐给下级的卿、大夫、士。每个奴隶主都有相应等级的财产。各级领地世代相传,自由支配,但不准买卖,周天子有权随时收回转赐他人。据此,这个贵族的祖先神灵愿保佑子孙后代从上天那里得到更多的赏赐,直爽言之就是“景命有仆”,永远保有并扩大奴隶与土地。那么,“其仆维何?”答曰:“釐尔女士,从以孙子。”赐给的奴隶以青壮年男女为主,并且加上他们繁殖的子孙。这就是所谓家生世奴了。

诗的后五章以追问方式,层层深入,写出祝官致辞的具体内容。从中看出奴隶主对奴隶疯狂的占有欲,对物质享受的无穷追求,而这一切是受之于天的、合理的,为压迫剥削奴隶制造根据,有极大的虚伪性和欺骗性。隐藏于致辞后面的则是奴隶的斑斑血泪与累累白骨。

此诗为我国西周时期是奴隶社会的力证。过去的说诗者对本诗主旨的解释很多。如郑玄《毛诗笺》、朱熹《诗集传》等所说,“大平也。醉酒饱德，人有士君子之行焉”，“此父兄所以答《行苇》之诗。言享其饮食恩惠之厚，而愿其受福如此也”。他们不可能懂得我国奴隶社会之存在，因而不可能对本诗的认识价值与史料价值作出正确的评价。这是阅读与欣赏《诗经》中此类作品，参考历代传、注、笺、疏，应当注意的。

此诗篇章结构匀称，形式完美。从第三章开始，每章首句，皆承上章末句，并加以变化，蝉联而下，层层剥剔。于省吾先生将这一技巧叫做“连锁递承法”。从语言角度看，本诗使用了顶真修辞手法。因而比起《诗经》中大量形式上各自为章、勾连欠紧的诗篇来，自具特色。

（顾　启）

凫　鹥

凫鹥在泾，①	水鸭、水鸥波浪上，
公尸来燕来宁。②	公尸来享受，多安详。
尔酒既清，	你的酒呀清澄澄，
尔殽既馨。③	你的菜呀喷喷香。
公尸燕饮，	公尸来饮又来尝，
福禄来成。	福儿禄儿双双降。
凫鹥在沙，	水鸭、水鸥沙滩上，
公尸来燕来宜。④	公尸来享受，吃得香，
尔酒既多，	你的酒呀多又多，
尔殽既嘉。	你的菜呀真好样。
公尸燕饮，	公尸来饮又来尝，
福禄来为。⑤	福儿禄儿多多降。
凫鹥在渚，	水鸭、水鸥水洲上，
公尸来燕来处。⑥	公尸来享受，来徜徉。
尔酒既湑，⑦	你的酒呀滤清爽，
尔殽伊脯。⑧	你的菜呀干肉香。

公尸燕饮，　　公尸来饮又来尝，
福禄来下。　　福儿禄儿纷纷降。

凫鹥在潨，⑨　　水鸭、水鸥在水旁，
公尸来燕来宗。⑩　　公尸来享受，坐在高位上。
既燕于宗，　　既享受又在高位上，
福禄攸降。⑪　　福儿禄儿齐下降。
公尸燕饮，　　公尸来饮又来尝，
福禄来崇。⑫　　福儿禄儿重重降。

凫鹥在亹，⑬　　水鸭、水鸥峡门中，
公尸来止熏熏。　　公尸来这儿醉醺醺。
旨酒欣欣，⑭　　饮着酒呀喜洋洋，
燔炙芬芬。⑮　　烧肉烤肉香又香。
公尸燕饮，　　公尸来饮又来尝，
无有后艰。⑯　　哪有后患挂心肠。

（金启华　译）

注释

①凫（fú）：野鸭。鹥（yī）：鸥鸟。泾（jīng）：水中有直波处，即水之中流。②公尸：注见《既醉》。燕：通“宴”。③殽：荤菜。馨（xīn）：香气远闻。④宜：适也。来宜：来舒适舒适。⑤为：施也，加也。⑥处：止也。⑦湑（xǔ）：滤清也。⑧伊：是也。脯（fǔ）：《说文解字》：“干肉也。”⑨潨（cóng）：《广雅》：“厓也。”厓，方也。方，同“旁”。故“潨”可转训为“旁”。⑩宗：毛亨云“尊也”。李樗、黄櫄《毛诗集解》：“来居尊位也。”⑪攸：乃也。⑫崇：增高、聚集之义。⑬亹（mén）：朱熹《诗经集传》云：“水流峡中，两旁如门也。”胡承珙《毛诗后笺》云：“《汉书·地理志》：金门郡浩亹。颜注：亹者，水流夹山，岸深若门也。”⑭欣：陈奂《诗毛氏传疏》：“乐也。重言曰欣欣。”⑮芬芬：毛亨云“香也。”⑯后艰：严粲《诗缉》云：“犹后患也。”

鉴赏

奴隶主贵族在祭祖的第二天，为了酬谢代祖先神灵受祀的臣下或死者晚辈的辛劳，设酒筵款待他。此诗是履行这一礼仪时的乐歌。

《仪礼·士虞礼》："祝迎尸。"郑玄注："尸，主也。孝子之祭，不见亲之形象，心无所系，立尸而主意焉。"尸既然是祖先的代表和象征，就必须装得十分严肃庄重，在祭祖活动的全程中正襟危坐，态度雍容，不能讲话，不做动作。这种"活见鬼"的角色是很难扮的。尸这种角色既是原始宗教巫术作用发展到奴隶社会的表现形式之一，又成了后代偶像（包括画像）崇拜的前身。由于祭祖时尸极辛苦，所以主人在翌日用专门礼节来酬酢他。

全诗五章，用复沓形式，反复咏唱。既记述宾尸的过程，描写酒菜佳美、主人热情，"尸"者继续说上天赐福禄等，又缠绵尽致地抒发谢尸的感情。各章除第五句"公尸燕饮"完全相同外，其余句子大多相似，只换了少数字眼。这些字眼的改换是很讲究的。

各章皆用起兴，以凫鹭在水中自由自在地遨游，比兴公尸受享时的愉快心情。各章首句末字为"泾""沙""渚""潨""亹"，皆交代野鸭、白鸥遨游之所在。马瑞辰《毛诗传笺通释》说："按《诗》沙、渚、潨、亹，皆泛指水旁之地，不应泾独为水名……在泾，正泛指水中有直波处。"这是正确的，但未深一步谈五个词的差异和诗人之匠心。其实野鸭、白鸥是从水的中流游到沙滩、小州、两水汇合处、深峡中，越游越困难，也越勇毅。相应地"公尸来燕"，吃喝得也越来越高兴，从"宁"到"宜""处""宗"直至"熏"，从安宁到舒适、安坐、开心直至醉醺醺。赞扬喝的酒是"清""多""湑""欣"，即不仅清醇，而且量多、纯净、味正。吃的肴馔是"既馨""既嘉""伊脯""燔炙芬芬"，不仅味香，而且质高，既有肉干，又有香气浓郁的烧肉、烤肉。这些美酒佳肴，"公尸燕饮"，酒饱食足后，开口讲吉利话。他预祝这位贵族主人享大福、发大财。这"福禄"，从"成"到"为""下""崇"，直至"无有后艰"，即从福禄很重到有所增益、上天更多赐予、聚积如山，直至进"保险公司"——没有一点点后患。这最后一点，是排除主人的上级止爵收田的可能？还是害怕奴隶暴动败其家财？抑或是消弭自然灾异，如火灾一类？总之，高高在上的奴隶主贵族，在极欲享受之中，也还是有"后艰"的。阶级斗争、统治集团内部的斗争（含贵族子弟自身的腐败沉沦）、人与自然的斗争困扰着整个奴隶主阶级。此诗末公尸

“无有后艰”的祝词,隐藏着这一秘密。这对我们认识奴隶社会贵族的心态,极有补益。

这样看来,过去许多学者论断《诗经》中的重章,只是为了反复咏吟,加强效果,不中肯綮。事实是不少诗篇的重章,并非仅出于以同一曲调反复演唱歌词、简单地重复一个意思的需要。作词者扣紧中心,匠心独运地在换字眼中,宕开内容,加深主题,道出了事情的发展变化,情节的摇曳多姿,感情的奔涌腾挪。应该说,这是本诗的艺术特色。

《凫鹥》似为《既醉》之姐妹篇。它同样展示了上古宗教的风貌与流俗,宗庙祭祀的繁缛礼节,让我们认识到奴隶主贵族的穷奢极侈、心理追求与忧愁。

(顾　启)

假　乐

假乐君子,①	称颂赞美君子成王,
显显令德。②	他的善德显耀传扬。
宜民宜人。③	安抚庶民,善任贤人。
受禄于天。	福禄荣身,承受天恩。
保右命之。④	天命保全佑助。
自天申之。⑤	反复赐予福禄。
干禄百福,⑥	上天赐他千禄百福,
子孙千亿。⑦	子孙绵绵,千亿无数。
穆穆皇皇,⑧	穆穆皇皇,容止端庄,
宜君宜王。⑨	宜称人君,宜为大王。
不愆不忘,⑩	不犯过错,不昏不妄,
率由旧章。	遵循先王典制法章。
威仪抑抑,⑪	懿懿威仪甚善,
德音秩秩。⑫	秩秩美誉流传。
无怨无恶,	人们对他无憎无怨,

率由群匹。[13]	仁德感人，善从众贤。
受禄无疆，	受福受禄，永恒无疆，
四方之纲。	善于治理四方之邦。
之纲之纪，	纲纪天下，治理四方，
燕及朋友。[14]	燕饮群贤，深孚众望。
百辟卿士，[15]	百国之君，众多卿士，
媚于天子。	爱戴拥护周之天子。
不解于位，[16]	勤勉不懈，忠于职位，
民之攸塈。[17]	安居乐业，民有所归。

（袁梅　译）

注释

①假（jiā）乐：王先谦《三家诗义集疏》："《齐》（指齐诗——引者）假作嘉。"陈奂《诗毛氏传疏》："假，嘉。《尔雅·释训》文、序亦以嘉诂假也……嘉者，美叹之词。嘉、乐二字不连读。"高亨《诗经今注》："嘉，喜也。"②显：显著。③宜民宜人：陈奂《诗毛氏传疏》："宜民宜人句，承上令德，起下受天命。宜民，为宜安民。宜人，为宜官人。"④右：古"佑"字。⑤申：引而长之。⑥干：俞樾《群经平议》："干当作千，形似而误。"⑦亿：周代以十万为一亿。千亿：极言其多。⑧穆穆：肃敬。皇皇：光明。⑨宜君宜王：毛亨："宜君王天下也。"⑩愆（qiān）：过失。忘：忘掉，又解作"妄"。⑪抑抑：毛亨："美也。"高亨《诗经今注》："抑，借为懿。"⑫德音：好的名声。秩秩：聪颖多智。⑬群匹：黄焯《毛诗郑笺平议》："姚氏永概云，群匹犹言群臣。"⑭燕及朋友：朱熹《诗经集传》："燕，安也。朋友，亦谓诸臣也。"⑮百辟（bì）：诸侯。⑯解（xiè）：怠也。⑰攸塈（jì）：马瑞辰《毛诗传笺通释》："《传》塈，息也。……瑞辰按《方言》：息，归也。民之攸塈，谓民之所息，即谓民之所归。"

鉴赏

这是一首为周成王颂德祝福的诗。《毛诗序》云："嘉成王也。"金启华先生《诗经全译》亦云:“归说以为美成王,当亦可信。”

周武王伐纣胜利后不久病逝,儿子姬诵十三岁继位,即周成王。他在叔叔周公旦的辅佐下,为稳定周王朝的政权做了许多大事。这些大事先后有:组织周王室同姓和有亲戚关系的贵族东迁,让周族势力逐步渗入到最重要、最富庶的黄河流域;制定嫡长子继承制,使中央王朝与各诸侯国稳定统治秩序;制定严格的等级制度和严酷的刑律,加强了新国家的统治;平定了纣王之子武庚的复辟叛乱,并揭穿三个叔叔管叔鲜、蔡叔度、霍叔处与武庚勾结的罪行;在这次东征中,年轻的成王将王朝势力扎根中原并推向东方和南方,使周族与商族的农业技术、文化得到广泛传播;实行分封制,将家族成员和功臣封往全国各地,建立了七十多个大大小小的“诸侯国”,完成对全国的控制系统;兴建东都洛邑,并在新城成周召开诸侯大会,宣扬国威。成王善于分析思考,不轻信小人之言,调整了与周公姬旦这位杰出政治家的关系,在这位叔叔去世后,将其安葬于周族历代先王的坟地毕原,给予极高的荣誉。成王为政作风严谨,他亲眼见到创业的艰难,深知守业的不易,所以兢兢业业,谨慎小心,在周公病逝后亲率大军南征,讨伐淮南的虎方和江汉一带的荆楚,在那一带建立了许多姬姓小诸侯国。据古籍记载,周成王赏罚分明,重言诺,守信义,“桐叶封弟”即为范例。此外,周成王还办好把政权移交给康王姬钊的大事。父子两代统治的几十年中,天下比较安定,国家也比较富强,史称“成康之治”。当然这种繁荣的景象是由广大奴隶和平民创造出来的。

这首诗就是礼赞成王的。全诗四章,章六句。首章颂扬成王有爱护百姓、善任贤臣的美德。二章颂扬成王道循周族先辈杰出人物太王、王季、文王、武王制定的规章制度,处事严谨端庄。三章颂扬成王不犯过失,不昏不妄,有王者之风。四章颂扬成王仪表堂堂,豁达大度,讲话得体,能听取群臣意见。五章颂扬成王治理天下有纲有纪,尊重群臣,所以他们忠于职守,人民休养生息,安居乐业,有所归宿。当时迷信得厉害,所以各章皆又强调祈求上天多赐福禄、子孙给成王,以显示天帝的力量,证明周朝统治的受命于天、合情合理。

全诗称赞周成王能安民、守祖训、作风正、胸襟宽、通下情等品德情操,为我们评价这一历史人物提供了材料。当然,这些道德品质的本身,我们也是可以继承的。这是本诗内容的积极方面。故姜炳璋《诗经广义》云:“成王之守成致太平,其实功实事皆于此篇发之。”陈子展评曰:“此谓诗言及成王敬天、法祖、用贤、安民之事耶?”(《诗经直解》)皆中鹄的。应该辨识的是,本诗作者对成王的颂扬是站在当时统治者立场上的。书其事，是本诗艺术特点。
通篇用赋，不借比喻和起兴，直

（顾　启）

公　刘

笃公刘！①	老实忠厚的公刘！
匪居匪康。②	他不只是住下、他不只是安康。
迺埸迺疆，③	于是整理田界、于是划定土疆，
迺积迺仓。④	于是积好谷场、于是备好粮仓。
迺裹餱粮，⑤	于是包扎好干粮，
于橐于囊。⑥	放在小袋的橐、放在大袋的囊。
思辑用光。⑦	人民这样团结、因而国家有光。
弓矢斯张，⑧	弓箭准备这样的紧张，
干戈戚扬，⑨	干戈斧钺的准备同样，
爰方启行！⑩	于是并起开路就向前行！
笃公刘！	老实忠厚的公刘！
于胥斯原。⑪	于是去睃一睃这里的平原地方。
既庶既繁，⑫	人口已经很多、事务非常繁忙，
既顺迺宣，⑬	民心已经归顺、民情于是舒畅，
而无永叹。⑭	而且没有什么人长叹怨望。
陟则在巘，⑮	他上去了就在小山之巅，
复降在原。	又下来了就在平地之上。
何以舟之？⑯	他拿什么佩带的？
维玉及瑶，⑰	是美玉和宝石的瑶，
鞞琫容刀！⑱	呵、装饰了刀鞘的玉具佩刀！
笃公刘！	老实忠厚的公刘！
逝彼百泉，⑲	往看那里的百泉，

瞻彼溥原。[20]	瞻望那里的溥原。
迺陟南冈，	于是爬上南冈，
乃觏于京。[21]	就见到叫京的一个地方。
京师之野：[22]	在这个叫京师的山地：
于时处处，[23]	于是安居的就安居起来，
于时庐旅，[24]	于是作客的就作客起来，
于时言言，[25]	于是发言的就发言起来，
于时语语。[26]	于是讨论的就讨论起来。
笃公刘！	老实忠厚的公刘！
于京斯依。[27]	就在这叫京的地方相依住起。
跄跄济济，[28]	随从的人都有威仪跄跄济济，
俾筵俾几，[29]	使他们有席、使他们有几，
既登乃依。[30]	已经登上席子、于是依几如礼。
乃造其曹，[31]	于是告祭那豕先之神，
执豕于牢；[32]	捉猪于养猪的牢；
酌之用匏。[33]	酌酒用葫芦瓜儿做的瓢。
食之饮之，[34]	给他们来食、给他们来饮，
君之宗之。[35]	对异姓的做大君、对同姓的还做大宗。
笃公刘！	老实忠厚的公刘！
既溥既长，[36]	他的土地已广已长，
既景迺冈。[37]	他察看平原又察看山冈。
相其阴阳，[38]	勘察那里的日照南北阴阳，
观其流泉，[39]	观看那里流泉灌溉的方向，
其军三单。[40]	他的营地设在三块台地上。
度其隰原，[41]	测量了那些低低高高的地方，
徹田为粮；[42]	划出一些公田是为了收粮；

度其夕阳，[43]	测量了山西面所谓夕阳的地方，
豳居允荒！[44]	这个豳邑的所在真是广大可居之邦！
笃公刘！	老实忠厚的公刘！
于豳斯馆。[45]	在豳地要建造他的宫室。
涉渭为乱，[46]	渡过渭水是横渡过去的，
取厉取锻。[47]	采取砺石、采取锻石。
止基迺理，[48]	这宫室的基础就埋好了，
爰众爰有，[49]	于是啥也多了、于是啥也有了，
夹其皇涧，[50]	夹着那条皇涧，
遡其过涧。[51]	朝向那条过涧。
止旅迺密，[52]	这些人众于是心安，
芮鞫之即！[53]	逐渐发展到芮水边！

（陈子展译，略有改动）

注释

①笃：厚，忠厚诚实，厚于国人。一说，发语词。公刘：后稷的后代，周族首领；“公”是称号，“刘”是名。②匪：非，不。③迺：同“乃”。埸（yì）：小田界。疆：大田界。一说，疆为疆界。在此均作动词。④积：又称“庾”，露天粮囤。仓：仓库。均作动词。⑤餱（hóu）粮：干粮。⑥橐（tuó）、囊：两种口袋，其区别或为有底无底，或为一大一小，各说不一。无底口袋盛物后以绳捆扎两头。⑦思：发语词。辑：和睦。用：因而，从而。光：光荣，光大。此言“思以辑和其民人而光显其国家”（朱熹《诗集传》）。⑧斯：是，于是。张：设，备好。⑨干：盾。戈：平头的戟。戚：斧。扬：钺，大斧。一说，高举，扬起。⑩爰：于是。方：始。启行：动身。⑪胥：相，察看。一说，为地名。斯：这。⑫庶：众多。⑬顺：民心归顺。宣：通畅，舒畅。⑭永叹：长叹。⑮陟（zhì）：登。巘（yǎn）：小山。此连下句言公刘爬上小山又下到平原，实地考察。⑯舟：带，佩带。⑰维：发语词，有“是”的意味。瑶：美石。⑱鞞（bǐng）：刀鞘。一说，刀鞘下端之饰。琫（běng）：刀鞘上口的玉饰。容刀：即佩刀，在佩之旁，有刀形而无刀刃，“备仪容而已”。⑲逝：往。百泉：众

泉。"此章的百泉、溥原,与下文五章流泉三地,俱在旧西安府邠州三水县界,盖后人因《诗》语以各地。"(陈子展《诗经直解》)⑳溥(pǔ)原:广大的原野。㉑觏(gòu):看见。京:豳的地名。一说高丘。㉒京师:京邑,邑为都邑的通称。"京师"连称始见于本诗,后世专以称帝都。㉓于时:于是。处(chǔ)处:居住,安居。㉔庐:寄居。旅:古与"廬"通用同义。庐旅:犹言庐庐或旅旅。一说,旅字像聚众人于旗下之形,意为聚在旗下的众人。这种旗下之众亦兵亦农,按族出征,应是一种带有氏族部落制度遗迹的组织。㉕言:直言为言,即发言。㉖语:论难为语,即讨论。㉗依:定居。此言周人在京地立住脚跟。以下写公刘因决定居留于此而大宴群臣部下,宴会很可能同时又是某种宗教仪式。㉘跄(qiāng)跄济(jǐ)济:走路有节奏、态度从容有威仪的样子。㉙俾:使。筵:竹席。几(jī):古时席地而坐所依之器具,也可以搁物。筵、几均作动词。㉚登:登筵。依:依几。此言就座完毕。㉛造:三家诗为"告",告祭。曹:"褿"之假借,祭猪神。一说,曹:群辈;此言告知手下人们(到猪圈去捉猪)。㉜执:捉。牢:猪圈。㉝酌之:给群臣斟酒。匏(páo):用葫芦一剖两半做成的酒器,即匏樽、匏爵。㉞食(sì)之饮(yìn)之:公刘请群臣吃(肉)喝(酒)。㉟君之宗之:(公刘)作君主、作族长,即大宗。㊱溥:广,指东西方向上的宽。长:指南北的长。㊲景:古与"竟"同音通用,今作"境"。此言公刘查看了平原又登上山冈。㊳相:观察。阴:山之北,背阴而冷。阳:山之南,向阳而暖。此言公刘对山的阴面阳面进行考察勘测。㊴流泉:水泉自流灌溉。㊵军:营盘,营地(王筠《说文释例》)。单:古与"台"同为双声,通用。台即台地。此言公刘的营地设在三块台地上。一说,此句应为"军其三单"方与上下文句法一致;军,借为"均""畇",即除田;单:通"墠",即野土。全句言公刘开垦了京野住地(当为丘阜或台地)的正前方、左方、右方三面的土地。(刘毓文《古朴的文学》)㊶度(duó):测量。隰:低而湿的地方。㊷徹:徹取。从公社中徹取一部分田作为公田,这是原始社会解体、阶级社会开头时一种普遍存在的现象。㊸夕阳:山的西面。㊹允:实在,确实。荒:大。㊺馆:房舍,作动词。㊻乱:横流而渡。㊼厉:同"砺",质地粗糙、用来磨物的石头。锻:又作"碫",用来捶物的石头。㊽止:之,兹,这。基:基础。止基:指"斯馆"的基础。㊾爰:助词。众:众多。有:富有。㊿夹:沿着两岸。皇涧:涧名。(51)遡:面临。过涧:涧名。(52)密:通"宓",安居。芮:水名,出吴山西北,东入泾水。一说,芮通"汭",水边向内凹之处。(53)鞫(jū):水边向外凸之处。即:往就。

鉴赏

当这首描绘周族开国业绩的史诗经长期口头流传到写完成文、再穿越几千年的历史风烟，摆到我们面前时，诗中的史实早已沉埋在不可复现的岁月之中了。很难从诗中呼唤出一位毫发毕现的“公刘”，但是作为带有传说性质的周族第二号开国英雄，他及他所体现的周人那种开创纪元的坦荡气势、奋进与开拓的精神和高度智慧，却又异常生动地活现在本诗的字里行间。

周族在武王伐纣之前相传先后经过五个(一说六个)都城，即邰—豳—岐—丰—镐。夏末商初时周人居邰受夏桀侵迫，举族迁到豳地。自此以后，周族日盛，以致日后终于灭了殷商。自邰迁豳，对于周族来说真是一件盛大与隆重的事件，值得大书一笔。这首“当日豳民咏公刘之旧诗”(姚际恒语)以沉雄庄重的笔触，有条不紊的记叙，清晰传神地再现了这次成功的大迁徙。同时，随着宏阔的历史画卷的展开，也凸现了一位有远见、有魄力、敢开拓、善谋略的开国领袖——公刘。

全诗六章，二百三十四字，以“笃公刘！匪居匪康”开其端。字面上是讲于邰并非不可苟安、维持，但是这忠诚厚道的公刘，却不肯怀安偷乐，于是开始了迁移之前的一系列准备。其实，这股不满现状、奋力开拓的精神，这种向往新目标、创造新家园的乐观向上的劲头，乃全诗主线，贯彻始终。围绕这一主线，全诗次第展开，各章所记重点为：一章——治田备粮，扬戈启行；二章——初到豳原，陟降奔忙；三章——寄舍京师，亦言亦语；四章——宴劳臣下，为君为宗；五章——相土宅民，度原彻田；六章——取石作馆，安居涧边。

周是一个农业发达很早的民族，描写周始祖后稷的史诗《生民》对此已有详尽介绍，更不用说后稷的第三世(一说十余世)孙的公刘时代了。公刘率族人从治理田土、收获贮藏、加工包扎干粮，直到装满大袋小筐，为主动迁徙作准备。如果篇首的“匪居匪康”只是作为一种精神，还不够形象的话，那么周人居邰劳作的紧张有序、齐心合力，是给我们的第一个具体印象。同时，据《毛诗》说周人出发时“诸侯之从者十有(又)八国”，它告诉我们，跟从公刘的社会集团是很多的。大家拉开决战的架势，“弓矢斯张，干戈戚扬”，未尝不是一片“车辚辚，马萧萧，行人弓箭各在腰”(杜甫《兵车行》)的景象。前方等待他们的是森林榛莽、沼泽沙漠、还是血战的劲敌？面临不可知的未来，一个农业民族，扶老携幼、赶着家禽家畜，举族离开故居热土，这需要他的领袖和全体人民多大的勇气啊！

邰、豳相去百余里，初来乍到的公刘“于胥斯原”，便一眼看中，可知条件一定不错。跟随公刘迁豳的周人十分众多，宏规琐务极为繁忙，但民心归顺、大家心情舒畅，所以无人长吁短叹，作为首领的公刘自然也会露出欣喜的笑容。“陟则在巘，复降在原”，我们似乎看到了公刘指挥、巡视的身影。这位披荆斩棘、风餐露宿的领袖，身佩美玉琼瑶、腰挎宝石佩刀。拥有这些贵重显赫的装饰品，正是他地位、权威的象征，而玉石宝刀又使品质笃厚忠诚的公刘显得高大英武，带上了传说中创世伟人的奕奕风采。

公刘于是率部暂居。他“逝彼百泉”，为尚未安顿的周族老老少少、随迁的犬豕牛羊察看水源，以解燃眉之急。他瞻原陟冈，发现了可以安居的一片山地——京。于是，周人有的想久住，有的愿暂居，纷纷站下落脚，并且立即就定居大计发表己见，相互讨论，欢声笑语热闹非常，一派生机。第三章后四句以相同的句式、完全相同的前二字(“于时”)和两两近义的后半句(“处处”与“庐旅”，“言言”与“语语”)及其中的一连串叠字，从视觉(文字形式)、听觉(音韵节奏)上，造成了蓬蓬勃勃的气氛，传达了创业者们的急切与难以抑制的激动。

定居之计甫定，公刘宴劳臣下“乃初至时于庐旅饮犒耳，说者以为(宫室)落成，非也”。吴闿生《诗义会通》的意见很有道理，因为下面两章才进入具体测量、设计、施工，所以实在不是竣工的庆祝宴会。其实，这宴会是犒劳、慰问长途跋涉而来此的部下，也是庄严的兴国兴家的誓师，同时可能又是热烈隆重的宗教仪式。“跄跄济济”，行走有节奏、举止从容而有威仪的不只是众群臣，首先就是公刘自己。至于跄跄济济是不是宗教礼仪中歌、乐、舞三者浑然未分时的一种形式，则不可知；但与会者认真浑朴的神情、神圣庄重的举止步态，却如在目前。大家依次就座已毕，乃告祭猪神，然后“食之饮之”。看来，中国人大事小事离不了吃，果然所来甚远。这一食一饮对公刘地位的巩固、权威的实施一定有作用，所以下文马上说“君之宗之”。史诗尚且特地书上一笔，其意可知。

兴家建国的自然条件、社会条件均已具备，可以大干一场了！为了定居之处的确定勘测、农田水利的规划开发，公刘的足迹踏遍山脊高冈、荒野隰原，公刘的身影在人群中时隐时现。这位相土宅民、率军治田的首领气度轩昂、智慧高超。公刘所代表的正是中华民族远古祖先周族的形象。那些既有血缘关系、又是生产与作战单位的人群，被安排在光照好、水源足、高敞干燥的台地“单”上，扎下营盘。他又划出一部分土地作为公田，收粮备用。他率众向住地西边、日头落山的地方测量，当时公刘的土地“广轮迨及五六百里之远，兼有今甘陕泾渭漆沮之间，庆阳至武功邠州一带之地”(陈子展《诗经直解》)。所以，当我们读到五章末句“豳居允荒”时，周人对新国新家的欣赏、对迁居的喜悦、对公刘所兴大业出自内心的赞扬,仿佛都看得见、摸得着。这句诗是和着笑声、欢呼声流传下来的。

经过周密的勘察布局,农田被辛勤地垦发出来。当迁豳后的第一次丰收在望时,人们可以把主要精力用去修筑馆舍房屋了。周人居岐时的房屋基址现在已经被考古工作者发现,三十多个夯土房基彼此相接,形成一个“V”形,向南开口,院落对面有一个大厅,西厢房还有带地窖、贮存有种子的仓库,等等(张光直《中国青铜时代》)。虽然这是公刘之后周代的房屋格局,但颇能使我们从中得到许多感性认识,启发我们去想象公刘如何“于豳斯馆”。至于建房之时横渡渭河,采来砺石锻石;舟车往来,打制器具;夯土伐木,垒墙盖顶;斧斤叮当,人声沸扬。那些热气腾腾,挑灯夜作的场面,透过末章整整齐齐的四字句、两句一换的铿锵韵脚,倒是扎扎实实、轰轰烈烈地分明展现在我们眼前。沿着南北走向的皇涧两岸、面对东西走向的过涧,房舍林立、六畜兴旺,寄居的庐旅之人身心俱安。

这不是游牧民族逐水草而居,也不是海上渔民随风漂流,这是远古一个农业民族的胜利大进军,是在新的农垦基地定居扎根。虽说迁徙后仍是要定居扎根,一样符合“树挪死,人挪活”的古训。从居部“迺埸迺疆,迺积迺仓”,到豳地的徹田、筑馆,整个民族不是简单地挪了个窝,而是进入一个新天地、上升到一个新高度,是周道大兴的关键一步。

全诗在“芮鞫之即”一句戛然而止,而让周族对“匪居匪康”精神的继续光大发扬、今后的繁荣昌盛成为言外之意。确实,我们除看到皇、过二涧住满周人、新添的人户延伸到汭水的大拐弯之外,也感受到一种跃动的、进击的气氛。

本诗虽然也体现着作为原始文学的某些特点,但不像《生民》写后稷的孕育诞生那么神秘费解,而是有一种我们中华民族特有的早熟个性与理性精神,极为朴素、实在,就像当年公刘率周人播在西北大地的种子,像豳地建起的朴拙而结实的馆舍。

(宗小荣)

泂　酌

泂酌彼行潦,
挹彼注兹,
可以餴饎。①

远处取水可蒸米,
那边取水注此器,
可以做饭蒸黍稷。

岂弟君子,[②]	君子和乐又平易,
民之父母。	为民父母顺民意。
泂酌彼行潦,	到那远处取积水,
挹彼注兹,	那边取水注此器,
可以濯罍。	可以用它洗金罍。
岂弟君子,	君子和乐又平易,
民之攸归。[③]	万民诚服众望归。
泂酌彼行潦,	远处去把积水汲,
挹彼注兹,	那边取水注此器,
可以濯溉。[④]	用它可把漆尊洗。
岂弟君子,	君子和乐又平易,
民之攸塈。[⑤]	万民所安万民息。

(袁梅　译)

注释

①餴(fēn):为"饙"之假借,蒸米半熟称饙,此处即蒸米饭之意。饎(chì):将黍稷做成饭称饎。②岂弟(kǎi tì):即"恺悌",和易近人。③攸:所。④溉:"概"的假借字,是古代一种祭器。王引之认为,涂漆之酒尊,以朱带环饰横概其腹,故名"概"。⑤塈(jì):安息。

鉴赏

关于这首诗的主题思想,《毛诗序》说:"《泂酌》,召康公戒成王也。言皇天亲有德、飨有道也。"此说大体可信。

这首诗采用三章重复格,每章开头都用"泂酌彼行潦,挹彼注兹"来比兴。道路上积聚的雨水,那是又浑浊又贱薄的,但如今祭祀者远道取来,又注在器具中加以澄清,这就显示了祭祀者的诚心诚意,为皇天的歆享准备了必要的条件。古代祭神祀天不一定要很贵重的东西,比如用韭菜和白茅均可,但必须诚心。此诗中的“行潦”取来当然不是直接用来祭神祀天的,而是用来蒸饭、洗罍、洗尊,但蒸饭、洗罍、洗尊的最后目的仍然是为了祭神祀天。

“行潦”可否用来祭神祀天,主要取决于酌者是否诚心;君子能否够统治天下,主要取决于他是否和乐平易,能否像父母热爱子女一样热爱人民。前者是比兴,是陪衬;后者是赋体,是正意。陪衬和正意之间,过渡自然,衔接紧密。

方玉润《诗经原始》说:“此等诗总是欲在上之人当以父母斯民为心,盖必在上者有慈祥岂弟之念,而后在下者有亲附来归之诚。曰‘攸归’者,为民所归往也;曰‘攸塈’者,为民所安息也。使君子不以‘父母’自居,外视其赤子;则小民又岂如赤子相依,乐从夫‘父母’? 故词若褒美而意实劝戒。”这是一语中的之论,似颂实诫确是这首诗的主要特色。

《雅》诗常常表现出其所特有的风貌:或剀切直陈,或激烈讥评,而此诗寓诫于颂,平和温婉,其实更接近于《风》诗。这样写,可能出之于召公的苦心。因为板起脸孔来教训,其效果往往大逊于和颜悦色地诱导,所以用褒辞来劝诫能收到事半功倍的效果。

(姜光斗　顾　启)

卷　阿

有卷者阿,①	高高冈陵,蜿蜒曲折,
飘风自南。②	暴风从那南面吹过。
岂弟君子,	君子周王,平易和乐,
来游来歌,	欣来此地,歌舞游冶,
以矢其音。③	让那群贤陈诗献歌。
伴奂尔游矣,④	从容悠闲,你在燕乐游冶,
优游尔休矣。	闲暇自得,你在宴饮安歇。
岂弟君子,	君子周王,平易和乐,
俾尔弥尔性,⑤	你能巩固与发扬善性,
似先公酋矣。⑥	继承先王功业,贯彻始终。

尔土宇昄章，⑦	你的国土广大，疆界明确，
亦孔之厚矣。	物产非常富庶盛多。
岂弟君子，	君子周王，平易和乐，
俾尔弥尔性，	你能巩固与发扬善性，
百神尔主矣。⑧	百神关注，施你恩德。
尔受命长矣，	你受天命，永远配天而行，
茀禄尔康矣。⑨	你在享受福禄康定。
岂弟君子，	君子周王，平易和乐，
俾尔弥尔性，	你能巩固与发扬善性，
纯嘏尔常矣。⑩	大福厚禄，安享无穷。
有冯有翼，	相辅相助，贤士甚多，
有孝有德，	众多贤士，都有善德，
以引以翼。	能对周王导引辅佐。
岂弟君子，	君子周王，平易和乐，
四方为则。	天下四方，奉为准则。
颙颙卬卬，⑪	温和肃敬，气概轩昂，
如圭如璋，	纯洁高贵，像那圭璋，
令闻令望。	大有善誉，大有威望。
岂弟君子，	君子周王，平易和乐，
四方为纲。	你是天下之法，四方之纲。
凤凰于飞，	灵鸟凤凰，展翼高翔，
翙翙其羽，⑫	众鸟齐飞，翙翙繁响，
亦集爰止。	又降吉地，栖止依傍。
蔼蔼王多吉士，	周王贤臣众多，济济一堂，
维君子使，	都是天子所使之人，

媚于天子。	爱戴天子，忠于家邦。
凤凰于飞，	灵鸟凤凰，展翼高翔，
翙翙其羽，	众鸟齐飞，翙翙繁响。
亦傅于天。	上摩青天，凌云高扬。
蔼蔼王多吉人，	周王贤臣众多，济济一堂，
维君子命，	都是天子所命之人，
媚于庶人。	他们又能推爱众民。
凤凰鸣矣，	灵鸟凤凰，鸣声悠扬，
于彼高冈。	仁瑞之兆，在那高冈。
梧桐生矣，	柔木梧桐，向阳生长，
于彼朝阳。	在那高冈东面坡上。
菶菶萋萋，⑬	蓬蓬萋萋，繁密茂盛，
雝雝喈喈。	雍雍唧唧，凤凰和鸣。
君子之车，	君子周王，盛备大车，
既庶且多。	不可胜数，既众又多。
君子之马，	君子周王，盛备骏马，
既闲且驰。	熟练、迅疾，动作调和。
矢诗不多，⑭	群贤陈诗，非常盛多，
维以遂歌。⑮	颂美、劝谏，谢恩作歌。

（袁梅　译）

注释

①卷：曲也，引申为蜿蜒曲折。阿：大的冈陵。有：词头，无义。②飘风：旋风，暴风。③矢：陈。音：音声，乐歌。④伴：通“心广体胖”之“胖”，有广大义。奂：大也。伴奂：本义为广大，引申为从容闲暇、精神舒展。⑤俾：使。弥：久长，

引申为巩固发扬。性:本性,此处指善性。⑥似:等于说“嗣”,继承。先公:先王。酋:终。⑦土宇:封畿,国土。昄(bǎn):大。章:明。⑧主:“注”之省借,关注。⑨茀:“祓”之假借,福也。⑩纯:大。嘏:大福。常:永远。⑪颙颙:温和恭敬的样子。卬(áng)卬:气概轩昂的样子。⑫翙(huì)翙:鸟飞时扇翅的声音。⑬菶(péng)菶、萋萋:同义词叠用,形容草木茂盛的样子。⑭矢诗:陈诗。不:助词,无义,“不多”即多的意思。⑮遂:对,答。

鉴赏

召公随从周成王游于卷阿之上,写了这首诗赞美周成王,同时规劝他要求贤用贤。诗分十章,首章总赞游卷阿之乐;二章至六章,从各个方面来赞扬周成王美好的品德;七章、八章,赞颂成王手下人才集中,济济一堂;九章、十章继续描写游宴时气氛欢乐,车马众多,群贤陈诗,赓续答和,暗示了周王朝统治的巩固。

首章开头两句是对周王和群臣游乐之地作环境描写,而不是如旧注所说的是比兴手法:既不是所谓“恶人被德化而消,犹飘风之入曲阿也”(《毛传》),也不是所谓“喻王当屈体以待贤者,贤者则猥来就之,如飘风之入曲阿然”(《郑笺》)。那样讲显然是穿凿附会的。实际上是以冈陵的曲折蜿蜒和南风的迅猛狂暴来反衬周王和群臣游冶的欢乐气氛和陈诗献歌的融洽和谐的。所以首章开头两句是赋而非比兴。二章从周王从容悠闲、优游自得地宴乐说起,勉励他如果能够巩固与发扬平易和乐的善性,就一定能继承先王功业,达到“无为而治”的逸乐境界。三章从国土的广大、物产的丰富来强调周王如果能够巩固与发扬平易和乐的善性,便一定能得到神明的关注。四章强调周王之所以能够承受天命、享受福禄康宁,其唯一重要条件便是巩固与发扬平易和乐的善性。五章突出本诗主旨,说明周王之所以能被天下奉为准则,全靠守孝道、有美德的贤士们来辅佐。召公以此教诫成王必须重视人才的使用。六章描绘群贤辅佐周王之后所出现的兴旺景象,“体貌则颙颙然敬顺,志气则卬卬然高朗,如玉之圭璋也。人闻之则有善声誉,人望之则有善威仪,德行相副”(《郑笺》)。以上六章,全用赋体,借游宴场面的描写来陈词,称颂中有劝诫意,寓诫于颂,相当得体。

七、八两章以“凤凰于飞,翙翙其羽”来比兴,描绘群贤毕集、济济一堂的热闹情景,称颂他们既能忠君,又能爱民;靠了他们的得力辅佐,一定能使周王朝臻于至治。九章顺承七、八章诗意,继续运用凤凰鸣于高冈、栖于梧桐的兴象,歌颂周朝人才密集、太平繁华、君乐民喜的兴旺景象。以上三章，用凤凰作为比兴的手段，使得全诗尊贤重贤的主旨得到了进一步的强调。比兴形象和正意显得非常和谐一致。再加上这三章集中使用了“翙翙”“蔼蔼”“菶菶”“萋萋”“雝雝”“喈喈”等叠词，不仅使音节和美，而且这些词语，或拟声，或模态，都达到了十分传神的程度。

末章再写游宴的欢乐热闹场面，一方面呼应首章，另一方面进一步以车马之盛、宾从之众来衬托周王手下贤才之多，点明全诗主旨。

总之，全诗章法严谨，意象谐和，词语形象精炼，寓诫于颂，是《雅》诗中之佼佼者。

（姜光斗　顾　启）

民　劳

民亦劳止，	人民真是劳苦忧伤啊！
汔可小康。[①]	但求能得安康。
惠此中国，[②]	要惠爱西周王畿，
以绥四方。	而且安抚四方。
无纵诡随，[③]	切莫盲从诡诈佞臣，
以谨无良。	要对恶人谨慎提防。
式遏寇虐，[④]	也要遏制暴虐权奸，
憯不畏明。[⑤]	却不怕他高明显扬。
柔远能迩，	安抚远方，亲善近邦，
以定我王。	以固国基，保我周王。
民亦劳止，	人民真是劳苦忧患啊！
汔可小休。	但求能得休闲。
惠此中国，	要惠爱西周王畿，
以为民逑。[⑥]	以成为民众模范。
无纵诡随，	切莫盲从诡诈佞臣，
以谨惛怓。[⑦]	而要严防朝政昏乱。
式遏寇虐，	也要遏制暴虐权奸，

无俾民忧。	莫使人民忧伤劳烦。
无弃尔劳，	切勿放弃你的功劳，
以为王休。	助成我王福禄平安。
民亦劳止，	人民真是劳苦忧戚啊！
汔可小息。	但求能得休息。
惠此京师，	要惠爱西周京师，
以绥四国。	以安抚四方之地。
无纵诡随，	切莫盲从诡诈佞臣，
以谨罔极。	严防他们反复不一。
式遏寇虐，	也要遏制暴虐权奸，
无俾作慝。⑧	莫使他们制造灾异。
敬慎威仪，	恭敬谨慎，保持威仪，
以近有德。	而应亲近有德贤士。
民亦劳止，	人民真是劳苦忧戚啊！
汔可小愒。⑨	但求能得歇息。
惠此中国，	要惠爱西周王畿，
俾民忧泄。	使人民解除忧悒。
无纵诡随，	切莫盲从诡诈佞臣，
以谨丑厉。	而要谨防丑类四起。
式遏寇虐，	也要遏制暴虐权奸，
无俾正败。⑩	莫使朝政腐败委靡。
戎虽小子，	你虽是少小之人，
而式弘大。	而用事却宏大无比。
民亦劳止，	人民真是劳苦忧患啊！
汔可小安。	但求能得平安。
惠此中国，	要惠爱西周王畿，

国无有残。　　国内正义不受摧残。
无纵诡随，　　切莫盲从诡诈佞臣，
以谨缱绻。[11]　　而要谨防朝政纷乱。
式遏寇虐，　　也要遏制暴虐权奸，
无俾正反。　　莫使政事颠覆，天下遭难。
王欲玉女，[12]　　我王啊！我想爱护于你，
是用大谏。　　因此只得大力劝谏。

（袁梅　译）

注释

①汔（qì）：庶几，差不多。②中国：指西周王畿，国等于“域”，因周的本土居中，对下文“四方”来说，故称“中国”。③无：毋，不要，劝止之词。纵：从，此处指盲从。诡随：诈谲、奸诈小人。④式：发语词，无义。遏：制止，禁止。寇虐：残暴之臣，酷吏佞臣。⑤憯（cǎn）：曾，乃，却。明：高明显宠者，窃据高位声势显赫的人。⑥逑：通“捄”，法则，模范，榜样。⑦惛怓（hūn náo）：朝政昏乱，亦指乱臣贼子。⑧慝（tè）：邪恶，灾害。⑨愒（qì）：休息。⑩正：借作“政”，指朝政。⑪缱绻：本义是丝缕纠结不解，此处比喻朝政纷乱无绪。⑫王欲玉女：应读作“王！欲玉女。”《郑笺》：“玉者，君子比德焉。王乎，我欲令女如玉然。故作是诗用大谏正女。此穆公至忠之言。”

鉴赏

周厉王是历史上有名的暴君。他统治的时期，横征暴敛，徭役繁重，政治黑暗，奸佞横行，凶暴肆虐，人民处于水深火热之中。召穆公名虎，康公之后，此时辅佐厉王，特作歌讽谏，希望厉王能防奸除暴，治国安民。

诗共五章，章十句，采用重复格，反复申说，每章在关键处略换一、二字。“特各变其义以见浅深之不同，而中间四句尤反复提唱，则其主意专注防奸也可知。盖奸不去，则君德不成，民亦何能安乎？故全诗当以中四句为主。”（方玉润《诗经原始》卷十四）

五章前四句都是强调安民是保国的前提，警戒统治者必须让民众能够休养生息才能使其统治得以巩

固。五章均以“民亦劳止”开头，再三强调民众的劳苦，可见这在厉王统治的时期是一个多么严重而突出的问题！紧接着，“汔可小康”“汔可小休”“汔可小息”“汔可小愒”“汔可小安”，召穆公为民众提出最低的要求。“小康”“小休”“小息”“小愒”“小安”为近义词，在修辞上采用递降格，从文外进一步暗示厉王的酷虐。随后，进一步指出，使民众安康便能达到保国安边、解民忧的目的。“以绥四方”“以为民逑”“以绥四国”“俾民忧泄”“国无有残”即分别从三个方面立言，使诗歌在复沓之中富有变化。

五章中间四句都是强调防奸制暴的重要性，是这首诗的主体部分。前两句“无纵诡随，以谨……”写防奸。所谓“诡随”，指的是阴柔小人。严粲说：“诡随者，心知其非而诈顺从之，此奸人也。人见诡随者无所伤拂，则目为良善；不知其容悦取宠，皆为自利之计，而非忠于所事，实非善良之士也。苟喜其甘言而信用之，足以召祸乱，致寇虐。但权位尊重者，往往乐软熟而惮正直，故诡随之人得肆其志，是居上位者纵之为患也。”（转引自《诗经原始》卷十四）而阴柔小人的表现，则是多种多样的，或“无良”（表现出不良行为），或“惛怓”（诱使国王昏聩，造成朝政昏乱），或“罔极”（言而无信，反复不一），或“丑厉”（表现出不齿于人的丑言恶行），或“缱绻”（以甜言蜜语、缱绻柔情蛊惑国王，致使朝政纷乱）。而尤其以第五种“缱绻”一类，更容易迷惑君心，难被识破，所以特地放在最后，郑重告诫，务必要国王深恶痛绝，无使其为患。后两句“式遏寇虐，无俾……”（仅首章是“式遏寇虐，憯不畏明”）写制暴。所谓“寇虐”指刚恶暴徒，他们依仗权势，鱼肉民众，作威作福，凶残暴虐，无恶不作。这种人一旦得势，后果极其严重，就能造成“畏明”（畏惧他们高明显赫的权势），“民忧”（使民众烦劳忧伤），“作慝”（制造出种种灾祸），“正败”（使朝政腐败糜烂），“正反”（使政事颠覆，天下遭难）。而“诡随”与“寇虐”又是互为表里、狼狈为奸的。正如朱善所说：“非诡随无以媚上，而为寇虐之本；非寇虐无以威下，而遂诡随之志。”（转引自《诗经原始》卷十四）诗中如此反复申说，务必要厉王防奸制暴，其针对性是很强的。据史书记载，由于厉王凶残暴虐，任用奸人，使人监谤，压制舆论，结果国人造反，将其逐出国境。由此可见，召穆公的用心是极为深细的。

五章的最后两句都是训诫正君之辞。首章希望厉王能抚远亲近，永保王位。二章勉励他切勿前功尽弃，以保福禄。三章希望他不仅远恶，还应亲近有德之人，威仪才能保持。四章指出作为一国之主，个人虽很微小但所系事业极其宏大，言行不可不慎。末章明白宣告，为了爱护你周王，才写了此诗来大力劝谏的。

虽然厉王终于没有听从劝告，致使召穆公的一片苦心都化为泡影；但召穆公这种敢于正言极谏的精神和这首谆谆告诫、恳挚动人的诗篇却留传了下来，作为优秀的文化遗产，汇入中华民族伟大历史文明的洪流！

（姜光斗　顾　君）

板

上帝板板，[①]	上帝违反常道，变化多端，
下民卒瘅！[②]	下方之民，忧苦难言！
出话不然，	口出善言，他却不以为然，
为犹不远。[③]	妄行政令，不久就又改变。
靡圣管管，[④]	忧心忡忡伪称没有圣贤，
不实于亶。	从不实行他的诺言。
犹之未远，	妄行政令，不久就又改变，
是用大谏！	因此我要大力劝谏！
天之方难，	上天正在降难于人，
无然宪宪。[⑤]	不要如此笑语欣欣。
天之方蹶，	上天正在制造动乱，
无然泄泄。[⑥]	不要如此多语妄言。
辞之辑矣，	辞气政令和顺，
民之洽矣。	臣民便会协和齐心。
辞之怿矣，[⑦]	辞气政令败坏，
民之莫矣。[⑧]	臣民便会受难受灾。
我虽异事，	我们虽然职务不同，
及尔同僚。	我和你们都是同僚。
我即尔谋，	我找你们共谋大事，

听我嚣嚣。⑨	对我忠言，领会不到。
我言维服，	我的忠言，都是合情合理，
勿以为笑！	不要以为这是戏言玩笑！
先民有言：	古圣先贤曾有名言：
询于刍荛。	应向樵夫虚心请教。
天之方虐，	上天正在逞威肆虐，
无然谑谑。	不要如此盲目戏乐。
老夫灌灌，⑩	我这老夫一片诚意，
小子蹻蹻。⑪	小子却是骄傲自得。
匪我言耄，	我进忠谏，并非老昏之言，
尔用忧谑。	你们反倒拿来取笑戏谑。
多将熇熇，⑫	错误越多，就会炽盛如火，
不可救药。	濒死之时，良药也难救活。
天之方懠，	上天正在疾怒不止，
无为夸毗。	不要卑躬屈节，谄媚无耻。
威仪卒迷，	君臣威仪尽都迷乱，
善人载尸。	贤良之人，成了无言神尸。
民之方殿屎，⑬	人民正在呻吟叹息，
则莫我敢葵。⑭	我们不敢揆度其实。
丧乱蔑资，	死丧祸乱，民穷财尽，
曾莫惠我师！	怎不爱护大众群黎！
天之牖民，⑮	天之诱导下方之民，
如埙如篪，⑯	如奏埙、篪，和谐其音，
如璋如圭，	如佩璋、圭，契合不分，
如取如携。	如同拿取、提携，不费精神。
携无曰益，	拿取、提携，莫说费力，

牖民孔易。	诱导人们，非常容易。
民之多辟，	当今之人，妄行邪僻，
无自立辟！[17]	千万不要作法自毙！
价人维藩，	善良臣民，就是国家篱障，
大师维垣，	大众群黎，就是国家垣墙，
大邦维屏，	诸侯大国，就是国家屏障，
大宗维翰。[18]	君之宗族，就是国家围墙。
怀德维宁，	若以善德相和，便得安宁，
宗子维城。	君之宗子，为国干城。
无俾城坏，	不要使那城垣毁坏，
无独斯畏！	不要逞威，一意孤行！
敬天之怒，	敬畏上天震怒之时，
无敢戏豫。	不敢嬉戏欢娱。
敬天之渝，	敬畏上天愉悦之时，
无敢驰驱。	不敢恣意驰驱。
昊天曰明，	上天如果真正明朗，
及尔出王。[19]	就和你们出行四方。
昊天曰旦，	上天如果真正清明，
及尔游衍。	就和你们漫游西东。

（袁梅　译）

注释

①上帝：高居于上的天子，指周厉王。②卒："瘁"之假借，忧病之意。瘅（dàn）：劳病。③犹：或作"猷"，谋也，道也。④管："悹"之假借，忧病。⑤宪宪："轩轩"之假借，高兴而自信的样子。⑥泄（yì）泄："詍詍"之借，沓沓多言的样子。⑦怿：败。⑧莫："瘼"之假借，病也。⑨嚣嚣："謷謷"之假借，不省人语之意。⑩灌灌："懽懽"之借，款款恺切之意。⑪跻（jiǎo）：骄。⑫熇（hè）熇：炽盛

的样子。⑬殿屎:“唸咿”之假借,呻吟之意。⑭葵:“揆”字之借。⑮牖:借作“诱”,引导之意。⑯埙(xūn):古代陶制的吹奏乐器。篪(chí):古代竹制的一种管乐器。二乐器在吹奏时常相和为乐音。⑰辟:法。⑱翰:“韩”字之借,本指井垣,引申为垣墙。⑲王:借作“往”。

鉴赏

西周后期的厉王(名胡)、幽王(名宫涅)统治时期,是君虐臣佞、怨声载道的时期。在厉王统治时期,重用急功近利的荣夷公,任命卫巫在国内监督告发谤议朝政的人,使朝野上下人心积怨、道路以目。朝中卿士重臣如召穆公、凡伯和、芮良夫等人,都先后当面作歌讽谏厉王的暴政,惊呼“民不堪命”有如壅积的山洪,将覆灭周王朝的统治政权。《诗经·大雅》中的《民劳》《荡》《桑柔》和本篇,就是朝中卿士大夫为讽谏厉王的著名诗篇。这些诗不仅以怨怼恺切的言辞针对厉王的倒行逆施提出警告,而且在一定程度上反映了当时黎民百姓的生活困苦,构成《大雅》中一组具有揭露抨击现实意义的历史名篇。尽管诗的作者都是以维护周王朝的统治利益为出发点的,但其揭露弊政、关注民瘼的历史意义,仍不可泯。

如果说《民劳》一诗,正如召公谏弭谤一样,主要以一种苦口婆心的劝诫、训导言辞来表露对时局的忧虑。那么,《板》诗的字里行间,就充溢着凡伯对于厉王的荒淫暴虐的深沉怨愤,出语忿激,无所回避。诗虽然反复以同僚的谄媚屈节、为虎作伥作为泄愤的对象,但言下之意,正是有如此的昏君,才有如此的庸臣,此正是作者认为时弊不可救药的关键所在。厉王不能选贤任能,反而亲近小人,收天下之利为已有,怎么能君临天下,为民造福呢?正如芮良夫谏厉王所说:“匹夫专利,犹谓之盗,王而行之,其归鲜矣!”(《史记·周本纪》)

诗共八章。作者反复以厉王弊政与国泰民安的清政作比较陈说,而着意处都落在对弊政的讽刺、抨击上,作者的怨愤之情即流露其间。

第一章开首以“上帝”与“下民”对举,最高统治者的施政无常,不由正道,必然导致黎民百姓的举措无从,人心惶惧。这是一层多么严酷的因果关系!厉王一个人的一喜一怒,可能会导致千百万民众的生存、生活危机。政令变更不定,以个人喜怒为指归,黎民百姓怎么不因这种荒唐的折腾而疲于奔命、忧苦劳瘁呢!下面四句即就此意进一步生发补足:说的好话,从不见实行,擅发政令,频繁变更,反倒责备朝野无贤,装出一副忧国忧民的姿态，但他的好诺言，从未付诸实践。任何无道的统治者，总要千方百计为其无道辩解，把自己打扮成“民之父母”，这可说是古今中外伪善统治者的惯伎。这四句抓住其言行不符、佯装忧贤的荒唐处，为“上帝板板”做了确切的注脚，并从侧面补足了“下民卒瘅”的可怕恶果。本章的末二句，即表明作者对此不能等闲视之任之：“犹之未远，是用大谏！”揭示作歌的缘由。这大谏虽然是冲厉王而来，但实则是对民心、民情的深深畏惧，因为如果局势继续恶化，周王朝的统治，就将覆灭于黎民大众的怨谤怒潮之中！

作者以“天人感应”的信念融入诗的第二章。西周流行这样一种观念：周王室的统治权是上天授予的，是神的安排；作为人间的统治者，周天子是代表上天和神意在行使权力，这样权力是神圣不可侵犯的。这就统治者方面说，无疑是给自己的统治地位赋予神秘和绝对至上的意义，进而达到“愚民”的政治效果。但当天子的权威发展到人力无法控制调节的时候，统治集团的成员就会借助天意、神意的种种表现来对最高统治者起到威慑、钳制的作用。所以“天人感应”的观念，在不同的场合其作用也是不同的。凡伯以“天之方难”作为上天对于厉王施行无道靡常的警告，规讽他不要以天下重任为儿戏，不要在大难临头时欢笑作乐、妄言诳人。如果不省悟上天的警告，多为过必遭天罚。“辞之辑矣”与“辞之怿矣”分说治世和乱世两种情况，前者可实现万民同心协力的安定社会，后者必然导致称黎庶遭难的动荡时代。而上天的意志，总是奖善惩恶的，何去何从，人主可不慎欤？

既然一国治乱，在于是否获取民心民力，那么，下情上达，是统治者了解舆情、制定政策的重要前提。诗的第三章分述二意：我有忠言善谋，天子及百官应当听取、采纳；山民樵夫的所思所言，是驭民者应该关心、请教的。只有这样，才能上下沟通，顺应民意，但当时的现实是怎样的呢？“我”为国家图谋的忠言，遭到同僚们的冷落、弃置；他们根本不愿理解忠言的合情合理，一片苦心，反而当做戏语玩笑来对待！这就是厉王周围的政客们对于忠言善谋的态度。有这样的政令决策者，国家能治吗？厉王居然豢养着这样一批“素餐”之徒，其昏聩何以加之！这些人制定的政策，自然是违背常道，陷民于“卒瘅”之境的。本章结语，从正面阐明作者的为政态度：“询于刍荛”。这是凡伯作歌大谏所望实现的政治理想。

然而，当时的政治局势距此何其遥远。诗的四、五两章继第三章继续剖析和指斥当时的弊政——小人得志，胡作非为；贤者失位，尸禄而已。第四章“老夫”与“小子”是鲜明的对照，“我”为上天的肆虐而忧惧，为国家的将亡而忧伤，为黎民的苦难而忧虑，一片诚意，切言进谏；而“小子”们却无视上天垂告，国家兴亡，民生苦乐，盲目乐观，骄纵自得，以忠臣为昏老，以忠言为笑料。是非颠倒如此，还有拯救的药方吗？“多将熇熇，不可救药。”既是对昏庸君臣的一声惊呼，也充满着对当时病入膏肓的时局无可奈何的浩叹。它有如丧考妣的痛切，也有起死乏术的哀婉。

第五章以“天之方懠”与前两章“天之方难”“天之方虐”相呼应，一声紧似一声地规谏厉王君臣不要违背天意，自行无道。而尤其指责那些谄媚之人，不敢秉忠直谏，反而卑躬屈节，昵嬖阿私，尽失君臣的威仪分度。贤良之士受排挤，遭压抑，不过尸禄备员而已。“民之方殿屎”四句，遥应首章“下民卒瘅”之意，从正面写出当时社会底层的民生多艰。他们呻吟叹息、资财耗尽，高高在上而不肯“询于刍荛”的统治者们，怎么知道他们经受苦难的实情？几曾想到过爱护他们？

在二、三、四、五章述说厉王所行无道、违背天意民心之后，第六章先从正面阐明黎民百姓渴望安定，容易和谐，犹如圭璋相契、埙篪相和。末二句，再斥当今“小子”，拂民意，行邪僻，欲将自身与王朝引向灭亡而后已。

第七章与前章章法相似。先缕述国家与民众，王室与诸侯、群宗的依存关系。臣民是国家的基础、藩篱；侯国、宗室是王朝的辅卫、干城。没有这些，国将不国，统治政权也就失去依凭了。末二句警告厉王不应颠倒这种关系，毁坏城垣，一意逞威。

诗的末章，总摄天意人事交相应的信念，指明对待天意的敬畏态度，期望由此能改变弊政，换来国家的昌盛、政治的清明。当上天震怒之时，应该停止戏豫，谨言慎事；当上天愉悦之时，应该力戒骄躁恣意，把国家治理得更好。只有这样，才能有安定清明的政治局面。道路行人，四方往来而无阻，这才是治世的景象。

作为一首规谏诗，其指斥现实意在改变时弊，达到一种新的社会理想。所以，此诗的几章中，总是从正反的比较之中来表明诗人的是非好恶的。而因以“刺厉王”为主，故诗的多数篇幅是剖析厉王君臣的违常无道，给天下黎民造成深重的灾难。二、三、四、五章以破为主，只在结末才拣出正意，表明态度；六、七章以立为主，而结以指斥时政之误。这样正反兼顾，破立俱备，使诗的表述逻辑严密，是非鲜明，很有说服力。在各章中，诗成功地运用了截然相反的两种事物强烈的对比效果。如“上帝板板，下民卒瘅”“辞之辑矣，民之洽矣。辞之怿矣，民之莫矣”“老夫灌灌，小子跻跻”“敬天之怒，无敢戏豫。敬天之渝，无敢驰驱"等等，对比之下，意义显豁，力量愈强。

其次，为了使指陈更加雄辩、更有气势，诗里大量运用了排比手法。比如"天之方虐"与"天之方懠"，构成章与章之间的排比关系，而各章中的排比句就用得更普遍、更成功了，如第二章"天之方难，无然宪宪。天之方蹶，无然泄泄"，第八章"昊天曰明，及尔出王。昊天曰旦，及尔游衍"，是两句与两句形成排比。第六章"如壎如篪，如璋如圭，如取如携"，第七章"价人维藩，大师维垣，大邦维屏，大宗维翰"等，一气道出，势不可当。或者表现义愤填膺的激昂，或者流露谆谆告诫的忠诚，不仅具有达意的周密性，而且增强了"刺"的语气与效果。

（杨胜宽）

荡

荡荡上帝，	上帝的法度废坏荡荡，
下民之辟。	他却还是下民的君王。
疾威上帝，	上帝异常狠毒暴戾，
其命多辟。	他的本性甚为邪僻。
天生烝民，	天生芸芸众民，
其命匪谌。	他们本性不可相信。
靡不有初，	人生之初无不具有善性，
鲜克有终。	但是很少能保持始终。
文王曰：咨！	文王说："唉！
咨女殷商！	可叹你们殷商！
曾是强御？[①]	竟然这样自恃强梁？
曾是掊克？[②]	竟然这样暴敛如狂？
曾是在位？	竟然这样高居位上？
曾是在服？	竟然这样做官称王？
天降滔德，[③]	天降殷人侮慢昏乱之性，
女兴是力。	你又恣行无忌，竭力增长。"

文王曰:咨!	文王说:"唉!
咨女殷商!	可叹你们殷商!
而秉义类,④	你若任用公正善良之人,
强御多怼。⑤	强梁之辈便大为怨恨。
流言以对,⑥	流言蜚语,并进齐兴,
寇攘式内。	盗寇窃贼,构祸朝中。
侯作侯祝,⑦	又诅又咒,
靡届靡究。	无尽无休。"
文王曰:咨!	文王说:"唉!
咨女殷商!	可叹你们殷商!
女炰烋于中国,⑧	你们咆哮逞凶,在这王畿,
敛怨以为德。	多行不义,反而自命德与天齐。
不明尔德,	你们本性昏愦不明,
时无背无侧。	背叛、倾仄之人,不能辨清。
尔德不明,	你们本性昏愦不明,
以无陪无卿。	陪贰、公卿良材,不能善用。"
文王曰:咨!	文王说:"唉!
咨女殷商!	可叹你们殷商!
天不湎尔以酒,	上天未使你们沉湎于酒,
不义从式。⑨	你们不宜纵情饮用。
既衍尔止,⑩	既已玷辱容止威仪,
靡明靡晦。	不论晴天阴天,酗酒不停。
式号式呼,	且号且呼,狂乱可憎,
俾昼作夜。	日夜不分,尽在醉中。"
文王曰:咨!	文王说:"唉!

咨女殷商!	可叹你们殷商!
如蜩如螗,[11]	朝政纷乱,如同蜩螗喧嚷,
如沸如羹。	社会动荡,如同沸水滚汤。
小大近丧,	大小政事近于灭亡,
人尚乎由行。	人们又对暴政加以助长。
内奰于中国,[12]	对内王畿之民,
覃及鬼方。	怨怒又扩展到远方之邦。”
文王曰:咨!	文王说:“唉!
咨女殷商!	可叹你们殷商!
匪上帝不时,[13]	那上帝并不善良,
殷不用旧。	殷商不用旧法陈章。
虽无老成人,	虽无老成练达之人,
尚有典刑。	还有先王传留的典章纲常。
曾是莫听,	竟然如此不听先王遗训,
大命以倾!	法度大衰而归覆亡!”
文王曰:咨!	文王说:“唉!
咨女殷商!	可叹你们殷商!
人亦有言:	人们也有箴言:
颠沛之揭,[14]	僵仆之树,根必翘扬,
枝叶未有害,	枝叶并未伤害,
本实先拨。	树根实已绝亡。
殷鉴不远,	殷商借鉴不用远求,
在夏后之世。	近在夏桀这代昏王。”

(袁梅　译)

注释

①曾:乃。强御:强暴。②掊(póu)克:暴敛而忌刻。③滔:或作“慆”,据

慢。德:习性。④义类:正直而和善。⑤怼:怨怒。⑥对:遂,逞。⑦侯:维。作:古“诅”字。祝:“洲”字之借,今通作“咒”。⑧炰烋:咆哮。⑨义:宜。从:纵。式:用。⑩衍:“愆”字之省借。⑪螗:蝉之大者。⑫奰(bì):怒。⑬匪:彼。时:善。⑭揭:举。

鉴赏

本篇据说是召穆公劝谏周厉王不要以夏桀、商纣的暴虐无道而断送周朝天下的作品。《国语·周语上》载,厉王暴虐,引起国民谤议。厉王用卫巫以监谤者,得之必杀。召公以防川壅流为譬,告诫“为川者决之使导,为民者宣之使言”的君人南面之术。如果说这是以自然运行发展规律来阐明治国的道理的话,那么《荡》诗就是以社会运行的历史教训为借鉴,来说明人心不可违、众志不可辱的社会发展规律。

全诗共八章。第二章至第八章都是借周文王感叹商季昏庸之君残暴骄淫、重蹈夏桀身死国灭的口吻,来展开申说,全不用己意,只在全诗之末巧著本意:“殷鉴不远,在夏后之世。”殷纣之视夏桀,与周厉王之视殷纣何其相似!长江后浪推前浪,夏桀无道,殷得以取而代之;殷纣无道,周得以取而代之。周厉王之无道,安得不重蹈覆辙?所以,周文王之哀叹夏桀、殷纣,正召穆公之哀叹周厉王不知借鉴夏、殷灭亡的教训,而重蹈其自取灭亡之覆辙。这正是此诗用意所在。故清人吴闿生说:“此诗格局最奇,本是伤时之作,而忽幻作文王咨殷之语。通篇无一语及于当世,但于末二语微词见意,而仍纳入文王界中。词意超妙,旷古所无。”(《诗义会通》)

其实,诗的首章用意也甚微妙。开头四句仅说上帝“荡荡”“疾威”“多辟”,但读者自可以把它与周厉王的暴虐忌刻、多行不义的形象联系起来,妙处正在欲吐还吞之间。四句正待吐破,五、六两句略转笔锋,不再对周厉王含沙射影,而转入对毫无诚信可言的人们进行讥刺。这些“其命匪谌”的人们,是殷末助纣为虐之人?还是当世谄媚奸佞、助厉为恶之人呢?这种表达的模糊性,把周厉王与商纣王,把当世与殷季的社会背景拼接了起来。结二句更把历史与现实,昏君与忠臣,刁民与良民一笔拢起,从社会的历史演进之迹、从芸芸众生作鸟瞰:人的本性是善良的,但很少有能保持其本性到晚节的人。这似乎是消极地评价了社会对人的性格情操的积极造化,但作者在这里如此说,显然带有愤激的意味:要不然,怎么会产生夏桀、商纣、周厉王这样邪僻狠暴之人呢?作者出语虽然愤激,但他并没有放弃对周厉王暴行的规谏制止，并没有破灭挽西周王朝之危亡于将倒的希望。

通过首章运用模糊措辞把现实与历史联系起来，这就为以下各章叹殷商之所以灭亡作了顺理成章的铺垫。也正因为说历史总是有现实的影子，所以，言在古而意在今的命意，是路人皆知的。

第二章用“曾是强御”等四个反问句，历数殷纣之强梁、贪暴。这四句呼应上章的前四句，而直斥殷王。“天降滔德”二语，照应“天生烝民，其命匪谌”，而措意的角度互异。上章说因为有这样多辟之命的上帝，乃有无诚信的烝民助之为虐；这章说殷末的民风倨慢成性，殷纣王对之又放纵恣长。从两个角度阐明了一条规律：方以类聚，物以群分；上之所好，下必甚焉。

第三章承上章之意，继言小人得志逞凶，正直善良之人无以施其谋。倘若贤人在位，必然受到小人群起而攻之，下结党攻讦，上频进流言，昏君庸臣沆瀣一气，制造祸端。此章只用“而秉义类”一语提示便打住，以下盛言邪恶势力的猖獗横行，善与恶的较量就是这般尖锐激烈！危言耸听，想之令人惊悸。

诗的四、五两章，呼应申足第二章的四个诘问，而暗承第三章之刺小人得道。第四章侧重指斥殷纣之“强御”。“女炰烋于中国，敛怨以为德”二语，为其“强御”作了形象的注脚。以其咆哮逞凶，敛怨为德，故不悟强暴之非，积怨之危；以其昏愦为明，故奸邪莫辨，良材不用。此小人所以日进，贤良所以罹罪也。“不明”既为“强御”之因，亦为忠奸不分之果，所以反复重言。

第五章扣住“掊克”一语，深入指陈，并直接上章之意。以其暴敛成性，所以有“酒池肉林”供其挥霍；以其忌刻自恣，故正直善良之忠言逆其耳，遭其祸，而奉迎小人可以胁肩而进。上天不让他沉湎于酒有什么用？忠言告诫他不宜放纵作乐又有什么用？他一味自恃强御，纵情享乐，“俾昼作夜”，号呼狂乱。《史记·殷本纪》：“帝纣……知足以距谏，言足以饰非；矜人臣以能，高天下以声，以为皆出己之下。……益广沙丘苑台，多取野兽蜚鸟置其中。慢于鬼神。大聚乐戏于沙丘，以酒为池，悬肉为林，使男女倮相逐其间，为长夜之饮。”这清楚地揭示了殷纣自恃强梁、贪暴忌刻与放纵享乐之间的必然联系。

第六章则明应第三章，而暗承四、五两章。此章勾勒出殷纣时代的朝政喧嚷、社会动荡、内外交困、濒于灭亡的可怕景象。字面上用“人尚乎由行”一语来点破，但这种可怕的社会现状，正是以上各章所斥责过的种种恶行所导致的必然结果。朝政已“如蜩如螗”，社会已“如沸如羹”，更加之邪僻之人釜底加薪，其激怒国内生民和树怨于四方，又何待言说！

在对殷纣种种无道不义行为作了淋漓尽致的斥责之后，使世人看到了多行不义必自毙的历史惩罚：殷纣及其爪牙们以葬送殷王朝作了其贪暴骄淫的代价。诗既陈明此意，便转而探究殷亡的历史原因和历史教训。在第七章里，作者再总结性地申明殷纣亡国之因，在于自恃和自是，上不遵循先王典则，吸取历史经验，下不亲贤良，远小人。作者认为，即是当世没有可用的老成之人，但只要按先王的旧章陈典治理国家，也不致招怨积怒如此。殷纣不得此两者而用之，故“大命以倾”。

诗的末章，进一步追究殷纣亡国的过错。作者用俗谚来分析国家的情形。即将倒仆的树，尽管其枝叶并未立即凋萎零落，但其根已绝，死亡已定。国家正是如此。当殷纣王无道之时，国家并未立即覆亡，但其“强御”“掊克”到激怒国人、树怨四方之时，其灭亡也就不可救药了。西周此时尚未灭亡，而厉王的所作所为，正是断送王朝的不祥征兆，故作者希望厉王能以夏、殷亡国痛史为前车之鉴。这正是作者作歌谲谏，希望维护这将亡的一代王朝之用心所在。

此诗命意构想甚奇。就篇幅笔墨而论，二至八章全是文王叹商责纣，像是论古之作；仅开头一章及全诗结尾二语略作映带提示，语极蕴蓄、模糊，但正是以首尾的这种呼应点拨，遂使中间大片文章有了着落，成为一篇点睛之笔。吴闿生《诗义会通》评云：“然尤妙者，在首章先凌空发议，末以‘殷鉴不远’二句结之，尤极帷灯匣剑之奇。否则真成论古之作矣，人安知其为借喻哉？”

自第二章以下，皆以“文王曰：咨！咨女殷商”领起，排比整饬，一气呵责，很有陈其过而数之的气势，驳难之力极强。各章之间，或上下相承，或前后相应，或层层深入，或重言致意，变化多端，灵活自如，使结构在整饬之中极富变幻，变化交错而不破坏其总体上一气呵斥的雄辩效果，这也是此诗的成功之处。

（杨胜宽）

抑

抑抑威仪，	哲人威仪，周密严正，
维德之隅。①	内有美德，外有端庄之容。
人亦有言：	人们也有格言：

"靡哲不愚。"	"没有一个哲人毫无愚暗。"
庶人之愚，	庶人的愚昧，
亦职维疾。[②]	也还是他的缺陷。
哲人之愚，	哲人的愚昧，
亦维斯戾。[③]	则更将常规违反。
无竞维人，[④]	努力求得贤人，
四方其训之。	四方之国便都归顺。
有觉德行，[⑤]	若有端直的德行，
四国顺之。	四方之国便都顺从。
讦谟定命，[⑥]	有宏伟规划，又审定政令，
远犹辰告。	远大谋略，时时宣告于众。
敬慎威仪，	容止威仪，应敬慎始终，
维民之则。	要作天下众民的典型。
其在于今，	其人处在当今之世，
兴迷乱于政。	皆迷乱其纪纲朝政。
颠覆厥德，	道德品质被你败坏干净，
荒湛于酒。	沉湎于酒池肉林。
女虽湛乐从，[⑦]	你但知逸尔放纵，
弗念厥绍。	不思将先王遗烈继承。
罔敷求先王，	也不广求先王之道，
克共明刑。[⑧]	以便将明正之法认真执行。
肆皇天弗尚，[⑨]	皇天不肯保佑助力，
如彼泉流，	如同泉水滔滔流逝，
无沦胥以亡。[⑩]	君臣相率败亡绝地。
夙兴夜寐，	早起晚眠，勤于其事，

洒埽庭内，	堂前庭院，洒扫整理，
维民之章。	为民表率，严以律己。
修尔车马，	修整你的车马轨具，
弓矢戎兵；	修整你的弓矢兵器；
用戒戎作，	用以戒备战争兴起，
用逷蛮方。[11]	用以讨平远方蛮夷。

质尔人民，[12]	对你的臣民应谦恭有礼，
谨尔侯度，	对你的王法应谨守不渝，
用戒不虞。	以戒慎祸乱出人不意。
慎尔出话，	说话要慎重周密，
敬尔威仪，	也应重视你的威仪，
无不柔嘉。	就会无不安善顺利。
白圭之玷，[13]	白玉之圭有那斑点，
尚可磨也；	还可研磨，去其污迹；
斯言之玷，	言语若有错误疏失，
不可为也！	那就不能磨去劣迹！

无易由言，	不可轻易乱加谈论，
无曰苟矣。[14]	莫说自己言语谨慎。
莫扪朕舌，	无人将我舌头按住，
言不可逝矣。[15]	话也不能随意说出。
无言不雠，[16]	没有口出善言不见回敬的，
无德不报。	没有施德于人不受报答的。
惠于朋友，	对朋友惠爱亲密，
庶民小子。	并下及庶民子弟。
子孙绳绳，[17]	为人子孙，慎守祖先传统，
万民靡不承。	天下万民就会宾服信从。

视尔友君子，	好好看待朋友君子，
辑柔尔颜，	和颜悦色，你要彬彬有礼，
不遐有愆？	还有什么过错罪戾？
相在尔室，[18]	你独处幽室，也要恭谨，
尚不愧于屋漏。[19]	在那蔽陋一隅，也应无愧于心。
无曰不显，	莫说暗室可欺，是非难分，
莫予云觏！[20]	纵有邪念之心，无人对我监临！
神之格思，	神明无处不至，无物不察啊，
不可度思，	不可测度，不可捉摸啊，
矧可射思！[21]	怎可玩忽不敬，厌弃礼法啊！
辟尔为德，[22]	发扬你的善德懿行，
俾臧俾嘉。	使之尽善尽美，品格端正。
淑慎尔止，	你的容止风度，善且慎重，
不愆于仪。	遵行礼仪，莫有疏慢不恭。
不僭不贼，[23]	不犯过错，也不害人，
鲜不为则。	自然成为众人典型。
投我以桃，	别人将桃子向我投赠，
报之以李。	我就用李子向他回敬。
彼童而角，[24]	无角公羊自夸生了犄角，
实虹小子。[25]	实在是小子自己溃乱不明。
荏染柔木，[26]	柔韧细致的上好木材，
言缗之丝。[27]	制作琴瑟，安上丝弦。
温温恭人，	谦恭之人，温和宽厚，

维德之基。	这是善德的基础本原。
其维哲人，	他若是圣哲之人，
告之话言，	告诉他古人的善言，
顺德之行。	他便会遵循实践。
其维愚人，	他若是愚昧之人，
覆谓我僭。	反而说我谎言欺骗。
民各有心！	人心不同，相去甚远！
於乎小子！	唉，唉，小子！
未知臧否。	不知善恶之理。
匪手携之，	我非但用手提携你，
言示之事。	还把事理指点你。
匪面命之，	我非但当面教训你，
言提其耳。	还提着耳朵嘱咐你。
借曰未知，	假使说你无知无识，
亦既抱子。	可是已经生了儿子。
民之靡盈，	人若是不自满自诩，
谁夙知而莫成？[28]	怎会早有智慧而晚年成器？
昊天孔昭，	昊天十分明智，
我生靡乐。	我的生活却无乐事。
视尔梦梦，	眼看你昏乱不明，
我心惨惨。[29]	我心中忧愁不宁。
诲尔谆谆，	我谆谆告诫，诚恳耐心，
听我藐藐。	你疏远冷漠，话听不进。
匪用为教，	不用善言作为教令，
覆用为虐。	反而拿它作为笑柄。
借曰未知，	假使说你无知无识，

亦聿既耄。[30]	你也已是九十老翁。
於乎小子！	唉，唉，小子！
告尔旧止。[31]	对你告诫先王旧章。
听用我谋，	你若听用我的谋略，
庶无大悔。	可望没有悔恨忧伤。
天方艰难，	时势正值艰难困厄，
曰丧厥国。	你的国家行将灭亡。
取譬不远，	我取比喻近在眼前，
昊天不忒。[32]	天道祸福毫厘不爽。
回遹其德，[33]	你的品德邪僻不良，
俾民大棘。[34]	你使庶民大大遭殃。

（袁梅　译）

注释

①隅：廉隅。比喻与人的内在美德相副的廉正容仪。②职：主。疾：病。③戾：罪，悖谬。④无：句首发语词，无义。竞：通“倞”，强也，引申为“力求”之义。人：贤人。⑤觉：通“较”，直也。⑥讦（xū）：远大。⑦从：纵。⑧共：古“拱”字，执也。⑨肆：句首语词。尚：右（通“祐”）。⑩沦胥：相率。⑪逿（tì）：惩治。⑫质：“诘”之借字，谨也。⑬玷（diàn）：玉上的斑点。⑭苟（jì）：慎言。（详见袁梅《诗经译注》）⑮逝：及。⑯雠（chóu）：对；应。⑰绳绳：谨慎的样子。⑱相：犹“夫”，发语之词。⑲屋漏：通“厞（féi）陋”，隐蔽幽暗之处。⑳觏（gòu）：见。㉑矧：何。射（yì）：厌弃。㉒辟：开。㉓僭：过失。贼：戕害。㉔童：无角的羊。㉕虹：“讧”之借字，溃乱。㉖荏染：柔软而富韧性。㉗缗（mín）：施；安。㉘莫：即古“暮”字。㉙惨惨：“懆懆”之假借，忧虑不安的样子。㉚耄（mào）：老。㉛止：句末语词。㉜忒（tè）：差错。㉝回遹（yù）：邪僻。㉞棘：通“急”，指灾难。

鉴赏

此诗又名《懿》。是卫武公箴戒　周平王（宜臼）之作。自《毛诗序》

以来，对此诗的作意颇多争议。或以为刺厉王亦以自警；或以为兼刺厉幽二王；或以为全在自儆并无刺王之意；或以为文儆自躬，意存王室。分歧的根源在于对《国语·楚语上》一条材料的理解。楚左史倚相欲廷见申公史老而不得，申公以老耄为辞，倚相就其“老耄”而借古喻今，称述“卫武公年数九十有五矣，犹箴儆于国……于是乎作《懿》戒以自儆也”云云。论者以诗中有“借曰未知，亦聿既耄”之句，正与倚相所谓“年数九十有五”之语相符，遂完全相信“作《懿》戒以自儆”的结论。然而从诗的内容和口吻看，明显地意在箴戒时王，要说自儆，最多也不过是一种谲谏的方式，如召穆公作《荡》诗以文王咨商的方式来讽刺厉王一样。前人只从时代的差距来否定诗刺厉幽之说，却未注意卫武公晚年当平王东迁之际，外有戎寇之侵，内有诸侯兼并(《史记·周本纪》:“平王立，东迁于雒邑，辟戎寇。平王之时，周室衰微，诸侯强并弱，齐、楚、秦、晋始大，政由方伯。”)。这种局面不足使卿士大夫忧惧吗？厉、幽败国，东周衰微，抚今追昔，不足使卿士大夫箴戒平王、大声疾呼吗？所谓“冀复镐京之旧，而慨平王不能也”(魏源《古诗微》)，正是有慨于国变时运，故耳提面命，谆谆告诫：求贤树德，定命慎仪，为民作则，召徕四国。

全诗十二章。前三章概陈“靡哲不愚”的普遍哲理，并从正反两面略作申说；四至九章和最末三章各从正反两面深入指陈，告诫讥刺，反复致意。诗即构成层次分明的三个部分。

首章是全诗的纲领。先从“抑抑威仪，维德之隅”的哲人形象写起，进一层引出“靡哲不愚”的时谚，作为贯串全诗立论措辞的理论纲领。言下之意：哲人虽是聪明才智的称谓，但并不意味着没有愚昧的一面，哲人的高明之处，在于他们严于律己，不断修正、完善自己的性格、形象，把聪明才智用于减少错误的产生、改变愚暗的秉性。其次，人生的自我完善具有普遍实践意义，每个人都有成为哲人和愚夫的两种可能，去从的选择是自由的，贤愚也是可以转化的。再次，如果哲人放纵其愚昧悖常的言行，往往会造成更加广泛和严重的后果。所以诗由此更进而论庶人与哲人之“愚”，暗示哲人向善进德的必要性。

次章便从对外对内如何去“愚”作正面劝导。要使四方顺心、天下同德，首先莫过于为政者树德与求贤二事。“有觉德行”，方可以取信四国；“无竞维人”，乃足以成就事功。其对内，“讦谟定命，远犹辰告”与“敬慎威仪，维民之则”互为表里：敬慎威仪德行，乃可以作民表率；制定正确而远大的政策并经常保持上情下达，乃可以求得民众的理解和支持。而无论对内对外，当政者的修养德行是首要的。有德才能求贤用贤;有德才能知民生甘苦,制定出有利于民众国家的国策;有德于内,四方必向心归诚。这一章从不同角度论证哲人必须修养德行。

第三章掉转笔锋,直斥今王之用“愚”。所谓“兴迷乱于政”“颠覆厥德”“荒湛于酒”“虽湛乐从,弗念厥绍”等,都是无道之举。邦无道则愚。在所列的罪名中,仍以“颠覆厥德”为根本。王者无德,故迷乱之政兴,道德之风坏。骄纵酒乐,不思国运之将绝;自以为是,不求前代之明刑。孙鑛以为此章“谓刺厉王,未尽误。大凡诗刺者亦不是句句著在所刺身上”。平王平庸,内不能抑霸,外不能御辱,士大夫危言箴戒正表明其维护周王朝的良苦用心。

第四章前三句关合上章,亦所谓“皇天无亲,唯德是辅”之意。三句当逆序索解,谓君臣治国,莫弃德悖常,败绝国运,如滔滔逝水一去不返;不然,皇天是不会保佑助力的。以下便以夙夜勤政、勉进其德为训,归为修整车马弓矢、居安思危、做好“用逷蛮方”的准备工作。此章呼应第二章前四语,然陈说各有所重:前以怀柔四方为主,故树德求贤为要义;此以威服蛮方为主,故修整武备为急务。

第五、六两章,照应第二章“讦谟定命”等四句,申言王对臣民当“质”当“惠”。质可以为民作则,建立信誉;惠可以赋利于民,获取民心。故谨侯度、慎出话、敬威仪,是安善其国的必要措施,此亦《左传》“君无戏言”之意。王者出言不慎,是其思谋不周的表现,“出话不然,为犹不远”(《大雅·板》)。政令朝出夕改,民无所措手脚,这是人心不定、祸乱滋生的根源。故诗人以白圭之玷尚可磨为喻,强调王者出言疏失,必然产生不可挽回的灾难。六章“无易由言”之下四句,紧承前章,从王者以言语传达政令角度,力诫出言深思熟虑。“无言不雠”以下,则从臣民对王政的反应角度立言,申足慎言敬仪之意。孟子讲“积善之家必有余庆”,诗人亦劝王者相信善言美德必有好的酬报。因为在诗人看来,王者为政以德,臣民安善,故先代所传的统治地位方可确保,这才是维护王者利益的根本途径。陈奂《诗毛氏传疏》:“此结上文‘慎尔出话’之意”。

上既陈明在君臣关系上王者所应有的言行。第七、八、九各章更进一步阐述修养德行的具体办法。第七章先以“视尔友君子”三句映带上章“惠于朋友”之意作为过渡,“相在尔室”之下便诫以慎独,不要以为幽室不显,无人监临就松懈自纵。道德的修养不仅是循序渐进、长期积累的过程,而且自觉的道德意识乃是修养程度的衡量标尺。然王者的道德修养,臣下只能劝诫训导,不能作权威要求,故诗人借神灵以警诫王者勿玩忽失敬、胡作非为。用神权在一定程度上制约君权，是中国君主制历史的特产。

第八章提出投桃报李作为检验王者是否有德的尺度。前四句说王者自身进德修业之事；“不僭不贼”等四句说在人际关系中可以对这种德行进行验证，投桃报李，即孔子“以德报德”的君子风范。见德不报，是其道德修养太差，不足以分别贤与不肖的缘故。甚至以无德为德，如无角公羊以犄角自夸一样，这只不过暴露其本身的昏愦不明。这样，即使仪止有加，也是表里不一，不能为民作则的。

第九章开头以琴瑟为喻，美好的音色效果必赖于上好的木材和丝弦，有德之人必然从其谦恭的秉性和温厚的容止反映出来。检验是否有德的办法之一，是看他能否识别善言和从善而行。哲人既能听之且能行之；愚人反会以善言为谎言，遑论实践?！故诗有“民各有心”之浩叹。本章“其维愚人”云云，已为下面三章铺垫；而“民各有心”一语议论，不仅把二、三部分巧妙联络起来，而且把首章哲人愚人并提之意推进一层，直探人性之本源。正因为人之本性有愚顽一面，所以道德修养既是必需的，又是艰难的。

第十章至十二章，直呼“小子”耳提面命，怨时刺王，语甚激切，处处流露出饱经世变的老臣对年少君王的严厉训斥，而其为国运深怀忧惧的苦心，亦与前面的正面箴戒有异曲同工的表现。第十章有“借曰未知，亦既抱子”的讽刺，诗人由此推广开去，感叹人之所以有其智而难成其器，就在于惯于自满自纵，不知严以律己。

第十一章承上反复劝导无济于事之意，表明自己对此的深深忧愁。王者不仅昏乱不明、“听我藐藐”，而且反把善言作为笑柄！“借曰未知，亦聿既耄”二语，最生歧义。陈子展谓“二句语带双关，盖以年老而不接受教言自儆……自儆亦所以刺王也”（《诗经直解》），似与全诗内容较为吻合。然此也可以视为诗人对前代无道君王的谴责，还可以是作者对周朝统治历史回溯反省的一种比喻说法，意谓前代贤明之君既有陈章旧典可依，今日的统治为何无所遵循，无知愚暗至此呢?

因此，末章开头即以“告尔旧止”为言。在诗人看来，遵循先王旧章是不会后悔的，这是挽救艰难时局、摆脱灭亡命运的唯一应急措施。因为王者的品质邪僻不良，将给民众带来巨大灾难，国运也将随之而绝。要望王者修德进业来拯救国家，看来已不现实。诗以这种可怕的前景作为收束，印证了“哲人之愚，亦维斯戾”的严酷事实。

吴闿生称此诗为“千古箴铭之祖”（《诗义会通》）。就全诗的篇幅看，自然箴戒之意所占比重甚大，但仅以箴戒论此诗，尚不足言此诗之妙。诗以大量笔墨作箴戒，但却把怨刺之意置于篇尾,这样安排,使诗的情感色彩越来越强烈。第十章以前,诗人尚在耐心地反复申说、多方劝诫,希望王者能够向德为善,惠及下民,维护王室的统治。自第十章起,诗人对这种努力渐失信心,希望渐归破灭,故发为激烈的怨叹斥责,同时表露出深深的忧惧感。诗的末尾所预测的,是一幅极为可怕的悲观前景。这里所流露的,不只是诗人对时王的失望,而且是厉、幽以来国运危难的历史阴影的投射。诗的意义,不只在于想教育出一个有德的王者,而且客观上反映了日渐衰微的周王朝政治的昏暗、诗人对于现实的不满与忧虑。

诗以"靡哲不愚"推演出一套普遍的人生哲理:既然哲人尚有愚暗一面,那么,每一个人通过后天的修养去完善德行就是普遍的人生课题,这就把后天以人为的努力去改造人类自己的行为提到了具有决定意义的高度。诗人不仅没有把王者作为特例排除在自我改造行列之外,而且尤其强调了王者进德修业的必要性,这就把统治者的神秘色彩无情地抹去了。这一方面由于西周后期以来王者昏愦不明降低了其统治威信,同时也反映了随着历史发展,人的价值逐渐得到认识和提高,神灵的光环越来越失去其神秘的色彩这一社会进步趋势。

(杨胜宽)

桑　柔

菀彼桑柔,[①]	繁茂嫩稚是桑林,
其下侯旬。[②]	树下满满布浓荫。
捋采其刘,[③]	如今采摘叶稀疏,
瘼此下民。[④]	害苦树下乘凉人。
不殄心忧,[⑤]	心中忧烦不绝断,
仓兄填兮。[⑥]	悽怆悲凉满胸襟。
倬彼昊天,[⑦]	明明在上是苍天,
宁不我矜!	为何不把我矜怜!
四牡骙骙,[⑧]	驾车四马走倥偬,
旟旐有翩。[⑨]	旌旗翩翩随风动。

乱生不夷，　　　　祸乱发生难平息，
靡国不泯。[⑩]　　　天下到处不安宁。
民靡有黎，[⑪]　　　群民百姓剩无几，
具祸以烬。[⑫]　　　全都劫余成凋零。
於乎有哀，[⑬]　　　哎咳一声心悲痛，
国步斯频。[⑭]　　　国运穷困势将倾。

国步蔑资，[⑮]　　　国运危败谁来问，
天不我将。[⑯]　　　苍天不把我帮衬。
靡所止疑，[⑰]　　　没有地方可立足，
云徂何往？　　　　说走又到哪安身？
君子实维，[⑱]　　　正人君子自思忖，
秉心无竞。　　　　并没安下贪竞心。
谁生厉阶？[⑲]　　　到底是谁种祸根？
至今为梗。[⑳]　　　丧乱为害延至今。

忧心殷殷，　　　　忧愁阵阵心内烦，
念我土宇。　　　　怀念故土与家园。
我生不辰，　　　　我生不逢好光景，
逢天僤怒。[㉑]　　　偏遇老天怒火燃。
自西徂东，　　　　从西到东多混乱，
靡所定处。　　　　无处立脚把身安。
多我觏痻，[㉒]　　　遭受灾难已够多，
孔棘我圉。[㉓]　　　盗寇又逼我边关。

为谋为毖，　　　　做事多谋又谨慎，
乱况斯削。　　　　祸乱状况会减缓。
告尔忧恤，　　　　告你顾恤老百姓，
诲尔序爵。[㉔]　　　教你遴选众哲贤。

谁能执热，	比如谁能持热物，
逝不以濯？	不去冷水洗一番？
其何能淑，[25]	无奈局面难改善，
载胥及溺。[26]	只有一起陷深渊。
如彼溯风，[27]	好像一人迎风立，
亦孔之僾。[28]	十分气促难呼吸。
民有肃心，[29]	民众怀有进取心，
荓云不逮。[30]	却使不能达目的。
好是稼穑，	你要喜好种田事，
力民代食。	劝民力耕你来食。
稼穑维宝，	耕种田地是个宝，
代食维好。	你来吃粮有滋味。
天降丧乱，	老天降下大灾殃，
灭我立王。	颠覆我们所立王。
降此蟊贼，	发生蟊贼诸害虫，
稼穑卒痒。[31]	庄稼全都被吃光。
哀恫中国，[32]	哀痛中国好土地，
具赘卒荒。[33]	全部废弃一片荒。
靡有旅力，[34]	民众疲惫耗尽力，
以念穹苍。	无可奈何呼上苍。
维此惠君，	只有仁惠好君王，
民人所瞻。	黎民百姓都景仰。
秉心宣犹，[35]	居心光明有谋略，
考慎其相。	能够慎重择臣相。
维彼不顺，	只有悖理劣君王，
自独俾臧。[36]	自我享乐顾周详。

自有肺肠，	别具一幅怪心肠，
俾民卒狂。[37]	使令百姓尽遭殃。
瞻彼中林，	看那野外树林中，
甡甡其鹿。[38]	群群鹿儿伴相亲。
朋友已谮，[39]	朋友却已不信任，
不胥以穀。[40]	彼此不存向善心。
人亦有言：	人们也有这样话：
“进退维谷。”	“如入峡谷难退进。”
维此圣人，	只有聪明睿智人，
瞻言百里。	深思熟虑看得远。
维彼愚人，	只有愚暗蠢笨人，
覆狂以喜。	反而狂诞瞎喜欢。
匪言不能，[41]	人们有口不能言，
胡斯畏忌？	为何惧祸顾眼前？
维此良人，	唯独对此良善徒，
弗求弗迪。[42]	不加寻求不采录。
维彼忍心，	唯独对那残忍夫，
是顾是复。[43]	既加青睐又庇护。
民之贪乱，[44]	民众因此喜作乱，
宁为荼毒。[45]	遂使社会受荼毒。
大风有隧，[46]	大风发源有孔窦，
有空大谷。	空空荡荡是大谷。
维此良人，	只有心地善良人，
作为式穀。[47]	行为端庄走正路。
维彼不顺，	只有居心叵测人，

征以中垢。[48] 常常步入幽暗途。

大风有隧，大风发源有孔隙，
贪人败类。[49] 贪婪之人败良规。
听言则对，[50] 听到恭维就答对，
诵言如醉。[51] 听到规箴就佯醉。
匪用其良，治国不用良善人，
覆俾我悖。[52] 使我流离又颠沛。

嗟尔朋友，哀叹告知诸朋友，
予岂不知而作[53]？我的作为岂盲目？
如彼飞虫，[54] 你们就像空中鸟，
时亦弋获。有时被射遭捉捕。
既之阴女，[55] 我今既去救你们，
反予来赫。[56] 反倒对我发恼怒。

民之罔极，[57] 民众做事违准绳，
职凉善背。[58] 皆因王信巧佞人。
为民不利，佞人做起害民事，
如云不克。心中很怕不胜任。
民之回遹，[59] 民众行为多邪僻，
职竞用力。[60] 王用暴力是主因。

民之未戾，[61] 民众至今不安宁，
职盗为寇。皆因在上盗寇行。
凉曰不可，[62] 忠告你身应制止，
覆背善詈。[63] 反而背地骂不停。
虽曰匪予，[64] 虽然贬派我不是，
既作尔歌。终于作歌给你听。

注释

①菀(yù):茂盛。②侯:维。旬:遍。③刘:斩杀,指桑树被采摘后稀疏无叶。④瘼:病。⑤殄(tiǎn):绝。⑥仓兄:同"怆怳",悲闵。填:充塞。⑦倬(zhuō):著明。⑧骙(kuí)骙:奔驰的样子。⑨旟(yú):画有鸟隼的旗。旐(zhào):画有龟蛇的旗。⑩泯:乱。⑪黎:众。⑫具:通"俱"。以:通"而"。烬:灾余曰烬。⑬於乎:通"呜呼",叹词。⑭斯:这样。频:危急。⑮蔑:无。资:助。⑯将:扶持。⑰疑:通"凝",定。⑱维:同"惟",思。⑲厉阶:祸端。⑳梗:三家诗均作"骾",害。㉑倬(dàn):大。㉒觏:遇。痻(mín):病,灾难。㉓孔棘:甚急。圉:边疆。㉔序爵:合理授予官职。㉕淑:善。㉖胥:互相,一起。㉗溯:向。㉘僾:唈,气不舒。㉙肃:进。㉚荓:借为"伻",使。云:有。逮:及,达到。㉛卒:尽。痒:病。㉜恫:通"痛"。㉝赘:废。㉞旅:通"膂"。旅力:体力。㉟宣:明。犹:通"猷",谋。㊱俾:使。臧:善。㊲狂:林义光《诗经通解》:"狂,读为尪(wāng)。尪,瘠病也。"㊳甡(shēn)甡:同"莘莘",众多貌。㊴谮:同"僭",欺而不信。㊵胥:相。穀:善。㊶匪:读为"彼",指那些在位之人。匪言不能,等于说"彼不能言"。㊷迪:进用。㊸顾:顾惜。复:借为"覆",包庇。㊹贪:爱好。㊺宁:乃。荼毒:祸乱。㊻隧:《毛传》:"隧,道也。"谓所从来之路。㊼式:语助词。㊽征:行。中垢:谓幽暗污秽之事。㊾类:善。㊿听言:受听的话。51诵言:劝谏的话。52悖:林艺光《诗经通解》:"悖,读颠沛之沛。言不用良言,而反使我颠沛也。"53不知:不智。54飞虫:飞鸟(《郑笺》)。55之:往。阴:同"荫",庇护。56赫:怒。57罔极:失掉准则。58职:主,指主要原因。凉:同"谅",信。善背:《郑笺》谓"工相欺违"。指巧佞之人。59回遹:邪僻。60竞用:争用。61戾:定。62凉:同"谅",诚。63善詈:大骂。《郑笺》:"善,犹大也。"64匪予:非予,以我为非。

鉴赏

《桑柔》是一篇刺周王、责执政的诗。《左传·文公元年》,秦穆公引此篇第十三章以为周芮良夫所作。汉初经师多采此说。《毛诗序》:"《桑柔》,芮伯刺厉王也。"郑玄笺:"芮伯,畿内诸侯,王卿士也,字良夫。"王符《潜夫论·遏利》说:"昔周厉王好专利,芮良夫谏而不入,退赋《桑柔》之诗以讽。"王符治《鲁诗》,是鲁说亦与毛同。

关于芮良夫谏厉王之事,史有明文记载。《史记·周本纪》说:

"厉王即位三十年,好利,近荣夷公。大夫芮良夫谏厉王……厉王不听,卒以荣公为卿士,用事。王行暴虐侈傲……三十四年,王益严。国人莫敢言,道路以目……于是国莫敢出言,三年,乃相与畔,袭厉王。厉王出奔于彘。"芮良夫谏厉王,当时是著名的政治事件,《逸周书·芮良夫》篇有专文记其辞(详后)。据《史记》,良夫之谏在厉王三十年。那么,"退赋《桑柔》之诗以讽",也该在其后不久。但有的学者据诗意及"天降丧乱,灭我立王"之句,以为本诗应作于厉王奔彘之后。如方玉润《诗经原始》、吴闿生《诗义会通》均持此说。那么,这首诗就该作于厉王三十七年以后了。

《逸周书》载芮良夫的谏辞,与《桑柔》大意相近。但谏辞既产于祸前,故尚许从容委婉说理,而诗歌作于乱后,不许徐夷逶迤,故带有更强烈的感情色彩。所以两者既有联系又有区别,后者可视为前者的续篇。因此读一读谏辞,对深入理解《桑柔》是会有帮助的。谏辞与诗歌一样,内容可归纳为两个部分:一部分是针对周王,一部分是针对执政诸臣。其谏周王说:

天子惟民父母,致厥道,无远不服;无道,左右臣妾乃违。民归于德,德则民戴,否则民仇。兹言允效,于前不远。商纣不道,夏桀之虐肆无有家。……除民害,不惟民害。害民乃非后,惟其仇。后作类(善),后弗类,民不知后,惟其怨。民至亿兆,后一而已,寡不敌众,后其危哉!……以予小臣良夫观天下有士之君,厥德不远,罔有代德。时(是)为王之患,其惟国人!

其诫执政同僚说:

惟尔执政小子同先王之臣,昏行□顾,道(导)王不若(顺),专利作威,佐乱进祸,民将弗堪。治乱信乎,其行惟王,暨而执政小子攸闻。古人求多闻以监(鉴)戒,不闻是惟弗知。……今尔执政小子,惟以贪谀为事,不勤德以备难。下民胥怨,财力单(殚)竭,手足靡措,弗堪上,不其乱而!……呜呼!惟尔执政朋友小子,其惟洗尔心、改尔行,克忧往愆(过),以保尔居。尔乃聩祸玩灾,遂弗悛。余未知王之所定,矧(况)乃□□。……尔执政小子不图善,偷生苟安,爵以贿成;贤智箝口,小人鼓舌;逃害要(邀)利,并得厥求。唯曰哀哉!我闻曰,以言取人,人饰其言;以行取人,人竭其行。饰言无庸(用),竭行有成。惟尔小子,饰言事王,黡蕃(繁)有徒。王貌受之,终弗获用。面相诬蒙,及尔颠覆!尔自谓有余,予谓尔弗足。敬思以德,备乃祸难。难至而悔,悔将安及?无曰予为惟尔之祸也。

芮良夫这些话确实有远见卓识，无奈厉王病入膏肓，其行不改，不久果被人民起义赶走，流亡于彘。良夫的话也就不幸而言中了。

《桑柔》共十六章，虽篇幅较长，但脉络仍很清楚。

前四章为一个层次，总叙祸乱初起。第一章，用桑叶被捋光为喻，说明祸乱对人民危害甚重。“瘼此下民”一句是本章点染重心，作者“仓兄填兮”之忧，亦是由此生发出来。第二章，指出祸乱之剧，国运已到了尽头。“民靡有黎，具祸以烬”两句，紧承“瘼此下民”一句而来。这两章，一直没有离开一个“民”字，说明诗人深谙“民惟邦本”的道理，所以始终把“民”作为首要问题来写。第三章，祸乱既危乎国，亦危乎己，因而把“谁生厉阶”作为一个大题目提出。“君子实维，秉心无竞”，在朝君子（包括作者在内）既然居心恬淡，毫无争权夺利之心，这就从反面指出祸乱之由在于执政中那些小人。第四章，写乱上加乱。内乱方兴，外患又至。

从第五至第十四章为第二个层次。诗人以十章的篇幅反复检讨祸乱之由，并对足以造成祸乱的恶行进行了无情地揭露、批评与谴责。第五章（“为谋为毖”），反题正作，首从救乱之说说起。“告尔忧恤，诲尔序爵”两句，是救乱总纲，是从总结祸乱产生的根本原因提出来的。不顾恤百姓和任用匪人，是产生祸乱的总根子，所以救乱亦须从此下手。下面几章滔滔汩汩，都是围绕这个枢轴来写。第六（“如彼溯风”）、七（“天降丧乱”）两章，写救乱要首先重视民众耕耘之事。前章，从正面写农耕的重要。“民以食为天。”食是民生所本，百姓最为关心。所谓“民有肃心（百姓有上进之心）”，主要是指想把田耕好。所以执政者不要扰民，要知“稼穑维宝”的道理，鼓励农耕，以取食于民，这才是正道。后章，从反面写荒废农耕的危害。说明厉王正是由于“稼穑卒痒”而引起骚乱，以至于灭亡的。后之来者，岂可不慎！第八章（维此惠君），从对比的角度来写君王的好坏。前四句是虚写，后四句是实写，是虚实映衬法。后四句表面看似无具体所指，实际谁都知道是在指斥厉王。“维彼不顺，自独俾臧。自有肺肠，俾民卒狂”四句，不正是厉王恶劣行径的写照吗？诗人所以要这样写，是因不便直呼厉王之名，这大概是恪守为臣之道的缘故吧。第九章（“瞻彼中林”），写人生之难，连朋友都已反目，自己已处于“进退维谷”之境。“瞻彼中林，甡甡其鹿”两句，是用兴句作比衬。鹿儿群居犹知相亲相伴，是人反不如畜了。第十至十三章，通过圣良与愚贪的反复对比，揭示两种人的本质差别，从而指责君王或执政者斥贤用佞的倒行逆施。这四章用交错法写出。即第十（“维此圣人”）、十二（“大风有隧，有空大谷”）两章，写两种人对比；第十一（“维此良人”）、十三（“大风有隧，贪人败类”）两章，写君王或执政者对两种人的态度。第十四章（“嗟尔朋友”），是对朋友同僚的回答。可能因诗人的直言指斥得罪了朋友同僚，就对他反目（“反予来赫”）。所以诗人指出，朋友已处于危险边缘，己之所为乃是对他们的挽救。这章直承九章写来，因此，中间四章（十至十三章）当是诗人针对时弊，对僚友的进言。既然涉及朝廷用人大事，所以指斥的对象当然包括君王和一些主要执政大臣。总之上边十章都是紧扣“告尔忧恤，诲尔序爵”两句主旨所发的议论。体恤民众和选用贤能两项，确是一切为政与救乱之本。诗人就此立论，可谓击中要害。

第十五（“民之罔极”）、十六（“民之未戾”）两章为最后一个层次。诗人指出，民乱的根本原因为上行不善所致。诗以此作结，显示了作者政治观察力的敏锐和胆识的卓越。

这首诗虽有抒情和叙事的成分，但既非抒情诗也不是叙事诗，而是属于哲理诗之类。诗采用了谏诤的写法，就厉王之乱反复委曲陈说，故不乏跌宕之致。说理时，较多地使用了对比的修辞方法，增强了诗歌的说服力和感染力。此外，在关键处还运用了比兴手法，如开头用柔桑被捋采比喻人民遭受涂炭；中间用“执热”“溯风”“甡甡其鹿”“如彼飞虫”……来比喻各种抽象的事理，也给枯燥的说理带来了生动活泼的气息。

（王锡荣）

云　汉

倬彼云汉，[1]	浩浩银河天上横，
昭回于天。[2]	星光灿烂转不停。
王曰於乎，[3]	国王仰天长叹息：
何辜今之人！	百姓今有啥罪行！
天降丧乱，	上天降下死亡祸，
饥馑荐臻。[4]	饥荒灾难接连生。
靡神不举，	哪位神灵没祭祀，
靡爱斯牲。	何曾吝惜用牺牲。

圭璧既卒，[5]	祭神圭璧已用尽，
宁莫我听！	为啥祷告天不听！
旱既大甚，[6]	旱情已经很严重，
蕴隆虫虫。[7]	酷暑闷热如火熏。
不殄禋祀，[8]	不断祭祀求降雨，
自郊徂宫。	从那郊外到庙寝。
上下奠瘗，[9]	上祭天神下祭地，
靡神不宗。	任何神灵都敬尊。
后稷不克，	后稷不能止灾情，
上帝不临。	上帝圣威不降临。
耗斁下土，[10]	天下田地尽遭害，
宁丁我躬！[11]	灾难恰恰落我身。
旱既大甚，	旱灾已经很不轻，
则不可推。	想要消除不可能。
兢兢业业，	整天提心又吊胆，
如霆如雷。	如防霹雳和雷霆。
周余黎民，	周地剩余老百姓，
靡有孑遗。[12]	将要全部死干净。
昊天上帝，	皇天上帝心好狠，
则不我遗。[13]	不肯赐食把善行。
胡不相畏？	祖先怎么不害怕？
先祖于摧。[14]	子孙死绝祭不成。
旱既大甚，	旱情严重无活路，
则不可沮。	没有办法可止住。
赫赫炎炎，	烈日炎炎如火烧，
云我无所。[15]	哪里还有遮阴处。

大命近止，[16]	大限已到命将亡，
靡瞻靡顾。	神灵仍旧不看顾。
群公先正，[17]	诸侯公卿众神灵，
则不我助。	不肯降临来帮助。
父母先祖，	父母祖先在天上，
胡宁忍予！[18]	为啥忍心看我苦？
旱既大甚，	旱灾来势很凶暴，
涤涤山川。[19]	山秃河干草木焦。
旱魃为虐，[20]	旱魔为害太猖狂，
如惔如焚。[21]	好像遍地大火烧。
我心惮暑，	长期酷热令人畏，
忧心如熏。	忧心如焚受煎熬。
群公先正，	诸侯公卿众神灵，
则不我闻。[22]	毫不过问怎么好？
昊天上帝，	叫声上帝叫声天，
宁俾我遯！[23]	难道要把我困倒！
旱既大甚，	旱灾来势虽凶暴，
黾勉畏去。[24]	勉力在位不辞劳。
胡宁瘨我以旱？[25]	为啥降旱害我们？
憯不知其故。[26]	不知缘由真心焦。
祈年孔夙，	祈年祭祀不算晚，
方社不莫。[27]	祭方祭社也很早。
昊天上帝，	皇天上帝太狠心，
则不我虞。[28]	不佑助我不宽饶。
敬恭明神，	一向恭敬诸神明，
宜无悔怒。[29]	想来神明不会恼。

旱既大甚，	旱情严重总不已，
散无友纪。[30]	人人散漫无法纪。
鞫哉庶正，[31]	公卿百官都技穷，
疚哉冢宰。[32]	宰相盼雨空焦虑。
趣马师氏，[33]	趣马师氏都祈雨，
膳夫左右。[34]	膳夫侍臣来助祭。
靡人不周，[35]	没有一人不出力，
无不能止。[36]	没人停下喘口气。
瞻卬昊天，	仰望晴空无片云，
云如何里！[37]	我心忧愁何时止！

瞻卬昊天，	仰望高空万里晴，
有嘒其星。[38]	微光闪闪满天星。
大夫君子，	大夫君子很虔诚，
昭假无赢。[39]	祈祷神灵没私情。
大命近止，	大限虽近将死亡，
无弃尔成。	继续祈祷不要停。
何求为我，	祈雨不是为自己，
以戾庶正。[40]	是为安定众公卿。
瞻卬昊天，	仰望皇天默默祷，
曷惠其宁！[41]	何时赐我民安宁？

（程俊英译，略有改动）

注释

①倬彼：倬倬，浩大。②昭：明，指银河。回：转。从地球上望银河的位置，一年四季常有变换。③於乎：同“呜呼”，叹词。④荐：重，再。臻：至。⑤圭璧：两种古玉器。古人相信鬼神以玉为食，所以用它来祭祀。⑥大：音义同“太”。⑦蕴：通“煴”，闷热。隆：盛。虫虫：同“爞爞”，热气熏蒸貌。⑧殄：断绝。禋(yīn)祀：升烟以祭，古代祭天的典礼，这里泛指祭祀。⑨奠：陈列祭品以祭天。

瘗(yì):掩埋祭品以祭地。⑩耗:损耗。斁(dù):败坏。⑪宁:乃。丁:当。⑫孑遗:遗留,剩余。⑬遗:借为“馈”,赐给食物。⑭于:以。摧:挫折。谓子孙绝灭,将无人来祭祀祖先。⑮云:发语词。此句言热得无处可住。⑯大命:寿命。近:不长。止:语气词。⑰群公:前代的先公。先正:前代的贤臣。⑱宁:乃。忍予:对我忍心。⑲涤涤:光秃秃的样子。⑳旱魃(bá):古代神话中的旱魔。㉑惔(tán):火烧。㉒闻:借为“问”,过问。㉓遯:当读“屯难”之“屯”,困也。马瑞辰云:“宁俾我遯,犹云使遯我困也。”(《毛诗传笺通释》)㉔畏去:不敢离去。㉕瘨(diān):病,害。㉖憯(cǎn):曾,语助词。㉗方:祭四方之神。社:祭土神。莫:古“暮”字,晚。㉘虞:助。或作度(思虑)解,亦通。㉙悔:恨。㉚友:“有”字的假借。㉛鞫(jū):穷困。庶正:百官。㉜疚:忧虑。冢宰:官名,职位如后世宰相。㉝趣马:掌管国王马匹的官。师氏:掌管贵族教育的官。㉞膳夫:主管国王等饮食的官。左右:指国王左右的侍御之臣。㉟周:读为“赒”,救。㊱没人说自己不能做而遂停止不做。㊲里:又作“瘇”或“悝”,忧。㊳有嘒:嘒嘒,微光闪烁貌。㊴假:通“格”,至。昭假:通过祈祷而招至神灵。赢:私。㊵戾:定。庶正:公卿百官。㊶惠:赐。

鉴赏

《云汉》是记周宣王时旱情之诗。全诗作宣王自我呼吁口吻,但开头又有“王曰於乎”之句,似为臣下所记。所以《毛诗序》说:“《云汉》,仍叔美宣王也。”《郑笺》:“仍叔,周大夫也。”毛、郑均以《云汉》为仍叔所作。但这首诗作者是否仍叔,还缺乏可靠的文献资料作证明。据《春秋·桓公五年》:“天王使仍叔之子来聘。”鲁桓公五年上距宣王之死已七十五年,仍叔之子此时尚幼出使鲁国,故《春秋》称“仍叔之子”以讥之。假设仍叔此时七十五岁,则宣王死时仍叔刚刚出生,故仍叔不及事宣王之朝,当然也就不可能作《云汉》之诗以美宣王。不过,这首诗肯定不是宣王亲笔所制,也不是什么“美宣王”之作。它只是某一臣下如实、生动地记述了宣王忧旱情景的一首诗。

关于宣王时曾遭遇旱灾之事,历史上是有传说的。汉人董仲舒《春秋繁露·郊祀》说:“周宣王时,天下旱,岁恶甚。”王充《论衡·须颂》说:“成汤遭旱,周宣亦然。”皇甫谧《帝王世纪》以为从宣王二年至六年,积旱五年。所以,《毛诗》之外,《鲁诗》《韩诗》也都认为《云汉》是宣王之诗。

这首诗共八章,每章十句。第一章,领起全诗。开头两句(“倬彼云汉,昭回于天”),说天河倬然著明,回转于天空之中。此及天晴无雨之征。作者写此,以引出主人公忧旱之念。紧接两句("王曰於乎,何辜今之人"),点出忧旱者的身份是周王。后六句简括地交代了灾情的严重和祈祷诸神、禳除灾异的情况。"靡神不举",说明祭祀的普遍;"靡爱斯牲",说明祭祀的虔诚;"圭璧既卒,宁莫我听",说明虽然经过竭诚祭祀、祈祷,灾情仍不缓解。这里,"圭璧既卒"一句承接"靡神不举"一句之意而言。古时祭天神焚玉,祭山神埋玉,祭水神沉玉,祭祖宗陈玉。陈玉祭毕收藏,而焚烧及沉埋之玉则不复收藏。今既"靡神不举",因而使得圭璧一下子用光了。这简单的几句,揭示出灾情的严重和旷日持久,也写出周王想及早解除旱象所作的种种努力和急切心情。古人迷信鬼神,认为天不降雨是因为人们得罪了天地祖宗,而神鬼震怒降灾的结果。周王由于时代和阶级的局限,更无法摆脱这种认识。所以,他在下文把旱灾的形成主要归结于此,而他赖以解除灾情的办法,也主要寄托在上帝祖宗的保佑上面。第二至第五章,反复写周王对旱灾造成的困境的无比忧虑和祈祷神灵解除灾情的迫切愿望。这四章,每章都以"旱既太甚"一语开头,写出旱象的严重,然后道出"我"在灾异面前的处境和态度,最后乃呼吁天地祖宗神灵不要把"我"遗弃,迅速制止旱灾。这里一连四章意思大致相似,反反复复,目的是为了尽兴,和强调以引起神灵瞩目的企图,当然也有尽情倾泻内心忧虑之意。不过仔细搜讨,亦可发现这四章意思并不完全雷同。二章紧申"靡神不举"之意,哀己身遭遇旱灾之不幸;三章指出黎民罹难,死亡迨尽,哀祖宗之祀不能延续;四章叙"我"禄数将终,祖宗神灵忍视不救;五章写灾异之烈,"我"心之忧,设想昊天上帝直欲使己困倒。所以这四章诗的内涵,看来还是存有一定的差异。第六章,诗人在极其困惑之中,欲探究发生灾异之故,乃转而反思人事。谓上帝病我以灾异,我实不知是何缘故。思我祈年甚早,祭四方与社稷之神亦不为晚,难道上帝不知?我如此恭敬事神,神不宜更恨怒于我。这里忧旱者的着眼点还是未离天地祖宗之灵。第七章,言朝廷百官从上到下,无不为救灾而尽力,然旱犹不止,使己忧愁无有穷尽之时。末章,紧承前章致言,勉励群臣竭诚无私以事众神,勿弃前功,总以挽回天心为主。至于我之所求,亦在坚定诸有司之信心而已。

总之,这篇作品是宣王忧旱之作,内容集中在写对旱灾的忧烦之心,同时涉及救灾的各个方面。吴闿生《诗义会通》引折中说:"详译诗言,有事天之敬,有事神之诚,有恤民之仁,有恐惧修省之实心,有发粟劝施之实政,盖消弭补救之道皆具,不止缕述其忧悯而已。"其理解是正确的。

这篇诗歌的特点是，“自‘王曰於乎’，以下至篇末，皆借王口中出之，以见其忧民之诚，不烦更赘一语，亦一奇格”（《诗义会通》）。诗中所抒忧旱的思想感情直接而强烈。例如，写灾情不该值“我”在位时发生（“耗斁下土，宁丁我躬”），写灾情后果将使先祖绝祀（“胡不相畏，先祖于摧”），写祖宗神灵眼看我遭难不管（“父母先祖，胡宁忍予”）……均用质问语气，这就大大加强了情感的激烈程度。又如，诗两言“大命近止”，并不忌讳这些带有强刺激性的语言。如王质《诗总闻》所说：“非是哀辞。实有此理，不讳此字，然后可以感人动神也。”这些语言的运用，使诗歌增添了激切质直的气息。另外，诗用“蕴隆虫虫”“赫赫炎炎”“如惔如焚”，这些形容火气的词语来描写无雨之状，渲染了旱情的严重，十分具体生动，使读者读来感到气闷，真的如同置身于旱之中。又，从二章至七章，每章都用“旱既太甚”一语开头，也有力地增强了旱情的严重气氛。

（王锡荣）

崧　高

原诗	译文
崧高维岳，[1]	嵯峨耸立是四岳，
骏极于天。[2]	陡峭直上摩青天。
维岳降神，	四岳巍巍降神灵，
生甫及申。[3]	山甫申伯生人间。
维申及甫，	唯有申伯与山甫，
维周之翰。[4]	辅佐周朝是中坚。
四国于蕃，[5]	诸侯靠他作屏障，
四方于宣。[6]	天下靠他作墙垣。
亹亹申伯，[7]	申伯勤勉美名扬，
王缵之事。[8]	王命重任来承当。
于邑于谢，[9]	赐封于谢建新都，
南国是式。	南国诸侯有榜样。
王命召伯，[10]	周王命令召伯虎，

定申伯之宅。	去为申伯建住房。
登是南邦，[11]	建成南方一邦国，
世执其功。[12]	子孙世守国祚长。
王命申伯：	王对申伯下令讲：
“式是南邦。	“要在南国当榜样。
因是谢人，	依靠谢地众百姓，
以作尔庸。”[13]	建筑你国新城墙。”
王命召伯，	周王命令召伯虎，
徹申伯土田。[14]	治理申伯新封疆。
王命傅御，	命令太傅和侍御，
迁其私人。	助他家臣迁谢邦。
申伯之功，	申伯谢邑大工程，
召伯是营。	全靠召伯苦经营。
有俶其城，[15]	峨峨谢城工始竣，
寝庙既成。[16]	寝庙也已建筑成。
既成藐藐，[17]	雕梁画栋院宇深，
王锡申伯。	王赐申伯好礼品。
四牡蹻蹻，[18]	骏马四匹蹄儿轻，
钩膺濯濯。[19]	黄铜钩膺亮晶晶。
王遣申伯，	王遣申伯赴谢城，
路车乘马。[20]	高车驷马快启程。
我图尔居，	我细考虑你住处，
莫如南土。	莫如南土最相称。
锡尔介圭，	赐你大圭好礼物，
以作尔宝。	作为国宝永保存。
往近王舅，[21]	叫声娘舅放心去，

南土是保。	确保南土扎下根。
申伯信迈，[22]	申伯决定要动身，
王饯于郿。[23]	王到郿郊来饯行。
申伯还南，	申伯要回南方去，
谢于诚归。	决心南下往谢城。
王命召伯，	周王命令召伯虎，
彻申伯土疆。	申伯疆界要划定。
以峙其粻，[24]	沿途粮草备充盈，
式遄其行。[25]	一路顺风不留停。
申伯番番，[26]	申伯威武气昂昂，
既入于谢。	进入谢城好排场。
徒御啴啴，[27]	步骑车御列成行，
周邦咸喜。[28]	全城人民喜洋洋。
戎有良翰，[29]	从此国家有栋梁，
不显申伯。[30]	高贵显赫的申伯。
王之元舅，	周王大舅不寻常，
文武是宪。	能文能武是榜样。
申伯之德，	申伯美德众口扬，
柔惠且直。	和顺正直且温良。
揉此万邦，[31]	安定诸侯达万国，
闻于四国。	赫赫声誉传四方。
吉甫作诵，[32]	吉甫作了这首歌，
其诗孔硕。	含义深切篇幅长。
其风肆好，[33]	曲调优美音锵锵，
以赠申伯。	赐别申伯诉衷肠。

（程俊英译，略有改动）

注释

①崧:高貌,三家均作"嵩"。岳:四岳。《尚书·尧典》:"四岳:岱宗、南岳、西岳、北岳。"②骏:高大,三家作"峻"。③甫:仲山甫,周宣王时为相。申:申伯,周宣王母舅。④翰:辅翼也。⑤蕃:《韩诗》作"藩",藩篱,屏障。⑥宣:借为"垣"(马瑞辰《毛诗传笺通释》),围墙。⑦亹(wěi)亹:勉也。⑧缵:《韩诗》作"践",《潜夫论》引作"荐",任也。⑨于:前"于"动词,为、作之意;后"于"介词,在。谢:地名,在今河南省唐河县。⑩召伯:周宣王大臣召伯虎。⑪登:成。⑫功:事,指南邦国事。⑬庸:借为"墉",城。⑭彻:治理。⑮俶(chù):始。⑯寝庙:宗庙。《礼记·月令》郑玄注:"凡庙,前曰庙,后曰寝。"⑰藐藐:美盛貌。⑱跻跻:壮貌。⑲钩膺:套在马胸前的带饰。濯濯:光鲜貌。⑳路车:一作"辂车",古代诸侯坐的一种车。乘马:四匹马。㉑迈(jì):语气词,犹"哉"。㉒信迈:真的去了。㉓郿:地名,在今陕西郿县东北。㉔峙:同"庤",储备。粻(zhāng):粮。㉕式:用,以。遄(chuán):迅速。㉖番(bō)番:勇武貌。㉗啴(tān)啴:众多貌。㉘周:遍,全。㉙戎:你,指周王。㉚不:通"丕",大。不显:特别显赫。㉛揉:安。亦作"柔"。㉜吉甫:尹吉甫,周宣王大臣。姓兮,名甲,字伯吉甫。尹是官名。宣王五年曾率兵征伐玁狁,见《小雅·六月》。㉝风:曲调。肆好:极好。

鉴赏

此诗与下篇《烝民》,同为尹吉甫送别之作。这首诗送申伯,《烝民》送仲山甫。申伯是周厉王申后的兄弟,宣王的母舅,封于申,伯爵,故称申伯。宣王时,申伯来朝,久留不归。宣王又以谢(今河南唐河县北)地益封,并筑城做他的新都(孔颖达《正义》:"申伯先封于申,本国近谢;今命为州牧,故改邑于谢")。临去时,尹吉甫作这首诗来赠送他。尹吉甫是宣王的大臣。《小雅·六月》颂扬他征讨猃狁有功,他又擅长经邦治国,很会作诗,文武全才,所以《六月》说他:"文武吉甫。"

这首诗共八章,可分三个层次。第一章为第一个层次:总写申伯的不凡。前四句("崧高维岳,骏极于天。维岳降神,生甫及申"),写申伯出身的非同小可。说他是四岳神灵所降生。在当时神权凌驾一切的社会,这是最崇高的颂扬。诗这样起头,别具一番气势。方玉润《诗经原始》说:"唯发端严重庄凝,有泰山岩岩气象。中兴贤佐,天子懿亲,非此手笔不足以称题。"笔者这样起头确实起到了这样的作用。这一章有两处词语须稍加辨析:一是“崧高维岳”。今天许多《诗经》译注(如高亨《诗经今注》、程俊英《诗经译注》),都把“崧高”解成中岳嵩山,专名词;把“岳”解成高大的山,普通名词。这是不对的。按,西周时尚无中岳嵩山之称。“崧高”称谓中岳,当是后起之事。“崧”与“嵩”音义全同,古与“崇”字通。《尔雅·释山》:“山大而高,崧。”《说文》:“崇,嵬高也。”两者义合,“崧(嵩)高”作“崇高”之义,古书中多有其例。如《易林·大壮之兑》中的“嵩高岱宗,峻直且神”,用“嵩高”形容泰山;扬雄《河东赋》中的“瞰帝唐之嵩高兮”,用“嵩高”形容唐尧。是“崧(嵩)高”即“崇高”。岳,指四岳。《毛传》:“岳,四岳也。东岳岱,南岳衡,西岳华,北岳恒。”“崧高维岳”就是“崇高维岳”,主语是“岳”,“崧高”是修饰语。所以诗下文才有“维岳降神”之句。二是“生甫及申”。其中的“甫”,自《毛传》以下许多学者都解为甫侯。但《鲁》《齐》《韩》三家诗均以“甫”为仲山甫。如《礼记·孔子闲居》引《嵩高》此章,郑玄注:“言周道将兴,五岳为之生贤辅佐,仲山甫及申伯为周之干臣。”这里,郑是引述《齐》说。《韩诗外传》称为“樊仲山甫”,则山甫为樊国之君。又张衡《应闲》曰:“申伯樊仲,实干周邦。”(《后汉书·张衡传》)蔡邕《荐董卓表》云:“是故申伯、山甫,列于《大雅》。”张、蔡均治《鲁诗》。可见三家之说是相同的。姚际恒《诗经通论》、方玉润《诗经原始》,于此有较为翔实的辨证。故此“甫”指仲山甫无疑。今考,申伯姜姓,尧时“四岳”(官名)之后裔,而据张衡《司徒吕公诔》,樊仲亦出“四岳”。那么,这前四句诗又有特别的含义。即赞颂申、甫能够继承其先祖余绪,作周家的中坚和栋梁。后四句(“维申及甫,维周之翰。四国于蕃,四方于宣”),正面明确点出申、甫是周家桢干之臣,把前四句的颂扬落到了实处。本诗主旨在于颂美申伯,却同时提到仲山甫。说明这首诗与下一首《烝民》(专颂仲山甫的诗),是作者同时、有计划地创作的两首诗歌(宣王可能同时封遣申伯与山甫)。诚如姚际恒所说:“此诗以申、甫并言,乃似统为二诗发端。”(《诗经通论》)同时,诗这样写也有衬托的作用,“当时仲山甫为相,申伯亚于山甫,借山甫以大申伯也”(同前)。这首诗主旨是颂美申伯,而着墨最多的是宣王对他的封赠,第一章起了提携和铺垫的作用。正因为申伯对周家具有这么重要的地位和作用,所以后面宣王赏赉的丰厚、照顾的周详和关怀的备至,才使读者感到十分自然。

第二个层次,包括二至七等六章,具体写宣王对申伯的封赠。这是全诗描写的重点部分。这部分主要是围绕封谢来写。第二章,写定封于谢,并命大臣召伯虎“定申伯之宅”，为申伯造宫室宅院；第三章，写筑城，治土田、赋税，迁徙家人；第四章，写城郭、宗庙既成，王又赐以车马；第五章，乃写遣行前王对申伯的嘱托，并赐以大圭之宝；第六章，写申伯启行归谢，宣王为之饯行；第七章，写申伯入谢的气氛。这次封赠的礼仪是相当隆重的，规模是相当巨大的，安排是相当周密的。方玉润《诗经原始》说：“自城郭、宗庙、宫室、车马、宝玉，以及土田、赋税之属，无不具备。所尤异者，伯之家人，亦令傅御代为迁徙；赴国行粮，亦命召伯早为储备。王之宠臣，可谓至矣。夫古之封建，锡以车马、畀以宝玉者有之，未有代营其城邑、寝庙者；古之宠赉，予以弓矢、赐以甲第者有之，未有代迁其室家，且并虑及餱粮者。有之，自宣王待申伯始。”诗作这样详细地描写，来说明朝廷对重臣的笼络，同时也有力地显示了宣王是一位有作为、有才干而又精明的君主，历史上出现周室中兴不是偶然的。对宣王为何如此隆重封赠申伯，方玉润说得好：“盖王之为是曲尽恩荣者，非以伯为元舅之尊也，非以伯有拥戴之劳也，诚以其资兼文武、望重屏藩，论德则柔惠堪嘉，论功则蕃宣足式，故用‘以式南邦’，不得不如是之恩意周浃、礼文备至焉尔。然则诸臣之旁观者，又不知如何感泣，亦将忘身以报之矣。呜呼！令德圣主，忠荩贤臣，其推诚相与，夫固有非形迹所能喻者。此尹吉甫之所为长言而歌咏之也欤?”这几句话，把宣王封赠申伯的意义基本说清楚了。尤值得读者留意的是，这几章诗反复强调此次封赠的目的：“南国是式”“式是南邦”“南土是保”……这是因为南国在战略上有着重要的地位。宣王三十九年，与姜戎在千亩作战，损失了南国的军队。这次封申伯于此，可能欲对南国重新加以振兴，同时对南国人民也有安抚的意思。

第三个层次，为最后一章。结尾点明作诗之意，特别指出申伯功德之盛，说明其受赐有当，非恃亲贵以邀宠者比。而已作此“孔硕”“肆好”之诗以送之，亦非无端的阿谀逢迎。

这首诗写得很是平实，所以有的评论家认为“理明词顺，俊快自得，与《桑柔》《云汉》之古拗稍不类”(《诗经通论》)。叙事清晰，重点突出，起笔不凡，是这首诗值得称道之处。尤其是它的开头，方玉润称其“起笔峥嵘，与岳势竞隆”(《诗经原始》)。后来杜甫投赠巨制多学此种笔法。本诗叙事，先交代周王封申伯于谢，次写王命召伯、傅御等为之做好各种迁徙的准备，次写王命申伯启程，次写周王为之饯行，次写申伯入谢……层层逼近，步步深入，次序井然。另外，诗在叙述中，有三、四处用王命口吻说话，但用得很巧妙自然，所以显得十分熨帖，使诗歌在平直中显现跌宕之势。总的看，与典型的《雅》诗比较，这篇诗的风格确稍见差异。一般说,前者多显古拗、庄严与凝重,而本篇则显现出一定的流畅、活泼与从容。所以吕氏《东莱读诗记》说:“是篇虽雅,其间固有风之体也。”

（王锡荣）

烝　民

天生烝民,	天生众人性相合,
有物有则。	万物本来有法则。
民之秉彝,	人心自然赋常情,
好是懿德。	全都喜爱好品德。
天监有周,	老天审察我周朝,
昭假于下。[1]	周王祈祷意诚恪。
保兹天子,	为保天子能中兴,
生仲山甫。	生下山甫辅君侧。
仲山甫之德,	山甫天生好品德,
柔嘉维则。	和气善良有原则。
令仪令色,	仪表堂堂脸带笑,
小心翼翼。	办事谨慎不出格。
古训是式,	遵循古训无差错,
威仪是力。	尽力做到礼节合。
天子是若,	处处承顺天子意,
明命使赋。	颁布命令贯政策。
王命仲山甫,	周王命令仲山甫,
式是百辟。	要作诸侯好榜样。
缵戎祖考,[2]	祖先事业你继承,
王躬是保。	辅佐天子立纪纲。
出纳王命,	受命司令你掌管,

王之喉舌。	作王喉舌代宣讲。
赋政于外，	颁布政令达各地，
四方爰发。	贯彻执行到四方。
肃肃王命，	王命严肃不可抗，
仲山甫将之。	山甫执行很顺当。
邦国若否，	全国政事好和坏，
仲山甫明之。	山甫心里最明亮。
既明且哲，	知识渊博又明理，
以保其身。	保全节操永流芳。
夙夜匪解，	日夜工作不松懈，
以事一人。	全心全意侍周王。
人亦有言：	有句老话经常讲：
“柔则茹之，	“东西要拣软的吃，
刚则吐之。”	硬的吐出放一旁。”
维仲山甫，	只有这位仲山甫，
柔亦不茹，	软的东西他不吃，
刚亦不吐；	硬的不吐真坚强；
不侮矜寡，③	见到鳏寡不欺侮，
不畏强御。	遇到强暴不退让。
人亦有言：	有句老话人常道：
“德輶如毛，	“品德即使轻如毛，
民鲜克举之。”	很少有人举得高。”
我仪图之，④	细细揣摩暗思考，
维仲山甫举之，	只有山甫能做到，
爱莫助之。⑤	无力帮他表倾倒。
衮职有阙，⑥	周王破了衮龙袍，

维仲山甫补之。	只有山甫能补好。
仲山甫出祖，	山甫远出祭路神，
四牡业业。	四马雄壮如飞奔。
征夫捷捷，	左右随从很勤快，
每怀靡及。⑦	惦念任务还在身。
四牡彭彭，	四马蹄声得得响，
八鸾锵锵。	八铃锵锵车轮滚。
王命仲山甫，	周王命令仲山甫，
城彼东方。	筑城东方立功勋。
四牡骙骙，	四匹骏马奔跑忙，
八鸾喈喈。	八只铜铃响叮当。
仲山甫徂齐，	山甫到齐去平乱，
式遄其归。	盼他早日回故乡。
吉甫作诵，	吉甫作歌赠老友，
穆如清风。⑧	和如清风吹人爽。
仲山甫永怀，⑨	山甫临行顾虑多，
以慰其心。	诵诗安慰望心广。

（程俊英　译）

注释

①昭假:谓祈祷精诚上致乎神。②缵:继承。戎:汝,你。祖考:先祖,先父。传说仲山甫乃姬周之后裔,亦说其为太公之后,其先人世代为周之重臣。③矜寡:即“鳏寡”,泛指孤苦的人。矜,《左传·昭公元年》引作“鳏”。④仪图:揣度。“仪”作“度”解,《国语·周语》“仪之于民,而度之于群生”可证。⑤爱:通“薆”,隐蔽,与《邶风·静女》“爱而不见”之“爱”义同。“爱莫助之”有为善不求人见之意,译为“无力帮他表倾倒”,恐非是。⑥衮:古代天子所服的绣龙衣,用以指天子。职:读为“识”,犹“适”,偶然。衮职有阙:比喻天子偶然有过失。

⑦每怀靡及:常恐赶不上。这是写“征夫”心情,用以突出主帅的不凡。译为“惦念任务还在身”欠妥。⑧穆:和美。⑨永怀:长思。指为国家大事操心,译为“顾虑多”不妥。

鉴赏

这是一首赞歌。

周宣王派大臣仲山甫到齐地筑城、平乱,巩固东方边防。临行时,宣王的另一大臣尹吉甫作此诗相赠,盛赞仲山甫的美德和他辅佐宣王中兴的政绩。

诗共八段,可分三个部分:开头一段为第一部分,写仲山甫应运而生,不同凡响。二至六段为第二部分,写仲山甫遵循“古训”,忠于“天子”之德,“出纳王命”赋政四方、日夜工作不松懈的才干和劳绩,以及不欺鳏寡、不畏强梁、敢于向周天子劝善规过的高尚品质和刚直无畏的精神。这一部分是重点。七至八段为第三部分,写赴齐启程场面,突出仲山甫的威仪和影响,也表达了诗人对他的敬佩之情和慰勉之意。

这首诗中的仲山甫,被描写成一个出类拔萃的英雄人物。诗人站的角度很高,把歌颂的对象放在周室中兴这个广阔的时代背景上来考察、鉴别。仲山甫的所作所为,都与周王有着密切联系。他之所以能够总领诸侯,一呼百应,在全国树立起崇高威望,正因为他“小心翼翼”,“天子是若”,忠实地“出纳王命”,做“王之喉舌”。臣的成功,证明了君的英明。这样写,既突出了仲山甫举止有则,为国忠贞,不愧是一名贤臣,也反映出力图中兴的周宣王,善于任贤使能,制定正确的方针政策,并能虚心听取臣下意见,择善而从,不愧是一位明君。诗中“一箭双雕”,通过颂贤臣而颂明君。本诗《毛诗序》云:“尹吉甫美宣王也,任贤使能,周室中兴焉。”正道出了诗人唱这首赞歌的本意。因为诗人从大处落墨,所以这首诗显得气魄恢弘,能让读者透过一人的行迹而窥见整个时代的掠影。

这首诗基本上采取“敷陈其事而直言”的赋的表现方法。诗人抓住人物各方面的突出表现,作综合、概括地介绍,并把叙述和评议有机地结合起来,边述边评,以议带叙。如诗一开头就议论到,爱好美好的品德是人之常情,第二段紧承“民之秉彝,好是懿德”这一命意,介绍“仲山甫之德”的种种表现;前面评赞仲山甫“既明且哲”,后面则介绍他怎样不同凡俗,敢于扶弱抗强,甚至天子有过失也敢于直谏。这样写,“事随意转,理逐言深”(梁元帝《内典碑铭集林序》),头绪分明,重点突出,人物精神昭然可见。为了突出人物，诗中还运用了对比、衬托等手法。诗的五、六段，拿常人与仲山甫作对比。常人是“柔则茹之，刚则吐之”，欺弱怕强，而仲山甫“柔亦不茹，刚亦不吐”，他“不侮矜寡，不畏强御”；常人往往轻视小善小德，即使“德輶如毛”，也“鲜克举之”，而仲山甫则脚踏实地，从一点一滴做起，积小德成大德。这样一对比，就格外显出仲山甫品德高尚。诗中写周天子对仲山甫由衷信任，委以重任，写仲山甫徂齐时，“征夫捷捷，每怀靡及”，都从侧面衬托出仲山甫在人们心目中的崇高地位。

诗的语言质而雅。有不少词语富有创造性和表现力，为后代所沿用。如“衮职”“补阙”，后来成为谏官的代名词；“穆如清风”，则常用以赞美良吏；至于“小心翼翼”“喉舌”“爱莫能助”等词语，至今仍被人们广泛使用。

（何庆善）

韩　奕

奕奕梁山，①	巍巍梁山多妖娆，
维禹甸之，	是禹将它治理好，
有倬其道。	消除洪水开大道。
韩侯受命，②	韩侯来京受册封，
王亲命之：	周王赐爵亲谕告：
“缵戎祖考。	“侯位继你先祖考，
无废朕命，	谨遵我令勿违拗，
夙夜匪解。	治国日夜须操劳。
虔共尔位，	坚守职位尽忠诚，
朕命不易。③	受我策命最荣耀。
榦不庭方，④	诛逆伐叛正纪纲，
以佐戎辟。”	辅佐君王多报效。”
四牡奕奕，	四匹大马高又壮，
孔脩且张。⑤	仪队车驾气势昂。
韩侯入觐，	韩侯入周来觐见，

以其介圭，[⑥]　　手捧命圭上朝堂，
入觐于王。　　顶礼膜拜朝周王。
王锡韩侯：　　王赐厚礼示嘉奖：
淑旂绥章；[⑦]　　龙旗彩羽竿头张；
簟茀错衡，[⑧]　　彩车簟席内外光，
玄衮赤舄；[⑨]　　玄袍赤靴王侯装；
钩膺镂钖，[⑩]　　铜钩镂刻饰马额，
鞹鞃浅幭，[⑪]　　浅色虎皮蒙轼上，
鞗革金厄。[⑫]　　笼头车轭金为环。

韩侯出祖，　　韩侯返国行路祭，
出宿于屠。[⑬]　　出城歇宿在屠地。
显父饯之，[⑭]　　王命显父来饯行，
清酒百壶。　　美酒百壶菜满席。
其殽维何？　　席上荤菜是什么？
炰鳖鲜鱼。　　清燉老鳖活烹鲫。
其蔌维何？　　席上素菜又是啥？
维笋及蒲。　　芦笋嫩蒲鲜滴滴。
其赠维何？　　临行赠品是什么？
乘马路车。　　高车驷马壮无匹。
笾豆有且，[⑮]　　饯别盛筵情意重，
侯氏燕胥。[⑯]　　韩侯心里多欢喜！

韩侯取妻，　　韩侯娶妻喜满堂，
汾王之甥，[⑰]　　妻的舅父是厉王，
蹶父之子。[⑱]　　司马蹶父是岳丈。
韩侯迎止，[⑲]　　韩侯亲往迎新娘，
于蹶之里。　　蹶里大街喜洋洋。
百两彭彭，　　彩车百辆闹嚷嚷，

八鸾锵锵，　车行鸾铃响叮当，
不显其光！[20]　荣耀显赫谁比上！
诸娣从之，[21]　从嫁众女巧妆扮，
祁祁如云。　行如彩云轻飘荡。
韩侯顾之，[22]　韩侯行礼三顾看，
烂其盈门。　满门光辉心欢畅。

蹶父孔武，　司马蹶父甚勇武，
靡国不到；　出征各国皆目睹；
为韩姞相攸，[23]　他为女儿择夫主，
莫如韩乐。　认定韩国是乐土。
孔乐韩土，　居住韩国乐事多，
川泽讦讦。　山川广阔物产富。
鲂鲊甫甫，[24]　肥硕大鱼水中游，
麀鹿噳噳；[25]　众多麋鹿林中聚；
有熊有罴，　深山有熊又有罴，
有猫有虎。　幽谷藏猫又藏虎。
庆既令居，　庆幸得所尽妇道，
韩姞燕誉。　韩姞美名满国都。

溥彼韩城，[26]　韩国城垣坚又高，
燕师所完。[27]　燕人相助筑得牢。
以先祖受命，　韩侯祖先奉王命，
因时百蛮。[28]　控制戎狄防骚扰。
王锡韩侯，　王命韩侯继祖业，
其追其貊；[29]　追蛮两族掌管好；
奄受北国，　北方诸国你为首，
因以其伯。　诸侯方伯权势高。
实墉实壑，　修城挖壕多督促，

实亩实籍，　　　　垦田收税多操劳；
献其貔皮，[30]　　　狐皮豹皮黄熊皮，
赤豹黄罴。　　　　按时收纳贡王朝。

注释

①梁山：在今陕西省东部韩城县。相传禹治水由梁而岐(见《尚书·禹贡》)，梁山治，周都镐京之北尽成沃野。②韩侯：周有二韩，一受封于武王之世，在今陕西韩城县南，春秋时被晋所灭；一受封于成王之世，武王子封于此，在今河北省固安县东南。本诗"韩侯"，注家多指前者，但陈奂考证，当为"近燕之韩"，"北国之韩侯"。受命：受周王册命(将封侯之令写在简册上)。按周制，诸侯死，其子继位初立，须再举行册命典礼。此诗盖指韩侯世子受爵。③不易：非轻易赐给，言极荣贵。一说不可更改。④榦(gàn)：正，通"征"，征伐。不庭：不来朝见周王，指叛周。方：方国。⑤脩：美。张：大。此句泛指仪队。⑥介圭：玉制的大圭，诸侯朝见天子的礼器、信物。⑦淑：美。旂：画有蛟龙的旗。绥章：指缀于旗杆头上的染色羽毛。⑧簟茀(diàn fú)：车上席篷。错衡：画上花纹的车辕横木。泛指车饰。⑨玄衮：画有龙纹的黑色礼袍。赤舄(xì)：贵人穿的赤靴。⑩钩膺：套在马颈上的铜制钩形饰物。镂：刻。钖(yáng)：马额上的饰物。⑪鞹鞃(kuò hóng)：车厢前供人依靠的横木，束以皮。浅幭(miè)：以浅色兽皮制的车上覆盖物。⑫鞗(tiáo)革：马笼头。厄：通"轭"。金厄：饰辔头的金环。⑬屠：地名，即鄠县之杜陵，在今陕西省西安东。⑭显父：人名，周之卿士，奉王命为韩侯饯行。⑮笾豆：盛放果菜的器皿。且(jū)：多貌，形容菜肴丰盛。⑯侯氏：指韩侯。燕胥：安乐。⑰汾王：即厉王。厉王为国人赶跑，流亡于彘，在汾水旁，故时人称名其为汾王。⑱蹶父(guì fǔ)：周之卿士，一说为司马之官，姓姞。⑲迎止：迎接。止：语气词。⑳不：通"丕"，大。㉑娣：古代诸侯婚娶，以同姓诸女陪嫁做妾，称为娣。㉒顾：顾看。古代贵族男子迎亲，有三次回顾的礼节。㉓韩姞：即韩侯之妻，因其姓姞嫁韩，故称。相攸：选择适宜的住所，这里实指择婿。㉔鲂：鳊鱼。鲊：鲢鱼。甫甫：大貌。㉕麀(yōu)：母鹿。鹿：公鹿。噳(yǔ)噳：众聚貌。㉖溥(pǔ)：大，广。㉗燕：国名。周有南燕、北燕，南燕在今河南汲县，北燕在今河北大兴县，国君姓姬，与韩同姓。这里指北燕。据《竹书纪年》：成王十三年"王命燕师城韩"，可证燕助韩筑城，乃在韩侯先祖受命之初。㉘因：依靠。时：通"是"，这，指韩侯。百蛮：古代指北方戎、狄等少数民族。《毛传》："'因时百蛮'，长是蛮服之北国也。"因韩地处北方边境，边防为其重要任务。㉙追、貊

(mò):北狄国名。㉚貔(pí):一种猛兽,又名白狐。

鉴赏

史载,宣王即位后,“法文、武、成、康之遗风”,重振周室,扭转了厉王时“诸侯不朝”分崩离析的局面,使“诸侯复宗周”(见《史记·周本纪》)。《韩奕》正反映了这种“中兴”盛况。

诗中所写的韩侯,为北国诸侯。他地处边陲,尚能远道来京朝觐,接受周王册命,效忠周室,则中原各国,自可概见。诗人选此为题材,赞美宣王“能锡命诸侯”(《毛传》),威加海内,的确具有相当的典型性。

诗共六章,以韩侯的活动为主要线索,安排了朝觐受封、赐礼、饯行、完婚以及捍卫北疆得周王加封等场面和情节,极力突出周王对身负北方屏藩重任的韩侯的器重,也突出了韩侯的忠心和才干。诗以铺张夸饰见长。每一个场面,集中一点,反复铺陈,细致罗列,给人以鲜明强烈的印象。如写朝觐大典上周王给韩侯的赐赠,什么旗,什么车,什么衣,什么靴,都一一言明;写饯行盛筵,荤菜是什么,素菜是什么,赠品又是什么,都细细数到。这些地方越写得细,越显出周王对臣下的厚恩深情,也显出韩侯地位不凡。在介绍韩国风貌时,也同样用铺陈法,极力宣扬韩国的繁荣富庶,连水中有什么名贵的鱼,山上有什么珍奇的兽,都写得具体入微,令人向往,则韩侯治国之功,自在不言之中了。诗的第四章写韩侯娶妻场面,更是极尽铺张扬厉:新娘是何等人物,“诸娣”是何等梳妆,新郎是何等荣耀,以及迎亲的车马如何喧阗、街上如何热闹,都绘声绘色,使人如身临其境。通过这一番铺张渲染,进一步突出了韩侯皇亲国戚的不寻常身份,则其听命周王、尽力捍卫周室,自然合情合理。

有趣的是,诗人在铺陈一连串场面时,为避免写法老套、单调,尽量做到“到什么山上唱什么歌”,按不同内容灵活变换陈述方式,场场有新招。如写赐赠,用直叙式,将所赐之物一一列出,琳琅满目;写饯行盛筵,则改用问答式——“其殽维何”“其蔌维何?”“其赠维何?”——一问一答,逐层推出,引人入胜。写婚娶,又用描述式,摹声绘影,将喜庆气氛,写得活灵活现。介绍韩地风物,则又用重叠式,“讦讦”“甫甫”“噳噳”等重叠词的连用,突出了韩地川泽之广,鱼鳖之多,麀鹿之奇;“有熊有罴,有猫有虎”,四个“有”字,更给人有“山外有山”、层出不穷之感。为避免平铺直叙,诗中对场次安排,也作了精心调度。

如第四章先写韩姞出嫁，第五章借蹶父（韩姞父亲）遍走各国为女择婿，见韩之美，追叙韩姞为何嫁给韩侯，既交代了事情原委，又进一步烘托了韩侯之功，有映带之妙。正如前人所评："此章并及择婿，文势更觉舒展……其联络脱卸处，几于无迹可寻。"（清方玉润《诗经原始》）从这些地方，都可以看出诗人惨淡经营的艺术匠心。

这首诗以描写梁山、赞美禹功开头，接着写韩侯来朝，也很有讲究。乍看似乎是以梁山之高、禹功之大比赞韩侯，其实不是，因为小小的一国诸侯，尚不足与禹相匹配。《诗经》中赞颂天子之功，常配禹言之。如《大雅·文王有声》以禹治丰水比赞文王开国之功；《小雅·信南山》以禹继父志比赞成王光大祖业；本诗显然也是以禹治梁山，平水灾，比赞宣王平大乱，复周室，命诸侯。接着写韩侯来朝，正显示其拨乱反正、锡命诸侯的实绩。这一比兴开头，定下了基调，有笼罩全篇之势。为了突出赞美宣王这一主旨，诗的前后两章，均安排宣王对韩侯的锡命，那一次次谆谆的谕告，义正辞严，显示出天子居高临下的气势和协同万方、奋发图强、重振河山的决心与壮志，有力地突出了"中兴明主"的形象。

（何庆善）

江　汉

江汉浮浮，[①]	长江汉水浪头高，
武夫滔滔。	征夫就道似浪涛。
匪安匪游，	不为安逸非出游，
淮夷来求。[②]	去征淮夷把国保。
既出我车，	驾起戎车向前冲，
既设我旟。[③]	举起战旗向前跑。
匪安匪舒，	不惧牺牲不怕苦，
淮夷来铺。[④]	誓把淮夷来征讨。
江汉汤汤，[⑤]	长江汉水波浪翻，
武夫洸洸。[⑥]	征夫勇猛势如山。
经营四方，	四面出战歼顽敌，

告成于王。　　平叛告捷奏君王。
四方既平，　　各地叛乱皆讨平，
王国庶定。　　王国局势得安定。
时靡有争，　　消除战乱息刀兵，
王心载宁。　　周王心喜享安宁。

江汉之浒，　　长江之畔汉水滨，
王命召虎：⑦　　王命召虎承重任：
“式辟四方，　　“开拓四方除凶逆，
徹我疆土。　　治理边土保边民。
匪疚匪棘，　　施行仁政勿乱诛，
王国来极。　　一切准则学王都。
于疆于理，　　划定疆界理疆土，
至于南海。”　　直达南方极远处。”

王命召虎，　　周王再命召伯虎，
来旬来宣：⑧　　宗庙当众来宣布：
“文武受命，　　“文王、武王昔登位，
召公维翰；⑨　　你祖召公是国柱；
无曰予小子，⑩　　勿谦自己是后生，
召公是似。⑪　　善辅王业继你祖。
肇敏戎公，⑫　　谋断敏速功勋大，
用锡尔祉。⑬　　特将福禄赐予汝。

釐尔圭瓒，⑭　　赐你玉勺稀世珍
秬鬯一卣。⑮　　黍酒香甜滋味醇。
告于文人，⑯　　祭告你的先祖神，
锡山土田。　　赐土封爵传子孙。
于周受命，　　你在周庙受册封，

自召祖命。”[17]	礼同召公昔受命。”
虎拜稽首：	召虎谢恩叩首颂：
“天子万年！”	“祝福天子万年春！”
虎拜稽首，	召虎再拜谢恩泽，
对扬王休。	颂扬天子盛美德。
作召公考，[18]	召公簋上作铭颂，
天子万寿！	天子多寿多喜悦！
明明天子，[19]	勤勉英明周天子，
令闻不已。	流芳千古永不歇。
矢其文德，[20]	施行德政惠万民，
洽此四国。[21]	团结诸侯和众国。

注释

①浮浮：水盛貌。或谓“浮浮”与下句“滔滔”互讹。其实这里是以江汉之水比况武夫，如此造句更具新意。②淮夷：商周时代聚居在淮河下游一带的少数民族。常兴兵对抗朝廷，周时曾多次征讨。求：索，征讨。③旟(yú)：绘有鸟隼图像的旗，泛指战旗。④铺：陈，指陈师讨伐。⑤汤(shāng)汤：水势浩大的样子。⑥洸(guāng)洸：威武的样子。⑦召(shào)虎：即召穆公，名虎，周宣王大臣。周厉王暴虐，“国人”围攻王宫，他把太子靖藏匿于家，以其子替死。厉王死后，拥立太子继位，即周宣王。召虎以功封申伯。⑧旬：通“徇(xùn)”，向众宣告。古时册命大臣于宗庙中行大典，向百官宣示。一说旬指巡行，“旬宣”指周宣王命召虎巡视各地，代宣王命。虽可通，但与下文承接不紧。⑨召公：即召康公，召穆公之祖，姬姓，名奭，因采邑在召(今陕西岐山西南)，称为召公或召伯。曾佐武王灭商，成王时任太保，与周公旦分陕而治，陕以西由他治理。翰：桢榦，辅佐。⑩予小子：对先祖康公，召虎自称。一说为宣王自称，表示对召虎的尊重。⑪似：通“嗣”，继承。⑫肇：谋划，创建。敏：敏捷。戎：大。公：通“功”，功勋。⑬祉(zhǐ)：福。⑭釐(lí)：赐予。圭瓒(zàn)：古礼器，用玉作柄的酒勺，有鼻口，酒从中流出。⑮秬鬯(jù chàng)：用黑黍和郁金香草酿成的香酒。卣(yǒu)：有柄的酒壶。⑯文人：有文德的人，此指召虎先祖康公。⑰自召祖命：指

用其祖召康公受封礼仪。⑱考："簋"的假借字。簋（guǐ），古代食器，青铜或陶制。召公考：即召伯虎簋。召虎受赐，作此器祭告祖先，纪恩铭勋，颂扬天子。⑲明明：勉勉，勤勉。⑳矢：通"施"，施行。㉑洽：和洽，协和。

鉴赏

这首诗写周宣王大臣召虎（即召穆公）奉王命征讨淮夷之乱，取得胜利，立功受赏。诗的重点是歌颂召虎，但却没有一处直接描写其人在这次平淮之战中的具体表现，比如怎样指挥有方、怎样英勇杀敌、怎样做好善后工作等等，诗中以主要篇幅，写战后周王对召虎的策命之词。为何如此处理？与这首诗的写作意图和作者是谁有密切关系。诗中有"作召公考"语，朱熹《诗集传》云："言穆公既受赐，遂答称天子之美命，作康公之庙器，而勒王策命之词，以考其成。"是说召虎平淮建功，受王策赐，特作器记恩铭勋，祭于家庙，以告慰其先祖开国功臣康公召奭。朱熹还最早发现本诗与"古器物铭""语正相类"，怀疑此诗为古器物铭文。近、现代许多学者，根据考古发现及周金文辞研究，进一步证明"召公考"即存世的"召伯虎簋"，本诗即其铭文之一；并进一步论证作者即召虎本人，乃"自铭其器"。（参阅清方玉润《诗经原始》，郭沫若《青铜时代——周代彝器进化说》《两周金文辞大系考释·召伯虎簋铭》，陈子展《诗经直解》等书）

了解了以上情况，我们就会感到这首诗的写作，匠心独运，颇具特色。《释名·释典艺》云："铭，名也，述其功美，使可称名也。"作为铭，其内容必须述功记美；但当事人是自己，是"自铭"，又不能"老王卖瓜，自卖自夸"。这是一个很大的矛盾。作者巧妙地运用间接描写、侧面烘托的方法解决了这一矛盾。其平淮之功，辅国之勋，不是自己直接出面评功摆好，而是通过对别人的描述显示、烘托出来的。诗从平淮之战写起。首段写誓师就道的场面，重点描写"武夫"——广大将士，写士气如何高昂、斗志如何坚决、声势如何浩大，并用长江、汉水汹涌澎湃与之相类比、映照，极尽形容铺张，令人感到这是一支训练有素、纪律严明、锐不可当的部队。这里虽然只写广大将士，但主帅治军之功，不是灼然可见吗？用这样一支强大的军队去扫平边乱，战无不胜自在意料之中，所以第二段虽然没有具体写征战情景，只用"经营四方，告成于王"两句点出战果，并不使人感到奇怪。这里略去征战场面，还出于另外一种考虑：平定边乱，不能光靠刀枪，还要靠"文治"。回避杀伐，正与后面突出其文治之功相应合，以显示其为大仁大德之人。

如果说诗的前两段通过部下暗示、烘托主帅，后数段则借天子之口，褒扬其劳绩功勋。一连写了两次“王命”，时间、地点和内容都不同，颇有讲究。第一次在“江汉之浒”，显然是平淮之战取胜后。这次“王命召虎”，委以“式辟四方，彻我疆土”的重任，要他在边境“匪疚匪棘，王国来极”，施行仁政，推行王化，做好善后工作，以安抚边民，巩固边疆。周王把这一重要而又艰巨的任务交托予他，足见他才德出众，乃“国之桢干”。召虎是怎样谨遵王命展开工作的？他自己不便直说，所以正面一字未提，但从第二次“王命”却可看出，他干得十分出色。这次是在王都宗庙为召虎举行策命授勋典礼，显然是在他治边大臣告成之后。正因为他出色地完成了治边任务，所以这次“王命”对他极尽褒扬，把他的功勋与其先祖召康公辅佐先王开国之功相匹配，给予极高的赏赐，可谓荣宠极矣。这里通过天子“考成”的形式，让天子给自己作出评价，显得非常客观，毫无自吹自擂之感。同时，这样处理，也显示出天子决策英明、知人善任。诗的最后“虎拜稽首”一段，写召虎对天子的答词，颂王功德，“归美天子”，进一步显示出效忠王朝、谦虚谨慎的美德。

统观全诗，其内容不外宣扬武功文治、君明臣忠的老套，并不新鲜；但作为一篇自铭功勋的铭文，在写作上，诸如材料的取舍安排、表现手法的灵活运用等等，的确有可取之处。

（何庆善）

常　武

赫赫明明，	威武英明周宣王，
王命卿士，	命令卿士征徐方，
南仲大祖，	太庙之中命南仲，
大师皇父：	太师皇父同听讲：
“整我六师，	“整顿六军振士气，
以修我戎。	修理弓箭和刀枪。
既敬既戒，	告诫士卒勿扰民，
惠以南国。”	平定徐国惠南邦。”

王谓尹氏，	王命尹氏传下话，
命程伯休父：	策命休父任司马：
左右陈行，	“士卒左右列好队，
戒我师旅。	训诫六军早出发。
率彼淮浦，	循那淮水岸边行，
省此徐土。	须对徐国细巡察。
不留不处，	大军不必久居留，
三事就绪。”	任毕三卿便回家。”

赫赫业业，	威仪堂堂气概昂，
有严天子。	神圣庄严周宣王，
王舒保作，	王师从容向前进，
匪绍匪游。	不敢延缓不游逛。
徐方绎骚，	徐国闻讯大骚动，
震惊徐方，	王师威力震徐邦，
如雷如霆，	声势恰似雷霆轰，
徐方震惊。	徐兵未战已惊慌。

王奋厥武，	宣王奋发真威武，
如震如怒。	就像天上雷霆怒。
进厥虎臣，[1]	冲锋兵车先进军，
阚如虓虎。[2]	吼声震天如猛虎。
铺敦淮溃，	大军列阵淮水边，
仍执丑虏。	捉获敌方众战俘。
截彼淮浦，	切断徐兵溃逃路，
王师之所。	王师就地把兵驻。

王旅啴啴，[3]	王师势盛世无双，
如飞如翰。	行动神速如鸟翔。

如江如汉，	好比江汉水流长，
如山之苞，④	好比青山难摇撼，
如川之流，	好比洪流不可挡，
绵绵翼翼，	连绵不断声威壮，
不测不克，	神出鬼没难估量，
濯征徐国。	大征徐国定南方。
王犹允塞，⑤	宣王计划真恰当，
徐方既来，	徐国已服来归降。
徐方既同，	纳士称臣成一统，
天子之功。	建立功勋是我王。
四方既平，	四方诸侯既平靖，
徐方来庭。	徐君朝拜王庭上。
徐方不回，⑥	徐国从此不敢叛，
王曰还归。	王命班师回周邦。

（程俊英　译）

注释

①虎臣：古代战争的冲锋兵车，如后世的敢死队。②阚（hǎn）如：阚然，虎怒的样子。虓（xiāo）：虎叫。③啴（tān）啴：众盛的样子。④苞：茂，引申为攒聚。⑤犹：同"猷"，谋划。允：确实。塞：踏实。⑥回：违抗。

鉴赏

周宣王时，徐国（故城在今安徽泗县北，属于夷淮中的一个大国）叛乱，宣王率兵亲征，平服徐国，取得胜利。这首诗就是叙写这件事。全诗共六章：一章写命南仲为大将，皇父主管军事；二章写命休父为副；三章写宣王亲征并赞扬王师的威力；四章写战伐；五章写军势之盛；六章归美于王并叙胜利班师。

"诗言志"的最早意义实际上是

"载道""记事"。诗本来是一种氏族、部落、国家的历史性、政治性、宗教性的文献,而并非个人的抒情作品。《大雅》和《颂》就带有这种性质和痕迹。(参李泽厚《美的历程》)只是到后来,在这些基本功用是载道或记事的文件中,才逐渐滋生了一种与文件异质的因素,即在记载事件时诗人又表达着自己的情感。这样,文件中就产生了文学,"诗言志"中就掺杂了"诗缘情"。《常武》正是这样一篇由文件到文学,由记事到抒情的过渡中的作品。

此诗的一、二章,写宣王如何命将,如何指定行军路线,如何告诫军队不得扰民,都是据史实直接记录,它写得十分详尽,连在什么地方命南仲,又令什么人传话都一丝不苟地记下来。作为历史文件,这倒是够清楚的;但作为文学,这两章却是分外枯燥乏味的。因为它只是客观史实的再现,而缺乏诗人情感的表现,它是"史",却非"诗"。

但第三章就不同了,作为历史,这章照例记录了宣王亲征并写了王师的威力。但这王师的威力并不是正面实录王师如何强大、如何严整,而是先从侧面落笔,说这王师走得很从容、很安详("王舒保作"),但这从容安详又不是怠缓、不是在游逛("匪绍匪游"),这是一支前往平叛的军队,在这从容安详中显出了这支军队的信心和力量,这是两军交战前的好整以暇,是暴风雨前的宁静……这些尽在不言中。作者接着又从对面落笔,从徐方的反应来写王师。作为历史文件,诗人本应描写徐方在王师前来时如何布置、如何对应,但是,这时诗人已跳出了文件功能的束缚,他把那史家所要求的"直录"弃之不顾了。对于徐方的反应,他只用了两个极概括的词,一个"绎骚",一个"震惊"。王师始出,走得那样从容安详,而徐方之人皆已骚动不安,如雷霆作于其上矣!因而,为突出王师的威力,诗人兼用了陪衬和反衬。前者是用王师的从容安详从侧面来陪衬出王师的严整,显示出王师蕴而不发的内在的力;后者是用徐方的震惊从对面来反衬出王师的强大,显示出王师的即将展露的由内而外的力。读完全章,作为文件,王师的威力究竟具体怎样,我们或许并没有一个清晰的概念;但作为文学,我们却体会到那种威力强大的震撼力量,诗人表达了他对王师的赞颂之情,也激起了我们的共鸣。这就够了!

还能看出这种文件与文学的区别的,或许是第五章。这章写军势之盛,但究竟怎么盛,作者只用了一些比喻,说军队如飞、如江、如山……或者用了一些概括的说明,说它众盛("啴啴"),说它不可战胜("不克")等等。作为历史文件,我们至少也说它是不具体、不清楚的;但作为文学,这章却是全诗中最光彩的珠玑。诗人在这里不是单纯记录有关军队的史实,而主要是表现自己对这支军队的情感,诗人不再冷静地叙述,而是满怀激情地歌唱,唱出王师的声威,唱出王师的神速……朱熹解此章云:"如飞如翰,疾也。如江如汉,众也。如山,不可动也。如川,不可御也。绵绵,不可绝也。翼翼,不可乱也。不测,不可知也。不克,不可胜也。"(《诗集传》)因而,这章从总体上看,诗人把他的情感客观化,凝固在那些排比的博喻("如江""如山"等等)、那些当句对的否定("不测不克")、那些一再出现的叠字("啴啴""绵绵"等等)上面,用这些带强烈情感色彩的排比句、否定句、叠字唱叹来构成了一个又一个情感的浪头,构成了全章激昂高亢的情感基调。分开来看,作者每用一、二字就写出了军队的一个方面,一字也挪动不得,一字也替换不得,又显出了作者在炼字上的精辟和功力。

这三、五章之所以成为全诗中最成功的审美片断,这三、五章之所以不同于一、二章,关键在于一、二章主要是客观地记录下事件的经过(史),三、五章尽管也记录着事件,但其中占主导地位的不是对一件事进行纯客观的记录,而是主体的掌握方式与情感,是响彻在诗句中的欢乐与激昂、歌颂与赞扬(诗)。前面分析的那些具体的艺术手法,都是为着这个表达情感的目的服务的。四、六两章也是史与诗的交织,其中既有史实的记录,如"截彼淮浦,王师之所""王犹允塞,徐方既来"。我们明白了在淮水沿岸截击徐兵,明白了宣王计划好,徐方归降了,如此而已。老实说,这些文件性质的句子实在还是枯燥无味的。真正称得上有审美价值的还是它的情感表现部分。"王奋厥武,如震如怒。进厥虎臣,阚如虓虎。"有赋有比,赋中又有点(王)、有面(虎臣),比中又有天上(震)、有地下(虓虎),几笔就勾勒出一个群情激奋、威武雄壮的进军场面。"四方既平,徐方来庭。徐方不回,王曰还归。"先铺垫上"四方",再在其中突出"徐方",同一个徐方,又反复强调它的"来庭""不回",在这天下平定、反侧为顺的大一统局面中,才郑重点出"王曰还归"!一副放眼四顾、踌躇满志、酣畅淋漓的情态跃然纸上!——一部《诗经》,本身就存在从最早意义上的"言志"的文件(《颂》《大雅》),到"缘情"的文学(《小雅》《国风》)的进展,《常武》正是这个进展过程中过渡性的作品,故它身上具备着亦此亦彼、由此及彼的特性。对于这类诗,要把它放到整部《诗经》从押韵的典籍到唱叹的篇什的过渡中才能把握到它的文学史上的地位。

（谭优学　张立伟）

瞻　卬

瞻卬昊天，	仰望老天灰冥冥，
则不我惠。	老天对我没恩情。
孔填不宁，	天下很久不安宁，
降此大厉。	降下大祸真不轻。
邦靡有定，	国家无处有安定，
士民其瘵。①	害苦士卒和百姓。
蟊贼蟊疾，	好比害虫吃庄稼，
靡有夷届。	没完没了总不停。
罪罟不收，	滥罚酷刑不收敛，
靡有夷瘳。	生灵涂炭无止境。
人有土田，	别人如有好田地，
女反有之。	你却侵占归自己。
人有民人，	别人田里人民多，
女覆夺之。	你却夺来做奴隶。
此宜无罪，	这些本是无辜人，
女反收之。	你却捕他不讲理。
彼宜有罪，	那些本是有罪人，
女覆说之。	你却开脱去包庇。
哲夫成城，	男子有才能立国，
哲妇倾城。	妇女有才毁社稷。
懿厥哲妇，	可叹此妇太逞能，
为枭为鸱。	她是恶枭猫头鹰。
妇有长舌，	妇有长舌爱多嘴，

维厉之阶。②	灾难根源从她生。
乱匪降自天，	祸乱不是从天降，
生自妇人。	出自妇人真不幸。
匪教匪诲，	没人教王施暴政，
时维妇寺。	女人内侍话太听。
鞫人忮忒，	专门诬告陷害人，
谮始竟背。	说话前后相矛盾。
岂曰不极，	难道她还不凶狠，
伊胡为慝？③	为啥喜欢这妇人？
如贾三倍，	好比商人会赚钱，
君子是识。	叫他参政难胜任。
妇无公事，	妇女不该管国事，
休其蚕织。	她却蚕织不躬亲。
天何以刺？	上天为啥罚我苦？
何神不富？④	神明为啥不赐福？
舍尔介狄，	放任武装夷狄人，
维予胥忌；	只是对我很厌恶；
不吊不祥，	人们遭难不抚恤，
威仪不类。	礼节不修走邪路。
人之云亡，	良臣贤士都跑光，
邦国殄瘁。	国运艰危将倾覆。
天之降罔，	上天把那刑罚降，
维其优矣。⑤	多如牛毛不胜防。
人之云亡，	良臣贤士都逃光，
心之忧矣。	心中忧伤对谁讲。
天之降罔，	上天无情降法网，

维其几矣。[6] 国家危险人心慌。
人之云亡， 良臣贤士都逃光，
心之悲矣。 回天乏术心悲伤。

觱沸槛泉，[7] 泉水翻腾往外喷，
维其深矣。 源头一定非常深。
心之忧矣， 我心忧伤由来久，
宁自今矣？ 难道只是始于今？
不自我先， 祸乱不先也不后，
不自我后。 恰恰与我同时辰。
藐藐昊天， 老天浩茫又高远，
无不克巩。 约束万物定乾坤。
无忝皇祖， 不要辱没你祖先，
式救尔后。 匡救王朝为子孙。

（程俊英　译）

注释

①瘵（zhài）：病。②阶：阶梯，含有根源的意思。③伊：发语词。慝：悦，喜欢。④富：借为"福"。⑤优：多。⑥几：危。⑦觱（bì）沸：泉水翻腾上涌的样子。槛："滥"的借字，泛滥。

鉴赏

这是一位诗人指责周幽王宠幸褒姒，斥逐贤良，以致乱政病民，国运濒危的诗。全诗共七章：一章说天降灾祸，国不安宁；二章说下层贵族的土地、奴隶被当权者夺取；三章说国家的祸乱是由于褒姒干预朝政造成的；四章承上申述妇人应从事蚕织，不应当过问国政；五章指责幽王作为不善，贤才受害，国家濒于危亡；六章承上说天降灾祸，贤人逃亡，自己忧愁万分；七章自伤恰逢此乱，并希望幽王改弦更张、挽救国势。

这首诗主要是用赋的手法写成

的。关于赋，多年来我们习惯了朱熹的解释："敷陈其事而直言之"，其实李仲蒙有个更确切的解释："叙物以言情，谓之赋"。这个解释比朱熹的高明，在于它突出了物与情之间的关系，指明了赋之所以成为与比、兴并列的艺术手法的理由。

"天"在这首诗中几次出现，这个"天"，不是比，不是兴，而是赋。我们就先来看它。诗人一开头就仰天大呼，指责老天对他没恩情，指责老天降下了大祸，国家很久不安宁（"瞻卬昊天，则不我惠。孔填不宁，降此大厉。"）。司马迁的一段话可以移来解释这几句！"夫天者，人之始也……人穷则反本，故劳苦倦极，未尝不呼天也。"（《史记·屈原贾生列传》）诗人满腔悲愤，无处发泄，仰天大呼，喷薄一吐，老天爷就不爱我啊！老天爷你降下这大祸啊！……乍一看，似乎没有具体内容，但一上来就给你造成强大的情感震撼。这样一个石破天惊、雄肆万分的开头，就给后文要说的具体内容涂上了强烈的情感色彩，奠定了全诗悲愤欲绝的情感基调。第二次说天："乱匪降自天，生自妇人。"让天脱了干系，却把矛头指向了妇人（褒姒）。既然如果天降了灾祸那天都该怨恨，那生出祸乱的妇人就更该痛责了，这样就由怨天自然过渡到怨妇人。撇开天，正是为了集中火力来鞭挞那妇人，有所不为是因有所为，放松一步正是逼紧一步，这才有第三章中那么激烈的指斥，诗人简直在指着鼻子痛骂褒姒。到第四章，诗人又冷静一些去摆事实、讲道理，说她陷害人（"鞫人忮忒"），说话前后矛盾（"谮始竟背"），说她不该管国事（"妇无公事"）。这样情感相对平静一些后，到第五、六章又振起，再次彻天大呼，上天何以罚我苦哇（"天何以刺"），上天把那刑罚降啊（"天之降罔……天之降罔"），祸乱的根源虽然明白了，但事理虽达，情气难平，故不妨让那无辜的天再一次来背黑锅，把它拉来作诗人情感的寄寓物。在这接二连三的呼天抢地、发抒愤懑中，把情感推向了高潮，把诗人那"心之忧矣"、"心之悲矣"的悲愤、伤痛、扼腕长叹息……表达得淋漓尽致。最后一次呼天（第七章的"藐藐昊天，无不克巩"），天又成了赞颂的对象，赞天的约束万物，那是为了激励幽王以天为法，改弦更张。这样，天在全诗中各处出现，每一次起的作用皆不同，它是紧紧地联系着诗人的情感波澜，并将这种情感波澜客观化、对象化的。诗人把情感寄寓在物（天）中，假物而为之鸣，抒情进而造艺。这，也就是"叙物以言情"。

全诗中的其他叙述，也应该从叙物言情的角度来理解。这诗一会写到滥罚酷刑，生灵涂炭（一章）；一会写到当权者夺别人的土地、奴隶

(二章);一会写到哲妇的长舌,陷害人,凶狠(三、四章);一会写到幽王的“威仪不类”(五章);一会写到良臣贤士的逃亡(六章)。这些东一笔西一笔叙写出来的现象,真有点近乎“断烂朝报”。作者为何要把这些乱七八糟的东西写进诗中?其实,这仍然是为了表达感情的需要。因为当时最引起作者激动和悲愤的,就是国家那种“孔填不宁”“邦国殄瘁”的局面,作者就把形成这种局面的一系列具体现象提了出来,叙述在诗中。这些现象引发了诗人的情感,又寄寓着诗人的情感。那些东一笔、西一笔看似乱糟糟的现象,通过诗人的情感取得了联系,它们是诗人情感的载体和物化,是一个个涂上了“心之忧矣”“心之悲矣”的情感色彩的“意象”。这些意象元件串接起来构成了整体的情感氛围,整体的诗的境界,适当地表达了作者的一腔悲愤之情。作者叙物以言情,读者见其物而可以会其情,这倒是颇符合二十世纪在中国诗的影响下兴起的西方意象派所要求的“写诗,就是表达具体事物,使这些事物产生的情绪,能够在读者心中升起”(福特语)。

这首诗还有个特点值得说一下。后儒把温柔敦厚奉为“诗教”,其实,这首诗一点也不温柔敦厚。气愤起来,诗人简直在破口大骂,他骂幽王是“威仪不类”,骂褒姒是长舌妇、是恶枭、是猫头鹰,说她是“厉之阶”,会毁掉社稷(“倾城”),还把周王的苛政比成“蟊贼蟊疾”,还埋怨天、埋怨神(“天何以刺”“何神不富”)……张谦宜说《诗经》“骂人极狠”,曾异撰谓《诗经》“骂人”“骂夫”“骂父”“骂国”“骂皇后”“骂天”“朋友相骂”“兄弟九族相骂”……(《徐叔亨山居次韵诗序》),这《瞻印》一诗即可见出这“骂人极狠”之一端。当然,《诗经》中也确实有一些“温柔敦厚”的作品。明代的陈子龙对这两类作品有一个精当的解释,他说,当社会危机尚在萌芽状态时,诗人深谋远虑,隐忧世变的将临,自可优游不迫,运用委婉托讽的手法来启发、诱导人们有所醒悟,如《彼都人士》《楚茨》这样的作品。但到了急剧动荡的时刻,形危势迫,诗人触目惊心,发为诗歌,自然就大声疾呼,直抒胸臆。急于震聋发聩,救亡拯溺,那里还可能宽行缓步,温柔敦厚?如《召旻》《雨无正》等作品。故他说:“君子之立言,缓急微显,不一其绪,因乎时者也。”(《左伯子古诗序》)他说的当然只限于政治讽喻诗,在这个领域内,他从时代的变化、表达感情的需要来说明表现手法、艺术风格的不同是有眼光的。

(谭优学　张立伟)

召旻

旻天疾威！	可怜的天呀可恨可怕！
天笃降丧。	老天爷实降下了死亡。
瘨我饥馑，	痛苦我们的是饥馑，
民卒流亡。	人民尽在流亡，
我居圉卒荒！①	我们的边境也尽遭荒！
天降罪罟！	老天爷降下了惩人罪网！
蟊贼内讧。	使得蟊贼之辈自己内讧。
昏椓靡共，②	昏乱伤害而不慎供其职，
溃溃回遹，	纷纷扰扰而做邪恶之事，
实靖夷我邦！	这是想谋灭我们的家邦。
皋皋訿訿，③	嗥嗥地相欺、訿訿地相毁，
曾不知其玷？	怎不知道他们自己的缺点？
兢兢业业，	兢兢地自警、业业地自危，
孔填不宁，	好久以来不能安宁，
我位孔贬。	我的职位很有贬降的危险。
如彼岁旱，	好比那凶岁大旱，
草不溃茂，	连草也不能生长的太好，
如彼栖苴。	好比那落在树上的枯草。
我相此邦，	我瞧着这个国家，
无不溃止！	没有不溃灭的了！
维昔之富，	啊、昔时的富足，

不如时！	不像今时贫穷！
维今之疚，	啊、今时的贫穷，
不如兹！	不像此时为甚！
彼疏斯粺，	那些吃粗粮的就吃细粮，
胡不自替？	为什么不肯自己退让？
职兄斯引！④	但要更加这样的拖长！
池之竭矣，	池水的枯竭呀，
不云自频。	不是枯从池滨。
泉之竭矣，	井泉的枯竭呀，
不云自中。	不是枯从井中。
溥斯害矣！	普通的这个祸害呀！
职兄斯弘，	但要这样更加的广大，
不灾我躬？	不会殃及于我的一身？
昔先王受命，	昔时先王受命，
有如召公。	有这召公之臣。
日辟国百里，	日开辟国土百里，
今也日蹙国百里。	如今呀日缩小国土百里。
於乎哀哉！	呜呼哀哉！
维今之人，	啊、如今的人，
不尚有旧？	不是还有老臣故旧？

（陈子展　译）

注释

①居：国中。圉（yǔ）：边疆。②昏：乱。椓：通"诼"，谗毁。③皋皋：通"滜滜"，欺诳的样子。訿（zǐ）訿：毁谤的样子。④职：主，含有"此"意。兄：同"况"，情况。引：延长。

鉴赏

这是一首指责幽王任用奸邪，朝政昏乱，以致外患严重，国土日削，即将灭亡的诗。全诗共七章：一章言天降死丧、饥馑、流亡之祸；二章言奸邪内讧，昏乱邪僻，将致亡国；三章承上继续指责奸邪，并自伤职位低贱；四章言国家崩溃之象已现；五章深为国忧，并言奸邪得势，日见其盛；六章写内忧外患日亟，并恐惧自及于祸；七章言国土日见侵削，思得如昔召公之臣，以图挽救。

这诗实际包括三部分内容：忧国，斥奸邪，自伤身世。我们先来看忧国。诗人一开头就用极简洁的字句画出了一幅天下大乱、民不聊生的灾难图。你看，老天在施暴，降下了死亡，降下了饥馑，人民大批流亡，国家从中央到地方都荒芜了……死的死了，活的在饿着肚子逃命，逃又能逃到哪里去呢？上有天的暴虐，下有全国的荒芜……这样一个国家，实在是太可怕了，实在是非崩溃不可了！但这个结论，要到第四章才说出，那里连用两个比喻，一个说“如彼岁旱，草不溃茂”，好比干旱年头一到，连草也长不好，这就把天时的干旱与老天的暴虐自然联系了起来，老天施暴（“旻天疾威”），这个国家也如那旱天的草一样，不会好的了。接着又来了第二个比喻，“如彼栖苴”，好比那落下来的枯草。前喻说草长不好，后喻说草已经枯了，这就比前喻更进一层，草枯了，这国家当然也完了。所以下面就自然地得出结论，我看这国家，没有不崩溃的了（“我相此邦，无不溃止”）！这样用赋、用比把国家的现状写完，下面进一步把眼光引向历史，用历史和今日对比，又是用的一个层递的感叹。“维昔之富，不如时！”昔时的富足，不像今时的贫穷！这个对比已经够令人感叹唏嘘的了。但紧接着来的下句更叫人惊心动魄，“维今之疚，不如兹！”今时的贫穷，不像此时的为甚！今时比昔时，已经不堪；此时比今时，又更不堪之极矣！这样，通过“昔”——“今”——“兹”的层递比较，好像电影镜头，由远景推到近景，再推到特写，从而到“兹”的“溃止”现状触目惊心地凸现了出来。作者写了国家的现状、历史，以上都是从国内落笔，到第六章，则连用两个比喻，池水枯竭，始自边沿，泉水枯竭，始自中间（“池之竭矣，不云自频。泉之竭矣，不云自中。”）谓灾难起于微渐，既承上，又启下；既总收内忧（“中”），又开启外患（“频”）。第七章就专从外患落笔了，那里又是一个强烈的今昔对比。昔也“日辟国百里，今也日蹙国百里”。一边是创业的强盛，一边是没落的衰败，创业一创就是一日开辟国土百里，衰败一败就是一日缩小国土百里。当然，这里是用了夸张手法。孔颖达《疏》云："言日辟、日蹙，甚言之耳。不得一日之间，便有百里之效。"但在这夸张的"甚言之"中，把作者对昔日强盛的怀念，对今日衰败的痛惜、伤心、感叹表达得淋漓尽致了。由上可见，同样一个忧国的内容，作者是从不同的角度加以表现的，有铺陈，有比喻，有现状，有历史，有内忧，有外患，这样就从不同的角度写出了国家将"溃止"的现状，写出了作者的忧患之情。

同样，对自伤身世和斥奸邪，作者也是从不同的角度加以表现的。如自伤身世，第三章是哀叹自己兢兢业业，职位反有贬降的危险，第六章是恐惧灾难在扩大，必会殃及自身。一写现状，一预测将来，现状已坏，将来更糟，作者当然要忧心如焚了。至于斥奸邪，先是在第二章破口大骂，说他们是"蟊贼"，指斥他们不供其职，内讧，谗言乱政，纷纷扰扰作邪恶之事，是想把国家来断送。这真是正气凛然，指着鼻子骂奸邪小人！但第三章就不同了，作者带着一种冷嘲的口气，问他们怎么不知道自己有污点（"曾不知其玷"）？还厚起脸皮那样的欺诳，那样的毁谤（"皋皋訿訿"）。第五章再一次谈到奸邪，但这次口气既不是痛斥，也不是冷嘲，而是叹息。叹息这些小人为什么心安理得地吃着白米（"粺"），不肯自己退让，反而群小得势，日见其盛（"胡不自替，职兄斯引"）。联系前面说的这些小人要把国家来断送（"实靖夷我邦"），这些小人得势，那国势就更糟了。所以，这里的叹息，既是叹奸邪当道，也更是叹国将不国。在这里，我们又看到了诗人那忧时伤乱的拳拳忧患之心。总之，诗中写到的三部分内容，忧国、斥奸邪、自伤身世，每一部分都是从多种角度来加以表现的。角度的不同，实际是再现着不同的客观现实，表达着不同的主观情感，这就显出事物和情感的丰富多彩来。

这首诗还值得注意的是，诗中的三部分内容，并非是一部分写完了再写另一部分，前面的分析是从全诗中提出各部分内容来集中分析，而这些内容，在原诗中本来是分散在各章中的。相对说来，忧国主要表现在一、四、七章，而二、五章又是忧国和斥奸邪的结合，三章是自伤身世结合着斥奸邪，六章是自伤身世又结合着忧国。读着全诗，我们好像看见作者一会儿在忧国，一会儿在斥奸邪，一会儿在自伤身世。同样一个忧国，在不同的地方翻来覆去地说，既说"我居圉卒荒"，又说"我相此邦，无不溃止"；既说"维今之疚，不如兹"，又说"今也日蹙国百里，於乎哀哉！"又刚说到忧国，突然又说到奸邪（一章到二章），奸邪还没说完，又突然接上自伤身世（三章)……如此等等,粗一看,简直有点语无伦次的样子,他为什么不一个内容说完了再说另一个内容呢?其实,这种表面的语无伦次,即把话说得前后重复颠倒,正是适当地表现了诗人内心的情感。诗人面对这样一个奸邪当道、朝政昏乱、天灾人祸、内外交困的国势,情感是复杂的,思绪是纷乱的,多种情感交错纠结蟠屈在作者心中,剪而不断,愈理愈乱。作者把它真实地表达出来,像春蚕吐丝一样,又像吐出了,又像吐不出,吐了又还有,又像在崎岖的羊肠小道上行车,颠颠簸簸总是不能平稳畅达。情感的缠绵郁积,构成了语意的稠叠错落,结构的复沓重叠。反过来看,也正因为有后两者,才真实地表现了那种缠绵郁积的情感。

把上面说的两点结合起来,就看出了这首诗的特色。从整体看,它是重复颠倒,错落复沓;但从各部分看,每一次的重复或错落又是从不同的角度来揭示事物的某些方面,表现情感的某种特定状态,这各个部分又是清晰的、不可乱的。把内容相同的部分清晰分散地安排在全诗中(如忧国在各处出现),把内容不同的部分清晰紧密地捏到一起(如忧国和斥奸邪的结合),这就构成了诗的整体。前一安排显得缠绵凄恻,同一内容,这里说了那里又在说;后一安排显得急迫哀楚,这里还没说完,又匆匆说到那里。而这缠绵凄恻和急迫哀楚的结合,就构成了此诗郁愤深沉的情感基调。这种表情方式和艺术手法,后来到屈原的《离骚》《天问》中,得到了更进一步的发展。

(谭优学　张立伟)

颂

周颂

清庙

於穆清庙，①	清静的神庙笼罩着庄严气氛，
肃雍显相。②	高贵的助祭者恭敬又虔诚。
济济多士，③	众人排列多整齐，
秉文之德。	文王美德能继承。
对越在天，④	神灵感通在天上，
骏奔走在庙。⑤	庙里人们叩拜忙。
不显不承，⑥	光辉美德要发扬，
无射于人斯。⑦	谁敢有一丝怠慢在心上。

注释

①於(wū):叹美之辞。穆:表示肃穆庄严。清庙:清静深沉的神庙,指祭祀文王的宗庙。②肃雍:严肃恭敬,和睦诚恳。显相:显指显赫高贵,相是助的意思,这里指助祭。③济济:既多又整齐。④对:配的意思。对越:即对于。这里有人神感格相通的意思。⑤骏:有长和大的意思,马瑞辰《无诗传笺通释》释“骏”为“驯”,即顺的意思,义亦可通。⑥不显不承:反问句,岂不能光显乎,岂不能承继乎。“不”亦可释为“丕”,即大的意思。⑦射(yì):“厌”的意思,即满足和厌倦。

鉴赏

《清庙》是《周颂》的首篇。这是西周初,贵族统治者及其臣僚,在文王庙举行祭祀典礼时演唱的乐歌。许多年来,人们读《诗经》,总是重《国风》而轻《雅》《颂》，特别是轻《颂》。认为《颂》是一种贵族庙堂文学，甚至根本不算文学，充其量只能是研究古代贵族生活和思想的资料。这种看法，逐渐形成一种比较固定的观点和心理定势，很难改变它的角度。《儒林外史》中的马二先生游西湖，看见皇帝万岁牌就叩头，看见妇女便低头不敢仰视。其实，为什么要叩头，他心里不很明白，妇女是个什么样子，他也没看清楚。

如果排除了某种功利观点和文化心理局限，我们便可看到，《清庙》这首祭歌表现了一种极为肃穆虔敬的宗教氛围。古代人对于他们的祖先和神，充满了一种真诚的崇拜和信仰。祖先和神在人的心目中融为一体，甚至使人的心灵得到某种程度的升华和净化。从远古以来，潜在于人的心灵深处的宗教意识被唤醒了，和着庄严的乐歌，它也在人的心中高唱起来，从而使人的肉体和灵魂达到一种和谐的美。

这首乐歌篇幅不长，显得端庄典雅，十分凝练。古人说："祭不欲数，数则烦，烦则不敬。"（《礼记·祭义》）这是说，繁文缛节会破坏庄严肃穆的气氛，影响虔敬的宗教情绪，缩小人的内心追求的空间。祭礼本身如此，它的乐歌也同样如此。歌词首先赞扬清静庄严的神庙，赞扬那些怀着神圣的感情来参加祭礼的人们。接着指出，参加祭礼的人们所以值得赞扬，是因为他们秉承了文王之德。他们的精神与文王同在，并且在奔走趋跄的祭礼中，会世世代代延续下去。文王之德难道不荣耀，他的后继者难道不会发扬这种荣耀？在永恒的神圣庄严的祭礼中，谁还会有一点倦怠之心呢？全诗以"无射于人斯"结尾，戛然而止，尤其显示出一种简练凝重的意味。

（刘锋晋）

维天之命

维天之命，①	上天的德行，
於穆不已。②	完美无尽。
於乎不显，	光辉永垂啊，
文王之德之纯。	文王完美的德行。
假以溢我，③	美满德行留子孙，
我其收之。	子孙谁敢不继承。
骏惠我文王，④	我们永遵文王的教训，

曾孙笃之。[5]　　我们永保文王的光荣。

注释

①天命：天道或上天的德行。②穆：深远宁静的美。不已：指天道运行不停。③假：嘉，美。溢：满盈，美好充盈，流及子孙。④惠：顺。⑤笃：厚，指认真力行。

鉴赏

此诗与《清庙》同样是祭祀的乐歌，赞美的中心是文王。文王是周人心目中的神圣，这种思想感情在《雅》《颂》中有多处的表现。但在许多地方，文王还是被当做人间的圣王，即具有神性的人，而受到赞美与崇敬。在本诗与《清庙》里，文王在人们意念中发生了质的变化，他成为自然（天命）的物化，即具有人格的神，而受到膜拜与信仰。

本诗把文王作为神，与周王朝的后继者联系起来，并且与天命联系起来。这样，文王的子孙就成了神的子孙，而且随着完美无缺、运行不停的天命，永远延续下去。于是在一片乐歌声中，子孙们感到一种内心的喜悦与满足，似乎他们的生命与王朝的生命，真的延续下去了。

由于文王是神，与天命融为一体，所以文王之德就成了神的属性。它是一种抽象化了的绝对的美与完善，不同于人间的任何美德与事业，可以描述，但它却给人以极大的想象空间。这一点恰好决定了颂歌的简练风格。

（刘锋晋）

维　清

维清缉熙，[1]　　天下清明，光照无垠，
文王之典，　　文王法典，赐福后人，
肇禋。[2]　　始受天命，祭祀用兵。
迄用有成，　　至今因之，大功告成，
维周之祯！[3]　　周家天下，吉祥永宁！

注释

①维：发语词。下“维周”的“维”同。缉熙：光明的样子。②肇(zhào)：始。禋(yīn)：祭祀。③祯：吉祥。

鉴赏

《毛诗序》说：“《维清》，奏象舞也。”什么又叫《象舞》呢？据说文王时有击刺征伐之法。后来武王作乐，取象文王的用兵之法而为舞，这个乐舞就称之为《象舞》。后来周公、成王在祭祀文王时，于宗庙里表演《象舞》，演奏的乐歌就是这首《维清》诗。(参《郑笺》、孔颖达《疏》、胡承珙《毛诗后笺》、陈奂《诗毛氏传疏》等。)

因为周文王实际上是周王朝的奠基开国之君，特别是他继承先祖功业，发展壮大了周的势力，为后来灭商打下了坚实的基础，所以后人祭祀文王，要演奏《象舞》，这象征着和炫耀着周的武功。而这首乐歌，一开篇就盛称文王制定了法典，他的功业光照无穷，使天下得以澄清太平。诗又说从文王开始了禋祀昊天的盛礼，所以迄今能使周家平治天下，大功告成，这诚然是大吉大祥，太平安宁。本诗歌功颂德，语言平实无华，但赞美之意却表达得很充分。

清代有的学者(如李光地)将本诗与前二首(即《清庙》和《维天之命》)联系起来读，认为《清庙》是始祭文王时所歌，《维天之命》是祭而受福之诗，而这首《维清》则是祭毕送神的结束之作，认为三首同时而用，相连为义。这种说法对我们理解《维清》诗的意义和用途，又有新的启迪。

(李大明)

烈　文

烈文辟公，①	有武功文德的诸侯公，
锡兹祉福。②	先王赐给你们幸福和光荣。
惠我无疆，③	恩赐于我们的没有止境，
子孙保之。	你们子孙将保有这福禄无穷。

无封靡于尔邦[4]，	不要有罪于你们的邦国，
维王其崇之。[5]	先王对你们才尊重。
念兹戎功，[6]	时常念及先王的大功，
继序其皇之。[7]	继承先人之业使之更恢宏。
无竞维人，[8]	最强莫过于得贤人，
四方其训之。[9]	四方诸国尽顺从。
不显维德，[10]	大大显扬自己的美德，
百辟其刑之。[11]	诸侯以此为典范加以崇奉。
於乎，前王不忘！[12]	啊，先王遗德永记心中！

注释

①烈：功也。辟（bì）：君。②锡：赐。兹：此。祉：福。此句一说锡祉福者实指文王。③惠：赐，赠。我：成王自我。④无：毋。封：大。靡：《毛传》："累也"，过失。⑤维：乃。王：一说指文王。⑥戎：大。⑦继序：继守先业。皇：光大。⑧无：含有"莫"的意思。竞：强。⑨训：顺从。⑩不：通"丕"，大也。维：犹"其"。⑪百：众。刑：通"型"，典型，效法。⑫於乎：同"呜呼"。

鉴赏

《毛诗序》曰："《烈文》，成王即政，诸侯助祭也"。也就是说，此诗系周成王亲政告祖，以朝享之礼祭于祖考之时，戒勉助祭诸侯的乐歌。武王灭商后，两年就病死了。按照周制，父死嫡长子继之。可是武王长子成王姬诵年幼，只好由叔父周公旦摄政。然而周公的兄弟管叔、蔡叔、霍叔等人不服，挟殷的后代武庚和东方夷族作乱。周公出师东征，平定反叛，大封诸侯；七年，营建洛邑（今河南洛阳）作为东都，然后归政成王。故此诗似作于成王七年（前1109）。一说谓成王或可，但不必即政，可视为成王祭于宗庙时与助祭诸侯相戒勉之辞。一说为周天子封建诸侯（即周初大封建）时所奏之乐歌。今从《序》说，后二说可供参考。

全诗一章十三句。前八句写成王敕戒诸侯，后五句既写敕戒诸侯，又含有成王自戒之意。成王为继承并维护先王统治思想，使周室大业长治久安，于是对来助祭的诸侯加以敕戒,应是常有而自然的事,何况是在亲政告祖的重大礼祭之时。故诗一开头就从“尊祖”写起,既然先王“惠我无疆”而又“锡兹祉福”于诸侯,“烈文辟公”就应该使此大福“子孙保之”。这是成王凭先王之灵以“登车就道”的最好的“施政开场白”。这就既颂扬了先王的功德,又表示了自己的决心。如果说武王能继文王之业,那么我成王也将像武王继文王那样来继武王,决不能半途而废。故告诫诸侯为此决不能“封靡于尔邦”以失去先王对“你们”的尊重。这是从“不应该怎样”一面说的。那么“应该怎样做”呢?应该“念兹戎功,继序其皇之”。也即是说不能坐享现成,更不能干坏事,而应发扬光大之。须知,“创业难,守成更难”。如果说先王在创业时,各诸侯也立过汗马功劳,那么这里还含有肯定诸侯原有的功劳,而又鼓励他们“再立新功”的意思。这就从“凭先王之灵”而施政写到“继先王之业”的具体问题上来。第二部分承上,怎样“继序其皇之”呢?下面从两方面加以劝勉:前两句写“用贤”,后两句写“明德”。只有用贤,才能“四方训之”;只有明德,才能“百辟刑之”。这也就是先王的榜样,先王的遗德。这不仅是诸侯要做到的,也是成王自身要带头做到的。故歌词的口气有变化,既诫人,又自励。大家都应该做到“前王不忘”。末句的感叹,与开头的先王“锡福”相呼应,于颂祷中寓劝勉之意,警人励己,含蓄而真挚,使全诗一气呵成。

武王伐纣,灭殷建周,在历史上结束了殷末的残暴统治,客观上对劳动人民有利,故毛泽东说武王灭殷是“当时的人民解放战争”。成王继武王之位,号召各诸侯向一代创业明君文王、武王学习,虽是为了自身的统治,称功颂德,但“颂得其人”,“歌得其事”。又,相传周公在辅佐长兄武王(与太公望姜尚同为武王的左膀右臂)时,以及后来代成王摄政时,制礼作乐,建立典章制度,主张“明德慎罚”(见于《尚书》中的《大诰》《立政》等篇)。而今成王亲政,在天下初定而秩序尚不稳定的形势下,借祭祖以告嗣位之时,对诸侯进行劝勉警诫,使其继先王之业、法先王之德、循先王之章,也是明智而适时的。后来成王死了,其子康王继位,周朝政治比较清明,统治比较巩固,历史上叫做“成康之治”。因此,此诗的内容在一定程变上有其积极意义,不一定全是糟粕。

(蓉　生)

天　作

天作高山，	天生岐山，
大王荒之。①	太王垦治。
彼作矣，	太王创业，
文王康之。②	文王赓续。
彼徂矣，③	文王去世。
岐有夷之行。④	岐山道路今平易。
子孙保之！	子孙要珍惜！

注释

①大(tài)王：即太王，指周文王的祖父古公亶父。荒：开垦治理。②康：通“赓”，赓续。③徂(cú)：通“殂”，死去。④夷：平坦。行(háng)：道路。

鉴赏

从本诗的内容和在《周颂》里的位置来看，这是周成王祀岐山的乐歌。

据《史记·周本纪》记载，周之先王古公亶父时代，熏育、戎狄经常向周民族进攻，掠夺土地和财物。于是古公亶父带着自己的部族离开豳地(公刘所建邑之处)，渡过漆河、沮河，越过梁山，迁居到岐山南面的周原(今陕西省扶风县界)。到这里以后，古公亶父率领大家开垦土地，耕种务农，营建城郭室屋，使民安居乐业。《大雅·緜》一诗曾绘声绘色地描述了这一过程和情景。古公亶父之迁岐，可以说是周民族走向强盛的重要转折点。他死后被追尊太王，百姓也都赞颂他的功德。如《鲁颂·閟宫》说：“后稷之孙，实维大王。居岐之阳，实始翦商。”就是说古公亶父使周民族开始强大起来，可以与商民族等齐抗衡了。至于周文王，他是古公亶父少子季历之子，他继承了先祖功业(诗中“文王康之”就是说的这个意思。扬树达先生《诗周颂天作篇解》释“康”字为“庚”字，即赓续之意)，进一步发展了周的势力，不但伐密伐崇取得了胜利（此一事迹又见《大雅·皇矣》），还制定了攻伐之法（参前《维清》赏文），并为后来灭商取天下打下了基础。

正因为如此，周民族克殷之后，天下统一，思缅先王，于是有祭岐山之举。《易·升卦》六四就有“王用享于岐山”的记载。《荀子·王制》又说：“天之所覆，地之所载，莫不尽其美，致其用。上以饰贤良，下以养百姓而安乐之，夫是之谓大神。诗曰：‘天作高山，大王荒之。彼作矣，文王康之。’此之谓也。”看来荀子又认为岐山有神灵，保佑周民族。他也将《天作》理解为祭岐山神灵之歌。

本诗一开始说：天生就了这高高的岐山，太王开始在这儿垦辟荒芜。太王创立了这份家业，文王又赓续其功。后来文王虽然去世了，但由于他生前的苦心经营，终于使周民族日益强大，得以克殷取天下。不过，诗中不是直接说出这后一意思，而是说原来那个险阻难行的岐山如今有了平易的道路。于是，太王筚路蓝缕之功，文王承继先王之德，就形象地表达出来了。读者还可以想下去：这始于岐山的道路，伴随着周民族向东征伐的马蹄声和呐喊声，正向前延伸，遍及天下。正是：普天之路，始于岐山；普天之下，莫非王土。

本诗最后一句“子孙保之”，是参加祭祀者的自誓，也是对后代子孙的期望和勉励。

这首诗朴质无华，但并不枯燥寡味。如前面所分析的，其歌功颂德之辞，总是紧扣祭祀岐山的活动展开的。而在我们读者的眼前，至今也似乎耸立着那高高的而又笼罩着神秘气氛的岐山呢。

（李大明）

昊天有成命

昊天有成命，①	昊天上帝有明命，
二后受之。	文武二王接受了它。
成王不敢康，②	成王不敢贪图安逸，
夙夜基命宥密。③	日夜操劳勤政为民。
於缉熙！	呵，奋发前进！
单厥心，④	尽心尽力，
肆其靖之！⑤	于是安定了天下四方。

注释

①昊天:苍天,皇天。成命:明命。②康:安乐。③宥密:宏深而静密。④单:通"殚",尽的意思。⑤肆:于是。靖:平定。

鉴赏

《颂》是赞美诗,是把成功告诉神明的宗庙乐歌。这首颂诗说谁取得了成功?赞美的谁?对主题的解说就有分歧了。《毛诗序》认为是"郊祀天地",赞美的是文武二王。朱熹不赞成,认为"多道成王之德",是"祀成王之诗"。清代学者姚际恒、方玉润均赞同朱说。的确,"岂有祭天地不告天地而专颂王成功之理"(方玉润《诗经原始》)?当以朱说为是。

全诗七句,除首二句外,后五句全是赞成王的。诗的开端先指出上帝有明命,文武二王接受了它,灭了殷商,开创了周朝基业。在上帝、祖先混合宗教作为精神支柱的上古社会中,上帝是最尊严、最伟大的,忠实执行上帝命令的文武二王也是尊严伟大的。这里,把上帝、祖宗打扮得满身灵光,也是为了把成王的功德罩上神异的光圈,同时还有饮水思源、敬天尊祖之意。后五句赞美成王如何守业及取得成功。"不敢康",是居安思危。贪图安逸,将要丢失江山,商纣王贪图享乐,招致灭亡便是前车之鉴。"夙夜基命宥密",是赞美成王深谋远虑,不懈怠、夙兴夜寐,保国安民。所谓"基命"之"命",指天命,也包含有先王的遗命。因为文武二王承受天命,有开国之功,配享天地,"在帝左右"。祭祀神灵的目的一是表功,一是为了把臣民团结起来,争取更大的胜利。"於缉熙"的"缉熙",高亨先生讲成"奋发前进",是深得其旨的。一方面赞美成王,另一方面对臣民确有号召、鼓舞的用意在。最后两句从取得的成功赞美成王:尽心尽力,于是平定了天下,安定了四方。

颂诗的功用是告神。其要求是"义必纯美",不像"宴飨时之常咏"(刘勰《文心雕龙·颂赞》)可以大加修饰。语言朴质、高度概括则是这首颂诗的特色。

(曹方林)

我将

我将我享，①	我烹煮、我祭享，
维羊维牛，	这是羊、这是牛，
维天其右之！②	啊、天会给我保佑的！
仪式刑文王之典，③	好好效法文王的榜样，
日靖四方。④	日日谋安定四方。
伊嘏文王！⑤	这伟大的文王！
既右飨之。	终是保佑我而受飨的。
我其夙夜，	我将日夜小心，
畏天之威。	敬畏天的威灵。
于时保之！	于是会得到保佑的！

（陈子展　译）

注释

①将：奉。②右：保佑。③仪式刑：效法。④靖：平定，安定。⑤嘏(jiǎ，又读gǔ)：大。

鉴赏

这首颂诗据高亨先生考订，是写武王出兵伐殷，祭祀上帝和文王，乞求他们保佑。从诗的内容看，祭祀上帝和文王，望神灵赐福、保护，这倒不用怀疑。

全诗十句，分为三层。前三句为第一层，是祭祀上帝。“我将我享，维羊维牛”，写出祭祀时的热烈而又严肃的场面：杀牛宰羊，又是烹、又是煮，热气腾腾，为了祭享。祭品中突出肥牛肥羊，告诉我们，人民安居乐业，五谷丰登，六畜兴旺。追本溯源，是上帝赐福。上帝该首先享用祭品。然而天道遥远，天命神秘莫测，生怕得罪他而招来灾祸，所以不敢多言，只说了一句，

"望天保佑"。这里,把对上帝的虔诚、敬畏的心理,惟妙惟肖地刻画出来了。诗的中四句为第二层,叙述祭祀文王。"文王之典""日靖四方",是文王顺从天命、取得成功的法宝,也是效法、学习、继承的主要内容:以文王为榜样,以他的法则为准绳,裕民保国,安定四方。文王是人间君主、周朝的开国之君,自然比上帝亲近,祭祀的用语也亲切、具体些了。最后三句是诗的第三层,写出祭祀的目的、用意:望神灵赐福、保佑。"我其夙夜,畏天之威",日夜小心行事,那是由于怕得罪天,与诗的第一层意思遥相呼应。这里,只说天,不说文王,是天和文王统于一尊,畏天就是畏文王。"于时保之",口气坚信不疑——因为对上帝、祖先是那样的敬畏!

全诗次序井然,语言朴质。

(曹方林)

时　迈

时迈其邦,①	按时巡行天下邦国,
昊天其子之!	上天啊,保佑你的儿子吧!
实右序有周,②	帮助理顺我们大周,
薄言震之,③	我们的革命震动天下,
莫不震叠。④	普天下莫不恐惧慑服。
怀柔百神,⑤	我们又使百神得到安宁,
及河乔岳。⑥	还有黄河以及泰山。
允王维后!⑦	武王真不愧是我们的天子!
明昭有周,⑧	天下属我大周无可怀疑,
式序在位。⑨	封建诸侯已经安排停当。
载戢干戈,⑩	让武器都检点收藏,
载櫜弓矢。⑪	把弓箭也一一入库。
我求懿德,⑫	我们要寻求治国的贤臣,
肆于时夏。⑬	让他们遍布中国各地。
允王保之!	武王必定能永保天下!

注释

①迈:出行。②右、序:都是"助"的意思。③薄:语首助词,含有"开始"的意思。言:语助词。震:震动。④叠:恐惧。⑤怀:来。柔:安。⑥乔:高。⑦允:信。⑧明昭:明见。⑨式:语首助词。序:次序。⑩载:语首助词,含有"则""乃"的意思。戢:敛,藏。干:盾。⑪櫜(gāo):古代装弓箭的袋子,在这里作动词用,即将弓箭装在袋内的意思。⑫懿德:美德,指有美德的贤臣。⑬肆:陈列。时:通"是",指示代词"这个"。夏:中国。

鉴赏

这是周武王克商之后,巡守四方、告祭上天及山川百神的乐歌。周人认为王者是"代天理民",天子巡守诸侯是"为天远行",所以,有定期巡行天下各诸侯国并举行祭祀的制度,其实质则是统治者借天命以行人事。

旧说以为本诗是周公所作。从诗的口吻与内容来看,全诗都是以王者身份祭祀昊天山川,却又掺杂着赞颂王者的话语,可知诗的作者既不会是武王本人,却又必须能够代表武王,系之于周公,也不无道理。

开头两句点明巡守之事,揭示告祭之旨,是一篇的总纲。这两句诗极平常,但用字颇有讲究:一个"时"字表现出"代天理民"者不辞辛苦、不敢稍有懈怠地"为天远行"的尽职态度,暗示着告祭者对上天的无限忠诚;一个"其"字显示了告祭者的祈祷语气,表现出"天之子"对上天的无比信赖。有此二字,这两句就不仅是单纯的叙说,而有以忠诚求天佑的含义在内,就定下了整篇的基调,使全诗笼罩了一层肃穆、庄严的气氛。

以下十三句是告祭的正文,可分两个层次。从"实右序有周"到"允王维后"是第一层,写人、神对周武王巡守的感应,从而证明周武王君临天下的无可争议。"薄言震之,莫不震叠"两句写周武王的威力足以震慑各方诸侯;"怀柔百神,及河乔岳"两句写武王的德行足以感动山川百神。这四句,语分两面,意归于一,都是为了逼出"允王维后"一句,而"允王维后"的结论又遥遥反扣着"实右序有周"。这样,上天的意志,武王的威德,诸侯的畏服和山川百神的怀柔,就形成了环环相连的因果关系。武王以天子的身份代天理民,也就在这巧妙的因果论证中得到了不容置疑的阐述。

从“明昭有周”到“允王保之”是第二层,写周武王偃武修文、重用贤才的英明决策,表达了永保天下的愿望。如果说第一层重在陈述已经完成的武功,那么这一层就重在描绘未来的美景。“式序在位”一句写天下已经安定,诸侯在位,正是反证天下已属大周。“载戢干戈,载櫜弓矢”两句写已经结束武功,“我求懿德,肆于时夏”两句写今后将注重文治。这种写法,表现出周统治者对二者固有辩证关系的深刻认识。而周统治者在治国方针中独独突出用人与教化,把国运长久的希望放在这两块基石上,这种智力、魄力、眼力,不能不使我们为之惊服。这一层的结构方式与第一层基本相同,也是以“天佑”始,以“人谋”终。

武王克商,是武装革命,所以诗中有“震之”“震叠”这样的词语。但武王克商又是生产力的大解放,是顺应民心的,封建诸侯,建立了新的秩序,所以又一再说“右序有周”“式序在位”,特别强调安定团结,强调秩序。全诗表现了一种强大的自信心和清醒的政治头脑,使我们看到了西周统治者处于上升时期的雄心壮志。全诗从头到尾不用韵,句式不追求整齐,也很少对偶重叠,精练严谨,庄重肃穆,正与其内容相得益彰。

(宋谋玚　魏填平)

执　竞

执竞武王,[①]	自强不息是武王,
无竞维烈。[②]	无比功业最辉煌。
不显成康,	发扬光大数成康,
上帝是皇。	上帝命他作君王。
自彼成康,[③]	自从成王和康王,
奄有四方,[④]	统一四面和八方,
斤斤其明。[⑤]	里里外外亮堂堂。
钟鼓喤喤,[⑥]	撞钟擂鼓声喤喤,
磬筦将将,[⑦]	磬儿管儿响叮当,
降福穰穰。[⑧]	吉祥如意赛天堂。
降福简简,[⑨]	大福大禄从天降,
威仪反反,[⑩]	仪表端庄又雄壮。

既醉既饱，	酒也足来饭也饱，
福禄来反。⑪	幸福何人赶得上。

（宋谋玚　译）

注释

①执：持。竞：自强。②竞：争。维：是。烈：功业。③不显：似当作“丕显”，大的荣耀，有发扬光大之意。④奄：同，遍。⑤斤斤：明察貌。⑥喤（huáng）喤：象声词。⑦筦（guǎn）：乐器名。将（qiāng）将：象声词。⑧穰穰：多的意思。⑨简简：大的意思。⑩反反：谨重貌。⑪反：复。

鉴赏

这是周人祭祀开国之祖的乐歌。周朝初定于武王克商，统一于周公辅成王讨平三监，而巩固于康王之治。从周朝的历史来看，由武王经成王到康王，乃是一个完整的段落，所以周人将三王共同作为大周的开国之祖放在一起来祭祀。旧说或以为单祀武王，或以为祀武王而兼及成、康，或以为祀成、康而追念武王，都不尽与诗意相等。

全诗十四句，明显地分为两个部分。前七句通过缅怀开国之祖，概括周朝创业阶段的历史；后七句描绘祭祀的盛况，表达天佑大周、福赐后人的祈愿。

前一部分的回顾创业，在写法、用语上有两点值得注意。首先，它是按照历史的顺序来写的。“执竞武王，无竞维烈”两句写武王灭商，伟业初创；“不显成康，上帝是皇”两句写成王、康王相继为君，继续武王未竟的事业；“自彼成康，奄有四方”两句写一统天下的伟业终于完成，几代人的夙愿得以实现。这样，开创周朝的历史轮廓就十分清晰地呈现在读者眼前，三王在创业中的各自建树以及彼此之间的联系也不言自明。其次，它是用评赞性的语言来显示创业的历程的。从表面看，前四句全是赞语，并非叙事，而实际上，由于作者用词巧妙，所以在评赞的同时又能展现出历史的进程。具体来说，首两句极力强调的是武王的自强不息，这固然是对武王的颂扬，但自强不息这个词语，乃是指一种长期积蓄、百折不挠的发奋精神，一种面对强敌毫无畏惧、不达目的誓不罢休的坚韧精神，所有这些，不就是对武王克商的最好解说吗？三、四句，作者以“光荣的国君”颂赞成王和康王，好像非常空泛，但能为国君而无愧光荣，同样能使我们把诸如平息三监之乱、分封诸侯、成康之治这些重大的历史事件和二王联系起来。这寥寥六句能容纳如此多的内容，实在是和作者的艺术概括能力分不开的。

后一部分借“斤斤其明”的过渡，由对历史的回顾转入眼前祭祀盛况的描述。它用一连串的排比句和重叠的语词，造成一种铿锵悦耳的音乐美，传神地渲染出一种热烈欢快的气氛。这种气氛的创造，既是祭祀主题的需要，也与歌颂开国之祖的祭旨协调。先祖开创之功的光荣，后人继往开来的信心，上天保佑大周的祈愿，都借着这种气氛传达了出来。

需要指出的是，诗中对三王的评赞都极简括，并且是紧扣创业这条线索而不涉及其他方面。可见，本诗的用意乃在于通过歌颂开创之祖的开创之功，重视创业的历史，以图用开创者的气魄与功业昭示和激励后人，而不在于专祀某王或合祀几王。

（宋谋玚　魏填平）

思　文

思文后稷，①	啊，文德无比的始祖后稷，
克配彼天。	完全可以与上天并立。
立我烝民，②	改变了人民的食物结构，
莫匪尔极。③	哪一件不是您伟大的业绩。
贻我来牟，④	您教我们种小麦种大麦，
帝命率育。⑤	上帝使我们发育得更快，
无此疆尔界，	不要分成你一块我一块吧，
陈常于时夏。⑥	让正常的秩序千秋万代。

（宋谋玚　译）

注释

①思：语首助词，可作“斯”讲。文：文德。②立：通“粒”，作动词用。烝：众。③极：至。④贻：遗。来：小麦。牟：大麦。⑤率：遍。育：养。⑥陈：宣示。常：指

常规,制度。时:通"是"。夏:中国。

鉴赏

这是周初郊祀后稷以配天的乐歌。出于祖先崇拜与天神崇拜的信仰,周人是既祭祖又祭天的。祭祖的方式是庙祀,祭天的方式是郊祀(祭上帝于南郊叫作"郊")。后稷作为周人的始祖,当然要享受庙祭;但除此之外,他又被用来配祀上帝。在周人的所有先祖中,享此殊荣的,大概只有后稷一人。之所以如此,是因为周人认为万物本乎天,人本乎祖,人之祖出自天,所以把他们的始祖配祀于相应的天神。后稷在传说中被神化为感天而生的异人,道理也在于此。最早以后稷配天进行郊祀的是周公,后来就以"礼"的形式把它固定下来了。

全诗以满怀崇敬的语气歌颂了后稷发展种植、造福后人的功德。由于这是祭祀的乐歌,重在表达对祖先的敬仰之情,所以对于后稷的事迹并不进行详细具体的铺叙,正如张所望在《传说汇纂》中指出的那样:"后稷配天,一事也。《生民》述事,故词详而文直;《思文》颂德,故语简而旨深。雅、颂之体,其不同如此。""语简而旨深",确是本诗最显著的特点。全诗八句,两句一意,层层推进,既没有过渡性质的语句,也不用比兴的手法。开头两句大处落笔,直揭诗旨,以斩钉截铁般不容置疑的口吻对后稷下了一个总的评语,并以一个"文(即功德)"字领起全篇。下面六句分为三层,一层接一层、一层深一层地反复加厚这个"文"字:三、四句写后稷在帝尧之时播植百谷,帮助人民渡过了洪水泛滥的难关,由渔猎过渡到种植,功在往昔;五、六句写后稷留下麦种养育了一代又一代的周人,不仅功在往昔,而且功施于今;最后两句更扩而大之,写后稷不仅功在周族,而且功在人类。这六句文字虽少,但追往述今,由此及彼,既有时间的跨度,又有空间的广度,纵横交织,对后稷的功绩进行了全方位的展示,可谓含量甚大,说它"语简",毫不过分。全诗仿佛只是客观评述,很少感情的直接流露;然而周人对这位始祖赞美、崇仰、自豪、感激的多样心情无不从字里行间流出,说它"旨深",绝非溢美。

这首诗内容单纯,诗旨显豁。它透过祖先崇拜与天神崇拜相结合的原始信仰,反映了农业在人类早期社会生活中的重要地位和周人对农业的重视。从毛亨到朱熹,都把最后一句的"陈常于时夏"解释为"得以陈其君臣父子之常道于中国"(朱熹《诗集传》),乃是经学家的穿凿附会,不足为训的。

(宋谋玚　魏填平)

臣　工

嗟嗟臣工，①	唉！卿大夫和各诸侯，
敬尔在公。	你们恭谨尽职守。
王釐尔成，②	王赐你们耕种法，
来咨来茹。③	可来询问来相谋。
嗟嗟保介，④	唉！你们农官既司耕，
维莫之春，	如今正好是暮春。
亦又何求？	你们还有啥要求？
如何新畲？⑤	新田熟田怎耕耘？
於皇来牟！⑥	长势真好这新麦！
将受厥明。⑦	将要得到好收成。
明昭上帝，	真是光明那上帝，
迄用康年。	年年使我获丰登。
命我众人，	命令我那老农们，
庤乃钱镈，⑧	备好铲子和锄头，
奄观铚艾。⑨	将看开镰收获尽。

注释

①嗟嗟：赞叹词。工：官，指公卿大夫及诸侯。②釐、成：《诗集传》称“釐，赐也。成，成法”。③咨：询问。茹：度，忖度。④保介：农官，郭沫若《青铜时代·由周代农事诗论到周代社会》：“介者，界之省。保介者，保护田界之人。”他认为即田畯。⑤新畲（yú）：《尔雅》称“田二岁曰新；三岁曰畲”，指轮种、轮休的田土。⑥於：叹美词。⑦明：成，指丰成。⑧庤（zhì）：储备。钱（jiǎn）：古农具名，如今之铁锹、铲子。镈（bó）：锄头。⑨铚（zhì）：短镰，作动词用。艾：同“刈”。

鉴赏

本篇是西周王者省耕时告诫群臣及农官的诗。对诗的中心,各家有不同解说。《毛诗序》云:"《臣工》,诸侯助祭,遣于庙也。"但诗中没有涉及祭祀祈年的词句,祭祀可能是巡狩之前举行。《诗集传》云:"此戒农官之诗"。可是诗中不仅戒农官,也戒群臣。其目的似乎在使全国都要重视粮食生产,所以告诫面广,这是周代重农的特色。

其次,周王在什么场合下告诫他们?学者们多认为是在天子"耕藉田"(又简称"耕藉")时告诫。但如在"省耕"时告诫,就更符合诗义。"耕藉"和"省耕"究竟有什么不同?《吕氏春秋·孟春纪》云:"是月也?天子乃以元日祈谷于上帝……率三公、九卿、诸侯大夫躬耕帝藉田,天子三推;三公五推;卿、诸侯、大夫九推。""推"就是在藉田里耕几下,表示"躬耕"。藉田就是天子亲耕田。什么叫省耕?《孟子·梁惠王下》称"春省耕而补不足",即是"天子巡狩之际省问耕者,补其耒耜之不足"。省耕当然有群臣随行,所以两者不是一回事。从时间看:"耕藉"在孟春;"省耕"在暮春。诗有"维莫之春"一句,时间就已明确。从内容说,诗是省问告诫,有"亦又何求,如何新畬"等句,省的意思十分明白。而且诗不像《载芟》《良耜》等篇体现春耕的情境。"於皇来牟",是赞美新麦的茂盛。郭沫若《由周代农事诗论到周代社会》云:"诗中的王亲自来催耕,和《卜辞》中的王亲自去'观黍''受禾'的情形相同。"陈子展《直解》云:"《臣工》,盖王者暮春省耕之诗。"从这些看来,诗是周王"省耕"告诫诸臣。"耕藉"可备一说,而"省耕"尤为切合诗义。

本篇是《周颂》中写农事的首篇。由于周室始祖以力农开国,所以历代重视农事。又由于诗列《颂》中,所以《毛诗序》重在祭祀。也可能因用它作王者祈谷祭祀演奏乐歌的缘故。

诗告诫的对象是臣工、保介和众人。人不同,内容也就不同。对群臣,嘱他们各尽职守,重视农事,有问题前来询问,说明农事是他们职守中一项要务;对农官,作较具体的指示,要他们抓紧季节耕田,农时不可耽误。怎样分别进行新田熟土的除草施肥等农活(按古人是烧草灰壅土)?这时,周王看到一片片绿油油的麦田,麦穗随风起伏,不禁生发一种丰收在望的喜悦心情,就赞叹:"麦子的长势真好啊!今年又可以丰收了。上帝真是光明,使我们年年得到好收成"。最后下命令,要农官叫农夫们准备好获前工具,到秋收时好开镰收获。原来暮春三月，正是麦苗拔节灌浆季节，夏秋之交，即以成熟。唐人李颀《送陈章甫》有“四月南风大麦黄”的诗句，描写的正是这种情景。用不同的话，告诫不同的人，说明对庄稼负的任务不同，也显示要举国上下共同重视农业生产这一大事。

全篇重点是对保介的要求。即在告诫中提出有关生产的几项重点，其他农活细节，就略而不论。为何说是重点？因不违农时，是气候季节问题；新田熟土分别耕耘，是土质问题。简言之，就是天时、地利的问题。掌握二者是种田的关键，是务农的好经验，绝不能忽视。这些经验，自然是很多农民从实践中摸索出来的，但也经过农官或有关人员将它们累积、升华到一定的高度，总结成农业生产的宝贵经验，几千年一直流传下来。今天虽然发展为科学种田，但它仍然是生产粮食这一重要大事不可或缺的基本经验。

诗前八句是告诫内容；后七句由于麦子长得茂盛，景象喜人而预想到丰收，归功于神，还命众人做好秋收前准备工作。写法详重遗轻，举要概细，显得词简义深，层次分明，反映周室从统治者到农民都重视农业生产。

（袁愈荌）

噫　嘻

噫嘻成王！	啊，成王！
既昭假尔。①	虔诚祈您降庙堂。
率时农夫，	统率这些农夫们，
播厥百谷。	播种百谷求丰穰。
骏发尔私，②	赶快开发应耕田，
终三十里。③	开三十里那么远。
亦服尔耕，④	从事耕种要努力，
十千维耦。⑤	二人耦耕有十千。

注释

①昭假：《毛郑诗考证》：“精诚表现曰昭，贯通所至曰格。”假：同“格”，指抬请神灵。②骏：疾也。③终：终级。④亦：语助。⑤耦：并耕。

鉴赏

本篇是康王祈谷祭成王并诫农官的诗。虽是短章，但问题不少。如是否是周公成王时诗？成王是否指周成王？如果是，是生号还是死谥？又“尔私”的“私”，是否是农民私田？“终三十里”“十千维耦”，地何以说三十里？人何以言十千？这些问题，历代学者，解说纷纭，争论繁多，莫衷一是。要理解诗意，最好就诗辨析，但限于篇幅，不加备述，仅将第一问题，略为说明。

是否周公成王时诗？解说者虽多，但以姚际恒《诗经通论》所说较为符合诗义。他说：“何玄子曰，康王春祈谷也。既得卜于祢庙（父庙），因戒农官之诗。《家语》，孔子对定公曰：臣闻天子卜郊，则受命于祖庙而作龟于祢宫，尊祖亲考之义也……愚以此诗章首有‘成王’‘昭假’之语，是此诗作于康王之世，乃主作龟祢宫而言。不然，周自后稷以农事开国，即欲敕农官，何不于始祖之庙举始祖为辞，而顾于成王何取乎？其说亦巧合，存之。”这段话说明诗的时代和祭成王的原因。又陆奎勋《陆堂诗学》云：“据《竹书》，康王三年，定乐歌，吉褚于先王，申戒农官，告于庙。”这又说明康王告庙诫农官的史实。我们不反对王者有生号。但如果说成王用“美其德”（《通释》）的生号祭祖，子孙怎好在先祖神前自称美号？《颂》中也从没主祭者自称生号之例。又如说是史官所写（郭沫若主此说，见《青铜时代·由周代农事诗论到周代社会》），也是用主祭者的身份写的。所以说是成王祈谷，有欠顺适，还是康王祈谷祭祢庙诫农官一说为长。

诗八句，可分为两小节。首二句，祭时呼神祈祷。次六句，向神报告诫农官内容。以“噫嘻”开始。二字是象声词，含有赞叹神明的意思，也是向成王神灵呼告。后面报告诫农官的几件事：要农官率领农夫播种百谷，祈神保佑我们能得丰收。还说春天已经到来，正是耕种季节。又命他们迅速开发各自应耕的田土，开到三十里。尔私的“私”，有各种解说，是民田？是农官的私田？还是指“禾田主人”即天子（说详牟庭《诗切》）？抑或“私”为“耜”字的误写（说见陈子展《直解》）？等等，都没有定论。各家之说，既有一定的理由，也有不足之处。但由此可见学者解《诗经》的谨严态度。愚意解作应耕之田。一则普天之下莫非王土；二则神前祈谷，难道单为农民或农官私田？应耕田就是各家负责耕种的田，但此说也缺少例证，对此，只好存疑以待知者更正。至于“十千维耦”，是由当时大规模群耕的现实所决定的。这六句虽短少，却反映出集体耕种的场面，读了使人好像看到在那春风拂动的广阔平原上，人声、耕土声沸腾地交响着，锄铲晃动，语声盈野，确像一幅绝妙的耕耘图。耦耕也是当时风气，《载芟》也有“千耦其耘”的句子。《论语》：“长沮、桀溺，耦而耕。”可见直到春秋时代，这种现象还存在。

它和前篇相似，诗人提出天时、地利之外，还提出劳动力问题。写谷类多曰百谷；土地广曰三十里；劳动力多曰十千。都用数字来作夸张。三十里一说，争论很多。但就《郑笺》所说“竟三十里者，一部一吏主之”，可见不止一个三十里，又如各家负责三十里，都可说是夸张。这些反映了他们注意掌握农时，使地尽其利和集中大量劳动力，将来庄稼定能如愿丰收。

在八句短章中，抓住了农业生产要素。要点既明确，次要因素自然也包括在内，这样提纲挈领，以主带次，以重概轻的写法，正适合简短而便于入乐演奏的《颂》的特点。

（袁愈荽）

振　鹭

振鹭于飞，①	白鹭成行展白羽，
于彼西雝。②	飞向西边水泽里。
我客戾止，	我的客人今来到，
亦有斯容！	雪白服装好容仪，
在彼无恶，	他在国内没人恨，
在此无斁！③	来此也受到欢迎！
庶几夙夜，④	只盼早晚多自勉，
以永终誉。⑤	勤勉长久保美名。

注释

①振：群飞貌。②雝：水泽。③斁：厌。④夙夜：早晚。⑤永、终：陈奂《传疏》，“永、终皆长也。”

鉴赏

本篇是殷后宋微子朝周助祭的乐歌。《毛诗序》说是“二王之后来助祭。”《郑笺》解作夏、殷二王之后，宋儒多从此说。自从明季明德、邹肇敏、何楷诸家一反“二王之后”一说，清姚际恒《诗经通论》加以分析说：“总之，《序》说原有可疑者三。周有三恪助祭（按，武王封黄帝、尧、舜之后为三恪；一说封虞、夏、商之后即陈、杞、宋，也叫三恪。），何以独二王后，一也；诗但言‘我客’，不言二客，二也；此篇言有振鹭之容白也，《有客》篇明言亦白其马，似指殷后而不指夏后，三也（按，殷人尚白）。有此三者，故或以为武庚（周肇敏主此说），或以为微子，所自来矣，以今揆之，微子之说较优于武庚，且有《左传》以证。《左传》皇武子曰，宋，先代之后，于周为客，天子有事，膰焉；有丧，拜焉。按周之隆，宋自愈于杞。盖一近一远，近亲而远疏，亦理势所自然也。”他还同意何楷说微子是成王所封，诗是成王时诗。就诗论诗，姚氏的分析，理由充足，足以服人，故从其说。

诗首二句“振鹭于飞，于彼西雝”，是即景起兴。鹭毛色洁白，飞则成行。西面水泽，是它们安居之所，既象征客人形象，也比喻客人品德。来朝，使他们有“宾至如归”的感受。下面写客人这一队人马，车旂、衣冠都是颜色如鹭白，行列进行如鹭飞！乘兴前来，秩序井然。

为什么说白色比喻客人品德？下文可以说明。他在彼方没人怨恨，来此处又备受欢迎。如果单是衣冠洁白，仪表动人，就难使国人不怨而受欢迎了，因为凡服人是以德不以貌。对此，《礼记·中庸》云：“故君子动而世为天下道，行而世为天下法，言而世为天下则。远之则有望，近之则不厌。《诗》曰：‘在彼无恶，在此无斁。庶几夙夜，以永终誉。’君子未有不如此而早有誉于天下者也。”史载微子启为纣王卿士，纣王淫乱，微子屡谏，不听，就写了《诰·父师·少师》后，离纣而去。孔子称微子为殷三仁之一（《论语》）。何楷《世本古义》曾说：“微子之封宋也，统承先王，修其礼物，作宾于王家。”由这些可知微子的事迹。诗用极其概括的两句赞他；用白鹭飞来象征他本质，不是没有原因的。末了希望他日夜勤勉，善始善终，才能永保美誉。诗人一番爱惜贤人的深情，从这两句中表现出来。

诗首四句用起兴赞美客人的到来；次二句进一步称誉客人，末了勉之以令终。程序清晰，比拟生动，既赞又诫，情意殷切。

（袁愈荽）

丰　年

丰年多黍多稌。①　　丰年多收黍与稻。
亦有高廪，②　　粮仓储粮高又高，
万亿及秭。③　　万斛亿斛来计算。
为酒为醴，④　　酿为美酒和香醪，
烝畀祖妣，⑤　　献给先妣和先考，
以洽百礼，⑥　　配合百礼祭诸神，
降福孔皆。⑦　　普降恩泽甚嘉好。

注释

①黍：小米。稌(tú)：稻。②亦：语首助词。廪：粮仓。③秭(zǐ)：十亿，周代以十万为亿。④醴：甜酒。⑤烝：进献。畀(bì)：给予。祖妣：男女先祖。⑥洽：合于。百礼：以酒配合牲、玉、币、帛之类的祭品。⑦孔：很，甚。皆：嘉，美好。

鉴赏

春夏祈谷，秋冬报祭，这是周人重要的祭典活动。本诗就是一首周代秋冬祭祀的乐歌。

秋冬之际，周人古老神圣的神庙中又响起了庄严肃穆的钟鼓声，一年一度最隆重的秋冬报祭仪式开始了。穿戴得非神非人、似神似人的巫祝口中念念有词，在他的引导下，周天子率领诸侯百官相继进入神庙，行过大礼之后，天子在诸神牌位前荐上一束刚收割的稻黍，献上新谷酿成的美酒，以报答祖宗的恩德。之后，祭神的队列又来到郊外报祭天地百神，报答神明殖百谷、兴丰年之功，并祈求诸神再佑来年风调雨顺、五谷丰登。庙堂上的钟鼓声方歇，郊外笙瑟琴簧之音又起，随着音乐节奏，一群群手持稻黍、身穿丽服的少男少女们跳起了祭神舞蹈，他们边跳边唱：“丰年多收黍与稻，粮仓储粮高又高，万斛亿斛来计算，酿为美酒与香醪……”

翻开我们民族古老而神圣的经典，在《周礼·月令》上有这样的记载:孟秋之月,“农乃登谷,天子尝新,先荐寝庙”;仲秋之月,“天子乃难,以达秋气,以犬尝麻,先荐寝庙”;季秋之月,“天子乃以犬尝稻,先荐寝庙”;孟冬之月,“大饮烝。天子乃祈来年于天宗,大割祠于公社及门闾,腊先祖五祀,劳农以休息之”。大抵从周代灭殷以后,农业生产逐渐成为华夏民族赖以生存的主要生产方式。这一时期,原始初民那种对自然神的崇拜已进入人化神的崇拜,农业生产一旦成为社会经济的主体,宗教活动必然要为农业举行祭礼。这大概具有一种世界性的普遍意义,在人类发展的相同过程中,世界各地的原始宗教围绕农业生产,都有十分隆重盛大的祭典活动,古希腊的迎神引起了悲剧的出现,而喜剧在古希腊的起源也来自于当时的社祭活动,它们都与农业生产密切相关。周人的农业祭典十分频繁,一年中竟有十个月要祭祀,这种祭祀大致可分为两类,一是从耕种到收成前的祈年,祈求神明保佑当年得到好收成;二是丰收后对神的报答,这些神包括天宗、祖先以及人化了的植物神(如后稷就被视为谷类神)等。这首诗反映的祭祀活动,正是秋冬之际周人对诸神的报答。请听,那些青年人正唱着:“酿为美酒与香醪,献给先妣和先考,配合百礼祭诸神,普降恩泽甚嘉好。”

这歌声久久回荡在我们的耳边,庄严隆重,欢乐欣喜,这就是先人为我们留下的歌曲——人和自然抗争时得到的欢乐的心声,虽然这歌声是古朴的,但它却反映了我们民族发展的历程。

(田耕宇)

有瞽

有瞽有瞽,①	盲乐师呵盲乐师,
在周之庭。	聚集在周宗庙上。
设业设虡,②	钟鼓支架庭中设,
崇牙树羽。③	架上牙板彩羽装。
应田县鼓,④	小鼓大鼓一一挂,
鞉磬柷圉。⑤	鞉磬柷圉排成行。
既备乃奏,	各种乐器安置好,
箫管备举。⑥	箫管并作绕柱梁。

喤喤厥声，⑦	乐声和谐又洪亮，
肃雝和鸣。⑧	节奏雍和调悠扬。
先祖是听，⑨	先祖神灵来欣赏，
我客戾止，⑩	嘉宾光临倾耳听，
永观厥成。⑪	一曲奏尽不觉长。

注释

①瞽(gǔ)：盲人，古代常以盲人任乐官。有：语首助词。②设：安放，摆设。业：古代安放乐器架子上的横梁大板，刻如锯齿状，用以悬挂钟磬。虡(jù)：悬钟磬的直木架。③崇牙：业上突出的木钉，用来挂乐器。树羽：置五彩羽毛装饰崇牙。④应田：小鼓名。县鼓：即“悬鼓”，一种悬挂而击的大鼓。⑤鞉(táo)：摇鼓。磬：玉石制的板状打击乐器。柷(zhù)：一种打击乐器，击柷表示奏乐的开始。圉(yǔ)：即“敔”，状如伏虎，击之以止乐。⑥箫管：竹制吹奏乐器，古箫是排箫，是编管乐器。备举：齐奏。⑦喤喤：和谐而洪亮的乐声。⑧肃雝：乐声舒缓肃穆。⑨是：此。⑩戾：至。止：语尾助词。⑪永：长。成：一曲奏毕为之一成。

鉴赏

这是周初始作乐以祭祖的诗。周武王灭殷后两年病死，成王年幼，周公旦摄行王政。为了维护周的统治，周公旦制定了一整套法定的礼乐制度，希望通过礼仪乐舞显示征服者的威严，体现奴隶社会的等级名分制度，维护以血缘宗法关系为基础的周王朝内部团结。这套礼乐制度规定的各种关系极为严格，不许违反和僭越，这就是史书盛传的周公制礼作乐。本诗就是描写周初礼乐始成时，乐师开始在宗庙合奏音乐的情景。

诗的前六句以赋法铺写盲乐师们演奏前的准备，他们在周太祖庙庭上以紧张而娴熟的动作放置支架、横板。这些用来悬挂编钟、磬和各种乐鼓的板架上雕着精美的花纹，插着五色羽毛，然后乐师们又依次将各种乐器安放停当。诗人之所以要详细地描述演奏前的准备和各种器乐设施，是想将“始作乐”的盛况表现出来，突出周天子受天命、君临天下的正统地位和征服者的煊赫威严。

“既备乃奏”四句描写“合诸乐器于祖庙奏之”的情形。先秦时代的“乐”，是歌舞器乐合为一体的，仅以周初制度的表现黄帝、尧、舜、禹、汤、武王功绩的六代舞来看，就是明例。《周礼·春官》载：祀天神时，奏黄钟、歌大吕，舞《云门》；祭地示时，奏太簇、歌应钟，舞《咸池》；祀四望时，奏姑洗、歌南钟，舞《大韶》；祭山川时、奏蕤宾、歌函钟，舞《大夏》；享先妣时，奏夷则、歌小吕，舞《大濩》；享先祖时，奏无射、歌应钟，舞《大武》。不同的场合，表演不同的歌舞，有明确规定。本诗所描述的是祭先祖的仪式，显然是舞《大武》一类祭祀舞蹈的。据后代《乐记》记载，舞《大武》的场面是颇为壮观的。不过，诗人在这里没有去描述舞蹈场面，而是集中描写乐队的演奏。肃静的庙堂中，一声柷响，顷刻之间钟鼓和鸣、箫管齐奏、笙簧相间，庙堂气氛更加凝重、肃穆。

诗的最后三句以点染法描绘降临神庙的周先祖神灵和周王朝客人欣赏音乐的情形。虚写神灵、实写活人，一实一虚，将美妙悠扬的乐声，舒缓雍和的节奏以空外传音的方式渲染出来，正当庙堂上下的神灵和活人陶醉在音乐中时，一声清脆悦耳的圉声止住众乐，听者方才如梦初醒。

作为一首表现"始作乐"的诗，《有瞽》不仅详细地记载了当时的器乐设备和演奏情况，在我国古典音乐史上具有宝贵的价值；也不仅因为本诗反映了周初制礼作乐的史实，在中国思想史和美学史上有重要的史料价值；更重要的是本诗流传至今而不减艺术魅力，是因为它以古拙而又巧妙的艺术手法描写了先秦时代的宗庙音乐，以及音乐欣赏者的心理。"永观厥成"，虽然只有四个字，但将欣赏者凝神聆听的神态，曲终兴犹未尽，不觉时间流逝的心理描写得淋漓尽致。诗的前两部分写各种乐器设施和演奏情况，采用赋法铺写，而描摹心理则用虚笔传神，在详略、虚实、藏露等表现手法上，都可见出作者的匠心独运，这样就使枯燥乏味的宗庙诗歌闪现出灵动之气，这些因素使本诗在诗歌史上占有了自己应有的地位。

（田耕宇）

潜

猗与漆沮，①	啊，在那漆沮之水里，
潜有多鱼。②	鱼儿繁多围槮中。
有鳣有鲔，③	也有鳣鱼也有鲔，
鲦鲿鰋鲤。④	鲦鲿鲇鲤多品种。

以享以祀，　　　　用来祭祀供祖宗，
以介景福。⑤　　　求降洪福永无穷。

（程俊英译，略有改动）

注释

①猗与：叹词，犹猗兮。漆、沮：周二水名，分别源于陕西大神山与分水岭，至耀县合流。②潜：通“槮”，在水中列木围鱼的器具。一说如本字。③鳣：鳇鱼。鲔（wěi）：鲟鱼。④鲦（tiáo）：白条鱼。鲿：黄鲿鱼。鰋（yǎn）：鲇鱼。⑤介：助。景：大。

鉴赏

这是一首以鱼献祭于宗庙的乐歌。《毛诗序》所谓“季冬荐鱼，春献鲔”，据《郑笺》解释，冬季鱼性定而肥，故皆可荐；春季鲔鱼新来（当是溯河以产卵），故单荐鲔。以鱼类祭献，使人联想到西安半坡出土陶器上的人面鱼纹，画中人面嘴角各含一鱼，似有闭目满足之表情。它生动表明，具有强大繁殖力的鱼类，系先民赖以生存的重要食物，先民对鱼由依赖转而崇拜，进而以鱼祭献祈福。这时“鱼”出现在原始文艺中便被赋予一定观念意义，对生命之两大本能——生存（丰衣足食）和生殖（多子多福），成为一种象征。在《潜》诗中作为诗歌意象的鱼，便有这样的意味。

孔子教育弟子学诗，目的之一是多识于虫鱼鸟兽之名。这首诗也可作为显著例证：短短六句中，就记有六种鱼名，足为漆、沮水产史料，可见先民生产斗争中丰富的知识积累。“潜”之释名，据清人王先谦说，“胡承珙曰：槮，谓之涔……若如《韩诗》谓涔为鱼池，则当入《释地》。《尔雅》既与罛罶罿罬并列，则槮自是围鱼待捕之具。水中列木所以聚鱼……列木水中，鱼得隐藏，有若池然，故曰鱼池。《邢疏》引《小尔雅》，鱼之所息谓之橬。橬，槮也。积柴水中，鱼舍也。是可称鱼舍，亦可称鱼池。若在漆沮水中，而曰别有鱼池谓之涔，韩固不为此训也。潜涔古今字。”（转引自《诗经直解》）今太湖渔民尚用此法，于湖中围木栅以养鱼，称为鱼窝。而《潜》诗已曰：“猗与漆沮，潜有多鱼。有鳣有鲔，鲦鲿鰋鲤”，可见当时人民已有丰富的人工养鱼经验，此诗便是一条可珍视的记载。“猗与”的赞叹，洋溢着先民对于自身劳动的赞美和惊叹，洋溢着自豪感与幸福感。

这诗几乎谈不上什么艺术手法，它的质朴一如出土陶器上的含鱼人面，虽然简单，却具有一种古拙的美的韵味。“以享以祀，以介景福！”诗句很直截地表达了先民对于生活的憧憬和祝愿。这种淳朴的美好愿望，一直延续到后来年画所表现的“连年有鱼”的主题。这首诗在句法上有一偶得的造奇，“鲦鲿鰋鲤”句并列四个鱼名，这种堆砌铺陈的句式直接开启了汉赋句法之先河，也对后代某些好奇的诗人产生过影响。如扬雄《长杨赋》“虎豹狖玃，狐兔麋鹿”一类赋句，及韩愈“鸦鸱雕鹰雉鹄鹍”的诗句，实已推波助澜；至于罗隐的“一二三四五六七”和毛泽东的“赤橙黄绿青蓝紫”，也应算是沿波而讨奇的名句。

（周啸天）

雝

有来雝雝，①	来时候，和悦恬静，
至止肃肃。②	到这里，肃穆恭敬。
相维辟公，③	诸侯群公都来助祭，
天子穆穆。④	天子更是副庄严仪容。
於荐广牡，⑤	啊，献上肥大的公羊，
相予肆祀。⑥	帮我把祭品全部摆上。
假哉皇考！⑦	伟大的父皇啊，
绥予孝子。⑧	请保佑您的孝子嗣王！
宣哲维人，⑨	为人聪慧明睿，
文武维后。⑩	为君有武能文。
燕及皇天，⑪	德泽遍及宇内，
克昌厥后。	定能昌盛他的子孙。
绥我眉寿，	保佑我寿高命长，

介以繁祉。⑫	惠赐我许多福祥。
既右烈考，⑬	既敬祭我英烈的父王，
亦右文母。⑭	也敬祭我慈爱的亲娘。

注释

①有：句首语词。雝(yōng)雝：雍容和悦的样子。②止：语助词。肃肃：恭敬的样子。③相：助祭。维：是。辟(bì)公：指诸侯公卿。④穆穆：严肃庄重的样子。⑤於(wū)：叹词。荐：献。广牡：大雄牲。⑥肆：陈设。肆祀：指陈设祭品。⑦假：大。皇考：对已死父亲的美称，此指周文王。⑧绥：安抚，引申为保佑。⑨宣哲：明智。维：通"为"。⑩后：君。⑪燕：安。燕及皇天：意谓德配皇天，泽布域内。⑫繁：多。祉：福祉。⑬右：动词，有尊崇、敬祭之意。烈考：与皇考同义。⑭文母：文德之母，指文王妃、武王母太姒。

鉴赏

《诗经》中有不少关于祭祀的乐歌，它们从不同的角度和侧面，反映了古人祭祀天地祖宗的情景。其中既能完整体现贵族祭祀过程，又有一定艺术特色的篇章，便要数这篇《雝》了。

这是一首祭祖诗。《毛诗序》说："《雝》，禘(dì)大祖也。"大祖是谁？有人说是后稷，有人说是文王，还有人说是帝喾。从诗篇的内容看来，应以朱熹关于"武王祭文王"之说为当。

这首诗共十六句，按其内容可分为四章。第一章叙参加祭祀的人物和神态。"有来雝雝，至止肃肃"，是总叙参祭者到来时的景象。人们来在路上，都还神色和悦；一到庙堂，全都肃然收容。一下显出了庙堂的庄严肃穆。后两句分写不同的参祭者：助祭的是诸侯公卿，主祭者就是天子了。诸侯公卿是怎样神情，诗中虽未描摹；但连天子都也"穆穆"，满脸庄重之色，则"辟公"之无不肃静，也都可以想见了。这是一种静态的展示，整个庙堂似乎都沉入了无声的庄重之中。诗中连用三个叠词，描摹人们来到宗庙前后的不同神态，既渲染了庙堂的气氛，又显示了人们来此庄严场所所经历的情感升华，极富表现力。第二章便由静态、无声的景象再现，转入祭祀中的献祭和祝祷，人称也由第三者变为主祭者(天子)的第一人称。"於荐广牡"二句以咏叹的口吻，叙述献牲和陈馔，与上文庄严的气氛紧相呼应，进一步表现出参祭者的虔敬。“假哉皇考”二句，是对“皇考”（先王）情不自禁的呼唤和祝祷，感情热烈而深长。从中简直可以感受到主祭者语调的延长和颤动。第三章是对“皇考”功德的庄重颂赞，颂赞他英明睿智，文武双兼，德配皇天，泽被后世，能够使子孙兴旺发达。从咏诵的口气看，人称又变为第三者，似乎是助祭者所唱之词。第四章又是主祭者的祈祷。他祈求“皇考”保佑他长寿，赐给他许多福祚。末二句说明他既敬祀自己的父亲文王，也连带敬祀自己的母亲太姒。古代帝王的先妣不另立庙，往往附于先王庙一起受祭。所以，诗中也表达了对先妣的怀思和祝祷。

这首诗描述了祭祖的情景和气氛，叙写了祭祀的过程和祷词，还特意交代了父母合祭这一形式。虽属短章，但描述祭祀始末完整。其他宗庙祭祀诗（如《清庙》《有瞽》《丝衣》等），虽在某些方面的描述颇为丰富，但都不及此诗所叙过程之完备。

一般说来，《颂》诗在艺术表现上远较《风》诗逊色。它们节奏比较呆板，很少运用比兴，也不讲究韵调。但这首诗倒是颇有变化。它在结构上采用助祭者与主祭者交替演唱的方式，随着人称的变化，描述转为祝祷，祝祷变为颂赞，以此再现祭祀的过程，显得较为灵活。作为庙堂乐歌，当时想必还伴以舞蹈，这便带有了“歌舞剧”的特点。所以，读这首诗，恰似观赏三千年前周人祭祖的二重唱歌舞：耳边振响着那此起彼落的音声，眼前浮动着那徐纡翩跹的舞容，虽然未免庄重了些，却也不乏动人之处。尤其值得注意的，是这首诗的用韵。每章第一句与第三句用一韵，第二句与第四句用另一韵，前章偶句与次章奇句又蝉联一韵，错落回环，形成了极好的韵律。如第一章一、三句“雝”“公”属东韵，二、四句“肃”“穆”属幽韵；第二章一，三句“牡”“考”蝉联幽韵二、四句“祀”“子”另押之韵，全都交错、连环，十分严整，造成了一种宛转回环又起伏变换的旋律，使全诗带有音声情韵之美。正如姚际恒所说：“此诗每句有韵，甚奇。又凡四章，二、三、四章皆‘有（幽）’韵，而二、四两章皆先‘有’韵，后‘纸（之）’韵，前后相关，音调缠绵缭绕，尤为奇变。”（《诗经通论》）又如方玉润所说：“此真所谓辘轳韵也。而用韵之奇，亦无过乎是者。”（《诗经原始》）这在韵律不齐甚至无韵的《周颂》中，可谓绝无仅有。

（卫仲播　刘生良）

载　见

载见辟王，①	诸侯始来朝成王，
曰求厥章。②	求取礼仪和典章。
龙旂阳阳，③	交龙之旂多辉煌，
和铃央央。④	车鸾旂铃响叮当。
鞗革有鸧，⑤	铜饰马辔闪闪亮，
休有烈光。	德性美好有荣光。
率见昭考，⑥	率领诸侯入祖庙，
以孝以享，	一片孝心祭武王，
以介眉寿，	祈求延年又益寿，
永言保之，	长保大周世泽长，
思皇多祜。⑦	天降吉祥福无疆。
烈文辟公，	英明勇武众诸侯，
绥以多福，⑧	安定康乐多福祥，
俾缉熙于纯嘏。⑨	使之德行光明照四方。

注释

①载：始。辟：彼。辟王：彼王，指成王。②章：礼仪典章。③阳阳：文采鲜洁的样子。④和：车轼上的铃。铃：旂上的铃。⑤鞗（tiáo）革：辔头。马瑞辰《通释》："鞗为辔首铜饰。"鸧（qiāng）：铜饰亮闪闪的样子。⑥昭考：指武王。古代宗庙制度，始祖神位居中，其他祖宗以左右次序排列，左为昭，右为穆。《尚书·酒诰》称文王为穆考，那么武王为昭考。⑦皇：天。祜（hù）：福。⑧绥：安定。⑨俾：使。缉熙：光明。纯嘏（gǔ）：盛大的样子。

鉴赏

周王朝建立不久,武王便过早地去世了。继位的周成王年纪尚小,政事暂由周公代理,因此遭到了统治阶级内部的猜忌,接着便爆发了"管蔡之乱"。周公东征三年,终于平定叛乱。周王朝的统治从此得到巩固和加强,出现了"普天之下,莫非王土;率土之滨,莫非王臣"的昌盛景象。当成王亲临朝政之时,为了"显耆定之大烈弥光,彰万国之欢心如一"(《诗经传说汇纂》),举行了一次大规模的朝见诸侯的活动。这篇《载见》就是歌咏这件大事的乐歌。

这首诗大体可分两层。开头至"休有烈光",叙诸侯群至,朝见成王的景象。"载见辟王,曰求厥章"二句,点明此次诸侯之来,乃是初次朝见成王;他们来朝的目的,更是主动求取礼仪典章。成王初次临朝,诸侯即群至朝见,恭敬地求取典章规范来约束自己,这说明内乱过去之后,周成王终于莅临天下,成为诸侯众星拱月的中心人物了。出现这样的局面,诗人能不感到兴奋?"龙旂阳阳"四句,以兴高采烈之辞,描述了成王朝见诸侯时的堂皇景象:一面面交龙大旂,拥簇着成王向庙堂会聚;和悦动听的车鸾、旂铃响成一片;驾车的当然是一色的高头大马;马辔上的铜饰正辉映着丽日闪闪发光。根据《左传》的说法,人君昭示"令德",就是旗仗、车饰也都有讲究,"火龙黼黻,昭其文也。五色比象,昭其物也。钖、鸾、和、铃,昭其声也。三辰旂旗,昭其明也"(《左传·桓公二年》)。这样看来,诗中着意渲染天子诸侯的旗仗、马饰,就不仅仅是一种热烈场景的展现,更是对周家"令德"的由衷歌颂了。本诗开头所说的"曰求厥章",也由此得到了体现:即使在旗仗、车饰上,不也让诸侯大开眼界、见识了王朝礼仪的威风?适应著昭"令德"的需要,诗人对旗旌、鸾铃、车马之饰的描摹,连用"阳阳""央央""有鸧"(即"鸧鸧"的变体)等叠词,更加强了夸赞的色彩和音响效果。所以,写到这里,诗人自己也情不自禁地把笔赞叹"休有烈光"了。

自"率见昭考"以下为诗之第二层,接叙成王祭祀武王的情景。周代的政治以宗法制为中心,政权与族权是紧密联系在一起的,祭祀祖宗是政治生活中的大事。武王是周朝的开国君主,又是成王的父亲。周成王作为一代嗣王,莅政并朝见诸侯,其主要仪式之一,就是庙祭武王。"率见昭考,以孝以享"。一个"率"字说明,此次赶来朝见的诸侯,全部参加了祭祀活动。不过主祭者是成王,诸侯作为助祭,由周、召二公率领着,庄严地步入庙堂,开始了虔诚庄重的献祭仪式。当祭品供上之时,庙堂便响起一片祈祝之声:“以介眉寿,永言保之,思皇多祜”。活得长久些,大概是世人共有的愿望。但周天子之祈求长寿,着眼点更在于长享天下。古人以为这天下本来是上天赐予的,所以想要“永保”,也必须祈求上天“思皇多祜”——多多保佑了。值得注意的是,此诗开头句句用韵,写到庙堂祈祝之辞,便无韵脚可求。这大概正如王国维所说,庙堂颂辞缓慢而凝重,且有钟声配合,故“其声缓而失韵之用”了。因此读这几句诗,人们须得想象,此刻已置身于庄严的庙堂,耳边振响着舒缓的钟声。然后才能体会到,这周成王是怀着怎样的虔诚,向祖宗神明,喃喃诉说着心中长享天下的贪婪愿望。最后三句是对王公诸侯的祝祈——他们既然来参加助祭,而且是王朝的“爪牙”和藩卫,当然也得让上天保佑他们安康“多福”,这样才能辅助天子坐稳江山。诗之结句“俾缉熙于纯嘏”,一变四言之体,化为六言长句。其效果在于使庄严的祷祝,于曲终延续为悠悠长声,在庙堂中继续萦绕。

作为一首颂诗,《载见》的后半部分,无非是祝祷之套语,说不上有什么动人之处。此诗的好处,只在前半部分,堂堂皇皇,颇有情景如画之感,倒还值得一读。

(卫仲播　汪祚民)

有　客

有客有客,	客来了!客来了!
亦白其马。	驾乘白马多显眼。
有萋有且,①	随从的,衣着绚烂,
敦琢其旅。②	全是精选的良贤。
有客宿宿,	客住一宿又一宿,
有客信信。③	索性再多住几天。
言授之絷,	快点拿出绳子来,
以絷其马。④	去把他的马儿拴。

薄言追之， 左右绥之。[5] 即有淫威， 降福孔夷。[6]	送别时追攀车辕， 祝勉的话儿说不完。 客人您啊威仪不凡， 天定降福保您平安。

注释

①有：语助词。萋：借为“缕”，绸缎上的花纹。且(jū)：盛服貌。②敦琢：犹雕琢，精选之意。旅：众人，指随从。③宿、信：一夜为“宿”，两夜为“信”。④絷(zhí)：绳索。后一“絷”为动词，绊也。⑤薄、言：皆语助词。追：送。⑥夷：平安。

鉴赏

也许有人以为，古代的上层贵族，既然地位煊赫，崇于势利，其待客接友，未必能有多少真情。其实也不尽然。《周颂·有客》就是古代王公贵族接待宾客之诗。这首诗语言活泼，节奏轻快跳跃，展示了主人对客人的真诚情谊和美好祝愿。即便在今天读来，也还颇感亲切动人。

全诗可分三章：首章言迎客之喜悦；二章言留客之殷切；三章言送客之情深——包括了接待宾客的完整过程。

“有客有客，亦白其马。”此篇开头，便是对贵客驾临的喜悦呼告。车声辚辚，从远处传来，客人虽因距离较远还看不真切，那驾车的白马却早已见得分明。主人的精神不禁为之一振，仆役们自然也喜色浮动。“有客有客”，两语连写，欢快、跳跃，表现了主仆遥见贵客到来时互相传告的惊喜之情，极为传神。后句落墨于驾车之马，纯白一色，潇洒大方。贵客尚未露面，其车骑雍容的气派与华贵不俗的风度，已随着白马扑面而来。再看贵客的随员，更加令人赞叹：衣着是花团锦簇，气宇亦轩昂不凡，那都是百里挑一的人才啊！“有萋有且”两句，妙在依然不写贵客，而贵客的器宇、风采，已在烘云托月中显现。这就是首章所述的“迎客”。诗面上写的是客，字里行间跳动着的，则是迎客主人的惊喜、赞叹与自豪之情。

久盼的贵客既已到来，刚才还沉浸在迎客喜悦中的主人，唯恐客人很快离去，此刻又急忙考虑“留客”之事了。故人相逢当然其乐无穷；主人的盛情，更使客人有宾至如归之感。客人由此住了一天又一天，“宿宿”“信信”两组叠字，表现了客人停留时间之长，可不必拘泥“两夜”“四夜”之数。但主人犹嫌太短，为留客人，他颇费苦心，这才引出了微妙的“言授之絷，以絷其马”两句——“快去拿绳子来，给我把马拴住，没了马，看他还怎么走？”主人舍客而就马，颇见其狡黠之态，然于此狡黠之中，却表现了一种古朴纯真的待客深情。

最后一章，写客人离去时主人送行，情感较为深沉。主人再热情好客，客人终究不能久留，当客人揖别之际，主人的心情又将是怎样依恋呢？“薄言追之”，前人训“追”为“送”，自然不错，但总觉得少了些意蕴。“送”之外，当亦有“追”之意，以见其送之远，别之难，显示出“送”中之“情”。“左右绥之”，抒写主人自己虽在为别离伤感，但作为送行者，又不忘抚慰客人安心登程。此中情景，愈加显得委婉动人。诗之结尾二句，本是古人祝福的套语，但放在这特定的环境之中，却表达了对远去客人的真诚美好的祝愿。这祝愿正如温馨的春风，伴随着客人远去；亦如一声悠长的钟鸣，给全诗留下了缕缕余韵。那是挥手之间的惆怅，和惆怅中的绵绵情思呵……

《毛诗序》说此诗写“微子来见祖庙”之事。或言诗中客人即箕子。不知何据，录以供读者参考。

（卫仲播　金荣权）

武

於皇武王，	伟哉周武王，
无竞维烈。①	他的功绩无量。
允文文王，②	诚哉有德周文王，
克开厥后。	能把子孙基业开创。
嗣武受之，	后嗣武王承受它，
胜殷遏刘，③	灭亡殷商抑暴强，
耆定尔功。④	成就事业功辉煌。

注释

①竞：争。维：语助词。烈：功绩。②允：诚。文：文德。③遏：禁止。刘：杀

戮。④耆(zhǐ):致。

鉴赏

这是歌咏武王克商的《大武》乐歌之一。《左传·宣公十二年》记,“武王克商,作《武》,其卒章曰‘耆定尔功’。”按《吕氏春秋》载,《武》为周公所作。有人根据诗有“於皇武王”之句,以为“武王”乃是死后的谥号,诗当作于成王之际。但据王国维和郭沫若先生考证,周初尚无谥法,文、武、成、康皆生时称号,后世始有谥法。因而此诗可定为武王在世时的作品。

殷商时期,王公贵族花天酒地,高屋广厦。纣王终日欣赏淫秽不堪的“北里之舞”,沉醉于“酒池肉林”之中。而平民奴隶却是饥呼寒号,土坑窖穴。此时,崛起于西方的周部族,经过几代人的经营,逐渐壮大。当商王朝陷入“如蜩如螗,如沸如羹”的困境之时,周武王姬发便率“八百诸侯”,进军朝歌(今河南淇县),击溃商师,枭纣王之首,创建了周王朝。周武王伐纣成功,使深受纣王暴虐之苦的民众欢腾雀跃。《武》就是在这样的背景下创制的一首颂歌。

诗的开头两句“於皇武王,无竞维烈”,是对武王的赞词。句中用感叹词“於”和否定词“无”,把武王举世无双的功绩突现出来,表现了诗人对一代圣王的敬仰和赞美。诗的三、四句,没有接着铺写武王的功烈,而是笔锋一转,把颂赞之情引向了文王,“允文文王,克开厥后”。传说文王姬昌是位仁厚贤德之人。《史记·周本纪》说他“遵后稷、公刘之业,则古公、公季之法,笃仁,敬老,慈少,礼下贤者”;“日中不暇食,以待士,士以此多归之”。文王这种兢兢业业的创立精神和礼贤下士的胸怀,不仅使天下贤能闻风而至,就是各地诸侯也莫不附从,甚至有“纣囚文王七年,诸侯皆从之囚”的美谈,可见文王之深得人心。他虽然未能在有生之年,实现剪伐殷商的大愿,但毕竟为武王灭殷奠定了坚实的基础。诗人面对武王伐纣的伟大胜利,怎能不想到为胜利铺平道路的先圣文王?诗之三、四句所表现的,正是对于文王的深切缅怀之情。第五句“嗣武受之”,又回笔接叙武王伐纣事,与诗之开篇紧相照应,形成回环。“胜殷遏刘,耆定尔功”二句,描述武王吊民伐罪、推翻殷商的巨大功业,仅用八个字概括。用词高度简括,而且显得举重若轻、庄严沉着。以此作结,表现出一种吞吐恢宏的气象。

作为一首庙堂颂歌,《武》的风格主要表现为庄重。全诗以颂赞之语发端。句首感叹词的运用,使四言节奏趋于徐缓,带有一唱三叹之致。

中间抚今追昔，从武王的创业，追怀文王的奠基之功，情思悠长。然后直接点出武王灭纣的历史巨勋，表现了对这场“胜殷遏刘”正义战争的欢呼之情和深切自豪感。短短七句，既有堂皇的颂声，兼有深长的情思。在《颂》诗之中，还是值得一读的篇章。

（卫仲璠　谢东贵）

闵予小子

闵予小子，①	我小子呀好伤悲，
遭家不造。②	家里惨遭父王丧，
嬛嬛在疚，③	孤独忧虑好凄惶。
於乎皇考。④	呜呼显考父王，
永世克孝，	你一辈子克己尽孝。
念兹皇祖，	我更追念显祖文王，
陟降庭止。⑤	你举贤授能执法度。
维予小子，	我小子只有，
夙夜敬止。⑥	早晚尽孝不怠慢。
於乎皇王，⑦	呜呼神明的先王，
继序思不忘！⑧	继承祖业小子永不忘！

注释

①闲：郑玄笺作“悼伤之言也”。小子：商、周天子、诸侯的谦称。②不：语助词，无义。造：通“戚”，指父母丧。③嬛（qióng）嬛：通“茕茕”，孤独忧伤貌。④於乎：同“呜呼”。皇考：此指成王之父武王。皇祖指成王之祖文王。又省称皇，犹显，是旧时先人的美称。⑤陟（zhì）：升。庭：直。止：表确定语气。⑥敬：不怠慢。⑦皇：神。⑧序：次第。思：语助词，无义。

鉴赏

这首诗具有颂诗的显著特征。　内容是写年幼的周成王丧中即位，祭祀宗庙，歌颂周文王、周武王功德，表白自己，形式上不分章，无韵。因为配合皇家乐舞，声音缓慢，语言上更显得艰深生涩一些。

如果说《风》诗往往由起兴发端，给人以形象遐思之感，富于诗味，那么《闵予小子》则开门见山，过直过露，无诗味可言。它以王者的身份，王者的语言，王者的模样向神明、向死者、向臣民表白、赞美自己。接着，成王诉说着遭父丧后的悲伤、孤独和忧虑。"疚"即忧虑意。成王小小年纪即位，在悲伤、孤独中激荡着兴奋和憧憬，而更多的是忧虑今后怎么办的问题。这是真情的流露。

中间四句歌颂死者的功德。他赞美父亲武王克己行孝，一统天下；他追念祖父文王举贤授能，使周兴旺强大。"庭"，直，《毛诗传笺通释》释为按直道升降群臣，可从。这就是按法度举贤授能的意思。最后四句是成王在神明、祖先、群臣面前表明自己继志守成的忠孝之心和态度。

朱熹一针见血地批评过《雅》《颂》的用语："其语和而庄，其义宽而密，其作者往往圣人之徒，固所以为万世法程而不可易者也。"《闵予小子》亦莫能外。

（贺宗廷）

访落

访予落止，[1]	即位伊始须谋划，
率时昭考。[2]	遵循武王道不差。
於乎悠哉！[3]	唉呀，太远啦！
朕未有艾。[4]	我没有阅历难及他。
将予就之，[5]	帮助我，接近它。
继犹判涣？[6]	哪些大事应先抓？
维予小子，[7]	可怜我这笨小子，
未堪家多难。[8]	家国多难真可怕。
绍庭上下，[9]	继承正道行上下，
陟降厥家。[10]	任免群臣保国家。
休矣皇考！[11]	父王，安息吧！
以保明其身。[12]	保佑皇儿身发达。

注释

①访:谋划。落:开始。止:语尾助词。②率:遵循。时:通“是”。昭考:指武王。③悠:遥远。④朕:我。艾:阅历。⑤将:帮助。就:接近,靠拢。之:指武王之道。⑥犹:同“猷”,图谋。判涣:大。⑦维:发语词。⑧多难(nàn):指遭父武王之丧及管叔、蔡叔、武庚叛乱和淮夷之难。⑨绍:继承。庭:直道。⑩陟降:升降、任免官吏。⑪休:息。皇考:指武王。⑫保明:保佑。其身:成王之身。

鉴赏

大约在公元前11世纪后期,周武王驾崩,年幼的成王登上王位。即位之初,他率领群臣朝告武王庙,并和大臣们商议国政。本诗就是咏叹的这一件事。

全诗十二句,每两句自成一段。

首两句涵盖全篇,点出“访落”的主题。“访落”是“访于落”的缩略语,在即位之初谋划国政,是新君首要关心的议题。“率时昭考”中的“时”通“是”,《毛传》即如此解,从语法上讲,是“以昭考之是为是”的意思;换言之,即遵循武王之道,这是成王既定的施政纲领和治国方针。

次二句“於乎悠哉,朕未有艾”,是成王对自己施政实力的估价。武王之道高远广大,而自己年幼无知,缺乏施政经验和阅历。“於乎悠哉”以咏叹的语调出之,恰切地表现了成王感到任重道远、前程渺茫的心境。

“将予就之,继犹判涣”二句,是成王对大臣辅弼的企盼。帮助我靠拢武王之道,既体现了成王的决心,又表现了对大臣的信赖。“国须大臣立丕构”(司马光语),大臣是国家的基础、栋梁,成王深深地明白这个道理。下句“继犹判涣”,就是今天所说“抓纲治国”。即位之初,百事待兴,什么是最主要的、最能带动全局的事呢?纲举才能目张,否则难免治丝愈纷,理不出头绪。考虑到这一点,说明成王虽然年轻,但自幼生长在宫掖,耳濡目染,已具有一定的政治素养。

“维予小子,未堪家多难”两句上承三、四句,成王进一步向大臣摊明国家当前面临的政治情势,并表明自己年幼无知,难以承担起家国重任。史载成王即位之初,武庚、管叔、蔡叔与东方夷族反周。叔周公旦摄政,率兵东征,杀武庚、管叔,放逐蔡叔,二年(一作三年)平定。孔颖达等人据此认定,诗中所写情事,当在周公摄政之前后,是很有道理的。

“绍庭上下,陟降其家”两句上承五、六句,是大臣们提出的治国之纲。大臣们认为应该像武王继承文王之道一样,将祖宗之法施行于朝廷上下;而当前首要的大事是选贤任能,罢免庸俗无能之辈,推举英杰之士来整理朝纲,保卫家园。这是简洁明了、无比正确的主张。当今一位伟人说过:“政治路线确定之后,干部就是决定的因素。”如果把继承武王之道作为成王的政治路线,那么,选贤任能便是他应该奉行的干部政策。或许,其叔周公旦便是在这样的君臣集会之后,成为摄政王的吧?

末尾“休矣皇考,以保明其身”两句与首二句呼应,点出告庙之意,以成王向武王祷告,祈求保佑自己作为结束。“休”字在《诗经》里有“美好”意,也有“休息”意(如“汉有乔木,不可休思”之“休”便当作“休息”解)。此诗立意不在颂扬武王,而在祈灵护佑,表明遵循武王之道、抓纲治国的决心,所以我把“休”译作“安息”。“其”字在上古既可作第三人称代词,也可作第一人称代词,我以为在这里应指代成王自身。明白了这两个字的含意,全句意思豁然贯通,怡然理顺,成王祈求父王保佑的情态也就可以想象了。

从上述的分析中可以看出,此诗在艺术上最大的特点是章法错落,结构谨严。三、四句下接七、八句,五、六句下接九、十句,首尾四句遥相呼应,把全诗六段结合成一个浑圆的整体。体现出当时叙事诗写作的艺术已经发展到相当高的水平。诗的作者,有人说是成王自作,有人说是太平之时,诗人追述其事,代成王立言。我以为诗是谁作的无关紧要,只要诗篇真实而恰切地传达出年幼的成王即位之初的心境,便成为上乘之作。从这个意义上说,《访落》一诗无论是作为艺术,还是作为史料、作为政治教科书,它都具有一定价值。

(詹杭伦)

敬　之

敬之敬之,①	敬天啊,敬天!
天维显思,②	天道彰彰不可欺,
命不易哉。③	天命从来不变易。
无曰高高在上,	莫说苍天高在上,
陟降厥士,④	世间万事它升降,

日监在兹。⑤　　时时刻刻在观望。
维予小子，　　我刚即位小年纪，
不聪敬止。⑥　　不懂敬天大道理。
日就月将。⑦　　日子久，月儿长，
学有缉熙于光明。⑧　　积累学问心亮堂。
佛时仔肩，⑨　　众臣辅我担大任，
示我显德行。⑩　　美德向我多宣扬。

注释

①之：指代天。②显：明。思：语尾助词。③命：天命。④士：通“事”。⑤监：监视。兹：此。⑥聪：明白。止：语尾助词。⑦就：久。将：长。⑧缉熙：积渐广大。⑨佛（bì）：通“弼”，辅助。仔肩：责任。⑩显：显示，阐明。

鉴赏

这是成王敬天自戒并告群臣的诗，与前篇《访落》是一时之作。孔颖达认为：“《访落》，与群臣共谋；《敬之》，则群臣进戒。文相应和，事在一时。”（《毛诗正义》）林义光则认为：“诗言‘维予小子’，又言‘示我显德行’，则是嗣王告群臣，非群臣戒嗣王也。”（《诗经通解》）林义光的分析是对的，诗中的抒情主人公正是成王。

全诗十二句，可分为两段，上下各六句。

前六句写成王敬天。周人为了巩固君权，他们给君权统治蒙上了一层神秘的宗教色彩，创造了一个在冥冥之中主宰世界的自然神“天”（或称“上帝”），以代替殷人对鬼神的崇拜。《尚书·周书·多士》上说：“旻天大降丧于殷。”认为殷商的灭亡和周朝的代兴都是出于天意。周朝的各位君王也都自称是受命于天的“天子”。正如《昊天有成命》诗云：“昊天有成命，二后受之，成王不敢康。”（天命昭昭自上苍，受命为君文武王，成王不敢图安康。）成王即位之初，自然首当敬天。此诗前六句讲了敬天的两层道理：一是天命从来不变易，天命即天道。言下之意是周王朝受命于天，只要奉行天道，必将得到天的庇护；而且人对天只能被动地顺适，而不能改变天意。第二，天是世间万事万物的唯一主宰。陈启源解释“陟降厥士”一句说,“天之事也,二气之运行,万物之化育,皆天升降其事也”(《毛诗稽古编》)。而且天明察秋毫、洞悉幽微,世上人人的所作所为都受到天的监视,正如后世俗语所说“善有善报,恶有恶报”。鉴于上述两个原因,所以不能不敬天。“敬天”思想是西周王朝的正统思想,但以“无曰高高在上”一语,可以看出它也有其对立面。后来子产便说:“天道远,人道迩,非所及也。”(《左传·昭公十八年》)而《小雅·十月之交》的“下民之孽,匪降自天”,《小雅·雨无正》的“浩浩昊天,不骏其德”,竟公然对至高无上的“昊天”提出了怀疑和指责。当然,“敬天”的思想由于得到孔丘和董仲舒的继承而更加发扬宏大,成王的“敬天”便是孔丘要恢复的“周礼”之一。

下六句写成王自箴。“维予小子”确切的翻译应该作“我是一位小天子”。他的父亲武王巡视时唱道:“时迈其邦,昊天其子之”(出发巡视大小邦,上天视我如儿郎。《周颂·时迈》);祭祀时唱道:“相维辟公,天子穆穆”(周围诸侯助祭,中央天子端庄。《周颂·雝》)。武王是大天子,成王自然是小天子了。“不聪敬止”是成王的自谦之词,意思是因为年幼无知,还不完全懂得敬天、遵循天道行事的道理。“日就月将,学有缉熙于光明”两句,表明自己愿意学习,通过日积月累而走上替天行道的光明之路。末两句“佛时仔肩,示我显德行”,是成王对大臣的期冀。所谓“德行”,是文王、武王秉于天而施于人的品行、德政。而成王的大臣中不少是前王的辅弼,受到前王德行的沾溉。于是成王要求他们,把前王的德行细细讲给自己听,帮助自己承担起上天赋予的家国重任。相传也是作于成王之时的《维天之命》诗句“文王之德之纯,假以溢我,我其收之”(文王纯正的德行,嘉惠于我,我们一定要继承。),正可作为“示我显德行”一语的注脚。

本诗作为中国思想史上“敬天”观念的源头之一,而显示出它的深厚意蕴和历史价值。

(詹杭伦)

小　毖

予其惩而,[1]	我严厉地惩戒从前,
毖后患。[2]	谨慎地防备后患。
莫予荓蜂,[3]	没人扯曳我啊,

自求辛螫。④ 麻烦全属自找。
肇允彼桃虫，⑤ 开始以为小桃雀，
拼飞维鸟。⑥ 谁知翻飞成大鸟。
未堪家多难， 不堪家国多患难，
予又集于蓼。⑦ 再陷困境更难熬。

注释

①惩：惩戒。②毖：谨慎。③荓（pīng）蜂：犹俗所谓扯曳。④辛螫（shì）：《韩诗》作“辛赦”，“赦”通“事”，即辛苦之事。⑤肇：始。允：语助词。桃虫：桃雀，一名鹪鹩，一种小鸟。⑥拼飞：翻飞。⑦蓼：水草名，味苦辣。

鉴赏

周武王死后，年幼的成王即位之初，由叔父周公旦摄政。成王的另外两个叔父管叔鲜和蔡叔度因怀有野心，便在朝廷内外散布谣言，说周公旦自己想作天子，将来要谋害成王。成王轻信了谗言，就让周公旦离开长安住到东京洛阳去了。后来管叔和蔡叔联合殷纣王的儿子武庚阴谋造反，成王赶紧接回周公，周公率兵讨平叛乱，挽救了国家。过了七年，成王长大了，周公就把政权归还了他。成王亲政之日，对大臣们痛心疾首地检讨以往的过错，并表示从此要谨慎行事，防备再发生祸患。

诗篇开首两句“予其惩而，毖后患”，可作一句连读。意思是我痛戒以前轻信管、蔡的谗言，今后自当慎重，以防再发生祸患。后来人们把成王的话概括为“惩前毖后”的成语，用以表示受惩于前，谨慎于后，不再重犯以前的错误。下面的六句便围绕“惩前毖后”的主旨而展开。

前四句写成王惩前。胡承珙《毛诗后笺》解释“莫予荓蜂，自求辛螫”两句说：“‘莫予’与‘自求’，文意呼应。莫者，无也。言往日之事，无有瘳曳使我为之者，乃我自求辛螫之害耳。”这一理解，较好地把握了成王痛心恶己的态度和心情。作为最高领导者的成王，遇事敢于承担责任，而不迁过于他人，体现了作为一个贤明君主的博大气度和坦荡胸怀。

林伯桐《毛诗识小》解释“肇允彼桃虫，拼飞维鸟”两句说：“盖谓恶之始萌甚小，似桃虫耳；不能慎之于小，则积恶至大，如桃虫之终为大鸟耳。”桃虫变大鸟的比喻，说明武庚之祸，起初甚小，后来至大，险些不可收拾，这是不能慎于初始，不能防微杜渐，不能防患于未然而带来的严重恶果。桃虫变大鸟的意象既具有深刻的哲理，又富有委婉含蓄之美。后来《庄子》中鷦鷯和大鹏的意象便可能是由此演化而来。

惩前是为了毖后，结尾两句“未堪家多难，予又集于蓼”，写成王不堪国家多患难，决心谨慎从事，避免自己再度陷于困境之中。“集于蓼”又是一个绝妙的比喻，郑玄笺“集”作“会”，孔颖达疏“会，谓逢遇之也”。用逢遇蓼这种其味辛苦的水草来比喻碰到麻烦、陷入困境，手法的确是很高明的。“未堪”一词总领两句，既未堪家国多难，也未堪予又集蓼。在君主政体的国家里，君王和国家二位一体，不可分离。

诗篇塑造的成王痛心罪己的形象，成为后世贤明君主竞相效法的榜样；而惩前毖后的成语早已超出了它本来的历史意义，被广泛地运用于社会生活之中。

（詹杭伦）

载　芟

载芟载柞，[1]	开始斩草除木，
其耕泽泽。[2]	接着耕田松土。
千耦其耘，[3]	千对农夫锄草，
徂隰徂畛。[4]	走向低田小路。
侯主侯伯，[5]	家主带领长男，
侯亚侯旅，[6]	跟着其他子弟，
侯强侯以。[7]	个个强壮得力。
有嗿其馌，[8]	田头饭声嘈杂，
思媚其妇，[9]	妇人柔美可爱，
有依其士。[10]	男子身壮力足。
有略其耜，[11]	犁锹锋利轻快，
俶载南亩，	开始耕种南亩，
播厥百谷。	播下各类禾谷。

实函斯活，[12]	种子内含生机，
驿驿其达。[13]	幼苗纷纷出土，
有厌其杰，[14]	上等苗特茂美，
厌厌其苗。[15]	一般苗整整齐。
緜緜其麃。[16]	耘草频繁细密。
载获济济，	果实收获济济，
有实其积，	众多粮食堆积，
万亿及秭。[17]	多达千亿万亿。
为酒为醴，	用来酿制酒醴，
烝畀祖妣，[18]	奉祭先祖先妣，
以洽百礼。	合乎各种祭礼。
有飶其香，[19]	酒食四溢芳香，
邦家之光。	邦家光大盛昌。
有椒其馨，[20]	酒香伴着椒香，
胡考之宁。[21]	老人长寿安康。
匪且有且，[22]	丰收喜出望外，
匪今斯今，	今日不曾料想，
振古如兹。[23]	自古就是这样。

（余冠英译，略有改动）

注释

①芟：除草。柞（zé）：砍木。②泽（shì）泽：通“释释”，土解之貌。③耦：二人并耕。④隰：低湿之地。畛（zhěn）：田间小路。⑤侯：语助词。主：家长。伯：长子。⑥亚：次，指长男以下诸子。旅：众，指晚辈。⑦强：强壮有力。以：用，指有用。高亨《诗经今注》释“强”为男奴；“以”，当作“佁”，古“奴”字，指女奴。⑧嗿（tǎn）：众食之声。⑨思：发语词。媚：美好。⑩依：即“殷”，盛壮貌。一说为依倚相悦之貌。⑪略：古作“畧”，锋利。⑫函：内含。活：生机，活力。⑬驿（yì）驿：连续不断。达：生。⑭厌：通“㛳”，美好。⑮厌厌：为“稖稖”之假借，苗齐等貌。⑯麃（biāo）：“耘”的别称。一说借为“穮”，指禾穗。⑰秭（zǐ）：万亿。⑱

烝:进献。畀:给予。⑲飶(bì):食物的香气。⑳椒:香木。一说应作"馥",香气浓郁。㉑胡:寿。考:老。㉒匪:通"非"。且:此。㉓振:起。振古:自古。

鉴赏

这是一首祭祀用的乐歌。所祭者何?有两种说法:一般认为,这是周王祭祀社稷的乐歌。社是土神,稷是谷神。周代的社稷之祀,一年主要有两次:春天耕作之前,祭社稷以祈谷;秋天收获之后,祭社稷以报恩。这首是春祭之歌。另外,也有人认为是秋天收获之后,用新谷祭祀宗庙的乐歌(见高亨《诗经今注》)。持此说者虽少,但从诗的内容看,也不失为有理有据的观点。

全诗按内容可分为层次清晰的三个部分,先叙耕种收获,次写酿酒设祭,三谢神灵保佑。主要篇幅和内容集中在第一部分。而整篇上下,劳动伴随着欢乐,祝福寄寓着追求,在乐观、愉快的氛围中,表达出对祖宗神明的赞颂和敬仰,也生动地展现了周民族早期的生产、生活风貌,史料价值和认识价值都很高。

从开端到"万亿及秭"是第一部分。按顺序分别由三幅各自独立而又紧密承接的三幅画图组成。第一幅,千夫并耕图,共七句。"载芟载柞,其耕泽泽",开篇直写劳动情景,运用重句叠字,音节短促,渲染出劳动节奏的明快,也顺次展现出劳动的背景:在杂草丛木中开拓,在新垦土地上耕耘。接下去,写劳动者,写劳动场面,"千耦其耘",既写了劳者之众,也启发了读者丰富的想象力,把人带入一个十分壮观的劳动场面:在那平原旷野之上,在沃土新田之中,一对一对的农夫,并拉犁具,辛勤耕耘。着笔不多,却造境壮阔,生意盎然,给人以动的画面感。"侯主侯伯"以下三句,则紧接上句,补说劳动者身份,也解释出田野劳动者为何如此之多:家主、长男、次男及其他子弟都出动了,岂不多哉?这就丰富充实了第一幅图。

第二幅,野田就餐图,共三句。虽然用笔简洁,三涂两抹,但却给人以想象回环的余地。农妇送饭来到田间,人们纷纷涌向地头吃饭。"有嗿其馌",反映了人多声嘈;"思媚其妇",抽笔闲写送饭少妇的娇艳美好。"有依其士"则描写了身强力壮的男子饱餐饭菜之后更加气盛劲足的情态。画面清晰,有声有色,有浓厚的生活情趣和乡土气息。

第三幅,苗旺丰收图,这是一幅流动的画面,共十一句。"实函斯活,驿驿其达",写种子萌发,很有活力,具有动感。"厌厌其苗,緜緜其麃”,既写出青苗的齐整、绿油油一片,也写出农夫除草的细密,写禾苗,也写劳动,还为下面写丰收作好了铺垫。直写丰收情景,用笔简单,也只三句,但极尽渲染夸张之能事。说“载获济济”,说粮食堆积多到“万亿及秭”。在这种较为抽象的渲染中,透发出人们对丰收的向往和对富裕的追求,喜悦之情溢于字里行间。

第二、三部分共十句。前七句,写酿酒设祭,祈求神灵赐福;后三句,感谢神的福佑。特别应注重的是,“为酒为醴,烝畀祖妣”,和“有椒其馨,胡考之宁”,所发扬和颂赞的正是我们中华民族尊老敬祖的传统。“匪且有且”二句,表达出对神灵降福的欢欣和喜出望外,形象生动。

总观全诗,反映了周代早期大集体劳动和生活的场景,铺叙了一年之中,除草、斫木、翻土、耕耘、播种、收获的全过程。劳动,在这里不是作为被迫参加和惩罚的对象来描写,而是处处洋溢着对劳动的热爱和赞颂之情,写劳动的欢乐和无限情趣,写劳动者之间的友善、和谐和美好。充分体现了《颂》诗以歌功颂德为主旨的庙堂文学的特点。这里需要说明的是,本诗描述的劳动情形如何理解?历来意见不一。比较有代表性的意见有两种:一是范文澜说的,“每家出一人到公田上耕作,其中有户主、户主的长子、户主的次子、年幼的子弟……以及受雇来代耕的人”(《中国通史简编》第一编),指阶级社会中,被压迫者的劳动。二是杨公骥说的,诗中描写不是阶级形成后的生产关系,而是“周族在原始时代的祭歌,它可能是在西周被用文字记录下来,到《诗经》辑录成书时,便被载于《周颂》中”(《中国文学》第一分册)。笔者抄录于此,供读者辨析参考。

在艺术手法上,本诗主要采用白描手法,刻画场景,铺叙情节;又善于渲染、夸张,借以表达愿望,抒发感情。语言亦较通畅、和谐,这在呆板、典重的《周颂》中,是别具一格的。

(王志民)

良　耜

畟畟良耜,[1]	犁头嚓嚓入土,
俶载南亩。	南田初耕正忙。
播厥百谷,	播下各类禾谷,

实函斯活。	种子生机内藏。
或来瞻女，②	有人前来看望，
载筐及筥。③	手提圆筥方筐。
其饟伊黍，④	送来黄粱米饭，
其笠伊纠。⑤	斗笠草绳缠绕，
其镈斯赵，⑥	锄具犁地真快，
以薅荼蓼。⑦	薅除水陆杂草。
荼蓼朽止，	杂草全部腐烂，
黍稷茂止。	黍子稷子并茂。
获之挃挃，⑧	刷刷割谷收获。
积之栗栗。	谷垛堆积高高。
其崇如墉，	堆高真像城墙，
其比如栉。⑨	密排恰如梳爪。
以开百室，	打开仓门百间，
百室盈止。	间间粮食装满。
妇子宁止。	妻儿方才得安。
杀时犉牡，⑩	宰牛摆上祭坛，
有捄其角。⑪	牛角向上弯弯。
以似以续，⑫	祭礼由来久远，
续古之人。⑬	自古代代相传。

注释

①畟(cè)畟：耜深耕入土貌。一说锋利。②女：同“汝”，对耕者言。③筥(jǔ)：圆竹筐。④饟(xiǎng)：用酒食待人。⑤纠：绳结缠绕之状。⑥镈(bó)：除草农具。赵(diào)：刺也，言扒地除草。⑦薅(hāo)：除草。荼：指陆生草。蓼：水草。⑧挃(zhì)挃：收割庄稼的声音。⑨比：密。栉：梳篦总名。⑩犉(rún)：身长七尺之牛。一说，黄牛黑嘴者。⑪捄(qiú)：通作“觓”，兽角曲而长貌。⑫似：通“嗣”，继续。⑬古之人：指先祖。

鉴赏

这是周王在秋收之后,为答谢社稷神佑举行祭祀的乐歌。与《载芟》可称"姊妹篇"。

内容分三层:前十二句,写耕种耘作,春播夏锄,为第一层。"畟畟良耜",起句给人以音乐的美感,也使人联想到犁头入土的状貌,很有春耕繁忙气氛。"播厥百谷",更上应首句,将耕种农事,顺次展开。"或来瞻女"以下四句,则用生动的笔触、描绘出一幅美丽的农妇野田送饭图:春耕时节,于平原旷野之上,农妇们手提饭篮,头戴斗笠,来到田间地头,看到农夫们还在紧张地劳作,篮内饭食飘散出喷喷的香气,活现出劳动妇女的情态,增强了诗中浓厚的田园生活气息。接下说草朽苗旺,既歌咏出劳动的成果,又预示了未来的丰收,为后边叙写丰收,打下了基础。

第二层,由"获之挃挃",到"妇子宁止"七句,主要铺叙丰收景象。与《载芟》不同的是,《载芟》是"春藉田而祈社稷也",对丰收之景,只是希望,是憧憬,因而写得较抽象,只说"万亿及秭",虚张其多而已。而《良耜》则是秋收后的报祭,不但经历了一年的辛劳,也见着了丰收的硕果,所以,写丰收具体可感:一方面极力摹写粮垛之高,排列之密,"如墉""如栉";另一方面,又进一步刻画出"百室盈止"的收粮入仓的情景,渲染了丰收,也叙写了收获的过程:收割、累垛、入仓。"妇子宁止"一句,显示出经过一年的辛苦,劳动到此暂告消歇,暗含对劳动者含辛茹苦的同情。全诗到此,是顿错,是总结,是叙事,又寄寓感情。

最后四句诗,是第三层意思,主要写祭祀。虽然仅十六个字,却把祭祀的过程简要完备地叙述得清清楚楚:杀上一条大公牛,摆上祭坛,并按自古流传的礼节,做完一道道仪式。概括性极强。

本诗作为秋冬报赛祭祀的乐歌,自始至终洋溢着对劳动的歌颂和丰收的欢欣。虽然歌唱时一年农事已毕,但在欢快的气氛中,重温劳动的过程,回忆田园的乐趣,再现丰收的欢欣,充分传达出当时劳动者勤劳、乐观、友善的美好品格。

在艺术上,本诗最突出的特点是白描手法的运用和叙事的层次清晰。从全诗看,除末尾有几句祭祀的祈祷语外,其余部分都是用白描手法直叙劳动生活,而且极有层次。春耕、夏耘、秋获、冬祭,层层铺写,繁而有序,有条不紊。不但开首四句,先耕后播,极合事理;而且农妇送饭田间,也是先看到人,再写提筐挽筥,进而写筐筥里的饭食,看到头戴的草编斗笠,由远及近,既合视觉规律,又合事理特点。总之,全诗注重按生活的本来面貌和事理的本来逻辑,叙写事物,给人以清晰、鲜明之感,收到了良好的艺术效果。

（王志民）

丝　衣

丝衣其紑![①]	丝制祭服多洁净,
载弁俅俅。[②]	头戴礼帽多恭敬。
自堂徂基,[③]	走下殿堂到门基,
自羊徂牛。	肥羊牺牛告充盈。
鼐鼎及鼒,[④]	大鼎小鼎和中鼎,
兕觥其觩,[⑤]	兕角酒杯亮晶晶,
旨酒思柔。[⑥]	美酒醇厚色如琼。
不吴不敖,[⑦]	轻声祝告心虔诚,
胡考之休![⑧]	长寿吉祥永康宁!

注释

①丝衣:古绎祭时士穿的祭服。紑(fóu):洁净新鲜的样子。②载:通“戴”。弁:古代贵族的一种礼帽,武官戴皮弁文,官戴爵弁,这里指助祭的士所戴爵弁。俅(qiú)俅:恭敬和顺的样子。③基:通“畿”,门内处。④鼐:大鼎。鼒(zī):小鼎。都是古代食器,下有三脚,旁有两耳。⑤兕觥:铜制似兕牛角状的酒杯。觩(qiú):弯曲的样子。⑥旨酒:美酒。思:语气助词。柔:柔和。⑦吴:大声说话。敖:通“傲”。⑧胡考:寿考,长寿。休:吉祥。

鉴赏

《丝衣》是周王祭祀神灵的一首乐歌,所祭何神,古说不一。《毛诗序》说:“《丝衣》,绎宾尸也。”为了更好理解全诗内容,这里有必要对周代的绎祭略加说明。“绎”,祭名,周称正祭的次日又祭叫绎祭。在奴隶社会里,祭祀是国家的头等大事,并按照所祭的不同对象分为正祭和绎祭等类,每类祭祀有严格而繁琐的礼仪和程序的规定。天、地、祖宗是第一等祭祀对象,处于正祭的地位,祭祀地点在庙,由天子主祭,助祭人为小宗伯。其他神灵是次一等的祭祀对象,叫绎祭。《丝衣》所祭的对象,按《毛诗序》所引高子之说是灵星,自然是次于天、地、祖宗的神灵,祭祀的地点是在庙侧的堂,助祭的人是士(即公孙赤所说的"小相"),祭祀的时间在正祭的次日。但查汉代有关礼制的规定,灵星以后稷配合,并以灵星作为后稷的代名,长安和郡国都立灵星祠,岁祀以牛。以此推论,在周代对灵星的祭祀也许与后稷有关。再从《丝衣》一诗紧列在《载芟》《良耜》之后来看,也许这才是真正的祭祀后稷的乐歌。而后稷是农神的始祖,是人们赖以生存的象征,所以尽管列于绎祭地位,但在众神灵的祭祀中对灵星祭祀的礼仪十分隆重。周王亲自参加了祭祀典礼,祭品有羊有牛。还要说明的是,古代祭祀,祭必有尸。尸,就是由人扮的代表神灵受享的神像,祭祀时按照规定的礼仪敬事尸叫"宾尸"。"丝衣",是助祭人所穿的祭服,作者故以"丝衣"名篇。

《丝衣》不分章,共九句。开篇写助祭人穿着洁白的丝制祭服,头戴礼帽——爵弁,显得十分恭敬、和顺、虔诚。他先上堂察视洗手器具和盛放五谷果品的笾豆等祭器,然后下堂到门基向主祭人报告濯具齐备,叫"告濯具"。接着按以上程序从羊到牛察视陈列的牺牲并报告牺牲齐备,叫"告充"。再一一揭去大大小小陈列食品的鼎上的防尘幂布并报告祭肉清洁,叫"告洁"。然后把祭台上陈列着的酒杯斟上香甜的美酒。整个祭祀前的准备工作已就绪。最后写参加祭祀的人不喧哗、不傲慢、恭肃虔诚,神灵自然会降福于人,长寿洪福,吉祥如意。后来解诗的人,根据《周礼》所规定的礼制,对照《丝衣》所写的助祭人所穿戴的服饰、祭祀地点、祭祀程序和祭品规格,一致认为是周王亲自参加的一次隆重的绎祭仪式,齐、鲁、韩诗对此均无异议,为大家所接受。

周人特别重视祭祀,祭祀的主要对象是周代的祖先。在三十一篇《周颂》中,有二十六篇是周王歌颂祖考的宗庙乐歌,其余五篇是春夏祈谷、秋冬报赛的乐歌,内容不外乎"美盛德""告成功",结尾处用简短的几句祈请神灵受享并降福后人。而《丝衣》一诗却显得很特别。首先,它是一首纯粹描写周代绎祭祀仪的乐歌,它把《周礼》所规定的祭祀程序和仪式形象生动地加以再现,如助祭人穿戴的礼帽及祭服,祭祀的地址,以及所谓的"告濯具""告充""告洁"等程序,它使我们看到了周代祭祀活动的部分面貌,这是在其他《颂》诗中所没有的，所以它不仅具有较高的认识意义，还具有珍贵的宗教文献价值。其次，由于《丝衣》是一首纯粹描写祭祀的乐歌，所以诗里没有歌功颂德的谀词、没有娱神的场面、没有欢乐的情绪，全诗呈现出一种庄严、肃穆、虔诚的气氛，宗教色调远比其他《颂》诗浓厚。再次，我们从《丝衣》所描写的对神灵的祭祀中，可以看出周代的祭祀已不同于原始宗教的图腾巫术的愚昧活动，人和神和谐相处而不是居于对立的地位，神灵已不再是一种使人只感到恐怖的力量和暴力的化身，而是能降福于人类的善的偶像，它反映了周代统治者敬天保民的理性光辉，也反映了人的地位的提高。

《颂》诗多是"无韵之章"，而《丝衣》一诗，以"纤、俅、觩、柔、休"与"基、牛、鼐"交错为韵，韵律自然，节奏明快。全诗语言典雅而不堆砌，灵动而不板滞，自然流畅。对助祭人的形象、神态、动作的描写极其细腻、生动，读起来给人以真实而亲切、身临其境之感。

（陈维国）

酌

於铄王师！①	呵，光荣的王师！
遵养时晦。②	率领你们消灭了殷商。
时纯熙矣，③	顿时天下重见光明，
是用大介。④	从此上天永垂吉祥。
我龙受之，⑤	我顺承天意继承帝业，
蹻蹻王之造。⑥	赫赫的功勋归武王，
载用有嗣，⑦	大周帝业后继有人。
实维尔公允师。⑧	先公永远是榜样。

注释

①於（wū）：叹词。铄：通"烁"，光亮的样子。②遵：率。养：取。晦：昧。③纯：大。熙：光明。④介：善。大介：大善，犹大祥。⑤我：祭者自称。龙："宠"的借字。⑥蹻（jiǎo）蹻：勇武的样子。造：为，事功。⑦载：则。嗣：继承。⑧尔公：你的先王，指周武王。允：信。师：师法，榜样。

鉴赏

《酌》,是周朝宗庙祭祀的著名乐章。《汉书·董仲舒传》称:“虞氏之乐莫盛于《韶》,于周莫盛于《勺》。”《勺》即《酌》。《礼记·内则》云:“(童子)十有三年(岁),学乐、诵诗、舞勺;成童舞象。”“舞勺”,说明《酌》还是周代的著名舞乐,而且被规定为奴隶社会贵族少年的必修课之一。这首诗就是配乐节舞的歌辞。诗的作者,汉代的研究者论定是周公姬旦。武王灭商后不久去世,成王年幼,由周公摄政,诗作于摄政期间。《郑笺》说:“周公居摄六年,制礼作乐,归政成王,乃后祭于庙而奏之。其始成,告之而已。”《白虎通·礼乐篇》《风俗通义》《汉书·礼乐志》《繁露·质文篇》都持这种看法。清人陈奂考证说:周公所作“《维天之命》,礼成,告文王;此乐成,告武王”。这首诗就是周公祭告于武王而作。据记载,周代最大的乐章是《大武》之乐,《大武》共六章,都是歌颂武王克商之功的。但是,这六章的名称却没有能够确凿地记载下来。后来的解诗者推论,因为《酌》也是歌颂武王灭商立国武功的,因此认为《酌》就是《大武》乐的六章之一,所以《毛诗序》说“《酌》,告成《大武》也”。这句话的意思是说:《酌》就是向武王祭告成功的《大武》乐章之一。近代的王国维还进一步论定《周颂》中的《昊天有成命》《武》《酌》《赉》《桓》《般》等六篇即分别为《大武》乐的六章。这一说法虽然缺乏确凿的依据,还有一些疑窦没有解决,但《酌》是歌颂武王灭商武功的著名舞乐,诗是乐曲的歌辞,却是可以肯定的。

《酌》一章八句,前六句歌颂武王克商立国之功,后二句祭告周朝祚胤永锡,以慰先王。诗的大意是说:呵,光荣的王师,武王率领你们攻克殷商,消灭了那无道的昏君,使得天下重见光明。从此以后,周朝国运隆昌。我大周承受上天的宠信继承帝业,造就了这显赫功勋的是武王。周朝的帝业后继有人,武王永远是师法的榜样。

由于《酌》所歌颂的对象是克商立国的武王,他已不是其他《颂》诗里所歌颂的周朝的远祖那种神话传说式的荒诞离奇形象,而是天下共戴的君主,所以诗纯粹从政治、道德观念出发,对武王克商立国的功绩作虚美的赞颂,而不再把他作为荒诞无稽的神来塑造。同时,颂祀的另一目的还在于奏告武王,由他所奠定的帝业后继有人,以及自己辅佐大任的完成,已没有再对武王灭商的历史事实和功绩作具体追叙的必要。所以全诗祷告成功代替了咏史,歌颂赞美代替了叙事,在充满着谀词颂声中渗透着浓厚的天命观念和说教意味。

在艺术形式方面，由于它是朝廷宗庙祭祀的舞曲歌辞，要配合打击乐器和繁琐的礼仪程序，并保留着原始宗教和巫祝载歌载舞的形式，而歌辞篇章短小、又没有分章，乐曲的节奏一定缓慢，所以歌辞的语言典重板滞，词语庄重严正。再由于它产生在两周前期，年代久远，加之这类祭祀已重在奏告先王，而不再具有早期祭祀的娱神性质，歌辞内容具有那种奏请的文告色彩，所以诗具有结构松散，不分章，不叶韵等散文化的特点。

（陈维国）

桓

绥万邦，①	安万邦，
娄丰年，②	屡丰年，
天命匪解。③	天命不懈怠。
桓桓武王！④	桓桓周武王！
保有厥士，	保有其猛士，
于以四方，	用之于四方，
克定厥家。	能定其国家。
於昭于天，⑤	啊，光焰万丈，
皇以间之。⑥	顺天以代商。

注释

①绥：安定。万邦：指密、崇、奄等属国。②娄：同“屡”。③解：通“懈”。④桓桓：威武的样子。⑤於：语助词。⑥间：代。之：指商。

鉴赏

《毛诗序》说本篇为“讲武类祃”之作，陈子展解云：“类是祭天；祃是祭造为军法者，殆谓祭军神，亦犹后世之所谓祃牙或祭旗邪？”邹肇敏则认为是“祀武王于明堂”的乐歌。两说都有相当的影响。但近代和当代学者多根据《左传·宣公十二年》所载楚庄王的一段话(大略云:武王克商,又作《武》,其六曰“绥万邦,屡丰年”),认为这是成王时《大武》乐歌的第六章,主要歌颂武王克商以后国泰民安、物阜年丰的景象。

周代歌舞,已形成一种功利性很强,而以表演为主的综合性文艺样式,而舞曲歌辞只是其中有机的组成部分,本非独立的诗歌。一离开音乐舞蹈,其文辞“早失了春光一半”,剩下一个空空洞洞的外壳,所以大多数《颂》诗,孤立看都不那么烂漫,不客气地说便是“味同嚼蜡”。然而在它们产生的当时,却曾配合乐舞,打动过听众,有着活泼的生命,全不似今日之“涸辙枯鲋”。欣赏这类作品,必须有历史感和想象力。除非你还原它舞曲歌辞的面貌,是不能唤回其青春,从而嗅到它原有的馥郁的。

正因为歌辞是乐舞的配角,所以它就不能喧宾夺主。一般说,舞曲歌辞内容都不复杂、不具体,具有较强的概括性和涵盖力。它本身的形象性被减弱的同时,却对形象感与表现功能很强的舞蹈动作有辅助渲染和画龙点睛的作用。《大武》据说是要以干戚为舞具的。试想一下,当皇家舞队手持干戚,在舞场上摆开气势磅礴的队形后,一声“安万邦,娄丰年”,将使观众感到何等的庄严伟大。对于“桓桓武王”的崇拜与感激,将从心底油然而生。汉高祖威加海内归故乡的当儿,不是组织过百人歌舞队唱他亲自写作的《大风歌》吗,那歌辞多么简短,但唱起来该是多么雄壮、多么令人感奋!歌辞不是说“安得猛士兮守四方”吗?这简直就是《桓》中“保有厥士,于以四方,克定厥家”的转语。然从马瑞辰以来注家都疑“厥士”是“厥土”之误。可“保有厥士”有什么不通呢?还是朱熹不改本字的解释为好,“保有其士而用之于四方,以定其家”,就这意思。配合这几句,场上执干戚的舞蹈者当有相应的形体动作,使人感到威风凛凛,所向披靡;似乎在那些明快刚健的动作下,一切的顽敌都灰飞烟灭了。于是乐曲推向高潮,“啊,光芒万丈,顺天以代商”,观众情绪为之一振,为黑暗时代的结束、光明时代的展开而欢欣鼓舞了。当然,这些“观众”的阶级归属也是很清楚的。

要之,《桓》和《周颂》中不少作品一样简短,却已经成为了很标准的舞曲歌辞。它的某些特征,如主题鲜明、语言浅近、节奏明快、依附于乐舞等,在后来乃至今日之历史歌舞剧中仍然保留了下来。

(周啸天)

赉①

文王既勤止,②	文王已经辛劳了!
我应受之。③	我应当继承他。
敷时绎思,④	颁布这政令连续不断呀。
我徂维求定。⑤	我去伐商,为的是安天下,
时周之命,⑥	你们接受国家的命令,
於绎思。⑦	不要中断呀!

(金启华 译)

注释

①赉(lài):赏赐,但以“赉”为题,意旨不详。②勤:辛劳。止:语气词。③受:承受,继承。我:周武王自称。④敷:布,传扬。时:是,这。绎:姚际恒《诗经通论》:“绎,联续不绝意。思,语辞。布施是政,使之续而不绝,不敢倦而中止也。”一说,绎,寻绎,推究。又一说,借为“怿”,喜悦。⑤徂(cú):往,指前往讨伐殷纣王,求安天下。⑥时:承受,马瑞辰《毛诗传笺通释》:“时与承一声之转,古亦通用。”时周之命:指周承天命,诸侯又承周之命。⑦於(wū):叹美词。思:语词。

鉴赏

这是周武王克商凯旋后,祭祀文王庙的乐歌。诗中抒发了周武王对文王功德的赞颂和缅怀之情,也表达了武王承受文王基业,传扬文王业绩的愿望和决心。

文王,姓姬名昌,商纣时为西伯。文王“遵后稷、公刘之业,则古公、公季之法(按,后稷、公刘、古公、公季均为周人祖先),笃仁、敬老、慈少。礼下贤者,日中不暇食以待士,士以此多归之”(《史记·周本纪》)。他积善累德,被诸侯誉为“受命之君”。文王在位五十年,其间曾伐犬戎、伐密须、败耆国、伐邘、伐崇侯虎,并建立丰邑以作国都,功业赫赫。孔子曾称赞他说:“三分天下有其二，以服事殷。周之德，其可谓至德也已矣。"(《论语·泰伯》)武王，文王的太子姬发，文王崩后即位为武王。当时商纣王昏乱暴虐，天下苦于暴政。武王继承文王绪业，大会诸侯，帅师伐纣，纣兵崩畔，纣王自焚而死，武王班师回朝。《赉》就是武王克商还都、祭祀文王的乐歌。

《赉》属《周颂》，是《大武》舞曲的第三章。这种庙堂乐章，是古代帝王赞扬先王功业之作。"朝廷郊庙乐歌之词，其语和而庄，其义宽而密。"(朱熹《诗集传·序》)《赉》雍容典雅，质朴无华，但行文艰深，给阅读带来了一定困难。

《赉》用之部韵，开头两句，句句用韵，后四句则间断用韵，且有句中韵(敷时绎思，时周之命，於绎思)，反复颂美，音调纡徐舒缓。

(赵晓兰)

般①

於皇时周。②	啊！多么壮阔啊，我们大周王朝！
陟其高山，③	登上那巍巍高山，
嶞山乔岳，④	大小山岳尽收眼底，
允犹翕河。⑤	沇水、湭水汇流入河。
敷天之下，⑥	普天之下，
裒时之对，⑦	无不包举在我疆域之内，
时周之命。⑧	承受我大周的天命！

注释

①般：旋，旋遍天下。一说，般是"昪"的假借字。昪(biàn)，喜乐。以"般"名篇，其义未详。②於(wū)：叹美词。皇：大。一说美。时：是，此。③陟(zhì)：攀登。④嶞(duò)：狭而长的小山。乔：高大。⑤高亨《诗经今注》："允，借为'沇(yǎn)'，水名，济水的别称。犹，借为'湭(yóu)'，水名，在西周境内。翕(xī)，合也。河，黄河。沇湭二水都流入黄河，所以说'沇湭翕河'。"⑥敷(pǔ)：遍。⑦裒(póu)：高亨《诗经今注》："'裒'，即古'褒'字。用衣裹物为褒，即包括之包。""时，世也。对，封疆，边界。裒时之对，包括当今各诸侯国的疆界。"⑧时：承。

鉴赏

《般》为《大武》舞曲的第四章，它是周武王巡狩祭祀山川的乐歌，诗篇充溢着对周王朝"普天之下，莫非王土；率土之滨，莫非王臣"的强盛国力和广阔疆域的颂美。

全诗以叹美词"於"发端，接以形容词"皇"，而将该句的主语"时周"置于其后。"啊！多么壮阔啊，我们大周王朝！"先声夺人，语气极为强烈，有摄人心魄的千钧之力。如将词序改变，主语提前，将诗句改作"时周皇矣"，便气势大减，面目全非，由此可见《般》语言艺术的高妙。

既为祭祀山川的乐歌，诗人在对周王朝发出由衷的赞美后，便接写祭祀时登山所见。这里，隮山乔岳尽收眼底，沇沇入河，气势苍茫。在饱览王朝山河的壮丽景色之后，诗人不由得再一次被西周王朝疆界的广袤无垠所震慑，又一次发出衷心的赞叹之声："敷天之下，裒时之对，时周之命"，既赞美了周王朝疆域的广阔，又描绘出天下诸侯无不承受周命的大一统景象。至此，诗篇在一片叹美声中收束。

这首诗七句，均为四字句。首句叹美，中间三句实写登山所见，最后三句直抒其怀，再次颂美。全诗不用韵，形式既整饬又富于变化。

（赵晓兰）

鲁　颂

駉

駉駉牡马，[①]　群马雄健高又大，
在坰之野。[②]　放牧远郊近水涯。
薄言駉者：[③]　要问是些什么马：
有驈有皇，[④]　驈马皇马毛带白，
有骊有黄，[⑤]　骊马黄马色相杂，
以车彭彭。[⑥]　用来驾车人人夸。
思无疆，[⑦]　鲁公深谋又远虑，
思马斯臧。[⑧]　马儿骏美再无加。

駉駉牡马，　群马雄健高又大，
在坰之野。　放牧远郊近水涯。
薄言駉者：　要问是些什么马：
有骓有駓，[⑨]　黄白称骓灰白駓，
有骍有骐，[⑩]　青黑骍马赤黄骐，
以车伾伾。[⑪]　力大能把战车驾。
思无期，[⑫]　鲁公思虑真到家，
思马斯才。[⑬]　马儿成材实堪嘉。

駉駉牡马，　群马雄健大又高，
在坰之野。　放牧原野在远郊。
薄言駉者：　请看骏马多么好：
有驒有骆，[⑭]　驒马青色骆马白，

有骝有雒，⑮	骝马火赤雒乌焦，
以车绎绎。⑯	用来驾车能快跑。
思无斁，⑰	鲁公不倦深思虑，
思马斯作。⑱	马儿撒欢腾身跳。
驷驷牡马，	群马雄健大又高，
在坰之野。	放牧原野在远郊，
薄言驷者：	请看骏马多么好：
有骃有騢，⑲	红色骃马灰白騢，
有驔有鱼，⑳	黄脊驔马白眼鱼，
以车祛祛。㉑	身高体壮把车套。
思无邪，㉒	鲁公思虑是正道，
思马斯徂。㉓	马儿骏美能远跑。

（程俊英　译）

注释

①駉(jiōng)駉：马肥壮的样子。牡：依《经典释文》当作"牧"。牡马：即牧马，指放牧的马。②坰(jiōng)：远。③薄言：语助词。④驈(yù)：黑马白胯。皇：黄白色的马。⑤骊：黑色的马。黄：黄赤色的马。⑥以车：等于驾车。彭彭：马强壮有力的样子。⑦疆：边。无疆：指思虑没边，即深虑远虑。⑧思：句首语助词。斯：指示代词，那样。臧：善，好，这里指马非常骏美。⑨骓：苍白杂毛的马。駓(pī)：黄白杂毛的马。⑩骍(xīng)：赤黄色的马。骐：青黑相间的马。⑪伾(pī)伾：有力的样子。⑫无期：等于说无疆。⑬才：多材，指马的才能高。⑭驒(tuó)：青黑色而有白鳞花纹的马。骆：白色黑鬣的马。⑮骝(liú)：赤身黑鬣的马。雒(luò)：黑身白鬣的马。⑯绎绎：跑得快的样子。⑰斁(yì)：厌倦。⑱作：指马的腾跃。⑲骃(yīn)：浅黑和白色相杂的马。騢(xiá)：赤白杂毛的马。⑳驔(diàn)：黑色黄脊的马。鱼：两眼眶有白圈的马。㉑祛(qū)祛：强健的样子。㉒邪：指邪路。无邪：指正道。㉓徂(cú)：往，行，指马善走。

鉴赏

这是一首歌颂鲁僖公加强武备、注意养马的诗。

全诗共四章，每章八句，在章法上属于完全叠咏体。每章前三句采用同语重复，其他五句只是变换几个词语，意义上各章互补。全诗用较大的篇幅来描写马的骏美。每章八句诗，竟用了七句来描写马，简直成了马的颂歌。诗的开头用“駉駉牡马”一句概括描写马的雄健高大，给人一个完整的初步印象。并且把骏马放在“在坰之野”这样一个广阔的大背景下加以描写，从而更加衬托出马的雄健和活力。然后再细写各种各样的马。“薄言駉者”一句，作者既好像是在自我欣赏，流露出对马的自豪感，又好像是在招呼人们快去欣赏骏马。接着便如数家珍似的点出各种骏马的名称。每章两句，一句点出两种，全诗四章竟点出十六种之多：有驈有皇、有骊有黄、有骓有駓、有骍有骐、有驒有骆、有骊有雒、有骃有騢、有驔有鱼。令人目不暇接，赞叹不已。读者试平心静气、涵咏其诗，仿佛看到在茫茫的原野上，放牧着成群的骏马，那一抹黑的是骊马，青黑相间的是骐马，青黑而又略带白鳞花纹的是驒马；仿佛听到马儿吃草时不时发出的喷鼻声，以及昂首面对蓝天白云发出的嘶鸣。然后落到了驾车（“以车”）上，点出了马的功用和养马的目的。全诗用彭彭、伾伾、绎绎、祛祛四组重言来形容马驾车时的雄姿。这不是普通的马，而是驰骋疆场的战马。最后用臧、才、作、徂四个字，给马下了总括性的定论。至此，“牡马”的形象具体生动、有血有肉地展现在读者面前。

但是，当我们沉浸在对骏马的欣赏之中时，不要忽略了诗的主旨。大家知道，西周春秋时期战争的主要形式是车战。马的功用主要用于战争而不是运输。一辆兵车要驾四匹良马，另外还有三甲士和七十二步卒。衡量一个国家的大小强弱，主要是用兵车。当时的大国叫万乘之国（具有万辆兵车武装力量的国家），中等国家叫千乘之国，小国叫百乘之国。所以，全诗表面上是在着力写马，实际上是在夸耀一个国家的武装力量和国力的强盛。每章仅用一句就画龙点睛地点出鲁国国君鲁僖公的深谋远虑和治国之道。通过对骏马的赞美，和“思无疆”“思无期”“思无斁”“思无邪”四句的交代，一个兵强马壮的鲁国，一个深谋远虑的鲁君不就活生生地展现在我们面前了吗？鲁君才是作者所要歌颂的真正对象。

《鲁颂》共有四首诗，都是从不

同侧面歌颂鲁僖公的。如果在《駉》这首诗里，我们还看不太清楚是在歌颂鲁君，但从整个《鲁颂》一组诗里看，这意图便昭然若揭了。关于诗的作者，前人争论不止。有人以为是稍后于鲁僖公的史克所作，不无道理。至于对鲁僖公的评价，前人则多有争议。清代学者黄中松在其所著《诗疑辨证》中说鲁僖公"既无文德，亦无武功"，不过是个中才之人，没有什么好歌颂的。有人则认为鲁国自"庆父之难"后，经鲁僖公的努力才恢复了国力，可以算得上是个"中兴之主"。这些问题，还是留给历史学家去论定吧，一般读者则应该就诗中所提供的文字来加以赏析。

（张振兴）

有　駜

有駜有駜，①	马儿强健又肥壮，
駜彼乘黄。②	强壮马儿四匹黄。
夙夜在公，③	早夜办事在公堂，
在公明明。④	鞠躬尽瘁为公忙。
振振鹭，⑤	手拿鹭羽起舞，
鹭于下。⑥	好像白鹭飞过。
鼓咽咽，⑦	咚咚不停击鼓，
醉言舞。⑧	酒醉舞态婆娑。
于胥乐兮。⑨	上下人人都快活。
有駜有駜，	马儿强健又肥壮，
駜彼乘牡。	四匹公马气昂昂。
夙夜在公，	早夜办事在公堂，
在公饮酒。	公事之余饮酒浆。
振振鹭，	手拿鹭羽舞蹈，
鹭于飞。	好像白鹭翔翱。
鼓咽咽，	鼓声咚咚狂敲，
醉言归。	喝醉回家睡觉。

于胥乐兮。	上下人人齐欢笑。

有駜有駜,	马儿强健又肥壮,
駜彼乘骃。⑩	四匹青马真昂昂。
夙夜在公,	早夜办事在公堂。
在公载燕。⑪	公余宴饮齐举觞。
自今以始,⑫	打从今年开始,
岁其有。⑬	岁岁都是丰年。
君子有穀,⑭	君子做了好事,
诒孙子。⑮	子孙后世相传,
于胥乐兮。	上下人人笑开颜。

(程俊英 译)

注释

①駜(bì):马肥壮有力的样子。②乘黄:四匹黄马。③夙:早,早晨。公:办公的处所,公堂。④明明:"勉勉"的借字,指在公尽力。⑤振振:鸟群飞的样子。鹭:鹭鸶。这里指鹭羽,即用鹭鸶鸟的羽毛制成扇形或伞形的舞具。舞者有时拿在手中,有时戴在头上。⑥于:语助词。⑦咽咽:有节奏的鼓声。⑧言:语助词。⑨于:读为"吁",发声词。胥:皆,都。⑩骃(xuān):铁青色的马。⑪燕:"宴"的借字。载:则,就。⑫以:连词,而。⑬有:丰收。⑭君子:指鲁僖公。穀:善,好。⑮诒:留给。

鉴赏

这是一首颂扬鲁僖公和群臣宴饮的诗。鲁国自庆父之难以后,外有强齐睥睨其旁,大有袭取鲸吞之势,内多饥荒,国势岌岌可危。至僖公继位,采取了一系列措施,内修武备,抚和臣民;外结邻国,易乱为治,才使鲁国转危为安。由于克服了天灾人祸,使鲁国获得了丰收。这首诗正是在这一历史背景下写成的。

诗的开头渲染了鲁国强盛的国力和奋发的精神。首句写马的强健肥壮("有駜有駜"),四匹良马拉起兵车气势轩昂（“駜彼乘黄”“駜彼乘牡”“駜彼乘骃”），以此来体现鲁国国力的强盛，真可谓兵强马壮。鲁国的强大，不止体现在武功上，也体现在文治上。鲁国的官吏，忠于职守，“夙夜在公”，为国事而鞠躬尽瘁（“在公明明”）。官吏的奋发向上精神，折光地体现了鲁国的清明政治。反之，一个国家的灭亡，也直接体现在吏治的腐败上。

接着，全诗用较大篇幅描写了君臣宴饮丰收酒的场面。大臣们在公事之余与国君一同宴饮（“在公饮酒”“在公载燕”）。宴饮中，歌舞自然是少不了的。鼓敲得咚咚作响（“鼓咽咽”），在一片鼓乐声中，美人们手拿鹭羽翩翩起舞（“振振鹭”），舞姿轻捷，宛如成群的白鹭飞过（“鹭于下”）。难怪舞者陶醉，酒者狂醉（“醉言舞”），直到酩酊大醉才归家（“醉言归”）。如此盛宴，君臣同乐，上下欢笑（“于胥乐兮”），构成一幅太平盛世的君臣宴饮图。全诗通过对宴饮场面绘声绘色地描写，体现了鲁国的和睦、强盛。

诗的第二章和第三章的前半部分，是对第一章内容的重复，只是变易个别词语。只有第三章的后一部分变动较大，在内容上是对全诗的补充和深化。在庆丰收的酒宴上，人们高兴之余，自然要想到年年有余、岁岁丰收的问题。于是君臣们祝愿、祈祷“自今以始，岁其有”。“君子有穀，诒孙子”两句诗，则是全诗的主旨。同《鲁颂》其他几首诗一样，《有駜》一诗也是在颂扬鲁僖公这位中兴之主（“君子有穀”）。鲁君为鲁国的中兴尽了力，人们是不会忘记他的，而且会传于后世（“诒孙子”）。

全诗是从臣子的视角来写的。他们因遇上明君而心情舒畅地致力于国事，与君宴饮中的快乐，来自身处太平盛世而感受到的喜悦。在他们的眼里，“君子有穀”。对鲁君的歌颂，除了“君子有穀，诒孙子”两句直接用于对鲁君的歌颂外，主要是通过宴饮场面对太平盛世、对强大的鲁国的歌颂来体现的。当然，对鲁君的歌颂不乏溢美之词，但作者是站在臣子的角度，通过亲身感受来歌颂鲁君的，因而感情显得真挚、自然。在历史上，只要最高统治者做了一些好事，哪怕是一点点，人们便不会忘记他，甚至会把他理想化。

（张振兴）

泮　水

思乐泮水！①	这可游乐的泮水！
薄采其芹。	正好采它里面的水芹。

鲁侯戾止，[2]	鲁侯到了，
言观其旂。[3]	看到他的交龙的旗影。
其旂茷茷，[4]	他的旗子飞扬沛沛，
鸾声哕哕。[5]	车马铃声响的哕哕。
无小无大，	不论谁卑也不论谁尊，
从公于迈。[6]	都随着鲁公向前行迈。
思乐泮水！	这可游乐的泮水！
薄采其藻。	正好采它里面的水藻。
鲁侯戾止，	鲁侯到了，
其马蹻蹻。[7]	他的马匹威武矫矫。
其马蹻蹻！	他的马匹威武矫矫！
其音昭昭：[8]	他的声音明快昭昭：
载色载笑，[9]	就是和颜悦色、就是带笑，
匪怒伊教。	不是发威生气、而是教导。
思乐泮水！	这可游乐的泮水！
薄采其茆。[10]	正好采那叫莼菜的茆。
鲁侯戾止，	鲁侯到了，
在泮饮酒。	就在泮宫里面饮酒。
既饮旨酒，	已经都饮了美酒，
永锡难老！	同祝永赐长生不老！
顺彼长道，[11]	顺着那里的远道，
屈此群丑！[12]	去收服这些群丑！
穆穆鲁侯！[13]	穆穆和美的鲁侯！
敬明其德。[14]	小心勉修他的品德。
敬慎威仪，	小心谨慎他的威仪，
维民之则。[15]	啊、要做人民的准则。

允文允武![16]	真的是文、真的是武!
昭假烈祖。[17]	明请到了有功的先祖。
靡有不孝,[18]	他没有不效法先祖的,
自求伊祜。[19]	自己就求到这个幸福。
明明鲁侯![20]	勉勉进取的鲁侯!
克明其德。[21]	能够勉修他的文德,
既作泮宫,[22]	已经作好泮宫,
淮夷攸服。[23]	淮夷于是归服。
矫矫虎臣,[24]	矫矫勇猛的武臣!
在泮献馘。[25]	在泮宫献上所割敌俘的左耳括。
淑问如皋陶,[26]	善于审问的好像古大法官皋陶。
在泮献囚。	就在泮宫献去判决活捉的敌囚。
济济多士![27]	济济有礼的许多武士!
克广德心。[28]	能够扩大他们的德心。
桓桓于征,[29]	他们威威猛猛的出征,
狄彼东南。[30]	远除那些东南的敌人。
烝烝皇皇![31]	前进前进,快往快往!
不吴不扬。[32]	不太喧闹,不太杀伤。
不告于讻,[33]	不太穷究那些凶恶的敌人,
在泮献功。	就在泮宫献上出征的武功。
角弓其觩,[34]	角弓的曲劲而弦张,
束矢其搜。[35]	箭捆子的多而成串。
戎车孔博,[36]	兵车是很广大的,
徒御无斁。[37]	步兵车兵都不疲倦。
既克淮夷,	已经战胜了淮夷,
孔淑不逆。[38]	就很善良的不再叛逆。

式固尔犹，[39]	因为坚持了您的战略，
淮夷卒获。	淮夷就终于得以收服。
翩彼飞鸮，	翩翩而飞的那猫头鹰，
集于泮林。	落在泮宫旁的树林。
食我桑黮，[40]	吃了我们的桑葚，
怀我好音。[41]	送给我们好听的声音。
憬彼淮夷，[42]	觉悟了的那淮夷，
来献其琛：[43]	来献他们的山海奇珍：
元龟象齿，[44]	有大龟也有象牙，
大赂南金。[45]	大贡献南方特产的金。

（陈子展　译）

注释

①泮（pàn）水：水名。思：发语词。②鲁侯：指鲁僖公。戾止：到达。③言：语助词。旂：画有龙纹的旗。④茷（pèi）茷：飘扬貌。⑤哕（huì）哕：有节奏的铃声。⑥于：往。迈：行。⑦蹻（jiǎo）蹻：马强壮的样子。⑧昭昭：声音响亮。⑨载：又。色：谓和颜悦色。⑩茆（mǎo）：莼菜。⑪长道：遥远的道路。⑫屈：征服。丑：古时称敌人为丑，此指淮夷。⑬穆穆：端庄恭敬。⑭敬：努力。此言鲁侯努力修明其德行。⑮则：法则，榜样。⑯允：能也。⑰昭：明。假（gé）：格，至。烈祖：列祖。⑱孝：通“效”，效法。⑲伊：此。祜（hù）：福。⑳明明：勤勉的样子。㉑克：能。㉒作：筑。泮宫：建于泮水旁的宫殿。㉓攸：乃。㉔矫矫：勇武貌。虎臣：谓将帅勇猛似虎。㉕馘（guó）：古代战争中割下敌尸的左耳以计功叫馘。㉖淑问：善于审问。皋陶（gāo yáo）：舜时著名的掌刑狱的官。㉗济济：众多貌。㉘广：扩大。德心：善意。㉙桓桓：威武貌。㉚狄：治理。东南：指淮夷。㉛烝烝皇皇：美盛众多貌。㉜吴：喧哗。扬：高声。㉝告：严惩。讻：指凶恶的敌人。㉞角弓：指镶有牛角的弓。觩（qiú）：弓弯曲的样子。㉟束矢：一捆箭。搜：多。㊱戎车：兵车。孔博：很大，很多。㊲徒：步兵。御：驾车的人。无斁（yì）：不厌倦。㊳淑：善，好。逆：不顺。㊴式：乃。固：坚定。犹：通“猷”，计谋。㊵黮（shèn）：亦作“葚”，桑树的果实。㊶怀：给予，赠予。好音：动听的歌声。㊷憬：觉悟。㊸琛（chēn）：珍宝。㊹元龟：大龟。㊺大赂：同“大璐”，璐，玉也。南金：南方出产的金子。

鉴赏

《鲁颂·泮水》也是一首颂美鲁僖公的诗。诗中记叙鲁僖公派兵征伐淮夷，取得胜利，朝臣在泮宫献捷报功，淮夷也更使者来朝、进贡珍宝的史事。其重心是反复歌颂鲁僖公的智慧才略和道德威望。历史上，鲁国在鲁僖公时代虽征伐过淮夷，然而并无多大的辉煌成就，“而此诗偏颂鲁僖平淮之功，言过其实者，当为颂祷之溢词。至言既作泮宫，则或纪实也。”（陈子展《诗经直解》）

作为一篇歌功颂德的颂诗，《泮水》在艺术表现上是比较有特色的。诗以“赋”为基本写法，构成全诗的骨骼。简而言之，诗从鲁僖公率随从来到泮宫，阵容威武雄壮，他面带微笑，和颜悦色，举行颂祷之事写起，渐次叙述他明德孝祖，以德服人，在泮宫接受献俘。接着，再转笔叙写他的部下贤才济济，能征善战；装备精良，器械充足。所以，他最终能制服淮夷，赢得成功，并使淮夷来献方物。由此看来，本诗的叙述，显然采用了倒叙的方法，因而读来觉得紧凑有力，简洁明快。

同时，本诗很注意参用“比兴”手法，以加强诗的抒情性和感染力。如诗的前三章，分别以“思乐泮水，薄采其芹”“思乐泮水，薄采其藻”“思乐泮水，薄采其茆”开头，用的即是“比兴”手法，先言他物，以引起所赋咏之事。更为显著的是诗的末章，前四句云：“翩彼飞鸮，集于泮林。食我桑黮，怀我好音。”以猫头鹰食用了桑果，以美妙的歌唱作报答，来“兴”起后四句，淮夷臣服后，有感于鲁国的恩惠，“来献其琛”，进贡属于南方特产的山海奇珍。“兴”中有“比”，自然贴切，韵致深长。

此诗还灵活巧妙地运用了章法重叠复沓的表现形式。如前三章的开头两句，既是“赋其事以起兴也”（朱熹《诗集传》）的比兴句，同时也形成了复沓的形式。而这三章的第三句都是“鲁侯戾止”，更明显地起到了复沓的作用。还有像第三章的“在泮饮酒”，与第五、六章的末句“在泮献囚”“在泮献功”，虽然中间隔了一章，并且彼此在诗行里的位置也参差错综，但同样具有复沓的艺术效果。

本诗的某些章节，还兼有排比和复沓的意味。如第四、五、六章，顺次叙写鲁僖公勉修品德，效法先祖；以德服人，受降泮宫；贤才众多，为其效劳等内容。但诗人一改平实呆滞的铺叙，而分别以“穆穆鲁侯，敬明其德”“明明鲁侯，克明其德”“济济多士，克广德心”开头，虽然不够显豁，但仔细体会，还是可以算作复沓的形式。同时，它们又是以这种差不多相同的句式领起，平列地叙写三个内容，当然也可以看作是排比的方式。最后，还应指出的是，这首诗运用复词较多，如“茷茷”“哕哕”“跻跻”“昭昭”“穆穆”“明明”“济济”“矫矫”“桓桓”“烝烝皇皇”等。使用这些词语作为修饰，对于描写对象的形容刻画，显得格外鲜明，有着突出和强调的作用。

总而言之，《泮水》以“赋”为基本写法，灵活地参用“比兴”、复沓、排比等多种艺术手法和表现形式，使诗具有较强的抒情性和艺术感染力。在讲究格力宏壮、气魄沉毅的颂诗中，别有婉曲流转、生动活泼的韵致。

（王锡九）

閟　宫

閟宫有侐！①	神秘之宫这样清净！
实实枚枚。②	房间既广大、室内又静寂。
赫赫姜嫄！③	赫赫光明的姜嫄！
其德不回，④	她的德行不违背道理，
上帝是依。	上帝就给她凭依。
无灾无害，	没有灾难、没有伤害，
弥月不迟。⑤	满了月数就不延迟。
是生后稷，	就这样生下了后稷，
降之百福：	天降给了他百福：
黍稷重穋，⑥	黍子稷子有早造晚造之不同，
稙稚菽麦。⑦	又有先种后种不同的大豆小麦。
奄有下国，⑧	托他的福庇荫这天下诸国，
俾民稼穑。⑨	使人民知道稼穑。
有稷有黍，	有稷子、有黍子，
有稻有秬。⑩	有稻子、有黑小米之别。
奄有下土，	庇荫这天下地方，
缵禹之绪。⑪	继续了大禹治水的事业。

后稷之孙，　　后稷的裔孙，
实维大王。[12]　　这就是太王。
居岐之阳，[13]　　他住在岐山的南方，
实始翦商。[14]　　这就开始了看齐于商。
至于文武，　　至于文王武王，
缵大王之绪。　　继续了太王的事业。
致天之届，[15]　　给以天的讨伐，
于牧之野：[16]　　往到殷商近郊的牧野：
无贰无虞！[17]　　毋有二心、毋误行程！
上帝临女。[18]　　上帝面对着你们。
敦商之旅，　　治服殷商的族众，
克咸厥功。[19]　　能够同成其功。
王曰叔父！[20]　　王说、叔父！
建尔元子，[21]　　立您的长子，
俾侯于鲁。[22]　　使他为侯在鲁。
大启尔宇，[23]　　大大开辟您的土宇，
为周室辅。　　作为周室的藩辅。

乃命鲁公，　　于是任命了鲁公，
俾侯于东。[24]　　使他为侯在东。
锡之山川，　　赐给他山川，
土田附庸。[25]　　田地和属国附庸。
周公之孙，　　周公的远孙，
庄公之子。　　庄公的儿子。
龙旂承祀，[26]　　打了交龙的旗子来承祭祀，
六辔耳耳。[27]　　驷马的六道缰绳扬扬得意。
春秋匪解，[28]　　春秋两季不敢松懈，
享祀不忒：[29]　　献祭之礼不曾差忒：
皇皇后帝！[30]　　煌煌上帝！

皇祖后稷！　　皇祖后稷！

享以骍牺，[31]　　供上的是黄牛纯牺，
是飨是宜，[32]　　于是祭飨，于是适宜，
降福既多。　　神降的福已经很多。
周公皇祖，　　周公皇祖，
亦其福女。[33]　　也将降福给您。
秋而载尝，[34]　　秋季就开始尝祭，
夏而楅衡。[35]　　夏季就设栏穿桊养好了牛。
白牡骍刚，[36]　　有白色雄牛、有黄色雄牛，
牺尊将将。[37]　　牛形的牺尊响起来锵锵。
毛炰胾羹，[38]　　有连毛烧熟的猪还有肉片大汤，
笾豆大房。[39]　　食器竹笾木豆、铜制肉俎大房。
万舞洋洋，[40]　　有文有武的《万舞》大哉洋洋，
孝孙有庆。[41]　　奉祀的嗣孙就有福庆可享。
俾尔炽而昌，[42]　　使您盛而昌，
俾尔寿而臧。[43]　　使您寿而康。
保彼东方！　　保住那东方！
鲁邦是常。[44]　　鲁国是可尊尚之邦。
不亏不崩，　　好像大山不亏损、不毁崩，
不震不腾。　　好像大水不震荡、不沸腾。
三寿作朋，[45]　　要和上寿中寿下寿相比为朋，
如冈如陵。[46]　　永恒存在好像山冈、好像丘陵。
公车千乘，[47]　　鲁公的兵车千辆，
朱英绿縢，[48]　　矛头装饰着红缨、札弓套的是绿绳，
二矛重弓。[49]　　持矛的是二矛、带弓的是双弓。
公徒三万，　　鲁公的步兵三万，
贝胄朱綅，[50]　　贝壳装饰的头盔用红线缀成，
烝徒增增。[51]　　这么多的步兵前进、密密层层。

戎狄是膺，[52]	戎狄于是被抵挡得成，
荆舒是惩，[53]	荆舒于是受到了痛惩，
则莫我敢承！[54]	那就没有谁敢挡住我们！
俾尔昌而炽，	使您昌而盛，
俾尔寿而富。	使您寿而富。
黄发台背，[55]	黄发鲐背的老人，
寿胥与试。[56]	老了还相与进言用事。
俾尔昌而大，	使您昌而大，
俾尔耆而艾。[57]	使您耆老而发苍艾。
万有千岁，[58]	活到万有千岁，
眉寿无有害！[59]	长眉大寿没有灾害！
泰山岩岩，[60]	泰山的积石岩岩，
鲁邦所詹：[61]	是鲁邦所到之境：
奄有龟蒙，[62]	统有了龟山蒙山，
遂荒大东。[63]	就包括到了极东。
至于海邦，[64]	至于靠海之国，
淮夷来同。[65]	淮夷也来会同。
莫不率从，[66]	没有敢不服从，
鲁侯之功！	这是鲁侯之功！
保有凫绎，[67]	保住有凫山峄山，
遂荒徐宅，[68]	就包括徐戎旧宅，
至于海邦，	至于靠海之国，
淮夷蛮貊。[69]	就是淮夷蛮貊。
及彼南夷，[70]	以及那些南夷，
莫不率从，	没有敢不服从，
莫敢不诺，	没有敢不听话，
鲁侯是若！[71]	鲁侯就以为顺了他的心！

天锡公纯嘏！[72] 天赐鲁公大福！
眉寿保鲁。 长眉大寿而保住鲁。
居常与许，[73] 住到南方边邑有常、和西方边邑有许，
复周公之宇。 恢复了周公的疆土。
鲁侯燕喜，[74] 鲁侯宴饮喜乐，
令妻寿母。 有美妻、有寿母。
宜大夫庶士，[75] 也相宜于大夫诸士，
邦国是有。 国家于是永有。
既多受祉，[76] 已经受到了许许多多的福祉，
黄发儿齿！[77] 愿有返黄的头发、再生的牙齿！

徂徕之松，[78] 徂徕山上的松，
新甫之柏，[79] 新甫山上的柏，
是断是度，[80] 于是斩断，于是分劈，
是寻是尺。[81] 于是长的八尺，于是短的一尺。
松桷有舄！[82] 松木椽子也这样的粗实！
路寝孔硕，[83] 正寝造得好高大，
新庙奕奕。[84] 新庙造得络络绎绎。
奚斯所作：[85] 这是大夫公子奚斯所作：
孔曼且硕，[86] 诗好长而且好美丽呀！
万民是若！[87] 万民就以为惬意呀！

（陈子展　译）

注释

①閟(bì)：神的意思。閟宫：神庙，指姜嫄之庙。有侐(xù)：即侐侐，清净的样子。②实实：广大的样子。枚枚：闲暇无人之貌。③赫赫：显耀貌。姜嫄(yuán)：周始祖后稷的母亲。④回：邪。⑤弥月：满月。⑥重(tóng)：通“穜”，先种后熟的农作物。穋(lù)：后种先熟的农作物。⑦稙(zhí)：早种的谷物。稚(zhì)：晚种的谷物。⑧奄：包括。下国：天下的国家。⑨稼：播种。穑：收获。稼

穑:泛言耕种。⑩秬(jù):黑黍。⑪缵:继承。绪:事业。⑫大(tài)王:即太王,周文王的祖父古公亶父。⑬岐:岐山。阳:山的南面。⑭翦:灭除。⑮届:同"殛",即诛的意思。⑯牧之野:即牧野,在今河南淇县西南。武王在此领兵伐殷,打败殷兵,殷朝灭亡。⑰贰:二心。虞:误。⑱女:即"汝"。⑲咸:完成。⑳王:指成王。叔父:指周公旦。㉑元子:长子,指周公长子伯禽。㉒侯于鲁:言封伯禽为鲁侯王。㉓宇:居,引申作疆土。㉔侯于东:在东方做侯王。鲁国位于周的东方,故云。㉕土田:土地。附庸:附属小国。㉖龙旂:画着龙形图案的旗帜。承祀:继承祭祀之礼。㉗辔:马缰绳。六辔:古代以四马拉一辆车,中间两匹马各一辔,两边的马各两辔,故云。耳耳:华丽貌。㉘春秋:泛言四时。解:通"懈"。㉙享祀:祭祀。忒(tè):差错。㉚后帝:上帝。㉛骍(xīng):赤色。骍牺:赤色的牲口。周人崇尚赤色,故云。㉜飨:祭名。㉝女:同"汝",你,指鲁僖公。㉞载:始。尝:秋祭名。㉟楅(bī)衡:指牛栏。㊱牡:雄性的鸟兽。白牡:指白色的公猪。刚:"犅"的假借字,公牛。㊲牺尊:形状似牛的酒杯。将(qiāng)将:同"锵锵",器物互相撞击的声音。㊳毛炰(páo):去毛的烤小猪。胾(zì)羹:肉片汤。㊴笾、豆:都是古代食器名。大房:一种盛肉的铜器。㊵万舞:一种舞蹈名。洋洋:盛大貌。㊶孝孙:指鲁僖公。㊷尔:你,亦指鲁僖公。㊸臧:善,好。㊹常:守。㊺三寿:上寿、中寿、下寿。上寿百二十岁,中寿百岁,下寿八十岁。朋:比。㊻冈:山冈。陵:丘陵。㊼车:兵车。一乘即兵车一辆。㊽朱英:指矛头的红缨。绿縢(téng):指缠在弓上的绿色丝绳。㊾二矛:夷矛和酋矛。重弓:两张弓。㊿贝:贝壳。胄:头盔。朱绶(qīn):红线。(51)烝:众。增增:士兵蜂拥前进的样子。(52)戎:西戎。狄:北狄。膺:击。(53)荆:楚的别名。舒:楚的属国。(54)承:抵挡。(55)黄发台背:是老人的象征。台:通"鲐"。(56)胥:相。试:比。(57)耆、艾:均长寿的意思。(58)有:又。(59)眉寿:长寿。(60)岩岩:高峻貌。(61)詹:"瞻"的假借字。(62)龟:龟山,在今山东新泰县。蒙:蒙山,在今山东蒙阴县。(63)荒:有。(64)海邦:指鲁国东部靠近海的附属小国。(65)来同:来朝贡。(66)率从:相继顺服。(67)凫(fú):凫山,在今山东邹县。绎:绎山,一作峄山,亦在山东邹县。(68)徐:徐戎,古国名,在今安徽泗县北。徐宅:徐国旧有之地。(69)蛮貊(mò):古称南方部族为蛮,北方部族为貊。蛮貊,泛指异族,此就淮夷而言。(70)南夷:指荆楚。(71)若:顺也。(72)纯嘏(gǔ):洪福。(73)常:地名。曾被齐国侵占,庄公时收复。许:地名。曾被郑国侵占,僖公时收复。(74)燕:同"宴"。燕喜:谓庆功喜办宴会。(75)宜:和顺。庶士:众臣。(76)多:多次。祉:福。(77)儿齿:老人牙落后,又生新牙,即所谓儿齿。意谓老人长寿。(78)徂徕:山名,在今山东泰安县。(79)新甫:山名,亦名梁甫,在泰山之旁。(80)度:"剫"的借用字,劈开的意思。(81)寻:古代八尺为一寻。此"寻""尺"为动词,谓将木材按需要锯成长短不同的尺寸。(82)桷(jué):方形的椽子。舄(xì):大貌。(83)路寝:正室。孔:甚,很。硕:大貌。(84)奕奕:同"绎绎",相连的样子。㉟奚斯:人名,鲁国大夫,此诗的作者。㊱曼:长也。㊲若:善。

鉴赏

《閟宫》是《诗经》三百零五篇里的第一长诗。在鲁国列代君主中,鲁僖公算是比较有作为的一个。他曾派兵攻伐淮夷,取得胜利,并收回一些曾被齐、郑等国侵占的国土,使鲁国恢复了周公时代的版图。因此,他是鲁国能复兴祖先功业、弘扬国家声威的一位君主。这首诗就是鲁僖公赢得成功,建造新庙,依礼以其战绩告祭祖先时,鲁臣奚斯所作的一首乐歌(诗末章云:"奚斯所作。")。正如刘勰《文心雕龙·颂赞》云:"鲁国以公旦次编,商人以前王追录,斯乃宗庙之正歌,非宴飨之常咏也。"虽未明言《閟宫》,但作为《鲁颂》乃至整个《诗经》里的鸿篇巨制,它无疑是首膺其选的。因此,《閟宫》是我国古代诗歌史上最早的有代表性的一首为君主歌功颂德的庙堂乐章。

诗对僖公的颂美,中心点是赞扬他能兴祖业,复疆土。《毛诗序》云:"《閟宫》,颂僖公能复周公之宇也。"这句话可说是抓住了诗的核心内容。然而,在艺术表现上,诗人为了将对僖公的赞美写得极其堂皇正大,采用赋法,从其远祖姜嫄、后稷、太王、文王、武王、周公的业绩和鲁国建立的过程叙起,慢慢转到歌颂僖公功业上来,极尽铺张扬厉之能事。段玉裁说:"《閟宫》一篇,其辞甚长且甚大。"(《经韵楼集·奚斯所作解》)这话指出了本诗层层铺叙、夸张雕饰的基本艺术特色。我们对诗中追述祖德和颂美僖公这两个基本情节作一些具体分析,就可以更好地看到作者在运用铺叙手法时所表现出来的高妙的匠心。

诗的第一、二两节主要是追述祖德,为诗的第一大部分。"閟宫有侐,实实枚枚。"开篇写姜嫄庙高大寂静、庄严肃穆的景象,以唤起对漫长的历史陈迹的回忆,由兴入赋,按照年代的先后,顺次陈述祖先的功德。先妣姜嫄品行纯正,"上帝是依",生育后稷,成为周室的始祖。后稷托福上天,聪明勤劳,善于稼穑,教会人民从事农业生产,因此博得了人民的拥护。接着,从"后稷之孙"的太王,"至于文武",抓住他们几代人都从事灭殷的事业一路写来。最后,再写到成王非常感谢周公辅佐的功劳,立其长子为侯王,鲁国就这样诞生了。这两节叙写简明扼要,犹如一部周民族发展史的提纲,可与《大雅》中的一些周族史诗相参证。所写的每一位先祖,都能扣住其在历史上的特殊贡献来着笔,剪裁得当,详略有致,曲折生动,娓娓而谈,很自然流畅。

从第三到最后一节，是诗的第二大部分，即颂美僖公。这一层以告祭祝祷为关锁，历叙僖公继承祖业，复土强国的成就，翕张自如，起伏灵动。第三节开头四句承上启下，说伯禽受封，鲁国始立。接着，以“周公之孙，庄公之子”作一转折，略去其他叙述，直点僖公。下面，首先写他“春秋匪解，享祀不忒”，按时举行祭祀。他祭上帝（“皇皇后帝”），祭周室先祖（“皇祖后稷”），虔诚恭敬，以祈洪福。第四节承此而下，描绘祭祀的盛大场面和热烈气氛，祈求神灵的目的，在于保佑人的长命百岁和国家的江山永固。巩固鲁国江山，要遏制强敌，收复失地，树立国威，使四夷宾服。这一节的后面，即叙述僖公发兵攻伐淮夷之功，并以大段篇幅祝福他健康长寿（古代每逢喜庆之事，往往要为君王“上寿”）。第五、六两节则叙僖公不仅保有鲁国本土，而且开疆拓土（“遂荒大东，至于海邦”“及彼南夷”），使得东方和南方诸国都臣服于他。第七节又叙及僖公收复失地（“居常与许”），恢复了周公原有的疆域。神灵赐福，大功告成。所以，“鲁侯燕喜”，举行盛宴，庆祝胜利；全家和睦，举国欢庆。至此，赞美僖公可谓铺写详尽，淋漓酣畅。最后一节写功成后僖公大兴土木，建造新庙。宫殿高大宽敞，庙堂蜿蜒相连。呼应开篇，并略点作诗目的，使诗在结构上更为完整缜密，毫发无憾。

通过以上缕述，我们可以看出，《閟宫》一诗，极铺叙夸张的能事。先述祖德，是为颂扬僖公作铺垫，目的是要在最广阔的历史背景上展示僖公所取得的成就的重大意义。歌颂僖公是本诗的正面文章，它采取分项铺写的方法，尽量包罗僖公的所有事功，闳衍巨侈，无以复加。而全诗又都笼罩在告祭祖庙、欢庆胜利的氛围中，显得极为宏伟壮阔。孙鑛说：“《诗》长篇，鲜有逾此者。其格宏壮，其词瑰玮，其色苍古，其思沉密。首尾作室，中间祖德、侯封、祭祀、武功，次第铺叙。而赞颂福祉，作三项分插，整然有法。细玩，宛似后世一篇纪功碑，与四诗格调又稍别。”（转引自《诗经直解》）这段话精要地指出了《閟宫》的艺术特色。

除了“赋”法以外，灵活运用重叠手法，也是造成此诗篇幅宏大，壮美瑰丽（“孔曼且硕”）的重要艺术因素。如第五、六两节的诗意大体相同，虽然描写对象稍有变换。两节中分别用了“遂荒大东”“遂荒徐宅”等基本相同的句子，“至于海邦”“莫不率从”两句则完全相同，即构成了排比重复的章节，反复夸美僖公保有鲁国土地，并能开拓疆域的功绩，显示出张皇浮夸的特色。再如第四节，叙述中间隔重复使用略加变化的“俾尔炽而昌，俾尔寿而臧”等句，构成本节行文重叠复沓的特点。正是所谓“以福寿再三祝之。

虚辞溢美,已开汉世辞赋夸诞之渐”(《诗经直解》)。这些夸饰之词与铺叙手法相结合,使诗更好地取得了纵横错综、淋漓尽致地为僖公歌功颂德的艺术效果。

总之,《閟宫》是一首为君主唱赞歌的辞章,内容上不足多取。但在艺术表现上,它却是诗人精心结撰的力作。它尽兴尽致的铺叙,是《诗经》“赋、比、兴”三种基本表现方法中“赋”的最典型的体现。无疑,它对我国古代诗歌艺术的发展,特别是对后世诗人学习运用“赋”的表现方法,产生过深远而积极的影响。

(王锡九)

商　颂

那

猗与那与！[1]	多么美好哟，多么盛大哟！
置我鞉鼓。[2]	陈列出我们的摇鼓。
奏鼓简简，	击鼓的声音和谐洪大，
衎我烈祖。[3]	娱乐我们的烈祖。
汤孙奏假，[4]	汤王子孙进言祷告，
绥我思成。[5]	祈求赐给我们幸福。
鞉鼓渊渊，	摇鼓的声音咚咚响，
嘒嘒管声。	管乐呜呜宛转悠扬。
既和且平，[6]	曲调和谐又平稳，
依我磬声。	伴着我们清越的玉磬声。
於赫汤孙！[7]	啊，汤王子孙的事业显赫！
穆穆厥声。[8]	那祭祀的乐声多么和美。
庸鼓有斁，[9]	大钟大鼓相和齐鸣，
万舞有奕。[10]	万舞洋洋又这样娴熟。
我有嘉客，	我们有来助祭的贵宾，
亦不夷怿。	不也都非常欣喜。
自古在昔，[11]	在古代，在从前，
先民有作。	先人有所作为。
温恭朝夕，	早晚朝见，温和恭顺，
执事有恪。	做起事来，谨慎恭敬。
顾予烝尝，[12]	烈祖顾念我们歆享烝尝，
汤孙之将！[13]	汤王子孙虔诚地奉祀献享！

注释

①猗那(ě nuó):同“猗傩”,叹美词。马瑞辰《通释》:“猗、那二字叠韵,皆美盛之貌。”据《毛传》则“猗(yī),叹词;那,多也”。与:同“欤”,语气词。②鞉(táo)鼓:有柄小鼓,以手摇之作声。③衎(kàn):快乐,此处有“使其喜悦”之意。烈祖:对祖先的敬称。烈:功业显赫。④假(gǔ):通“嘏”,告。奏假:进言祷告,祈福。⑤绥:即“诒”,赠与。思:语助词。成:备,福。⑥和:和谐。平:平正。既和且平:指乐声高低大小适中,合乎音律之正。《诗毛氏传疏》:“声应相保曰和,细大不逾曰平。”⑦於(wū):赞叹词。⑧厥:其。⑨庸:省借作“镛”,大钟。有:语助词。斁(yì):盛貌。⑩万舞:舞名。以干羽为万舞,此处指“大舞”,即干舞(武舞)、羽舞(文舞)并有之,用于宗庙祭祀。一说即“六代大舞”之一的《大濩》舞。有:通“又”。⑪在昔:从前。⑫烝尝:冬祭曰烝,秋祭曰尝。⑬将:奉祀,奉献。

鉴赏

《商颂》是《诗经》三颂之一,是商族祭祀其祖先的庙堂乐歌。相传西周后期宋国大夫正考甫从周大师处得到“以《那》为首”的“《商颂》十二篇”(《毛诗序》)。其后,孔子录《诗》之时,已亡其七,今存五篇。一说为正考甫所作。《那》诗中称被祭者为“烈祖”,即商之先祖成汤;称祭者为“汤孙”,即成汤之子孙。成汤之长孙太甲以下皆可谓之“汤孙”(包括商之后裔宋君)。从其内容看,全诗写“汤孙”祭祀礼乐之盛,以追念其先祖成汤,并向先祖祈求福祐。由此可知,《那》诗是殷商后裔宋国统治阶级所保存下来祭祀先祖的乐歌,纯属统治阶级颂扬奴隶主功业的宗庙乐章。

夏朝至桀,政治腐败,国势日衰。当时,黄河下游的商国(夏之属国),日益强大。成汤见夏桀暴虐无道,举兵征伐,遂有天下,成为商朝的开国之君。然后传十七代三十一王,约当公元前16世纪至前11世纪,至纣为周所灭。此后,周公将商的旧都周围地区分封给纣王的庶兄微子启,建立宋国,即商之后裔。汤放桀,继夏之后建立了我国历史上第二个奴隶制国家。他虽在作天子十三年之后死去,但作为商王朝的创建者,以武功定天下,并制定各种典章制度,开创商殷五百多年基业,“汤孙”感念其恩德,故按时以盛礼祭之。

全诗一章二十二句,可分三层

意思理解,一层六句,二层十句,三层四句。末二句为歌咏结束时的祝词。第一层言奏鼓乐祖,祈求赐福。总提全诗,下文即本此而言。首句以赞美惊叹的笔触写乐舞的盛况和规模的宏大,引人入胜。二、三句选取最有代表性的敬神的鞉鼓以及它和谐洪大的"简简"之声,渲染出场面的热烈和庄严。而"汤孙"迎请并祷告"烈祖"的目的是为了"衎我烈祖""绥我思成"。这就起到了点明题旨,并开启下文的作用。

第二层承上用十句的篇幅,极陈乐舞之盛美。先承上写"鞉鼓"之声,由"简简"而"渊渊"。行文有变化,使人仿佛看到手摇鞉鼓的不同姿势和舞步,并随之而听到鞉鼓发出的既有节奏而又富于变化的阵阵鼓声。次写"管乐"齐奏的"嘒嘒"之声,细小而宛转,与和谐而洪大的鞉鼓声互相配合,"既和且平"。再次则写清越的"磬声",作者用"依我"二字出之,可见这是起指挥作用的乐器,使上述鞉鼓、管乐等都配合着我、伴奏着我而进行,组成一曲抑扬顿挫、快慢强弱、有起有落的交响曲!通过这各种乐器按一定音律演奏发出的和谐的乐声,作品生动而形象地表现了当时祭神者虔敬的心情和庄严的场面。作品至此,略作一顿,转写祀者的自赞:汤孙的事业显赫,祭祀的音乐和美。实则融自赞于"穆穆"的乐声之中,仍是紧扣题意,寄寓着对"烈祖"的美赞和祈福。接下去写大钟("庸")、大鼓("鼓")、大舞("万舞"),将乐舞之盛推向高潮。一个"斁"字写乐,概括了它的盛况;一个"奕"字写舞,道尽了它的娴熟。合而观之,有钟有鼓,相互和鸣,有乐有舞,万舞洋洋,其礼乐大盛之状,溢于言表。尤其是在音乐上,"洋洋乎盈耳哉"(《论语·泰伯》),具有强烈的艺术效果。故紧接两句说贵宾看了没有不兴高采烈的。

"自古在昔"以下四句,一方面颂扬先祖的懿行懿事,有所作为;一方面用以自勉自强,要以先祖为效法的榜样。这又进一步表现了"汤孙"对先祖的敬仰之情。末二句是祭祀的最后祝词(后面《烈祖》篇同此),它除了起总括全诗、结束祭词的作用外,还可以加强祭祀的神秘气氛和宗教效果。

此诗在写法上的特点是虚写先祖的功业,实写祭祀乐舞之盛。乐舞之中,写舞只一句,而着重写乐,举凡鞉鼓、管、磬、庸、鼓等乐器,应有尽有,各具情趣。尤其是"简简""渊渊""嘒嘒""穆穆"等拟声叠字的大量运用,绘声绘色地写出了各类乐器所发出的不同乐音。不仅如此,而且还通过"既和且平""依我磬声""庸鼓有斁"等写出它们的和声。这些都能使语言生动形象,读起来声调铿锵,和谐响亮,优美动人,既能增强诗的音乐性,又给人以如闻其声、如临其境的实感。"商人尚声,声之盛是德之盛也。""是故审音以知乐,观乐而知德,非汤盛德,孰克当此?""音声之道,岂不微哉!"(方玉润《诗经原始》)

(蓉　生)

烈　祖

嗟嗟烈祖![①]　　啊啊,光荣的烈祖!
有秩斯祜。[②]　　赐给我们莫大的幸福。
申锡无疆,　　一再赏赐子孙幸福无疆,
及尔斯所。[③]　　遍及您广大的领域。
既载清酤,[④]　　已经备好献享的清酒,
赉我思成。[⑤]　　祈求赐给我们大福。
亦有和羹,　　又有美味调和的汤羹,
既戒既平。　　五味齐备而且已经完成。
鬷假无言,[⑥]　　进言祷告,默默无声,
时靡有争。　　一致肃敬,没有喧争。
绥我眉寿,[⑦]　　赐给我们长眉大寿,
黄耇无疆。[⑧]　　老人长寿无止境。
约軧错衡,[⑨]　　红皮的车毂,饰金的车衡,
八鸾鸧鸧。[⑩]　　贵宾光临,四马八铃响声锵锵。
以假以享,　　于是祝祷,于是献享,
我受命溥将。　　我们受的天命广大久长。
自天降康,　　上天赐给我们安康,
丰年穰穰。　　五谷丰登,丰盛穰穰。
来假来飨,[⑪]　　迎来神灵歆享祭品,
降福无疆。　　赐给我们洪福无疆。
顾予烝尝,[⑫]　　烈祖顾念我们歆享烝尝,
汤孙之将!　　汤王子孙虔诚地奉祀献享!

注释

①烈祖:见《那》注。②有、斯:皆为语助词。秩:大貌。祜(hù):福。③尔:您,指烈祖。斯:之。④载:盛,放置。凡酒在尊,牲在俎,皆曰载。⑤赉(lài):赐予。思成:见《那》注。⑥鬷(zōng):奏,祷告。鬷假:义同《那》诗"奏假"。⑦绥:见《那》注。⑧黄:谓白发落更生黄者也。耇:谓老人面色不净如垢也。黄耇(gǒu):老人之称。⑨约:缠缚。軝(qí):车毂末端用革缠束作为装饰的部分。《诗集传》:"约:束。軝:毂也。以皮軝束兵车之毂而朱之也。"错:用金涂饰。衡:车辕前端的横木。⑩鸾:通"銮",结在马衔上的铃铛。八鸾:四马八铃(一马二铃)。鸧(qiāng)鸧:犹"锵锵",金属撞击声。此处指铃声。⑪假(gé):通"格",到。⑫顾予烝尝二句:见《那》注。

鉴赏

此诗与《那》诗相次,两相比较,多有共同之处。如《那》云:"奏鼓简简,衎我烈祖。汤孙奏假,绥我思成。"此篇云:"嗟嗟烈祖,有秩斯祜""鬷假无言","赉我思成"。两诗末皆云:"顾予烝尝,汤孙之将!"据此可以推知,两诗同是"汤孙"祭祀"烈祖"成汤之乐歌。所不同的是,《那》诗重在写乐舞之盛,此篇则重在写举行典礼的情况,故多言及酒馔。然则一祭两诗,何也?方玉润《诗经原始》云:周制,大享先王,凡九献。商制虽无考,要亦大略相同。每献有乐则有歌,一献降神,四、五献则酌醴、荐熟,以及九献祭毕。《诗》难悉载,且多残阙。《那》诗专言声,当一献降神之曲;此诗兼言酒馔,当是四、五献无疑。由此可知,同为一祭之乐而各有专用。此说可供参考。再从两诗主旨看,均在颂祖祈福一事,而此篇言奉祭祈寿获福的愿望,比《那》诗多,又同时提到助祭之事。在章句上,均为一章二十二句,每句四言(《烈祖》仅有一句多一字);《烈祖》的排列又正在《那》篇之后,似可助成此说。

全诗可分成三个结构段:首段四句,次段八句,三段八句。末二句为祝词,与《那》诗同。首段写托先祖洪福,以见奉祭之由。诗从叠字叹词入手,一叹再叹,乃溢美之言。继之以直呼式的呼告修辞法单刀直入,唱出被祭的对象——"烈祖",感情热烈饱满,形式活泼生动,呈现出生活实感,并能吸引听者、读者的注意力,增强艺术效果。成汤赏赐给"汤孙"的幸福,"申锡"极言其次数之多,"无疆"极言其时间之长,"斯所”极言其范围之广，可谓大福。

颂扬先祖赐给大福的恩德，同时又祈求先祖永远赐福，于是便出现了下面结构并列而内容交错的两段乐辞。前者言及酒馔，写奉祭获寿；后者言及车马，写奉祭获福。紧扣祭旨，又各有侧重。写祭之以酒馔，紧扣祭礼，行礼如仪。你看，备好了“清酤”，又献上“和羹”；“和羹”讲究味道，因而定要做到五味齐备，调和适口，才能算是“既戒既平”，可见供品的丰盛、讲究。再看祷告情景：各就各位，默默肃敬，没有喧哗，心气和平，真是繁文缛节，百礼俱备，从礼合节，渲染出热烈严肃的气氛。也只有在这种盛大而肃穆庄敬的礼仪之中，才能精诚所至，神明感动，使先祖歆享而赐下福祜，让“汤孙”获得长眉大寿，万寿无疆！接着写贵宾前来助祭的情景，既显出商朝的强盛，又借以烘托出场面的热烈。那助祭人乘坐的马车，红亮亮的车毂，金黄黄的车衡，多么华丽高贵；四马八铃，小跑而来，发出有节奏的锵锵的响声，多么动听。写车马的整饬在于写助祭的贵宾，写助祭的贵宾在于烘托主祭人的身份和迎神祭奠的场面。于是隆重的礼仪开始了：献享啊，祝祷啊，上承天命得以安康，丰年穰穰，并进而祈求先祖降下的福泽无疆！这样，两段文字同是陈述奉祭祈福，却写得有主有次，前后交错，各有侧重，井然有序。读后，两千多年前，殷商后裔祭祀成汤的情景历历在目。作品形象地反映出了“汤孙”对奴隶主统治阶级“烈祖”的歌功颂德，以及秉承天意的“天命”观点。这样的诗篇，虽系统治阶级宣扬德威、粉饰太平的庙堂乐章，但无论在文学、史学，还是民俗学上，仍具有一定价值。

祭祀乐章的形式受祭祀内容的制约，加之产生的年代较早，因此此诗的语言虽个别处也还生动形象，但总的看是质朴，甚至古拙的。其中还使用了不少祭祀中的习惯用语，如“申锡”“赉”“鬷假”“绥”“无疆”“享”“飨”“烝尝”“将”等等。这就远不如《国风》《小雅》的语言生动活泼，更富抒情韵味。但它却使整个作品具有另一种艺术风格，那就是古朴、庄重、典雅。其次，《商颂》讲究用韵，语句音调铿锵，读来朗朗上口，历来也为文人所推崇。以此诗为例，下半篇就句句用韵，又均属阳部韵，使音调更趋响亮。据《新序·节士篇》载，孔子弟子原宪“曳杖拖履，行歌《商颂》而反，声满天地，如出金石”。后来评论的人，也多称赞《商颂》为“黄钟大吕之音”。这些，也不无借鉴之处。

（蓉　生）

玄　鸟

天命玄鸟，[1]	上天命令玄鸟，
降而生商，[2]	降而生契始建商，
宅殷土芒芒。[3]	定居殷土多宽广。
古帝命武汤，[4]	上帝命令武王成汤，
正域彼四方。[5]	征服了那时的天下四方。
方命厥后，[6]	遍告那些诸侯君长，
奄有九有。[7]	九州尽入商封疆。
商之先后，	商的先王成汤，
受命不殆，[8]	承受天命不懈怠，
在武丁孙子。[9]	全靠子孙武丁是贤王。
武丁孙子，	武王的事业无往不胜，
武王靡不胜。[10]	全靠子孙武丁是贤王。
龙旂十乘，[11]	竖着龙旗的大车十辆，
大糦是承。[12]	诸侯满载米粮来祭享。
邦畿千里，[13]	国土辽阔上千里，
维民所止，[14]	是人民居住的地方，
肇域彼四海。[15]	四海之内是封疆。
四海来假，[16]	四方诸侯来朝贡，
来假祁祁。[17]	来朝的诸侯熙熙攘攘。
景员维河，[18]	国土广大周围是黄河，
殷受命咸宜，[19]	殷受天命完全适宜，
百禄是何。[20]	蒙受百福永呈祥。

注释

①玄鸟：燕子。燕色黑，故名。一说指凤凰。②商：指商的始祖契（xiè）。③

殷土:商人本居商(今河南商丘),其后人成汤以下传至盘庚,始迁都于殷(今河南安阳)。后人也称商地为殷土。芒芒:即茫茫,广大貌。④武汤:武王汤。成汤有武功,故自号为武王。⑤正:通“征”。域:封疆。⑥方:通“旁”,普遍。厥:其。后:君,诸侯。⑦奄:覆盖,包括。九有:“九域”的假借,即九州。⑧殆:通“怠”。⑨武丁孙子:即孙子武丁的倒文,指成汤的子孙武丁。⑩此二句,一说意为“武王汤的子孙中武丁是战无不胜的”,一说意为“孙子武丁对武王汤的事业无不能胜任”,录以备考。译文因押韵而倒置。⑪龙旂(qí):画交龙图纹之旗。古王侯作仪卫用。旂,上画龙形,竿头系铃的旗。闻一多在《神话与诗·龙凤》中认为,龙是原始夏人的图腾,凤(玄鸟)是原始殷人的图腾。可资参考。⑫糦(chì):祭祀时所盛黍稷稻粱之属。承:供奉。⑬畿:疆也。邦畿:国境。⑭维:是。止:居。⑮肇:通“兆”。肇域:界限,疆域。⑯假:通“格”,至。⑰祁祁:众盛貌。⑱景:大。员:周围。⑲咸:皆。⑳禄:福。何:通“荷”,蒙受。

鉴赏

《毛诗序》谓:“《玄鸟》,祀高宗也。”可见此诗是商王武丁以后的殷商后代(三家诗说实指宋君)祭祀并颂扬殷高宗武丁的庙堂乐歌。

武丁何以值得盛礼祭祀并热情歌颂呢?商之先祖成汤建立商朝之后,继续得到奴隶出身的宰相伊尹的得力辅佐,国势日盛。传至汤的长孙太甲以后,君主和奴隶主贵族们,生活腐化,不理朝政;奴隶不堪其苦,阶级矛盾激化,大批奴隶逃亡,生产荒废;王室贵族争夺王位的斗争愈演愈烈,有的要兄死弟继,有的要父死子继,于是兄弟之间、叔侄之间展开你死我活的斗争,致使国势日衰。到了汤的第九代孙第十九王盘庚,力挽狂澜,迁都于殷,从头做起,发展农业,缓和矛盾,避开危险的反叛势力,使政治稳定,社会经济和文化都得到更大发展,从而使商朝得以复兴。盘庚死后,按商朝的继承法,兄死弟继,没有弟弟,才传给儿子,于是传位给二弟小辛。小辛三年而亡,再传给三弟小乙。两个弟弟治国无方,殷又衰微。小乙十年而亡,才传位给儿子武丁。武丁效法先王,从奴隶中选出傅说(yuè)为相,整顿朝纲,发展生产;伐鬼方、大彭等部族,每战必胜,氐、羌等边远民族来朝,于是国家大治,殷又复兴。武丁在位五十九年,功绩显赫,号为高宗,被誉为“中兴之主”。这在商史上值得大书一笔,这首乐歌就是颂扬他的中兴功业的。诗在写法上,连类而及,从神话传说中商之始祖契的诞生,写到成汤的立国,再顺次写到武丁的中兴事业,因此可视为一首商周时代奴隶社会奴隶主贵族自道其先祖开国的简单史诗。也正因此,此诗在《商颂》五篇中较为著名。

全诗一章二十二句,可分四层意思。一层三句,写商的来源。二层四句,写成汤立国。三层七句,写武丁中兴。四层八句,写商的强大。从总体看,诗以歌颂武丁中兴为主,则第一、二层意在说明第三层的中兴是武丁能嗣其祖德;而第四层又意在说明第三层武丁中兴的结果,带来了商朝的繁荣强大。因此,第三层是中心,它承上启下,使全诗结构严谨,浑然天成。

关于商之始祖契诞生的神话传说,除见于本诗外,又叠见于《楚辞·天问》《吕氏春秋·音初》《史记·殷本纪》《列女传》等书,详略不一。归纳起来,大意是:有娀氏之长女简狄,即帝喾之次妃,尧时曾三姊妹浴于玄邱之水。有玄鸟衔卵飞过而坠之,五色甚好,简狄得而含之,误吞而孕生契。舜时,契助禹治水有功,任为司徒。赐姓子氏,封于商。"天命玄鸟,降而生商"的神话,实际上是把母系氏族社会的只知有母、不知有父的情况加以神化罢了。它反映了原始氏族社会由母系制向父系制的过渡,由杂婚、群婚向对偶制的过渡。《大雅·生民》写姜嫄履大人迹而生后稷,与此同义,可以同读。这种古之神圣母感天而生子的神话,把商祖契看成是受天的旨意而降生的天子。既是上天之命,理当神异非凡,故契建国于商之后,随着社会生产力的提高,政治势力的加强,于是才出现了"宅殷土芒芒"的局面。契下传十四代至成汤,驱逐夏桀,统治中原,以武功立国,从此开创商朝五百多年的基业。既然上承始祖契而来,契又承天命而降,故言"古帝命武汤",征服四方,广施号令,据九州为王。两层意思,蝉联而下,为下文重点人物武丁的"出场"蓄势。

成汤以下传至第十代孙第二十二代王武丁时,商朝又一次得到复兴。"商之先后,受命不殆",其原因就"在武丁孙子",即有武丁这样的好子孙。这三句承上而来,既说明成汤上承天命,使商的事业延续不断,又在分析"不殆"的原因中自然地点出中兴之主是孙子武丁。接着再加强一句,正因为有武丁这样的好子孙,天命永在成汤的子孙,武王成汤的事业才无往不胜。这就含蓄地写出了武丁内修政治的业绩,外伐鬼方、大彭等的胜利。从而声威大振,于是才出现后人祭祀时"龙旂十乘,大糦是承"的情形,即诸侯十车插龙旗,满载粮食来助祭的热烈场面。诗从整体的概述转回到描写祭祀的现实中来,而写助祭的热烈场面,又正是为了突出武丁的声威。接下去用八句的篇幅赞美中兴之后商朝的繁荣强大。前三句"千里""四海"极言幅员辽阔,与前面的"殷土芒芒"相呼应;中二句"四海""祁祁"形容诸侯来朝者众多,与前面的

“龙旂十乘，大糦是承”相表里；后三句，从享有黄河流域这一民族摇篮引出“受命咸宜，百禄是何”，就是十分自然而应该的了。而这两句又与前面的“天命玄鸟”“古帝命武汤”“受命不殆”相联系，表明以“天命”贯穿始终而结束全诗，并以此证明殷商统治的“合理性”。不仅如此，它还表现出祭者对天神的虔诚，希望继续得到天神的庇佑，从而祝颂商朝统治的昌盛和久长。

全诗从神话开始，以“天命”为线索一以贯之，带有浓厚的神话色彩。故今天读来，觉得它比别的规行矩步、一脸呆相的颂歌显得较有情致，较有吸引力。除此，这首祭诗写得庄严肃穆，反映了殷商王朝盛时对自己的统治充满着信心。如“宅殷土芒芒”“正域彼四方”“奄有九有”“武王靡不胜”“邦畿千里”“肇域彼四海”“四海来假”“百禄是何”等语，气势雄壮，音调响亮，说明当时人的诗歌技巧已有了相当高的水平。

（蓉　生）

长　发

濬哲维商，[①]	有深谋大智的是商王，
长发其祥。[②]	上天常常示吉祥。
洪水芒芒，[③]	远古之时洪水茫茫，
禹敷下土方。[④]	大禹治水定四方。
外大国是疆，[⑤]	扩大夏朝拓封疆，
幅陨既长。[⑥]	幅员从此宽又广。
有娀方将，[⑦]	有娀之国正兴旺，
帝立子生商。[⑧]	帝立其子生契建商。
玄王桓拨，[⑨]	玄王威武又英明，
受小国是达，[⑩]	小国归附能行令，
受大国是达。	大国归附令能行。
率履不越，[⑪]	遵循礼法不越轨，
遂视既发。	遍加视察教令尽行。
相土烈烈，	契孙相土真威武，

海外有截。[12]	四海之外齐归顺。
帝命不违，	上帝之命不违抗，
至于汤齐。[13]	功业与天命相合至于成汤。
汤降不迟，	汤王礼贤下士不怠慢，
圣敬日跻。[14]	圣明恭敬之德天天向上。
昭假迟迟，[15]	虔诚祈祷久久不息，
上帝是祗，[16]	无限崇敬尊上苍，
帝命式于九围。[17]	上帝命成汤做九州的榜样。
受小球大球，[18]	将那大小法制承受，
为下国缀旒，[19]	作表率于下国诸侯，
何天之休。[20]	承蒙上天的福佑。
不竞不絿，	不争逐也不急躁，
不刚不柔，	不太刚也不太柔，
敷政优优，[21]	施行政令很宽和，
百禄是遒。	百种福禄都聚拢。
受小共大共，	将那大小法制承受，
为下国骏厖，[22]	施庇荫于下国诸侯，
何天之龙。[23]	承蒙上天的荣宠。
敷奏其勇，	施展他的英勇，
不震不动，	不震惊也不动摇，
不戁不竦，[24]	不胆怯也不惶恐，
百禄是总。	百种福禄都汇总。
武王载旆，[25]	武王出兵伐夏桀，
有虔秉钺，	威武勇猛地手持斧钺，
如火烈烈，	好像大火一样地猛烈，

则莫我敢曷。[26]	没有谁敢来阻截。
苞有三蘖，[27]	一棵树干三个杈，
莫遂莫达。[28]	它已不能再长枝叶。
九有有截，[29]	征服九州成一统，
韦顾既伐，[30]	已经打败韦国和顾国，
昆吾夏桀。[31]	又将昆吾和夏桀消灭。
昔在中叶，[32]	从前在中期的殷商，
有震且业。[33]	既有威力大又强。
允也天子，	成汤是诚信的天子，
降予卿士。	贤良的卿士从天而降。
实维阿衡，[34]	就是那伊尹阿衡，
实左右商王。[35]	是他辅佐了商汤王。

注释

①濬(jùn)哲:深邃的智慧。维:是。商:指商的始祖契(xiè)。②长:经常。发:发现。③芒芒:广大貌。④敷:治。方:四方。⑤外大国:即夏朝统治区域以外。大国,指夏。⑥幅陨:即幅员,疆域。长:广大。⑦有娀(sōng):古国名,故址在今山西永济县。将:大。⑧帝:上帝。立子:立有娀氏之女简狄为高辛氏(帝喾)之妃。商:指契。简狄生契(帝喾之幼子),舜时契助禹治水有功,任为司徒,封于商,故以生契为生商。⑨玄王:称商之始祖契。《郑笺》:"承黑帝而立子,故谓契为玄王。"一说因其母吞玄鸟卵有孕,故名。参阅《玄鸟》。桓:桓桓,威武貌。拨:《韩诗》作"发",明也。⑩受:接受。指小国归附,玄王受之。达:通,指契能通其教令于民。⑪履:借为"礼"。⑫截:整齐。此处有"划一""统一"之义。⑬齐:齐一,齐同。此言至汤王而大业成,与天命相合。⑭"汤降"二句:《疏》:"汤之下士尊贤甚疾而不迟也,其圣明恭敬之德日升而不退也。"跻(jī):升。⑮昭:明。假:读作"嘏",告。⑯祗(zhī):敬。⑰式:榜样。九围:九域,九州。⑱小球大球:小法大法。《经义述闻》:"球、共,皆法也。球读为捄,共读为拱。"⑲下国:指诸侯国。缀旒(liú):表率。⑳何:通"荷",蒙受。休:本指美善、喜庆,此处引申为福佑。㉑优优:和适,宽裕。㉒骏厖(máng):覆庇。㉓龙:

通“宠”。㉔戁(nǎn)、竦:惧。㉕武王:见《玄鸟》注。载旆(pèi):大旗插车上,指出兵伐桀。㉖曷:通“遏”,止。㉗苞:树之本,喻夏桀。蘖:树之枝。三蘖:喻韦、顾、昆吾三国。㉘遂、达:草木生长。莫遂莫达:喻三国不能复兴。㉙九有:见《玄鸟》注。㉚韦:亦名豕韦,彭姓,故址在今河南滑县东南。顾:己姓,故址在今山东范县东南顾城。均系夏的盟国,后为商汤所灭。㉛昆吾:己姓,初封地在今河南濮阳县,后迁于旧许(在今河南许昌县);夏的盟国,后为商汤所灭。夏桀:夏朝末代君王,名履癸,荒淫暴虐,后为商汤所灭。㉜中叶:中世,指汤之时。㉝震:威严。业:大。㉞实:通“寔”,是。阿衡:商代官名,指伊尹。㉟左右:读为“佐佑”,帮助,辅翼。

鉴赏

此诗历来众说纷纭。《毛诗序》云:“《长发》,大禘也。”《礼记·大传》说:“礼,不王不禘。王者禘其祖之所自出,以其祖配之。”可见禘祭范围较大,故设祭者的“远祖”“先君”等均及于祭。一说大禘和祫祭并无区别,合祭群庙谓之祫,此诗所述者众,可以证明“大禘”就是“祫祭”。现代研究者或以为叙述殷商的起源,并无祭祀意味,疑为祝颂之诗。

从内容上看,诗中歌颂商统治者的祖先契、契孙相土、建立商朝的成汤及其伊尹。虽涉及商之始祖契,进而推寻契所自出者有娀氏之女,而言娀女即言帝喾也,但并非重点所在,重点在于祭先祖成汤。因此,当是殷商后人(一说实指宋君)大享成汤,以其相伊尹从祀之乐歌。为何以功臣伊尹从祀?《毛诗序》言大禘,即郊祭之禘。郊禘皆得以功臣从祀。因此说大禘,无妨于说诗禘成汤,诗末祭及伊尹。

全诗七章,写三个方面的内容:一、二章为一段,叙述汤的祖先契、相土的奠定国基;三至六章为一段,重点写成汤受命有天下和伐桀的功绩;卒章为一段,叙及伊尹相汤。由此结构可见,诗为大享成汤之乐歌明矣。

先看第一段,推本汤之有天下,在于祖先契、相土的奠基。第一章重在写契,第二章由契过渡到写相土。写始祖契的诞生,言“帝立子生商”,仍是用了“有娀方将”之时,“天命玄鸟,降而生商”的神话传说(详见《玄鸟》),即天帝的旨意使其降临人间。在殷商,上帝是绝对权威,事事取决于鬼神,处处得到上帝的佑护,故开宗明义第一章言“濬哲维商,长发其祥”。那么,契出生后是如何得到上帝的佑护而建商的呢?于是写了夏禹治水的传说。契正是在助禹治水中因有功而被舜任为司徒，掌管教化，后封于商，从此立国的。接着第二章写契的治国。先总说"玄王桓拨"，然后分两层加以说明：一层"受小国是达，受大国是达"，言其能接受小国大国的归附，并施教于民；二层"率履不越，遂视既发"，言其能遵循礼法，并使教令尽行。这样，就从契的"立国"写到"治国"，既歌颂了开国先王的勤政，又寄寓着对后王、后人的劝勉之意。于是很自然地引出后人相土来。相土是契之孙，汤之十一世祖，他能法先王之德，绳其祖武，而益惩其雄心，故"海外有截"。传说他是马车的发明者，征伐海外，当时商族势力已扩展到渤海一带。诗至此，从尊祖和敬天两方面写来，说明了商之立国在于先祖之功，而先祖立国之功又在于秉承天意而来。

第二段转入主题，以四章的篇幅着重写成汤的业绩的四个方面。(一)第三章承上言契与相土之后以至于成汤，乃得受天命而抚有九州。其中"汤降不迟，圣敬日跻"具体写其德行以表现他的勤政。"汤降不迟"称道成汤的重视"用贤"(与末章的以伊尹为相相呼应)。"圣敬日跻"赞扬成汤的注重"明德"。而这些又都与他依靠天命来进行统治分不开，故言"昭假迟迟，上帝是祗"。也正因此，把自己抚有九州的业绩归功于上帝的命令，是他"帝命不违"，才得"至于汤齐"的。(二)第四章直承第二章治国施教而来，言成汤继先王之业，必循先王之法，接纳归服的下国而"敷政优优"，此对弱小者之道也。其中"不竞不絿，不刚不柔"极言其"仁德"之心、"优优"之状。《新序·杂事》载成汤"网开三面"的佳话后说，"汉南之国闻之，曰：'汤之德及禽兽矣！'四十国归之"，可为旁证。因此，"百禄是遒"是其必然结果。赞扬成汤"为下国缀旒"，自然又是"何天之休"。(三)第五章结构与前章大同，承"敷政优优"而转写成汤循先王之法的另一面，即用武力征服下国而"敷奏其勇"，此对强暴者之道也。其中"不震不动，不戁不竦"极言英勇之态，所向无敌。因此，"百禄是总"是其必然结果。颂扬成汤"为下国骏厖"，自然又是"何天之龙"。(四)第六章写成汤灭夏桀，完成九州一统的伟业，总言其武功之盛。传说出征时，由从夏桀处归顺成汤的费昌为其驾车，宰相伊尹从其后，汤王亲自执钺，威武勇猛地前去征伐夏桀。夏桀忙调韦、顾、昆吾三个与国来保卫夏朝。伊尹便和汤王定计。先依次将这三个小国消灭，然后直指夏桀。夏桀带着妻子妹喜和一班宠妃先逃至鸣条(今山西安邑县北)，被汤王追兵击败；后逃至南巢(今安徽巢县西南)，死于山中。先是，成汤准备攻夏，被桀抓去关在夏台(今河南禹县南)的监狱里，后经贿赂得以释放。桀临死前说："我真后悔当初未把成汤杀死在夏台，以至于才有今天啊!”事见《史记》中的《秦本纪》《殷本纪》《夏本纪》以及《列女传·夏桀妹喜》。此章即概括地写了这次大战及其主要用兵次第。其中,写成汤的威武,用“如火烈烈”加以形容;写三个与国的不堪一击,用“苞有三蘖,莫遂莫达”加以比喻,都较生动形象。

末段第七章,言在汤之中叶,汤王以武力起为天子,而得力于辅之者是为伊尹。传说伊尹助汤灭桀后,汤王去世,长子太丁早夭,只好让次子外丙继位;外丙三年而亡,就由幼子仲壬继位。其间,伊尹历佐外丙、仲壬二王。仲壬四年而亡,其侄太甲(太丁之子)立。太甲不理国政,伊尹放之商汤坟墓所在地桐宫(今河南偃师县),令其思过,而篡位自立;三年后太甲悔过,才又接回复位。伊尹死于太甲之子沃丁为王之时。总之,无论成汤在世之时或去世之后,伊尹为辅佐商王、主持国政,都做过重大贡献。这里当指辅佐成汤而言。成汤的功业与其相伊尹的贡献分不开,故作为功臣从祀。

全诗在写法上以祭成汤为主,而又兼及追远尊先和表彰功臣之意,有主有次,主次分明。写成汤功业,略于受天命而承继祖业,详于伐桀以武功得天下,重点突出,详略得当。宗庙乐章常因追求端庄而失之板滞,此诗却不然。其适列为第四、五两章,写一个问题的两个方面,结构一样,其中上章的“敷政优优”对下章的“敷奏其勇”,本应位置相同而实异。或曰此二句必有一句为错简;改正的办法,或者将“敷政优优”按下章结构上移至“不竞不絿”句前,或者将“敷奏其勇”按上章结构下移至“不戁不竦”句后。殊不知此二句内容相关而位置本应相对而异者,足见其上古诗人构句与修辞之妙,行文之善变,不可移易。

(蓉　生)

殷　武

挞彼殷武,① 那殷王武丁真神速,
奋伐荆楚。② 奋力兴师讨伐荆楚。
罙入其阻,③ 深入敌人险阻之地,
裒荆之旅。④ 将荆楚的军众俘虏。
有截其所,⑤ 合并统一荆楚土地,
汤孙之绪。⑥ 这是汤孙的伟大功绩。

维女荆楚，[7]	你们荆楚之邦，
居国南乡。	住在我国南方。
昔有成汤，	从前我们有成汤，
自彼氐羌，[8]	即使那远方的氐羌，
莫敢不来享，	不敢不前来献享，
莫敢不来王，	不敢不前来朝王，
曰商是常。[9]	认为殷商是君长。

天命多辟，[10]	上天命令众诸侯听，
设都于禹之绩。[11]	禹治水处建都城。
岁事来辟，[12]	每年按时来朝见，
勿予祸適，[13]	不给你们加罪名，
稼穑匪解。[14]	但莫懈怠误了农耕。

天命降监，[15]	上天命令视察民间，
下民有严。[16]	下方之民肃敬谨严。
不僭不滥，[17]	不敢犯错不敢妄为，
不敢怠遑。	不敢懒散不敢偷闲。
命于下国，	施行教令于众诸侯，
封建厥福。[18]	大造其福使之安善。

商邑翼翼，[19]	商都繁华又昌盛，
四方之极。[20]	四方诸侯奉为标准。
赫赫厥声，	他有显赫的名声，
濯濯厥灵。[21]	光焰灿灿显威灵。
寿考且宁，	他既长寿又安宁，
以保我后生。	以保佑我后代子孙。

陟彼景山，[22]	登上那高大的山，

松柏丸丸。	松柏挺直参云天。
是断是迁,	于是锯断于是运回,
方斲是虔。㉓	又砍又削把庙建。
松桷有梴,㉔	松木方椽长又大,
旅楹有闲,㉕	成排楹柱粗又圆,
寝成孔安。㉖	寝庙建成神灵大安。

注释

①挞:疾速。殷武:殷王武丁,即高宗。②荆楚:即楚。楚国的最早疆域约当古荆州地区,故亦称荆楚。诗言"居国南乡",又王先谦引《贾捐之传》云"武丁地,南不过荆楚",可知为殷商南面之部族。《郑笺》:"殷道衰而楚人叛,高宗挞然奋扬威武,出兵伐之。"③罙:"深"的本字。④裒(póu):聚集,引申为俘获。⑤有截:见《长发》注。⑥汤孙:指汤之子孙武丁。绪:事业,功绩。⑦维:语助词。女:通"汝"。⑧自:虽,即使。氐(dī)、羌:皆古族名,前者分布在今陕西、甘肃、青海一带,后者分布在今甘肃、青海、四川一带。⑨常:俞樾《群经平议》:"常读为尚,主也。"⑩辟(bì):天子、诸侯君主的通称。⑪绩:借为"迹"。禹之绩:九州皆经禹治,因称禹迹。诗谓设都于禹所治之地。⑫岁事:谓诸侯每年的朝觐。来辟:来王,来朝。⑬予:施。祸:音义同"过",罪过。適:音义同"谪",谴责。⑭解:通"懈"。⑮降监:下察。⑯严:整肃。⑰僭(jiàn):差失。滥:过度。⑱封:大。一说"封建",义为封侯建国。⑲商邑:商都,即殷(今河南安阳)。⑳极:中正的准则。㉑濯濯:光明貌。㉒景:大。一说景山为山名,在今河南偃师县南。㉓方:是。斲(zhuó):砍。虔:削。㉔桷(jué):方形椽子。梴(chān):木长貌。㉕旅:众。楹:厅堂的前柱。闲:大貌。㉖寝:寝庙。古代宗庙中,前曰庙,是接神之处,其处尊,故在前;后曰寝,衣冠所藏之处,对庙而卑,故在后。

鉴赏

《殷武》,祀高宗也。高宗武丁是殷商大奴隶主王朝一中兴之名主(可参《玄鸟》)。高宗前世,殷道中衰,叛楚背叛。高宗修政行德,勤劳无逸,征伐荆楚,国家大治,殷始复兴。既崩之后,子孙美之,追述其功,立其庙为高宗。可见此诗系殷商后人颂高宗平荆楚,获得一统,故为其立庙，庙成而祀之乐歌。或以为系歌颂宋国伐楚之事，并非用于祭祀之乐章。

全诗六章，首章言伐楚之功；次章述诫楚之词；三至五章写中兴之盛；卒章记今日作庙以祭。井井有条，顺理成章。

诗发端云："挞彼殷武，奋伐荆楚。"把挞伐者殷武，被挞伐者荆楚，以及挞伐者的勇猛神速，都交代清楚了。紧接两句，"罙入其阻"写经历险阻；"裒荆之旅"写战果辉煌。末二句颂扬殷武的扩大土地，是汤孙的伟大功绩。联系《商颂》的前几篇，《玄鸟》云："古帝命成汤，正域彼四方。"《长发》云："相土烈烈，海外有截。""武王载旆……韦顾既伐，昆吾夏桀。"可见殷商大奴隶主对于邻近诸部落小国付诸武力以扩展疆域的社会现实。再从解释这些武功的文字看，都是什么"殷受命咸宜""帝命不违""帝命式于九围""何天之休""何天之龙"之类。此诗亦然，下文所谓"天命多辟""天命降监"即是，都说是奉天命而行，"人间暴力采用超人间力量之形式而出现"（陈子展《诗经直解》），又反映了当时大奴隶主之思想意识。故汤孙在颂扬其功德时，总是歌颂英雄，歌颂先祖，歌颂天神，三位一体，希望能长治久安。正是基于这种思想意识，于是第二章便写在征服荆楚之后，引用先祖成汤以武力定天下，氐、羌等边远民族"莫敢不来享，莫敢不来王，曰商是常"的先例对荆楚加以诫责，使其一一效法，唯商命是从。

接下来写殷武的中兴。第三章说"天命多辟"，联系前两篇，说商祖契，《玄鸟》云"天命玄鸟，降而生商"，《长发》则说"帝立子生商"；其说成汤，《玄鸟》云"古帝命成汤"，《长发》则说"帝命不违，至于汤齐"。可见殷商大奴隶主都自以为是天帝之子孙，是天子。因此他们的命令，都是上天的命令，不可违抗。因此，诸侯的建都、朝觐、稼穑、纳贡等，都得一一遵照商规执行，否则将"予祸適"。表面上看写的是告诫诸侯之事，其实反映的是诸侯归服殷商。此写殷武中兴，一也。第四章说"天命降监"，承上仍假上天之命以行。"下民有严"说明了被视察的诸侯臣服的情况，并用"不僭不滥，不敢怠遑"加以具体化。于是布施教令"于下国"，名为"封建厥福"，实为巩固其统治。此本中兴之故，写殷武中兴，二也。第五章承上二章由点及面，写"商邑翼翼，四方之极"，由下国奉为准则可见商都之繁盛。而这一切都归功于殷武贤王这一守成之君，其名声也赫赫，其神灵也昭昭。《尚书·无逸》云："高宗之享国五十有九年。"其享国如此，享高寿可知。比起他伯父小辛在位三年而亡，他父亲小乙在位十年而逝，已是大有过之而无不及的了，故诗说他"寿考且宁，以保我后生"。这既是颂词，又是向先祖祈祷福佑之话，愿子孙能在他的护佑下像他一样长寿安宁。此章极言中兴之盛，是写殷武中兴，三也。有此三章言殷武中兴伟业，既突出了祀高宗之题旨，又为末章立庙以祀打下了坚实的基础。

卒章写为武丁营建寝庙的情景。写了四层：首二句写登山选料。"景山"言山之大，"丸丸"状苍松翠柏之高大挺直，正是建庙的好材料。次二句写伐木建庙的过程。先言山上锯倒运回，后言工地砍削整治以至修造，前后次序井然。再二句写新庙建成以后的壮观。都着墨不多，却显示了古代人的劳动生活及其对新庙的赞美之情。末句归总，与篇首"汤孙之绪"相呼应，而以庙成作颂结束。可见今日作庙以祭，皆是高宗一生德行所致，故后人建庙而祀，以总括赞美高宗之意。此诗前五章，枯燥说教者多，唯于此章写实自然，较生动形象。此章文字与《鲁颂·閟宫》末章写鲁国建造新庙的文字相近。

合《商颂》五篇而言，可作为殷商史诗读，自有一定历史地位。虽均系奴隶主统治阶级歌功颂德之作，夸谀之词，不足为训；但艺术创作的领域是宽广的，技巧也是多种多样的，仅就艺术价值而言，似也有可借鉴之处。

（蓉　生）

楚辞

离　骚

屈原

帝高阳之苗裔兮，[①]	我本是古帝高阳氏的后裔，
朕皇考曰伯庸。[②]	号叫伯庸的是我已故的父亲。
摄提贞于孟陬兮，[③]	太岁在寅的那一年的正月，
惟庚寅吾以降。[④]	庚寅的那一天便是我的生辰。
皇览揆余初度兮，[⑤]	先父看见了我有这样的生日，
肇锡余以嘉名。[⑥]	他便替我取下了相应的美名。
名余曰正则兮，	替我取下的大名是叫着正则，
字余曰灵均。	替我取下的别号是叫着灵均。
纷吾既有此内美兮，[⑦]	我的内部既有了这样的美质，
又重之以脩能。[⑧]	我的外部又加以美好的装扮。
扈江离与辟芷兮，[⑨]	我把蘼芜和白芷都折取了来，

纫秋兰以为佩。	和秋兰纽结着做成了个花环。
汩余若将不及兮，[10]	我匆忙地就像是在赶路一般，
恐年岁之不吾与。	怕的是如箭的光阴弃我飞掉。
朝搴阰之木兰兮，[11]	我在春天去攀折山上的木兰，
夕揽洲之宿莽。[12]	我在冬天去收揽水边的青藻。
日月忽其不淹兮，[13]	金乌和玉兔匆匆地不肯停留，
春与秋其代序。	夏天和秋天轮流着在相替代。
惟草木之零落兮，[14]	想到草和木都时刻地在凋零，
恐美人之迟暮。	怕的是理想的佳人也要早衰。
不抚壮而弃秽兮，[15]	你应该趁着年少以自图修洁，
何不改乎此度？[16]	为甚总不改变你那样的路数？
乘骐骥以驰骋兮，	我驾着骏马正要打算去奔驰，
来吾道夫先路！[17]	你来吧，我要为你在前面引路！

昔三后之纯粹兮，[18]	古时候曾有过纯而粹的三王，
固众芳之所在。[19]	在那时固然是群芳之所聚会。
杂申椒与菌桂兮，	木本的申椒、菌桂也多所戴插，
岂维纫夫蕙茝？	不仅把香茝和蕙草纫成环佩。
彼尧舜之耿介兮，[20]	想唐尧和虞舜真是伟大光明，
既遵道而得路。	他们已经是得着了正当轨道。
何桀纣之猖披兮，[21]	而夏桀和殷纣怎那样地糊涂，
夫唯捷径以窘步。	总爱贪走着捷径而屡自跌跤。
惟夫党人之偷乐兮，[22]	有一批糊涂的人们会苟且偷安，
路幽昧以险隘。	他们的道路诚暧昧而又加狭隘。
岂余身之惮殃兮，	我并不怕自己的身子会要遭殃，
恐皇舆之败绩。[23]	我怕的是君王的乘舆要被毁坏。
忽奔走以先后兮，	我匆匆地在前在后效力奔走，

及前王之踵武。[24]	我想要追赶上先王们的步武。
荃不察余之中情兮，[25]	你既不肯鉴察我胸中的愚诚，
反信谗而齌怒。[26]	更反而听信谗言给我以恼怒。
余固知謇謇之为患兮，[27]	我诚然知道梗直是不能讨好，
忍而不能舍也。	但我却忍耐着痛苦不肯抛弃。
指九天以为正兮，	我要请九重的上天做我证人，
夫唯灵脩之故也。[28]	我悃忱地忠于君王并无他意。
初既与余成言兮，	在当初呵，你既已经和我约定，
后悔遁而有他。	你奈何翻悔了，又改变了心肠。
余既不难夫离别兮，[29]	我和你的分离也不怎么难堪，
伤灵脩之数化。[30]	只叹息你的为人呵太没主张。
余既滋兰之九畹兮，[31]	我已经种下了九顷地的春兰，
又树蕙之百亩。	我又曾栽就了百亩园的秋蕙。

畦留夷与揭车兮，[32]	我曾把留夷和揭车种了一田，
杂杜衡与芳芷。	更夹杂了些杜衡和芳芷之类。
冀枝叶之峻茂兮，	希望着它们的枝叶茂盛起来，
愿俟时乎吾将刈。[33]	等到开花时我便要加以收割。
虽萎绝其亦何伤兮，[34]	我自己就萎谢了也不算什么，
哀众芳之芜秽。[35]	可悲的是一群芳草要遭践踏。
众皆竞进以贪婪兮，[36]	大家都竞争着在以酒食为征逐，
凭不厌乎求索。[37]	贪财好利的心事全然不知满足。
羌内恕己以量人兮，[38]	大家都宽恕着自己而猜忌别人，
各兴心而嫉妒。	大家都在斗着心机而互相嫉妒。
忽驰骛以追逐兮，[39]	大家也都在狂奔着争权夺利，
非余心之所急。	那些都不是我心中之所贪图。
老冉冉其将至兮，[40]	我怕的是老境在渐渐地到来，

恐脩名之不立。[41]	我的声名或许会不能够建树。
朝饮木兰之坠露兮,	我在春天饮用着木兰花上的清露,
夕餐秋菊之落英。	我在秋天餐食着菊花瓣上的红霜。
苟余情其信姱以练要兮,[42]	只要我的精神是美满而又加顽健,
长顑颔亦何伤。[43]	我就长久地面黄肌瘦呵又有何妨?
揽木根以结茝兮,	我掘取了细根来把白芷拴上,
贯薜荔之落蕊。[44]	又穿上了薜荔花落下的花朵,
矫菌桂以纫蕙兮,	我把菌桂削直后再贯以蕙英,
索胡绳之纚纚。[45]	纽成了潇洒的花索馥郁婆娑。
謇吾法夫前脩兮,[46]	我本虔敬地在效法古代的贤人,
非世俗之所服。[47]	我的环佩本不为世俗之所喜欢。
虽不周于今之人兮,[48]	和今世的人们虽不能道合志同,
愿依彭咸之遗则![49]	而我所愿效法的是殷代的彭咸!

长太息以掩涕兮，[50]	我哀怜着人民的生涯多么艰苦，
哀民生之多艰。	我长太息地禁不住要洒雪眼泪。
余虽好脩姱以鞿羁兮，[51]	我虽然是爱好修洁而自制花环，
謇朝谇而夕替。[52]	在清早做成，晚上便已被人折毁。
既替余以蕙纕兮，[53]	不怕他就毁坏了我秋蕙的花环，
又申之以揽茝。	我又要继续着用白芷花来替代。
亦余心之所善兮，	说到头是我自己的情愿而心甘，
虽九死其犹未悔。	纵使是死上九回我也不肯悔改。
怨灵脩之浩荡兮，[54]	我怨恨你王长者呵真是荒唐，
终不察夫民心。	你始终是不肯洞鉴我的心肠。
众女嫉余之蛾眉兮，[55]	你周围的侍女嫉妒我的丰姿，
谣诼谓余以善淫。[56]	造出谣言来说我是本来淫荡。
固时俗之工巧兮，	固然是糊涂的人们善于取巧，

偭规矩而改错。[57]	不守一定的规矩而任意胡闹。
背绳墨以追曲兮，	抛却了一定的准绳只图迁就，
竞周容以为度。[58]	竞争着在依阿取悦以为常套。
忳郁邑余侘傺兮，[59]	我忧郁，我不安，我感受着孤独，
吾独穷困乎此时也。	我孤独地遭受着今世的困穷。
宁溘死以流亡兮，[60]	我即使奄然死去而魂离魄散，
余不忍为此态也。	也决不肯同乎流俗，屈节卑躬。
鸷鸟之不群兮，	鹰和隼不能够和凡鸟同群，
自前世而固然。	原本是自古以来就是这样。
何方圜之能周兮，	哪有方和圆能够互相通融？
夫孰异道而相安？	哪有曲和直能够一概相量？
屈心而抑志兮，	我委屈着情怀，抑制着意气，
忍尤而攘诟。[61]	我忍受着谴责，排遣着羞耻，

伏清白以死直兮，	伏清白之志而死忠贞之节，
固前圣之所厚。	本是前代的圣人之所称许。
悔相道之不察兮，[62]	我失悔我的路向是根本走错，
延伫乎吾将反。[63]	我停顿着又打算要路折回头，
回朕车以复路兮，	把我的车马掉过来走向归路，
及行迷之未远。	要趁着这迷途未远赶快罢休。
步余马于兰皋兮，[64]	把马辔解了，让它在兰皋逍遥，
驰椒丘且焉止息。	让它在椒丘上驰驱，暂时休息，
进不入以离尤兮，[65]	我不想再上前去以遭受祸殃，
退将复脩吾初服。	我要退回故乡修理我的旧衣。
制芰荷以为衣兮，	我要把碧绿的荷叶裁成上衫，
集芙蓉以为裳。	我要把洁白的荷花缀成下裳。
不吾知其亦已兮，	没人知道我也就让他抹杀吧，

苟余情其信芳。	只要我的内心是真正地芬芳。
高余冠之岌岌兮，[66]	要把头上的冠戴加得高而又高，
长余佩之陆离。[67]	要把项下的环佩增得长而又长，
芳与泽其杂糅兮，[68]	芳香和污垢纵使会被人混淆呀，
唯昭质其犹未亏。	只我这清白的精神是丝毫无恙。
忽反顾以游目兮，	我忽然又回过头来放开眼界，
将往观乎四荒。[69]	打算往东西南北去四处观光。
佩缤纷其繁饰兮，	我的花环是参差而又多趣呀，
芳菲菲其弥章。[70]	馥郁的花气呵会向四方远飏。
民生各有所乐兮，	世上的人们任凭他各有所好，
余独好脩以为常。	而我的习惯是专于爱好修洁。
虽体解吾犹未变兮，[71]	就把我车裂了我也不肯变更，
岂余心之可惩？[72]	难道我的心还会怕受人威胁？

女媭之婵媛兮，[73]	我的女伴她殷勤地替我关心，
申申其詈予。[74]	她委婉而又回环地劝诫着我。
曰："鲧婞直以亡身兮，[75]	她说道："鲧是太直辟不顾性命，
终然殀乎羽之野。	终竟在羽山下遭受了惨杀之祸。
"汝何博謇而好脩兮，	"你为什么总是要孤高而又洁癖，
纷独有此姱节？	偏偏的一个人有着这样的奇装？
薋菉葹以盈室兮，[76]	蒺藜、王刍和枲耳正是当道时节，
判独离而不服。[77]	你却与众不同地要说它们不香。
"众不可户说兮，	"众人是不能够家喻而以户晓呵，
孰云察余之中情？	有谁人能够了解得我们的内心？
世并举而好朋兮，	天地间都是在成群而又结伙呀，
夫何茕独而不予听？"[78]	你为什么总孤零零地不表同情？"
依前圣以节中兮，[79]	我依据着先圣的理法节制性情，

喟凭心而历兹。[80]	有了这样的遭遇不禁悲愤填膺。
济沅湘以南征兮，	渡过了沅水和湘水我走向南方，
就重华而陈词：[81]	我走去向着重华呵诉我的衷肠：
“启《九辩》与《九歌》兮，[82]	“夏启从天上得到了《九辩》与《九歌》，
夏康娱以自纵。	在艳阳时分他欢乐着，自行放纵。
不顾难以图后兮，	毫无深远的谋虑以作未雨绸缪，
五子用失乎家巷。[83]	他的兄弟五观便和他生了内讧。
“羿淫游以佚畋兮，[84]	“有穷氏的后羿淫于游观而好田猎，
又好射夫封狐。[85]	他所欢喜的是在山野外射杀封狐。
固乱流其鲜终兮，	本来是淫乱之徒该当得没有结果，
浞又贪夫厥家。[86]	他的相臣寒浞更占取了他的妻孥。
“浇身被服强圉兮，[87]	“寒浞的儿子过浇又肆行霸道，
纵欲而不忍。	放纵着自己的情欲不能忍耐，

日康娱以自忘兮，	他每日里欢乐得忘乎其形，
厥首用夫颠陨。[88]	终究又失掉了他自己的脑袋。
“夏桀之常违兮，	“夏桀王他也始终是不近人情，
乃遂焉而逢殃。[89]	到头来是窜走到南巢而野死。
后辛之菹醢兮，[90]	纣王把自己的忠良弄成肉酱，
殷宗用而不长。	殷朝的王位也因而无法维持。
“汤禹俨而祇敬兮，[91]	“商汤和夏禹都谨严而又敬戒，
周论道而莫差。	周的先世讲求理法也没差池。
举贤而授能兮，	在政治上是举用贤者和能者，
循绳墨而不颇。	遵守着一定的规矩没有偏倚。
“皇天无私阿兮，[92]	“主宰一切的上帝他公道无私，
览民德焉错辅。	他要看到了有德行的才肯帮助。
夫维圣哲以茂行兮，	只有那德行高迈的圣人和贤士，

苟得用此下土。[93]	才能够使得四海之滨成为乐土。
“瞻前而顾后兮，	“既经考察了前王而又观省后代，
相观民之计极。[94]	我省察得人生的路径十分详明。
夫孰非义而可用兮，	不曾有过不义的人而可以信用，
孰非善而可服？	不曾有过不善的事而可以服膺。
“阽余身而危死兮，[95]	“我纵使是身临绝境而丧失性命，
览余初其犹未悔。	回顾自己的初心我也并不翻悔。
不量凿而正枘兮，[96]	不曾问凿孔的方圆而只求正枘，
固前脩以菹醢。”	古代的贤人正因此而遭了菹醢。”
曾歔欷余郁邑兮，[97]	我是连连地叹息着而又呜咽，
哀朕时之不当。	哀怜我生下地来没逢着良辰。
揽茹蕙以掩涕兮，[98]	我提起柔软的花环揩雪眼泪，
沾余襟之浪浪。	我的眼泪滚滚地沾湿了衣襟。

跪敷衽以陈辞兮，[99]	我跪在自己的衣脚上诉了衷情，
耿吾既得此中正。[100]	我的中心耿耿地既得到了稳定。
驷玉虬以乘鹥兮，[101]	我要以凤凰为车而以玉虬为马，
溘埃风余上征。	飘忽地御着长风向那天上旅行。
朝发轫于苍梧兮，[102]	我清晨才打从那苍梧之野动身，
夕余至乎县圃。[103]	我晚上便落到昆仑山上的悬圃。
欲少留此灵琐兮，[104]	我想在这神灵的区域勾留片时，
日忽忽其将暮。	无奈匆匆的日轮看看便要入暮。
吾令羲和弭节兮，[105]	我便叫日御的羲和把车慢慢地开，
望崦嵫而勿迫。[106]	就望见日将入的崦嵫也没用赶快。
路曼曼其脩远兮，	旅行的途程是十分长远而又长远，
吾将上下而求索。	我要到上天下地去寻求我的所爱。
饮余马于咸池兮，[107]	且让我的玉虬就在咸池饮水，

总余辔乎扶桑。[108]	且让我的乘凤就在扶桑休息。
折若木以拂日兮，[109]	折取若木的桠枝来敲打日头，
聊逍遥以相羊。[110]	我暂时留在这儿逍遥而踯躅。
前望舒使先驱兮，[111]	想遣月御的望舒替我做着前驱，
后飞廉使奔属。[112]	想遣风伯的飞廉替我做着后卫。
鸾皇为余先戒兮，[113]	想遣天鸡的鸾凰替我作着鼓吹——
雷师告余以未具。	雷师走来告诉道：一切未曾准备。
吾令凤鸟飞腾兮，	我便令我的乘凤展翅飞腾，
继之以日夜。	即使入了夜境也无须停顿。
飘风屯其相离兮，[114]	飘风聚集着都在恐后争先，
帅云霓而来御。	率领着云和霓来表示欢迎。
纷总总其离合兮，[115]	我们是蓬蓬勃勃地时离时合，
斑陆离其上下。	我们是光辉灿烂地或上或下。

吾令帝阍开关兮，[116]	我叫那天国的门子替我开门，
倚阊阖而望予。[117]	他才倚着天门只是把我望望。
时暧暧其将罢兮，	时辰是昏蒙地快到末日的光景，
结幽兰而延伫。	我纽结着所佩的幽兰不能移步。
世溷浊而不分兮，[118]	天地间是这样混浊而不别贤愚，
好蔽美而嫉妒。	总爱抹杀人的美德而生出嫉妒。
朝吾将济于白水兮，[119]	等待到天明时我又要渡过白水，
登阆风而緤马。[120]	我要登上那阆风山顶系我玉虬。
忽反顾以流涕兮，	我忽然地又回转头去流起泪来，
哀高丘之无女。	我可怜这天国中也无美女可求。
溘吾游此春宫兮，[121]	我飘忽地来到了这天国的门前，
折琼枝以继佩。	我攀折了琼枝来插上我的兰佩。
及荣华之未落兮，	趁着这琼枝上的瑶花还未飘零，

相下女之可诒。[122]	我要到下方去送给可爱的香闺。
吾令丰隆乘云兮,[123]	云师丰隆,我叫他驾着云彩,
求宓妃之所在。[124]	为我去找寻宓妃的住址所在。
解佩纕以结言兮,	我把兰佩解下来拜托了蹇脩,
吾令蹇脩以为理。[125]	我拜托他代表我去向她求爱。
纷总总其离合兮,	她开始总是含糊地欲允不允,
忽纬繣其难迁。[126]	忽而间又乖违了全不肯赞成。
夕归次于穷石兮,[127]	她晚上回家时是在穷石过夜,
朝濯发乎洧盘。[128]	她清早梳头时是在洧盘堆云。
保厥美以骄傲兮,[129]	她只图保存着貌美不肯谦恭,
日康娱以淫游。	整天价都欢乐着在外面遨游。
虽信美而无礼兮,	面貌纵然是美好而礼节全差,
来违弃而改求。	我要丢掉她,慎重地再作别求。
览相观于四极兮,	我在天空中观遍了四极八荒,

周流乎天余乃下。[130]	我观遍了然后又回到这下界。
望瑶台之偃蹇兮，[131]	我望见了有娀氏的佳人简狄，
见有娀之佚女。[132]	她居住在那巍峨的一座瑶台。
吾令鸩为媒兮，	我吩咐鸩鸟，叫她去给我做媒，
鸩告余以不好。	鸩鸟告诉我，说道，她去可不对。
雄鸠之鸣逝兮，	有雄的斑鸠本来是善于诉苦，
余犹恶其佻巧。	但我又嫌恶他实在有点多嘴。
心犹豫而狐疑兮，	我心里踌躇着而又狐疑呀，
欲自适而不可。	我想要自己去也觉得不妥。
凤凰既受诒兮，	玄鸟的凤凰已把礼物送她，
恐高辛之先我。[133]	我怕高辛氏早已快过了我。
欲远集而无所止兮，	想往远方去但又无可投靠，
聊浮游以逍遥。	我暂且流浪着在四处逍遥。

及少康之未家兮，[134]	趁少康还没有结婚的时节，
留有虞之二姚。	还留下有虞氏的两位阿娇。
理弱而媒拙兮，	但提亲的既不行而媒人又笨，
恐导言之不固。[135]	我恐怕这次的求婚也是不稳。
世溷浊而嫉贤兮，	人间世是混浊而嫉妒贤能呀，
好蔽美而称恶。	总喜欢隐人善处而扬人恶声。
闺中既以邃远兮，	佳丽的香闺既深邃而难于觊觎，
哲王又不寤。	你聪明的君王又始终不肯醒悟。
怀朕情而不发兮，	我一肚子的衷情真无处可诉呀，
余焉能忍与此终古！	我哪能够忍耐得就这样地死去！
索藑茅以筳篿兮，[136]	我找来了灵草的琼茅和些细竹，
命灵氛为余占之。[137]	我请求了女巫的灵氛为我占卦。
曰："两美其必合兮，	她说道："男才女貌本是天所配成，

孰信脩而慕之?	哪儿有真正的美人而没人爱他?
"思九州之博大兮,	"请宽怀些呀请想到九州的广大,
岂唯是其有女?"	何必一定要限于这儿才有女娃?
曰:"勉远逝而无狐疑兮,	你请努力着朝四方去不要逡巡,
孰求美而释女?	又哪有怀春的女子会把你丢下?
"何所独无芳草兮,	"天地间哪儿会没有香草呢?
尔何怀乎故宇?	你为什么一定要念着故乡?
世幽昧以眩曜兮,[138]	这故乡是黑暗而又昏蒙呀,
孰云察余之善恶?	谁能够辨别出我们的短长?
"民好恶其不同兮,	"人们的好恶究竟有什么不同?
惟此党人其独异。	只有那一批先生们特别出众。
户服艾以盈要兮,[139]	他们都把些野蒿来戴满腰间,
谓幽兰其不可佩。	偏要说馥郁的幽兰不可佩用。

"览察草木其犹未得兮,	"连草木的好坏都还不能辨清,
岂珵美之能当?[140]	说到美玉的臧否又岂能识相?
苏粪壤以充帏兮,[141]	把粪土来充满了自己的缨包,
谓申椒其不芳。"	偏要说申椒真果是一点也不香。"
欲从灵氛之吉占兮,	我打算要听从这灵氛的吉占,
心犹豫而狐疑。	我心里踌躕着但又不能决定。
巫咸将夕降兮,[142]	听说是巫咸将要在晚间下凡,
怀椒糈而要之。[143]	我怀着椒香和精米等他来临。
百神翳其备降兮,[144]	天上的百神缥缈地从天而下,
九疑缤其并迎。	九嶷的女神缤纷地前往迎迓。
皇剡剡其扬灵兮,[145]	辉煌煌地发出了无限的灵光,
告余以吉故。	巫咸他又告诉了我一批好话。
曰:"勉升降以上下兮,	他说道:"你应该努力去四方跋涉,

求矩矱之所同。
去追求意气相投的自己的同志。

汤禹严而求合兮，
商汤和夏禹都虔诚地求过贤臣，

挚咎繇而能调。[146]
伊尹和皋陶便际遇着君臣共济。

“苟中情其好修兮，
“只要你自己的存心真好修洁，

又何必用夫行媒？
又何必一定要有人来做媒介？

说操筑于傅岩兮，[147]
傅说为佣，他曾经在傅岩版筑，

武丁用而不疑。[148]
武丁用了他并没存丝毫芥蒂。

“吕望之鼓刀兮，[149]
“吕望在朝歌的市中使用屠刀，

遭周文而得举。
遇着周文王便拜他做了师傅。

甯戚之讴歌兮，[150]
甯戚在放牛时扣角而作商歌，

齐桓闻以该辅。[151]
遇着齐桓公便聘他做了大夫。

“及年岁之未晏兮，[152]
“要趁着这岁华还没有迟暮，

时亦犹其未央。[153]
要趁着这季节也还没有萧条。

恐鹈鴂之先鸣兮，[154]	怕的是一听到伯劳鸟的叫声，
使夫百草为之不芳。	一切的花和草都要为之香消。
“何琼佩之偃蹇兮，	“真是美呵，你那琼枝的环佩，
众薆然而蔽之，[155]	怎奈得人们糊涂不肯宝贵。
惟此党人之不谅兮，[156]	那批先生们完全不讲信用，
恐嫉妒而折之。”	怕会出于嫉妒要前来捣毁。”
时缤纷其变易兮，	时俗纷纷地是变幻无常呀，
又何可以淹留？	我在此又哪能够久于停留？
兰芷变而不芳兮，	幽兰和白芷都失掉了芬芳，
荃蕙化而为茅。	溪荪和蕙草都变成了菅茅。
何昔日之芳草兮，	为什么往日的这些香草，
今直为此萧艾也？	到今天直成了荒蒿野艾？
岂其有他故兮，	这难道还有甚别的理由？

莫好脩之害也。	只因为它们是不肯自爱。
余以兰为可恃兮，	我以为兰本来是万分的可靠，
羌无实而容长。[157]	谁知它名实不符而虚有其表。
委厥美以从俗兮，	抛弃了自己的美质随俗取容，
苟得列乎众芳。	它真真是辱没了一般的香草。
椒专佞以慢慆兮，[158]	椒，他专一的取媚而妄自夸大，
樧又欲充夫佩帏。[159]	本来是茱萸也妄想充实香包。
既干进而务入兮，[160]	既已经不自珍重而力求佞幸，
又何芳之能祗。	纵使还有点香又有什么可宝。
固时俗之流从兮，	时俗所喜欢的是随波逐流，
又孰能无变化？	谁又能保持得不生出变化？
览椒兰其若兹兮，	看到椒和兰都变成了这般，
又况揭车与江离。	揭车和江离更无须乎多话。

惟兹佩之可贵兮，	只有我戴的花环至可宝贵，
委厥美而历兹。	美质虽被蔑视而遭遇可悲。
芳菲菲而难亏兮，	花的芳香勃勃地难以消逝，
芬至今犹未沬。[161]	花的芳香直到今还未衰微。
和调度以自娱兮，	保持着冲和的态度以自欢娱，
聊浮游而求女。	我姑且向四处漂流寻求美女。
及余饰之方壮兮，	要趁着我这环佩还很有馥香，
周流观乎上下。	我要四处去寻求呵上天下地。
灵氛既告余以吉占兮，	灵氛已把协吉的占辞向我告诉，
历吉日乎吾将行。[162]	选定了好的期日我要走向远方。
折琼枝以为羞兮，	折来琼树的嫩枝呵做我的路菜，
精琼爢以为粻。[163]	磨来美玉的细屑呵做我的干粮。
为余驾飞龙兮，	为我驾上神速的八尺高的龙马，

杂瑶象以为车。[164]	以琼瑶和象齿装饰着我的乘舆。
何离心之可同兮？	离心离德的人们哪有方法同流？
吾将远逝以自疏。	我要漂泊到远方去离群而索居。
邅吾道夫昆仑兮，[165]	我且把我的路径转向着昆仑，
路脩远以周流。	离别了故乡去作天涯的羁旅。
扬云霓之晻蔼兮，[166]	高标着云霓的旗帜映日生辉，
鸣玉鸾之啾啾。	摇动着玉制的鸾铃和音钦其。
朝发轫于天津兮，	我清早打从天汉的渡口起身，
夕余至乎西极。	我晚间便达到了西方的边极。
凤皇翼其承旂兮，	凤凰飞来缤纷地绕我的旌旗，
高翱翔之翼翼。[167]	都高高地翱翔着而威仪翼翼。
忽吾行此流沙兮，[168]	我忽然间走到了西极的流沙，
遵赤水而容与。[169]	沿着这赤水河边我纡徐徙倚。

麾蛟龙使梁津兮，	我麾使着蛟龙为我架道桥梁，
诏西皇使涉予。[170]	招呼着白帝快把我渡过河去。
路修远以多艰兮，	道路既长远而又十分崎岖，
腾众车使径待。[171]	我只好叫从车们路旁等待。
路不周以左转兮，[172]	路绕着不周山再向左而转，
指西海以为期。[173]	不走到西海边我决不回来。
屯余车其千乘兮，	我的车从聚集着有一千多乘，
齐玉轪而并驰。[174]	品齐着玉制的轮子并辔而驰。
驾八龙之婉婉兮，[175]	各驾着八头的骏马跻跻如龙，
载云旗之委蛇。[176]	载着有云彩的旗帜随风委移。
抑志而弭节兮，	我自己按抑着壮志，弭辔徐行，
神高驰之邈邈。	让超迈的精神在清虚中驰骋。
奏《九歌》而舞《韶》兮，[177]	演奏着夏启的《九歌》，舞着《九韶》，

聊假日以媮乐。[178]	暂时地借着辰光以举行余兴。
陟升皇之赫戏兮,[179]	在皇天的光耀中升腾着的时候,
忽临睨夫旧乡。[180]	忽然间又看见了下界的故丘。
仆夫悲余马怀兮,	我的御者生悲,马也开始恋栈,
蜷局顾而不行。[181]	只是低头回顾,不肯再往前走。
乱曰:	(尾声)
已矣哉!	算了吧!
国无人莫我知兮,	国里没有人,没有人把我理解,
又何怀乎故都?	我又何必一定要思念着乡关?
既莫足与为美政兮,	理想的政治既没有人可以协商,
吾将从彭咸之所居!	我要死了去依就殷代的彭咸。

(郭沫若 译)

注释

①高阳:古帝颛顼的称号。相传楚君为颛顼的后代。屈原的祖先屈瑕是楚武王熊通的儿子,受封于屈邑,因以屈为氏。故作者追本溯源,以高阳后裔自命。②朕:我。秦始皇以前人所通用的第一人称代词。皇:大。考:对亡父的尊

称。③摄提:即“摄提格”,古代纪年术语,相当于寅年。贞:正。孟陬(zōu):夏历正月,即寅月。④庚寅:庚寅日。降:降生。以上两句自叙生于寅年寅月寅日。⑤皇:皇考。览:观察。揆:估量。初度:初生的情形。⑥肇:始。锡:赐。⑦纷:盛多貌。《楚辞》句例,常以一字或三字的状语置于句首。⑧重(cóng):加上。脩能:美好的容态。一说优秀的才能。⑨扈:披。江离:香草,又名蘼芜。辟:僻。芷:香草,即白芷。⑩汩(yù):水流迅疾貌。⑪搴(qiān):拔取。阰(pí):山坡。⑫宿莽:冬生不枯的草。⑬淹:久留。⑭惟:想。⑮抚:持。壮:壮年。秽:恶行。⑯度:行为准则。⑰来:呼告之辞。道:导。⑱三后:古代的三位贤君。一说指禹、汤、文王;一说指楚先君熊绎、若敖、蚡冒。⑲众芳:喻指贤臣。总揽以下申椒、菌桂、蕙、茝等香物。⑳耿介:光明正大。㉑猖披:猖狂放肆。㉒党人:结党营私者,指怀王周围的一群小人。㉓皇舆:君王的车乘,喻指国家。㉔踵武:足迹。㉕荃(quán):香草,石菖蒲,喻君王。㉖齌(jì)怒:暴怒。㉗謇(jiǎn)謇:忠直进言貌。㉘正:证。灵脩:指楚王。一本此句下有“曰黄昏以为期兮,羌中道而改路”两句,乃《九章·抽思》相似文句窜入,依洪兴祖《楚辞补注》校删。㉙难:为难。㉚数(shuò)化:屡次变化。㉛滋:种植。畹(wǎn):土地面积单位,大于亩。㉜畦(qí):按垄种植。留夷、揭车,与下句的杜衡、芳芷皆香草名,以喻各种人才。㉝刈(yì):收割,收获。㉞萎绝:枯萎零落。㉟芜秽:荒秽堕落。㊱竞进:争相钻营。㊲凭:满,楚地方言。㊳羌:发语词。㊴驰骛(wù):狂奔乱跑。㊵冉冉:渐渐。㊶脩名:美名。㊷信:确实。姱:美好。练要:精诚专一。㊸顑颔(kǎn hàn):面黄肌瘦貌。㊹薜荔:蔓生香木。㊺矫:举。索:编绳。纚(xǐ)纚:相连属貌。㊻謇:发语词。前脩:前贤。㊼服:指前文之服食,服饰。㊽不周:不合。㊾彭咸:据王逸说是殷代贤臣,谏君不听,投水而死。㊿太息:叹息。掩涕:掩泣。51鞿(jī)羁:缰绳与络头,喻约束。52谇(suì):责骂。替:废弃。(郭译系意译。)53纕(xiāng):佩带。54浩荡:糊涂。55众女:指众小人。56诼(zhuó):诬谤。57偭(miǎn):违背。错:措,措施。58周容:苟合取容。59忳(tún):忧貌。郁邑:郁抑。侘傺(chà chì):失意貌,楚地方言。60溘(kè):忽然。61攘(rǎng):取。62相:观看。察:明。63延伫:长久站立。反:返。64皋:近水高地。65离:罹,遭。66岌岌:高耸貌。67陆离:曼长貌。68泽:污垢。69四荒:四方边际。70菲菲:芳气很盛貌。章:彰。71体解:肢解,一种酷刑。72惩:惩戒,制止。73女媭(xū):旧说为屈原之姊。郭沫若疑为屈原侍女。婵媛(chán yuán):牵持不舍貌。一说恳急而喘息貌。74申申:反复地。詈(lì):骂,责。75鲧(gǔn):禹之父,《史记·夏本纪》载尧使鲧治水,九年不成,被舜放逐羽山而死。下句本此。76薋(cí):草多貌。菉葹(lù shī):两种恶草,喻谗佞小人。77判:与众不同。78茕(qióng)独:孤独。79节中:折中。80凭:愤懑。历兹:至此。81重华:舜名。82启:禹之子。九辩、九歌:乐章名,传说是启从上帝处窃取。

⑧③五子：即武观，启之子（一说启之弟）。失：衍文当删。家巷：内讧。⑧④羿（yì）：后羿，夏代有穷国君。佚畋（tián）：放纵打猎。⑧⑤封狐：大狐。⑧⑥浞（zhuó）：寒浞，羿之相，他指使羿的家臣逢蒙杀羿。⑧⑦浇：过浇，浞之子，为少康所杀。强圉（yù）：强御。⑧⑧颠陨：坠落。⑧⑨遂焉：终于。⑨⓪后辛：即殷纣王。菹醢（zū hǎi）：剁成肉酱，一种酷刑。⑨①俨：小心。祗（zhī）：敬。⑨②私阿：偏袒。⑨③用：享。⑨④计极：根本打算。⑨⑤阽（diàn）：临近危难。⑨⑥凿：安榫的孔。枘（ruì）：榫头。⑨⑦曾：增。歔欷：哀泣声。⑨⑧茹：柔软。⑨⑨敷：铺。衽：衣的前襟。⑩⓪中正：指正道。⑩①虬（qiú）：龙属。鹥（yī）：凤属。⑩②轫（rèn）：制动车轮的木块。发轫：即出发。苍梧：九嶷山，舜葬身地。⑩③县圃：悬圃，神话传说地名，在昆仑山上。⑩④琐（suǒ）：门上花纹。灵琐：犹言仙府。⑩⑤羲和：神话中太阳的御者。弭节：停车。⑩⑥崦嵫（yān zī）：神话中太阳归宿的山。⑩⑦咸池：神话中太阳沐浴的天池。⑩⑧总：拴。扶桑：神话中东方日出处的树名。⑩⑨若木：神话中西方树名。⑪⓪相羊：徜徉。⑪①望舒：神话中的月御。⑪②飞廉：风神。⑪③先戒：先行为戒备。⑪④屯：聚。离：罹，逢。⑪⑤纷总总：纷然杂聚貌。⑪⑥阍：守门者。关：门栓。⑪⑦阊阖：天门。⑪⑧溷（hùn）浊：混浊。⑪⑨白水：神话中发源于昆仑的水名。⑫⓪阆（làng）：神话中山名，在昆仑山。緤（xiè）马：系马。⑫①春宫：神话中东方青帝之宫。⑫②诒：贻。⑫③丰隆：云神。⑫④宓（fú）妃：洛神，传说为伏羲之女。⑫⑤蹇脩：旧说伏羲之臣。理：提亲的使臣。⑫⑥纬繣（wěi huà）：乖戾。难迁：难以迁就。⑫⑦穷石：神话中山名。⑫⑧洧（wěi）盘：神话中水名。⑫⑨厥：其。⑬⓪周流：遍行。⑬①偃蹇：高貌。⑬②有娀（sōng）：古代国名。佚女：美女。传说有娀氏美女简狄，为帝喾（kù）妃，生契，为商朝始祖。⑬③高辛：帝喾称号。传说他以凤凰（玄鸟）为媒，求得简狄。⑬④少康：夏代中兴之主，曾流亡有虞国，娶了国君的两个女儿，即下文“有虞之二姚”。⑬⑤导言：撮合之言。⑬⑥藑（qióng）茅：占卜用的茅草。筳篿（zhuān）：占卦用的竹片。⑬⑦灵氛：古代善卜的人。⑬⑧眩曜：惑乱貌。⑬⑨艾：恶草名，即白蒿。要：腰。⑭⓪珵（chéng）：美玉。⑭①苏：取。帏（wéi）：香囊。⑭②巫咸：古代神巫。⑭③糈（xǔ）：精米。要（yāo）：迎。⑭④翳（yì）：遮蔽。⑭⑤皇剡（yǎn）剡：大放光芒貌。⑭⑥挚（zhì）：伊尹，商汤之贤相。咎繇：皋陶，禹之贤臣。⑭⑦说：傅说，殷朝武丁时贤相。傅岩：地名。⑭⑧武丁：殷高宗名。⑭⑨吕望：姜尚。⑮⓪甯戚：春秋时贤士。⑮①该辅：备为辅佐。⑮②晏：晚。⑮③央：尽。⑮④鹈鴂（tí jué）：杜鹃，鸣于春暮。一说伯劳。⑮⑤薆（ài）：掩蔽。⑮⑥谅：诚信。⑮⑦容长：外表美好。⑮⑧慢慆（tāo）：傲慢。⑮⑨榝（shā）：恶草名，茱萸类。⑯⓪干进、务入：指钻营求进。⑯①沬：消散。⑯②历：选择。⑯③靡（mí）：粉末。粻（zhāng）：粮。⑯④瑶象：美玉象牙。⑯⑤邅（zhān）：转。⑯⑥晻（yǎn）蔼：暗冥貌。（郭译反训。）⑯⑦翼翼：整齐貌。⑯⑧流沙：神话中西方沙漠。⑯⑨赤水：神话中发源于昆仑的水名。容与：从容不迫貌。⑰⓪西皇：西方之神。⑰①腾：越。⑰②不周：神话中山名，在昆仑西北。⑰③西海：神话中西方之海。

⑰轪(dài):车轮。⑰婉婉:蜿蜒。⑰委蛇:逶迤,招展貌。⑰韶:《九韶》,虞舜时乐舞。⑰媮:同“愉”。⑰陟(zhì):升。皇:皇天。赫戏:光明貌。⑱睨(nì):旁视。⑱蜷局:蜷缩。

鉴赏

“正声何微茫,哀怨起骚人。”(李白《古风》)当诗三百篇为周代无名诗人作了光辉总结,一时风雅寝声之后,终于在战国风云和楚文化的背景之上,产生了我国诗史上第一个伟大作家和皇皇巨著。“不有屈原,岂见《离骚》!”(刘勰《文心雕龙·辨骚》)后世称楚辞为骚体,谓诗家为骚人,魏晋时有人倡言“但饮酒,熟读《离骚》,便足称名士!”(《世说新语》)屈原《离骚》在文学史上的卓著地位,于此可见一斑。但离骚之谜却不少,有的至今众说纷纭,尚待解决。首先是“离骚”的名义,司马迁说是“离忧”(《山鬼》即有“思公子兮徒离忧”),班固解为罹忧,王逸解为别愁,大致上相近。近人有提出“离骚”可能是楚歌名即《大招》所谓“劳商”,其意为“牢骚”,也曾得到不少专家的同意。此外的异说还不少。其次是写作年代,司马迁《报任安书》说“屈原放逐,乃赋离骚”,汉人无异辞,但《史记·屈原贾生列传》又系于“(怀)王怒而疏屈平”之后。于是今人或认为作于见疏怀王时,或认为作于见放顷襄王时。有一种意见则认为屈原实际是两次被放,《离骚》当作于初放于怀王之后,似较能弥合旧说;同时要写出如此充实光辉的巨著,也确须兼有在政治生涯中经历了大的波折和在精神与体魄上有相当的余裕这样两个条件。

《离骚》与屈原政治生涯、战国时代风云密切相关,故全诗有极现实的思想内容和生活内容。但由于历史和艺术的原因,诗中又运用了大量超现实的语言意象、创作手法,把历史与神话、真实与想象奇特地糅合为一。它是如此华藻要妙,波谲云诡;如此精彩绝艳,炫惑眼目!以至读者只有紧紧把握住它的语义意象,历史内容及象征意蕴诸多层面构成的审美结构关系,方能深入诗的意境而做到心领神会、心荡神驰。

《离骚》既是一篇政治抒情诗,又是一部伟大心灵的悲剧。它的篇章结构,有两分的,也有三分的。本文取后一种划分,即将长诗看作由“述怀”“追求”“幻灭”三大部分组成的三部曲式的悲剧。在这诗剧的舞台上,自始至终活跃着一个英雄主角,那是诗人伟大人格的化身,全诗除了女媭、灵氛、巫咸几个人物的对话,几乎全由这个主人公的活动与内心独白构成。

从篇首到“岂余心之可惩”，是全诗的第一部分。诗篇一开始就着意树立抒情主人公的高大形象，即诗人自我形象。不平凡的家世、不平凡的生日、不平凡的命名，给这个形象涂抹上了重重的三笔灵光。高阳苗裔，从寻根意义上点明了其与楚国不可分割的联系；摄提岁星曾附着于帝舜重华（《史记·天官书》“岁星一曰摄提，曰重华”），孟陬即正月的得名与日月交会有关（《尔雅》郝疏），庚寅日乃楚先祖吴回“居火正，为祝融”的日子（《史记·楚世家》），为楚俗所重。综此数义，则诗之主人公的诞生便擅天地之美，得人道之正，怀爱国之忧，所以他的名字也不同凡响。“正则”“灵均”不仅隐括了屈原（名平）本名，还寓有诗人一贯标榜，象征着他的政治理想（即“美政”，这个观念是孔孟“仁政”“王政”与战国变法之风结合的产物，兼有民本思想与法治观念）的“中正”“法度”“好脩”等涵义。主人公出台的庄重亮相，不仅与《离骚》的重大主题相称（后来杜甫《北征》“皇帝二载秋，闰八月初吉。杜子将北征，苍茫问家室”的开篇庄严似之），而且有助于读者从开始就建立崇高纯正的悲剧意识，同时，也使后文那指点江山、叱咤风云式的展开有所因依。紧接着便是他自叙政治修养、远大抱负和坎坷遭遇，却并非以写实手法作平铺直叙，而是用成套的象征手法作艺术概括。约而言之，《离骚》的象征序列为：社会现象多象以自然（香草恶禽），政治关系多象以爱情（美人佚女），历史内容多象以神话（天地神祇），而在抒情之际又常露诗人本相。如这一部分中，就用了搴览、采集、佩服、种植、扶持、怜惜香花芳草，忠实、担忧灵脩美人，对诗人生平遭际，政治上的努力与挫败，作了系列的象征，艺术的反映。这一大段的欣赏离不开知人论世。

盖战国之际，大一统已成为历史发展之趋势，列国中最有资格担当此大任者莫过于秦、楚，所谓“横则秦帝，从（纵）则楚王”（刘向《战国策》）。具有德政（美政）思想同时为爱国者的屈原，决不愿看到秦以刑政统一天下。正因为是处于危急存亡之秋，所以在以天下为己任的诗人笔下，才有如此使命感、紧迫感和危机感。诗中四言“恐”字，无非忧先天下之意。“汩余若将不及兮，恐年岁之不吾与”“惟草木之零落兮，恐美人之迟暮”“老冉冉其将至兮，恐脩名之不立”，他惟恐虚度年华，白首无成，遂朝于斯、夕于斯，深自勖勉：“朝搴阰之木兰兮，夕揽洲之宿莽”“朝饮木兰之坠露兮，夕餐秋菊之落英”。这不仅是一种情操与修养；揆之史实，则有“博闻强志，明于治乱，娴于辞令，入则与（怀）王图议国事，以出号令；出则接遇宾客，应对诸侯，王甚任之”（《史记·屈原贾生列传》)。诗云:“乘骐骥以驰骋兮,来吾道夫先路”,正是“奋其智能,愿为辅弼”(李白《代寿山答孟少府移文书》),充满自信,非徒作大言。他的政治憧憬是,致祇敬之君,尚任贤之政:“昔三后之纯粹兮,固众芳之所在”“彼尧舜之耿介兮,既遵道而得路”(后文则有“汤禹俨而祇敬兮,周论道而莫差。举贤而授能兮,循绳墨而不颇”)。然而在实施中却遇到了巨大的几乎难以逾越的障碍。阻力来自怀王周围的野心家和政治上的亲秦派,这就是《史记》所载:上官大夫与其同列而心害其能,因谗之,怀王怒而疏屈平;《新序》所载:屈原为楚东使于齐以结强党,秦患之,使张仪之楚,赂上官大夫靳尚、令尹子兰、司马子椒、夫人郑袖,共谮屈原等史实所显露的,这里既有权力之争,又有路线之争。怀王的态度举足轻重,动关成败。诗人不禁意激言质,借古讽今,他大骂桀纣猖披、捷径窘步,矛头实指向上述党人媚秦偷安的幽昧险隘之路;他恳切地剖白道“岂余身之惮殃兮,恐皇舆之败绩!”无异是对怀王的当头棒喝。但怀王并没有清醒,“荃不察余之中情兮,反信谗而齌怒”,“余既不难夫离别兮,伤灵脩之数化”,怀王的一边倒,使屈原在政治上陷于绝对孤立(“吾独穷困乎此时也”),其革新图强的主张无从实现(“謇朝谇而夕替”)。所谓“灵脩数化”对应着如下史实:怀王十六年受骗于张仪,绝齐,复败于秦,外交上处于孤立无援的境地;怀王悔,复派屈原入齐,张仪时至,怀王欲杀之,复信郑袖、靳尚之言释仪;二十年与齐复交;二十四年又绝齐合秦;二十六年齐韩魏共伐楚;二十七年楚太子杀秦大夫,楚秦绝交,尔后连遭列国围攻,外交内政陷于困境。怀王之初成后改,出尔反尔,可见一斑。

屈原曾为三闾大夫,职掌教育贵族子弟(三闾系楚宗室昭、屈、景三姓聚居之所)。诗云滋兰九畹,树蕙百亩,畦种夷车,间杂衡芷,均以树木喻树人。他辛勤培植人才,以济时用(“愿俟时乎吾将刈”)。但在遭到政治打击迫害之后,必有受累者,亦必有变节者,诗于“众芳”既伤萎绝,尤哀芜秽,当有所指。忠良遭殃,奸邪当道,贪婪竞进,求索无厌,恕己量人,兴心嫉妒,正是“举世皆浊我独清,众人皆醉我独醒”(《渔父》)。随俗则存,矢志则亡。诗人何尝没有清醒地意识到这一点,无奈他独立不迁,禀性难移:“鸷鸟之不群兮,自前世而固然”“余固知謇謇之为患兮,忍而不能舍也”“苟余情其信姱以练要兮,长顑颔亦何伤”“虽不周于今之人兮,愿依彭咸之遗则”“亦余心之所善兮,虽九死其犹未悔”“宁溘死以流亡兮,余不忍为此态也”“虽体解吾犹未变兮,岂余心之可惩”,一篇之中,何啻三复斯言!对他来说,屈心抑志是窝囊的,清白死直倒反而痛快。他在政治上取法前脩,踵武前王,却缺乏后盾与同道:“灵脩”不察,“众女”见嫉,而“时俗”工巧,周容为度。苦恋着楚国,而不能见容于楚国(“何方圜之能周兮,夫孰异道而相安”),这就是屈原的悲剧!

爱与恨交织,忠与怨为仇,在诗人内心起了巨大冲突。从此,悔与未悔、远逝而终不行、寻求解脱而不得解脱,这些矛盾,将构成诗情的主旋律。“悔相道之不察兮,延伫乎吾将反。回朕车以复路兮,及行迷之未远”,他确乎产生过逃避与解脱的倾向,后来陶渊明“实迷途其未远,觉今是而昨非”的名句,就是由此出的。逃避意向之一,向内、向江湖(兰皋椒丘):“进不入以离尤兮,退将复脩吾初服。”诗人想回到未仕前自我修养亦即独善的境地。若为“制芰荷以为衣,集芙蓉以为裳”下一注脚,便是宋人《爱莲说》的“出淤泥而不染,濯清涟而不妖”,在芳泽杂糅之际,于昭质未亏,全是孤芳自赏之意。但屈非陶,根本之点就在于他满腔热血,静穆不来。于是便有逃避意向之二,向外、向他方:“忽反顾以游目兮,将往观乎四荒”,然而这“四荒”实在是个含糊之辞,模糊概念。诗人实在不忍心对自己说,那是一个什么别的国家(比方说齐国)。屈非孔孟(更非朝秦暮楚之士),根本之点就在于他是凝聚力甚强的楚文化哺育出来的爱国者。这决定了他所说的“四荒”,只能是一个超现实的乌托邦(不是楚国,不是列国)。所谓“往观”,也只能是其有所作为的人生观之主观的探求实现的方式。

至此,《离骚》主人公道完他那缠绵悱恻而又波澜起伏的开场白,终于正式登上他那具有政治象征意义的“车马”(“回朕车”“步余马”),即将开始他那为千古瞩目的“长征”。

从“女嬃之婵媛兮”至“余焉能忍与此终古”为第二部分。这里诗人一变单纯的内心独白的写法,开始引入一些次要角色和情节性内容,首先是女嬃及其忠告。女嬃是一个亲爱者兼旁观者的形象,她以亲爱者特有的恺切,和旁观者特有的清醒,对苦恼的主人公作了一番开导。她以鲧的刚直杀身为不可取,要求他稍自贬抑以和光同尘,即《渔父》所谓“圣人不凝滞于物而能与世推移。世人皆浊,何不淈其泥而扬其波?众人皆醉,何不餔其糟而歠其酾?”并埋怨他太倔强而不听话。这段对话写来颇传“申申詈予”之神,它既是那样真恳、贴心,又是那样龃龉、隔膜。纵有手足相关之情,终难同气同声。对于亲人的劝责,诗人只能以沉默相回避。他须得另觅知音,倾诉衷肠。于是有远济沅湘,南下苍梧,向他星命上的远祖,九嶷山的大神即舜帝重华,敷衽陈辞。这一节大量征引历代兴亡盛衰的史实,并得出教训,再次直露诗人的政治身份与用世热情。前事不远,他连举五个反面教员(启、羿、浇、桀、纣)与前王(汤、禹、文王)作了一番对照,指出"皇天无私阿兮,览民德焉错辅。夫维圣哲以茂行兮,苟得用此下土""夫孰非义而可用兮,孰非善而可服?"这里特别值得注意的,是诗人提到历史上知其不可而为之的殉道者("不量凿而正枘兮,固前修以菹醢"),引为同志,一发同情。悲怆激动之下,不禁洒下了他那不曾轻弹的眼泪。然而,即使"重华不可遌兮"(《怀沙》),通过这番陈辞也使诗人暂时求得了心理上的平衡("耿吾既得此中正"),他决心通过求索追寻自己的理想,以生命去殉自己的事业。从此,诗人在浪漫想象的境界中,开始了他那"气往轹古"的三次飞行。

第一次飞行就从舜灵所在的苍梧出发:"朝发轫于苍梧兮,夕余至乎县圃",其目的是要由昆仑神山之悬圃,登上天庭,谒见天帝(一说求天宫之玉女)。从苍梧到悬圃,是一整日的飞行,诗人想在此"灵琐"小憩,无奈日色已暮。他不禁吁请羲和弭节,欲留驻飞光。此时离目的尚遥,然而诗人却表达了"路曼曼其修远兮,吾将上下而求索"这一矢志不渝追求真理的信念。以下四句从饮马咸池,总辔扶桑,到西折若木,拂拭落日,又暗示了一日的飞程。(按,关于《离骚》飞行的时日,向有不同理解,此取一说。)此时诗人打算昼夜兼程,朝夕相争,于是吁请月御、风伯等为其作好夜间遨游的准备,但雷师作梗,几误公事。(这里显然有地上的影子。)诗人排除了这一障碍,令凤鸟飞腾,夜以继日,终于在云霞出海之清晨,到达了帝居天门(阊阖):"飘风屯其相离兮,帅云霓而来御。"在天国的门前,由于帝阍阻挠,使他吃了闭门羹。(这里显然又有地上的影子。)郭沫若说:"在当时,天(上帝)的权威,本来是发生了动摇的,北方的诗人也早有'视天梦梦'的话,但难得屈原把这种怀疑思想幽默地形象化了。"诗人结兰延伫,直到黄昏("时暧暧其将罢兮"),白白浪费了一天的光阴。第一次飞行的失败,使诗情从幻想回到现实的感喟:"世溷浊而不分兮,好蔽美而嫉妒。"

第二次飞行仍严格地以朝夕字样为标识:"朝吾将济于白水兮,登阆风而緤马。忽反顾以流涕兮,哀高丘之无女。"高丘,郭译为天国。闻一多则认为系指楚地高唐之丘,在巫山旁。高唐神女乃楚民族远祖的化身。高丘无女即指高唐无神女,其寓意为楚国当局不得其人。刘向《九叹·逢纷》"声哀哀而怀高丘兮,心愁愁而思旧邦",正是"反顾流涕"二句的注脚。弄清这一点,则第二次飞行"求女"的寓意可知。"及荣华之未落兮,相下女之可诒","下女"指下界美女,相对于天神而言。其一是宓妃,这个寓言式人物,性行暧昧乖戾,据说与羿通淫("穷石"为羿居),美而无礼,并非理想的对象。"夕归次于穷石兮,朝濯发乎洧盘",济白水后,为了解宓妃,似乎又有一日之迁延,其中包含求其所处、托媒蹇脩等活动内容。宓妃令人失望,诗人却并不气馁,他仍周游天宇,相观四极,访求不懈。先后属意于有娀之简狄,有虞之二姚,然而不是因为小人之飞短流长,便是因为理弱媒拙、导言不固,而没有下文。诗人"欲远集而无所止兮,聊浮游以逍遥",不免产生一种失落与无聊之感,再一次从幻想回到现实感喟:"世溷浊而嫉贤兮,好蔽美而称恶!"

这一部分的两次飞行,造境虽幻,结语却极现实。诗人在幻境中言路不通、障碍横生、四面碰壁的情形,实际上是他"以道诱掖楚之君臣卒不能悟"(张惠言语)的现实在梦里的投影。言在"闺中邃远",而意归"哲王不寤",正是"其称文小而其指极大,举类迩而见义远"。阅读此等文字,是需要"梦的解析"的方法的。

从"索藑茅以筳篿兮"至篇末,是诗的第三部分。两度的失败或落空,使诗人产生绝大迷惘,在继续探求出路,作新的飞行前,他需要求助于卜巫,他期待预言家的指示。在想象中,先后请教于灵氛和巫咸。灵氛占得的卜辞看来是很有希望("吉占"):九州博大,两美必合。他的解释更为明确:"何所独无芳草兮,尔何怀乎故宇?"前途是有的,但不在政治上一团糟的楚国("故宇");芳草在天涯招手,应当速决去就。灵氛这一形象产生有其历史背景:盖先秦志士,多有不择国而仕的倾向,屈原同时的孟子、荀子均其显例,屈原从事过外交活动,在列国中有一定影响。当他在楚国遭受政治迫害,理想破灭之际,生出去留的一闪念(即《抽思》所谓"愿摇起而横奔")是在所难免的。但当灵氛点明此意时,他却反而犹豫狐疑了。他须再请高明,裁定主意。巫咸夕降,便是诗人内心矛盾冲突的形象化产物。从百神备降,九疑并迎的排场看,巫咸自然是更有权威。巫咸所告的"吉故",与灵氛"吉占"几乎不谋而合,而且更具体而有说服力。他列举了古史上五对君臣遇合的著例(汤与伊尹,禹与皋陶,武丁与傅说,文王与吕望,齐桓与甯戚),论证了两美必合,不必恋旧。劝他趁年岁未晏,不但要走,而且要快;否则鹈鴂先鸣,时乎不再。灵氛巫咸的诛心之言,勾起诗人的悲痛,不禁对楚国现实重加思量,对结党营私、祸国殃民者("党人""椒兰"),变节从俗、偷合取容者("茅""萧艾")痛加斥责,并且毫不掩饰地肯定赞美自我。这些"责数怀王,怨恶椒兰""露才扬己"的诗句,曾令后儒莫名惊诧,却恰恰最能体现《离骚》富于批判锋芒的“哀怨”特色。楚国现实既然如此不堪闻问,“又何可以淹留?”诗人即将开始他最后的遨游。

如果说上部分曾有的两次飞行,均受阻于外力,终至失败的话;那么这第三次经预言家肯定为吉祥的飞行,则由于内因,最后半途而废,未能实行。但这次朝发天津、夕至西极的行程是修远多艰的,付出的努力极大,场面也空前热烈:车马喧阗、凤凰承旗、蛟龙梁津、玉轪并驰、载歌载舞。这次行程的方向是西方。这一定向不是偶然的,有两种说法值得参考。一说认为中华民族出自西北高原,故远古神话传说集中在以昆仑为中心的西方和西北。而楚国是保存远古文化最完全的国家,以昆仑西海为其发祥地,故《离骚》最后的西行,潜在有寻根的情愫。一说则认为当时列国,政治昏乱无异荆楚,唯秦奋发图强,收纳列国之士,士欲在政治上有所建树舍此莫归,故此次飞行所过山川,悉表西路。(李光地《离骚经注》)而这一价值取向,对屈原来说又是最违心的,最多只能是潜意识中的一闪念,是其内心深刻矛盾的梦的显现。正因为这样,所以当其西行左转,胜境在即的时候。他自己忽又恋眷旧乡,改变主意,对先时取向作了坚决否定。这出乎意料,又合其初衷。“仆夫悲余马怀兮,蜷局顾而不行。”这样,对诗人来说离开楚国寻求发展的任何意向都是“此路不通”,而在楚国又没有“足以为美政”的可能,于是在全诗的尾声中,他宣告了理想彻底的幻灭并准备用生命去殉自己的理想。“悲剧将人生的有价值的东西撕毁给人看”(鲁迅《再论雷峰塔的倒掉》),《离骚》正是如此。

《离骚》有如一部大型交响乐,它的情感内容丰富、复杂、矛盾而又统一。其中最突出的情调是深切的乡土之爱,及植根其上的爱国主义激情。诗人被楚国(楚王)遗弃,然而“落红不是无情物”,他本人却无法离弃他的故土。所以有人认为抒情主人公人格结构的核心就是对祖国的苦恋。这在士无祖国的战国时代,是一个奇特的例子,而对后世的民族志士则成为一个楷模。他的出现不是一种偶然现象,而是楚国历史文化传统的产物,只需提到“楚虽三户,亡秦必楚”那一口号显示的楚民族的向心力,便可略知那一文化传统具有何等强大的凝聚作用。当然,仅仅看到《离骚》中的爱国主义激情,还是不够的,还须看到主人公的爱国主义情感与一种伟大的政治理想是统一的。他的誓死不仅是殉国,也是殉情(即殉自己的理想)。诚如郭老指出的:屈原也是主张大一统的人,他所怀抱的是儒家思想的大一统,想以德政让楚国完成统一,而反对秦国以刑政征服天下。所以他眷爱楚国又不纯因它是父母之邦,更不因自己是楚国的公族而迷恋着"旧时代的魂"(《屈原研究》)。故《离骚》中最后毁灭的不仅是一个爱国者的屈原,同时也是一个理想家的屈原。

"屈平辞赋悬日月,楚王台榭空山丘。"(李白《江上吟》)《离骚》流芳千古,引起世世代代读者的激情和共鸣,其奥妙又并不在诗中反映的历史内容,而在于作品深层结构中生生不息、历久弥新的象征意蕴。它的审美教育作用远大于认识功能。诗中诚然隐括了诗人的生平遭际,然而主要表现的是他的心路历程。在诗中并未出现人们称为"史实"的东西(古史传说除外),更常见的作法是:诗人将自己特有的政治哀痛,与宇宙人生、社会历史中恒有的悲剧性现象的普遍感喟结合在一起,从情感上超越一己而勾通了上下古今(所谓"气往轹古,辞来切今")。有人认为可以把《离骚》看成是历史性悲剧人物的人性、人情的一次比较全面、综合的再现,是很中肯的。单就这个方面的象征意蕴而言,便有不可穷尽性。诗中主人公那独立不迁、举世无朋的伟大孤独者(《远游》所谓"往者余弗及兮,来者吾不闻")形象,就在后代不少高蹈者、先驱者,如阮籍("去者余不及,来者吾不留")、陈子昂("前不见古人,后不见来者")以及鲁迅("两间余一卒,荷戟独彷徨")的心中激起过同情。(有人说"望崦嵫而勿迫,恐鹈鴂之先鸣"的集句联颇能概括鲁迅精神,此二语俱出《离骚》。)在任何时代,那些坚持真理、不容当世的少数派,忠而见疑、婞直杀身的殉道者,以及为数甚多的不合时宜、生不逢辰的失意之士,都或多或少能从《离骚》找到共同语言和精神安慰。《离骚》在伦理、道德、精神、情操上,对中华民族曾经起过,而且仍将发挥巨大的陶冶作用。

《离骚》是一篇由称得上民族之魂的伟大诗人用整个生命谱写的诗章,这正是为一般意义上的名篇佳作所不可比拟的。在诗歌艺术领域,它也有着前无古人的开创性,和极独特的风貌。首先表现在体制的宏伟。这是由作品的重大主题与诗人深沉的思想情怀所决定的,如此博大的内容,非有地负海涵的艺术载体无以包容。《离骚》便成功地创造了这样一个载体。全诗几乎每一大部分都可分若干小节,每小节还可细分若干层次,显得思绪曲折,文澜往复,规模宏大,气势磅礴,有如宇宙一样寥廓。它较《诗经》中长篇诗作已有飞跃的演进,为后来铺张扬厉的辞赋首开先河。"轩翥诗人之后,奋飞辞家之前"(刘勰《文心雕龙》)正点明了《离骚》在文体史上的承先启后的作用。诗歌固然不以长短定妍媸,但也从来是"千军易得,一将难求"。翡翠兰苕式的佳作,比比皆是,增一篇不多,减一篇不少;而掣鲸碧海式的巨著,希代之制,则往往成为伟大文学时代的不朽丰碑。《离骚》便是这样的经典作品。其次，全诗有一个结构规模空前宏伟的意象系统。按其层次，《离骚》中的意象可分三群：自然意象群（花草禽鸟），社会意象群（古今人事），神话意象群（神话传说），彼此又互相对应，可谓“六合之大，万类之广，耳目之所览睹，上极苍苍，下极林林”（黄汝亨语）。意象的取用不竭使诗在表现上极为灵活自由，凡涉叙事性内容，大都能抛开笨重的现实，而象以幻境；而涉及抒情议论，则又无妨诗人直露本相，现身说法。诗人的自我形象亦在这意象三界中自由出入，“恍惚杳茫，变化无端”（赵南星语），有时幻化为蛾眉见嫉的修洁美女，更多的时候则显现为高冠长剑的伟岸丈夫，笔端自由，几乎到了随心所欲的地步。而这种随心所欲，又与其形象思维的缜密、雄浑高度统一。《离骚》的伟辞自铸，绝非一般意义上的（即单纯的）比兴象征手法所能概括。王逸说“《离骚》之文，依诗取兴，引类譬喻”（《离骚序》），仅道出部分事实。只要稍加比较，便不难看出在比兴手法上，骚于诗不仅有所继承，尤有发展。如《雅》诗中孟子、家父们的政治讽喻诗，性质已近于骚，但表现手法基本上是内心直白式的，比兴手法只在局部上起作用。而在《离骚》中，比兴象征意象已发展成结构庞大而严密的形象思维系统，在诗歌意境的全局上发生作用。这也是一大创举。再次，与诗人的感情洪流奔突跌宕相应，《离骚》一反《诗经》用重章叠句取得唱叹之致的较简朴的作法，而将跌宕的情感融化在一种既澎湃汹涌又回旋往复的抒情节奏中。某些执著的情绪在类似的句组中反复出现，如好修、怨悔、怀古、伤今，“弃置而复依恋，无可忍而又不忍；欲去还留，难留而亦不易去”（钱钟书语），反复加深着读者的印象，既悱恻缠绵，又惊心动魄，也成为一种创调。至于诗歌语言的绚丽精彩，具体表现手法（修辞）的丰富多样，酌奇玩华，复能真实，更是历来为人津津乐道，成了一首说不完的《离骚》。《离骚》不仅以其鸿裁伟辞，卓绝一世；其影响后世，亦不亚于《风》《雅》。以汉唐论，前有枚马追风入丽，后有李杜沿波得奇，“衣被词人，非一代也”（刘勰）。总之，屈原《离骚》确乎成就了与天地比寿、与日月同光、洗空万古的第一篇长诗。

（周啸天）

九　歌

屈原

东皇太一

吉日兮辰良，①	正逢吉日时辰良，
穆将愉兮上皇。②	恭敬肃穆娱上皇。
抚长剑兮玉珥，③	手抚长剑玉为环，
璆锵鸣兮琳琅。④	佩玉声轻彩色鲜。
瑶席兮玉瑱，⑤	华贵祭席玉压边，
盍将把兮琼芳。⑥	满把香花供神前。
蕙肴蒸兮兰藉，⑦	蕙草裹肉兰做垫，
奠桂酒兮椒浆。⑧	桂酒椒浆齐敬奠。
扬枹兮拊鼓，⑨	高举鼓槌将鼓敲，
疏缓节兮安歌，⑩	拍节疏缓歌声悠。
陈竽瑟兮浩倡。⑪	竽瑟齐奏放歌喉。
灵偃蹇兮姣服，⑫	神巫起舞美服装，
芳菲菲兮满堂。⑬	香气四溢飘满堂。
五音兮繁会，⑭	众音交会动四方，
君欣欣兮乐康。⑮	上皇欣喜赐安康。

注释

①吉日:吉祥的日子。辰:时辰。辰良:即良辰,因要与下文押韵而倒置。古代以天干纪日,地支纪时(辰)。②穆:恭敬肃穆。愉:同“娱”。此即指楚俗“信鬼而好祀,其祀必使巫觋作乐,歌舞以娱神”(朱熹《楚辞集注》)。娱神,使神灵得到愉快、欢乐,以降福于人。上皇:即东皇太一,为诸神之中神位最高的神。③珥:指剑柄上端像两耳突出的饰品,即剑环之类。④璆(qiú):即璆然,形容玉石相悬击的样子。锵(qiāng):锵锵,拟声词,此指佩玉相碰撞而发出的声响。琳琅(lín láng):皆美玉名。琳,青碧色玉,班固《西都赋》:“琳珉青莹”。琅,即琅玕(gān),珠形玉。《急救篇》注:“琅玕,火齐珠也。一曰石(按古称玉为美石)似珠者也。”琳琅,在此指各种色彩鲜明和各种形状的美玉。⑤瑶:美玉。瑶席:此指珍贵华美的席垫。玉瑱(zhèn):瑱,同“镇”,用玉做的压席器物。⑥盍:同“合”,聚集在一起。琼:赤色玉。琼芳:此指赤玉般美丽的花朵。⑦蕙:香草名。肴(yáo)蒸:亦作“殽烝”,大块的肉。藉:垫底用的东西。⑧椒浆:用有香味的椒浸泡的美酒。⑨枹(fú):鼓槌。拊:敲击。⑩安歌:歌声徐缓安详。⑪陈:本有宣扬的意思。《礼记·表记》:“事君欲谏不欲陈。”这里指下述竽、瑟等乐器之声大作。倡:同“唱”。浩倡:指大声唱,歌声洪亮,气势浩荡。⑫灵:楚人称神为灵,称巫也为灵。这里指用歌舞来娱神的群巫。偃蹇:绰约的舞姿。姣服:美丽的服饰。⑬芳菲菲:香气浓郁的样子。⑭五音:指宫、商、角、徵、羽五种声调。繁会:众音汇成一片,即齐奏。⑮君:这里指东皇太一神。

鉴赏

《九歌》是屈原吸取楚地民间神话故事,并利用民间祭歌形式写成的一组风格清新优美的抒情歌曲。《东皇太一》是《九歌》的首篇。这首诗曾被疑为是整个祭神典礼中的迎神曲(见闻一多《什么是九歌》),但从本篇内容来看,它写的只是众神中的一神,被祭祀的神只是“东皇太一”,与后面各篇诸神的描写并无联系,因此迎神曲的说法,似还值得商榷。但是这篇诗确有它的特殊性。这首诗叙写了祭神的场面、盛况,但受祭的神并没有出场,这就与后面多数诗篇不同,后面诸篇(除《国殇》《礼魂》外),都有受祭神出场,甚至生动地写了他们的故事,而《东皇太一》则只有祭祀场面的描写,而无神灵的活动。

这是什么原因呢?这是因为《九歌》中的其他一些篇章,所描写的乃是诸如日、云、山、川等自然神，而“东皇太一”却是属于凌驾于自然神之上的所谓“上皇”尊神。自然神产生于万物有灵论，即泛神论，而作为皇天上帝的宇宙大神，却是经过人们头脑进一步抽象化的产物，一般说来，它往往带有地上君主的投影。在人们心目中，它创造一切，统治所有，因此具有无上神威。但从形象来说，它又带有笼统性。古人对这种神往往表现为崇敬有余，而亲切不足。它带给人们更多的是神秘感和威严感，而不像自然神那样具有生动、鲜明的个性和丰富的人情味。但《东皇太一》一诗，却以特有的艺术手法为我们再现了古代祭礼的隆重场面，表达了古代楚地人民虔诚的宗教感情，以及当时人们企图通过娱神、敬神活动，而获得安宁幸福生活的美好愿望。

《东皇太一》篇幅不长，全篇仅十五句，但它极为成功地写出了一场祭礼的盛况，以及在这场祭礼中所特有的严肃而热烈的气氛。

“吉日兮辰良，穆将愉兮上皇。”诗中首先写这场典礼是在特选的吉日良辰举行的，正是在这美好的时日，人们集合在一起，以十分敬畏的心情来参加这次祭拜造物主的活动。诗歌开端，即表现了这场祭礼的隆重性。接着写典礼开始。首先出场的是这场典礼的主祭者——一个繁饰盛装的巫师。“抚长剑兮玉珥，璆锵鸣兮琳琅。”他身携长剑、腰佩美玉，且一举一动之间，好不恭谨、严肃！我们看他入场时，手抚剑环，唯恐发出声响，完全是一副小心翼翼，恭谨谦和的样子。这一“抚”剑环的动作细节描写，无疑增加了典礼上的肃穆气氛。下句又写这位主祭者腰佩五光十色的美玉，而这些悬佩的美玉，又随着主祭者的进退，不时发出清脆悦耳的“锵鸣”。抚剑环表现了气氛的肃穆；玉石锵鸣，其声细微，非要在十分静谧的环境中不能听到。因此，轻微细小的玉石碰撞声，同样烘托出典礼上的安静、肃穆气氛。同时，佩玉锵鸣，还表示着人物进退合礼，动静有节。《礼记·玉藻》篇说：“君子必佩玉……进则揖之，退则扬之，然后玉锵鸣也。”因此，佩玉锵鸣，还暗示着这位主祭者彬彬有礼和举止如仪的体式和风度。

“瑶席兮玉瑱”以下四句，写的是摆在祭坛上的供物。宝物、鲜花、香食、美酒，表现出献祭者们的一片虔诚之心。瑶席、玉瑱，显示祭礼的隆重和典礼的规模。《周礼·春官·天府》：“凡国之玉镇、大宝器藏焉，若有大祭、大丧，则出而陈之，既事藏之。”故这里写用“玉镇”，表示了典礼的隆重性。又献物中馥郁的香花，精美芬芳的肴酒，既表现奉献者的美意，也显示着受享者“神格”的高洁。

在此之前，典礼一直是在肃穆的气氛中进行的。当奠酒以后，乐歌声突然而起,气氛骤然活跃起来了。“扬枹兮拊鼓,疏缓节兮安歌,陈竽瑟兮浩倡。”这三句诗写出了在祭礼上依次奏乐歌唱的热闹情景。首先是鼓师高扬鼓槌有节奏地敲响鼓点儿。伴随鼓点儿而起的是合唱队的歌声:稀疏的节拍,缓慢的节拍,平缓徐徐的歌声,缭绕在祭堂上空,更给人带来一种肃然起敬的感受。随后则是竽瑟齐鸣,纵声高唱,强烈地表达了对天神的颂赞之情。

随后,祭礼进一步达到了高潮。紧跟着鼓声、吹竽声、弹瑟声和高亢震耳的歌唱声,更为热烈的场面出现了:“灵偃蹇兮姣服,芳菲菲兮满堂。”一群男女巫师,身着五颜六色的美丽服饰,手持鲜花,翩翩起舞,从而香风四溢,充堂盈室。婆娑的舞姿,令人眼花缭乱,扑鼻的花香,使人心旷神怡。祭礼仍在持续地进行,热闹的气氛也不断高涨:“五音兮繁会,君欣欣兮乐康。”最后,在五音交汇,繁声四起中,隆重的典礼结束了。人们依稀地感到,天神在安享了祭品和人们普遍虔诚的颂赞之后,已心满意足,从而下界的人们也受到福佑,安康、幸福的生活由此得到了充分的保障。

这首诗从选日择辰开始举行祭典写起,形象地再现了一场具有原始宗教气息的祭礼活动。读这首诗的时候,我们似乎自己也亲临现场,看到了主祭者的服饰动作,闻到了祭坛前供品的馨香,观赏了楚楚动人的乐舞,并随着诗中对祭礼进程的生动描写,而心神摇荡,感情起伏,并最终得到了上天的一次祝福。宗教观念是不可取的,但通过初民的这种活动和信仰,使我们领略到初民们所特有的心态和愿望,感受到他们对美好生活的憧憬和需求。

(褚斌杰)

云中君

浴兰汤兮沐芳,①	香汤洗身又洗发,
华采衣兮若英。②	五彩衣服像鲜花。
灵连蜷兮既留,③	舒屈婉转停脚步,
烂昭昭兮未央。④	光辉灿烂照无涯。
謇将憺兮寿宫,⑤	缓步安然入寿宫,
与日月兮齐光。	神与日月共光明。

龙驾兮帝服,⑥	龙驾车啊穿帝服,
聊翱游兮周章。⑦	自由自在四方游。
灵皇皇兮既降,⑧	辉煌云神已下降,
猋远举兮云中。⑨	忽又高飞升天上。
览冀州兮有馀,⑩	俯览大地尚有余,
横四海兮焉穷。⑪	铺充四海无边际。
思夫君兮太息,⑫	思恋神君长叹息,
极劳心兮忡忡。⑬	心中忧劳情戚戚。

注释

①浴:洗身。沐:濯发。②华采衣:这里说云神穿着华丽的彩色衣服,是就云霞想象而来。荀卿《云赋》:"五采备而成文。"英:花。③灵:云神,祭祀时由巫扮演。连蜷:舒屈宛转的样子。④烂:光辉灿烂。昭昭:明亮。央:已。未央,犹言无穷极。⑤蹇(jiǎn):《说文》:"蹇,跛也。"引申为滞留或迟行。旧注或以为发语词,非。憺(dàn):安。这里指安享祭祀。寿宫:奉神之宫。⑥帝服:天神之服。《楚辞》中"帝",有的指天帝,有的指帝王,有的指一般天神。此处即属后者。帝服即指云神所着之彩服。⑦周章:往复环游。⑧皇皇:辉煌。⑨猋(biāo):迅急的样子。远举:犹言高飞。⑩冀州:古代划中国为九州,冀州居中原地区,为九州之首,故习惯上也以冀州代表中国大地。有余:犹言不足一览,绰绰有余。⑪横:广铺充满的意思。《礼记》"以横于天下",注曰"横,充也"。四海:古代认为九州大地以外,被东、西、南、北四海所包围。故四海即指大地以外,整个世界。焉穷:何穷,犹言无穷极。⑫夫(fú):指示代词。夫君:犹言彼君,此指云中君。太息:叹息。⑬劳心:用心劳苦。

鉴赏

本篇究竟描写何神,历来说法不一。洪兴祖《楚辞补注》谓"云神丰隆也",朱熹《楚辞集注》亦称"谓云神也"。这是一般的看法。另外还有水神说(王闿运《楚辞释》),雷电神说(丁山《中国古代宗教与神话考》),月神说(姜亮夫《屈原赋注》),以及泽神、虹神说等等。发生这些说法的原因主要是本篇的标题“云中君”,与《东君》《湘君》《河伯》等不类。“君”为神之尊称,而唯独本篇加一“中”字;另外,则是从本篇所写的神灵状况看,其身份不像其他篇那么明确。

其实,云中君当即指云神,因其居于云中,驾驭浮云来去而得名。《离骚》:“吾令丰隆乘云兮,求宓妃之所在。”《九章·思美人》:“愿寄言于浮云兮,遇丰隆而不将。”都是说云神丰隆乘浮云而来去。证之本文,这位云神被写得高洁华美,充满光辉,且来去迅速,不受大地、四海阻隔,正是对天上彩云特征的掌握和赞颂。至于云神为何受祭,一般认为云行雨施,与祈雨有关(马茂元《楚辞选》),实际上,在楚神话中云神之外另有雨师,而从本文来看,除颂赞云神的来去迅速、广视大地四野之外,并无一点施雨的描写。我以为在资料有缺的情况下,只能说它是对自然物性格化的描写,是对大自然奇观的歌赞。

天空中的浮云,洁白明丽,有时化为云锦,霞光灿烂,但又倏忽泯灭,变化万端。在高空中,它与日月齐辉,而周流往返,又无所不到、无处不在。正是出于这样的印象与感受,铸成了人们关于自然神——云神所特有的形象。

这首诗写祭云神时出现的场面和感受。云神由群巫登台扮演。

诗是这样开始的:在久久企盼中,高贵的云神出现了。他浴兰沐芳,身着彩衣,像朵朵盛开的鲜花一样,高洁美丽,神采动人。同时,他身体柔软,欲行又止,卷舒自如,而又容光四溢,光辉夺目。他是在人们虔诚的祈求下,暂来人间停留的。

接着,他缓缓地步入了人们为他准备好的地上行宫——寿宫,登上神位,享受祭礼。我们看这位高贵的云神,容光焕发,神采飞扬,可与日月丽天相媲美。但他的好动性格,使他并不能久留。享祭甫毕,便又起身,驾龙车,服衮衣,回环遨游,准备升天而去。

果然,“灵皇皇兮既降,猋远举兮云中”。人们所景仰的云神,在一片光辉中降临的时候,曾给人们带来无限的欣喜;但倏忽之间,便又高升远举,飘飞而去。

看,遨游于高空的云神,该有多么自由、博大啊!“览冀州兮有余,横四海兮焉穷。”他俯视大地,大地不足其一览;身影所及,四海未能限量其游程。这是对云神性格、行踪的描摹和刻画,也是对云神的赞颂。

云神已去,祭典宣告结束。但人们对这位来去飘忽,美丽多姿的神灵,却无限依恋。“思夫君兮太息,极劳心兮忡忡。”景慕、惆怅、劳思之情,溢于言表。

《九歌》作为一组祭神、娱神的诗歌,带有原始宗教色彩,但从文学艺术角度看,它实质上是一组优美的神话题材作品。作者通过丰富的想象，把大自然中的景物性格化。其中既有作者对自然美的捕捉，又蕴涵着人们对某些理想的追求。天空的云锦，是那样美丽高洁，自由博大，从而引起人们无限的歆羡。因此，这种对自然神的塑造，对自然神的颂赞和依恋，也正反映了人们对人世间美好事物的追求，是某些社会感情的折射。

（褚斌杰）

湘　君[1]

君不行兮夷犹，	你犹豫不决未曾启行，
蹇谁留兮中洲？	是谁在洲中将你挽留？
美要眇兮宜修，	我仪态美好，修饰适度，
沛吾乘兮桂舟。	飞快地驾着桂木龙舟。
令沅湘兮无波，	沅湘的波涛哟快些平息，
使江水兮安流。	让千里江水安闲地流。
望夫君兮未来，	盼望着湘君哟您迟迟不来，
吹参差兮谁思？	我吹奏排箫，为谁思绪悠悠？
驾飞龙兮北征，	驾着龙舟我顺江北行，
邅吾道兮洞庭。	半途中转道驶往洞庭。
薜荔柏兮蕙绸，[2]	薜荔作旗帛，香蕙绕旗杆，
荪桡兮兰旌。[3]	荪草饰曲柄哟兰草缀羽旌。
望涔阳兮极浦，	翘首远望，已到涔阳之浦，
横大江兮扬灵。[4]	我要横渡大江，扬帆疾进。
扬灵兮未极，	扬帆疾进，也未能抵达，
女婵媛兮为余太息。	侍女们喘息、叹气不停。
横流涕兮潺湲，	我满面泪水潸潸地流哟，
隐思君兮陫侧。	痛切的思念牵着不安的心。
桂櫂兮兰枻，	桂木做船櫂哟兰木做船桨，
斲冰兮积雪。[5]	激起的水花犹如碎冰、坠雪。

采薜荔兮水中，	水中哪能摘取薜荔哟，
搴芙蓉兮木末。[6]	树巅哪能有芙蓉采撷。
心不同兮媒劳，	心思不同，媒人也是徒劳，
恩不甚兮轻绝。	交情不深，只会轻易弃绝。
石濑兮浅浅，	石上的泉水有多迅疾，
飞龙兮翩翩。	船行如飞正似游龙翩翩。
交不忠兮怨长，	交往不忠，怨思多么深长，
期不信兮告余以不闲。	约会不信哟，你竟告诉我“不闲”。
鼂骋骛兮江皋，	清晨我奔驰在江边高岸，
夕弭节兮北渚。	傍晚又缓车徐行北水洲。
鸟次兮屋上，	飞鸟哟早已在屋上栖息，
水周兮堂下。	湖水哟依然在堂前周流。
捐余玦兮江中，	把我的玉玦投入江心，
遗余佩兮澧浦。[7]	将玉佩送往澧水滨。
采芳洲兮杜若，	从洲上采摘芳香的杜若，
将以遗兮下女。[8]	送给你侍女，转达我的思情。
时不可兮再得，	美好的时光不可再得，湘君哟，
聊逍遥兮容与。	姑且优游地度此良辰。

注释

①此歌由装扮成湘君模样以接迎神灵的巫者所唱。因为对山川之神的祭祀，采取“望祀”形式，湘水之神不会降临祭祀现场。故诗人构思迎神巫者在湘江、洞庭四处寻找湘君的情状，最后将给湘君的祭品投入江中、送往澧水滨，以遥祭湘君。湘君，为湘水男神，与下一篇的“湘夫人”，同为湘水夫妇之神。②柏：据闻一多先生《楚辞校补》，柏为帕之误，帕通“帛”，旗帛。绸：缠旗杆所用。③桡(náo)：旗杆上曲柄，用以悬帛。旌：旗杆上装饰，缀旌羽为之。④灵：同“舲”，有屋的船。扬灵：即扬帆前进。一说扬灵指神灵显示灵异。⑤斲(zhuó)：同“斫”，砍。此句颇费解。似是形容船桨击水、船儿疾进时出现的水花，用“斫

冰”“积雪”的景象比喻。⑥搴(qiān):拔,摘取。芙蓉:荷花。此二句颠倒事序,表现出一种无法实现愿望的景象,例同《孟子》所说“缘木求鱼”。⑦余:指巫者。这两句指致祭品于江中、澧浦。⑧下女:湘君的侍女。

鉴赏

这是一首祭祀湘水男神“湘君”的乐歌。

古老的湘江、洞庭一带,至今流传着帝舜和他的二妃娥皇、女英的动人传说:二妃追随帝舜南巡,帝舜不幸崩于苍梧之野,葬于九嶷山下(今湖南宁远县南)。二妃悲痛不已,日夜哭泣于洞庭湖畔。热泪洒滴之处,竟使从从翠竹,化出一片斑痕(故称“斑竹”)。二妃泪尽,遂投湘江而死。民间因此尊舜为湘君、二妃为湘夫人,世代祭祀不绝。

战国之际,楚之巫风尚还盛行。民间祭神的重要特点,就是迎神的巫者须将自己装扮得与所迎神灵相像,并且唱着婉转动听的歌、跳着翩翩的舞蹈,向神灵倾诉怀思之情,神灵才会降临、附身。不过,湘水之神以及下文的河伯、山鬼,均属“山川之神”。古人对他们的祭祀,采取的是“望祀”方式(遥望而致其祭品)。因此,这类神灵,即使在迷信的想象中,也不降临祭祀现场。但巫者仍须打扮成他们的模样,作四处寻找的情状,倾诉对神灵的怀思。古代“音声以悲为美”,人们以为神灵必也喜欢悲哀的歌乐,故在表达对神灵的钦慕和怀思时,往往多作哀怨、忧愁之音。这些巫风习俗,是解开《九歌》内容之谜的一把钥匙。屈原正是按照这一习俗,构思了相应的情节,来表现人们迎、送神灵之际的欢乐和忧愁。“二湘”“河伯”“山鬼”诸篇,则主要抒写接迎神灵而不临的哀怨和怀思。其中似乎并无“神神恋爱”“人神恋爱”的情况。

说清了这一点,再看本诗《湘君》。它通篇托为迎神巫者口气,以缠绵悱恻之辞,抒写了人们不能接遇湘君的忧思和哀伤。由于诗人的杰出艺术表现才华,使这首乐歌带有了一定的情节和婉转动人的情韵。

诗之开篇,迎神的巫者尚未上场,一阵清越而略带哀愁的歌声,已在清波、长天间飞扬:“君不行兮夷犹,蹇谁留兮中洲?”歌声未歇,江波上转出一艘飞驶的小舟。迎神的巫者,正衣袂飘飘地伫立船头——他仪态潇洒、修饰适度,正是丰采照人的湘君打扮。悠长的歌声,唱出了他久待神灵不来的疑虑;一江风波,更烘托出他心潮的迭荡和不安。“令沅湘兮无波”二句,堪称神来之笔:它将对祭祀环境的描绘,巧妙地寓于主人公美好深情的祝祷之中,既展现了江湘之水浩荡千里的空阔境界,又传达了迎神者的深切关注和担忧——为了让神灵平安到来,他竟然设想,要畅流的湘江消歇浪波(这显然是不可能的)!但神灵依然“未来”,他因此带着痛苦的牵念,吹奏起悠悠排箫。这箫声压过江浪的澎湃,诉说着主人公对湘君的多少怀思。

自“驾飞龙兮北征”以下,焦灼的主人公不再等待。他驾起龙舟,开始顺湘而下,去四处寻找神灵。湘水在战国之际不仅流经洞庭,还继续北下与大江交汇(见《水经注》)。因此,洞庭、涔阳,直至大江,都在湘君的活动范围之内。这就为主人公的寻找,提供了极广阔的空间。适应这一特点,诗人笔走千里,极有气势地展现了主人公的顺湘“北征”、在烟波浩渺的洞庭湖畔的“邅道”,以及来到涔阳之浦的景象。一路船行如飞、旗旌招展,加之清波荡漾、秋风阵阵,把主人公的寻觅之行,抒写得颇有声色。当主人公怀着一片精诚横渡大江之时,诗人又突然以“扬灵兮未极”一笔顿断。一场悲壮的寻找,终于在涛浪万里的大江边受挫。这样大开大阖的运笔,其实都在为后文“蓄势”,最终逼出“横流涕兮潺湲,隐思君兮陫侧”二句。主人公那不遇神灵的全部哀伤,终于在泪水滂沱中以破闸之势涌出。

伤痛的突发过去,便是绵绵不尽的哀怨。自“桂櫂兮兰枻”以下,笔势渐缓。主人公怀着深切的哀伤,从大江畔掉舟南浮,踏上归程。这一节主要运用写景和比兴,来映衬和引发迎神巫者的哀怨之情。“桂櫂兮兰枻,斲冰兮积雪”二句,形容船儿逆水冲浪、水波飞溅的景象,历历如画。而冰雪意象所包含的凛冽之感,不正给主人公的心头,更增添了一片悲凉?“采薜荔兮水中”二句,故意颠倒事理,来表现主人公不遇神灵的失望和自哀自怜,在比兴的运用上可谓别具一格。“石濑兮浅浅”二句,描述小船在山石嶙峋的川流中的颠簸。人们当然也感觉到了,这颠簸、跳荡的,还有迎神巫者那颗悲惋难抑的心。正是这些景物和比兴意象的映衬、烘托,当主人公发出“心不同兮媒劳”“交不忠兮怨长”的哀怨叹息时,就愈加凄婉地搅扰了读者的心,令人闻之而黯然神伤。

“鼂驰骛兮江皋”以下,为全诗结尾。迎神巫者舍舟登车,在江畔、北渚作寻觅神灵的最后努力。直到暮霭沉沉,神灵终于不临,这场“望祀”湘君的活动便进入了尾声:在热情的歌唱中,人们将祭品玉玦投入湘江,把玉佩送往澧浦。再采摘馨香的杜若,献给湘君的侍女。大家齐声祝祷:愿湘君优游、欢乐,度过这春、秋献祭的美好时光!

《湘君》既是一首祭歌,又是一首极美妙的抒情诗。它与后面的

《湘夫人》《山鬼》《河伯》一样，在艺术表现上均采用了“代拟”方式。对于民间的祭祀活动，屈原当然是熟悉的。但祭祀背景的展现，迎神情节的构思，迎神巫者在特定场景中的情感表现，实皆出于诗人设身处地的虚拟。屈原以丰富的想象力，将对湘君的“望祀”活动，展开在沅湘、洞庭那横贯数百里的广阔空间，通过“望夫君兮未来”“驾飞龙兮北征”“横大江兮扬灵”等曲折情节的构思，代为迎神巫者抒发“久待”中的焦虑，“远迎”中的虔诚和失望，以及“不遇”神灵的哀怨之情。令人感到，它仿佛正是迎神巫者内心情感的真切流露，而不是出于诗人的悬想和虚拟。“悬想”方式，在《诗经》中早有先例。但全篇“代拟”，则是屈原《九歌》的创造。《湘君》正是在这方面，显示了分外动人的魅力。

（潘啸龙）

湘　夫　人[1]

帝子降兮北渚，	湘夫人哟，飘然降临北水洲，
目眇眇兮愁予。	我凝神远望，心中无限忧愁。
嫋嫋兮秋风，[2]	阵阵秋风吹开洞庭湖碧波，
洞庭波兮木叶下。	湖岸的树丛哟，叶落嗖嗖。
登白薠兮骋望，	登上白薠岸，我眺望远方，
与佳期兮夕张。	傍晚张设起接迎的帷帐。
鸟何萃兮蘋中，	鸟儿为什么在水蘋栖息，
罾何为兮木上？[3]	渔网为什么挂在树上？
沅有茝兮醴有兰，	沅水边有香芷哟，澧水岸有蕙兰，
思公子兮未敢言。	思念着您哟，未敢吐露一言。
荒忽兮远望，	我神思恍惚，翘望远天，
观流水兮潺湲。	只见到流水潺潺、江波连绵。
麋何食兮庭中，	麋鹿哟，为什么到庭中觅食，
蛟何为兮水裔？	蛟龙哟，为什么来此水滩？

朝驰余马兮江皋，	早上我奔驰在江边高岸，
夕济兮西澨。[4]	傍晚又渡过西水津。
闻佳人兮召予，	听见湘夫人在将我召唤，
将腾驾兮偕逝。	我要飞腾车驾与您同行。
筑室兮水中，	我已在水中筑好洞房，
葺之兮荷盖。	碧绿的荷叶盖成屋棚。
荪壁兮紫坛，	中庭砌紫贝，荪草编院墙，
播芳椒兮成堂。	芬芳的花椒哟粉刷屋堂。
桂栋兮兰橑，	桂木作房梁，兰木作房椽，
辛夷楣兮药房。	辛夷做门楣哟，白芷布内房。
罔薜荔兮为帷，[5]	薜荔编织床帐，
擗蕙櫋兮既张。[6]	蕙草分作帐顶。
白玉兮为镇，	白玉充席镇哟，
疏石兰兮为芳。	石兰四播幽香。
芷葺兮荷屋，	荷花屋棚上再铺层芷草，
缭之兮杜衡。	让杜衡在四周随意缠绕。
合百草兮实庭，	会聚百花布满庭院，
建芳馨兮庑门。	竖起门廊香气袅袅。
九嶷缤兮并迎，	让九嶷山神都来接迎你哟，
灵之来兮如云。	纷纷扬扬如蔽天的云潮。
捐余袂兮江中，[7]	把复襦沉入江心，
遗余褋兮澧浦。[8]	将内衣送往澧水滨。
搴汀洲兮杜若，	从洲上采摘芬芳的杜若，
将以遗兮远者。	送给你哟，远方的夫人。
时不可兮骤得，	美好的时光不可多得，夫人哟，
聊逍遥兮容与。	姑且优游地度此良辰。

注释

①此歌由装扮成湘夫人模样以接迎神灵的巫者所唱。巫者边舞边歌,作到处寻觅湘夫人的情状,并在水边修筑好芬芳的"水室",迎接神灵的到来。然湘夫人亦未临祭祀现场。最后将给湘夫人的祭品(衣装)沉入水中、送往澧浦,以遥祭湘夫人。②嫋(niǎo)嫋:微风不断吹拂貌。③罾(zēng):渔网。此二句与下文"麋何食兮庭中"二句,均以事理颠倒的现象,比喻事实与愿望的相反。④澨(shì):水边。⑤罔:网,编结。⑥擗(pǐ):用手剖开。櫋(mián):一作"榠",当为"幔",即帐顶。⑦袂(mèi):复襦,指外衣。⑧褋(dié):贴身穿的衣服。

鉴赏

祭过湘君,接迎湘夫人的祭礼又开场了。

正如上文所说,湘夫人作为"山川之神",照例也不降临祭祀现场。所以,诗之第一节,开笔便是充满哀愁的幽幽唱叹:"帝子降兮北渚,目眇眇兮愁予"——装扮成湘夫人的美丽女巫,正伫立于洞庭湖畔,向着烟波迷茫的"北渚"眺望。恍惚间似见帝子(湘夫人)在远处飘然而降,转眼间又消逝得无影无踪,心中不禁充满了愁思。诗人接着又从女主人公眼中,勾勒了长天秋日下的一派清丽景象:"嫋嫋兮秋风,洞庭波兮木叶下。"这两句曾被胡应麟赞为"形容秋景如画",并与宋玉《九辩》首四句一起,推之为"千古言秋之祖"(《诗薮》)。其实,这两句看似"景语",实亦为"情语":它将迎神女巫不见神灵的惆怅、落寞之情,融于八百里洞庭的波风落叶声中,愈发显得凄清和悲凉。

自"登白薠兮骋望"至"将腾驾兮偕逝"为诗之第二节,抒写迎神女巫对神灵的焦灼寻找。她先是踏上长满白薠的湖泽,向四处张望,喃喃诉说着已将接迎夫人的帷帐设好;接着又飘然出现于沅水岸、澧水浦,默默采摘着白芷、兰草,以寄托对湘夫人的无言的怀思。"思公子兮未敢言"写得颇为微妙:女主人公的怀思,本有千言万语埋藏心头,但要启齿倾吐,却又不知从何说起。所谓"未敢",不是不敢,实在是难于为言呢。令人伤心的是,无论女主人公走到哪里,见到的依然只是浩渺烟波、"潺湲"流水,何尝有湘夫人的倩影!在抒写这一无望的寻找时,诗中特意穿插了两组事理颠倒的景象:"鸟何萃兮蘋中,罾何为兮木上?""麋何食兮庭中,蛟何为兮水裔?"

汉人王逸将这些都视作比兴,以喻“所愿不得,失其所也”,表现巫者的迎神不遇。这当然也有道理。不过,在富于浪漫主义想象的屈原笔下,它们更可能是一种情感的“幻觉”表现。美国学者沃伦指出:“在原始社会,巫师可自动地进入一种精神恍惚的状态,或者他也可被动地被某些祖先或图腾的精神力量所支配,而处于‘心神迷乱’的状态。”(《文学理论》)在本诗中,诗人也分明告诉读者,当迎神女巫四处“远望”之际,也正处在这种“精神恍惚”的状态(“荒忽兮远望”)。因此,在她的眼中出现上述不合常理的幻景,也就毫不奇怪了。明白了这一层,“闻佳人兮召予”二句的真实含义,也就容易把握了:它同样是女主人公的一种错觉——当迎神女巫焦灼寻找神灵而不遇,在傍晚渡过“西澨”的时候,远处的风声偏又与她作怪,听去全幻成了湘夫人的深情呼唤!这便使她于失望之际,不觉又生出一线希冀。

自“筑室兮水中”至“灵之来兮如云”,为全诗情感发展的高潮。迎神女巫带着风传的一线希望,兴奋地为湘夫人的到来,构筑美丽的“水室”。这水室修饰得何其芳馨:荷盖荪壁、椒堂桂栋,薜荔为帐、白玉为镇,屋上还缠绕杜衡、庭中布满了香草!它几乎荟萃了人世间所有的奇花异卉,表现了人们对湘夫人到来的珍视和欢乐。诗人在这一节作了小小的铺张,诗之节奏也轻快、跳跃——那简直是女主人公向神灵口角传情的兴奋炫耀:湘夫人哪,连九嶷山神全都被吸引来了,你岂可错过了降临水室的美好良机!这一切自然也鼓舞了读者,大家欣喜地等待着,诗人将怎样展现湘夫人降临时的美好风姿。

直到结尾“捐余袂兮江中”出现,人们才从充满希冀的情感之巅跌落:美丽动人的湘夫人,终于没能降临。人们只好带着深切的惆怅,把献给神灵的衣袂、褋衫(正适合湘夫人之需),沉入江中、送往澧浦,并对着洞庭湖的万顷烟波,遥祝湘夫人愉快地度过这美好的良辰。

《湘夫人》与《湘君》一样,都是抒写接迎神灵而不遇的怀思和哀愁。但在构思、运笔上,却又同中有异,各臻奇境。《湘君》的抒写,似乎重在“纪行”式的“动态”再现;其情感抒发,伴随着主人公大开大阖的寻觅和受挫,采用了逐层递进的方式;全诗自始至终,为浓重的忧伤和哀怨所笼罩。《湘夫人》则更多“静态”的展示,其情感抒发,主要借助环境景物的烘托和幻觉意象的映衬,呈现出一种扑朔迷离之美。诗之开章,在波风落叶中表现女主人公的哀愁;随着久望神灵而不见的情节展开,女主人公的哀伤,似乎正要循着《湘君》的路子逐层加强。诗人却借助于“闻佳人兮召予”的幻境，突然中止了哀怨的递进，使之在一线希望中跳向相反的一极。构筑“水室”一节，正是在绚烂的铺排中，表现了一种突如其来的兴奋和欢快。这正如《离骚》的“远逝求女”一样，“纯用客意飞舞腾挐，写来如火似锦，使人目迷心眩，杳不知町畦所在”（蒋骥《山带阁注楚辞》）。直到结尾，才一下“跌转”，以湘夫人的终于不来，使前文那缤纷的铺排，顿如海市蜃楼一样倏然幻灭。女主人公的怀思和哀伤，正是在欢快的上升和跌落之中，被表现得愈加深切动人。诗人这种变化多姿的艺术表现，使《湘夫人》与《湘君》，由此珠联璧合、前后辉映。

（潘啸龙）

大司命

广开兮天门，	敲开九天的大门，
纷吾乘兮玄云。	乘上纷扬的黑云。
令飘风兮先驱，	命旋风为我清道，
使涑雨兮洒尘。	让暴雨涤尽路尘！
君回翔兮以下，	您飞旋着从天而降，
逾空桑兮从女。①	我越过空桑随您同行。
纷总总兮九州，	天下九州纷纷扰扰，
何寿夭兮在予。	谁生谁死都由我判定。
高飞兮安翔，	您飞在高空，有多安详，
乘清气兮御阴阳。	驾乘清风、驭使阴阳。
吾与君兮齐速，②	我和您一样恭敬虔诚，
导帝之兮九坑。③	把上帝的威灵带到九冈。
灵衣兮被被，	我的神袍迎风飘拂，
玉佩兮陆离。	我的玉佩光彩闪烁。

壹阴兮壹阳，	忽而阴柔，忽而阳刚，
众莫知兮余所为。	谁都不知我在干什么。
折疏麻兮瑶华，[4]	折来疏麻和蕌花，
将以遗兮离居。	献给您，与人离居的司命。
老冉冉兮既极，	衰老之年渐渐来临，
不寖近兮愈疏。[5]	不亲近您就疏了感情。
乘龙兮辚辚，	您驾乘龙车、车声辚辚，
高驰兮冲天。	冲天直上高驰而行。
结桂枝兮延伫，	我结扎桂枝久久延留，
羌愈思兮愁人。	越思念您便愈忧心。
愁人兮奈何？	担忧伤心又为了什么？
愿若今兮无亏。	愿永远像今天一样健康。
固人命兮有当，	生生死死本就有常规，
孰离合之可为？	何可为神人的离合哀伤？

注释

①空桑：神话中的山名。②齐速：虔诚而恭敬。一说“整齐而疾速”。③九坑：九州。一说为楚地之九冈山。④疏麻：神麻。人死须披麻。瑶华：瑶即“蕌”的假借字；华，花。⑤寖（jìn）近：稍稍亲近些。

鉴赏

《礼记·祭法》和《周礼》，均有祭“司命”的记载，可知“司命”非楚地特有之神。但“司命”又分“大”“少”，却不见于先秦典籍，恐怕倒是出于楚之民间习俗了。从屈原的描述看，“大司命”当为男神，执掌人间的“寿夭”；“少司命”似为女神，主管子嗣和儿童（“幼艾”）。一个管死，一个管生，故面貌、性情也判然有别。

本篇所祭祀的是“大司命”。因为是“上皇”驾前的尊贵天神，出场自是非同寻常：“广开兮天门，纷吾乘兮玄云。令飘风兮先驱，使涷雨兮洒尘。”《离骚》中的九天云关有一位势利的守门人（“帝阍”），主人公上叩天门，就曾遭到他的白眼。这次则不同：听说大司命车骑驾临，早已敞开大门、恭候一旁。随即便是一阵旋风呼啸而过，挟着倾盆大雨洒向人间——这还都是大司命的先行部队。正像人间的大官，出行时总有壮健的卫队，扛着“回避”、“肃静”的牌子，一路呼喝在前。然后才是主角大司命，在纷纷扬扬的黑云簇拥下，威风凛凛地出现在高空。这一段描述，采用的是大司命的自唱自白，既想象丰富，又切合神灵的身份。读者从那“令”“使”等不可违抗的字眼中，看到的正是这位尊神气使颐指的威严气派。

接着便是迎神巫者与神灵的对唱。诗人想象迎神巫者带着一片虔诚，飞越空桑，赶去引导大司命的降临。大司命呢，一边下降，一边粗声壮气地高唱：“纷总总兮九州，何寿夭兮在予。”天下九州，谁生谁死，都捏在他的掌心，口气是高傲极了。巫者则洗耳恭听，还不住夸赞他，飞得有多安详，驾驭着清气、阴阳如何神通无边。这些无非都是为了取悦于神灵，让他乐滋滋快些下降。大司命果真高兴了，终于飘扬着神衣、振响着玉佩，降临于祭坛。一时间神光闪耀，“壹阴兮壹阳”，真是变幻莫测！这一段抒写，妙在仍以大司命的自白来为他画像，不仅形象动人，而且神情毕现——全是自炫自夸的口吻，活脱脱显出了一位执掌生死之权的大神的威风。

然后开始对神灵献祭。人们折来疏麻、供上鲜花。一边祭着，一边唱起忧愁的歌：“老冉冉兮既极，不寖近兮愈疏。”人生谁无寿老丧死的牵挂？当老年之期到来之时，距告别尘世也就不远了。所以，谁都想亲近这位神灵，期望得到他的垂悯。可惜的是，这种亲近的机会实在太短：大司命享过祭品，便又“乘龙兮辚辚，高驰兮冲天”——迅疾地离去了。这两句与开头写降临一样，表现得有声有势。同时又是对神灵刻画的一个补充：读者原先只知道他驾乘的是“玄云”，现在才明白：这“玄云”中其实还有辚辚的龙车。所谓“云从龙”，那玄云不过是龙车主人的随从罢了。

读到这里，人们不禁会想：这大司命又尊贵、又高傲，实在不值得世人如此亲近。不，尊贵、高傲，只是这位神灵性格的一面。诗人倘若对这一面不加渲染，又何以显出他那执掌寿夭大权的威严？但大司命的心肠，其实还是刚中带柔、颇富于同情心的。本诗结尾一节，正以深情的笔墨，集中展示了这一面。当人们仰望神灵离去,不禁发出“羌愈思兮愁人”的忧叹时,大司命又在云空转过身来,带着亲切的口吻询问道:“愁人兮奈何?”——道是无情却有情,这位神灵对世人还真关切得很哩!人们于是喃喃地诉说,希望在他离去后,还能保佑世人,像如今一样健康无亏。其弦外之音,是担心与神灵分离,便有人命危浅之忧。大司命在空中微笑了:“生生死死本就有常规,哪会因神、人的离、合而改变”——这看法是乐观而开朗的,它对于为离合、亲疏而担忧的世人来说,无疑是美好的慰藉。这位尊贵而高傲的寿夭之神,在此深情的安慰中,最终显示了亲切、开朗的性情。

《大司命》的写法,与“二湘”全篇均为“独唱”不同,引进了人、神的对唱。诗人巧妙地将对神灵的形象描绘和性格展示,融于富于情趣的对唱之中,运用环境、服饰的渲染、烘托,塑造了一位刚柔兼具、威严亲切的大司命形象。但它又不是叙事诗,而是对唱式的抒情诗(虽然也有叙事的成分)。诗中人、神情感的抒写,均出于诗人的揣摸和想象。从这一点说,诗人在“二湘”中创造的“代拟”式抒情,在此篇(以及下面的《少司命》《东君》)中,又有所发展,呈现了多姿多态的风貌。清人刘熙载惊叹“《九歌》状所祀之神,几于恍惚有物矣”(《艺概》);吴世尚亦盛推《九歌》“情致缥缈,既见其情性功效之所在,又使人有仿佛不可为象之意。可谓善言鬼神之情状者矣”(《楚辞疏》)。说的都是诗人在神灵形象塑造和情感抒写上的“代拟”之妙。

(潘啸龙)

少 司 命

秋兰兮麋芜,[1]	秋兰哟麋芜,
罗生兮堂下。	长满堂下,多么兴旺。
绿叶兮素华,	叶儿青绿、花儿洁白,
芳菲菲兮袭予。	扑面的花气一阵阵香。
夫人兮自有美子,	各人都有美好的儿女,
荪何以兮愁苦?[2]	您哟为什么还在忧伤?
秋兰兮青青,	秋兰哟这样青翠,

绿叶兮紫茎。	绿叶、紫茎映衬得多美。
满堂兮美人,	美人儿挤满前堂,
忽独与余兮目成。[3]	你眉目含情独与我相对。
入不言兮出不辞,	您来了又去默无一言,
乘回风兮载云旗。	驾着旋风、飘展云旌。
悲莫悲兮生别离,	最悲的莫过于生生离别,
乐莫乐兮新相知。	最乐的要数新交上知音。
荷衣兮蕙带,	衣裁绿荷、腰束香蕙,
儵而来兮忽而逝。	您倏然降临、又忽然而回。
夕宿兮帝郊,	夜晚栖宿在天帝的郊野,
君谁须兮云之际?[4]	您还在云中等待着谁?
与女沐兮咸池,	我要和你在咸池洗浴,
晞女发兮阳之阿。[5]	再去旸谷把秀发晒干。
望美人兮未来,	远望美人你迟迟未来,
临风怳兮浩歌。[6]	我临风放歌、思情绵绵。
孔盖兮翠旍,[7]	孔雀的羽盖、翡翠的旌,
登九天兮抚彗星,	您登上九天监守着彗星。
竦长剑兮拥幼艾,	手挺长剑、怀抱幼童,
荪独宜兮为民正。[8]	您最适合做百姓的司命。

注释

①麋芜:即芎䓖(xiōng qióng),香草。②夫:句首语气词,无义。荪:香草,此借以尊称少司命。③余:少司命。独与少司命目成者,指向少司命求子的"美人"。目成:眉目传情以成相好。④须:等待。⑤咸池:神话中太阳洗浴之处。

晞(xī):晒干。阳之阿:可能指神话中日出之旸谷。⑥怳(huǎng):同“恍”,失意貌。⑦旍(jīng):同“旌”,此指旗杆上的饰物。⑧竦(sǒng):挺立。幼艾:美好的孩童。民正:人民的官长,此指管理人间的子嗣之官。

鉴赏

与“大司命”的威风凛凛、神奇莫测不同,作为主管人间生育的“子嗣之神”,“少司命”则是位荷衣蕙带的美丽女神。诗人写她的降临,也轻盈飘忽、悄然无声:“秋兰兮麋芜,罗生兮堂下。绿叶兮素华,芳菲菲兮袭予。”为了迎接少司命的到来,人们在祭堂前供满了秋兰和蘼芜。这些花草长着清新的绿叶,开着素洁的白花,香气菲菲,显得那样芳洁、清雅。诗人对迎神环境的描绘,为娴雅、秀美的“少司命”的出现,收到了很好的映衬效果。当人们在布置花草中偶尔抬眼,便发现这位神女早已悄无声息地降临祭台。所谓“入不言兮出不辞”,她的降临,正该是这样默默无言的。但令人不解的是,在此欢乐祭祀的良辰,“少司命”的眉眼之间,却还带着一丝忧愁(大概楚人心目中的“少司命”,因为时时关切着“幼艾”的命运,神情总是喜中带愁的吧)。这便引出了迎神巫者的深情询问:“大家都有美好的子嗣,您为什么还在发愁呢?”

“秋兰兮青青”四句,便是少司命所唱的无言之歌(诗人为了表现她,当然还得让她开口)。此刻,她一边暗暗夸赞着花草的芳洁,一边用那关切的目光,掠过挤满堂前的“美人”。她终于发现,其中独有一位美人,正目光灼灼地向她含情致意——“忽独与余兮目成”,历来被解说为少司命与世人(男子)的相爱传情,恐怕是误解了。少司命既是“子嗣之神”,这独与她“目成”的美人所表达的,当然不是要与她相爱,而是企求能有美好的子嗣。后文的全部思情,均从这一点生发。

“入不言兮出不辞”以下八句,抒写少司命的来、去所带给人们的欢乐和悲思。从唱词口气看,主人公应该就是那位与少司命“目成”的美女。她刚刚向神女传达心中的愿望,美丽的神女却又乘着旋风、飘展着云旗很快离去了,竟然没有一句告别之辞。这固然使主人公悲伤,但想到神灵早已心心相印、了解她的祈求,心中又生出了无限欢乐。“悲莫悲兮生别离,乐莫乐兮新相知”,正表现了这种离别时的悲伤和得遇“相知”的意外喜悦。这复杂情感的交融,便化成了屈原笔下这两行传诵千古的名句。主人公抬头远望,只见少司命荷衣蕙带,已倏然消逝于青云缥缈之中。但那云层却还久久留在空中,仿佛在等待着什么。她因此发出了询问:“君谁须兮云之际?”

诗人抒写少司命的回答,充满了浪漫主义的奇思和深情。“与女沐兮咸池”四句,字面上颇难索解,前人因此疑为《河伯》之句在此篇的掺入。但倘若联系民间“求子”的习俗,便可迎刃而解。孙作云先生在《〈诗经〉恋歌发微》中指出:古人有“祭祀生子之神的‘高禖’,以及用洗涤的方法来求子的风俗”。“古人相信,不生子也是一种病气。他们在祭祀高禖时,顺便儿在河上洗洗手,洗洗脚,或干脆跳到水里洗一个澡。”由此看来,少司命的愿与主人公“沐兮咸池”,正是为了实现这位“美人”的求子热望。只不过她既为神女,洗沐的地方也就神奇——那是太阳神“东君”洗澡的咸池。而据神话传说,太阳神还是一只神鸟(三足乌)。那么,在他洗澡的咸池,就可能有“乌卵”飘浮,主人公便很可以像传说中的简狄一样“吞卵”而孕了。明白了这一层,再看“望美人兮未来,临风怳兮浩歌”二句,人们便可感受到:这位少司命对那些“求子”的“美人”,是何其关切。当她知道,这人间“美人”并不能和她一起“沐兮咸池”的时候,不禁临风放歌、思情绵绵了。

诗之结尾,是对这位美丽神女的热情赞颂,同时也是对她形象的进一步刻画。少司命是那样秀美,她的车乘也绚丽多彩:车盖由漂亮的孔雀羽毛编成,旗旌则饰有青蓝的翠羽。别看她是位女神,却是身佩长剑的巾帼女杰。“登九天兮抚彗星,竦长剑兮拥幼艾”,描述这位女神手持长剑、升登九天,为保护幼童而严密监视彗星(它的出现,是人间灾祸的预兆)的景象,于娴雅温和之中,又透出一派英姿飒爽之气。有这样一位少司命做儿童的保护神,人们怎能不喜形于色,发出“荪独宜兮为民正”的由衷赞叹?

从艺术表现上看,《少司命》的写法,适应于塑造这位女神的特点,运用的是清丽柔和的飘忽笔触。诗人用清幽的麋芜、秋兰,映衬神女的娴静雅洁;以荷衣蕙带等衣饰,状貌她轻盈飘逸之态,色彩素雅、清丽,线条细腻柔美。少司命与“美人”的对唱,辞情舒展、悠长,其愁思和欢乐,均是淡淡的,没有很大的起落。正如清亮的溪流,潺潺而来,幽幽而去。与《大司命》的来时风云变色、去时高驰冲天的豪放不同,显示的是轻云舒卷的清新。

(潘啸龙)

东　君

暾将出兮东方，	朝日即将升起东方，
照吾槛兮扶桑。[1]	从扶桑把我的栏杆照亮。
抚余马兮安驱，	我骑着马儿缓缓而行，
夜皎皎兮既明。	夜空已透露明亮的晨光。
驾龙辀兮乘雷，	我驾起龙车、乘上疾雷，
载云旗兮委蛇。	满车的云旗迎风招展。
长太息兮将上，	我将上高天又长声叹息，
心低佪兮顾怀。	心思徘徊充满依恋。
羌声色兮娱人，	怎奈祭坛的声色迷人，
观者憺兮忘归。[2]	观看的都乐得安然忘返。
緪瑟兮交鼓，	急张瑟弦，交相擂鼓，
萧钟兮瑶簴。[3]	撞击洪钟，摇撼了钟架。
鸣篪兮吹竽，	埙篪齐鸣、竽笙猛吹，
思灵保兮贤姱。[4]	迎神的灵巫美德无瑕。
翾飞兮翠曾，	身姿翩翩，如翠鸟展翅，
展诗兮会舞。[5]	唱诗合舞何其优雅！
应律兮合节，	应和声律、谐调节拍，
灵之来兮蔽日。	神灵降临，如蔽天的云霞。
青云衣兮白霓裳，	穿着青云、白霓的衣裳，
举长矢兮射天狼。	我高举长箭，射击天狼。
操余弧兮反沦降，[6]	弯弓返身，一发即坠，
援北斗兮酌桂浆。	再痛饮北斗酌满的桂浆。

撰余辔兮高驰翔，　　我紧攥马缰飞向高空，
杳冥冥兮以东行。　　夜色茫茫中驰回东方。

注释

①扶桑:神话中的树名,日出前、日落后所栖。暾(tūn):日出光明之貌,此指太阳。②憺(dàn):安。③緪(gēng)瑟:急张瑟弦。交鼓:相对击鼓。萧:“𢾊”的假借字,击。瑶:“摇”的假借字。簴(jù):悬挂钟、磬的木架。④篪(chí):通“箎”,古代竹制乐器。灵保:降神之巫。⑤翾(xuān):小飞轻扬之貌。翠:翠鸟。曾:通“翻”,举起翅膀。展诗:展开诗章来唱。会舞:合舞。⑥弧(hú):木弓。这里指天上的弧星。反:返身。沦降:散坠。此指以矢射天狼星,使之降坠。

鉴赏

《东君》所祭祀的,是照耀世界的光明之神——太阳神。

东西方均有关于太阳神的美丽神话。西方的太阳神,以古希腊神话的“阿波罗”最具风采:据说他主管白昼,兼营“预言”“诗歌”“艺术”和“医学”诸项业务;他驾着四匹生有双翼的神马,拉着喷射火花的金车,巡行在高天,英俊极了。中国的太阳神则有自己的特色:他居住在东方“旸谷”,栖息在数千丈高的“扶桑”神树上。出巡的时候,便驾上六龙(东方才有的神奇动物),乘坐雷车,冲天而起。其非凡的气势和豪迈潇洒的风度,恐怕连年轻的“阿波罗”,都会钦羡万分哩。本篇所祭祀的,正是这位伟大的东方日神。

不过,祭日神,首先还得巫者去邀迎。此诗开场,从晨光熹微中传来的,就是巫者启程迎日的歌唱:“暾将出兮东方,照吾槛兮扶桑。”滚滚红日尚未升天,灿烂的霞光已在扶桑树巅喷薄。打扮成东君模样的主巫,正驱马徐行在迎神路上——那当然不是寻常的“抚马安驱”,而是御马凌空、驰向皎洁夜幕的夭矫剪影。

然后才是东君升天的豪迈之歌:“驾龙輈兮乘雷,载云旗兮委蛇。”这行色有多壮丽:光芒熠熠的太阳神,猛然催动驾车的六龙;车轮便挟着巨雷之音隆隆疾转。满车的云霞飘飘扬扬,那全是色彩缤纷的旗仗,簇拥着东君冲天而起。被称为“众心之心”的英国浪漫主义诗人

雪莱,也曾描绘过“阿波罗”的启行:

于是我起身,攀登蓝天的拱顶/我跨越汹涌的海洋和山峰/把锦袍留给浪花四溅的波涛万顷/我步履所至,云霞如焚……

着力处全在波涛和霞光的渲染,境界美丽而开阔,但用了“攀登”“步履”这类平凡字眼。屈原的描绘,以声震万里的雷车和涌腾千重的云旗烘托,顿使东君的出场,增添了豪气和壮色。

精妙的不仅在此。当东君乘雷冲天,读者期待着即将是凌空万里的奔行时,诗人却笔势一转,抒写神灵的微妙的心理了:“长太息兮将上,心低佪兮顾怀”——这位给人间带来无限光明的六神,竟也有小儿女恋家之态,已到升天巡行的时候,还叹息着眷顾自己的居室呢!这两句诙谐的自白,一下将日神与世人的距离拉近,使他在庄严可敬中,忽又显得平易可亲,带有了这样多的“人情味”。难怪祭祀的人们急盼着他赶快降临了。“緪瑟兮交鼓”以下八句,即从急管繁弦之音,抒写了人们接迎神灵降临的景象。在鼓、瑟交作、洪钟震簴之中,更伴以美丽巫女的轻歌曼舞。这“娱人”的声色究竟有多大吸引力,“灵之来兮蔽日”一句,正透露了消息:东君已完全被祭神歌乐所征服,急率着属神、旗仗,纷纷扬扬飞降而下,竟把天空都遮蔽了。

这样说来,诗人笔下的日神,竟是位贪恋声色之神了?不。东君也自有他的英雄性格。本诗最后一节,正以丰富的想象,展现了这位太阳神为民除害的豪侠之举。他接受了世人的祭享之礼,便倚天而立,“举长矢兮射天狼”,向专主“侵掠”的罪恶之神——天狼,发出了挑战。只见他弓开满月,返身一射,天狼便化为一片碎光四散而坠。而高高屹立的他,则“青云衣兮白霓裳”,衣袂飘飘、从容不迫,于神勇之中又显得何其潇洒!东君射罢天狼,便又端起北斗,斟满芬芳的桂浆,放怀痛饮起来——依然是豪放不羁的英雄本色。直到夜色茫茫,才又整辔驱车,跃上高天,向东方驰去。有趣的是,雪莱在《阿波罗之歌》中,也有一段“射箭”功业的描述:

万道金光是我的利箭,我用它射杀/依恋黑夜畏惧白昼的奸伪和欺诈/为非作歹,甚至只是心怀恶念的一切/都逃避我,而从我荣耀的光华里/善良的心灵正直的懿行获得新的力量……

雪莱运用的是直接倾诉的写法,使用了太多的伦理观念(如“欺诈”“正直”等)。屈原则不同,他借助的是丰富的想象:西宫中有天狼星,据战国占星家的说法,它居于“秦之分野”,是“侵掠”的象征;在它的东南,恰好又有“弧矢九星”。诗人因此想象,连日神东君也了解楚人的“报秦之心”,因此自告奋勇,力挽弧矢九星,为之一举而射落“天狼”。北斗七星,状似斗勺;东升的月亮,传说其中又有桂树。诗人由此又引发了“援北斗兮酌桂浆”的浪漫奇思。所有这一切,融汇在一起,便造出了一位带有浓厚南方色彩的太阳神形象:他既怀居室,又爱美人,当着为民除害之际,则又剑歌慷慨、神勇豪爽。司马迁谈到楚人之俗,称“西楚”之民,“其俗剽轻,易发怒”;“徐、僮、取虑”一带,“矜己诺”;“东楚”之俗也与此相同(《史记·货殖列传》)。读者可以看出,屈原笔下的太阳神,不正就是放浪不羁(“剽轻”)而又热情豪侠(“矜己诺”)的楚民族的化身?

(潘啸龙)

河伯

与女游兮九河,[①]	我和你同游九曲黄河,
冲风起兮横波。	飓风陡起,吹立一河浪波。
乘水车兮荷盖,	乘上荷叶为盖的水车,
驾两龙兮骖螭。[②]	驾驭四龙,疾如飞梭。
登昆仑兮四望,	登临昆仑山向四处眺望,
心飞扬兮浩荡。	我神思飞越如浪涌波行。
日将暮兮怅忘归,	天色将暮还怅然忘返,
惟极浦兮寤怀。[③]	直到河水尽头才恍若梦醒。
鱼鳞屋兮龙堂,	鱼鳞编屋棚哟,龙鳞饰为堂,
紫贝阙兮朱宫,[④]	紫贝的楼观哟,珍珠的宫,
灵何为兮水中?	河伯哟你为何总爱在水中?
乘白鼋兮逐文鱼,	乘上大白鼋哟,追逐花纹鱼,
与女游兮河之渚,	我和你同游水中的洲,
流澌纷兮将来下。[⑤]	流水飞泻哟,全在脚下沸涌!

子交手兮东行，	你拱手揖别，又乘浪东去，
送美人兮南浦。	我在南方水滨送你位美女。
波滔滔兮来迎，	滔滔的浪波都来相迎哟，
鱼邻邻兮媵予。⑥	陪嫁的还有欢蹦的群鱼！

注释

①女：即“汝”，河伯。与其同游者，是装扮成河伯模样以接迎神灵的巫者。全篇皆为巫者独唱。②骖（cān）：四匹马驾车，中间两匹称“服”，两旁的称“骖”。此作动词用，即以螭（chī）为骖。螭：无角龙。③寤怀：寤，醒着；怀，思。④朱：一作“珠”；朱亦通“珠”。⑤流澌：流水（闻一多说）。纷：读为“汾”，水涌貌。⑥邻邻：众多貌。媵（yìng）：古代给人陪嫁的女子。

鉴赏

“河伯”，即“九折注海而流不绝”的滔滔黄河之神。“河者水之伯，上应天汉”，为“四渎之源”，故称河伯。据《山海经》说，他本名“冰夷”（又称“冯夷”），“乘二龙”，住在黄河砥柱处的“中极之渊”“阳纡之山”。传说河伯是位不守帝规的放浪之神，常常“化为白龙出游”，终于被大神“夷羿”射瞎了左眼，连妻子“洛嫔”（洛水女神宓妃）也被霸占了去（见《天问》王逸注）。河伯从此守了“鳏”，脾气就越来越暴，一怒之下便洪水四溢。所以，民间祭祀就有了为河伯“娶妇”的习俗——大概是为了安抚这位鳏夫的失妻之恨吧？

“河伯”属山川之神，所以在祭祀中也不降临现场。本篇即根据这一特点，构思了迎神巫者追随神灵遨游黄河的情景；最后，河伯急于“东行”，与巫者“交手”而别；人们在南方水滨，把为他所娶的“美人”和祭品沉浮于江中，以遥致安抚之情。战国时期，楚墓殉葬之风，已由陶俑取代活人。故此“美人”，当亦为泥制之俑。

九曲黄河，浊浪滚滚。它的性格是豪放而狂暴不羁的。所以，出现在诗人笔下的迎神景象，开章便带有壮阔雄奇的气派：“与女游兮九河，冲风起兮横波。乘水车兮荷盖，驾两龙兮骖螭。”那是在黄河中下游，滚滚巨流，忽而化为相距各二百里的九道支流（即“徒骇、太史、马颊、覆鬴、胡苏、简、洁、钩磐、鬲津”），澎湃奔腾。此刻，诗人想象迎神巫者正伴随河伯,向上游急驰。因为是逆流而上,那情景就格外摄魂动魄:冲天而起的飓风,挟带着如山的巨浪壁立而起,又天崩地裂般四碎而下。主人公则与河伯安坐于荷叶为盖的水车,驾乘四龙,在浪峰间蜿蜿飞驰。这一段描述以静制动,在风狂浪骇之中,展现主人公与河伯遨游九河的景象,显得何其豪迈而自得。读者不妨想象,那震荡如雷的涛浪,不正是豪爽的神灵刹那间爆发的敞笑化成;而"冲风"率领的狂澜,不全在河伯的车驾前俯伏听命?

一张一弛,是富于情韵的艺术表现奥秘所在,诗人屈原无疑是熟谙此道的妙手。惊心动魄的开篇过后,诗中便出现了"登昆仑兮四望"的舒缓飘逸之境。此刻展现在主人公眼底的,该是多么开阔的世界:云海茫茫,万山皆伏,黄河如丝,飘忽而去——这正是"河源"昆仑山顶的奇观!主人公因此"心飞扬兮浩荡",直到暮色四合,还乐而忘返——不仅忘记了邀迎神灵的使命,反而被河伯邀去"参观"他的宫殿了。"鱼鳞屋兮龙堂"三句,正以缤纷的想象,展现了河伯之居的神奇和富丽:宫顶由青白的鱼鳞编成。堂上全饰有金色的龙鳞,美丽的紫贝镶嵌着楼观,夜明珠在宫中大放异彩……这美好的景象,顿然使主人公明白,为什么河伯那么喜爱待在水中了。"灵何为兮水中",看似问句,实为惊叹之语。这正如陈胜王的乡人,参观了他富丽堂皇的宫殿,不禁惊叹"夥颐!涉之为王沈沈者"一样。豪爽好客的河伯意犹未尽,接着又带主人公遨游河中的洲渚。这遨游更是充满了奇趣:主人公骑的是硕大无朋的白鼋,水中呢,到处有文采斑斓的鱼群。一路游去,恰好可以以追逐文鱼为嬉。然后,再躺在洲渚的滩石上,听那沸涌的流水冲刷石岸之声,岂不令人心旷而神怡?

也许正因为如此,主人公错过了接迎河伯的时机。待到他醒悟过来,神灵却已拱手而别,又驾着一片狂涛滚滚"东行"了。"子交手兮东行"以下,对于主人公邀迎神灵的喜剧来说,已是满怀惆怅之意的尾声;但从"望祀"河伯的活动来看,却是进入了为神灵"娶妇"的送亲高潮。人们把早已准备好的泥制女俑(新娘),披红戴绿地送入清波(那当然是坐在花枝结扎的轿中的了),陪伴新娘的,还有欢蹦乱跳的群鱼。一时间,江面上波涛涌来,仿佛是河伯派来迎亲的车驾;"新娘"则在鱼群的簇拥下,渐浮渐远,终于沉没。在群情欢腾的岸上,还传来祭神男女悠长深情的歌唱:"送美人兮南浦,波滔滔兮来迎,鱼邻邻兮媵予。"不知它能否给失去爱妻的河伯,带去温馨的安慰,使他的懊恼狂暴之情,由此得到宁静?

《河伯》一篇,风格很特殊。它

既有《大司命》那样气势宏伟的景象展示，又富于《东君》篇的浪漫想象；与《湘君》《湘夫人》的哀婉、清丽不同，显示的是一种色彩明丽的惊奇。诗人生长南国，不知到过黄河没有？从诗中的描绘来看，他对气势浑茫的九曲黄河，无疑充满了向往和惊奇之感。所以，在代为迎神巫者抒发情感时，虽然没有后文《山鬼》篇那样曲折动人的情致，却充满了心驰神往的奇思。

（潘啸龙）

山　鬼

若有人兮山之阿，	好像有人在山隈间隐现，
被薜荔兮带女罗。	身穿薜荔，腰束女萝。
既含睇兮又宜笑，①	含情脉脉，笑得有多美好，
子慕予兮善窈窕。	意态娴雅，真教你羡慕。
乘赤豹兮从文狸，	驾乘赤豹，后面跟着花狸，
辛夷车兮结桂旗。	辛夷木的车上扎起桂花旗。
被石兰兮带杜衡，	我身披石兰，腰束杜衡，
折芳馨兮遗所思。	再掐枝鲜花，送给思念的神女。
余处幽篁兮终不见天，	竹林森森，我见不到天日，
路险难兮独后来。	独自后来，只恨山路崎岖。
表独立兮山之上，②	我高高伫立这山巅上，
云容容兮而在下，③	脚下飘浮起层层云雾。
杳冥冥兮羌昼晦，	昏黑的白昼如同暗夜，
东风飘兮神灵雨。	东风又飘落阵阵的雨。
留灵脩兮憺忘归。	留待着神女安然忘返，
岁既晏兮孰华予？④	年岁渐老，谁让我青春永驻？
采三秀兮于山间，⑤	在山间采摘益寿的芝草，

石磊磊兮葛蔓蔓。	山石磊磊，到处爬满藤蔓。
怨公子兮怅忘归，	我心中哀怨、怅然忘归，
君思我兮不得闲。	神女哟，你想着我，却无空闲。
山中人兮芳杜若，	山中的人儿，像芬芳的杜若，
饮石泉兮荫松柏，	饮的是石泉，遮荫的是松柏。
君思我兮然疑作。	神女哟，你想着我，又狐疑满腹。
雷填填兮雨冥冥，	雷声隆隆，雨色濛濛，
猨啾啾兮又夜鸣。⑥	猿猴在夜中啾啾地叫。
风飒飒兮木萧萧，	飒飒的风声，萧萧的落叶，
思公子兮徒离忧！	神女哟，我想着你，徒生烦恼！

注释

①睇(dì)：微视。宜：通"齞"，齿露貌。宜笑：笑时牙齿微露的美好样子。②表：突出。③容容：通"溶溶"，水流貌。这里形容云气流动飘浮貌。④晏：迟。华：花。华予：使我像花一样美好。⑤三秀：芝草，一年开三次花，传说服食了能延年益寿。⑥又：即"狖(yòu)"，长尾猿。

鉴赏

"河伯"尽管未能降临祭祀现场，人们对他的怀思倒不怎样哀切。到了祭祀"山鬼"，也许她与楚人的关系更密切些，人们那不遇神灵的怀思，又如《湘君》《湘夫人》一样，哀哀如泣了。

不过，这哀泣也有一个酝酿的过程。在此诗开头，人们似乎并不知道，"山鬼"姑娘是注定请不来的。所以打扮成山鬼模样的女巫，此刻还正喜滋滋地走在迎神路上。

"山鬼"，也就是山神。按照《左传》《国语》的记载，大抵为"木石之怪""魑魅罔两"，颇带妖魅之气。《淮南子》所说的山神"嗥阳"（狒狒），据《尔雅》所释，更是"披发、迅走、食人"的野兽。楚人生长于南国山泽，碧水青山、白芷绿荷所带给他们的,大多是富于人情味的清绮之思。所以,楚地的山神,也一扫兽、魅森怖之气,变成了美丽动人的女郎。关于她的相貌,我们从诗人对接迎神灵的巫者打扮的描述,便可知其一二。“若有人兮山之阿”,是一个远镜头。其中的“若”字,表现女巫在山隈间忽隐忽现的身影,正显示了“山鬼”所特有的轻盈飘忽之态。镜头拉近,便是一位身披薜荔、腰束松萝、鲜翠嫩绿、清新扑面的女巫——也就是楚人心目中的山鬼形象。那一双眼波微微流转,蕴涵着脉脉深情;嫣然一笑,齿皓唇红,更使笑靥生辉。“既含睇兮又宜笑”,着力处只在眼神和笑意,显得轻灵传神。女巫如此装扮,本意在于引得与其相似的山鬼的附身,故接着便是一句:“子慕予兮善窈窕”——我这样美好,可要把你(山鬼)羡慕死了!口吻也是按想象中山鬼的性格设计的,开口便是不假掩饰的自赞自夸。这是通过女巫的打扮给山鬼画像,应该说已极精妙了。诗人似乎还嫌气氛冷清了些,所以又将镜头推开,色彩浓烈地渲染女巫迎神的车驾随从:“乘赤豹兮从文狸,辛夷车兮结桂旗。被石兰兮带杜衡,折芳馨兮遗所思。”这真是一次堂皇、欢快的行进:火红的豹子、毛色斑斓的花狸,还有开着笔尖似花朵的辛夷树、芬芳四溢的桂花枝……诗人用这一切奇花异兽,来充当女巫的旗仗车从,既切合所迎神灵的环境身份,又将她手拈花枝、笑吟吟前往迎神的气氛,映衬得格外热烈、欢快。

自“余处幽篁兮终不见天”以下,情节出现了曲折。因为“山鬼”是不降临祭祀现场的,诗人因此设想,满怀喜悦的巫者,由于山高路险、竹林幽深,耽误了时间,竟没能见着山鬼神灵。她懊恼、哀伤,同时又怀着一线希望,开始在山林间四处寻找。她忽而“表独立兮山之上”,俯瞰四方的山林,希冀能发现神灵的踪影。但溶溶升腾的云雾,遮蔽了她的视野。她忽而行走在幽深的林中,但古木森森、昏暗如夜;山间的飘风、阵雨,虽然都是神灵所催发,但山鬼就是不露面。人们祭祀山神,无非想求得神灵降福、延年益寿。现在不遇神灵,女主人公不免哀伤地感叹:“岁既晏兮孰华予?”为了宽慰年华不再的落寞之感,她便在山林间饮服山泉、采食芝草(传说它能“令人寿千岁不老,能乘云通天,见鬼神”),希望能因此接遇神灵。这些描述,写的虽是迎神女巫在山中寻觅的种种思虑,而表达的正是世人共同的愿望和惆怅之情。诗人描述女巫接迎山鬼,还特别注意刻画其微妙的心理。“怨公子兮怅忘归”,分明对神灵产生了哀怨;“君思我兮不得闲”,转眼却又怨气顿消,反去为山鬼的不临辩解起来。“山中人兮芳杜若”,这“人”正是装扮成山鬼的女巫(与“神马”相对而言)，与开头的“子慕予兮善窈窕”相仿，似乎还是自赞自夸；但放在到处寻找神灵而不遇的此处，又隐隐透露了一种哀伤中的自怜和自惜。“君思我兮然疑作”，对神灵不临既思念、又疑虑的，明明是巫者自己，但开口诉说之时，却又推说是神灵在对自己“然、疑”。这些诗句，在表现迎神巫者的复杂心理上，均精妙入微。

到了此诗结尾，对神灵的降临已趋绝望，诗中便出现了凄厉长啸的变徵之音。“雷填填兮雨冥冥”三句，将雷鸣、猿啼、风声、雨声交织在一起，展现了一幅极为凄凉的山林夜景。诗人在此处似乎运用了反衬手法：他愈是渲染山林间雷鸣猿啼的夜声，便愈加显出迎神巫者所处山林的幽深和静寂。正是在这凄风若雨的无边静寂中，诗人的收笔，却是一句突然迸发的呼告之语：“思公子兮徒离忧！”这是发自迎神巫者心头的痛切呼号，它凝蓄了人们苦苦追寻神灵而终于不遇的全部哀思。这位美丽女巫，开初曾那样喜悦地驾乘赤豹、手拈花枝，沿着曲曲山限走向神灵栖身之处；至此又带着无限的愁思和哀怨，在凄风苦雨中呼号离去——这就是屈原笔下的《山鬼》，一首多么缠绵动人的祭歌！

需要指出的是，《山鬼》(包括前面的《湘君》《湘夫人》)所抒写的，虽是人们接迎神灵而不遇的哀怨之思，但由于诗人是用人世的体验，抒写人神交接或不遇之情，而且又表现得那样形象、生动。这就使它的情感意义，远远超出了祀神乐歌的局限，而成为大多人们所体验过的某种悲欢离合之情的典型表现。因此，当大多读者为包蕴其间的深切哀情所打动，而将迎神不遇之思，理解为男女相恋之情，并为其一洒热泪的时候，我们就不必为这种明显的误解而遗憾，倒是应该感到高兴。因为这种现象说明：一位伟大的作家，可以使他作品中的特定情感表现，在多么广大的空间和时间范围里，超越作品、超越自身，打通不同人们的心灵，而激起世世代代人们的共鸣！

(潘啸龙)

国　殇

操吴戈兮披犀甲，①	战士手持兵器身披犀甲，
车错毂兮短兵接。②	敌我战车交错戈剑相接。
旌蔽日兮敌若云，	旌旗遮天蔽日敌众如云，

矢交坠兮士争先。
凌余阵兮躐余行，③
左骖殪兮右刃伤。④
霾两轮兮絷四马，⑤
援玉枹兮击鸣鼓。⑥
天时怼兮威灵怒，⑦
严杀尽兮弃原野。
出不入兮往不反，
平原忽兮路超远。
带长剑兮挟秦弓，
首身离兮心不惩。⑧
诚既勇兮又以武，
终刚强兮不可凌。
身既死兮神以灵，
魂魄毅兮为鬼雄！⑨

飞箭如雨战士奋勇争先。
敌军侵犯我们行列阵地，
右骖马受伤左骖马倒毙。
兵车两轮深陷绊住四马，
主帅举起鼓槌猛击战鼓。
杀得天昏地暗神灵震怒，
全军将士捐躯茫茫原野。
将士们啊一去永不回还，
走向那平原的遥远路途。
佩长剑挟强弓争战沙场，
首身分离雄心永远不屈。
真正勇敢顽强而又英武，
始终刚强坚毅不可凌辱。
人虽死啊神灵终究不泯，
魂魄刚毅不愧鬼中英雄！

（黄寿祺、梅桐生　译）

注释

①吴戈：吴地所产的戈，取其锋利。犀甲：犀牛皮甲。②毂（gǔ）：轮轴。③躐（liè）：践踏。行：行列。④骖：车驾外侧的马。殪（yì）：倒地而死。右：右骖。⑤霾：埋。絷（zhí）：绊住。⑥玉枹（fú）：玉饰的鼓槌。⑦怼：落。一作“坠”。⑧惩（chéng）：悔恨。⑨魂魄毅：一作“子魂魄”。

鉴赏

本篇在《九歌》中地位相当特别。盖它篇所迎颂者皆天地神祇，此篇独为人鬼。“殇”本指未满二十岁而死的人。“国殇”则特指为国捐躯的将士。刘永济说本篇“通体皆写卫国战争，皆招卫国战死者之魂而祭之之词”。诗中场面系敌强我弱，有其特定历史背景。战国的秦楚争雄，从怀王后期开始，屡次以楚方战争失利了结。《史记·楚世家》记载：（怀王）十七年，与秦战丹阳。秦大败我军，斩甲士八万，虏我大将军屈匄，遂取汉中郡。楚悉国兵复袭秦，大败于兰田。二十八年，秦与齐、韩、魏共攻楚，杀楚将唐眛，取重丘。二十九年，秦复攻楚，大败楚军，死者二万，杀将军景缺。三十年，秦复伐楚，取八城。（顷襄）元年，秦攻楚，大败楚军，斩首五万。由此可见楚国在抗秦的战争中伤亡的惨重。而当时楚国的士气民情，并不低落，在怀王入关而不返，死在秦国后，民间就有"楚虽三户，亡秦必楚"的口号。屈原这篇追荐阵亡将士的祭歌，就反映了这样一种同仇敌忾和忠勇的爱国激情。

全诗可分两段。第一段从"操吴戈兮被犀甲"到"严杀尽兮弃原野"，描绘严酷壮烈的战争场面。诗一开始就用开门见山、放笔直干的写法：战士们披坚执锐，白刃拼杀。古时作战乘战车，作用有如近代的坦克，双方轮毂交错，是近战，是"短兵（相）接"。诗从战斗最激烈处写起，极为简劲。在这个"近景"描写后，诗中展开了一个战斗的"全景"：旌旗遮天蔽日，秦军阵容强大。敌若云，箭似雨。处于劣势的楚国将士却并没被危险与敌威所压倒，他们争先恐后，奋不顾身，其勇猛有逾于困兽。但终因寡不敌众，被敌方冲乱了行列与阵脚，楚军陷入被动，败局已定。就在这千钧一发之际，诗人用了"特写"方式，着力刻画楚方主将：他高踞战车之上，身先士卒，临难不苟。他的左右骖乘一死一伤，车轮如陷泥淖，驷马彼此牵绊，进退不得，却继续援槌击鼓，指挥冲杀，直到流尽最后一滴血，直到全军覆没。"严杀尽兮弃原野"，这是一个"定格"的画面：战场上尸横狼藉。喊杀声停止了，笼罩着一片死样的沉寂。楚国将士身首离异，然而还佩着长剑，挟持秦弓（有人认为这"秦弓"是夺到手的武器，颇能得间）。敌人胜利了，但是"杀人三千，自损八百"，这是一场令其思之胆寒的胜利。楚军失败了，这是一场令人肃然起敬的悲壮的失败。整个前段，诗人通过有限的画面，表现了意味极为丰富的内容。

诗中主将的遭遇，容易使人想到项羽《垓下歌》的前两句："力拔山兮气盖世，时不利兮骓不逝。"然而《垓下歌》的结尾是软弱无力的，远不能与《国殇》的结尾相提并论。任何的徒呼奈何、呜呼，乃至泣血流泪，都是愧对烈士英灵的。此诗的后一段则取一种气薄云天的慷慨之音，对死国者作了热烈赞颂。"出不入兮往不返"二句，与荆轲《易水歌》同致。"壮士一去兮不复还"，是以身许国者共有的豪言壮语。烈士们用鲜血实践了他们的誓言。他们死不倒威，死而不悔，可杀而不可侮。

他们生命终结而精神不朽，到了另一个世界，也仍是出类拔萃的"鬼雄"！与诗发端的开门见山相应，结尾是斩钉截铁，令人振奋的。

《诗经》中有不少以战争为题材或背景的作品，除《大雅·常武》中少量文字外，一般只写出征的一方，却不见激烈的战斗场面。如《秦风·无衣》仅言"王于兴师，修我戈矛，与子同仇"，《小雅·车攻》仅言"我车既攻，我马既同""之子于征，有闻无声"，都未及正面的接仗。而《国殇》中却大写秦人狂风骤雨的侵凌，楚军浴血奋战与抵抗，两军短兵相接的激战，在战争诗的创作上谱写了全新的一页。《国殇》紧凑而凝练，具有较强的艺术概括力。有人认为诗中的战将非泛写，是指战败于丹阳之战的屈匄。其实是难于指实的。诗中所祭颂乃楚国历来之"国殇"，并不限于一战。而诗人却用了艺术概括的手法，集中描写了一场浴血奋战的场面，在刻画中运用了类乎"蒙太奇"的语言，显得形象鲜明凸出，堪称短小精悍。诗篇旨在歌颂阵亡将士的勇武，却没有简单地丑化敌人，相反地对敌方力量的强大作了夸张的描写，"疾风知劲草"，这对阵亡者的大无畏精神恰恰起到了有力的衬托作用。后来唐诗写战争仍多用类似手法（如"黑云压城城欲摧"之类）。在《国殇》中，一扫诗人习用的香草美人那一套比兴手法，通篇直赋其事，造成一种刚健朴质的风格，在《九歌》中独树一帜。宣扬的轻身报国的精神，曾激起过世代爱国志士的共鸣："投躯报明主，身死为国殇"（鲍照《代出自蓟北门行》）、"国殇毅魄今何在？十载招魂竟不知"（陈子龙《辽东杂诗》）、"希文忧乐关天下，莫但哀时作国殇"（柳亚子《赠文怀沙》）……对于后代的战争诗，尤其是唐人边塞诗中爱国主题的作品，《国殇》确有首开先河的作用。

（周啸天）

礼　魂

成礼兮会鼓，	完成了祭礼，齐声击鼓，
传芭兮代舞，[①]	传递着鲜花、轮番地舞，
姱女倡兮容与。[②]	美人的歌哟唱得多欢舒。
春兰兮秋菊，	春祭兰花哟，秋祭清菊，
长无绝兮终古！	永不衰绝、直到终古！

注释

①芭(bā):初开的鲜花。代:交替,轮流。②姱女:美女。倡:通“唱”。容与:宽适,从容。

鉴赏

《礼魂》是《九歌》中最短的一首。王逸说,《礼魂》之用,是“祠祀九神,皆先斋戒,成其礼敬,乃传歌作乐”(《楚辞章句》)。可见是祭祀诸神所通用的“乱辞”或“送神歌”。

这首诗节奏轻快,洋溢着一派欢乐之情。每祭完一位神灵,祭场上便鼓声交作,一队队青年男女,传递着芬芳的花束,轮番着翩翩起舞。正如明月在灿烂群星的拱卫中升起,此刻,在满场的花影、舞姿中,也突然拥出一位光彩照人的美丽姑娘。她用婉转清亮的歌喉,向离去的神灵(也包括不临的神灵),唱起深情祈愿的歌:“春祭兰花哟,秋祭清菊,永不衰绝哟,直到终古!”

《礼魂》的境界,似乎就尽于这传芭、代舞的歌声萦绕之中了。其实却远不止于此。在它的歌声飞扬之处,《九歌》各篇所塑造的众多神鬼,不又以其全部魅力,一一重现在了读者的眼前:那剑佩雍容的“上皇”,在曲折连蜷的“云中君”陪伴下,不正带着欣欣安康的满足,蹒跚在云空?而高驰冲天的辚辚龙车上,威武的“大司命”,不还微笑着,讲述那“孰离合兮可为”的生死哲理?八百里洞庭,恍惚有“湘夫人”凌波远去的倩影?九万仞高天,还仰见“东君”衣袂飘飘“射天狼”的雄姿?当鼓点伴着歌声敲响的时候,你可听到“河伯”那压倒涛浪的敞笑?而突然之间,它又幻化出英勇“国殇”箭矢交坠中的杀声?

这就是屈原用那摇曳多姿的五彩之笔,在《九歌》中创造的祭神奇境。它们曾在各自的篇章,海市蜃楼般地涌现;而后在《礼魂》中,弥漫、交融,又云烟般消散。《礼魂》完成了《九歌》的祭礼,却将当年参祭人们的不尽希冀和失望、壮心和哀思,遗留给万代千秋。

(潘啸龙)

天　问

屈原

曰:遂古之初,	请问:远古创始的景象,
谁传道之?	是谁将它传告?
上下未形,	上下混沌未分,
何由考之?	又何从审察、稽考?
冥昭瞢闇,①	世界昏暗迷蒙,
谁能极之?	谁能加以穷究?
冯翼惟象,②	元气弥漫无形,
何以识之?	何从识其原由?
明明闇闇,	昼夜明明暗暗,
惟时何为?	为什么这样变更?
阴阳三合,③	阴阳二气的参合,
何本何化?	哪是本原和化生?
圜则九重,	九天像圆盖一样,
孰营度之?	是谁环绕、度量?
惟兹何功,	工程何等宏伟,
孰初作之?	谁是营造的巨匠?
斡维焉系?④	旋转的天维系何处?
天极焉加?	横空的天梁架哪里?
八柱何当?	八柱撑天竖于何方?
东南何亏?	东南大地为何倾圮?
九天之际,	九天之间的边界,
安放安属?	在何处安置、连接?

隅隈多有，	无数的角落、曲隈，
谁知其数？	谁能计算个确切？
天何所沓？[5]	天穹在哪里蹠足？
十二焉分？	十二辰怎样划分？
日月安属？	日月靠什么悬挂？
列星安陈？	众星谁为之铺陈？
出自汤谷，	红日在汤谷跃升，
次于蒙汜；[6]	直至蒙汜驻轮。
自明及晦，	从清晨到昏暮，
所行几里？	奔行了几多里程？
夜光何德，	夜月有何德行，
死则又育？	竟能死而复苏？
厥利维何，	究竟图什么好处，
而顾菟在腹？[7]	而玉兔顾望在腹？
女岐无合，	传说女岐无夫，
夫焉取九子？	哪能有九子生育？
伯强何处？	伯强在哪里居住？
惠气安在？[8]	惠风在何处吹拂？
何阖而晦？	什么门关了天黑？
何开而明？	什么门开了天亮？
角宿未旦，	东天未明的时候，
曜灵安藏？[9]	太阳又藏身何方？
不任汩鸿，	伯鲧不胜任治洪，
师何以尚之？[10]	众人为什么推崇？
佥曰何忧，	都说洪水无忧，
何不课而行之？[11]	为何不试了再用？
鸱龟曳衔，	鸱、龟相衔导引，
鲧何听焉？[12]	伯鲧为何听从它？

顺欲成功，	治水顺应了民心，
帝何刑焉？	帝尧为何处罚他？
永遏在羽山，	尸身久弃于羽山，
夫何三年不施？⑬	为什么三年不烂？
伯禹腹鲧，	剖腹而生伯禹，
夫何以变化？⑭	怎会有如此变幻？
纂就前绪，	伯禹接续遗业，
遂成考功。	终于成就父功。
何续初继业，	为何父子相继，
而厥谋不同？	治水方法却不同？
洪泉极深，	深邃的洪水渊，
何以窴之？	伯禹用什么填平？
地方九则，	广袤的九州地，
何以坟之？⑮	伯禹又怎样区分？
应龙何画？	应龙尾划过哪里？
河海何历？	河海水流经何方？
鲧何所营？	伯鲧何所经营？
禹何所成？	伯禹何所贡献？
康回冯怒，	为什么共工盛怒，
地何故以东南倾？	大地就陷了东南？
九州安错？	九州怎样划定？
川谷何洿？⑯	川谷如何疏浚？
东流不溢，	水汇东海不溢，
孰知其故？	这道理谁能说明？
东西南北，	大地的东西、南北，
其脩孰多？	究竟谁长谁短？
南北顺椭，	南北略呈椭圆，
其衍几何？⑰	超出东西几千？
昆仑县圃，	通天的昆仑悬圃，

其尻安在？[18]	究竟坐落在何处？
增城九重，	传说的九层增城，
其高几里？	究竟有几万里高度？
四方之门，	昆仑山的四方门，
其谁从焉？	谁曾在那里进出？
西北辟启，	西北的大门敞开，
何气通焉？	什么风畅行、吞吐？
日安不到？	太阳到不了哪里？
烛龙何照？[19]	烛龙照耀在何方？
羲和之未扬，	羲和还没有扬鞭，
若华何光？[20]	若木花怎样放光？
何所冬暖？	哪里的冬日如春？
何所夏寒？	何处的夏日寒冷？
焉有石林？	什么地方石丛如林？
何兽能言？	什么野兽吐语如人？
焉有虬龙，	哪里有无角龙，
负熊以游？	遨游时背负大熊？
雄虺九首，	九头蛇电闪一般，
儵忽焉在？[21]	在哪里倏忽往返？
何所不死？	什么地方人不死？
长人何守？[22]	长人守卫什么山？
靡蓱九衢，	哪有一枝九岔，
枲华安居？[23]	开花结籽的寿麻？
一蛇吞象，	一蛇吞下巨象，
厥大何如？	它自身又有多大？
黑水、玄趾，	哪里有黑水、玄趾，
三危安在？[24]	还有三危山耸峙？
延年不死，	人们都长生不老，
寿何所止？	究竟寿终何时？

鲮鱼何所？	哪有鲮鱼人面、鱼身？
鬿堆焉处？[25]	何处鬿雀虎爪、食人？
羿焉彃日？	大羿在哪里射日？
乌焉解羽？[26]	神鸟在何处丧生？
禹之力献功，	禹既献身于平洪，
降省下土四方；[27]	巡察下方的水情；
焉得彼涂山女，	何得遇见涂山之女，
而通之于台桑？	与她在桑林通淫？
闵妃匹合，	怜爱配偶而结合，
厥身是继。[28]	原为了传宗接代。
胡维嗜不同味，	为什么族类不同，
而快鼌饱？[29]	还贪图一时欢快？
启代益作后，	夏启代益为帝，
卒然离蠥。[30]	突然遭遇祸难。
何启惟忧，	为什么受到拘禁，
而能拘是达？[31]	而能脱身远患？
皆归射𥏾，	敌众纷纷归服，
而无害厥躬？[32]	夏启毫无伤害。
何后益作革，	为何益被推翻，
而禹播降？[33]	禹嗣却昌盛不衰？
启棘宾商，	启献美女给上帝，
《九辩》《九歌》；[34]	淫乐于《九歌》《九辩》；
何勤子屠母，	为什么爱子杀母，
而死分竟地？[35]	让母尸裂坠地面？
帝降夷羿，	上帝派遣后羿，
革孽夏民；	为夏民驱除灾疠；
胡䠶夫河伯，	何以又射瞎河伯，
而妻彼雒嫔？	霸占洛妃为妻？

冯珧利决， 用板指拉开劲弓，
封狶是䠶。[36] 射杀巨大的野猪。
何献蒸肉之膏， 献上肥美的祭肉，
而后帝不若？[37] 上帝为何不满足？
浞娶纯狐， 寒浞私通羿妻，
眩妻爰谋。[38] 迷惑她设下毒计。
何羿之䠶革， 后羿能射革七层，
而交吞揆之？[39] 何以被合力烹毙？
阻穷西征， 伯鲧窘困西行，
岩何越焉？[40] 怎样攀险越坡？
化为黄熊， 其神化为黄熊，
巫何活焉？[41] 怎被灵巫救活？
咸播秬黍， 他教民广播黑黍，
莆雚是营；[42] 经营植苇织席。
何由并投， 为什么将他摒斥，
而鲧疾脩盈？[43] 嫉恨竟如此严厉？
白蜺婴茀， 曲折氤氲的白云，
胡为此堂？[44] 为何缠绕此殿堂？
安得夫良药， 后羿求得良药，
不能固臧？ 何以不严加保藏？
天式纵横， 阴阳变化的法则，
阳离爰死。 阳气离体就死去。
大鸟何鸣， 鵕鸟为什么悲鸣？
夫焉丧厥体？[45] 鼓神在哪里捐躯？
蓱号起雨， 蓱翳凭借什么，
何以兴之？[46] 竟能兴云作雨？
撰体协胁， 飞廉鹿身骈胁，
鹿何膺之？[47] 奇形从哪里承取？
鳌戴山抃， 大龟顶着山游遨，

何以安之？[48]	怎能使五山不摇？
释舟陵行，	巨人舍船陆行，
何以迁之？[49]	靠什么钓走六鳌？
惟浇在户，	浇在嫂子门口，
何求于嫂？	对她有什么企求？
何少康逐犬，	少康赶着狗打猎，
而颠陨厥首？[50]	怎样砍了浇的头？
女歧缝裳，	女歧给浇缝衣，
而馆同爰止。[51]	乘机同房共息。
何颠易厥首，	何以被少康误杀，
而亲以逢殆？	因淫佚遭逢袭击？
汤谋易旅，	少康整顿士众，
何以厚之？[52]	怎样使力量壮大？
覆舟斟寻，	斟寻被浇攻灭，
何道取之？[53]	少康怎样讨伐他？
桀伐蒙山，	夏桀攻打蒙山，
何所得焉？	究竟得到些什么？
妺嬉何肆，	妺嬉怎样放荡？
汤何殛焉？[54]	汤为何将她放逐？
舜闵在家，	舜既忧虑无妻，
父何以鳏？[55]	父亲为何不娶？
尧不姚告，	帝尧不告知舜父，
二女何亲？	为什么嫁他二女？
厥萌在初，	开初就已有征兆，
何所亿焉？[56]	为何不能预料？
璜台十成，	封建十层玉台，
谁所极焉？	那后果有谁想到？
登立为帝，	古人登位称帝，
孰道尚之？	按什么原则推举？

女娲有体，	女娲蛇身人面，
孰制匠之？	谁给她制作形躯？
舜服厥弟，	虞舜顺从弟弟，
终然为害。	终于受他的谋害。
何肆犬体，	他像狗一样放肆，
而厥身不危败？[57]	为何不遭遇危败？
吴获迄古，	吴国立自远古，
南岳是止。[58]	南岳拓为疆址。
孰期去斯，	谁料到此中原因，
得两男子？[59]	是得了两位男子？
缘鹄饰玉，	饰玉鼎煮的鹄羹，
后帝是飨；[60]	上帝既已受享；
何承谋夏桀，	为何还算计夏桀，
终以灭丧？	终于让他灭亡？
帝乃降观，	商汤到民间巡视，
下逢伊挚。	遇见了贤臣伊挚。
何条放致罚，	在鸣条惩处夏桀，
而黎服大说？[61]	百姓为何大喜？
简狄在台，	简狄住在瑶台，
喾何宜？[62]	如何被帝喾看中？
玄鸟致贻，	凤鸟送来聘礼，
女何喜？	她为何满脸欢容？
该秉季德，	王亥秉承父德，
厥父是臧。[63]	父亲大为赞赏。
胡终弊于有扈，	为什么终于困顿，
牧夫牛羊？	在有易放牧牛羊？
干协时舞，	他执着盾牌曼舞，
何以怀之？[64]	为何就有人恋他？
平胁曼肤，	体态丰腴的女子，

何以肥之？[65]	怎样和他勾搭？
有扈牧竖，	有易氏的牧人，
云何而逢？	在哪里撞见奸情？
击床先出，	将他击杀在床上，
其命何从？	遵从了谁的命令？
恒秉季德，	王恒也秉承父德，
焉得夫朴牛？[66]	从哪里得到大牛？
何往营班禄，	为何去钻营封禄，
不但还来？	从此在有易滞留？
昏微遵迹，	上甲微继踵讨伐，
有狄不宁。[67]	有易国因此不宁。
何繁鸟萃棘，	在群鸟栖息的棘丛，
负子肆情？[68]	为何与妇人调情？
眩弟并淫，	弟弟迷于淫乱，
危害厥兄。[69]	害了他的兄长。
何变化以作诈，	为什么虚伪多诈，
后嗣而逢长？	后代却长久兴旺？
成汤东巡，	成汤巡行东方，
有莘爰极。	来到有莘之域。
何乞彼小臣，	为何想求取伊尹，
而吉妃是得？[70]	还得到善良配侣？
水滨之木，	水边桑树林下，
得彼小子。[71]	捡得的婴儿长大。
夫何恶之，	为何又将他憎恶，
媵有莘之妇？	作了有莘女的陪嫁？
汤出重泉，	成汤从重泉获释，
夫何罪尤？[72]	究竟有何罪过？
不胜心伐帝，[73]	愤怒讨伐帝桀，
夫谁使挑之？	是谁挑起的战祸？

会朝争盟，	在早上争相会盟，
何践吾期？[74]	为何能践约如期？
苍鸟群飞，	将士如鸷鸟群飞，
孰使萃之？	谁指挥他们齐集？
到击纣躬，	武王击杀商纣，
叔旦不嘉。[75]	周公不加赞许。
何亲揆发足，	他为何谋划灭商，
周之命以咨嗟？[76]	又为受命叹吁？
授殷天下，	上帝把天下交殷，
其位安施？	根据了什么德行？
反成乃亡，	成功了又灭亡它，
其罪伊何？	它犯了什么罪名？
争遣伐器，	诸侯争相调兵，
何以行之？	部署怎样制定？
并驱击翼，	合力击殷侧翼，
何以将之？	三军靠谁统领？
昭后成游，	昭王浩盛巡游，
南土爰底。	直到南楚终止。
厥利惟何，	他究竟贪图什么？
逢彼白雉？[77]	只为了得到白雉？
穆王巧梅，	穆王巧御八骏，
夫何为周流？[78]	为何四方巡游？
环理天下，[79]	跑遍整个天下，
夫何索求？	究竟有何寻求？
妖夫曳衒，	相扶炫耀的妖人，
何号于市？[80]	为什么号叫街市？
周幽谁诛？	幽王将谁诛伐？
焉得夫褒姒？[81]	从哪里得到褒姒？
天命反侧，	天命反复无常，

何罚何佑？	怎能佑善罚恶？
齐桓九会，	齐桓公九会诸侯，
卒然身杀？[82]	终于尸虫出户！
彼王纣之躬，	再看那位纣王，
孰使乱惑？	是谁使他迷狂？
何恶辅弼，	为何疾恶贤辅，
谗谄是服？	信用谗舌如簧？
比干何逆，	比干触犯了什么，
而抑沈之？	竟被扼杀、剖心？
雷开何顺，	雷开怎样顺从，
而赐封之？[83]	赐以爵位、玉金？
何圣人之一德，	为什么圣人同德，
卒其异方？	结果却大不一样？
梅伯受醢，	梅伯被砍为肉酱，
箕子佯狂。[84]	箕子也披发佯狂？
稷维元子，	后稷身为长子，
帝何竺之？[85]	帝喾为何厌弃？
投之于冰上，	把他扔在冰上，
鸟何燠之？	飞鸟怎给予温煦？
何冯弓挟矢，	何以能挟弓持箭，
殊能将之？	成为特异的将才？
既惊帝切激，	出生惊骇了帝喾，
何逢长之？[86]	为何后嗣不衰？
伯昌号衰，	姬昌号令于殷末，
秉鞭作牧。[87]	掌权当了西伯。
何令彻彼岐社，	为何让毁去岐社，
命有殷国？[88]	受天命取代殷国？
迁藏就岐，	人们携财迁岐，
何能依？[89]	何以都归依古公？

殷有惑妇，	纣有迷人的妲己，
何所讥？	谁能纳善进忠？
受赐兹醢，	纣王分赐肉酱，
西伯上告。	西伯愤告上苍。
何亲就上帝罚，	纣怎样身受帝罚，
殷之命以不救？	再不能挽救殷亡？
师望在肆，	吕望隐迹肉铺，
昌何识？[90]	姬昌怎样辨识？
鼓刀扬声，	听到操刀之声，
后何喜？	他为何满脸喜色？
武发杀殷，	武王斩杀殷纣，
何所悒？[91]	为何怨愤如火？
载尸集战，	他车载父尸会战，
何所急？[92]	为何如此急迫？
伯林雉经，	纣王自缢于柏林，
维其何故？[93]	那是什么缘故？
何感天抑墜，	为什么疾恨天地，
夫谁畏惧？[94]	是谁使他畏惧？
皇天集命，	上天降赐禄命，
惟何戒之？	对人君有何戒警？
受礼天下，[95]	把天下交他治理，
又使至代之？	为何又代之异姓？
初汤臣挚，	伊挚起初是汤臣，
后兹承辅；[96]	尔后辅助夏桀；
何卒官汤，	何以又做了汤相，
尊食宗绪？[97]	死后在汤庙受祭？
勋阖梦生，	阖庐为寿梦子孙，
少离散亡；[98]	从小背井离乡；
何壮武厉，	为何壮年勇武，

能流厥严？	威名震于四方？
彭铿斟雉，	彭祖献祭雉羹，
帝何飨？[99]	天帝为什么享受？
受寿永多，	给他许多年寿，
夫何久长？	究竟活了多久？
中央共牧，	诸侯共治中原，
后何怒？[100]	厉王为何发怒？
蜂蛾微命，	百姓微如蜂蛾，
力何固？[101]	力量何以强固？
惊女采薇，	采薇受女讥警，
鹿何祐？	白鹿怎样辅佑？
北至回水，	为何北止回水，
萃何喜？[102]	乐意在此滞留？
兄有噬犬，	秦景公喂有猛犬，
弟何欲？	弟弟为什么求取？
易之以百两，	想用百辆车交换，
卒无禄？[103]	爵禄也终于失去？
薄暮雷电，	黄昏时雷电交加，
归何忧？	我归去有何忧愁？
厥严不奉，[104]	君王已丧其威严，
帝何求？	对天帝又有何求？
伏匿穴处，	藏身于山崖洞穴，
爰何云？	还能有什么可讲？
荆勋作师，	楚王贪功兴兵，
夫何长？	国运怎能久长？
悟过改更，	倘若醒悟改过，
我又何言？	我还有什么话说？
吴光争国，	吴光与楚相争，
久余是胜。	曾经长久胜我。

何环穿自闾社丘陵，	为何环闾穿社，在丘陵相淫，
爰出子文？[105]	生出了贤相子文？
吾告堵敖，	我曾警告堵敖，
以不长；	在位将不久长；
何试上自予，	哪是要君上身试，证实我言，
忠名弥彰？[106]	让忠名更加显扬？

（潘啸龙译并注）

注释

①冥：幽暗。昭：可能是"昒（hū）"的错字，昒，未明也。瞢（méng）：模糊不清。闇：即"暗"。②冯：满。翼：盛。象：形。惟象：即"未象"，无形的意思。③三合：三同"参"，参错相合。或曰"三合"指天、地、人三者的结合和统一。④斡（guǎn）：旋转的枢纽，指斗枢。维：大绳。传说天体靠大绳系在斗枢上随斗旋转。⑤沓（tà）：通"踏"，履也。⑥汤（yáng）谷：即"旸谷"，传说是太阳沐浴而升起的地方。蒙汜：即昧谷，日落处。⑦顾菟：顾，回头，菟即兔。传说月宫中有玉兔。一说"顾菟"为月中兔名。一说"顾菟"是蟾蜍的异名。腹：月之腹。⑧女岐：神女，传说无夫而生九子。亦为星名，即九子母。合：配偶。伯强：即番强，风神。惠气：即惠风，和顺之风。⑨角宿（xiù）：二十八宿之一，有两颗星。传说这两颗星之间为天门。旦：天明。曜（yào）灵：太阳。⑩任：胜任。汩（gǔ）：治理，疏通。鸿：通洪，指洪水。师：众人。尚：推崇，荐举。⑪佥（qiān）：都，皆。课：考核，试验。⑫鸱（chī）：一种鸷鸟。鸱龟曳衔，本事不详。可能指鸱、龟相衔牵引在前面引导，暗示治水的方法，盖出于伯鲧治水的传说。听：从也。⑬永遏：长久禁闭。羽山：神话传说中的山名，在东方。施：坏。传说"鲧死三年不腐，剖之以吴刀，化为黄龙"。⑭传说禹是鲧死后在尸腹中生出。《初学记》："鲧殛死，三岁不腐，副（剖）之以吴刀，是用出禹。"《山海经·海内经》："帝令祝融杀鲧于羽郊，鲧复（腹）生禹。"⑮坟：分。⑯错：设置。洿（wū）：深。⑰椭（tuǒ）：狭而长。衍：余，或曰广大。洪兴祖《补注》引《淮南子》《轩辕本纪》《灵宪》所记，大多以东西长、南北短。《博物志》引《河图》，称天地南北三亿三万五千五百里，东西二亿三万三千里，是南北长、东西短。⑱县圃：神话传说中神人居住的地方，在昆仑山顶，悬于空中，上通于天。尻：古"居"字。一说当为"尻（kāo）"，尾，臀部。⑲烛龙：神话传说中的神龙，处西北方，嘴里衔烛，照亮幽暗之地。⑳若华：神话传说的若木花。若木长于西方日入处，太阳落山、尚未升起之时，若

木的花就放射光芒照亮世界。㉑雄虺(huǐ):传说中的九头蛇。㉒长人:传说中的防风氏,身长三丈。夏禹会诸侯,防风氏后至,被杀。守:守卫。防风氏守卫封、嵎二山。㉓蓱:同"萍"。靡蓱:蔓延的浮萍。一说即寿麻。衢(qú):犹歧,岔道,文中以喻枝叶分叉。枲(xǐ):一种有籽的麻。㉔黑水:水名。玄趾:山名。三危:山名。㉕鲮(líng)鱼:即陵鱼。《山海经·海内北经》说:"陵鱼人面、手足、鱼身,在海中。"鬿(qí)堆:即鬿雀,传说中的怪鸟。《山海经·东山经》:"北号之山,临于北海……有鸟焉,其状如鸡而白首,鼠足而虎爪,其名曰鬿雀,亦食人。"㉖羿(bì):射。乌:神话传说日中有"踆乌",即三足乌。解羽:羽翼散落。传说尧时十日并出,草木焦枯。尧命后羿仰射十日,中其九日。日中九乌皆死,坠其羽翼。㉗力:致力。功:指治水功业。省:察看。㉘闵:爱怜。妃:配偶。继:继嗣。㉙胡:为何。嗜:爱好。鼂:朝。鼂饱:隐喻性欲的满足。此句有人以为指禹与涂山女志趣不同,或指与众人爱好不同,并不耽于一时的欢情,而以治水事业为重。《吕氏春秋》称:"禹娶涂山氏女,不以私害公,自辛至甲四日,复往治水。"但从《天问》诗意看,似非此意。故有的研究者以为,当指禹与涂山女不属同一族类,或是另外一种图腾,是不可通婚姻的,而禹竟然图一时欢快而娶了。㉚益:传说中禹的贤臣。禹把帝位让益,禹子夏启却杀益而自立为帝。离:遭。孽(niè):灾祸,忧患。传说启欲夺益之帝位,被益拘禁。㉛拘:拘囚。达:同佚,脱。㉜躲:古"射"字,此指弓箭。归:送来。鞫(jú):音义同"鞠",有研究者疑为"箙(fú)"之误字,盛箭器。躬:身。㉝作革:变更。一说作通"祚",指帝位;革为革除。播:通"蕃"。降:通"隆"。播降:意为繁荣昌盛。㉞棘:急。宾:通"嫔",美女。商:"帝"之误。《山海经·大荒西经》:"开(启)上三嫔于天,得《九歌》与《九辩》以下。"㉟此句本事未详。王逸以为指禹裂母背而降生;大多注家以为当指涂山氏之女化为石,禹往索子,石裂而出启的传说。㊱冯:满。珧(yáo):蚌壳,此指蚌壳装饰的弓。决:射箭时勾弦用的板指,套在手指上。豨(xī):野猪。封:大。㊲蒸:祭。膏:肥美的肉。若:顺悦。㊳浞(zhuó):夏代人名,即寒浞。纯狐:羿妻。眩(xuàn):迷乱。㊴躲革:相传羿能射穿七层皮革。交:合。揆(kuí):谋,算计。传说羿打猎归来,被寒浞和羿妻合谋杀死。《左传·襄公四年》:"浞行媚于内,而施赂于外……羿犹不悛,将归自田,家将杀而亨(烹)之。"㊵阻:艰险。穷:困顿。此句本事未详。王逸以为指鲧放羽山之事,毛奇龄以为指羿自鉏迁于有穷国之事。㊶黄熊:当作"黄能",即三足鳖。传说鲧死后化为黄能,入于羽渊。㊷莆(pú):水生的草。雚(guàn):芦苇一类。㊸并:通"迸",放逐。疾:恶。脩:长。盈:满。㊹婴:缠绕。茀(fú):白色的云气,或曰曲折的云。㊺此二节本事不详。王逸以为是指崔文子学仙于王子侨,王子侨化为白蜺,为崔文子戈击,尸化为鸟的事。一说前节指姮娥窃后羿不死之药而奔月的事,后节指鼓神、饮鸦杀葆江于昆仑之阳,帝乃戮鼓、饮鸦,鼓化为鵕鸟、饮鸦化为大鹗的事(见《山海经·西山经》)。㊻蓱(pīng)号:两师之名,又称"蓱翳"。㊼撰:具。协:合。胁:腋下肋骨所在部分。协脅:两胁骈合。或以协为"翅膀",协胁即腋下生有翅膀。膺(yīng):承受。蒋骥以为此句指风伯飞廉,风伯鹿身鸟头。㊽抃(biàn):拍手,此指大海龟四肢舞动。据《列子·汤问》,渤海东有五座神山,常随海浪上下往还,不能耸立。天帝怕它们流徙西极,乃命禺强使十五巨鳌,分为三轮,六万年一交替,用头顶着五山,五山从此峙立不动。㊾释:舍弃。陵行:在陆地行走。据《列子·汤问》,龙伯之国有巨人,没走几步就来到海外五山,一钓就得六鳌,一起背着回国,以鳌骨灼孔作占卜用。从此五山只剩下三山,还有两座山因无巨鳌头顶,飘浮到北极,沉入大海了。㊿浇(ào):寒浞之子。户:门。少康:夏朝君王相之子。相为浇所杀,后来少康趁打猎之机袭杀浇。51女歧:浇的嫂子。馆:房舍。馆同:即同房。止:宿。传说浇与女歧私通,少康夜袭浇,误杀女歧。52汤:疑为"康"之误,指少康。易:治。旅:众。厚:壮大。53斟寻:夏之同姓诸侯。夏君相失国,逃往斟灌、斟寻;浇发兵灭斟灌、斟寻,杀相。道:方法。此句指少康伐浇而复国。54妺嬉(mò xǐ):夏桀元妃。肆:放荡。传说桀伐蒙山国而得妺嬉。殛(jí):惩罚,诛灭。传说成汤在鸣条打败夏桀,桀与妺嬉浮海奔南巢之山而被杀死。55闵:忧愁。在:在于。家:成家,指娶妻。鳏(guān):无妻男子。56亿:通"臆",预料。57肆:放肆。犬体:指舜弟象,斥其顽恶如狗。58获:得。迄:至。59期:期望。去:当从一本作"夫"。斯:这。两男子:指古公亶父之子太伯、仲雍。太伯、仲雍让国于王季,避逃于吴,创建吴国。60缘:借助。鹄:天鹅。饰玉:装饰美玉的鼎,古代贵重的烹饪器具。61条:鸣条。放:放逐。黎服:黎民百姓。说:同"悦"。62简狄:古代传说中有娀(sōng)国的美女。喾(kù):帝喾,传说中的古帝,号高辛氏。63该:通"亥",即王亥,殷人祖先,契的八世孙。秉:通"禀",承受。季:王亥之父。臧:善。64干:盾牌。协:和谐。65平胁:肌肉丰满,肋骨不露。曼:细。"曼肤"指皮肤细嫩润泽。肥:通"妃",匹配。66恒:王恒,王亥之弟。朴:大。67昏微:指王亥之子上甲微。遵迹:沿着道路。有狄:即有易。传说上甲微借河伯的军队讨伐有易,杀其国君绵臣。68萃:集中。负子:背着孩子,或曰对不起儿子。肆情:纵欲。此句本事未详。从上下文义看,似指上甲微亦有淫佚之丑行。69眩:迷乱。此句本事未详,有人以为当指舜弟象,多次陷害哥哥舜的事。70有莘(shēn):古国名,在今山东曹县西北。小臣:奴隶,指伊尹。《墨子·尚贤》:"伊尹为莘氏女师仆,使为庖人。"吉妃:指有莘氏之女,嫁成汤为妃。71小子:指伊尹。《吕氏春秋》:"有侁(莘)氏女子采桑,得婴儿于空桑之中,献之其君……故命之曰伊尹。"传说伊尹之母居伊水之滨,邑发大水,其母化为空桑。人们在空桑中发现她的婴儿,即伊尹。72出:释放。重泉:大约指夏桀囚汤的水牢之名。《史记·夏本纪》:"(桀)乃召汤而囚之夏台,已而释之。"《绎史·太公金匮》:"桀怒汤……召而囚之均台,置之种泉……汤乃行赂,桀遂释之。”罪尤:罪过。㊸不胜心:心中不能压抑。㊹会:合。争盟:争相誓盟。践:践约。期:约定的时间。相传武王伐纣,诸侯都在甲子日早上会师牧野。㊺到击:指武王到纣王自焚之处砍击纣王,斩其首级。叔旦:指武王之弟周公姬旦。嘉:赞许。㊻揆:谋。发足:兴兵。一说“发”指武王姬发;“足”,完成。周之命:周之膺受天命。㊼逢:迎。雉:野鸡。毛奇龄《天问补注》引《竹书纪年》说:“昭王之季,荆人卑词致于王曰:‘愿献白雉。’昭王信之而南巡,遂遇害。”㊽梅:枚,马鞭。传说周穆王“巡行天下,驭八龙之骏”(《拾遗记》)。㊾理:通“履”,行。㊿曳:牵引,扶持。衒(xuàn):炫耀。号:号叫,叫卖。据《史记·周本纪》,周厉王时,有一七岁宫女碰到龙的吐沫所化的玄鼋,长大就怀孕了。在周宣王时生下一女,丢弃后,被一对在市上叫卖木弓、箭袋的夫妇捡去收养,逃往褒国。这女子就是后来褒人献给周幽王的美女褒姒。(81)诛:讨伐。(82)九会:多次会盟诸侯。卒:突然。据《管子·小称》,齐桓公晚年任用易牙、竖刁等奸臣,酿成内乱。桓公病困于一室,饥渴难忍,“乃援素幭以裹首而绝。死十一日,虫出于户,乃知桓公之死也”。(83)雷开:纣王的奸臣。(84)梅伯:纣王的诸侯,因屡次直谏,被纣王杀害。佯:假装。箕子:纣王的叔父,封于箕,故称箕子。(85)竺:通“毒”,憎恶。(86)切激:激烈。逢:遇,引申为“得”。(87)伯昌:周文王姬昌。号:号令。衰:衰微之世,指殷末。牧:治民之官,此指姬昌为诸侯之长,任“西伯”。(88)岐:古地名,在今陕西省岐山县东北,周曾在这里建国。社:祭祀土地神的庙。立国必立社。周社原设岐山,强大后迁都于丰,毁弃岐杜,另建“丰社”。(89)藏:财物,钱币。依:依附,服从。指古公亶父避戎狄之害,自幽迁岐。(90)师望:指吕望,即姜太公。肆:店铺。传说吕望曾在肉铺屠牛卖肉,文王前去拜问。吕望说了句“下屠屠牛,上屠屠国”,文王知其志在天下,大喜而“载与俱归”。(91)悒(yì):不快,忧郁,这里是愤恨之意。(92)尸:木主,即灵牌。人死后,用木牌做成神主,上书死者之名。(93)此句本事不详。有人认为指晋献公太子申生自杀事,郭沫若以为指商纣王自焚事。伯林:即指纣王自焚的鹿台在柏树林中。雉经:缢死。(94)感:通“憾”,恨。抑:按也,击也(用董楚平《楚辞译注》之说)。(95)礼:通“理”,治理。(96)臣挚:以挚为臣。兹:此,指伊尹。承辅:做辅佐大臣。传说伊尹曾五次在汤做官,五次在夏桀那里做官。(97)尊食:即庙食,死后受人奉祀,在庙中享受祭飨。宗绪:宗族,此指祖宗。(98)勋:在此作定语用,解为“功业显赫的”。阖:吴王阖闾。梦:吴王寿梦。(99)彭铿:彭祖,传说他活到八百多岁。斟:用勺子舀水,此作烹调解。雉:野鸡,此指雉羹。相传彭祖善于烹调,曾进雉羹给帝尧。(100)此句本事不详。疑指周厉王为国人所逐,“共和”执政之事。(101)此句以蜂、蛾为喻,指下民百姓力量之强大。(102)此句本事未详。大多注家以为是指伯夷、叔齐事。传说伯夷、叔齐义不食周粟,采薇(野菜)而食,遇见一妇人,讥笑说:“子义不食周粟,此亦周之草木也。”

伯夷“兄弟遂绝食七日,天遣白鹿乳之”。回水:河曲。据说伯夷兄弟隐居的首阳山,正处于河曲之中。萃:聚集,栖止。⑩噬犬:猛狗。据王逸注,春秋时秦景公有猛犬,他弟弟鍼(qián)想要,景公不给。鍼用百两金(当为百辆车)交换,景公怒而夺其爵禄,把他放逐了。⑩严:威严。奉:保持。⑩此句一本作“何环闾穿社,以及丘陵,是淫是荡,爰出子文”。环:环绕。闾社:此指村子。丘陵:野外土丘。传说楚国贤相子文,是郧(yún)国之女与斗伯比私通而生。此句疑指郧女私通斗伯比之事。⑩堵敖:王逸以为是楚之贤人之名;洪兴祖以为当指楚文王儿子熊囏(jiān),继为楚君,被他弟弟熊恽杀死,史称“杜敖”。此句中之“堵敖”,当是诗人屈原用以借喻楚怀王,警告他国运将不长。试上自予:“上”指君王;试,让其身试诗人之预言;自予,肯定自己所言之正确。全句意为:我曾经警告楚王,他将如历史上的杜敖一样国运不长。我这样做,岂是为了让君王真的亡身失国,显示我预见正确,让忠名更加彰著?

鉴赏

《天问》是屈原创作的抒情性哲理诗,由一百七十多个问句组成,其独特的思想、奇异的结构和怪诞的文体,在中外思想学术文化史上都极为罕见。约比屈原晚出三百年的古罗马诗人卢克莱修写过一篇很长的哲理诗《物性论》(我国有方书春中译本),内容也广涉宇宙万物的构成和由来,以及物质的运动形态和变化,具有唯物主义的倾向,可以与《天问》比美。但它不采用“问句体”,内容也比《天问》复杂细致得多。“前不见古人,后不见来者”,至少在中国文学和哲学史上找不到第二篇像《天问》这样纯以问句构成的篇幅巨大、思想高越的哲理诗,“空前”已成事实,但愿不要“绝后”。当然,作为一种文化现象,它渊源有自,影响广被,而且有人着意摹仿。唐代的卢同《月蚀诗》,明代刘基《二鬼》,无论从格调还是篇幅,都像是效法《天问》,而有所讥刺,但又都缺乏《天问》那样普遍深广的哲理、美质和忧患意识。

《天问》的优异特性表现在哪里呢?首先是它的怀疑和批判精神。《天问》就是关于“天”(宇宙和宇宙观)的问题。王逸《天问章句》说:“何不言问天?天尊不可问,故曰天问也。”其实“天问”既是关于“天”之问,也是“问天”。游国恩《天问纂义》说:“《天问》云者,犹言以此自然界之一切事理为问耳。”大致是对的。“问”就是问疑,问难,问题。“子入太庙,每事问。”中国人极其重视这个“问”字,以至于把学术或知识都称为“学问”。《孟子·告子篇》说:“学问之道无他,求其放心而已矣。”即“学”“问”连称。生活的智慧大概就在于逢事都问个“为什么”。从此可见“学”与“问”相结合的重要，而《天问》为什么要称为天之“问”。

上古时代师生教学每每依靠对话、问答，或是老师问、学生答，或是学生问、老师答，或是自问自答，交叉进行。《论语》就是语录体，“盍各言尔志”，许多都是师生问答之辞。古代印度的《奥义书》本来是“亲教书”或“侍坐书”之意，“其学皆亲近侍坐而授受者也。师一人，徒二、三人，口诵心持，此其书名之由来也”（徐梵澄中译本序），所以也有很多师生问答的话。费尔巴哈在《基督教的本质》里说：“问和答，是最初的思维活动。在原始时，要思维，就必得有两个人。”原始教育必须通过师生面对面的问难，原因就在此。《天问》跟原始教育、考问、答对关系很大（详后），所以也采取了“问”的形式。

“《天问》者，仰天而问也。”（屈复《楚辞新注》）当屈原受了祠庙壁画的刺激和启发，想起古今人妖颠倒、皂白不分之事的时候，内心是充满忧愁和愤怒的。正如屈复所说：“忠直菹醢，谗佞高张，自古然也。三闾抱此，视彼天地三光，山川人物，变怪倾欹，及历世之当亡而存，当废而兴，无不然者。非天是问，将谁问乎？”中国古人认为，无意通过人事来体现，并且对人间万事负责。人间不平是天道不公的证明，不问“天”问谁！“天”，甲金文写作一个人正面而立（如“大”字形），特大其首，指明“天”本来是“头顶颠”的意思，所以字书说“天，颠也”，今语犹言“天灵盖”。后来“天”就引申为“头顶上的东西”之意。原始思维“具象性”极强，很难达成像“天”这样综合了天体、天象、天文、天意诸蕴含在内的抽象概括。许多后进民族根本没有“天”这个词。要说天，只能指手画脚地说“太阳”“星星”“月亮”“青气”“蓝云”等，或者干脆说“头顶上的”。到了屈原生活的战国中后期，“天”这个词已经很抽象、很概括而又很笼统、很模糊，具有“多义性”或“歧义性”。“天”主要指自然界以及自然影响下的人事。它不仅是自然，而且是“超自然”（尽管“天”已不仅仅是人格化的“上帝”或“天老爷”）；不仅是实体、存在，而且也包括天道、天意、天命，所以《天问》也广涉人事。《周礼·天官》郑玄注说：“天者，统理万物。”《庄子·齐物论》郭象注：“天者，万物之总名也。”“天”无所不管，《天问》也无所不问。正如游国恩《天问纂义》所说，《天问》问的是难于推究的宇宙间的相关性事物，“天事之外，旁及动植珍怪之产，往古圣贤凶顽之事，理乱兴衰之故，又天道也。盖天统万物，凡一切人事之纷纭错综，变幻无端者，皆得摄于天道之中，而与夫天体、天象、天算等，广大精微,不可思议者,同其问焉”。

先秦时代宇宙观最重要的内涵是以“人”为本位的“天人以和”思想。这就是在不同程度上承认“天”和“天命”的存在,然而“天命”却一定要通过“人”或“人事”来实现,所谓“天视自我民视,天听自我民听”便是这个意思。各个时期、每个学派的“天人—人天”思想有性质、征象的不同,但总的趋向如此,屈原也不例外。他的《离骚》说:“皇天无私阿兮,览民德焉错辅。”便是《左传·僖公五年》“皇天无亲,唯德是辅”的意思。它并没有彻底抛弃天命论,然而却是一种人本位的、与“人和主义”相结合的“有限天命论”。既然天命通过人事来体现,那么遇到困难灾厄应该责之于“人事”而不是单纯地听天由命,《天问》结尾处说“厥严不奉,帝何求”,便是批评求天不求人、信天命不信自己的迷信。荀子的《天论》更以“强形式”表达这一点,说“天行有常……应之以治则吉,应之以乱则凶。强本而节用,则天不能贫;养备而动时,则天不能病;修道而不贰,则天不能祸”。这是一方面。当时,“天人合一”已成为一种哲学思想,“天人相通”的信仰渐次化为“天人感应”学说。另一方面,既然“天命”能够影响“人事”(尽管是通过“人事”本身来影响),那么“天命”也应该对“人事”负责;假如天行无常,天道不公,那么,老百姓除了“尤人”以外当然也可以“怨天”。“浩浩昊天,不骏其德。”(《小雅·雨无正》)“不吊昊天,乱靡有定。”(《小雅·节南山》)《诗经》里所谓“变雅”就充满此等怒天、责天、詈天之词,这实在是了不起的勇敢和反叛,实质上已是萌芽状态的无神论和“反天命论”。屈赋里便蕴涵着上述以人为本位的“天人以和”或“天人合一”宇宙观的积极面。

屈原创作于生命末期的《哀郢》已经说:“皇天之不纯命兮,何百姓之震愆!”比写于前期的《离骚》还要沉痛、悲哀、决绝。《天问》也屡屡申述天命之不公,苍天之无正。“授殷天下,其位安施?反成乃亡,其罪伊何?”“天命反侧,何罚何佑?齐桓九会,卒然身杀!”“皇天集命,惟何戒之?受礼天下,又使至代之……”《天问》里“帝”的形象也显得贪婪、颟顸、糊涂、蛮横,跟民间文学里常见的“天帝与英雄冲突”母题里上帝形象多显现自然与超自然力之“负面”基本一致(天帝代表自然或神的利益,总是跟人类及其代表为难、对抗)。可见《天问》极可能创作于屈原后期。“屈原放逐,忧心愁悴,彷徨山泽,经历陵陆,嗟号昊旻,仰天叹息”,所以《天问》的结章急管繁弦,抑郁苦闷,“薄暮雷电,归何忧?厥严不奉,帝何求?伏匿穴外,爰何云?荆、勋作师,夫何长?……吾告堵敖以不长,何试上自予,忠名弥彰?”显得那样沉重和愤慨。

《天问》里充满这种沉思和怀

疑。无论是传世的或被篡改的神话传说，还是街谈巷语、口口相传的奇事怪物，抑或传统的偏见、凝固的史观、陈腐的定论、世俗的迷信，一切的天意人事，都要经过他那天才的大脑的审查和反思，从怀疑走向批判，由省察导出否定。这不是那种认为真理不可知、不作任何判断以求得灵魂安宁的皮罗式“怀疑主义”和庄周式的“相对主义”，而是一种深思熟虑、溯本求源的探究，一如“路曼曼其脩远兮，吾将上下而求索”。康德在《纯粹理性批评》导言里说，一切的存在、历史和思想，都要经过我的审视和批判才允许它通过和成立。马克思说：“辩证法在对现存事物的肯定理解中同时包含对现存事物否定的理解，即对现存事物的必然灭亡的理解……辩证法不崇拜任何东西，按其本质来说，它是批判和怀疑的。”屈原当然没有达到这样的高度。但是《天问》那积极的怀疑和大胆的批判却是人类思想史上带着血色和生气的曙光。

所以《天问》作为哲理诗的思想和历史价值都是很高的。但是，如果作为抒情诗来看，就未免思想“压倒”形象，语言束缚情感，认识意义超过鉴赏意义，哲学价值高于美学价值，在艺术性上比《离骚》《九歌》乃至《九章》都要逊色，这是不能也不必为古人讳的。这里有个客观原因：《天问》是受到壁画及其题铭的启发创作的（王逸说基本可信，秦宫楚墓都已出土壁绘，汉墓和祠庙画壁极为常见，《天问》文体与其题铭略似），虽然不一定直接题在壁画上，却跟壁画的内容、序列、结构、题铭紧密相关。所以，不仅“宇宙起源—天地形成—天象变化—洪水灾难—四方异物—历史传说—历史变迁”这样的大结构要基本按照民间壁画来安排（这，汉墓壁画和兄弟民族创世史诗可充佐证），便是文句也要极端俭省、简约、铿锵。“四言”不仅承袭《诗经》传统，而且也跟铭箴之类接近。这就束缚了诗人的思想和想象力，损害了它的表现性和形象性。全诗有些地方（例如结尾），情思溢于言表，形象冲破律格，像“日安不到，烛龙何照？羲和之未扬，若华何光？”等也声韵铿锵，文采斐然，错落有致，证明大诗人的才情很难绝不流露，也说明《天问》比后来那许多的效颦之作高明得多。然而从整体看，依然病于艰奥、苟简、晦涩、枯燥。只有一点极其特别而罕见：全部用“问句体”。钱钟书先生的《管锥编》已举出大量的例子说明中国文学史上颇见“问句”之诗；其他学者也着力论证了“问句体”或“问答体”之来由甚古，渊源有自。其中有一点极其重要：《天问》这种文体跟少数民族的“盘诗”“对歌”风俗以及某些史诗的“问答法”有关。像《苗族古歌》《梅葛》《阿细的先基》等开篇的部分都可以发现类似的问对。很典型的藏族先民之

《斯巴问答歌》（“斯巴”义为“存在”），俨然《天问》加上《天对》，其主要内容即“天地的起源和万物的来源”。例如，“问：最初斯巴（存在）形成时，天地混合在一起，谁把天地分？”有如“上下未形，何由考之？”而“最初斯巴形成时，阴阳混合在一起，请问谁把阴阳分？”便是“阴阳三合，何本何化”。

国外的一些古老的诗颂也有用一连串的“问答体”者，像古印度的《梨俱吠陀》和《摩诃婆罗多》《罗摩衍那》。纯问句则有《旧约·约伯记》的九百个问题，袄教经典的整段问难，等等。俄罗斯的《鸽书》（深奥的书）也有些像《天问》。

进一步说，《天问》为什么要用“盘诗”“对歌”式的“问句体”，这跟上面说过的原始的教育、考试制度有关。廖平先生《楚辞讲义》已微露《天问》有如试题之意（前此，夏大霖《屈骚心印》曾说：“《天问》之文，今策问之式也。”）。英国编纂《中国诗选》的韦雷在《神庙及其诗歌》等书里猜测《天问》原是考问学生的试卷，所以没有答案，一时传为笑谈。笔者却以为有一定真理性。原来初民的孩子在通过“成丁”典礼（入社）之时，要接受长老巫师的考问，内容主要是部落的历史和传说，广涉神话传说民俗珍奇天文地理。这就是“盘诗”“对歌”乃至《天问》的源头。

（萧　兵）

九　章

屈原

惜　诵

惜诵以致愍兮，①	痛惜陈述以表达不幸，
发愤以抒情。②	扼制不住倾吐心中的感情。
所非忠而言之兮，③	如果我的陈述不是出于忠诚，
指苍天以为正。④	那么苍天完全可以作证。
令五帝使折中兮，⑤	命五方之神为我裁断，
戒六神与向服；⑥	让六宗神把曲直说清；
俾山川以备御兮，⑦	使高山大河来作陪审，
命咎繇使听直。⑧	命公正的皋陶听取我忠直的呼声。
竭忠诚而事君兮，	我竭尽忠诚以侍奉国君，
反离群而赘肬。⑨	反遭疏远而成了多余的人。
忘儇媚以背众兮，⑩	我不肯佞巧讨好而与众不同，
待明君其知之。	以待贤明君主明了、肯定我的衷情。
言与行其可迹兮，⑪	我言行一致光明磊落可

	稽可查，
情与貌其不变。[12]	表里如一而坚贞不渝。
故相臣莫若君兮，[13]	按说考察臣下没有比国君更为清楚，
所以证之不远。	因为验证就在身旁不远。
吾谊先君而后身兮，[14]	先君后己这是我向来奉行的准则，
羌众人之所仇也；[15]	而这竟然被众人仇视极深；
专惟君而无他兮，[16]	专一地思念你从未有他心，
又众兆之所雠也。[17]	又遭到那帮群小极端仇恨。
壹心而不豫兮，[18]	我心志专一而从不犹豫，
羌不可保也；	然而如此秉性却不能保全自己；
疾亲君而无他兮，[19]	急切切亲近你毫无二心，
有招祸之道也。	这反而成了惹祸的根子。
思君其莫我忠兮，[20]	体念你君主没有何人比我更热诚，
忽忘身之贱贫。[21]	常常不计得失而忘记自己。
事君而不贰兮，	侍奉国君从来不会三心二意，
迷不知宠之门。[22]	宠幸的大门朝何人而开。
忠何罪以遇罚兮，	忠诚有何罪责还要受到惩罚，
亦非余之所志也。[23]	这些都不是我所能理解

	和意料。
行不群以颠越兮，	卓立不群反致颠仆，
又众兆之所咍也。[24]	又还被许多人所讥笑。
纷逢尤以离谤兮，[25]	指责和诽谤一股脑儿压来，
謇不可释也。[26]	我怎么也摆脱不开。
情沉抑而不达兮，	精神压抑而没有表达的机会，
又蔽而莫之白也。[27]	又疏远隔蔽不能有些微表白。
心郁邑余侘傺兮，[28]	中心郁郁而怅然不安，
又莫察余之中情。[29]	又有谁能知道我满腔的苦情。
固烦言不可结而诒兮，[30]	当然，一再表白又有谁愿听，
愿陈志而无路。	想陈述心意而无路可走。
退静默而莫余知兮，	屏退默然有谁能了解我，
进呼号又莫吾闻。	前进呼喊又有谁肯为听取。
申侘傺之烦惑兮，[31]	极难堪的情绪使人烦闷困惑，
中闷瞀之忳忳。[32]	心内愤懑紊乱忧伤丛聚。
昔余梦登天兮，	从前我曾梦过攀云登天，
魂中道而无杭。[33]	灵魂走到天河找不到渡船。
吾使厉神占之兮，[34]	我请大神占问吉凶，
曰："有志极而无旁。"[35]	他说："你志向高大却无帮助。"

"终危独以离异兮?"	我又问:"我是否危困孤独彻底遭人遗弃?"
曰:"君可思而不可恃。	他说:"国君虽可思念却不能抱有希望。
故众口其铄金兮,[36]	因为众小的谗言足以融化坚硬的金子,
初若是而逢殆。[37]	所以你先前正道直行而遭到危难。
惩于羹而吹整兮,[38]	喝热汤烫了嘴见了凉菜也要吹一吹,
何不变此志也?	为什么你不改变先前的心意?
欲释阶而登天兮,[39]	扔掉梯子还要登天,
犹有曩之态也。[40]	还有你那一成不变倔强脾性。
众骇遽以离心兮,[41]	大家惊诧而无人赞同,
又何以为此伴也?[42]	又怎么还要这样倔强?
同极而异路兮,	彼此虽属同僚但却无人同路,
又何以为此援也?	又怎么还要这样强项?
晋申生之孝子兮,[43]	晋国的太子申生是个出名孝子,
父信谗而不好。	其父听信谗言对他一点也不喜欢。
行婞直而不豫兮,[44]	至于行为耿直而办事坚决刚毅,
鲧功用而不就。"[45]	鲧就这样而终归失败。"
吾闻作忠以造怨兮,	我听说一味忠直反而招

	致怨恨,
忽谓之过言。[46]	这话未免夸大我曾未介意。
九折臂而成医兮,[47]	多次折伤胳臂可以成为良医,
吾至今而知其信然。	到今天我才明白这话的真实含意。
矰弋机而在上兮,[48]	我的处境,在天上有明箭暗弩的危险,
罻罗张而在下。[49]	在地下也罗网遍布。
设张辟以娱君兮,[50]	陷害别人以讨好国君大有人在,
愿侧身而无所。[51]	在这样的世界就没有容身之所。
欲儃佪以干傺兮,[52]	想迟回留恋以寻求机会,
恐重患而离尤;[53]	又担心更大的灾难和指责强加给我;
欲高飞而远集兮,[54]	心想远走高飞到别的国家,
君罔谓女何之;[55]	国君能不说:"你怎么要到那里去";
欲横奔而失路兮,[56]	想要不择正道而随流乱走,
志坚而不忍。	可我意志坚定岂能忍心如此。
背膺牉以交痛兮,[57]	身心交痛胸和背就像裂开一样,
心郁结而纡轸。[58]	心忧重重纷乱杂集。
擣木兰以矫蕙兮,[59]	把木兰和蕙草捣得细细,

糳申椒以为粮。[60]	把申椒舂碎作为食粮。
播江离与滋菊兮，[61]	又种植江离和浇灌菊花，
愿春日以为糗芳。[62]	等到春天把它作为干粮。
恐情质之不信兮，[63]	担心一片真情不能让你相信，
故重著以自明。[64]	因而反复申述表明自己的苦思。
矫兹媚以私处兮，[65]	拥有这些美德而悄然独处，
愿曾思而远身。[66]	苦思细想只有远离尘俗以洁身自恃。

注释

①惜诵：痛惜陈述。致愍（mǐn）：表达忧患。②抒：此从朱本。王本作“杼”，误。③所：犹“傥”，如果。多用誓词前。④正：通“证”。⑤五帝：五方之神。折中：犹言裁断。⑥戒：命令。六神：六宗之神（王逸说）。向服：对质是非。⑦俾：使。备御：犹言陪审。⑧咎繇（gāo yáo）：即皋陶，舜时法官。传说为司法之祖，执法公正。听直：犹言裁断曲直。⑨赘肬（yóu）：肉瘤。⑩儇（xuān）媚：巧佞取悦。⑪言行可迹：犹言行一致，可以考查。⑫情貌不变：意谓表里如一。⑬相臣：观察臣子。⑭谊：宜。⑮羌：然而。⑯惟：思。⑰众兆：众人。百万为兆。雠：仇，怨恨。⑱壹心不豫：专心不犹豫。⑲疾：急。⑳思君：一心在君。莫我忠：没有人像我这样忠心。㉑贱贫：意谓疏远。㉒宠之门：取得荣宠的途径。㉓志：犹“知”，意料。㉔咍（hāi）：讥笑。㉕纷：多。尤：责怪。离：遭受。㉖謇：语助词。释：解释。㉗白：表白。㉘郁邑：即“郁悒”，苦闷、忧愁。侘傺（chà chì）：失意貌。㉙情：与下面“路”不押韵，陈第认为“情”是“愫”之误。一说“路”是误字。㉚结诒：续言以赠。㉛申侘傺：重重失意。㉜闷瞀（mào）：忧闷烦乱。忳（tún）忳：忧伤貌。㉝杭：通“航”，此指船。㉞厉神：顶大神之巫。㉟志极而无旁：心志高远而无辅助，此为厉神释梦语。㊱铄（shuò）：熔化。㊲初若是：从来就是如此。㊳惩：惩戒。羹：滚汤。齑（jī）：切成细末的凉菜。㊴阶：梯。㊵曩：先前。㊶骇遽：惊慌。㊷伴：和下句的“援”，为联绵词拆用。伴援：倔强。二句为互文。（郭沫若说）㊸申生：春秋晋献公太子，被谗而死。㊹婞（xìng）直：刚直

倔强。㊺鲧：古神话有鲧窃天物以息壤，被上帝所杀。㊻忽：忽略而不介意。过言：大话。㊼古格言有“三折肱知为良医”。(《左传》)㊽矰弋：系有丝绳的箭。机：此言安装。㊾罻(wèi)罗：都是捕鸟小网。㊿张：弓。辟：通“繴”，捕鸟工具。(51)侧身：犹言置身。(52)儃(chán)佪：徘徊不去。傺：通“际”，指际遇。干傺：寻求机会。(朱骏声说)(53)重：用如动词，再次遭受。(54)集：止。高飞远集：犹言高飞远走。(55)罔谓：即得无谓(洪兴祖说)，能不说。女何之：汝之何。(56)失路：慌不择路。(57)膺：胸口。牉(pàn)：分裂。交痛：同时并痛。(58)纡轸：隐痛在心，萦回不解。(59)矫：义同揉。(60)糳(zuò)：舂。(61)播：种。滋：培植。(62)糗：炒面。以为糗芳：即以芳为糗。(63)情质：意谓内心真情。信：同“伸”。(64)著：明。重著自明：自己一再明白地申说。(65)矫：举。兹媚：这些美德。私处：独处。(66)曾：通“增”。曾思：反复思考。远身：避身而去。

鉴赏

《九章》九篇主要是屈原被疏、放逐以至沉江前悲愤情感的真实反映。《惜诵》列其首，观其有“远身”之思，而末生彭咸之志。以及反复陈述“事君不贰”“烦言不可结而诒”和“侧身无阶”之忧。“大抵此篇作于谗人交构、楚王造怒之际，故多危惧之词。然尚未放逐也，故末二章又有隐遁远去之志。”(明汪瑗《楚辞集解》)或是“作于怀王既疏，又进言得罪之后”(清屈复《楚辞新注》)。这些说法大致不差。

屈原是个怀瑾握瑜、重仁袭义的志士，具有远大的政治理想，为楚国的强大奔走先后、竭忠尽智，却遭谗中阻以致疏远。“疾王听之不聪也，谗谄之蔽明也，邪曲之害公也，方正之不容也，故忧愁幽思而作《离骚》。”(《史记·屈原贾生列传》)《惜诵》内容基本上和《离骚》前部分大致相同，可以说是一篇“小离骚”或“前离骚”，是他悲剧一生最早的“忧愁幽思”之作，展现了黜退后最初的难以忍受的悲愤情感。

起初，屈原“入则与王图议国事，以出号令；出则接遇宾客，应对诸侯”，正当他“乘骐骥以驰骋兮，来吾道夫先路”之时，楚国的天地顿变为“路幽昧以险隘”。怀王对他由言听计从一变而为“反信谗而齌怒”。高洁之士突然蒙受如此冤诬，而又莫能辩白，愁怨激奋，起伏难抑，发而为诗，即成《惜诵》，所以此篇开口即道“惜诵以致愍兮，发愤以抒情”。“痛惜忧愤”是这篇情感的主旋律，也是《九章》总体上的基调(虽非一时之作)。这两句犹如奔突滚烫的岩浆迸发而出，不能扼制。“所非忠而言之兮，指苍天以为正。”满腔的忧愍怨愤，未及发抒致达，急乎乎先指天为誓，这是遭冤极深，怨苦难鸣的疾痛惨怛的呼喊，“人穷则反本，故劳苦倦极，未尝不呼天也”。浸透着难以名状的无限酸辛痛楚，沉重急切，悲凉而又肃穆的情怀充溢其间，这不能自已的愤极之词，为全诗笼罩了一层异常凝重凄怆的氛围。受冤极深者，最主要的是能有一个判决曲直的公正法庭。然而在楚国，荆棘遍地，忠奸不辨，诗人心中之“愍”，实在无处可“致”，无处可“发”，情急思焦，就自我构建了一个至上清明的法庭：调集五帝六神、山川众灵，还有那传闻已久秉正无私的法官皋陶，使他们出任总审判官、对证人、陪审官，审明是非、质对事理。于诗人，这是辩白心曲的理想所在，他要直面诸神倾诉；于读者，我们将要听到一个亘古伟人引饮苍穹的诉讼。全诗分五节，此为第一节。

以上为“法庭”诉讼的题前语，以下“竭忠诚以事君兮”至“有招祸之道也”十六句为第二节，是诉讼正辞，意在述清两个问题：自己竭诚事君，专心无二，此意反复诉说，不嫌其复，“事君”“待君”“先君”“惟君”“亲君”，频频在口，一气盘旋。为了剖白澄澈，又用最断然斩决语——一连串的否定词“不变”“不远”“无他”“不豫”“不可保”表白心迹和忧虑，一言蔽之，即《离骚》“指九天以为正兮，夫惟灵脩之故也”的眷眷心思；其次，日月可鉴的忠君苦心竟然成了“招祸之道”，被疏失位，如赘肬而为人所憎。“尽忠以事君，反为不尽忠者所摈弃。”（朱熹语）这是多么的不平！群小仇视，自身不保，祸至无期，固使诗人担忧，但更为要者虽如此仍尽忠事君，一心不改，以盼怀王知之，仍未丧失希望，系心君王，尚其一悟。这是追述疏远之初的情事，和《抽思》“兹历情以陈辞兮，荪详聋而不闻”的情感自有前后不同的区别。

如果说上一节着重与君质对，是“惜诵”的正旨，那么“思君其莫我忠兮”至“中闷瞀之忳忳”二十句为第三节，则着重倾泻内心的烦惑忧思，为“致愍”之核心。“其莫我忠”四句承上言己一心在君，忠与人异而离群背众，然仍忘其“贱贫”——被疏失位，依然不二。“迷不知宠之门”一句，钱澄之之说最得其意，“本图事君，非以干宠。宠自有门，不在效忠，此己之所迷也”（《庄屈合诂》）。这句诚为怨愤语。以下接言忠贞遇罚，本非夙心所期，反被群小见笑，虽然“逢尤离谤”纷然而至，则依然有“不可释”之志，忠情内充，难以甘心寝志，故于谏不听而又谏之。但群小壅蔽，左右不白，以致郁悒致疾，精神受到极大的刺激和折磨，然而又有谁能了解这些？愈不被人所察，愈有更多话要表白，而世态本自“烦言不可结而诒兮”，企陈心志，岂复有路。至此，情志沉抑，心之郁闷，言之烦乱至甚。默而不察，呼而莫闻，进退无门，则烦惑转甚，诗人简直坠入“中闷瞀之忳忳”的苦海。林纾说：“怨悱不可申诉者，无如《惜诵》之文(即指此节)”，“其曰‘莫之白’，曰‘莫察’，曰‘无路’，曰‘莫吾闻’，积沓而下，不外一意，胡以读之不觉其沓？由积愫莫申，悲愤中沸，口不择言而发。惟其无可申诉故沓，惟沓乃愈见其情之真。”(《春觉斋论文·留别论》)此节一层比一层加重，情感叠进加深，是一篇中最酸辛的文字。其意凄怆，其言怨愤而极悲哀，其辞虽质直而无润色，全然一片有泪无声的文字。感天动地，质诘鬼神，说尽千古不平事。

“登天无杭”至“鲧功不就”二十句为第四节。“余梦登天”此承前竭忠事君，志在天下之意而托梦言之。冠以“昔”字，分明仍是诉讼陈述语气。厉神占卜云云，和《离骚》女媭詈余、灵氛占卜，同样属于子虚乌有，借神灵设辞见意，这是用“灵巫在演着重要的节目”(郭沫若《历史人物·屈原研究》)，以自惜自念。这节着重反映诗人遭受排挤之后心中不无徘徊犹豫，而萌生改辙更弦的思想。“何不变此志”“犹有曩之态”就是这种心思的畅露，这在“申侘傺之烦惑”、闷瞀忳忳之时最易滋生。忧患磨劫，孰能免惩羹吹齑之想。屈原作品，一再表明这不是偶一闪念，而是屡屡出现，“愿摇起而横奔兮”(《九章·抽思》)，“回朕车以复路兮，及行迷之未远”“汝何博謇以好脩兮，纷独有此姱节”“世并举以好朋兮，夫何茕独不予听”(《离骚》)。可以说，如同陶渊明“贫富常交战”一样，时存乎胸中。这思想上的斗争，屈原更为沉重。这里，诗人展现了精神上艰苦追求的历程，同时也反映了他冀求美政之志未泯，故有“登天”之梦，而道路艰难，自有“释阶”之感。这些树立了一个真实可信、汲汲探索真理的追求者的形象，而生发出深厚的潜在力量触动后人。这是“致愍”的侧面——内心深层的苦求和冲突，向我们展示了一颗高洁透明的心灵跳动的节奏。

末尾二十五句，为第五节，是上文的余波再涌，脱卸厉神劝告曲传心意的手法，径直“发愤以抒情”。折臂成医和惩羹吹齑一样，同属饱经忧患人语。诗人罹谗被疏，时有矰弋罻罗、无侧身之地之危，思忖萧路，迟回待机以干际；或远适它国；或随波逐流，与俗横奔。但进则“恐重患而离尤”，退则“志坚而不忍”，在思想上同样进退维谷，无所侧身。屈原一生是个绝大悲剧。其“虽九死其犹未悔”“夫孰异道而相安”的婞直耿性，犹是一个悲剧性格。“背膺牉以交痛兮，心郁结而纡轸。”精神上困心衡虑，体肤痛裂交相压来。既然进不容于时，退不忍于心，三思惟有远身自保，高洁私处而已。这是没有办法的办法。不过，诗人终归有自己的秉性，他是这样计划这次“远身”的准备的，“擣木兰以矫蕙兮,纍申椒以为粮。播江离与滋菊兮,愿春日以为糗芳”。语气矜持而沉静,以一个伟大人格内外皆美的宣露结束这场愤激的申诉。以个性的灵光,使一个伟大的“自我”而更为明丽动人。结尾的“重著自明”再申“致愍”之义,一篇而三致意焉。结穴以“远身”终之,即《离骚》“不吾知其亦已兮,苟余情其信芳”的坚毅信念。

这篇痛惜的陈述,是诗人在幻想的法庭上的讼词。满腔忠愤,居然连诉说的机会也没有,而要对苍茫青天呼告,对山川诸神倾诉,这本身就是绝大的不幸,然而青天无语、山河沉默,对这千古冤抑又有何理论?因之这“惜诵”,“惜者,惜君也,亦自惜”(钱澄之《庄屈合诂》);“诵”,既是“言前事之称”(戴震《屈原赋注》),也是“公言之也。通作‘讼’”(蒋骥《山带阁注楚辞》)。不尽忧伤,极度愤懑,使精彩绝艳的诗人摈弃藻饰,用急切、决绝、质重,不避其复的语言倾泻积怒蓄愫。篇中上下句之间多具前因后果的逻辑力量,赋予了讼词坚实的推理性,又以因果之间决然反差的强度对比,形成沛然不能御之的质问性的冲击力,强化了感情的震慑的力度。络绎不绝的否定副词(见二、三节)给整首诗注入了郁勃的悲愤、激荡之气。第二节的四个“又”字,第三节的三个“何”字,使情感抒发而具显明的进展层次,犹如汹涌的浪潮,一浪紧接一浪。这又和上下句前后叠进,形成有峰有谷、愈诉愈多、愈叙愈重、悲愤难抑的情调。另外有不少句子,使用转折回复的结构,使沉郁不申的怨愤成为“气缭转而自缔”《九章·悲回风》的形态。如“忘儇媚以背众兮,待明君其知之”,“忠何罪以遇罚兮,亦非余之所志也”,“退静默而莫余知兮,进呼号又莫吾闻”,徘徊缭转,难尽其情,这也是“屈子之辞,沉痛常在转处”的本色(刘熙载《艺概》)。此篇虽语累词复,但自有悲凄引泣、直拙见工的整体美。情感凄憾,深怀激烈。诗人自不觉言之不足,故重言之,读者只觉直赋其事,径陈胸臆,凄音苦节,怆然于怀,读之而有凛然耸立的崇高美感,犹如“由蚕丛鸟道,巉岩绝壁而出,而耳边但闻声声杜宇啼血于空山夜月间也”(陈本礼《屈辞精义》)。这种美感融合着深刻理性意识和强烈道德情感,使人激奋、振荡、昂扬。

(魏耕原)

涉　江

余幼好此奇服兮，	我从小喜欢这奇服啊，
年既老而不衰。	年龄既老而毫无衰减。
带长铗之陆离兮，①	腰佩曼长的宝剑啊，
冠切云之崔嵬。②	头戴巍峨的高冠。
被明月兮珮宝璐。③	明珠挂身啊宝玉悬。
世溷浊而莫余知兮，④	举世污浊而不理解我啊，
吾方高驰而不顾。	我却高视阔步而不管。
驾青虬兮骖白螭，⑤	青虬为驾啊白螭为骖，
吾与重华游兮瑶之圃。⑥	我要奉陪舜帝啊游遨乐园。
登昆仑兮食玉英，⑦	登上昆仑啊食玉秧，
与天地兮同寿，	与天地啊比寿，
与日月兮同光。	与日月啊同光。
哀南夷之莫吾知兮，⑧	可叹南夷不理解我啊，
旦余济乎江湘。	一早我就渡过了江、湘。
乘鄂渚而反顾兮，⑨	登上鄂渚而回望啊，
欸秋冬之绪风。⑩	秋冬的余风多么凄凉。
步余马兮山皋，⑪	让我马啊散步在山皋，
邸余车兮方林。⑫	让我车啊停驻树林边上。
乘舲船余上沅兮，⑬	乘篷船我沿沅水上航啊，
齐吴榜以击汰。⑭	船夫齐举大桨以击浪。
船容与而不进兮，⑮	船儿却缓缓不肯前行啊，
淹回水而凝滞。	淹留回水而受了阻挡。
朝发枉陼兮，⑯	早晨发于枉陼啊，
夕宿辰阳。	晚上落宿辰阳。

苟余心其端直兮，	只要我的心志端直啊，
虽僻远之何伤！[17]	就遭了疏远又有何妨！
入溆浦余儃佪兮，	船入溆浦我一阵徘徊啊，
迷不知吾所如。	迷惘中不知我该向何处。
深林杳以冥冥兮，	这里的森林十分幽深啊，
猿狖之所居。	只有猴猿在里边居住。
山峻高以蔽日兮，	山峰高峻遮天蔽日啊，
下幽晦以多雨。	山下阴晦潮湿多雨。
霰雪纷其无垠兮，[18]	霰雪纷纷下个没完啊，
云霏霏而承宇。	彤云密布弥漫天宇。
哀吾生之无乐兮，	可叹我生活毫不适意啊，
幽独处乎山中。	寂寞孤独处在山中。
吾不能变心而从俗兮，	我又不能变心而从俗啊，
固将愁苦而终穷！	便只得愁苦永遭困穷。
接舆髡首兮，[19]	接舆削发装疯啊，
桑扈裸行。	桑扈裸体而行。
忠不必用兮，[20]	忠良不必重用啊，
贤不必以。	贤能不必信任。
伍子逢殃兮，	伍员因而遭殃啊，
比干菹醢。[21]	比干死于酷刑。
与前世而皆然兮，	举凡前代皆如此啊，
吾又何怨乎今之人？	我又何必怨恨今人？
余将董道而不豫兮，[22]	我将恪守正道不动摇啊，
固将重昏而终身。[23]	便只得忍受打击而终身。
乱曰：	乱辞：

鸾鸟凤皇,	鸾鸟凤凰,
日以远兮。	日以远啊。
燕雀乌鹊,	燕雀乌鹊,
巢堂坛兮。	巢堂坛啊。
露申辛夷,	露申辛夷,
死林薄兮。	死丛林啊。
腥臊并御,	腥臭并用,
芳不得薄兮。	香不得近啊。
阴阳易位,	阴阳易位,
时不当兮。	不逢辰啊。
怀信侘傺,㉔	忠心而失意,
忽乎吾将行兮!	飘然我将行啊!

注释

①陆离:曼长貌。②切云:冠名。崔嵬:高耸貌。③被(pī):披。明月:珠名。珮:佩。璐:玉名。④溷(hùn):混。⑤虬(qiú):有角龙。螭(chī):无角龙。⑥瑶之圃:相传昆仑神山上有瑶圃。⑦玉英:玉苗。一说玉花。⑧南夷:南部楚国。⑨鄂渚:洲名,在今武昌。⑩欸(ǎi):叹息声。⑪皋:近水高地。⑫方林:地名。一说树林。⑬舲船:有窗的船。⑭吴榜:大桨。汰(tài):水波。⑮容与:迟缓貌。⑯枉陼:与下文"辰阳""溆浦"皆地名。⑰伤:妨害。⑱霰(xiàn):雪珠。⑲髡(kūn):削发,古代刑法之一。⑳以:用。㉑菹醢(zū hǎi):剁成肉酱,古代酷刑之一。㉒董:正。㉓重昏:一再陷于黑暗。㉔侘傺(chà chì):失意貌。

鉴赏

《涉江》是屈原在顷襄王时遭谗逐放江南时所作,从诗中所叙地名考之,当作于《哀郢》之后。这是一篇屈原的南行记,也是《九章》中最精美的篇章。一般划为五段。

第一段写南行的缘起。屈原志行高尚,以忠信见疑,"举世皆浊我独清,众人皆醉我独醒,是以见放"

(《渔父》)。这里的事由,本是非常现实的,然而诗人却来个“真事隐”,采用了他擅长的象征手法。《离骚》初服之义,复睹于兹:诗人幼好奇服,既老不衰,身佩长剑,头戴高冠,遍体珠光宝气。这当然不是实际写照,这外修是特行卓立的内美的象征,和《离骚》的“制芰荷以为衣兮,集芙蓉以为裳”“高余冠之岌岌兮,长余佩之陆离”的写法是同一机杼。诗人幼志以异,独立不迁,于是不见容于时。“世溷浊而莫余知兮,吾方高驰而不顾”,不善于偷合取容的诗人,也就只好以想象为翅膀,引古之圣贤为同志了。读者于是看到他驾起龙车,陪伴大舜游遨在理想之国的瑶圃乐园。这象征着诗人对崇高思想境界的一种自我陶醉。“登昆仑兮食玉英,与天地兮同寿,与日月兮同光”,这是全诗最光辉、最铿锵、最亢奋的诗句,意合《离骚》“折琼枝以为羞兮,精琼靡以为粻”与《橘颂》“秉德无私,参天地兮”,而更精警易传。今天读来也无须语译,自足动人。至此,诗人作成了一幅自画像,即为王冕模仿过(《儒林外史》第一回)、陈老莲图写过、为后人极其熟悉的形象。然而就是这样一个德参天地的人,为南楚所不容,而被放逐了,这岂不可哀。“哀南夷之莫吾知兮,旦余济乎江湘。”这是诗人的悲哀,更是楚国的耻辱。这里用了一个“南夷”的刺耳称呼,表面上联系南行,指南部未开化的楚人;然而联系上文的“莫余知”者,和当时中原对整个楚民族蔑称“蛮夷”,可知诗人意实双关。他是有意识用了这个自己也不能容忍的称呼,来称呼楚人(上层集团)。这是恨铁不成钢,好比对同胞大声疾呼:“丑陋的楚国人”!

第二段写南行的经过与途中观感。屈原一向喜欢用“反顾”的意象来暗示自己眷念故国的情怀,“忽反顾以流涕兮”“忽临睨夫旧乡”(《离骚》),都有此意。“乘鄂渚而反顾兮”,感何如之?诗中未明说,却通过秋冬余风的悲肃作了替代,表情曲折而深刻。杜甫杰作《北征》中有一个令人难忘的细节,“回首凤翔县,旌旗晚明灭”,与此颇见异曲同工之妙。步马山皋,邸车方林的两句,既是由陆路转入舟行的过渡,又可体味出诗人中道彷徨的心情。“乘舲船余上沅兮”四句写诗人沿沅江上溯行舟,船在逆水与漩涡中行进艰难,尽管船工齐榜击浪,仍容与凝滞。这一方面是旅途况味的真实写照,十分生动;另一方面又寄寓有诗人无形的感喟。羁旅的艰辛,往往容易使人联及而“哀人生之长勤”(《远游》);当诗人看到船在回水中挣扎奋斗时,无疑会有深刻的感触,此即辛弃疾所谓“江头未是风波恶,别有人间行路难”(《鹧鸪天·送人》)。同时,南行之舲船的容与不进,与“仆夫悲余马怀兮,蜷局顾而不行”(《离骚》)的景况,也能构成类比,因此在另一层面上也象征着诗人眷念故国的情怀。这段结尾点明从枉陼到辰阳竟有一日行程,最后仍归结到现实感喟,“苟余心其端直兮,虽僻远之何伤”,这正是《离骚》所谓“不吾知其亦已兮,苟余情其信芳”的转语。

第三段写船入溆浦,这次南行暂告一段落。溆浦在今湘西,地处僻远,在当时是一片穷荒。唐代柳宗元被放逐柳州,曾形容那百越文身之地是“惊风乱飐芙蓉水,密雨斜侵薜荔墙。岭树重遮千里目,江流曲似九回肠”(《登柳州城楼寄漳汀封连四州》);白居易贬谪浔阳,也曾形容当地是“浔阳地僻无音乐,终岁不闻丝竹声。住近湓江地低湿,黄芦苦竹绕宅生。其间旦暮闻何物,杜鹃啼血猿哀鸣”(《琵琶行》)。他们的心情和境遇和千年前的屈原虽有共通之处,若论凄苦险恶的程度,则又不如。无怪乎屈原写溆浦环境的幽深、凄寂乃至恐怖,均有过之。它几乎使我们想到了“山鬼”的孤独处境,“雷填填兮雨冥冥,猿啾啾兮又夜鸣,风飒飒兮木萧萧”;满怀忧思被放逐的诗人,也处在山谷幽深、气候反常、地湿多雨、霰雪无垠、不见人踪,只有猿狖栖息的荒芜之地。这既是对流放地夸张的形容,同时也暗含有对幽暗险隘的楚国政治环境的影射用意。处境这样幽独,无怪诗人要深哀“吾生之无乐”了。尽管不乐,他仍表明“吾不能变心而从俗兮,固将愁苦而终穷”。这正是一个忧先天下者的深刻的悲剧!

第四段是议论与抒情,为这次南行的思想小结。作为有深厚历史文化修养的诗人,屈原从一己的遭遇而联系到前代史事,得出了具有规律性的认识:“忠不必用兮,贤不必以”。诗人一面想到伍子胥、比干这些著名的以婞直杀身的前代忠良;一面又想到那些愤世嫉俗、佯狂避世的人物,如“凤歌笑孔丘”的楚狂接舆(春秋时人),裸身而行的子桑户(古隐士,见《庄子》)。这两种不同类型的人物,诗人分别以忠、贤二字加以肯定,表明了他思想深处的一个深刻矛盾;他既怀着爱国之心,为被逐出政治舞台而痛心疾首;又有着愤世之感,产生了一种甘心远离现实的逃逸意识。这种对立思想的交战,使他永远不得安宁。“与前世而皆然兮,吾又何怨乎今之人?”这种强自宽解的话,表现的恰恰是无法自宽的悲愤。“余将董道而不豫兮,固将重昏而终身”,这才是诗谶!

第五段是尾声,通过另一番意境的构造来概括全诗的意旨。它从现实转入象征,由赋法转入比兴,由自然意象群替换了社会意象群;在语言形式上则从六七言长句转入四言短句,并采用了骈偶的行文方式。凡此,都起到了升华诗歌境界、提高读者情绪的作用。“鸾鸟凤皇,日以远兮。燕雀乌鹊,巢堂坛兮”数句,以铿锵精彩的形象语言,描绘了一幕令清醒者触目惊心的“精英淘汰”的图景:有才能的人被赶走了,楚国真个成了愚人群氓的世界。“黄钟毁弃,瓦釜雷鸣;谗人高张,贤士无名”(《卜居》),当一个民族在自行搞“精英淘汰”时,这个民族还有什么希望呢。恰如《红楼梦》中探春所说:“可知这样的大族人家,若从外头杀来,一时是杀不死的。……必须先从家里自杀自灭起来,才能一败涂地呢!”(说着不觉流下泪来。)你看,“露申辛夷,死林薄兮”,不是从“家”里杀出的结果么,楚国的“一败涂地”不是指日可待了么!这是屈原为楚国预先唱的一曲挽歌,是其最深切的诗节之一。它曾引起过多少后人的同情和歌吟,李太白就曾经发挥过,“鸡聚族以争食,凤孤飞而无邻。蝘蜓嘲龙,鱼目混珍”(《鸣皋歌送岑征君》),真是“哭何苦而救楚”了。那么诗人向何处去呢?“怀信侘傺,忽乎吾将行兮”,再行,前面便是汨罗江了。“忽乎”二字勾勒诗人神志迷狂的状态,最似。

《涉江》在表现上与《离骚》不同,它所记的是一次现实的历程,诗表明屈原当日渡江,行经湘水、洞庭(鄂渚在湖畔),沿沅水上溯,经枉陼、辰阳到达溆浦,暂处山中,路线及归宿极为清楚。这和《离骚》的“朝发轫于天津兮,夕余至乎西极”“路不周以左转兮,指西海以为期”的纯属幻境以像心路之历程大不一样,使得这首诗更富于现实感与生活气息。然而,在某些方面,它又与《离骚》息息相通。思想情感的相同不论,在混用神话、社会、自然三种意象成篇而又天衣无缝这一点上,《涉江》就与《离骚》机杼相同。另一点是诗的主观色彩很强,一是夸张与想象(如写溆浦、写瑶圃);二是全诗将被放逐写成自逐,变被动为主动,都表现了这种感情色彩。全诗结构很完整,又有开合变化,大体首尾多用比兴象征,中幅用赋法叙述;首段调子昂扬多长句,尾节调子悲凉主短句,形式变化一依情韵的消长。凡此都表现出诗人在艺术上已达到了炉火纯青的地步。

(周啸天)

哀　郢

皇天之不纯命兮，	皇天哪竟这样变化无常，
何百姓之震愆！	百姓哪何其震惊、凄惶！
民离散而相失兮，	我与君王分离、家人散失，
方仲春而东迁。[1]	正当仲春二月，被远徙东方。
去故乡而就远兮，	离别了故乡乘舟远去，
遵江夏以流亡。[2]	将顺着夏水颠簸、流荡。
出国门而轸怀兮，	刚出城门就心中伤痛，
甲之鼂吾以行。	我启程的那天，正是甲日早上。
发郢都而去闾兮，	离开故居，从郢都出发，
怊荒忽其焉极？	我神思恍惚，去向何方？
楫齐扬以容与兮，	齐举的船桨，请慢慢地划，
哀见君而不再得。	我伤心从今再见不到君王。
望长楸而太息兮，	我遥望高高的楸树叹息，
涕淫淫其若霰。	涕泪涔涔，如飘坠的雪珠。
过夏首而西浮兮，[3]	过了夏首，我沿江西浮，
顾龙门而不见。	远望龙门已被云遮雾锁。
心婵媛而伤怀兮，	我情思缠绵满腹哀伤，
眇不知其所蹠。	前路渺茫，不知何处驻足。
顺风波而从流兮，	我顺着一河湍流急波，
焉洋洋而为客。	旅人般随水任意漂泊。
凌阳侯之氾滥兮，[4]	船儿突然被大波掀起，
忽翱翔之焉薄。	像鸟儿飞翔、哪里去栖宿。
心絓结而不解兮，	解不开心头的忧思如结，

思蹇产而不释。　　放不下满腹的愁肠九曲。
将运舟而下浮兮，　　我掉转船头乘江而下，
上洞庭而下江。⑤　　朝向洞庭驶离大江。
去终古之所居兮，　　离别了祖辈的千年故居，
今逍遥而来东。　　飘飘荡荡来到这东方。
羌灵魂之欲归兮，　　梦魂牵绕，我要归去呵，
何须臾而忘反。　　哪一刻忘记过返回家乡。
背夏浦而西思兮，⑥　　我背对夏浦神思西驰，
哀故都之日远。　　故都日远怎不令我哀伤！
登大坟而远望兮，　　登上高堤四处眺望，
聊以舒吾忧心。　　让我的忧心在望中发舒。
哀州土之平乐兮，　　我哀怜这州土依然平乐，
悲江介之遗风。　　我悲叹江边还遗留的古俗。

当陵阳之焉至兮，⑦　　大波沸扬，我到哪里止息，
淼南渡之焉如！　　浩渺南渡，又将去往何处！
曾不知夏之为丘兮，　　竟不知厦屋会化为丘墟，
孰两东门之可芜！　　郢都的东门，岂可让它荒芜！
心不怡之长久兮，　　我心绪烦闷天长日久，
忧与愁其相接。　　胸中交替着忧虑、思愁。
惟郢路之辽远兮，　　回郢的道路本就辽远，
江与夏之不可涉。　　更难渡江、夏的水急浪稠。
忽若去不信兮，　　时光飞逝真难以置信，
至今九年而不复。　　不返郢都已九个年头。
惨郁郁而不通兮，　　我胸中悲愤郁塞不通，
蹇侘傺而含慼。　　失意和忧伤在眉间长留。
外承欢之汋约兮，⑧　　阿谀的小人外表柔美，
谌荏弱而难持。　　内心却软弱毫无操守。
忠湛湛而愿进兮，　　忠贞之士愿进身报国，

妒被离而鄣之。	群小阻挡、总嫉之如仇。
尧舜之抗行兮,	唐尧虞舜的高尚德行,
瞭杳杳而薄天。⑨	光耀万丈上薄九霄。
众谗人之嫉妒兮,	心怀嫉妒的众多谗人,
被以不慈之伪名。⑩	却诬以“不慈”,横加嘲笑。
憎愠惀之脩美兮,⑪	忠贞的直言遭到厌恶,
好夫人之忼慨。	慷慨的高调被特别爱好。
众踥蹀而日进兮,	小人奔走天天被进用,
美超远而逾迈。⑫	贤人却逐之千里之遥!
乱曰:	尾声:
曼余目以流观兮,	张开我双眼四处眺望,
冀壹反之何时!	盼望着何日是归去的时光!
鸟飞反故乡兮,	鸟飞再远也要回返故乡,
狐死必首丘。	狐狸死了还要面对山冈。
信非吾罪而弃逐兮,	我实在是无罪遭到放逐的呵,
何日夜而忘之!⑬	哪一天、哪一夜能把故都遗忘!

注释

①皇天不纯命:暗指怀王之死。震愆(qiān):震惊而过常度。民:人,这里指屈原自己。东迁:屈原迁于湘江汨罗一带,在郢都东南,故称“东迁”。②江夏:即夏水。正与“江湘”即指湘水一样。③西浮:诗人由夏水经夏首入江,本应顺流东下,因依恋不舍,想再看一眼龙门,故反向西浮,后面才“运舟”(回船)向东。前人不明诗人心理,故于“西浮”感到费解,多所圆通,均误。④阳侯:大波之神陵阳侯,此指大波。⑤按舟人惯语,船头所对方向为上,船尾为下。此指诗人船行方向对着洞庭,船后为大江。屈原迁于江南之地,起先在湘江汨罗一带,后来才远往辰阳、溆浦。⑥夏浦:前人指为汉口,似不确。在江水与夏水之间,许多水口均称夏浦(见《水经注》)。前云“上洞庭”,此云“背夏浦”,可知此夏浦当与洞庭相距不远。据《水经注》,当为湘水与大江交会处东北的“二夏浦”。诗

人之船由大江转向洞庭而去，正“背”对“二夏浦”。⑦陵阳：清人蒋骥以为在今安徽青阳一带，恐不确，诗人放逐并未远去东楚陵阳。此“陵阳”当为上文大波之神“陵阳侯”之缩写；或曰“陵”即“凌”；阳，扬也。陵阳为大波沸扬之意。⑧汋(chuò)约：柔美貌。⑨瞭：光明。杳杳：高远。薄：至。⑩不慈：古代有人以尧、舜禅让而不传子为“不慈”。⑪愠惀(wěn lǔn)：忠直而不善婉转说话的样子。⑫迈：远。⑬关于《哀郢》的写作年代，学术界争议颇大。王逸《楚辞章句》以为，《九章》是“屈原放于江南之野，思君念国”之作，则《哀郢》当作于顷襄王迁屈原于江南之后。但他在本诗注中又有“言怀王不明，信用谗言而放逐己”之语，似又以《哀郢》作于怀王时代了。清人王夫之认为，《哀郢》当作于秦将白起破郢、顷襄王东迁陈城九年之后，大约在顷襄王三十年左右(《楚辞通释》)。今人蒋天枢、章培恒亦持这种意见。郭沫若则继承明人汪瑗《楚辞集解》之说，定《哀郢》作于顷襄王二十一年白起破郢那年，是诗人哀悼郢都沦陷之作(《屈原研究》)。最后这一说，曾被学术界广泛采用。但因与本诗内容以及有关历史背景不太相符，近些年来受到不少研究者的反驳。根据笔者考察，《哀郢》当作于楚怀王害死、屈原被放逐江南的九年以后，大约在顷襄王三十三、四年间(前286—285)。本文的分析，即以此为根据。

鉴赏

公元前296年，楚怀王被秦人害死，并于同年“归葬于楚”。这是战国政局中发生的重大事变，在楚之朝野引起了极大的震动。诗人屈原于极度悲痛中，愤怒斥责了造成这一惨祸的令尹(国相)子兰的罪行。子兰恼羞成怒，借手上官大夫，再次向顷襄王进谗。屈原由此被流放到更加僻远的江南。这次流放，断绝了诗人报效朝廷、振兴楚国的所有希望。九年后，诗人遥望郢都，怀着久放不返的哀痛和愤懑，写下了这首令千年以来志士仁人感愤扼腕的名作——《哀郢》。这首诗的内容，主要是对诗人当年离别郢都、流亡江南途中情景的痛切回忆，愤怒抨击了楚国统治者迫害贤良的罪行，抒发了放逐九年、日夜不忘故国都城的凄怆之情。在屈原的诗作中，是又一篇感人肺腑的爱国主义杰作。

《哀郢》大体可分四段。

第一段，从开头到“涕淫淫其若霰”，回忆当年被逐离郢时的情景。诗之开头，即以“皇天之不纯命兮，何百姓之震愆”二句强烈呼告，点明诗人流放江南之日，正是“天命”突变、怀王遭难、楚之朝野震惊而失去常度的非常时期。怀王的客死，本已在诗人心中激起了极大的伤痛。而诗人自身于国难当头之际，本该竭其才智为国分忧，谁料又遭到谗臣诋毁，远迁江南，从此与君王分离、家人相失。其惨痛就尤其深切，所以，即使九年以后回忆起来，心情的凄怆欲绝仍然无法按抑。《哀郢》的开头四句，因此皆作哭诉般的仰天呼告之声，读来令人酸鼻。诗人怀着如此惨痛，登上流放之路。小船也仿佛不愿离开郢都，在水流中“容与”不进。诗人伫立船头，仰望都城的“长楸”，不禁热泪涔涔，如雪珠般坠落。这些景象，虽然都是诗人九年后的回忆，但因为它是诗人命运发生重大转折关头的非常事件，其景其情都深深烙印在脑海，故抒写得历历如画，仿佛就发生在当天一样，连出发的日期（“甲之鼂”）也都记忆分明。诗中运用重叠往返、反复唱叹的句式：如“去故乡而就远”“出国门而轸怀”“发郢都而去闾”等句，“蝉联不已”，极写诗人对故都的难舍难分之情，表现了一种“情思欲绝、涕泣横集”的气韵，格外令人悲痛。

第二段自“过夏首而西浮”至“悲江介之遗风”，描述诗人流放途中的凄怆情怀，淋漓尽致地抒发了他对郢都的依恋。诗人乘坐的木船从夏水进入大江，本应顺江东下，但他却又逆江“西浮”，于远离之际，还要回顾一下故都的“龙门”。他顺着江中的风波飘荡，正如远行之客无所归止。诗中极力渲染江水的波涛汹涌、小船的“翰翔”、颠荡，有力地烘托出诗人内心的忧虑不安和愁肠九曲。他身虽进入洞庭，“灵魂”却西驰郢都，一刻也不忘记回返。半途上还要弃舟登岸，一次次向“日远”的故都遥望。浩荡的江水，也载不下他依恋故国的深情呵！

第三段自“当陵阳之焉至”到“美超远而逾迈”，描述诗人到达流放之地的九年间，对故乡的牵念、对国事的担忧和对党人、群小的愤懑。诗人南渡浩渺的洞庭湖，来到湘水放逐之地。个人的前途早已渺然，祖国的命运却日夜牵挂心头。他看到大厦的化成丘墟，便担忧郢都的朝政荒废（以“两东门”借代朝廷）。九年之间，楚王不准他远涉大江、夏水（“江与夏之不可涉”）；眼看着生命如流水般逝去，心中怎能不被痛苦和悲愤所充塞（“惨郁郁而不通”）？诗人因此痛斥外表“汋约”而内心“荏弱”的党人，痛斥信谗恶贤、“好夫人之忼慨”的楚王（顷襄王），正是他日日进用追名逐利的群小，而把贤良忠贞之士斥于千里之外。“众踥蹀而日进兮，美超远而逾迈”二句，正展示了党人把持的楚朝廷的颠倒和黑暗，包含了诗人多少不平和愤慨。全诗的回忆在此段中断，愤懑和不平愈蓄愈烈，抒情由此一变为义正词严的控诉，使这一段在深沉的叹息之中，跳出了激越亢奋的抗争之音。

“乱曰”一节是全诗的结束。诗人追昔抚今，悲愤难抑。当他放眼前途，料想再无返回郢都的希望之时（“冀壹反之何时”），诗中便迸发出一片哭声："鸟飞反故乡兮，狐死必首丘。信非吾罪而弃逐兮，何日夜而忘之！"诗中运用两句比兴，把这位爱国者的恋国深情，表现得格外凄怆动人、催人泪下！

清人刘熙载说："读屈原、贾谊辞，不问而知其为志士仁人之作。"(《艺概》)《哀郢》正是这样，它是一位伟大志士内心真情的强烈迸发，其哀伤、悲愤、痛苦，无不连接着朝政的荣衰、国家的安危。这正是《哀郢》之所以震撼人心的力量所在。在我国早期的诗歌中，描写室妇思夫、男女离情的，不乏动人之作；但能将对故都的思恋，写得如此感人，"如赤子婉恋于父母侧而不忍去"(清沈德潜《说诗晬语》)，除了本诗和《离骚》外，就很少它例了。清人叶燮说"诗之基，其人之胸襟也"，"其心如日月，其诗如日月之光"(《原诗》)。当年，司马迁读《离骚》《哀郢》等诗而"悲其志"，竟至于在汨罗江畔"垂涕流泪""想见其为人"。他恐怕正是被诗中那光争日月的志士之情打动了罢？

不消说，《哀郢》的感人，也是与诗人抒发情志的高超艺术分不开。诗人明明是要抒发流放九年的思归之情，落笔却偏从九年前的离郢入手。其离别之依恋有如此之深，则思归之情切更可想而知了。此诗题为《哀郢》，全诗紧扣"哀"字展开：离郢则"楫齐扬以容与兮，哀见君而不再得"；途中则"背夏浦而西思兮，哀故都之日远"；登堤远望则对国事民生的哀愁一齐涌上心头("哀州土之平乐兮，悲江介之遗风")；居流放之地九年，又是"忧与愁其相接"，"蹇侘傺而含感"。使眼中所见、心中所想，无不化作对象征祖国的郢都的哀恋，正如一支主旋律，澎湃震响于全诗。抒情诗很容易流于空泛而不真，诗人则善于从对流放途中的"西浮""运舟""背夏浦""登大坟"等细节的具体描述，来展开情感的抒发，造出了上文所说那种一步一回头、步步恋故国的情境，读来自能凄婉感人。诗中还大量运用呼告、问叹句式(如"何百姓之震愆""何须臾而忘反""孰两东门之可芜""冀壹反之何时"等)，在深沉的慨叹中，不时跳出激越的"变徵之音"，使全诗的情感前浪刚退，后浪又到，冲刷着、撞击着读者的心胸。正是这一切，使《哀郢》虽没有《离骚》那种绚烂多彩、神奇变幻的大起大落之境，却同样激发出摄人心魄的力量。前人说"屈子辞沉痛常在转处"。《哀郢》不以超现实的浪漫主义渲染、铺排取胜，其力量正表现在"气缭转而自缔"之中。

(潘啸龙)

抽思

心郁郁之忧思兮,[1]	心里的忧愁万分郁结,
独永叹乎增伤。[2]	孤独地唉声叹气,不断悲伤。
思蹇产之不释兮,[3]	思来想去,怎么也不能开怀,
曼遭夜之方长。[4]	只恨长夜漫漫,天总不亮。
悲秋风之动容兮,	秋风一吹,万物都要萧条,
何回极之浮浮![5]	坏人当道,真是一片糟糕!
数惟荪之多怒兮,[6]	你为什么那样地容易急躁,
伤余心之忧忧。	你使我心神不安呵,尊贵的香草!
愿摇起而横奔兮,[7]	想索性离开故乡跑向国外,
览民尤以自镇。[8]	看到人民的灾难又镇定下来。
结微情以陈词兮,	我把菲薄的衷情织成歌辞,
矫以遗夫美人。[9]	想呈现给你呀,我所敬爱。
昔君与我成言兮,[10]	你早先已经给我约好,
曰黄昏以为期。	我们在黄昏时候见面。
羌中道而回畔兮,[11]	但你在半途又改变了,
反既有此他志。[12]	丢掉了我,去和别人缠绵。
㤭吾以其美好兮,[13]	你把你的美好向我夸耀,
览余以其脩姱。[14]	你把你的长处向我矜示。
与余言而不信兮,	你对我说的话全不守信用,
盖为余而造怒。[15]	你只是无缘故地对我生气。

愿承间而自察兮，[16]	想乘着你空闲自行表白，
心震悼而不敢。[17]	心里害怕又不敢这样做。
悲夷犹而冀进兮，[18]	我踌躇，但我总想见你，
心怛伤之憺憺。[19]	可怜我的心是彷徨无主。
兹历情以陈辞兮，[20]	我把这情景编成了歌辞，
荪详聋而不闻。[21]	但你假装耳聋不肯倾听。
固切人之不媚兮，[22]	我知道直切的人不会讨好，
众果以我为患。	大家也真的当我成眼中钉。
初吾所陈之耿著兮，[23]	以前我所陈述的有凭有据，
岂至今其庸亡？[24]	难道到现在便都已经忘了？
何独乐斯之謇謇兮，[25]	我为什么总喜欢侃侃而谈，
愿荪美之可完。	是希望你的光彩更加辉耀。
望三五以为像兮，[26]	愿以三王五伯作为你的榜样，
指彭咸以为仪。[27]	愿以彭咸作为我自己的典型。
夫何极而不至兮，	我们一切都要做到尽善尽美，
故远闻而难亏。	普天下都要传遍我们的名声。
善不由外来兮，	善行要靠自己努力，不从外来，
名不可以虚作。	名声要与实际相符，不要虚假。
孰无施而有报兮，	哪有不给予的而能得到酬报？
孰不实而有获？	哪有不种瓜的而能够得到瓜？
少歌曰：	（小歌）
与美人抽思兮，	我为美人唱出我的幽情，
并日夜而无正。	日日夜夜都没人佐证。
憍吾以其美好兮，	把他的美好向我矜骄，

敖朕辞而不听。[28]	把我的歌辞在耳边溜掉。
倡曰：	（唱）
有鸟自南兮，	一只鸟儿从南方飞来，
来集汉北。	停留在汉水之北。
好姱佳丽兮，	毛羽十分美丽，
牉独处此异域。[29]	孤单地在异乡作客。
既惸独而不群兮，[30]	没有一个知交，
又无良媒在其侧。	也没有谁介绍。
道卓远而日忘兮，[31]	相隔既远而被人忘怀，
愿自申而不得。	要自荐也没有路道。
望北山而流涕兮，	望着北山而流眼泪，
临流水而太息。	对着流水而自哀悼。
望孟夏之短夜兮，[32]	孟夏的夜景本来很短，
何晦明之若岁。	为什么长得来就像一年？
惟郢路之辽远兮，[33]	郢都的路途确是遥远，
魂一夕而九逝。	梦魂一夜要走九遍。
曾不知路之曲直兮，[34]	我不管是弯路还是捷径，
南指月与列星。	只顾南行戴着日月与星星。
愿径逝而未得兮，[35]	想直走但又未能，
魂识路之营营。	梦魂往来多么劳顿。
何灵魂之信直兮，	为什么我的性情这样端直，
人之心不与吾心同。	别人的看法却和我不同。
理弱而媒不通兮，	替我媒介的人都欠工夫，
尚不知余之从容。	也还不知道我的从容。

乱曰：	（尾声）
长濑湍流，[36]	水浅滩长，
泝江潭兮。	我溯沧浪而上。
狂顾南行，	回望南方，
聊以娱心兮。	聊以解慰愁肠。
轸石崴嵬，[37]	怪石崎岖，
蹇吾愿兮。[38]	行走不如人愿。
超回志度，	迂回超越，
行隐进兮。	使我进退两难。
低佪夷犹，	迟疑不进，
宿北姑兮，	落宿在这北姑。
烦冤瞀容，[39]	心烦意乱，
实沛徂兮。[40]	万事颠沛糊涂。
愁叹苦神，	叹息悲伤，
灵遥思兮。	神魂飞向远处。
路远处幽，	地偏路远，
又无行媒兮。	没人代为诉苦。
道思作颂，[41]	调整思路，
聊以自救兮。	作歌聊以自娱。
忧心不遂，	忧愁难解，
斯言谁告兮？	有谁可以告诉？

（郭沫若 译）

注释

①郁郁：忧伤郁结。②永叹：长叹。增伤：加倍忧伤。③蹇产：曲折。④曼：

义同“曼曼”，长的样子。⑤回：回旋。极：至也。回极：指风的动态。⑥数（shuò）惟：屡次想到。荪（sūn）：一种香草，这里比喻怀王。⑦摇起：远远地走开。⑧尤：同“疣”，病痛。⑨矫：举。美人：指怀王。⑩成言：彼此约定的话。⑪羌：句首语气词。回畔：中途转折，这里有反悔之意。⑫他志：别的主意与打算。⑬侨：通“骄”。⑭览：炫示之意。脩姱（kuā）：洁美，美好。⑮盖：通“盍”，意“为什么”。⑯间：空隙。⑰震悼：恐惧。⑱夷犹：犹豫。冀进：希望靠拢君主。⑲怛（dá）：伤痛也。憺（dàn）憺：言心情动荡不安。⑳兹：此。历：列举。㉑详：同“佯”，假装。㉒切人：恳切、直切的人。㉓耿著：明白。㉔庸：遂。亡：忘。㉕謇謇：指忠贞之情。㉖三五：指三王五伯（或谓三皇五帝）。㉗仪：法则。㉘敖：通“傲”。朕：我。㉙牉（pàn）：离异。㉚惸（qióng）：孤。㉛卓远：遥远。㉜孟夏：初夏。㉝辽远：遥远。㉞曾不知：竟不知。㉟径逝：直逝，取直路走。㊱濑（lài）：滩流。㊲轸（zhěn）：形容石的形状方如车轸，怪形状。崴嵬：高耸不平貌。㊳蹇：曲折。㊴瞀（mào）容：乱貌。㊵沛徂：情绪急而颠沛奔走。㊶道思：且行且思。作颂：作歌。

鉴赏

从体式上看，《抽思》有一个与众不同的独特结构：它除了结尾有“乱辞”外，还增加了“少歌”与“倡曰”，而这后二者，《九章》其它篇及《离骚》《九歌》《天问》等中均未见。所谓“少歌”，朱熹认为类同“小歌”（《楚辞集注》），从内容看，它显然是《抽思》前半部分的小结。而“倡曰”，即“唱曰”，是诗篇第二部分内容的发端。联系《抽思》全诗内容，这“少歌”与“倡曰”，至少起了两个作用：其一，内容结构上的转换，从前半部分刻画由与君不合、劝谏无望而生的忧思之情，转向独处汉北心情的抒写，以“少歌”“倡曰”承上启下，自然顺理；其二，结构上给人耳目一新之感，避免了单一叙述的调式，似有曲转回旋之致。整首《抽思》在艺术上给读者留下深刻印象的，不仅是结构体式，还有流贯于通篇的缠绵深沉、细腻真切的怨愤之情。这一点，即题目《抽思》已为表明。

诗一开头开门见山，扣住题目“抽思”二字，以忧伤入题，一连串带有鲜明感情色彩的字词似乎一下子将读者牵入“忧伤”氛围：郁郁、忧思、独、永、叹、伤。继而，读者被诗人一步一步带进了更深沉的情感王国。

在这整个抒发忧伤情感的诗章中，诗人的感情是逐步委婉、细腻地予以吐露的。先由比喻入手，描述自己的忧思如处于漫漫长夜之中，曲折纠缠而不得解，同时自然联系到了自然界的秋容，“谓秋风起而草木变色也”（朱熹《楚辞集注》）。接着写到了怀王，由于他的多次迁怒，而增加了自己的忧虑，自己虽然一片赤诚，为国为民，还是无济于事，怀王多番悔约，不以诚相待。诗人试图再作表白，希望靠拢君王，而直言时却又遭谗间，其中的微妙感情变化，诗人分别用了“震悼”“夷犹”“怛伤”“憺憺”等刻画心理的语词，真切入微地表述出来。诗人的心是坦正的，他的忠言直谏是图君王能光扬美德，而自己则无它求，唯以贤君贤臣为楷模，求自身品德的修养。这里，“望三五以为像兮，指彭咸以为仪”，“善不由外来兮，名不可以虚作”，既是真诚的剖白，也是富有哲理的警句，使诗章在缠绵深沉中透出了理性色彩。“少歌”之后的“倡曰”，虽然继续前半部分的叙述，但角度有所转换，以由南飞北的鸟作譬，刻画自己独处汉北时“独而不群”“无良媒”的处境，其时其地，忧思益增，“望北山而流涕兮，临流水而太息”两句，读之催人泪下。值得注意的是，诗文至此，诗人巧妙地借助了一段梦境的描写，以此抒写自己对郢都炽烈的怀念——“魂一夕而九逝”，使人似乎看到诗人的梦魂由躯体飘出，在星月微光下，直向郢都飞逝，现实的毁灭在空幻的梦境中得到了暂时的慰藉。这是一段极富浪漫色彩的描写，读者似乎与诗人一起，带着忧思，在追寻、在飞翔。

诗章最后部分的“乱辞”，完全照应了开头，也照应了题目。诗人最终唱出的，依然是失望之辞，因为梦幻毕竟是梦幻，现实终竟是现实，诗人处于进退两难之中，倾吐出的是极度矛盾而又无人可诉的心理。

（徐志啸）

怀　沙

滔滔孟夏兮，	初夏的天气盛阳，
草木莽莽。	百草万木茂畅。
伤怀永哀兮，	我独不息地悲伤，
汩徂南土。[①]	远远走向南方。
眴兮杳杳，[②]	眼前一片苍茫，
孔静幽默。	听不出丝毫声响。

郁结纡轸兮，[3]	心里的忧思难忘，
离慜而长鞠。[4]	何能恢复健康？
抚情效志兮，	反省我的志向，
冤屈而自抑。	遭受委屈何妨？
刓方以为圜兮，[5]	我坚持我的故常，
常度未替。[6]	不能圆滑而不方。
易初本迪兮，[7]	随流俗而易转移，
君子所鄙。	有志者之所卑鄙。
章画志墨兮，[8]	守绳墨而不变易，
前图未改。	照旧地按着规矩。
内厚质正兮，	内心充实而端正，
大人所盛。	有志者之所赞美。
巧倕不斲兮，[9]	工垂巧而不动斧头，
孰察其拨正？	谁知他合乎正轨？
玄文处幽兮，	五彩而被人暗藏，
矇瞍谓之不章。[10]	瞎子说它不漂亮。
离娄微睇兮，[11]	离娄微闭着眼睛，
瞽以为无明。[12]	盲者说他的目盲。
变白以为黑兮，	白的要说成黑，
倒上以为下。	高的要说成低。
凤皇在笯兮，[13]	凤凰关进罩里，
鸡鹜翔舞。[14]	鸡鸭说是会飞。
同糅玉石兮，	玉与石混在一道，

一概而相量。　　好与坏不分多少。
夫惟党人鄙固兮，　　是那些人们的无聊，
羌不知余之所臧。[15]　　不知道我所爱好。

任重载盛兮，　　责任大，担子重，
陷滞而不济。　　使我担任不起。
怀瑾握瑜兮，[16]　　掌握着一些珍宝，
穷不知所示。　　不知向谁表示。

邑犬之群吠兮，　　村里的狗子成群，
吠所怪也。　　不常见的便要狂吠。
非俊疑杰兮，　　把豪杰说成怪物，
固庸态也。　　是庸人们的口味。

文质疏内兮，　　我文质彬彬，表里通达，
众不知余之异采。　　谁都不知道我的出众。
材朴委积兮，[17]　　我鸿才博学，可为栋梁，
莫知余之所有。　　谁都不知道我的内容。

重仁袭义兮，　　我仁之又仁，义之又义，
谨厚以为丰。　　忠诚老实以充实自己。
重华不可遌兮，[18]　　舜帝已死，不可再生，
孰知余之从容。　　谁都不知道我雍容的气度。

古固有不并兮，　　自古来，贤圣不必同时，
岂知其何故？　　这到底是什么道理？
汤禹久远兮，　　夏禹和商汤已经远隔，
邈而不可慕。[19]　　就追慕也不能再世。

惩违改忿兮，	抑制着心中的愤恨，
抑心而自强。	须求得自己的坚强。
离慜而不迁兮，	就遭祸我也不悔改，
愿志之有像。	要为后人留下榜样。
进路北次兮，	像贪路赶掉了站口，
日昧昧其将暮。	已到了日落黄昏时候。
舒忧娱哀兮，	姑且吐出我的悲哀，
限之以大故。[20]	生命已经到了尽头。
乱曰：	(尾声)
浩浩沅湘，	浩荡的沅水湘水呵，
分流汩兮。[21]	哳哳地翻波涌浪。
脩路幽蔽，[22]	长远的路程阴晦，
道远忽兮。	前途是渺渺茫茫。
曾吟恒悲兮，	不断地呕吟悲伤，
永叹慨兮。	永远地叹息凄凉。
世既莫吾知兮，	世间上既没有知己，
人心不可谓兮。	有何人可以商量。
怀质抱情，	我为人诚心诚意，
独无匹兮。	但有谁为我佐证？
伯乐既没，	伯乐呵已经死了，
骥焉程兮？[23]	千里马有谁品评？
万民之生，	各人的禀赋有一定，
各有所错兮。[24]	各人的生命有所凭。
定心广志，	我要坚定我的志趣，
余何畏惧兮？	绝不会怕死贪生。

曾伤爰哀,[25]	无休无止的悲哀,
永叹喟兮。	令人深长叹息。
世溷浊莫吾知,	世间混浊无人了解我,
人心不可谓兮。	和别人没什么可说。
知死不可让,	死就死吧,不可回避,
愿勿爱兮。	我不想爱惜身体。
明告君子,	光明磊落的先贤呵,
吾将以为类兮。[26]	你们是我的楷式!

(郭沫若　译)

注释

①汩徂:急行。②眴(shùn):同"瞬",看的意思。③纡轸:委曲而痛苦。④离慜:遭忧患。鞠:困穷。⑤刓:削。圜(yuán):同"圆"。刓(wán)方以为圜:把方的削成圆的。⑥常度:正常的法则。替:废也。⑦易初:变易初心。本迪:变道。⑧章:明也。志:记也。⑨倕(chuí):人名,传说是尧时的巧匠。斲(zhuó):砍,削。⑩矇瞍(méng sǒu):瞎子。章:文采。⑪离娄:传说中的人名。睇(dì):微视。⑫瞽(gǔ):瞎子。⑬笯(nú):竹笼。⑭鹜:鸭子。⑮臧:同"藏",指藏于胸中之抱负。⑯瑾、瑜:均美玉。⑰委积:丢在一旁堆着。⑱遌(è):遇。⑲邈:遥远。⑳大故:死亡。㉑汩(gǔ):指水流疾貌,或为水的急流声。㉒脩:长。㉓焉:怎么,哪里。程:量也。㉔错:同"措",安排。㉕爰(yuán):哀泣不止。㉖类:楷式,法。

鉴赏

这篇被认为作于临终前不久的绝命词,其所抒所叙,亦正是诗人心声的吐露。

诗以刻画南行时的心情开篇。首先点明,他出发南行时的心情充满了忧郁与哀伤,几句极度表示这种忧伤心理的诗句,"伤怀永哀""郁结纡轸兮,离慜而长鞠""冤屈而自抑",似揪心般一下子抓住了读者。很显然,诗人其时的心境处于强烈的悲愤沉郁之中。我们特别注意"眴兮杳杳,孔静幽默"两句,这是以客观环境衬托表现人物内心的佳句。蒋骥说得好:"杳杳则无所见,静默则无所闻。盖岑僻之境,昏瞀之情,皆见于此矣。"(《山带阁注楚辞》)正由于四围冥冥,野漠清静,才更渲染突出了人物心绪之孤寂与悲凉。

但是,诗人在临死前的心态并非仅仅是悲哀;即便是悲哀,他也并不停留于对个人遭遇的感伤上,而是牵念着理想抱负的尚未实现,希冀以自身之死来最后震撼民心、激励君主。故而,诗篇在直抒内心情感之后,笔锋转到了对不能见容于时的原因与现状的叙述。这里,诗人采用了一系列比喻,有富理性色彩的,如“刓方为圜”“章画志墨”“巧倕不斲”,以标明自己坚持直道、不随世俗浮沉的节操;有通俗形象化的,如“玄文处幽兮,矇瞍谓之不章”“离娄微睇兮,瞽以为无明”,“凤皇在笯兮,鸡鹜翔舞”“同糅玉石兮,一概而相量”“怀瑾握瑜兮”“邑犬群吠兮”等,这样多而集中的生动比喻,都围绕着一点:表白自己清白忠诚,而不能见容于时,使读者大大增强了直感的同情和理解,同时也充实了作品的内在蕴涵力与感染力。在此基础上,诗人直抒临终前的悲哀心情,无疑有了感情前提,“重仁袭义兮”到“限之以大故”段的诗章显得更令人读之怃然了。

诗篇发展至“乱辞”,可以说是诗人的情感达到了高潮,他在前述现状、原因、心情的基础上,至此直截了当地发出了浩叹与歌唱。这段辞,是全篇内容的总结,也是诗人心声的集中倾吐;悲哀是悲哀,理想是理想,并不能因即将面临死亡而悲痛至放弃理想;决心以一死殉崇高的理想——“定心广志,余何所畏惧兮”“知死不可让,愿勿爱兮。明告君子,吾将以为类兮”。

通读全诗,我们还有一个突出的感受,就是本诗在语言上有一个鲜明的特点,即句子大都不长,用语简短有力,读来有急促感。你看从诗首句“滔滔孟夏兮”,至篇终“乱辞”,几乎大都是四言句(加“兮”字为五言)。这是诗人的精心设计。因为此诗乃临终前的绝命词,是真切心境的实剖,无疑诗人自身有气促情急之感,这是人之常理;而用了短促句,既直接反映了这种实际内感,又使诗的内容、情感与表达形式浑然一体、高度融合,能使读者产生强烈的共鸣,收到更好的艺术效果。我们不得不佩服诗人高超的艺术匠心和功力。

(徐志啸)

思　美　人

思美人兮, 擥涕而伫眙。①	怀念着我心爱的人呵, 揩干眼泪而远望。

媒绝路阻兮，	没人介绍而路又迢遥，
言不可结而诒。[2]	有话却无法成章。
蹇蹇之烦冤兮，[3]	我至诚一片而蒙冤，
陷滞而不发。	我进退两难而不前。
申旦以舒中情兮，[4]	愿每日陈述我的心思，
志沉菀而莫达。[5]	心思沉顿而难表现。
愿寄言于浮云兮，	愿浮云为我捎信，
遇丰隆而不将。[6]	云师却不肯讲情。
因归鸟而致辞兮，	托鸿鸟为我传书，
羌宿高而难当。[7]	鸿高飞而不应命。
高辛之灵盛兮，[8]	我难比帝喾高辛，
遭玄鸟而致诒。[9]	能遇凤凰而授卵。
欲变节以从俗兮，	要变节而随流俗，
愧易初而屈志。	我知耻而有所不敢。
独历年而离愍兮，[10]	多年来我遭受摧残，
羌冯心犹未化。[11]	毫不减我心中的愤懑。
宁隐闵而寿考兮，[12]	宁失意而长此终身，
何变易之可为？	我何能如掌之易反？
知前辙之不遂兮，[13]	我明知正路难道，
未改此度。	但我不能不走正路。
车既覆而马颠兮，	尽管是车翻而马倒，
蹇独怀此异路。[14]	我依然望着前途。
勒骐骥而更驾兮，	我再把好马辔上，

造父为我操之。[15]	请造父为我执鞭。
迁逡次而勿驱兮，[16]	慢慢地走，不必驱驰，
聊假日以须时。[17]	让我把光景流连。
指嶓冢之西隈兮，[18]	指着嶓冢山的西边，那汉水发源地点，
与纁黄以为期。[19]	就走到日落昏黄，也莫嫌道途遥远。
开春发岁兮，	我姑且等待明年，
白日出之悠悠。	艳阳的春日绵绵。
吾将荡志而愉乐兮，	我要放怀地歌唱，
遵江夏以娱忧。	逍遥在江水、夏水之边。
擥大薄之芳茝兮，[20]	我攀摘灌木中的苻蓠，
搴长洲之宿莽。[21]	我采集沙滩上的卷施。
惜吾不及古人兮，	和古人可惜不能同时，
吾谁与玩此芳草？	摘来香草呵同谁赏识。
解萹薄与杂菜兮，[22]	采取萹蓄与同蔬菜，
备以为交佩。	尽可以纽成环佩。
佩缤纷以缭转兮，	也未尝不好看一时，
遂萎绝而离异。	终萎谢而遭毁败。
吾且儃佪以娱忧兮，[23]	我姑且快乐逍遥，
观南人之变态。	观赏南方人的异态。
窃快在中心兮，[24]	只求我心中快活，
扬厥凭而不俟。[25]	把愤懑置之度外。
芳与泽其杂糅兮，	芳香与污秽杂混一起呵，
羌芳华自中出。	芳花终会卓然自现。
纷郁郁其远承兮，	馥郁的芳香必然远扬，

满内而外扬。　　　内部充实外表自有辉光。
情与质信可保兮，　只要真诚的素质长保不亡，
羌居蔽而闻章。[26]　声名会突破一切的阻障。

令薜荔以为理兮，[27]　想请薜荔替我说合，
惮举趾而缘木。[28]　又怕走路去攀上树子。
因芙蓉而为媒兮，　想采荷花替我媒介，
惮褰裳而濡足。[29]　又怕下水打湿了裙子。

登高吾不说兮，[30]　登高吧，我不高兴，
入下吾不能。　　　下水吧，我也不能。
固朕形之不服兮，　固然是我手足不惯，
然容与而狐疑。[31]　我犹豫而心不能定。

广遂前画兮，[32]　完全依照着旧贯，
未改此度也。　　　我始终不肯改变。
命则处幽吾将罢兮，命该受难我也不管，
愿及白日之未暮也。趁着这日子还未过完，
独茕茕而南行兮，　一个人孤单地走向南边，
思彭咸之故也。　　只想追求彭咸的典范。

（郭沫若　译）

注释

①擥：同“揽”，收的意思，在这里即“揩干”之意。伫眙（zhù chì）：立视。伫：立。眙：视。②诒（yí）：赠予。③蹇（jiǎn）蹇：同“謇謇”，忠贞之言。④申旦：犹申明。⑤沉菀（yù）：沉闷而郁结。⑥丰隆：云师。⑦羌：句首语气词。宿高：宿高枝。⑧灵盛：言神灵。⑨诒：通“贻”，指聘礼。⑩离愍：遭遇祸患。⑪冯：通“凭”：冯心：愤懑的心情。⑫隐闵：隐忍忧闵。寿考：犹言老死。⑬遂：顺利。⑭蹇：我。⑮造父：周穆王时人，以善驾车显名。⑯迁：前进。逡次：缓行。⑰假

日:费些日子。⑱西限:西面的山边。⑲纁黄:黄昏之时。⑳擥:采摘。芳茝(zhǐ):芳草。㉑搴(qiān):拔取。㉒萹(biān)薄:指成丛的萹蓄一类的野草。㉓儃佪(chán huái):徘徊。㉔窃:私,隐藏不公开的。㉕扬:捐弃。厥凭:愤懑之心。㉖闻:声名。章:同“彰”,明也。㉗理:提婚人,媒人。㉘惮:害怕。举趾:提起脚步。㉙褰(qiān):撩起,揭起。濡(rú):沾湿。㉚说:同“悦”。㉛容与:迟疑不前的样子。㉜广遂:多方求实。

鉴赏

王逸在《楚辞章句·离骚序》中谈到《离骚》的艺术特色时指出:“《离骚》之文,依诗取兴,引类譬喻,故善写香草以配忠贞,恶禽臭物以比谗佞,灵脩美人以媲于君,宓妃佚女以譬贤臣。”不但《离骚》具备这种艺术特点,《思美人》也有类似的特点。

首先,《思美人》这一题目就是显明的“灵脩美人以媲于君”之体现,“美人”在诗中毫无疑问是指楚君主,而非一般意义上的美女。屈原写此诗的目的,旨在以思女形式,寄托自己对君主的希冀,企图得到君主的信赖而实现所追求的理想。诗篇一开首,诗人即陈述了自己思女的行为——“擥涕”“伫眙”,其感情是真挚的、发自内心的,然由于客观条件不允可,无良媒,才导致“志沉菀而莫达”,一再申言也无济于事。诗人并不因此完全丧失信心,他还是竭尽全力地努力追求。诗中几个层次中的多次表白,充分说明了这一点:“宁隐闵而寿考兮,何变易之可为?”“知前辙之不遂兮,未改此度。”“广遂前画兮,未改此度也。”直至篇末,实在无能为力了,方才作罢,但并未变易节操。

其次,在引譬美人同时,诗篇也写到了香花美草,“以配忠贞”。诗中写诗人沿江夏行进时,“擥芳茝”“搴宿莽”“解萹薄与杂菜”,这里的芳草自然不是实指植物,而是用以喻指才能,诗人采摘装扮它们,乃是为国效力的准备,只是美人——君主不识,致使诗人不得已发出“吾谁与玩此芳草”的慨叹。这还不够,诗人更以芳草自譬,说芳草与污秽杂糅,作为芳草,终能卓然自现,而不会为污秽所没;又以芳草比作媒人,“令薜荔以为理”“因芙蓉而为媒”,想通过它们向美人求爱,但又缺乏勇气。可见,无论美人抑或香草,在诗中都成了形象的比喻与象征者,在表现诗人形象、体现诗篇主旨方面起到了很好的作用。

超越时间与空间的局限,大胆地将地上与天国、人间与仙境、历史与现实融合一体,信手拈来,把现实人物、历史人物、神话人物交织一起,从而形成浪漫奇特的风格,是《思美人》艺术手法的又一突出表现。

诗人在求美人未成时,思绪确实难以自抑,情感受到了极大地挫伤,此时陷于困境的现实人物,突然闯进了神话人物与历史人物,思美人者想到了神话人物丰隆、历史人物高辛:"愿寄言于浮云兮,遇丰隆而不将""高辛之灵盛兮,遭玄鸟而致诒。"在前进途中遇到了曲折,又想到了历史人物造父:"勒骐骥而更驾兮,造父为我操之。"这样运用自如、毫无顾忌地将天上、人间、历史、现实、神话诸种超越时空的人物施诸笔端,没有超人的想象与天才的运思,是难以达到的。正由于此,才使诗篇更增添了浪漫色彩,形成想象奇特、神思飞扬的艺术特点。

(徐志啸)

惜往日

惜往日之曾信兮, 受命诏以昭时。 奉先功以照下兮, 明法度之嫌疑。 国富强而法立兮, 属贞臣而日娭。[1]	想起过去的时日,曾被你所信任, 我承受你的命令,掌握光明,普照着当时。 遵守先人遗留下来的制度,照顾万民, 明确我们的政策,使人们不至于误解。 政策确定了,我们的国家也就富强起来, 一切大事都付托给正直的人,正直的人感到愉快。
秘密事之载心兮, 虽过失犹弗治。	国家的机密,都记录在这些人的内心, 纵或有些许差错,你也不苛求追究。
心纯庬而不泄兮, 遭谗人而嫉之。 君含怒而待臣兮, 不清澂其然否。[2]	我的心是纯朴厚道的,发言是谨慎的, 这样,也不免遭受到爱说小话的妒忌。 君王因而怒气不息地对待着我, 他也不辨别一下是非。
蔽晦君之聪明兮,	君王啊,你的聪明被遮蔽了——多么阴黯,

虚惑误又以欺。[3]	你听信不实在的话，受到欺骗。
弗参验以考实兮，	你不能作很实际的、细心的比较，
远迁臣而弗思。	你从来不想一想被放逐在远方的人。
信谗谀之溷浊兮，	你糊涂，你听信谀媚的小话，
盛气志而过之。	你是那般盛气凌人地坚持你的错误。
何贞臣之无罪兮，	忠贞的臣子，并没有罪过，
被离谤而见尤？	为什么遭受到怨恨毁谤？
惭光景之诚信兮，	看到运行有恒的日月，我心难受，
身幽隐而备之。	我虽流放在这偏僻的地方，还要小心提防。
临沅湘之玄渊兮，	我曾站在沅湘的水边，那流水好深啊，
遂自忍而沉流。	我是有勇气忍受个人的痛苦，自沉在这滚滚的洪流里。
卒没身而绝名兮，	我并不计较，纵使身体和荣誉都湮没了，
惜壅君之不昭。	我担心的是君王被蒙蔽了，糊里糊涂。
君无度而弗察兮，	君王，你心中既无分寸，又不能仔细考察，
使芳草为薮幽。	你弃置美好的芳草，使之处在荒凉的水边。
焉舒情而抽信兮，	我怎么能舒散我的委屈，拔出我的诚心？
恬死亡而不聊。	还是安然地死去，我不能这样无聊地苟且偷生。
独障壅而蔽隐兮，	我孤独地被隔绝、被遗忘在这荒凉的地方，
使贞臣而无由。	使得忠贞的人失去了竭尽心力的道路。
闻百里之为虏兮，[4]	我听说秦穆公的臣子百里奚曾经

	做过俘虏,
伊尹烹于庖厨。[5]	伊尹未显时在厨房里烹调羹汤。
吕望屠于朝歌兮,[6]	姜太公在朝歌那地方,挥着屠刀,
甯戚歌而饭牛。[7]	甯戚一面喂着牛,一面不平地歌唱。
不逢汤武与桓缪兮,[8]	设使他们没有遇见商汤、周武和齐桓、秦穆,
世孰云而知之!	那么世界上有谁会谈到他们有惊人的才智和主张。
吴信谗而弗味兮,[9]	吴王相信谗言,不能分辨是非,
子胥死而后忧。[10]	等到伍子胥死后,已来不及追悔。
介子忠而立枯兮,[11]	忠贞的介子推,孤独地久久地站在那里,
文君寤而追求。[12]	晋文公突然想起他的功绩,才开始搜求。
封介山而为之禁兮,	为了悼念他,把绵山改称为介山,并且禁止采樵,
报大德之优游。[13]	这算是报偿那无法报偿的德惠。
思久故之亲身兮,	文公思念起故旧为他割舍着自己的身体,
因缟素而哭之。	因而穿着白色的丧服,禁不住放声痛哭。
或忠信而死节兮,	有的是因为忠信的缘故而死难,
或訑谩而不疑。[14]	有的是因为欺骗而受到信任。
弗省察而按实兮,	如果不仔细地考察,按照事实的真相,
听谗人之虚辞。	那么只有听信众小所扯的谎。
芳与泽其杂糅兮,	芬芳和光彩多么美好地混合在一起,
孰申旦而别之?	谁能有判断力地把它鉴别得很清爽?
何芳草之早殀兮?	为什么芳草这么早的凋零?
微霜降而下戒。	哦,你瞧,地面上铺着一层寒霜。
谅聪不明而蔽壅兮,	因为你听不清,许多事都不明不白,
使谗谀而日得。	所以,在你面前得意的是阿谀者对善良的毁谤。

自前世之嫉贤兮，	贤者被小人嫉妒，从前一辈子起就是这样，
谓蕙若其不可佩。	他们都说不值得佩戴的是蕙草和杜若。
妒佳冶之芬芳兮，	妒忌别人打扮得停当芬芳，
嫫母姣而自好。[15]	丑女嫫母自以为长得美好，造作妖媚的模样。
虽有西施之美容兮，	纵使具有像西施那么的美丽，
谗妒入以自代。	小话和妒忌走进来会篡夺了她的漂亮。
愿陈情以白行兮，	我愿意陈述我的感情，表明我的行径，
得罪过之不意。	我会获罪，真是出乎我的意料。
情冤见之日明兮，	真情和冤屈的样子，这是再清楚不过的事，
如列宿之错置。[16]	正有如被钉在天上的亮亮的星星。
乘骐骥而驰骋兮，	我驾着骏马的车子而飞驰啊，
无辔衔而自载。	可是我没有勒马的缰。
乘氾泭以下流兮，	我乘着竹筏浮水向西漂流，
无舟楫而自备。[17]	可是我没有划船的桨。
背法度而心治兮，	不依照法则，只按着主观去办事，
辟与此其无异。	那么，和上面的譬喻不会有两样。
宁溘死而流亡兮，	我宁可早些死去，或者让灵魂去漂泊吧，
恐祸殃之有再。	我担心灾难再一次的来到。
不毕辞而赴渊兮，	我说不完的语言，我走向前面的那条河流，
惜壅君之不识。	悼惜我得不到糊涂的君王的了解。

（文怀沙　译）

注释

①娭(xī):《说文》:"娭,戏也。"②澂:同"澄"。清澂:此处作动词,言人之明察。③虚惑误:为虚惑所误。以无为有曰"虚",以假为真曰"惑"。④百里:百里奚,春秋时贤人,曾为奴隶。秦穆公用五张羊皮将其赎出,任为大夫,成就了霸业。⑤伊尹:传说伊尹原是商汤妃子有华氏的陪嫁奴隶,曾做厨子,后得商汤重用,委以国政。⑥吕望:即姜尚,传说他曾在朝歌做屠夫,后辅助周武王灭商。⑦甯戚:春秋时卫人,家贫,为人挽车,至齐,于车下饭牛,扣牛角而歌,齐桓公闻而异之,拜为上卿。⑧缪:同"穆",指秦穆公。⑨吴:指吴王夫差。⑩子胥:伍子胥,吴国的贤臣。吴王夫差不纳伍子胥的忠告,听信太宰伯嚭的谗言,竟亡于越。⑪介子:介之推,春秋时晋国贤臣。⑫文君:即晋文公。文君做晋国国君之前,流浪在外十九年,介之推从其行,途中曾割股肉为之充饥。文君回国后做了国君,群臣争功求赏,介之推偕母隐于绵山。后来文公终于想起了他,派人寻找。介子躲在山里不肯出来,文公令人三面放火烧山,诱他出来,结果介子抱树被烧而死。文公着素服亲往吊唁,改绵山为介山,禁采樵。⑬优游:此重言德之大。⑭訑(tuó):欺也。谩:诳也。⑮嫫(mó)母:传说黄帝的妃子,容貌最丑。⑯列宿(xiù)错置:群星交错。蒋骥注:"言著而且多也。"⑰自备:意指不用船桨而自恃人力。

鉴赏

本篇以首句名篇。《九章》中的《惜往日》《悲回风》等篇的真伪问题,自南宋以迄当代,在学术界颇有争议,以为伪者虽然提出种种理由,却未能将屈原著作权剥夺。其写作时间,篇中有云"临沅湘之玄渊兮,遂自忍而沉流";又云"不毕辞而赴渊兮,惜壅君之不识"。蒋骥注:"《惜往日》,其灵均绝笔欤。夫欲生悟其君不得,卒以死悟之,此世所谓孤注也。"(《山带阁注楚辞》)现代楚辞学者郭沫若、游国恩等均从此说。本文亦从之。

"惜往日之曾信兮,受命诏以昭时。"诗人追忆往日曾经得到楚怀王的信任、授其左徒官职、让其整饬朝纲、昭明国是、以振兴楚国时,便有往事不堪回首之慨,故而痛惜。"奉先功以照下兮,明法度之嫌疑。"诗人自谓尽责尽职,凡内政外交,必审慎缜密,不敢苟且;修明法度,必严格遵奉先王遗训,条斟句琢,明确无误,不存疑义,以昭示众庶。据史实,距屈原前七十余年,楚国有吴起变法，其内容为“明法审令，捐不急之官，废公族疏远者，以抚养战斗之士，要在强兵”（《史记·吴起列传》）。可以认为诗人的“奉先功”，当指上述楚悼王启用吴起变法的祖制，造为的宪令中必有侵犯公族权益的内容。《史记·屈原贾生列传》记载：上官大夫进谗言说屈平“伐功”，显然是诋毁，但亦可佐证诗人修明的法度已付诸施行，并且取得了显著的政绩，故而出现了“国富强而法立兮，属贞臣而日娭”的兴盛局面。国家富强兵力强大是由于法制确立的结果，“法立”是国富强的首要条件。这里“贞臣”乃屈原自谓。楚怀王委任得人，屈原为政竭忠尽智，即使稍有失误，怀王亦不予苛求，君臣各得其乐。这是诗人最得意最值得骄傲的时期，追忆起来还口角留馨，但是，好景不长。“心纯庬而不泄兮，遭谗人而嫉之。君含怒而待臣兮，不清澂其然否。”这里，诗人把他遭谗蒙冤见疏的原因说得再清楚不过了：诗人心地纯厚，严守国家机密；上官大夫因嫉妒而进谗言；楚怀王不明察事实真相，信而发怒并疏远屈原。诗人将冤情寓于事实、寓于事理的陈述之中，词语浅显，然是非分明，其悲愤之情，灼然自现。然诗人遭受的打击迫害接踵而至：秦昭王诳怀王会兰田，屈原谓秦不可信，力谏王勿行；怀王听信稚子子兰的意见，遂入秦，“竟死于秦而归葬”。顷襄王立，子兰为令尹。兰因前嫌，使上官大夫短屈原于顷襄王，王怒而将其放逐。故诗人又再次直指谗佞人壅君之罪，“蔽晦君之聪明兮，虚惑误又以欺”。屈原在怀王时期，上官大夫曾进谗言，因而见疏，这是第二次，所以说“又以欺”。

“屈原放于江南之野，思君念国，忧心罔极”（王逸《楚辞章句·九章序》），尚图返国以竭忠尽智，然而谗言日笃，终不见纳。于是诗人悲愤地喊道：“弗参验以考实兮，远迁臣而弗思。信谗谀之溷浊兮，盛气志而过之。”诗人将矛头直指顷襄王，指斥他对上官、靳尚之徒以往虚饰的罪状不作检验考实，错误地将己放逐，之后又不作反思；对其现在散布的种种流言蜚语，轻信不疑。这里，诗人不仅指责谗人壅君之罪，还重言顷襄王愚昧昏庸。面对楚国的黑暗现实，诗人进一步质问：“贞臣”而“被离谤”，“无罪”而“见尤”，“诚信”者需要躲避、提防——这种忠佞倒置，是非不明的溷浊局面，其责任应该由谁承当？诗人的回答是清醒的，“君无度而弗察兮，使芳草为薮幽”；“独障壅而蔽隐兮，使贞臣而无由”。君王胸无准则尺寸，于冤不作省验核实，障壅蔽塞，情不上达，故而使贞臣遭谗被黜，欲谏不得，报国无由，又哪能舒展情感拔出诚信呢？诗人对己身死名灭不足惜，只痛惜谗人壅君之罪不能大白于天下。

以上几章，诗人沉痛陈述其遭谗被黜及其沉湘的缘由。其用意不在昭雪己之冤，而在痛惜怀、襄两君不能明察谗佞人壅君之罪。

“闻百里之为虏兮……因缟素而哭之。”诗人临近沅湘之深渊，步彭咸之志向已决，面对楚国的现实忧心如焚，故而颠倒重复，不厌其烦地引用史实，希冀昏君知人善用，举贤用能。百里、伊尹、吕望、甯戚等均出身卑贱，然汤、武、桓、穆不因其卑贱而忽视其才能，举而用之，终成霸业。诗人以史实苦谏顷襄王即便不能像汤、武、桓、穆贤德明智，亦得要如晋文公知错必改，尚不失为仁义之君，至于夫差应引以为戒。诗人于楚国之忠，于君王用心之苦，于斯可见。

承上所述，诗人认为历史上或忠信者死于节烈、或奸佞者重用不疑的情况之所以存在，同样是君王弗参验而考实，情不上达，赏不应赏，罚不应罚。这种香臭不分，好坏混杂，谁能将其申辩明白而给予区别呢？

“何芳草之早殀兮，微霜降而下戒。”这两句诗诸解纷纭，各言其是。如洪兴祖注云：“芳草殀，言贤臣被谗，命不久也”；“微霜降，严刑卒至，死有时也”（《楚辞补注》）。“戒”，多注“戒备”。本文以为，“芳草殀”“微霜降”，为诗人言其在怀王时期所取得的政绩及理想很快遭到了摧折和失败，只是遣词的感情色彩不同，陈述的角度不同。“芳草殀”，诗人以惋惜、爱怜的语气，言己的失败；“微霜降”，诗人言己方试改革，楚国的黑暗势力就敏感到气候寒冷，虚饰罪状进行诋毁。于是怀王降敕令，改革遂遭失败。谗佞人阴谋得逞，遂朋比为奸，同恶共济，忠贞之士无立锥之地，故而诗人悲愤地喊道，“自前世之嫉贤兮，谓蕙若其不可佩”。楚国的妒贤害能从怀王时期便开始了，到了顷襄王已发展到“嫫母姣而自好”“谗妒人以自代”的地步，诗人纵有西施之美容，谁还肯垂青呢！朝纲废弛，国是日非，诗人的“罪状”越积越多，即使想澄清事实、还其清白，已经是不可能了。但是，诗人仍自叹自慰：罗列的“罪状”再多，终是冤情，自有昭雪之时。

“乘骐骥而驰骋兮，无辔衔而自载；乘氾泭以下流兮，无舟楫而自备；背法度而心治兮，辟以此其无异。”这六句诗极其重要。这是诗人对楚国每况愈下、国惫民艰、君死臣辱的惨痛历史教训的理性的概括；是诗人从亲身遭际中得出的结论，具有哲理性的美，也是本篇的诗眼。诗人将背法制、主心治的危害比喻得如此中肯、精辟、深刻、触目惊心，意在以危言动君听，希其接受历史教训，改弦易辙；同时也说明诗人主张法制，反对心治，具有法家思想。其后的韩非子也云：“释法术而任心治，尧不能正一国；去规矩而妄意度，奚仲不能成一轮。”（《韩非子·用人》）而屈原在这之前，就主张法为立国之本。

尾章四句显志，表明临渊作赋的缘由。诗人为何宁愿投河呢？怕“国亡身虏也”（蒋骥《山带阁注楚辞》）；诗人何以反复陈词呢？怕谗人壅君之罪世人不明也。结束两句，旧注纷纭。洪兴祖注：“陈言未终，遂自投也。”郭沫若将这两句译为：“不等歌辞唱完，我要跳下深渊。”其实按文意诗人是把话说完了，才去跳江的。“不毕辞而赴渊兮，惜壅君之不识”系为设问句式，意谓：我如果不把话说完了就去赴渊，那么谗人壅君之罪，谁能明白？诗人显然在反躬自问，兼问他人，肯定自己责无旁贷。《列传》云：“推此志也，虽与日月争光可也。”诗人光明磊落，志比天高，虽放逐犹眷顾祖国，故临死仍殷切陈词，以危言动君听，希其主法制、背心治，免“祸殃之有再”，不胜死后之余望，故此被誉为千古爱国诗人。

综观全篇，《惜往日》词直而激，语浅而意深，叙事议论成分较多，然而抒情性也强，一开始便有往日不堪回首之慨。诗人追述始终，感怀王始之信任，己方有作为，楚国几乎治矣！然中道遭谗被逐，前功尽弃，国势濒危，祸及君身，故而大声疾呼，据理剖析，直指谗臣壅君之罪，说明自己不得不死的苦衷，并以死来刺激顷襄王，希其翻然悔悟。“故九章惟此篇词最浅易，非徒垂死之言，不暇雕饰，亦欲庸君之目而易晓也”（蒋骥《山带阁注楚辞》），其用心之凄苦，于此可见。

（周　岚）

橘　颂

后皇嘉树，[①]	橘呵，皇天后土生育你，
橘徕服兮。[②]	生来就服习这土地。
受命不迁，	你的禀性坚贞不移，
生南国兮。	在这南国的土地上生息。
深固难徙，	你根深蒂固，难以徙移，
更壹志兮。	志向是多么的专一。
绿叶素荣，	你那碧绿的叶，素白的花，
纷其可喜兮。	纷纷盛美，惹人欢喜。

曾枝剡棘，[3]	你枝儿层层，刺儿尖尖，
圆果抟兮。[4]	圆圆的果实，一团一团。
青黄杂糅，	你绿叶间掩映着黄金果，
文章烂兮。	这色彩又是何等绚烂。
精色内白，	你皮色精纯，内瓤洁好，
类任道兮。	多么像君子仁人立德怀道。
纷缊宜脩，	你香气弥盛，美观端庄，
姱而不丑兮。[5]	出类拔萃，无比美妙。
嗟尔幼志，	橘呵，我赞叹你的志气，
有以异兮。	从小就这样的与众迥异。
独立不迁，	你超群独立，从不迁徙，
岂不可喜兮？	怎不令人敬慕欣喜？
深固难徙，	你根深蒂固，别无希求，
廓其无求兮。[6]	空寂独处，没有匹俦。
苏世独立，[7]	你远离浊世，超然孤独，
横而不流兮。[8]	善自约束，绝不放纵自流。
闭心自慎，	你谨慎小心，自守自持，
终不失过兮。	从来就没有什么过失。
秉德无私，	你保持美德，没有私欲，
参天地兮。	品行高尚与天地同齐。
愿岁并谢，	我愿与你同生同死，
与长友兮。	长为朋友永不离。
淑离不淫，[9]	你容貌美好，恰如其分，
梗其有理兮。	枝干梗直，又有纹理。
年岁虽少，	你虽然年纪轻轻，
可师长兮。	却能作我的师长。
行比伯夷，[10]	你的品德好比伯夷，
置以为像兮。[11]	我永远向你学习，对你敬仰。

注释

①嘉：生。②徕（lái）：同“来”。服：习惯，适应。③曾：通“层”。剡（yǎn）：锐利。④抟（tuán）：把东西揉成球形。此指橘果长得一团又一团。⑤姱：美。⑥廓：空寂。求：同“逑”，匹偶。⑦苏：通“疏”，疏远。⑧横：栏木。此喻矜持自束。流：放纵。⑨淑离：即“陆离”，美好的样子。淫：过分。⑩伯夷：古代清高守节的贤人。⑪置：同“植”。像：法式，榜样。

鉴赏

这是屈原写的一首咏物寄志诗。据《楚辞》专家考证，楚顷襄王元年（前298），屈原遭谗被放。这首诗就写在启行之前（参汤炳正《屈赋新探·〈九章〉时地管见》）。我们读《橘颂》有两点突出的感受，一是表达了“受命不迁，生南国兮”的深厚爱国情感和强烈的民族意识；二是表达了“苏世独立，横而不流”的守志不移、严于律己的高尚情操。而这些思想感情的表达，又是寄托在对橘树的赞颂之中的。

据《周礼·冬官·考工记》载：“橘逾淮而北为枳。”《晏子春秋·内篇杂下》记晏子的话把橘树的这一特殊习性讲得更加清楚：“橘生淮南则为橘，生于淮北则为枳。叶徒相似，其实味不同。所以然者何？水土异也。”原来，橘树生就了这样的天性：只适应于生长在南方的土地上。如果移植到淮北去，叶子虽然还像橘树的叶子，但它的果实和味道就变样变质了。橘树的这一特殊习性，在屈原心目中自然显得十分宝贵。因为屈原本是一个爱土爱乡的人，即使是遭谗被放，他仍旧舍不得离开这块土地。于是，屈原找到了自己的品行和橘树的习性的共同点。他歌颂橘树，寄托了自己的爱国守志的情感。这真是一个绝好的创作题材，因为在这里，意（作家的思想感情）和象（被描写的外物）完美地交融结合在一起了。

细细读来，橘树的特殊习性固然可贵，而它的外貌、内质也同样可贵。屈原笔下的橘树有这样的特点：首先是它外形美，有梗直的树干，树干还有纹理（可不是歪拐子树呢）；有碧绿的叶，素白的花，黄金的果。它的内质更美：“精色内白，类任道兮”。“任道”就是怀道立德的意思，这是仁人君子的风范。这外美与内美的统一，使它“姱而不丑”。而屈原正是一个重外美、更重内美的人。《离骚》说“纷吾既有此内美兮，又重之以脩能（态）”，于是这橘树也就成了屈原自我形象的写照。

再细细读来,屈原笔下的橘树还有一个特点,那就是它的孤傲自持,即"深固难徙,廓其无求兮"。闻一多先生《九章解诂》认为"廓"是孤寂之意;"求"即是"逑",匹友之意。这是深得屈原属辞寄意之旨的。橘树孤傲自持,"苏世独立,横而不流"(汤炳正先生《楚辞类稿》释"横"为栏木,认为屈原用以比喻自己善自约束守持),"闭心自慎,终不失过",这些诗句都应该理解为是屈原在遭谗后心情的真实流露。所以他盛赞橘树"秉德无私,参天地兮","年岁虽少,可师长兮。行比伯夷,置以为像兮",这橘树就成了他学习的榜样和坎坷困厄人生道路上的良师益友。

在艺术表现上,我们惊叹屈原真是取象立意的妙手。他又用拟人手法,把橘树写活了,充满生机和灵性;他还用第二人称("嗟尔幼志"),使自己和橘树那样亲近。中国古代的咏物诗作,在《诗经》中也有一二佳句。但从总体上取象立意,写得如此有文采,如此饱含人生慨叹,如此物我交融,自当首推《橘颂》。先秦时代稍晚于屈原的荀卿,也有咏物之赋作,但写得质木无文。汉魏六朝以后,咏物诗繁荣起来,明显是受到《橘颂》的影响;但能与《橘颂》比肩者,实属罕见。比之《橘颂》,前人如晋代的张华、齐之虞羲、梁简文帝萧纲等人的咏橘之作,其高下工拙之分,就不言而喻了。

(李大明)

悲　回　风

悲回风之摇蕙兮,[①]	悲哀啊!旋风摇落了蕙草的芬芳,
心冤结而内伤。	我心郁结,我心哀伤。
物有微而陨性兮,	我明白弱小生命的属性容易坠落,
声有隐而先倡。[②]	而听不见的声音,往往会引起巨大的影响。
夫何彭咸之造思兮,[③]	为什么我对于古贤彭咸久久思量,
暨志介而不忘。[④]	以及他那高尚的品格不能遗忘。
万变其情岂可盖兮,	感情是纵然变化多端,但也无法隐藏,
孰虚伪之可长?	那有虚假的感情能够久长?

鸟兽鸣以号群兮，	鸟兽一叫唤，他们的同伴们也就应声喧嚷，
草苴比而不芳。[5]	鲜草和枯草放在一块，往往是消失了芬芳。
鱼葺鳞以自别兮，[6]	披着层鳞的游鱼，它们之间彼此竞赛着花样，
蛟龙隐其文章。[7]	而蛟龙虽有美丽的身体，却在水底隐藏。
故荼荠不同亩兮，[8]	所以苦菜和甜菜不种植在一个地方，
兰茝幽而独芳。	而兰茝却在寂寞的深山里散播它们的幽香。
惟佳人之永都兮，[9]	只有像彭咸那样美好的人，始终坚持他的理想，
更统世而自贶。[10]	虽然时代已经改变了，我愿意比美前贤的善良。
眇远志之所及兮，[11]	我孤高的志愿所向往，
怜浮云之相羊。[12]	可怜，有如云彩飘浮在天上。
介眇志之所惑兮，	自已也不禁疑惑起我这贞节孤高的志向，
窃赋诗之所明。	为了表明我的心肠，我写下了这些诗章。

惟佳人之独怀兮，	设想起美好的人，孤单地在那儿思量，
折若椒以自处。	我折下杜若和申椒，独自个守在这里。
曾歔欷之嗟嗟兮，	我止不住一次又一次的叹气，
独隐伏而思虑。	虽然隐居荒僻，心头的焦虑却没法止息。
涕泣交而凄凄兮，	我流着，流着悲凉的泪……
思不眠以至曙。	想来想去，不能安睡，从晚上到天亮。

终长夜之曼曼兮，	夜啊！这黑夜多么漫长，
掩此哀而不去。	我抑压着这长留在内心的悲凉。
寤从容以周流兮，[13]	神志清醒时，我慢慢地起身，出门游荡，
聊逍遥以自恃。[14]	暂时把感情寄托在自由自在的生活上。
伤太息之愍怜兮，	伤心，叹息，这满腔的悲悯啊，
气於邑而不可止。	我的呼吸急促，我竟无法镇定下来。
纠思心以为纕兮，	把我委屈的思念扭搓成佩带，
编愁苦以为膺。	把愁苦编结起来，悬挂在我的胸前。
折若木以蔽光兮，	折下昆仑山上的神异的若木，遮蔽着太阳，
随飘风之所仍。[15]	且随着飘风，任从它把我吹到何方。
存仿佛而不见兮，[16]	眼前所存在的是仿仿佛佛，什么也看不清爽，
心踊跃其若汤。	我的心却像是沸腾的水，不住的跳跃动荡。
抚珮衽以案志兮，	我整顿着衣裳，按抑住想象，
超惘惘而遂行。	走吧，我感觉到无可言说的怅惘。

岁曶曶其若颓兮，	岁月匆匆，很快就要过去了，
时亦冉冉而将至。	我的时限啊，也渐渐地要来到了。
薠蘅槁而节离兮，	香草枯萎了，树叶飘落了，
芳以歇而不比。[17]	花花朵朵已尽，香味散了，完了。
怜思心之不可惩兮，	我哀怜我的痴心，不能改变，
证此言之不可聊。	也可以证明你们的话，是不可依靠的。
宁逝死而流亡兮，	我宁可死去，或永远漂泊吧，
不忍为此之常愁。	我不忍让我的心情老是这样暗淡。
孤子吟而抆泪兮，	孤儿呻吟着，擦着滚滚的热泪，
放子出而不还。	弃儿流落着，没有回家的希望。
孰能思而不隐兮，	谁能够想起了痛苦，而不难受，

昭彭咸之所闻。	彭咸，我恍惚听到你的名字，在我的耳边响亮。
登石峦以远望兮，	我爬上石山，向远处观望，
路眇眇之默默。	静悄悄地那辽远的道路像死去一样。
入景响之无应兮，[18]	纵有单调的吹动树影的寂寞的声音，可是没有回响，
闻省想而不可得。[19]	我听不到一切止留在我心间的怀想。
愁郁郁之无快兮，	这里找不到一点快乐，只有沉重的忧伤，
居戚戚而不可解。	我留在这里，痛苦紧蹙在一起，没法放下。
心鞿羁而不开兮，	我的心被束缚住，无法展开，
气缭转而自缔。	我的感情在不住地转动，打了一个解不开的暗结。
穆眇眇之无垠兮，[20]	一眼望去，远处天地合拢在一块，无边无际，
莽芒芒之无仪。[21]	草木莽莽，广大辽阔得无与伦比。
声有隐而相感兮，	纵或是不很大的声音，也能使远方有所感受，
物有纯而不可为。	而任何事物都有他各自的本质，不能强所欲为啊。
藐蔓蔓之不可量兮，[22]	太遥远的道理，无法量测，
缥緜緜之不可纡。[23]	太细微的思虑，难以断绝。
愁悄悄之常悲兮，	重重的隐忧，使我悲苦，
翩冥冥之不可娱。	我似乎飞向不可知的地方，但仍是如此沉重。
凌大波而流风兮，	我像是追随流水的风波在飘荡，

托彭咸之所居。	走向古贤彭咸所居住的地方。
上高岩之峭岸兮，	我的灵魂飞登峭峻的山岩，
处雌蜺之标颠。[24]	又飞悬在彩虹的高杪。
据青冥而摅虹兮，[25]	我是青天的主宰，我的气息便是长虹，
遂儵忽而扪天。	一会儿，我在抚摩着天空。
吸湛露之浮源兮，	我吸了一口满满的清新的露水，
漱凝霜之雰雰。	我把漱口的浓霜吐向下界。
依风穴以自息兮，	我住在飘风的老家，合着眼休息，
忽倾寤以婵媛。	陡然，我翻身惊醒过来，又开始在空中周游。
冯昆仑以瞰雾兮，	我在昆仑山上，望着人间的雾气，
隐岐山以清江。[26]	我靠着岐山，澄清了向下流去的江水。
惮涌湍之礚礚兮，	我担心急流险阻，撞击着礁石，
听波声之汹汹。	我听见风吹着不止休的滔滔不绝的波涛。
纷容容之无经兮，	我心里很乱，不知在那儿，
罔芒芒之无纪。	我心里空恍恍的，不知怎么办。
轧洋洋之无从兮，	滚滚的流水，流啊，流啊……
驰委移之焉止？	自在地曲曲折折地流，流到什么地方才能停止？
漂翻翻其上下兮，	水波翻卷，或上或下，
翼遥遥其左右。	我随水漂荡，或左或右。
氾潏潏其前后兮，	泛滥的水，急湍地绕着山石打着圈子，
伴张驰之信期。	流水依据着一定的潮汐期涨落着。
观炎气之相仍兮，	我观望着地面上蒸发着地气，
窥烟液之所积。	我发现这地气像一股烟上升，又凝成液体。
悲霜雪之俱下兮，	我心难受，霜呀，雪呀，都飘落向大地，

听潮水之相击。	而潮水的声音，正像是彼此在打击。
借光景以往来兮，	我假借这有限的岁月，上天下地，
施黄棘之枉策。	我用黄色的弯曲的荆棘，代替马鞭。
求介子之所存兮，[27]	我访求介子推，他住在那里，
见伯夷之放迹。	我发现了古贤伯夷的遗迹。
心调度而弗去兮，[28]	平静了心志，我不再离开这里，
刻著志之无适。	我不往别处去了，我决心好好勉励自己。
曰："吾怨往昔之所冀兮，	我说："我怨恨历史上佞臣得到富贵，
悼来者之悐悐。	我悼惜当代的人自私自利。
浮江淮而入海兮，	我愿意随着江淮，漂流到海，
从子胥而自适。"	跟从伍子胥，是我自己的打算。"
望大河之洲渚兮，	我望见了水中的沙洲，
悲申徒之抗迹。[29]	我悲哀地联想起申徒狄不屈的样子，
骤谏君而不听兮，[30]	一次又一次进忠言于君王，而不被听信，
任重石之何益？	后来抱着石头跳河淹死，可是，这有什么用处呢？

（文怀沙　译）

注　释

①回风：旋风。②倡：与"猖"通，猖狂。《庄子》："倡狂妄行。"这里指谗言起始隐匿，然倡狂妄行，亦有形迹可寻。③彭咸：传说是殷之贤臣，谏君不听，投水而死，其生平无考。有人怀疑彭咸是彭祖之后，与屈原同为高阳的后裔，但亦无确据。④志介：犹言节志。⑤苴：枯草。比：挨在一起的样子。⑥葺：整治。朱熹云："整治其鳞，以自区异。"（《楚辞集注》）⑦文章：文采，指蛟龙的鳞甲。⑧荼：苦菜。荠：甜菜。⑨佳人：屈原自谓。"惟佳人之独怀兮"的佳人，指怀、襄王。都：美也。永都：言其美始终如一。⑩更：历也。贶：通"况"。自贶：自许。

⑪眇:高远貌。⑫相羊:同"徜徉"。⑬周流:指四处游荡。⑭自恃:自我排遣。⑮仍:因也,义同"引"。⑯存:指四周客观存在的事物。⑰歇:竭也。⑱入:收纳。⑲省:忆也。⑳穆:读若"默",静思貌。㉑仪:准则,法度。《史记·秦始皇本纪》:"普施明法,经纬天下,永为仪则。"㉒藐:同"邈"。㉓纡:萦回也。㉔雌蜺:雨后或日出日没之际,天空中出现一种彩色圆弧,叫做虹蜺。虹蜺常有内外二环,内环为虹,外环为蜺。内环色彩鲜艳,古人谓是雄性;外环色彩暗淡谓雌性。㉕摅:舒也,指嘘气。摅虹:言吐气成虹。㉖隐:倚凭。㉗介子:见《惜往日》注⑪⑫。㉘调度:言考虑。㉙申徒:申徒狄,谏纣不听,抱石投水而死。㉚骤:屡也。

鉴赏

《悲回风》以首句名篇。其写作时间,蒋骥推断:"原死于五月五日,兹其隔年之秋也欤?"(《山带阁注楚辞》)此时楚已濒危,原亦终不容于世,此身已临沅湘之渊,彭咸之志日笃,宗庙之隐痛日剧,故不复顾忌,"倾输罄竭""悉吐之者矣"(朱熹《楚辞集注》)。诗人情思激越,幻梦神游,忽而扪天,忽而瞰雾,求介子,悲申徒,借以排遣其积郁,然而冤结情笃,触景生悲,寻来找去,越发不可收拾。通篇抒情,往复喟叹,悲愤不已,在《九章》中是感情最沉郁的一篇。

诗人就眼前的旋风摇荡纤弱的蕙草,触景生情,悲从中来,"心冤结而内伤"。外伤好治,内伤难合。长期隐痛,淤结于心的内伤,其诱发在于蕙,其根源在于冤。不言而喻,诗人由眼前的景物联想到自身的遭遇:忠而被谗,信而见疑,长期放逐,报国无由,故而迸发难以言状的哀怨和忧伤。"物有微而陨性兮,声有隐而先倡。"回风有声无形,起始甚微,然它终使花草凋零;谗言起始虽隐,然它虚惑君心,猖狂妄行,二者均有行迹可寻。如果在谗言刚刚发生时,即采用措施,防微杜渐,谗佞人便不易得逞。诗人含蓄地指斥楚怀王掉以轻心,缺少应有的警觉,养痈遗患,以致发展到现在的谗妒人以自代的地步。这里,是否兼有反躬自责呢?倒也可以商榷。诗人"见谗人倡君为恶,则思念古世彭咸,欲与齐志节,而不能忘也"(洪兴祖《楚辞补注》)。

屈原诗心执著,刚想到步彭咸之志,却又追忆其祸始,"万变其情岂可盖兮,孰虚伪之可长"。上官、靳尚之徒巧言令色,虚饰谗言,然其包藏的祸心是无法掩盖的,他们何以能长期作祟呢!这里的潜台词是:如君王明察,早就可以看出其虚伪作态,防患未然;君不明,昏愦蔽壅,才遗患于今日。以下四句诗,诗人具体陈述谗佞人猖狂用事。他们或朋比为奸,同恶共济;或乔装打扮,耀武扬威,致使忠贞之臣,或屈服于邪恶势力而失其志节,或藏居幽沉处,隐其光彩。于是诗人从中引出结论:“故荼荠不同亩兮,兰茝幽而独芳。”忠佞冰炭难容,岂能同朝共济,忠贞之臣只有远避朝廷,独处幽境,才能保持其高尚的节志。这是写实,又似自慰。“唯佳人之永都兮”六句,诗人自诩出身尊贵,德志高远,历先世之垂统,即便行吟江畔亦不失中正之行,故以佳人自喻。诗人自谓其德志可与蓝天比高,能与白云相逐,孤高而难合于世,特赋诗将其陈述清楚。

以上几章,诗人因“回风摇蕙”而触动了忧伤,于是追忆了祸始,分析了祸根,表明其赋诗是为言志。

诗人思前想后,自觉身前的一切已付诸东流,剩下的只有“惟佳人之独怀兮,折若椒以自处”。追慕古代贤哲,加强自身的修养,保持身后的芬芳。但是,屈原毕竟是一位伟大的爱国主义诗人,是一位伟大的改革家,其理想、抱负“虽与日月争光可也”。此刻他万念俱灰,痛定思痛,其内心的悲愤、忧虑更不能自已。“曾歔欷之嗟嗟兮”六句,诗人极写从夜晚到天亮总是抑制不住哀怨悲伤:抽泣、嗟叹、隐思、凄苦,涕泪交流,辗转反侧,长夜不眠,想节哀而不能。天明了,外面走走,聊以自持,然秋色肃杀,满目凄凉,于是“气於邑而不可止”。极度悲伤,满腔酸楚,气急促而堵塞,以至哽咽窒息而不可终止。写忧伤郁结的情状如此活灵活现,诚非屈子莫能。“纠思心以为纕兮,编愁苦以为膺。”古人将束于腰腹间的、用以悬挂饰物的带子称为纕,将勒于胸部的服饰称为膺。从修辞格看,诗中的“思心”“愁苦”为本体,“纕”“膺”为喻体。诗人巧妙地捕捉住本体与喻体之间的共同特征,加以引申,构成了极其贴切的譬喻关系,使诗句情景互生,含蕴深邃。诗人言其思心、愁苦之繁多、之细腻、之修长可以编珮带,织胸衣;言其思心、愁苦郁结于胸腹之间,引起的气闷、梗塞,如束纕于腰腹、勒膺于胸际那样难以忍受、难以解脱。化抽象为具体,鲜明形象。《史记·屈原贾生列传》云“其文约,其词微……举类迩而见义远”,诚如是。

诗人的思心、愁苦如此沉重而不能自持,故“折若木以蔽光兮,随飘风之所仍”。折若木遮住目光,视而不见;任飘风之吹送,吹到哪里算哪里,也是聊以自持的好方法。然而事与愿违,“存仿佛而不见兮,心踊跃其若汤”,周围的事物似乎看不见了,可思潮的翻滚却剧烈得犹如沸汤。这诚如李白所云:“抽刀断水水更流,举杯消愁愁更愁。”诗人的忧伤太深太久,冤结得太实太厚,想排遣也没有法子,只好强按珮衽,怅怅然、惘惘然继续前行。岁将尽,命将终,蘋蘅枯离,芬芳消竭,而诗人的思心却不可改变。诗人宁肯投江以结束此哀。

诗人在前几章往复咏喟思心愁苦如此这般的沉重而不能自持，但又始终没有明言其所思者、所愁者为何事，引而不发，至此才喟然道出，“孤子吟而抆泪兮，放子出而不还”。这两句诗极其重要。它既表明诗人思心、愁苦郁结缠绵的原因，是前面几章诗文的概括，又为下面的“登石峦”“上高岩”“冯昆仑”等情节作铺垫，是全篇的诗眼。诗人无辜遭谗见逐，长期行吟江畔而不能还，“孰能思而不隐兮”。这种事放在谁的身上，谁都会隐隐作痛。诗人正是为了“不忍为此之常愁”，才一次次地想到步彭咸而死。

以上几章，诗人极写放逐途中的悲愤忧伤及其产生的根源。

“登石峦以远望兮，路眇眇之默默。入景响之无应兮，闻省想而不可得。”诗人思念楚国，登石山而远眺郢都，希冀得到蛛丝马迹以慰愁思，然而“熟视不睹其影，静想不闻其声”（蒋骥《山带阁注楚辞》），内心极其空虚惆怅。故国的声容不可得而闻见，宗庙之安危不可得而知之，君臣之恩谅已断绝，返楚竭忠尽智亦无期——诗人愁思陡增，五内俱焚，故不能自已。“入景响之无应兮，闻省想而不可得”两句，郭沫若译为，“我到了无影无响的区域，但要无念无想却不可能”，郭老译文可能本洪兴祖注，“竄在山野，无人域也”，但按文词推敲，似待商榷。“愁郁郁之无快兮”及其以下十三句，诗人往复抒写其思心愁苦郁结的情状，以及在这特定的情境中，诗人神思恍惚，于是对外界事物的感受，无不罩上迷惘、悲怆的光圈。诗人运用句式的排比，声韵的重叠，低回往复，闳中肆外，吟幽叹微，情貌凄苦，读之令人潸然泪下。其中的“声有隐而相感兮，物有纯而不可为”，更反映了诗人对楚国的情感深沉执著，至死不渝。这前一句，可用后人李商隐的诗作解，“身无彩凤双飞翼，心有灵犀一点通”，诗人与故国永远联结在一起。后一句，诗人自谓其对楚的挚爱是纯粹的、忠贞不渝的，非人工所能造为。

“上高岩”的八句诗，诗人驰骋想象，神游太虚，与霜雪云虹相往来。他忽而嘘气成虹，忽而伸手扪天，风驰电掣，气势万千。夸饰奇特，意在说明其德智高远，其力能回天，惜昏君不用，致使楚国岌岌可危。至于“吸湛露”“漱凝霜”“依风穴”的陈述，能否说诗人有道家的“虚静无为”“不为物先”的出世思想呢？兴许有此闪念，但是，其刚想留风穴休憩，又“忽倾寤以婵媛”。

“风穴”，洪兴祖注：“风穴，北方寒气从地出也。”朱熹注：“风穴，风从地出之处也。”今也有人考证“昆仑”跟岷山一样，均系蜀中实地。上述诸释涉嫌太实，未得诗趣。蒋骥注云：“《山海经》，昆仑，帝之下都。

《神异经》,昆仑,钢柱,其高上天。故《骚经》上下于天,皆从昆仑取径。此扪天而依风穴,冯昆仑亦此意也。风穴从昆仑解,颇融洽。"(《山带阁注楚辞》)。蒋注富有神话色彩,颇合屈赋浪漫风格,洽文意。风穴位于昆仑,那么"冯昆仑以瞰雾兮",顺理成章。这以下的十二句诗,以瞰字领起,均为诗人神思激越,冯昆仑,隐岐山俯瞰清江的虚幻情貌。在幻梦中,展现在诗人眼前的是沧海横流,恶浪掀天。风浪声、水石相击声惊天动地。江面上:东西南北,前前后后,浩瀚滚荡,没有经纬,没有方向,没有归宿,焉知终止;上下颠覆,左右倾轧,伴着潮汐的信期,忽涨忽落。不难看出,这些描绘与其说是诗人幻梦江涛的雄伟壮观,倒不如说是借江涛影射楚国当时政局的动荡以及反衬屈原眷顾楚国而起伏不定的心情。据历史记载,当时楚国接连打败仗,国惫民艰,一片混乱。"群臣相妒以功,谄谀用事,良臣斥疏,百姓心离。"(《战国策·中山策》)所以,这里越绘声绘形地描述江涛的险恶,越反映出诗人为楚国的动乱而忐忑不安的心绪。

"观炎气之相仍兮……听潮水之相击"四句,蒋骥注为:"炎气,指夏。霜雪,指冬。错举以概四时也。"王夫之注,亦指四时的节令。郭沫若译为:"我观察南海的火云怒腾,我偷看东海的朝霞上升,我叹息北海的云雪齐下,我倾听西海的波涛雷鸣"又似指四方的景象。按炎气即热气,《诗·大雅·云汉》:"赫赫炎炎",《传》:"炎炎,热气也。""相仍","相从也"(洪兴祖注)。诗人幻梦由江面仰视太虚,江雾濛濛,热气相蒸,倏而又凝聚为烟雨;再往下观察,江面白浪滔天,飞雪四溅——"悲霜雪之俱下",继而"听潮水之相击"更不胜其悲。故王逸注曰:"言己上观炎阳烟液之气,下视霜雪江潮之流,忧思在心,而无所告也。"(《楚辞章句》)于是诗人又神思恍恍惚惚,凭借日光月影,乘着神速的骏马,策着弯曲的棘鞭,去寻找介子、伯夷的所居。找到了他俩没有?蒋骥说找到了。蒋注认为"曰"以下两句诗是屈原"与二子相语之辞……人逢知己,则乐输于情,盖有然矣"(《山带阁注楚辞》),此注涉嫌穿凿。诗中所云方位,均为神思所及,非诗人真身临其境。况且下句云"心调度而弗去兮,刻著志之无适",经过考虑没有去,镂刻于心扉的是彭咸之志,岂能他适。

"曰"以下为全篇结章。诗人将思绪收拢一下,怨往日的理想已经落空,悲来日的处境岌岌可危,故决心从申徒、子胥而去,转而一想又觉二子均死得可悲,申徒狄、子胥活着的时候,屡谏君不听,死又没能挽救商吴的灭亡。这是前车之鉴,而自己的死能否唤起昏君的觉醒?思心萦回不得其解。以死去感动君王是诗人的孤注,故不得不慎重。诗人踌躇再三终未投河。

《九章·悲回风》，想象丰富，夸饰神奇，低回往复，一唱三叹，均为其抒发思心愁苦而设。但终因放子不还、孤子拉泪的根由，故而推来拂去，无以解脱。最后，欲以死来激动君王，思心和愁苦似乎得到缓和，然赴流实为孤注，亦踌躇不已。可以想见，诗人忧心如焚的悲愤情绪，将进入另一个高峰。

（周　岚）

远　游

屈原

悲时俗之迫阨兮，①	悲哀社会习气嫉贤妒能，
愿轻举而远游。	我愿轻身高举远游求真。
质菲薄而无因兮，	本性鄙陋没有什么依靠，
焉托乘而上浮？	怎么能乘清气向上飞升？
遭沈浊而污秽兮，	我遭逢的时世污秽浑浊，
独郁结其谁语！	独自愁思郁结向谁诉说！
夜耿耿而不寐兮，	夜里辗转反侧难以成眠，
魂营营而至曙。②	神魂凄凄切切直到天明。
惟天地之无穷兮，	只有天地才是无穷无尽，
哀人生之长勤。	可怜人生只会劳碌终身。
往者余弗及兮，	过去了的我已不能追及，
来者吾不闻。	将要来的我也不能听见。
步徙倚而遥思兮，③	我徘徊不定而想得很远，
怊惝怳而乖怀。④	惆怅失意理想难以实现。
意荒忽而流荡兮，	我心情迷茫而四处游荡，
心愁悽而增悲。	心中愁惨痛苦无限悲伤。
神儵忽而不反兮，	魂魄很快飘忽离而不返，
形枯槁而独留。	躯体形销骨立独自留下。
内惟省以端操兮，⑤	心中反复思索审察志向，
求正气之所由。	探求正大之气来自何方。
漠虚静以恬愉兮，	淡漠平静内心安适愉悦，
澹无为而自得。	清心寡欲才能恬然自得。

闻赤松之清尘兮，[6]	我想听赤松先生的美言，
愿承风乎遗则。	愿意继承他的遗风法则。
贵真人之休德兮，	我崇尚赤松先生的美德，
美往世之登仙。	羡慕过去的人能够成仙。
与化去而不见兮，	他们蜕形而去人不能见，
名声著而日延。	他们名声显著流传千年。
奇傅说之托辰星兮，[7]	惊叹傅说死后化为辰星，
羡韩众之得一。[8]	我羡慕韩众能得道成仙。
形穆穆以浸远兮，[9]	他们形体渐渐远离尘世，
离人群而遁逸。	他们逃避世俗隐去不见。
因气变而遂曾举兮，[10]	凭借精气变化高高升举，
忽神奔而鬼怪。	能像鬼神往来瞬息万变。
时仿佛以遥见兮，	有时仿佛能够远远看见，
精皎皎以往来。[11]	神灵耀眼往来宇宙之间。
超氛埃而淑邮兮，[12]	超越浊世居住名山洞府，
终不反其故都。	始终不愿返回他的故都。
免众患而不惧兮，	避免众人忧患毫不惧怕，
世莫知其所如。	世人难测他们从哪到哪。
恐天时之代序兮，	担心一年四季不断变化，
耀灵晔而西征。[13]	灿烂的太阳在渐渐西下。
微霜降而下沦兮，	寒冷的严霜也开始降临，
悼芳草之先零。	我悼惜香草会首先凋零。
聊仿佯而逍遥兮，	我暂且徘徊而逍遥自在，
永历年而无成。	我只虚度年华一事无成。
谁可与玩斯遗芳兮？	谁能和我共赏这些香草？
长向风而舒情。	我只好长久地迎风抒情。
高阳邈以远兮，[14]	古帝高阳离我们太远了，
余将焉所程？	我又将如何去效法古人？
重曰：[15]	又一支歌：

春秋忽其不淹兮,	四季不会停留很快过去,
奚久留此故居?	我怎能长久地留在故居?
轩辕不可攀援兮,	黄帝尊贵高远难以求助,
吾将从王乔而娱戏。[16]	我将跟随王乔娱乐游戏。
餐六气而饮沆瀣兮,[17]	我要吸食六气渴饮清露,
漱正阳而含朝霞。	含漱朝霞呼吸正阳之气。
保神明之清澄兮,	保持自己精神清新纯净,
精气入而麤秽除。	精气入浊气除吐故纳新。
顺凯风以从游兮,	我将乘着南风随风而去,
至南巢而一息。[18]	到达南巢我停下来休息。
见王子而宿之兮,[19]	看见王乔我深深地作揖,
审一气之和德。[20]	讯问他"一气"怎样"和德"。
曰:"道可受兮,而不可传;	他说:"'道'可心领而不可言传;
其小无内兮,其大无垠;	道是无限小的无穷大的;
毋滑而魂兮,彼将自然;[21]	你精神不混乱,心就自然;
一气孔神兮,	'一气'什么时候最为神通,
于中夜存;	半夜寂静存在自己心中;
虚以待之兮,	对待一切事物任其自然,
无为之先;	万事之前应该寡欲清心;
庶类以成兮,[22]	如果众多法门已经成功,
此德之门。"	那就找到了'和德'的路径。"
闻至贵而遂徂兮,[23]	领教这些要诀就想去做,
忽乎吾将行。	迫不及待地我将要前行。
仍羽人于丹丘兮,[24]	走到飞仙们居住的丹丘,
留不死之旧乡。	留在这长生不死的仙乡。
朝濯发于汤谷兮,	早晨我在阳谷洗濯头发,
夕晞余身兮九阳。[25]	傍晚我让九阳晒干身上。
吸飞泉之微液兮,	我要吸饮飞泉里的泉水,

怀琬琰之华英。[26]	把美玉的花朵作为食粮。
玉色頩以脕颜兮，[27]	我的貌如美玉光彩照人，
精醇粹而始壮。	我的精神纯粹开始强壮。
质销铄以汋约兮，[28]	我的凡胎脱尽质丽体轻，
神要眇以淫放。	我的神灵深远无束无拘。
嘉南州之炎德兮，	南州气候温暖令人赞美，
丽桂树之冬荣；	桂树冬天开花非常美丽；
山萧条而无兽兮，	这里仙山空虚野兽不到，
野寂寞其无人。	这里旷野寂静没有人迹。
载营魄而登霞兮，	载着晶莹魂魄登上朝霞，
掩浮云而上征。	乘着飘浮云彩向上飞去。
命天阍其开关兮，	我叫守门人把天门打开，
排阊阖而望予。[29]	他推开南门望着我进来。
召丰隆使先导兮，[30]	我召唤丰隆去前面开路，
问太微之所居。[31]	叫他打听太微宫的所在。
集重阳入帝宫兮，[32]	来到九重天进入太微宫，
造旬始而观清都。	访问旬始星游览天帝府。
朝发轫于太仪兮，	早晨又从天帝宫庭出发，
夕始临乎于微闾。[33]	傍晚来到了于微闾停留。
屯余车之万乘兮，	我把很多车辆聚集一起，
纷容与而并驰。	众车缓缓而行并驾齐驱。
驾八龙之婉婉兮，	驾车的八条龙蜿蜒前进，
载云旗之逶蛇。	载着的云霓旗随风卷曲。
建雄虹之采旄兮，[34]	又把虹霓作为彩色大旗，
五色杂而炫耀。	旗帜五色混杂光耀千里。
服偃蹇以低昂兮，[35]	服马高大雄俊俯仰自如，
骖连蜷以骄骜。[36]	骖马身长蹄曲纵横恣意。
骑胶葛以杂乱兮，	车骑众多相互交加杂错，
斑漫衍而方行。[37]	从游队列正在浩荡前往。

撰余辔而正策兮，　　我已拉紧缰绳持好马鞭，
吾将过乎句芒。[38]　　我的车骑将要经过句芒。
历太皓以右转兮，[39]　　经过太皓身旁车向右转，
前飞廉以启路。[40]　　飞廉开路走在队列前方。
阳杲杲其未光兮，　　明亮太阳还未放射光芒，
凌天地以径度。　　由东往西凌驾天地之上。
风伯为余先驱兮，　　风伯是我们车队的先驱，
氛埃辟而清凉。　　我已避开浊世身心清爽。
凤凰翼其承旂兮，　　凤凰展开双翅承接旌旗，
遇蓐收乎西皇。[41]　　途中又遇到蓐收和西皇。
擥彗星以为旍兮，　　摘取彗星作为我的旗帜，
举斗柄以为麾。　　举起北斗斗柄作旗挥扬。
叛陆离其上下兮，　　旗帜五光十色忽上忽下，
游惊雾之流波。　　上如云雾流动下如波浪。
时暧曃其曭莽兮，[42]　　天色渐渐昏暗日月无光，
召玄武而奔属。[43]　　我命玄武赶快紧紧跟上。
后文昌使掌行兮，[44]　　让文昌在后面掌管随从，
选署众神以并毂。　　选择安排众神并驾前往。
路曼曼其修远兮，　　前面的道路啊又远又长，
徐弭节而高厉。　　慢慢把车停下高高凭望。
左雨师使径侍兮，　　叫雨师在左边路旁侍候，
右雷公以为卫。　　让雷公在右边放哨站岗。
欲度世以忘归兮，　　我想超脱尘世乐而忘返，
意恣睢以担挢。[45]　　我想随心所欲高高向上。
内欣欣而自美兮，　　心中高高兴兴修饰自己，
聊媮娱以淫乐。　　暂且尽情娱乐身心舒畅。
涉青云以汎滥游兮，　　穿过层层云雾纵横游荡，
忽临睨夫旧乡。　　忽然看见了自己的故乡。
仆夫怀余心悲兮，　　车夫感怀啊我心中悲伤，

边马顾而不行。	两边马儿停下回头眺望。
思旧故以想象兮，	我思念故土啊又想回去，
长太息而掩涕。	深深叹息涕泪沾湿衣裳。
氾容与而遐举兮，	游荡徘徊还是远远离去，
聊抑志而自弭。	暂且控制感情硬起心肠。
指炎神而直驰兮，㊻	指定炎帝驱车向南驰去，
吾将往乎南疑。	我将要奔驰到九嶷山川。
览方外之荒忽兮，	我看见那世外渺渺茫茫，
沛罔瀁而自浮。㊼	就像浩瀚波涛上下浮荡。
祝融戒而跸御兮，㊽	祝融告诫我要停止前行，
腾告鸾鸟迎宓妃。㊾	我传令鸾鸟把宓妃迎上。
张《咸池》奏《承云》兮，	安排《咸池》曲奏起《承云》乐，
二女御《九韶》歌。㊿	娥皇女英进献《九韶》之歌。
使湘灵鼓瑟兮，(51)	我让湘灵把瑟弹奏起来，
令海若舞冯夷。(52)	叫海神和河神跳起舞蹈。
玄螭虫象并出进兮，(53)	众多水中神物一齐走出，
形蟉虬而逶蛇。	它们形体屈曲婉转自如。
雌蜺便娟以增挠兮，(54)	彩虹艳丽把我层层缠绕，
鸾鸟轩翥而翔飞。	鸾鸟高高飞翔围着舞蹈。
音乐博衍无终极兮，	舒展的音乐声缭绕不绝，
焉乃逝以徘徊。(55)	于是我就到处徘徊寻找。
舒并节以驰骛兮，	我放松了缰绳纵马驰骋，
逴绝垠乎寒门。(56)	奔向那遥远的天边寒门。
轶迅风于清源兮，	穿过寒冷疾风发源之地，
从颛顼乎增冰。(57)	跟从颛顼来到冰天雪地。
历玄冥以邪径兮，(58)	经过玄冥遇上崎岖道路，
乘间维以反顾。	凭借天间地维休息回顾。
召黔嬴而见之兮，(59)	召来黔嬴见他询问缘故，

为余先乎平路。	让他给我在前铺平道路。
经营四荒兮，	我乘驾着车辆走遍四方，
周流六漠。	东西南北上下周游一趟。
上至列缺兮，	向上我来到了闪电之处，
降望大壑。	向下把东方的归墟眺望。
下峥嵘而无地兮，	下界深远渺茫看不见地，
上寥廓而无天。	上界空旷无垠天在何方。
视儵忽而无见兮，	一切迅速变化眼看不见，
听惝怳而无闻。	四周空寂默默没有声响。
超无为以至清兮，	远远胜过无为清虚境界，
与泰初而为邻。[60]	我和泰初一起共存共亡。

（黄寿祺、梅桐生　译）

注　释

①迫：胁迫。阨(è)：灾难，引申为危害。王逸云："哀众嫉妒，迫胁贤也。"②营营：一本作"茕茕"。蒋骥云："悲绪也。"③徙倚(xǐ yǐ)：王逸云："彷徨东西。"④怊(chāo)：洪兴祖云："怅恨也。"惝怳(chǎng huǎng)：惆怅失望貌。⑤惟：思考。省(xǐng)：检查。⑥赤松：传说中的仙人。洪兴祖引《列仙传》云："赤松子，神农时为雨师，服水玉，教神农，能入火自烧。至昆山上，常止西王母石室，随风雨上下。炎帝少女追之，亦得仙俱去。"⑦傅说(fù yuè)：殷相。相传傅说原是傅岩地方从事版筑的奴隶，武丁访得，举以为相，出现殷中兴的局面。因得说于傅岩，故命为傅姓，号傅说。辰星：即水星。朱熹云："傅说，武丁之相。辰星，东方苍龙之体，心、尾、箕之星，所谓大辰也。《庄子》曰：'傅说得之以相武丁，奄有天下，乘东维，骑箕、尾，而比于列星。'"⑧韩众：传说中的仙人。洪兴祖引《列仙传》云："齐人韩终(众)为王采药，王不肯服，终自服之，遂得仙也。"一：道家的哲学概念，即"道"。⑨穆穆：王夫之云："幽远也。"⑩曾：通"增"。洪兴祖云："曾，音增，高举也。"⑪晈晈：通"皎皎"，明亮貌。⑫氛埃：浑浊的尘世。淑邮：神仙往来时居住的名胜之地。蒋骥云："淑，善也；邮，传舍也。神仙往来，皆洞府名胜之地，故曰淑邮。""超"一作"绝"，"邮"一作"尤"。⑬耀灵：太阳。晔：光亮貌。⑭高阳：古帝颛顼的称号。王夫之云："高阳，古帝，道与天通者。"⑮重：古代乐歌的表现形式之一。洪兴祖云："重者，情志未

申，更作赋也。”蒋骥云：“重，乐节之名。”⑯王乔：即王子乔，传说中的古仙人。朱熹云：“王乔，周灵王太子晋也。《列仙传》曰：‘好吹笙，作凤鸣。遇浮丘公，接之仙去。”⑰六气：天地四时之气。王逸云：“《陵阳子明经》言：春食朝霞。朝霞者，日始欲出赤黄气也。秋食沦阴。沦阴者，日没以后赤黄气也。冬饮沆瀣。沆瀣者，北方夜半气也。夏食正阳。正阳者，南方日中气也。并天地玄黄之气，是为六气也。”沆瀣（hàng xiè）：露水。⑱南巢：洪兴祖、朱熹以为指南方凤鸟之巢；蒋骥以为指王子升仙之所；俞樾则以为指南方之远国。⑲宿：通“肃”，王夫之云：“敬问也。”⑳一气：胡文英云：“纯一不杂之气。”和德：蒋骥云：“外气既入，内德自成。所谓六气者，凝炼而成一气矣。然必得所养而后能和，故就王子而讯之。”㉑滑（gǔ）：王夫之云：“滑，音骨，乱也。”㉒庶类：众法。㉓徂（cú）：往。㉔丹丘：神话中神仙所在之地。㉕九阳：即太阳。《后汉书·仲长统传》李贤注：“九阳谓日也。《山海经》曰‘阳谷上上有扶木，九日居下枝，一日居上枝’也。”㉖琬琰（wǎn yǎn）：美玉。㉗頩（pīng）、脕（wàn）：皆指面目光泽艳美。㉘汋约：通“绰约”，美好貌。㉙阊阖（chāng hé）：传说中的南天门。㉚丰隆：神话中的雷神。一说云神。㉛太微：传说中天上的宫殿。㉜重阳：指天。㉝于微闾：神话中的山名。㉞雄虹：古人称虹的内环为雄虹，外环为雌霓。㉟服：古代一车驾四马，居中两匹叫“服”。㊱骖（cān）：边马。㊲斑漫衍：王夫之云：“斑，从行之众列。漫衍，从游众盛貌。”㊳句（gōu）芒：神话中的东方之木神。㊴太皓：即“太皞”，传说中的古帝伏羲氏，东方之神。㊵飞廉：神话中的风神。㊶蓐（rù）收：神话中的西方之神。西皇：传说中的古帝少昊氏，亦西方之神。㊷曖曃（ài dài）：昏暗不明貌。曭（tǎng）莽：晦暗，朦胧。㊸玄武：神话中的北方之神。㊹文昌：星名。㊺担挢（jiē jiǎo）：也作“揭骄”。朱熹云：“轩举也。”㊻炎神：炎帝神农，神话中的南方之神。㊼沛：水流貌。潤瀁（wǎng yǎng）：水盛貌。㊽祝融：神话中南方之火神。跸御：朱熹云：“跸，止行人也；御，禦也。”御：止。㊾宓（fú）妃：传说中洛水女神名。㊿咸池、承云、九韶：皆古乐曲名。51湘灵：神话中湘水之神。52海若：神话中的北海神。冯夷：河伯，神话中黄河之神。53玄螭（chī）：传说中红黑色的无角龙。虫象：皆指水中神物。54雌蜺：即雌霓，虹的外环。增：通“层”。55焉乃：于是。56逴（chuò）：远。绝垠：指天的边际。57颛顼（zhuān xū）：神话中的北方之神。58玄冥：神话中北方之水神。59黔嬴：王夫之云：“雷神。”60泰初：《列子·天瑞》云：“太初者，气之始也。”道家认为，“道”是无形无象的混沌状态的精气。泰初就是指这精气产生之初，即“道”出现时最初的境界。

鉴赏

自从东汉王逸《楚辞章句》将《远游》的著作权归屈原后，向无异词。可是近代以来的学术界，却有相当一部分人对此产生了怀疑。他们认为，《远游》中充满了浓厚的道家方士思想，宣扬的是道家超尘出世的人生观，与屈原作品中一贯的积极入世的思想大相径庭。因此他们否认《远游》为屈原所作，将它划入了伪作之列。细读全文，《远游》确实与屈赋其他篇章有明显的不同，但这种不同，是否就是真伪的差别呢？这就需要我们在把握屈原整个思想体系的基础上正确领会原作，作细心的甄别，而不能轻率地下结论。

《远游》全文共一百七十六句，可分为四大段。从开头到"心愁凄而增悲"这十六句是第一大段。诗人一开篇便将自己在政治上遭到毁灭性打击后的惨痛和盘托出，表白自己要离开尘世而"远游"的原因和动机。"悲时俗之迫阨兮，愿轻举而远游。"一个"悲"字，写出了诗人感情的基调；而一个"愿"字，又道出了诗人思想的起点。由于要排遣"悲"，所以才提出了"愿"。"愿"是设想，是企图，是意识上自我慰藉。而这以下的全篇描写，都是从"愿"字引出来的。这种被"迫阨"的"时俗"所逼出来的"愿"，绝不会是心安理得的"愿"，因而所谓"游"，就只能是假想中的"神游"，而并非事实上的"仙游"。因为接下来诗人很快就否定了自己的这个"愿"："质菲薄而无因兮，焉托乘而上浮？"原来，诗人主观上的本质并不具备"轻举""远游"的条件。"非轻举，不能远游；而质非神仙，不能轻举。"（蒋骥《山带阁注楚辞》）用来排遣"悲"的"愿"实际上只是空想，不能实现，这"悲"能排遣得开吗？所以诗人仍然愁思"郁结"，"耿耿不寐"，神思恍惚，心情痛苦。这清楚地表明即使是假想中的"神游"，诗人也是出于迫不得已。"沈浊而污秽"的现实已逼得他走投无路了。满腔的愁苦无人诉说，在彻夜不眠中，萦绕诗人思绪的是难以实现的理想、浑浊黑暗的现实、无穷无尽的天地、辛勤劳碌的人生……诗人"遥思"过去和将来，茫然惘怅，在极度痛苦和失望中，只得选择幻想的办法来自我慰藉，这怎能不叫诗人"心愁凄而增悲"呢？"轻举而远游"的"愿"非但不能替诗人排遣"悲"，反而"增悲"，真可谓"深悲极痛"（陈本礼《屈辞精义》）了！

第二大段从"神儵忽而不反兮"到"余将焉所程"。这是从现实生活到幻想世界的过渡段，诗人巧妙地采用了神思出窍、神游骸外的方法。

在郁结内伤、彻夜不眠、瞻前思后，以至于神意恍惚而流荡后，诗人的中心动摇，魂魄悄然离开了形骸，开始了“求正气之所由”的“神游”。这里首先点出诗人决意远游的目的所在，他是在心中反复思索审察了自己的理想、志向和情操后，为了“求正气”才不惜远游的。周围现实已“沈浊”“污秽”得令人无法容忍，要求“正气”只能到幻想世界去。这种为“求正气”而进行的远游，无论怎样描写拜神仙、访“羽人”的过程，无论怎样铺叙神游天上、走遍四方的快乐，它与纯粹的游仙诗应该是有质的区别的。在这一段里，诗人神游物外的魂魄看到了赤松子、傅说、韩众等神话传说中的人物皆虚静无为，“离人群而遁逸”，不胜仰慕。你看那些得道的仙人，“与化去而不见兮，名声著而日延”，“超氛埃而淑邮兮，终不反其故都”，“免众患而不惧兮，世莫知其所如”，生活得多么自由自在。污秽的现实与虚静的仙境形成强烈的对比，在现实生活中已经走投无路的诗人，此刻选择“登仙”“遁逸”的出世道路，就是自然而然的了。可是诗人对现实毕竟不易忘怀，“恐天时之代序兮”以下十句，则是诗人在随仙人远游之前，对现实既激愤又眷恋的内心矛盾的描写。“微霜降”“芳草零”是诗人对黑暗现实扼杀无限生机、摧残美好事物的悲怨；“永历年而无成”是诗人“老冉冉其将至兮，恐脩名之不立”(《离骚》)的焦急；“谁可与玩斯遗芳”是诗人对现实生活中无知音可览的遗憾；最后只得深沉地慨叹，祖宗既远，无可取法，唯有“长向风”悲歌抒情。这是多么矛盾的心情！时俗之迫阨、现实之污秽，激起诗人愤然出世之“愿”。在神领了仙人们“恬愉”“自得”的生活后，诗人由崇尚到羡慕，更坚定了远游之想。可临行之际，他却又不能完全超脱自己。既想持守自己的“端操”和“正气”，又想去“登仙”“得一”，这就必然导致思想痛苦，构成内心矛盾。所以诗人在决意远游后，却又“不肯遽仙去”(钱澄之《屈诂》)，而是“聊仿佯而逍遥”；对现实激愤之余，却又怀着种种眷恋，只好“长向风而舒情”。诗人迎风所抒的是什么情，诗中虽未明言，但我们已可以想见其大概了。

从“重曰”到“从颛顼乎增冰”是第三大段。洪兴祖说：“重者，情志未申，更作赋也。”(《楚辞补注》)在这一大段里，诗人展开笔墨，铺发文采，高唱低吟，酣畅淋漓地将前两段“未申”的“情志”尽情地作了发挥。首先，诗人阐发了关于“道”的精义。诗中“餐六气”“饮沆瀣”“漱正阳”“含朝霞”“保神明”“精气入”等修炼成仙的论说，特别是借王子乔之口所渲染的“道可受兮而不可传”一段“至贵”之言，确实与老庄“远世无为”“游心于淡，合气于漠，顺物自然”等思想如出一辙，是货真价实的道家观念。应该怎样看待诗人的这些思想呢？诗人本身存在着道家的思想因素，这从他的其他作品中可以找出例证。在道家思想基础上，当时已极流行的神仙方士导引之说，对他也有所影响。在他政治理想彻底幻灭、对人生意义感到绝望时，这些原来在《离骚》等作品中用作艺术上的表现手法来使用的神仙方士之言，自然就成为了诗人精神上的寄托。他以得天地精华而自益，以蝉蜕浊世而自乐，向往“仍羽人于丹丘”的仙境，追求“留不死之旧乡”的永生。这种完全寄希望于神仙、企图远离现实的思想，正从反面说明了诗人对现实的不满，我们可以把它们作为诗人对现实中自己处境的激愤语来理解。若“读者泥于求仙之说，失其旨也”（陈本礼《屈辞精义》）。其次，诗人抒发了神游天庭、走遍四方的快乐。谁不愿意享受快乐呢？既然现实中无法得到，那么只得去仙境中寻觅了。诗人“掩浮云而上征”，先来到天庭（从“载营魄而登霞兮”到“夕始临乎于微闾”），然后“驾八龙之婉婉”，浩浩荡荡来到东方（从“屯余车之万乘兮”到“吾将过乎句芒”）；随即又在风神的引导下到达西方（从“历太皓以右转兮”到“游惊雾之流波”），接着在天色渐渐昏暗时“往乎南疑”，受到了众多仙人、神物的欢迎（从“时暧曃其曭莽兮”到“焉乃逝以徘徊”）；最后诗人纵马驰骋，到了冰天雪地的北极之门。在这样无拘无碍的神游中，诗人“内欣欣而自美兮，聊媮娱以淫乐”，是多么愉快啊！他感到“氛埃辟而清凉”，简直“欲度世以忘归”了！可是，在尽情享受这人世间享受不到的快乐的同时，诗人依然魂牵故土，心系旧乡，于是诗人在这一大段中还抒发了对祖国的眷恋之情。纵然“涉青云以汎滥游”，仍然“思旧故以想象”，以至于“长太息而掩涕”，赤子拳拳之心，令人回肠荡气。这是继《离骚》以来萦绕诗人心中感情的重现，充分表现了诗人思念楚国疆土、愿竭尽忠信于国的精诚信念。正如王逸所云：“托配仙人，与俱游戏，周历天地，无所不到，然犹怀念楚国，思慕旧故，忠信之笃，仁义之厚也。”（《楚辞章句》）

最后一段，写纵游上下四方之极际，到达了“无见”“无闻”、至清无为、超脱一切的方外世界，这正是诗人为求得精神上的解脱而追求的至高无上的境界。毋庸讳言，这些诗句中确实散发着神仙方士之气。可是，当我们对诗人在现实中的处境以及这种处境给他造成的痛苦有所了解后，就能够理解他不愿再将自己高洁清白之体混迹于污秽浑浊之世的心情，从而不会苛求他只能有一个思维模式、一种表达方法，稍有逾越便斥之为异端了。诗人“轻举而远游”的愿望，在这里终于得到了实现；而诗人开篇便明言的“悲时俗之迫阨”的愤世嫉俗思想，在这里也得到了折射。

其实,诗人在自己的政治理想破灭后决计高蹈远游以避世的思想,在《离骚》《九章》等作品中已见端倪,在《远游》中只是发挥得更加淋漓尽致罢了。我们细细研读诗人的全部作品,找出他远游思想的来源后,便会得出《远游》的著作权非屈子莫属的结论。自然,从艺术的角度来看,《远游》的成就远不及《离骚》等作品,可是它也有自身存在的价值,它是我们今天全面窥探"这一个"伟大爱国诗人灵魂奥秘不可或缺的篇章。

(沈时蓉)

卜　居

屈原既放，[1]	屈原已经被放逐荒远，
三年不得复见。[2]	三年终不能再见君王一面。
竭知尽忠，[3]	他为国竭尽才智，精忠报效，
而蔽鄣于谗。[4]	却遭到谗臣的诬陷和阻挠。
心烦虑乱，	他思绪纷乱，心情烦恼，
不知所从。	无所适从，真不知如何是好。
乃往见太卜郑詹尹，[5]	于是去拜访太卜郑詹尹，
曰：	向他请教道：
“余有所疑，	“我有困惑和疑难，
愿因先生决之。”[6]	想仰仗先生为我决断。”
詹尹乃端策拂龟，[7]	詹尹便摆正蓍草，拂净龟壳，
曰：	恭敬地问道：
“君将何以教之？”	“您有些什么问题见教？”
屈原曰：	屈原问道：
“吾宁悃悃款款朴以忠乎？[8]	“我应该勤勉诚恳，质朴而忠实，
将送往劳来斯无穷乎？[9]	还是送往迎来，应酬周旋终日？
宁诛锄草茅以力耕乎，[10]	我应该除草拓荒，努力耕耘，
将游大人以成名乎？[11]	还是游说王侯卿相，成就功名？
宁正言不讳以危身乎？	我应该直言是非，无所隐讳，

	不顾性命，
将从俗富贵以偷生乎？	还是随世从俗，贪图富贵，苟且偷生？
宁超然高举以保真乎？[12]	我应该超然世外，隐逸高举，保持自己的纯真，
将呢訾栗斯喔咿嚅唲以事妇人乎？[13]	还是忸怩惶恐、唯唯诺诺，事奉高傲的妇人？
宁廉洁正直以自清乎？	我应该清廉无私，正直坦率，修身洁行，
将突梯滑稽如脂如韦以絜楹乎？[14]	还是夸夸其谈，圆滑世故，邀宠求荣？
宁昂昂若千里之驹乎？[15]	我应该昂首特立，如骏马一日千里，
将氾氾若水中之凫，[16]	还是随波逐流，似野鸭水中游戏，
与波上下，偷以全吾躯乎？	浮沉上下，苟全自己的躯体？
宁与骐骥亢轭乎？[17]	我应该与骏马并驾驰骋，
将随驽马之迹乎？[18]	还是随劣马，步其后尘？
宁与黄鹄比翼乎？[19]	我应该同黄鹄为伴，比翼飞翔，
将与鸡鹜争食乎？[20]	还是与鸡鸭争食，你夺我抢？
此孰吉孰凶？[21]	这一切，哪些是吉，哪些是凶？
何去何从？	哪些应该摈弃，哪些应该依从？
世溷浊而不清：[22]	人世间浑浊污漫，是非不明：
蝉翼为重，	蝉翼说得那样重，
千钧为轻；[23]	千钧看得这般轻；
黄钟毁弃，[24]	青铜的编钟被毁弃不听，
瓦釜雷鸣；[25]	土烧的瓦缶敲得如雷轰鸣；

谗人高张,㉖	毁善害能之辈气焰嚣张,声威大震,
贤士无名。	贤达睿智之士埋没无名,默默无闻。
吁嗟默默兮,	啊,不再说了,不再说了,
谁知吾之廉贞?”	我的廉洁忠贞又有谁知道?”
詹尹乃释策而谢曰:㉗	詹尹于是放下蓍草,辞谢道:
“夫尺有所短,	“尺虽长,有时却显得不足,
寸有所长;	寸虽短,有时却变得有余;
物有所不足,	事物未必尽美尽善,
智有所不明;	智慧未必洞彻明鉴;
数有所不逮,㉘	术数也会力所不及,
神有所不通。	神明也会不知所以。
用君之心,	按照您自己的心志,
行君之意,	实行您自己的意愿,
龟策诚不能知此事!”	我的龟壳和蓍草对这事儿实在茫然!”

注释

①放:放逐。可能指楚怀王初放屈原于汉北事。②见:朝见。指朝见楚怀王。③知:通“智”。④蔽鄣于谗:被谗人阻塞了忠谏报国之路。⑤太卜:官名,掌管国家卜筮的官员。郑詹尹:太卜名。⑥因:由,通过。⑦策:蓍草。端策:筮用策,占卦前将策端端正正地摆好,以示虔诚。龟:龟壳。拂龟:卜用龟,占卦前将龟拂拭干净,以示虔敬。⑧宁:应该。悃(kǔn)悃款款:忠恳勤勉貌。⑨将:还是。劳:慰劳。⑩诛锄:锄除。⑪游:游说。大人:指贵人,王侯卿相等。⑫高举:远离世俗。保真:指保持纯真的本性。⑬哫訾(zú zǐ):忸怩承颜,以言求媚。栗斯:当即“慄斯”,惊惧惶恐貌。喔咿:言辞不定貌。嚅唲(rú ér):强为笑噱,柔顺曲从貌。⑭突梯:滑汰,圆滑。滑稽:圆转谄媚貌。如脂:如油脂般滑。如韦:如

熟牛皮般软。絜楹:量圆曰絜,屋柱曰楹。指絜量木柱,欲削方为圆。喻随俗邀宠。⑮昂昂:昂扬奋发貌。⑯氾氾:随波漂浮貌。凫:野鸭。⑰骐骥:骏马。亢:相对举。轭:车辕前架在牲畜颈上的曲木。亢轭:犹“并驾”。⑱驽马:劣马。⑲黄鹄:大鸟,相传能一举千里。⑳鹜(wù):鸭。㉑孰:谁,哪一个。凶:不吉利。㉒溷(hùn)浊:混乱,指是非颠倒,黑白不明。㉓钧:古制三十斤为一钧。㉔黄钟:古乐十二律之一,器最大,声最宏。指音律合于黄钟的乐钟。㉕瓦釜:陶制的锅。㉖高张:气焰嚣张貌。㉗谢:辞谢。㉘数:术数,此指占卦。逮:及,到。

鉴赏

《卜居》最早见于汉人王逸所编《楚辞章句》,列于屈原名下。后世学者颇有以其文体、风格与《离骚》《九歌》等篇殊异而疑非屈原所作者,但迄今尚无确证。郭沫若以为,“即使不是屈原所作,在研究屈原上仍然是很可宝贵的先秦资料”(《屈原赋今译》),揭示了《卜居》的研究价值所在。

题名《卜居》,意为“卜己居世何所宜行”(王逸《楚辞章句》)。《周易·系辞》有“上古穴居而野处”语。“居”“处”对文互训,故“卜居”即“卜处”,亦即请教处世之方。诗人以“卜居”的独特方式表达对黑暗现实的激愤和抗争的精神,奇辞奇体,奇情奇思,堪称千古奇文。

以虚设之辞,抒实有之情,此奇一。屈原“竭知尽忠”,却遭受放逐,“蔽鄣于谗”,“心烦虑乱,不知所从”,于是问卜于太卜郑詹尹。詹尹“端策拂龟”,问屈原“将何以教之”。朱熹《楚辞集注》云:“端,正也。策,蓍茎也。正之,将以筮也。龟,龟底壳也。拂之,将以卜也。”但古时卜则不筮,筮则不卜,不能兼而用之。可见这虔敬庄重的占卜场景,出之于诗人的虚构。清人王夫之《楚辞通释》云:“《卜居》者,屈原设为之辞,以章己之独志也。居,处也。君子之所以处躬,信诸心而与天下异趋。澄浊之辨,粲如分流;吉凶之故,轻若飘羽。人莫能为谋,鬼神莫能相易。恐天下后世,且以己为过高,而不知俾躬处休之善术,故托为蓍龟而詹尹不敢决,以旌己志。因穷弇婴病国之情状,示憎恶焉。”这种匠心独运的艺术虚构,正是为了一泻无余地发抒屈原积郁已久的真情实感——屈原卜居的大段激扬慷慨、震撼人心的内心独白。

无疑而问,有感而发,此奇二。屈原自谓“有所疑”而问卜,愿因太卜而“决之”。然而当太卜问他“将何以教之”时,喷薄而出的却是八对截然相反的问题,通过“宁……将……”的句式,明确表明自己坚定的抉择——肯定“宁……”,否定“将……”。显而易见,屈原并非真的“有所疑”、真的不知“孰吉孰凶,何去何从”,而是是非曲直了然于心,是愤世嫉俗的无疑而问。他鄙夷随波逐流、谄媚取宠的苟安偷生者,决意与世俗抗争,洁行高志,我行我素。他揭露黑白颠倒、混浊颓败的世风,指斥趋炎附势、卑鄙无耻的小人,控诉社会对廉洁忠贞之士的不公。这一切,又是他郁积于心、一吐为快的慨叹与激愤。清人吴楚材、吴调侯《古文观止》注云:“屈原疾邪曲之害公,方正之不容,故设为不知所从,而假龟策以决之。非实有所疑,而求之于卜也。”可谓深得《卜居》精义。

借人之口,言己之志,此奇三。屈原大段“天问”式的问卜,正气包举,气势磅礴。太卜闻而敬畏,释策辞谢,连连声称“数有所不逮,神有所不通”,要屈原“用君之心,行君之意”。其实,这恰恰反映屈原作为“一位不信上帝、不信卜筮的理性主义者”(郭沫若《屈原赋今译》)的唯物观,同时也表明屈原不屈服,不动摇,“用己之心,行己之意”的决心。

全篇以散行韵语写成,或隔句押韵,或一句一韵,换韵自由;句式或两两对偶,或长短参差,变化奇妙,错落有致,读来音律自然谐和,别有一种声情互生的韵致。中间八对问句,以“宁……将”句式,排比铺陈,一气贯注,大有“黄河之水天上来,奔流到海不复回”的气概。每对问句措辞强烈,对比鲜明,具有不容辩说的理性力量。大量双声词、叠韵词、叠音词(如“悃悃款款”“哫訾”“栗斯”“喔咿”“嚅唲”“突梯”“滑稽”“昂昂”“氾氾”“默默”等)交错运用,又平添诗情韵味。

唐代以鬼才称著于世的诗人李贺读了《卜居》后称道说:“《卜居》为骚之变体,辞复宏放,而法甚奇崛。其宏放可及也,其奇崛不可及也。”(引自蒋之翘《七十二家评楚辞》)他确是品味出了《卜居》的妙处的。

(吉明周)

渔　父

屈原既放，
游于江潭。[1]
行吟泽畔，
颜色憔悴，[2]
形容枯槁。[3]

屈原已经遭到放逐，
游荡在沅江边上。
他在江边且行且吟，
面容是那样憔悴，
身体是那样枯瘦。

渔父见而问之曰：[4]
“子非三闾大夫欤？[5]
何故至于斯？”[6]
屈原曰：
“举世皆浊我独清，[7]
众人皆醉我独醒，[8]
是以见放。”

渔翁见而问他道：
“您不是三闾大夫吗？
为何来到这样一个地方？”
屈原回答道：
“整个世道都混浊只有我干净，
人人都喝醉了只有我清醒，
因此怎能不被流放。”

渔父曰：
“圣人不凝滞于物，[9]
而能与世推移。
世人皆浊，
何不淈其泥而扬其波？[10]
众人皆醉，
何不餔其糟而歠其釃？[11]
何故深思高举，[12]
自令放为？”[13]

渔翁劝他道：
“圣人不拘泥于任何事物，
而能随着世道一起变化。
如果世上的人都混浊，
您何不搅浑泥水助澜推波？
如果人人都喝醉了，
您何不既吃酒糟又把酒大喝？
为何遇事深思志行高洁，
以至于使自己遭到流放？”

屈原曰:"吾闻之:	屈原回答道:"我听说:
新沐者必弹冠,	刚洗过头要弹去帽子上的灰尘,
新浴者必振衣。	刚洗过澡要把衣服抖抖。
安能以身之察察,[14]	怎能让干干净净的身体,
受物之汶汶者乎?[15]	去沾染外物的污浊?
宁赴湘流,	我宁愿投入湘江水里,
葬于江鱼之腹中。	葬身在鱼腹之中。
安能以皓皓之白,[16]	怎能让洁白纯净的东西,
而蒙世俗之尘埃乎?"	去蒙受世俗尘埃的沾污?"
渔父莞尔而笑,[17]	渔翁听后微微一笑,
鼓枻而去。乃歌曰:[18]	敲击着船舷边走边唱道:
"沧浪之水清兮,[19]	"沧浪之水清又清啊,
可以濯吾缨。[20]	可以用来洗我的头巾。
沧浪之水浊兮,	沧浪之水浊又浊啊,
可以濯吾足。"	可以用来洗我的泥脚。"
遂去,不复与言。	唱着就离开了,不再和屈原说话。

注释

①江:沅江。一说指湘江。郭沫若《屈原赋今译》认为应指沧浪江,正与下文渔父所唱"沧浪之水"相应。按《沧浪歌》是楚地久已广泛流传的古歌谣,渔父引用是不受地理环境局限的,故不能认为本篇所写之事就发生在沧浪江。潭:水深处。②颜色:脸色。③形容:形体容貌。枯槁:清癯瘦瘠貌。④父(fǔ):对从事某种行业的人的通称。⑤三闾大夫:春秋楚官名,是掌王族屈、景、昭三姓的官。屈原最后曾任此职。⑥斯:这里,指江潭。沅江在楚国西南僻远处,故有是问。一说"至于斯"是"落到这种地步"的意思。⑦浊、清:指行为品质而言。⑧醉、醒:指对现实环境的认识而言。⑨凝滞:冻结不解叫凝;停留不前叫滞。凝滞,引申为拘泥、执著的意思。⑩淈(gǔ):搅浑,扰乱。⑪铺(bū):吃。糟:酒滓。歠(chuò):饮。釃(lí):薄酒。⑫深思:指忧国忧民,与上文"独醒"之义合。

高举:指行为高出于世俗,与上文"独清"之义合。⑬令:使。为:助词。⑭察察:清洁,高洁。⑮汶(mén)汶:蒙受污垢玷辱。⑯皓皓:洁白貌。⑰莞(wǎn)尔:形容微笑。⑱枻:船旁板也。鼓枻(yì):叩击船舷。一说为摇动船桨。⑲沧浪(láng):水名,即汉水。⑳缨:结冠的带子。以二组系于冠,卷结颐下。

鉴赏

关于本篇的作者,历来说法不一。王逸《楚辞章句》云"《渔父》者,屈原之所作也",但又说"楚人思念屈原,因叙其辞以相传焉",前后矛盾,则似非屈原所自作。宋朱熹《楚辞集注》云:"《渔父》者,屈原之所作也。渔父盖亦当时隐遁之士,或曰亦原之设词耳。"清人蒋骥《山带阁注楚辞》云:"或云此亦原之寓言,然太史采入本传,则未必非实录也。"虽然都部分地言及系屈原所作的理由,但仍欠充足,可备一说。因篇中一再说"屈原既放""屈原曰",又似出于第三者的记叙。故今之研究者多认为非原屈所作,和《卜居》一样,可能是楚人因悼念屈原而作。

从内容上看,作品以屈原放逐江南为背景。他最后由沅入湘,自沉汨罗。篇中说他"宁赴湘流,葬于江鱼之腹中",可见时间地点当在进入沅江之后,怀石沉湘之前。从写法上看,则是通过与渔父的对话形式,从两种不同思想意识的对比上,表现屈原面对现实、坚持真理、热爱祖国、至死不渝的人生态度。诗中明显地透露出作者对屈原的尊敬与同情,代表了当时人们对屈原投江殉国这一历史悲剧的深刻理解。由此可见,屈原的遭遇以及由此所表现出来的屈原不愿同流合污、坚强不挠的意志,"伏清白以死直"的精神,在当时广大的楚国人民中确曾留下深刻的影响。

这是一篇以议论为主而又抒情味极浓的散文诗。而议论则以二人问答的形式出之。问答的双方,针锋相对,相辅相成,而以突出屈原的形象为主。渔父,代表具有道家思想的隐者为一方,写渔父在于写屈原。因此,研究渔父直接关系到正确理解篇中屈原的形象及其思想。渔父的形象及其思想,表现在两方面,一是前部分与屈原的问答,一是后部分所唱的《沧浪歌》。就问答而言,当渔父知道屈原遭到流放及其原因后,说了一通劝导的话。它包含三层意思:一是以所谓"圣人"为标准,"不凝滞于物,而能与世推移",即对待客观事物,不要固守执著,而要随世俗进退转移,随俗方圆。二是进一步解释怎样做才合乎"圣人"对待客观事物的观点和态度,即"世人皆浊",就应该"淈泥扬波","众人皆醉",就应该"餔糟歠醨”,说穿了就是同流合污,随波逐流,甚至推波助澜。三是用反诘收束论点,以“何故深思”反驳屈原的“独醒”,以“何故高举”否定屈原的“独清”,以“自令放为”的结果说明屈原言行的失误。然而屈原不买账,渔父大不以为然,故寓意极深地“莞尔而笑”。再看渔父离开时击节唱出的歌辞。这首歌,最早见于《孟子·离娄章句上》(只二“吾”字原皆为“我”字)。《文子》所载字句略有不同:“混混之水浊,可以濯吾足乎;泠泠之水清,可以濯吾缨乎。”意思都差不多。两书所载,用意各别,姑且不论。渔父此处所唱,显然是因歌寄意以讽劝屈原。秋来水落则清,水清则濯缨,喻遇世昭明,可冠缨而仕;初夏水涨则浊,水浊则濯足,喻遭世昏暗,宜抗足远去。总的来说是喻人的言行应因时而异,与客观现实相适应。这仍是讽劝屈原与世浮沉,隐退自全。或者说,渔父前面的议论正是后面歌辞的注脚。无论议论与唱歌,表面看是一种善意的规劝,实际上宣扬的是避世隐身、韬光含章、与世推移的消极的道家思想。

那么,屈原的观点和态度又如何呢?他有两段答话,一是说明“见放”之由。“举世皆浊”“众人皆醉”可见世道的黑暗和世人的贪鄙,“我独清”“我独醒”可见屈原志行的高洁和对祖国形势以及自身遭遇的清醒认识。二是回答和否定渔父逃避现实、明哲保身的消极态度。《荀子·不苟》云:“新浴者振其衣,新沐者弹其冠,人之情也。”日常生活中人们沐浴拂尘,尚且不愿让清洁的身体蒙受尘秽的污染,何况涉及人贞洁的品质呢!与其苟活全身,不如怀石沉江。于此,屈原玉可碎不可改其白、竹可焚不可毁其节的高洁自奉、不慕利禄、不从流俗的崇高形象,已跃然纸上。与渔父对比,完全是两种不同的思想典型:一个不分黑白,随波逐流,一个明辨是非,至死不渝;一个从个人出发,意图在于全生,一个从社会着眼,目的在于济世;一个“避世隐身,钓鱼江滨,欣然自乐”(王逸《楚辞章名》),一个“宁赴湘流,葬于江鱼之腹中”,以身殉国。“道不同,不相为谋”,结果只好异途殊趋,各行其志。作品正是在这鲜明的对比中,对屈原作了热情的赞颂。

在语言的运用上,记叙对话多用对偶排比辞格,凝练集中,概括力强,加强了作品的气势和感情色彩,读来音节整齐匀称,节律铿锵有味。在语言形式上,更加接近散文,由此可略见楚辞文体的流变,由辞到赋,以至后来在汉代散体大赋中得到进一步发展。

(蓉　生)

九　辩

宋　玉

悲哉秋之为气也！[1]	悲伤啊秋天肃杀的气氛！
萧瑟兮草木摇落而变衰。	草木在秋风中枯黄凋零。
憭慄兮若在远行，[2]	心情凄凉好像离乡背井，
登山临水兮送将归。	又如登山临水送别故人。
泬寥兮天高而气清，[3]	碧空万里无云秋高气爽，
寂廖兮收潦而水清。[4]	雨停水退秋水清澄平静。
憯悽增欷兮薄寒之中人。[5]	微寒袭人使人倍增伤情。
怆怳圹悢兮去故而就新，[6]	离家远行心中怅然失意，
坎廪兮贫士失职而志不平。[7]	贫士受挫失位内心不平。
廓落兮羁旅而无友生，[8]	留滞异乡孤独难寻知音，
惆怅兮而私自怜。	多么失望啊我暗自哀怜。
燕翩翩其辞归兮，	燕子翩翩今又飞回南方，
蝉寂漠而无声；[9]	秋蝉默默终日寂寞无声；
雁廱廱而南游兮，[10]	群雁廱廱和鸣向南飞去，
鹍鸡啁哳而悲鸣。[11]	鹍鸡急促悲啼令人伤心。
独申旦而不寐兮，	我啊孤独一人通宵难寐，
哀蟋蟀之宵征。	怎堪听那蟋蟀彻夜哀鸣。
时亹亹而过中兮，[12]	时光荏苒转眼年事过半，
蹇淹留而无成。[13]	我还久留在外一事无成。
悲忧穷戚兮独处廓，[14]	悲伤穷困独处空旷境地，
有美一人兮心不绎。[15]	痛苦充满一个美人心里。
去乡离家兮徕远客，[16]	他离乡背井啊客居异地，

超逍遥兮今焉薄？[17]	到处漂泊如今留在哪里？
专思君兮不可化，[18]	一心思念君王忠贞不渝，
君不知兮可奈何！	君王不知道有啥办法呢！
蓄怨兮积思，	怨恨忧愁在他胸中蓄积，
心烦憺兮忘食事。[19]	寝食俱废总是烦闷焦虑。
愿一见兮道余意，	希望见见君王陈述心意，
君之心兮与余异。	但君王的心和我的相异。
车既驾兮朅而归。[20]	车已驾出来了还得回去，
不得见兮心伤悲。	我见不到君王心中悲戚。
倚结軨兮长太息，[21]	只好背靠车厢长长叹息，
涕潺湲兮下霑轼。[22]	沾湿车板的是滚滚泪涕。
忼慨绝兮不得，	实难做到啊与君王断绝，
中瞀乱兮迷惑。[23]	心中烦乱难解纷繁思绪。
私自怜兮何极，	暗暗自怜此情何时终结，
心怦怦兮谅直。[24]	内心忠诚正直坚定不移。
皇天平分四时兮，	上天把一年平分为四季，
窃独悲此凛秋。	我只对凄凉的秋季悲伤。
白露既下百草兮，	白露已经降临百草之上，
奄离披此梧楸。[25]	梧桐楸树很快枝枯叶光。
去白日之昭昭兮，	离开了阳光灿烂的夏日，
袭长夜之悠悠。[26]	进入茫茫秋夜无穷漫长。
离芳蔼之方壮兮，[27]	百花盛开的时节已逝去，
余萎约而悲愁。[28]	草木枯萎衰败令人悲伤。
秋既先戒以白露兮，	白露警示人们秋天已至，
冬又申之以严霜。	严霜又来告诫寒冬将降。
收恢台之孟夏兮，[29]	秋冬一扫盛夏繁茂景象，
然欿傺而沈臧。[30]	旺盛生机不知哪里躲藏。
叶菸邑而无色兮，[31]	这时草木显得黯淡失色，

枝烦挐而交横；[32]	枝条纷乱交横错杂无章。
颜淫溢而将罢兮，[33]	树叶凋敝零落即将萎谢，
柯仿佛而萎黄；	树木枝干衰败颜色枯黄。
萷櫹椮之可哀兮，[34]	树杪光秃萧疏令人悲痛，
形销铄而瘀伤。[35]	枝丫形销骨立内受损伤。
惟其纷糅而将落兮，[36]	想到败叶衰草即将凋零，
恨其失时而无当。	悔恨命乖运蹇失去时光。
擥騑辔而下节兮，[37]	抓住边马马缰缓缓而行，
聊逍遥以相羊。[38]	姑且漫无边际独自游逛。
岁忽忽而遒尽兮，[39]	日月易逝眼看时近岁暮，
恐余寿之弗将。[40]	我担心自己的寿命不长。
悼余生之不时兮，	自己生不逢时实堪悲伤，
逢此世之俇攘。[41]	遭逢混乱世道令人沮丧。
澹容与而独倚兮，[42]	心中百无聊赖独倚栏杆，
蟋蟀鸣此西堂。	愁听蟋蟀声声鸣叫西堂。
心怵惕而震荡兮，	我的内心时时惊惧震动，
何所忧之多方！[43]	为何百感交集时牵愁肠。
仰明月而太息兮，	夜里仰望明月长长叹息，
步列星而极明。	在星光下徘徊直到天亮。
窃悲夫蕙华之曾敷兮，[44]	可悲啊那蕙花美丽芳香，
纷旖旎乎都房。[45]	在宫中枝繁叶茂地开放。
何曾华之无实兮，[46]	为什么只开花没有结果，
从风雨而飞飏？	花瓣顺着风雨到处飞扬？
以为君独服此蕙兮，	我还以为君王独爱蕙花，
羌无以异于众芳。	那知蕙花也与众花一样。
闵奇思之不通兮，[47]	可怜曲折心思无人理解，
将去君而高翔。	我将离开君王远走他方。
心闵怜之惨悽兮，	我的心啊多么忧愁凄凉，

愿一见而有明。[48]	希望一见君王倾诉衷肠。
重无怨而生离兮，[49]	并无怨恨却要生生离别，
中结轸而增伤。[50]	心中郁结痛苦更加悲伤。
岂不郁陶而思君兮？	哪会不思君而忧思郁结，
君之门以九重。	只是君门幽深重重关防。
猛犬狺狺而迎吠兮，[51]	猛犬守门迎着来人狂叫，
关梁闭而不通。	门关和桥梁都闭塞不畅。
皇天淫溢而秋霖兮，[52]	老天爷降下了绵绵秋雨，
后土何时而得干。	大地何时才有干燥地方？
块独守此无泽兮，[53]	阴雨连绵独处荒芜沼泽，
仰浮云而永叹。	仰望蔽日阴云喟叹深长。

何时俗之工巧兮，	为何社会风气善于取巧，
背绳墨而改错！	改变良好措施背离正道。
却骐骥而不乘兮，	放着日行千里骏马不用，
策驽骀而取路。	却要赶着劣马慢慢上路。
当世岂无骐骥兮？	难道当今世上没有良马，
诚莫之能善御。	实在没有人善于驾驭它。
见执辔者非其人兮，	它看见驾驭的人不适当，
故駶跳而远去。[54]	就会连蹦带跳远远逃跑。
凫雁皆唼夫粱藻兮，[55]	野鸭大雁争着吞食米草，
凤愈飘翔而高举。	凤凰远远离去越飞越高。
圜凿而方枘兮，	圆的凿孔配上方的榫头，
吾固知其钼铻而难入。[56]	不相合难容纳我早知道。
众鸟皆有所登栖兮，	群鸟都有自已歇宿地方，
凤独遑遑而无所集。[57]	只有凤凰安身之处难找。
愿衔枚而无言兮，[58]	我情愿遇事情闭口不言，
尝被君之渥洽。[59]	曾受君王恩泽难以做到，
太公九十乃显荣兮，	姜太公九十岁才显荣耀，

诚未遇其匹合。	明主贤臣配合未曾遇到。
谓骐骥兮安归？	千里马的归宿究竟在哪？
谓凤皇兮安栖？	凤凰又应该在何处栖息？
变古易俗兮世衰，	如今风俗变异世道衰败，
今之相者兮举肥。[60]	相马人只选肥肥的马匹。
骐骥伏匿而不见兮，	骏马只好隐藏不肯露面，
凤皇高飞而不下；	凤凰高飞不愿下来停息。
鸟兽犹知怀德兮，	鸟兽都知恋慕有德的人，
何云贤士之不处？	为何责怪贤士遁世隐居。
骥不骤进而求服兮，	骏马不因急进求人使用，
凤亦不贪馁而妄食。	凤凰不贪饲养乱吃东西。
君弃远而不察兮，	君王不辨是非远弃贤士，
虽愿忠其焉得。	他虽愿效忠又怎难如意。
欲寂寞而绝端兮，[61]	想与君王断绝寂寞隐退，
窃不敢忘初之厚德。	君王的深恩又怎能忘记。
独悲愁其伤人兮，	独自悲愁令人肝肠寸断，
冯郁郁其何极！	满腔忧愤何时才是终极。
霜露惨凄而交下兮，	凛冽的霜露啊一齐袭来，
心尚幸其弗济。	我曾盼望它们不能逞凶。
霰雪雰糅其增加兮，[62]	大雪纷纷扬扬越下越大，
乃知遭命之将至。[63]	才知悲惨命运即将降临。
愿徼幸而有待兮，	希望侥幸避难有所期待，
泊莽莽与野草同死。[64]	我难免与野草同归于尽。
愿自直而径往兮，	我想面见君王辩明曲直，
路壅绝而不通。	可是道路阻绝难以通行。
欲循道而平驱兮，	想要遵循正道平稳前进，
又未知其所从。	但又不知应该何去何从。
然中路而迷惑兮，	行至中途就觉迷惑不解，

自压按而学诵。	只好压抑感情把《诗》朗诵。
性愚陋以褊浅兮，[65]	本性愚昧无知狭隘浅薄，
信未达乎从容。[66]	阿谀奉迎实在一窍不通。
窃美申包胥之气盛兮，[67]	我赞美申包胥志气壮盛，
恐时世之不固。[68]	又怕时代相异实难求同。
何时俗之工巧兮，	为何世俗小人善于投机，
灭规矩而改凿。[69]	毁坏法度改变正常措施。
独耿介而不随兮，	我光明正大不随波逐流，
愿慕先圣之遗教。	愿把前代圣贤教诲遵从。
处浊世而显荣兮，	处身混浊社会显名荣耀，
非余心之所乐。	这些决非我心所愿乐从。
与其无义而有名兮，	与其没有道义博得虚名，
宁穷处而守高。	宁可保持气节安于贫穷。
食不偷而为饱兮，	不能苟且求食而得饱腹，
衣不苟而为温。	不能苟且求衣以求温暖。
窃慕诗人之遗风兮，	我衷心仰慕诗人的风格，
愿托志乎素餐。	不愿无功受禄尸位素餐。
蹇充倔而无端兮，[70]	我的心里充满无穷委曲，
泊莽莽而无垠。	漂泊荒郊野外无边无际。
无衣裘以御冬兮，	没有棉衣皮袄抵御寒冬，
恐溘死不得见乎阳春。	恐怕不见春天突然死去。
靓杪秋之遥夜兮，[71]	在寂静的暮秋漫长夜里，
心缭悷而有哀。[72]	我心中郁结着绵绵哀绪。
春秋逴逴而日高兮，[73]	岁月如流自己年事已高，
然惆怅而自悲。	心里无限惆怅可怜自己。
四时递来而卒岁兮，	四季交替循环年远岁暮，
阴阳不可与俪偕。[74]	人不能与时光永在一起。

白日晼晚其将入兮，[75]	太阳冉冉地将要下山了，
明月销铄而减毁。	明亮的圆月也缺损隐逸。
岁忽忽而遒尽兮，[76]	岁月匆匆流逝一年将尽，
老冉冉而愈弛。	自己逐渐衰老精力不济。
心摇悦而日幸兮，[77]	情绪难定常抱侥幸心理，
然怊怅而无冀。[78]	但总失去希望倍增忧虑。
中憯恻之悽怆兮，[79]	我的心中哀痛惨凄悲伤，
长太息而增欷。	我长长地叹息声声抽泣。
年洋洋以日往兮，	岁月无穷无尽天天流逝，
老嵺廓而无处。[80]	老来无处托身内心空虚。
事亹亹而觊进兮，	世事日日变化还希进取，
蹇淹留而踌躇。	久处无成心中犹豫迟疑。
何氾滥之浮云兮，	为何满天浮云层层涌现，
猋壅蔽此明月！[81]	很快把明亮的圆月遮掩。
忠昭昭而愿见兮，	我的耿耿忠心希望奉献，
然露曀而莫达。[82]	然而阴云蔽日难达君前。
愿皓日之显行兮，	盼望太阳光明显耀运行，
云濛濛而蔽之。	濛濛云雾却遮住它笑脸。
窃不自料而愿忠兮，[83]	想不到报效君王的忠心，
或黕点而污之。[84]	却会有人凭空捏造罪愆。
尧舜之抗行兮，[85]	尧舜的德行多么崇高啊，
瞭冥冥而薄天。[86]	人格远超世俗直迫云天。
何险巇之嫉妒兮，[87]	为何恶毒的人嫉妒尧舜，
被以不慈之伪名？	使他们蒙受了不慈之冤。
彼日月之照明兮，	那光芒四射的太阳月亮，
尚黯黮而有瑕，[88]	尚且有时出现阴影黑斑。
何况一国之事兮，	何况一个国家大小事务，
亦多端而胶加。[89]	自然纷繁错杂头绪万千。

被荷裯之晏晏兮，[90]	披上荷叶短衣轻柔鲜艳，
然潢洋而不可带。[91]	只是难以系带又肥又宽。
既骄美而伐武兮，	君王自骄美丽夸耀武功，
负左右之耿介。	倚仗左右近臣刚愎横蛮。
憎愠惀之脩美兮，	他憎恨忠心耿耿的美德，
好夫人之慷慨。	小人夸夸其谈他却喜欢。
众踥蹀而日进兮，	奸佞奔走钻营飞黄腾达，
美超远而逾迈。	贤德之士只好引身远藏。
农夫辍耕而容与兮，	农夫停止耕作闲散起来，
恐田野之芜秽。	只怕田园荒芜生产破坏。
事绵绵而多私兮，	国事长期都被私利危害，
窃悼后之危败。	痛惜国家必将危亡衰败。
世雷同而炫曜兮，	世上人云亦云不辨是非，
何毁誉之昧昧！	善恶不分乱评人的好坏。
今脩饰而窥镜兮，[92]	现在修饰就得照照镜子，
后尚可以窜藏。[93]	以后还可谨慎自守不败。
愿寄言夫流星兮，	想托流星替我传达心意，
羌儵忽而难当。	它却实难遇上飞得太快。
卒壅蔽此浮云兮，	明月终为浮云所遮蔽啊，
下暗淡而无光。	大地昏暗无光令人悲哀。

尧舜皆有所举任兮，	尧舜他们能够举贤任能，
故高枕而自适。	所以高枕无忧自然安逸。
谅无怨于天下兮，[94]	相信自己没有取怨世人，
心焉取此怵惕？	他们的心里哪来的惊惧？
乘骐骥之浏浏兮，[95]	乘上骏马就能畅行无阻，
驭安用夫强策。	何必用坚硬的马鞭驾驭。
谅城郭之不足恃兮，	纵有里城外城不足倚恃，
虽重介之何益。[96]	虽有坚甲利兵又有何益？

邅翼翼而无终兮，[97]	行路艰难何处才是终极，
忳惛惛而愁约。[98]	心中郁闷悲愁无法摆脱。
生天地之若过兮，	人生在世如同匆匆过客，
功不成而无效。	功业不能成就终生蹉跎。
愿沈滞而不见兮，[99]	我愿从此隐退不见君王，
尚欲布名乎天下。	还想扬名天下不甘寂寞。
然潢洋而不遇兮，	但是命运不佳没有机遇，
直怐愁而自苦。[100]	生性愚昧使我痛苦极多。
莽洋洋而无极兮，	辽阔的荒野啊一望无际，
忽翱翔之焉薄。	在哪停留啊我到处漂泊。
国有骥而不知乘兮，	国有千里马不知去乘坐，
焉皇皇而更索。	为何匆匆忙忙另外求索。
甯戚讴于车下兮，	甯戚叩着牛角车下唱歌，
桓公闻而知之。	桓公一听便知人才不错。
无伯乐之善相兮，	伯乐难遇无人善于相马，
今谁使乎誉之。	现在骏马又让谁来评说？
罔流涕从聊虑兮，	失意使我悲涕使我思索，
惟著意而得之。	我想存心求贤贤臣必多。
纷忳忳之愿忠兮，[101]	愿意效忠君国的人不少。
妒被离而障之。[102]	却被各种嫉妒的人阻隔。
愿赐不肖之躯而别离兮，	望君王允许我远离而去，
放游志乎云中。	我将在云天里神游寄兴。
乘精气之抟抟兮，[103]	我乘着日月阴阳的精气，
骛诸神之湛湛。[104]	我与众神驰向深邃太空。
骖白霓之习习兮，	驾起白虹而高高飞翔啊，
历群灵之丰丰。	游历了各种各样的神宫。
左朱雀之茇茇兮，[105]	左边朱雀七宿翩翩飞翔，
右苍龙之躣躣。[106]	右边蜿蜒翻腾七宿苍龙。
属雷师之阗阗兮，[107]	隆隆的雷师在后面跟随，

通飞廉之衙衙。[108]	习习的风神把前路打通。
前轻辌之锵锵兮，[109]	前面轻便卧车锵锵作响，
后辎乘之从从。[110]	后边辎重车辆紧紧跟从。
载云旗之委蛇兮，	车上云霓旗帜迎风招展，
扈屯骑之容容。[111]	众多车骑跟随前呼后拥。
计专专之不可化兮，	我忠贞的心啊不可改变，
愿遂推而为臧。[112]	只愿扬善惩恶君与我同。
赖皇天之厚德兮，	仰仗上天的深恩厚德啊，
还及君之无恙！	保佑君王永远无病无痛。

注释

①气：气氛。②憭慄（liǎo lì）：凄凉的样子。③泬（xuè）寥：高旷空虚的样子。④寂寥（liáo）：清澄平静的状态。潦（lǎo）：积蓄的雨水。收潦：雨水退尽。水清：屈复《楚辞新注》云："清，当作'澄'。断未有连句重韵理。"⑤憯（cǎn）悽：悲伤。欷：叹息声。增欷：悲叹不止。中人：侵袭人。⑥怆怳（chuǎng huǎng）：失意的样子。懭悢（kuǎng lǎng）：不得志。⑦坎廪（lǎn）：不平，比喻生活道路坎坷，挫折很多。⑧廓落：孤独空虚。⑨寂漠：即"寂寞"。⑩廱廱：拟声词，雁鸣声。⑪鹍鸡：鸟名，似鹤，黄白色。啁哳：大小相间，杂碎而急促的叫声。⑫亹（wěi）亹：前进不停的样子。过中：已过中年。⑬蹇：楚方言，句首语助词。淹留：停留，久留。⑭穷蹙（cù）：处境穷困。⑮美人：作者自喻。有美一人：即有一美人。绎："怿"的假借字，愉快。⑯徕：同"来"。徕远客：来为远客。⑰超逍遥：远远游荡无着落的样子。薄：停止。⑱君：这里指楚顷襄王。⑲烦憺（dàn）：烦闷，忧愁。食事：吃饭做事。⑳朅（qiè）：离去。㉑结軨（líng）：古代车的前面和左右都有箱，用木条交错结成，所以把车厢叫做结軨。㉒潺湲：流水声，这里形容泪水很多。轼：车前横木。㉓瞀（mào）乱：烦乱。㉔怦怦：忠谨的样子。㉕奄：忽，很快地。离披：草木枝枯叶萎的样子。梧楸（qiū）：梧桐和楸树，这都是早凋的树木。㉖袭：进入。㉗芳蔼：花卉盛开。壮：盛。㉘萎约：朱熹《集注》："萎，草木枯也。约，穷也。"㉙恢台：广大而繁盛的样子。孟：通"猛"。㉚然：这样。欿傺（kǎn chì）：枯萎，凋零。沈臧：隐藏，埋藏。臧，同"藏"。㉛菸邑（yū yì）：黯淡的样子。㉜烦挐（rú）：纷乱。㉝颜：指树木的外表。淫溢：过分。罢（pí）：通"疲"，指凋零。㉞萷：同"梢"，树杪。橚槮（xiāo sēn）：形容树木的花叶

落尽,只剩下光秃秃的枝干的样子。㉟销铄:本义是金属熔化,引申为消损颓败。瘀伤:指严霜下植物内部的损伤。㊱纷糅:败叶衰草相杂。㊲骈(fēi):骖马,即边马。下节:按节,缓缓而行。㊳相羊:同"徜徉",自由自在地来往。㊴忽忽:指时间快的样子。遒(qiú):迫近。㊵将:长。㊶侹攘(kuáng rǎng):纷扰不安。㊷澹:水流徐缓的样子,这里指百无聊赖的心情。㊸方:端。㊹敷:开放。曾敷:曾经开放。㊺都:美。㊻曾:同"层"。实:果实。㊼奇思:王夫之《楚辞通释》:"曲尽事变之思。"不通:不能通达于君王。㊽有明:朱熹《集注》:"有以自明也。"即自己表白。㊾重:一次又一次地。㊿结轸(zhěn):忧思郁结而心情沉痛。51猜(yín)猜:拟声词,狗争吠声。52淫溢:久雨连绵。53块:孤独的样子。无:通"芜",荒芜。泽:积木的洼地。54弱跳:跳跃,横奔。55凫(fú):野鸭。唼(shà):水鸟聚食声。56钽铻(jǔ yǔ):彼此不相合。57遑遑:匆匆忙忙。58衔枚:古代行军时为了防止士兵说话,常令士兵口中衔一根木制短筷似的东西。这里是闭口不言的意思。59渥洽(wò qià):深厚的恩泽。60相者:指相马的人。61绝端:指与君王断绝感情。62霰(xiàn):雪珠。雰糅:纷糅,雪很大的样子。63遭命:遭遇不幸的命运。64待:期待。泊:止。莽莽:草盛的样子,这里指荒野。65褊(biǎn)浅:狭隘浅薄。褊:狭。66从容:宛转委曲,引申为奉迎的意思。67申包胥:春秋时楚国大夫。为救楚国,曾在秦廷上哭了七天七夜,终于感动秦哀公出兵救楚。68固:朱熹《集注》:"固,当作'同'。叶通、从、诵、容韵。"69凿:当为"措",措施。70充:充塞,充满。倔:通"屈"。71靓(jìng):通"静"。杪秋:暮秋。72缭悷(liáo lì):曲折缭绕,不顺畅,形容内心郁结不解。73春秋:指年纪。逴(chuò)逴:指过去的岁月越来越远了。日高:一天比一天老了。74阴阳:古人认为四季是阴阳二气交替形成,这里指变化的时光。俪偕:同在一起的意思。75晼(wǎn)晚:日落的景象。76遒:迫近。77摇悦:一时动摇,一时喜悦。日幸:每天都抱着侥幸心理。78怊怅:惆怅,失意的样子。79憯(cǎn)恻:悲伤。80寥(liáo)廓:通"寥廓",空虚的样子。81猋(biāo):原指狗奔跑很快的样子,这里形容浮云飘动很快。82霒曀(yīn yì):天色阴晦。83料:一本作"聊"。84黕(dǎn)点:玷污。85抗行:高尚的行为。86瞭冥冥:极浑极远的样子。87险巇:险阻,这里指险恶的人。88黮(dǎn):昏暗的样子。89胶加:纠缠不清的意思。90裯(dāo):短衣。晏晏:轻柔鲜艳的样子。91潢洋:空荡荡的,比喻衣不合体。92脩饰、窥镜:朱熹《集注》:"谓修德行政,而听人言,考往事以自鉴也。"93窜藏:逃匿躲藏。94谅:确实。95浏(liú)浏:顺行无阻的样子。96介:甲胄,战士所穿的护身衣。97邅(zhān):回旋不前。翼翼:谨慎的样子。98忳(tún):忧郁、烦闷。惛(hūn)惛:心中糊涂。愁约:被愁闷所束缚。99沈滞:隐居。100怐愗(kòu mào):愚蒙。101忳(zhūn)忳:专一,诚挚的样子。102被离:众多而杂乱的样子。103抟:与"团"同。104骛(wù):追随。湛湛:深厚的样子,比喻众神之多。105朱雀:星宿名,南方七宿的总称。茇(pèi)茇:翩翩飞翔的样子。⑩苍龙:星宿名,东方七宿的总称。躣(qú)躣:行进的样子。⑩属:在后面跟随。阗(tián)阗:雷声。⑩衙衙:行进的样子。⑩辌(liáng):古代一种卧车。⑩从从:连接的样子。⑪屯骑:聚集的车骑。容容:众多的样子。⑫臧:善。

鉴赏

《九辩》是宋玉的代表作。这首长诗以作者的身世遭遇为线索,展现了楚王朝行将没落衰亡的历史画卷,为那个黑暗的时代留下了真实的面影。宋玉的时代,楚国的政治越来越腐败黑暗,国君骄奢淫逸,人民生活困苦。宋玉是屈原之后一个进步的、富有才华的诗人,在顷襄王时做过官,但他的政治才能不为楚王重视,他又受到朝廷群小的排挤,终因受谗而被贬谪,以至于流离在外,长期过着贫苦孤凄的生活,一生郁郁。《九辩》将诗人个人的遭遇与国家的命运联系在一起,深刻地批判了楚国统治者的腐朽昏庸,揭露了内政腐败、奸佞当道的黑暗现实,反映了田园荒芜、国力衰竭的种种迹象,倾诉了对君国的无穷怀念和感伤身世的绵绵长恨,具有深广的思想内容和很高的艺术价值。

《九辩》原是古代传下来的乐章名。"九"表示多,不代表数目,意思是由多组乐章组成的乐曲。本篇是宋玉借古乐章名为题,写的一篇自叙性长篇抒情诗。

全诗共 275 句,可分为九章。从内容上看,实为五层:第一章为第一层,第二、三章为第二层,第四、五、六章为第三层,第七、八章为第四层,第九章为第五层。

第一层诗人以秋天的萧索景象起兴,引出自己的身世之感。作者首先对秋天物候的变化进行细致的描写,把自己的悲愁曲折地表达出来。秋风萧瑟,草木凋零,天高气清,秋水平静,微寒阵阵袭人;燕辞归,寒蝉噤,鹍鸡悲啼,群雁南行,蟋蟀一声声彻夜哀鸣。秋气的摇落、时序的惊心,形成了多么浓重的伤感的氛围!在这凄清肃杀的秋气中,自己却受谗被贬,"坎廪兮贫士失职而志不平",内心愤愤不平,独自远游他乡,举目无亲,多么孤寂、多么凄惨。此时的心情悲凉之极,只好暗自哀怜,难诉心中的无限愁闷,同时又想到时光荏苒,年事过半,长期在外漂泊,一事无成,更加悲不自胜。这一层把苍凉的秋景与诗人失意、悲凉的心情交融在一起,将一片难诉之情,表现得深细入微而又意味深长,写得荡气回肠、悲慨万端,为整首《九辩》奠定了悲哀的基调和抹上了黯淡的底色。

第二层由第二、三章组成。第

二章首先叙述自己有乡不能归，思君不能见的苦闷。“去乡离家徕远客，超逍遥兮今焉薄？”流离失所，生活无着，苦况可想而知。在这样的境遇中，诗人始终思念国君，希望一见，倾诉自己的忠诚。但是，事与愿违。“愿一见兮道余意，君之心兮与余异。车既驾兮朅而归，不得见兮心伤悲。”自己的忠心，国君不能理解，自己的才能，群小不能相容，感情是分外沉痛和绝望的。接下来作者在第三章以凄艳的笔调更进一步描写了秋景、秋色、秋物、秋声，诗中那一片衰败、萧条的暮秋景象，满含着诗人幽怨哀悼的感情，带着浓厚的主观色彩，诗人痛心疾首的神情和贫困凄凉的境况，在冷落的秋景中宛然可见。“离芳蔼之方壮兮，余萎约而悲愁”，“岁忽忽而遒尽兮，恐余寿之弗将”。这里用百花盛开的时节已过，比喻自己像草木一样一天天枯萎，面对悲凉的秋色，深感岁月的流逝，老之将至，倍增悲愁。

第三层由第四、五、六章组成。诗人首先以蕙草被弃，比喻自己不被国君所用。接着指出国君远贤臣近小人的原因：一是朝廷上群小当权、堵塞贤路，“猛犬狺狺而迎吠兮，关梁闭而不通”；二是楚王昏庸、不辨贤愚，只知道任用那些夸夸其谈的贵族，而使真正的贤才无所适从，以至于避而不出，“谓骐骥兮安归？谓凤皇兮安栖？变古易俗兮世衰，今之相者兮举肥。骐骥伏匿而不见兮，凤皇高飞而不下”。骐骥、凤凰都是比喻贤能之士。“变古易俗兮世衰”说明当时的社会现实已经变得很衰败、黑暗了，改变了古时候那种朴实的风俗，把好风俗变为坏风俗了。人们现在看事物也只看现象，不看本质，就好像那些相马的人一样，只看马的肥瘦来定好坏，自然，有才之人都隐居不出了。这些描写形象地概括了楚王朝的政治腐败、社会黑暗的普遍现象。它不仅表达了诗人对是非颠倒的上流社会的愤慨，同时也流露出诗人对国家命运的担心：这样下去，楚国将会被弄得一败涂地。虽然当时的社会到处是贪得无厌，苟合求容，一片混浊，一片黑暗，但诗人却突出地表现出他绝不与世俗同流合污的品格，始终保持着他的坚贞高洁。他表示：“处浊世而显荣兮，非余心之所乐。与其无义而有名兮，宁处穷而守高。食不偷而为饱兮，衣不苟而为温。窃慕诗人之遗风兮，愿托志乎素餐。”这里的“诗人”应指包括屈原在内的前代进步文人。这种对光明的向往，对理想的追求，可以看出，继承了屈原坚持理想、坚持操守的伟大精神。

七、八两章为第四层。诗歌进一步揭露奸佞误国、朝政日非的现象：“众踥蹀而日进兮，美超远逾迈。农夫辍耕而容与兮，恐田野之芜秽。事绵绵而多私兮，窃悼后之危败。”朝廷中的小人天天奔走钻营、往上爬,结果那些贤能之士越走越远,农夫都不耕田种地了,因此担心“田野之芜秽”,长满乱草,荒芜一片。这是由于朝政混乱,使人不能安心生产,以至于生产遭到破坏。国家的事情,长期以来被群小以私心危害,今后楚国的前途真是不堪设想啊!生当楚国未世的诗人,对于当时的黑暗势力,虽然没有屈原那么强烈的抗争精神,但还是有愤激情绪的,对国家的前途、人民的生活也表现出深深的焦虑。从三、四两层来看,作者既从整体上展示出楚王朝末世的时代气氛,又在诗句中显示出他鲜明的爱憎褒贬。

第九章是第五层。作者提出自己的政治主张和对待现实的态度,幻想超脱现实、遨游太空,以摆脱自己悲惨的处境和心中的痛苦。这一层在结构上可分两部分,前一部分赞美尧、舜、齐桓公的明智,由于他们能够举贤任能,国家日益强盛。诗人希望国君能以尧舜为榜样,亲贤臣,远小人。然而残酷的社会现实表明,这只是诗人的幻想。他自己也难以在朝廷上立足,只能离乡出走,与山水为伍、与神仙为伴优游终身。第二部分作者以绚烂的文辞有声有色地描写他神游太空的威武场面和热闹气氛,非常有力地表现了一个苦闷的灵魂企图摆脱自己悲惨处境的强烈愿望,以及对理想境界的顽强追求。与以上各层哀婉悲凉的情词形成鲜明的对照,表现了情感变化发展的曲折波澜。幻境尽管美好动人,但总是不能持久的。当联翩浮想烟消云散之后,诗人又回到现实之中,再一次将他对君国的绵绵情思、悠悠遗恨倾吐出来,震撼读者的心灵,引起强烈的共鸣。

《九辩》最主要的成就还不在于进步的思想内容,而在于它精湛的艺术技巧。这是宋玉能与伟大诗人屈原并称的主要原因。

首先,它在抒情诗的艺术手法上有很大的开拓。《九辩》作为政治抒情诗,不是以直接倾泻诗人内心的激情来感染读者,而是通过自然景物的描写,来抒发自己浓厚的感情,造成一种情景交融的境界,使诗人的感情与自然景物互相衬托而融合为一。这样就进一步开拓了诗的意境,提高了诗歌的表情达意的作用。《九辩》全诗把萧瑟苍凉的秋景与诗人失意悲凉的心情交融在一起,互相映衬,相得益彰。情因景而发,景因情而写,情因景而益浓,景因情而增哀,极含蕴而又深刻地表现了诗人的悲剧命运和哀怨幽思,大大增强了诗歌的艺术感染力,提高了抒情的效果。《九辩》中第一、三、七章着重描写秋景,其中第一章尤为传诵,它把衰败、萧条的深秋景象描写得淋漓尽致、细致入微、惊心动魄,创造了深远幽渺的意境。千百年来,它不仅强烈地撩拨起读者的层层感情涟漪,也感发他们的生活经验和艺术联想。秋天已经与惨淡的人生、衰败的社会联系在一起。宋玉的"悲哉秋之为气也"的感叹，浓缩了处在最黑暗时代和最坎廪境遇中的进步文人对人生和时代的感叹，在封建社会里，引起了无数受压抑的知识分子的强烈共鸣，受到很高的评价。"宋玉悲秋"已成为中国文学史上的熟语，悲秋也成为我国古典诗词的传统题材之一，影响极为深远。

其次，在语言上，《九辩》也有它的特色。首先是辞藻秀美，文采绚烂，词汇丰富。刻画景物或描述心理时，往往连用八、九个近义词来表达，写得淋漓畅达、优美细腻。在句法形式上，它继承《离骚》而又有发展。它打破了四句两韵的格式，句法更加灵活自由，句中字数增加，如"愿赐不肖之躯而别离兮"就有十字之多。有的章节实际把散文句式写到诗里。如第一章开头的五句，所用的音节、句式都是各不相同的，诗句参差错落、节奏铿锵、气势充沛，读后令人有荡气回肠之感。"兮"字的用法，更是极尽变化之妙，有时用在第二字的位置，有时在第三字位置，有时在第四、第五字位置上，有时又隔句放在句末，读来抑扬顿挫、疾徐有致，丰富了诗歌音节的谐适美。同时，《九辩》还吸收了民间诗歌多用双声叠韵的联绵词和叠音词的特点，使诗歌的音韵更加谐美，情味更为悠长。特别是《九辩》长诗结尾的一段，连用了"抟抟""湛湛""习习""丰丰""茇茇""躣躣""阗阗""衙衙""锵锵""容容""专专"等十二个叠词，加强了诗歌的节奏。有力地渲染了作者神游太空的壮丽景象，令人有一种身临其境之感，作者驾驭文字的高超本领实在令人惊叹。孙鑛说："《九辩》已变屈子文法，加以参差错落而峻急之气。""骚至宋大夫乃快，其语最醒而俊。"(《七十二家批判楚辞集注》)

尽管《九辩》在思想境界上还难与屈原的伟大诗篇并肩比美，但它的"凄怨之情，实为独绝"(鲁迅《汉文学史纲要》)，在中国文学史上，实为紧承《离骚》之后的一篇抒情诗的伟构佳作。时间的枯叶可以掩埋宋玉的其他辞赋，唯独《九辩》这首诗却受到历代传诵，这绝不是偶然的。

（梅桐生）

招　魂

屈　原

朕幼清以廉洁兮，①	自幼清高不爱财，
身服义而未沬。②	亲身行义未懈怠。
主此盛德兮，③	坚守美德不偏离，
牵于俗而芜秽。④	身处尘世不败坏。
上无所考此盛德兮，	君王不察我美德，
长离殃而愁苦。⑤	长期遭殃愁满怀。
帝告巫阳曰：⑥	上帝告诉巫阳说：
有人在下，	有人今在天界下，
我欲辅之。	我想要去帮助他。
魂魄离散，	他的魂魄已离散，
汝筮予之。⑦	你占卦将魂招还他。
巫阳对曰：	巫阳回答上帝说：
掌梦，⑧	占卦要去找掌梦，
上帝其命难从。	你的命令难遵从。
若必筮予之，	如果一定要占卦，
恐后之谢，⑨	只怕占毕命已终，
不能复用。	招回鬼魂已无用。
巫阳焉乃下招曰：	巫阳于是到下方，
魂兮归来！	呼叫灵魂回故乡。

去君之恒干，[10]	与你躯体快分离，
何为四方些？	为何四方去飘荡？
舍君之乐处，	丢舍你的安乐窝，
而离彼不祥些？	偏去遭那灾和殃？
魂兮归来，	灵魂呵，回来吧，
东方不可以托些！	东方不可以栖身！
长人千仞，	那里巨人高千仞，
惟魂是索些。[11]	专门觅食人灵魂。
十日代出，[12]	十个太阳轮流出，
流金铄石些。	金属成液石化尘。
彼皆习之，	那些巨人已习惯，
魂往必释些。[13]	你去灵魂成齑粉。
归来归来，	回来吧，快回来，
不可以托些！	千万不能去安身！
魂兮归来，	灵魂呵，回来吧，
南方不可以止些！	南方不可以久留！
雕题黑齿，[14]	额上刺花牙染黑，
得人肉以祀，	祭祀专门用人肉，
以其骨为醢些。[15]	剁酱还用人骨头。
蝮蛇蓁蓁，[16]	蝮蛇成群到处是，
封狐千里些。	大狐遍地千里游。
雄虺九首，[17]	凶恶毒蛇身九首。
往来倏忽，[18]	如飞去来来复走，
吞人以益其心些。	专门吃人补身心。
归来归来，	回来吧，快回来，
不可以久淫些！	千万不要久滞留！

魂兮归来，	灵魂呵，回来吧，
西方之害，	西方灾害更是多，
流沙千里些！	千里一片大沙漠！
旋入雷渊，[19]	你若卷进深渊去，
爢散而不可止些；[20]	粉身碎骨没奈何；
幸而得脱，	即使侥幸能避险，
其外旷宇些。	外边荒野仍难脱。
赤螘若象，[21]	红色蚂蚁大如象，
玄蜂若壶些。[22]	黑蜂状如葫芦颗。
五谷不生，	地上五谷不生长，
藂菅是食些。[23]	只吃茅草充饥饿。
其土烂人，	沙土能使人肉烂，
求水无所得些。	无处汲水解口渴。
彷徉无所倚，	彷徨往来无依靠，
广大无所极些。	无边无际难求索。
归来归来，	回来吧，快回来，
恐自遗贼些！[24]	恐怕自己会招祸！

魂兮归来，	灵魂呵，回来吧，
北方不可以止些！	北方之地不可留！
增冰峨峨，[25]	层层积冰如高山，
飞雪千里些。	千里大雪飘不休。
归来归来，	回来吧，快回来，
不可以久些！	千万不要久停留！

魂兮归来，	灵魂呵，回来吧，
君无上天些！	你也别往天上行！
虎豹九关，[26]	九重天门虎豹守，
啄害下人些。	专门吞吃上天人。

一夫九首，	有个怪物九个头，
拔木九千些。	一天拔木九千根。
豺狼从目，[27]	横眉怒目似豺狼，
往来侁侁些。[28]	往来奔走一群群。
悬人以娭，[29]	吊起人来供取乐，
投之深渊些。	乐毕将其深渊扔。
致命于帝，[30]	他向上帝报告后，
然后得瞑些。[31]	然后让你闭眼睛。
归来归来，	回来吧，快回来，
往恐危身些！	你去恐怕害自身！
魂兮归来，	灵魂呵，回来吧，
君无下此幽都些！	别去地府和阴曹！
土伯九约，[32]	土伯腹垂九块肉，
其角觺觺些。[33]	头角尖锐胜利刀。
敦脄血拇，[34]	背肉隆起爪有血，
逐人駓駓些。[35]	追逐行人急如飘。
参目虎首，[36]	三只怪眼老虎头，
其身若牛些。	身子就像牛一条。
此皆甘人。[37]	都以吃人为嗜好。
归来归来，	回来吧，快回来，
恐自遗灾些。	你去恐怕祸自招。
魂兮归来，	灵魂呵，回来吧，
入脩门些！[38]	快进郢都大城门！
工祝招君，[39]	高明男巫召唤你，
背行先些。[40]	倒退行走将你领。
秦篝齐缕，	秦国竹笼齐国线，
郑绵络些。[41]	笼衣网罩来自郑。

招具该备，　　招魂工具样样全，
永啸呼些。　　长呼久唤一声声。
魂兮归来，　　灵魂呵，回来吧，
反故居些！　　反回故居别留停。

天地四方，　　上下西东北又南，
多贼奸些。　　害人之物说不完。
像设君室，[42]　　想象一下你家里，
静闲安些。　　清静闲适又平安。
高堂邃宇，　　高高殿堂深深院，
槛层轩些。　　走廊层层围栏杆。
层台累榭，　　重重高台迭亭阁，
临高山些。　　高台亭阁对高山。
网户朱缀，　　镂花门扇红彤彤，
刻方连些。　　方格图案连不断。
冬有突厦，[43]　　内室幽深冬天暖，
夏室寒些。　　外室通风夏日寒。
川谷径复，　　小河溪谷路回还，
流潺湲些。　　流水声声唱不断。
光风转蕙，　　丽日和风拂蕙草，
氾崇兰些。[44]　　香气洋溢丛丛兰。

经堂入奥，[45]　　经过殿堂入内室，
朱尘筵些。[46]　　朱红竹席天花板。
砥室翠翘，[47]　　玉室墙壁插翠羽。
挂曲琼些。[48]　　琼玉帐钩挂两端。
翡翠珠被，　　翡翠被面缀明珠，
烂齐光些。　　五彩交辉共斑斓。
蒻阿拂壁，[49]　　细软之缯覆四壁，

罗帱张些。　　纱罗帷帐床上悬。
纂组绮缟，[50]　　各色丝带束帷帐，
结琦璜些。[51]　　结着美玉和珍玩。

室中之观，　　卧房之中更可观，
多珍怪些。　　珍奇怪异说不完。
兰膏明烛，　　香兰脂膏明烛光，
华容备些。[52]　　佳人美女到齐全。
二八侍宿，　　一十六位来侍夜，
射递代些。[53]　　每宿两组轮流换。
九侯淑女，[54]　　各国选来众淑女，
多迅众些。　　超群出众不一般。
盛鬋不同制，[55]　　浓鬓梳妆各不同，
实满宫些。　　宫庭之中全住满。
容态好比，[56]　　容貌体态好整齐，
顺弥代些。[57]　　盖世无双绝尘寰。
弱颜固植，[58]　　脸儿柔嫩身儿健，
謇其有意些。[59]　　脉脉含情意儿甜。
姱容脩态，[60]　　苗条娇小姿容好，
絙洞房些。[61]　　幽深洞房皆布遍。
蛾眉曼睩，[61]　　细长眉毛柔而弯，
目腾光些。　　一泓秋波光闪闪。
靡颜腻理，[63]　　面颊细嫩肤柔滑，
遗视睇些。[64]　　眼角送情意绵绵。
离榭脩幕，[65]　　离宫别馆帐幕中，
侍君之闲些。　　美人伴你度消闲。

翡帷翠帐，　　翡翠鸟羽绣帷帐，
饰高堂些。　　高高张挂厅堂上。

红壁沙版，[66]	红泥涂壁丹砂版，
玄玉之梁些。	黑色宝玉嵌屋梁。
仰观刻桷，[67]	仰看方椽刻花样，
画龙蛇些。	长蛇盘曲飞龙翔。
坐堂伏槛，	坐在堂前伏栏杆，
临曲池些。	下临弯曲小池塘。
芙蓉始发，	池中荷花方含苞，
杂芰荷些。[68]	菱花相间正开放。
紫茎屏风，[69]	小葵紫茎随风摆，
文绿波些。[70]	绿水粼粼微波荡。
文异豹饰，[71]	文豹皮饰卫士装，
侍陂陁些。[72]	侍卫站立山坡上。
轩辌既低，[73]	篷车卧车都已到，
步骑罗些。	步兵骑兵列成行。
兰薄户树，[74]	丛丛兰花植门前，
琼木篱些。	玉树篱笆围成墙。
魂兮归来。	灵魂呵，回来吧，
何远为些！	为何你要去远方！
室家遂宗，[75]	家族尊奉聚一堂，
食多方些。	饮食饭菜多花样。
稻粢穱麦，[76]	大米小米和麦粉，
挐黄粱些。[77]	里边还要掺黄粱。
大苦咸酸，	有苦有咸又有酸，
辛甘行些。	辣的甜的都用上。
肥牛之腱，[78]	精选肥牛大蹄筋，
臑若芳些。[79]	炖得烂熟软又香。
和酸若苦，[80]	调和酸味和苦味，
陈吴羹些。	摆上精制吴味汤。

胹鳖炮羔，[81]	烧煮甲鱼烤羊羔，
有柘浆些。[82]	拌上一些甘蔗浆。
鹄酸臇凫，[83]	醋熘天鹅燉野鸭，
煎鸿鸧些。[84]	又煎大雁又烹鸧。
露鸡臛蠵，[85]	爊烤全鸡焖海龟，
厉而不爽些。[86]	味道虽浓胃不伤。
粔籹蜜饵，[87]	油煎蜜饼和甜糕，
有餦餭些。[88]	再浇一些麦芽糖。
瑶浆蜜勺，[89]	美酒甜酒样样齐，
实羽觞些。[90]	传杯递盏注满觞。
挫糟冻饮，[91]	除糟加冰作冷饮，
酎清凉些。[92]	醇酒清心又凉爽。
华酌既陈，[93]	雕花酒斗摆整齐，
有琼浆些。	劝饮美酒有琼浆。
归来反故室，	盼你灵魂回故居，
敬而无妨些。	恭敬待你并无妨！

肴羞未通，[94]	山珍海味未全上，
女乐罗些。	歌女舞乐又登场。
陈钟按鼓，	撞起编钟敲起鼓，
造新歌些。	唱起新歌多悠扬。
《涉江》《采菱》，	《涉江》曲罢歌《采菱》，
发《扬荷》些。[95]	又唱《扬荷》齐帮腔。
美人既醉，	美人都已微微醉，
朱颜酡些。[96]	面孔红得像海棠。
娭光眇视，[97]	两眼斜送流光转，
目曾波些。[98]	层层秋波水汪汪。
被文服纤，	身披绮绣穿罗縠，
丽而不奇些。	华丽不怪又大方。

长发曼鬋，	双鬓柔美黑发长，
艳陆离些。[99]	艳装浓抹放彩光。
二八齐容，	十六美女貌相像，
起郑舞些。	翩翩郑舞列两行。
衽若交竿，[100]	腰旋袖连如竿交，
抚案下些。[101]	垂手敛臂徐退场。
竽瑟狂会，	吹竽弹瑟竞相奏，
搷鸣鼓些。[102]	鼓师急将鼓擂响。
宫庭震惊，	鼓乐齐鸣震宫庭，
发《激楚》些。[103]	演奏《激楚》声高昂。
吴歈蔡讴，[104]	吴地歌曲蔡国谣，
奏大吕些。[105]	调奏大吕正相当。
士女杂坐，	男女相间交错坐，
乱而不分些。	比肩嬉戏乱不妨。
放陈组缨，[106]	解下冠带随地扔，
班其相纷些。	序次错杂纷然狂。
郑卫妖玩，[107]	郑姬卫女尽妖艳，
来杂陈些。	前来杂坐陪玩赏。
《激楚》之结，	《激楚》曲终至尾声，
独秀先些。[108]	独具特色情高涨。
琨蔽象棋，[109]	玉制筹码象牙棋，
有六簙些。[110]	六簙对局双双弈。
分曹并进，[111]	分成两组齐并进，
遒相迫些。[112]	互相交手紧相逼。
成枭而牟，[113]	走成枭旗正相等，
呼五白些。[114]	呼叫“五白”得胜利。
晋制犀比，[115]	赢得晋制犀带钩，
费白日些。[116]	闪闪耀日放光辉。

铿钟摇虡,[117]	敲钟敲得钟架摇,
揳梓瑟些。[118]	梓木之瑟齐弹起。
娱酒不废,	饮酒娱乐不停止,
沈日夜些。	日日夜夜昏迷迷。
兰膏明烛,	兰草脂膏明烛光,
华镫错些。[119]	花纹灯盏雕镂细。
结撰至思,[120]	酒后赋诗费苦心,
兰芳假些。[121]	词比兰香更美丽。
人有所极,[122]	人有所长极情思,
同心赋些。	同心赋诗齐努力。
酎饮尽欢,	畅饮醇酒尽欢娱,
乐先故些。	祖先故旧乐无比。
魂兮归来,	灵魂呵,回来吧,
反故居些。	快返家乡回故里!
乱曰:	尾声:
献岁发春兮,[123]	新年又是一年春,
汩吾南征。[124]	急急忙忙我南奔。
菉蘋齐叶兮,[125]	水里绿萍叶儿齐,
白芷生。	岸上白芷蓬勃生。
路贯庐江兮,[126]	途中穿过庐江水,
左长薄。[127]	南岸又越长薄境。
倚沼畦瀛兮,[128]	沿着沼泽和水田,
遥望博。[129]	遥望水乡广无垠。
青骊结驷兮,[130]	青马黑马结成驷,
齐千乘。	整整齐齐一千乘。
悬火延起兮,[131]	连绵原野举灯火,
玄颜烝。[132]	浓烟升空黑沉沉。
步及骤处兮,[133]	步行驰马进复停,

诱骋先。[134]	诱出野兽争追寻。
抑骛若通兮，[135]	或停或逐随心意，
引车右还。[136]	转车向右回头行。
与王趋梦兮，[137]	又与君王奔云梦，
课后先。[138]	看谁先到有本领。
君王亲发兮，[139]	君王引弓亲射箭。
惮青兕。[140]	青角犀牛立毙命！
朱明承夜兮，[141]	黎明紧接黑夜尽，
时不可淹。	时光从来不稍停。
皋兰被径兮，[142]	江边兰草覆小径，
斯路渐。[143]	此路水淹难找寻。
湛湛江水兮，[144]	湛湛江水深又深，
上有枫。	岸上一片枫树林。
目极千里兮，	纵目遥望千万里，
伤春心。	满目春色伤人心。
魂兮归来，	灵魂呵，回来吧，
哀江南！[145]	故国江南堪哀悯！

注释

①朕(zhèn)：我，作者自称。②沬(mò)：终止。③主：坚守。④芜：“无”的错字。⑤离：同“罹”，遭遇。⑥巫阳：古代神话中的巫神，名阳。⑦筮(shì)：用蓍草占卦。⑧掌梦：掌管占梦的巫。⑨后：迟于。谢：死亡。⑩恒干：指魂魄寄托的躯体。⑪索：追寻，求取。⑫代：轮流，古本亦作“并”。⑬释：消释，毁灭。⑭题：额角。雕题：在额上雕刻花纹，古代南方民族风俗，是文身的一种。⑮醢(hǎi)：肉酱。⑯蝮(fù)：一种身有黑褐色斑纹的毒蛇。蓁(zhēn)蓁：积聚貌。⑰雄虺(huǐ)：凶恶的毒蛇。⑱儵(shū)忽：迅疾貌。⑲雷渊：深渊。⑳靡(mí)：碎。不可止：指非到粉碎而不止之意。㉑螘(yǐ)：同“蚁”。㉒玄：黑色。壶：即葫芦。㉓藂：同“丛”。菅：茅草。㉔贼：祸害。自遗贼：自寻灾祸。㉕增：同“层”。峨峨：高耸的样子。㉖九关：指九重天门。㉗从：同“纵”。纵目，即竖着

眼睛。㉘侁(shēn)侁:众多貌。㉙娭(xī):同“嬉”,游戏,玩乐。㉚致命:请命,报告。㉛瞑:闭目,指死亡。㉜土伯:地下魔王,即幽都的君主。约:读作“朐(yāo)”,肚下垂肉(用高亨《楚辞选》说)。九约:指肚下垂着九块肉,如牛乳一般。㉝觺(yí)觺:锐利貌。㉞敦:厚。脄(méi):背肉。敦脄:隆起的背肉。拇:手脚的大指,此指手爪。㉟駓(pī)駓:急走貌。㊱参:同“三”,一本作“三”。㊲甘人:以吃人为美味。㊳脩门:郢都城门。㊴工:擅长,善于。祝:男巫。㊵背行:倒退着走。先:先导,引路。㊶绵:缠结。络:网络,缠结起来的网络罩在篝外。㊷像设:设想,想象(用王夫之《楚辞通释》说)。㊸突(yào)厦:幽深而不受寒气侵袭的内室。㊹氾:同“泛”,洋溢。祟:犹“丛”。㊺奥:深处,指内室。㊻尘:承尘,即天花板。筵:竹席。㊼砥:石之美者,次于玉(用朱季海《楚辞解故》说)。翘:鸟尾羽。㊽曲琼:玉钩。㊾蒻(ruò):同“弱”,柔软。阿:细缯(用王念孙《读书杂志余编》说)。拂:通“蔽”。拂壁:遮壁,此指壁衣。㊿纂组绮缟:四种不同色的丝带,赤色称纂,杂色称组,有花纹者称绮,白色的称缟。51琦:美玉。璜:半圆形的玉璧。52华容:指美女。53射(yì):古音近“夕”,可通假。递代:轮流。54九:泛指多数。九侯:指诸侯各国。55鬋(jiǎn):鬓发。制:式样。56比:齐,并。57顺:作“洵”,真正。弥代:绝代,犹盖世之意。58固植:亭亭玉立,体态健美。59謇(jiǎn):发语词。60姱(kuā)、修:皆美好意。61絚(gèng):通“亘”,满、遍。62曼:柔美。睩(lù):眼珠转动。63靡:细致。腻:柔滑。理:指皮肤的纹理。64遗视:投送、流盼。矊(miǎn):同“眄”,含情斜视。65离榭:宫外的台榭,即离宫别馆。修幕:大帐篷。66沙:丹砂。沙版:丹砂涂的户版、栏杆版等。67桷(jué):方形的屋椽。68芰:指菱花。荷:本指荷叶。此处芰荷与上芙蓉对举,当专指菱花。69屏风:水葵,其茎紫色。70文:波纹。绿:原作缘,据《文选》改作绿。71据闻一多《楚辞校补》当作“文豹异饰”,用文豹皮作奇异装饰,以示武勇。72陂陁(pō tuó):山坡。73轩:有篷的轻车。辌(liáng):有窗的卧车。低:同“抵”,到达。74薄:丛生。树:种植。75室家:宗族。宗:相聚。76粢(zī):小米。穱(zhuō):一种早熟的麦。77挐(rú):掺杂。78腱(jiàn):蹄筋。79胹(ér):烂熟。若:又。80和:调味。若:与。81胹(ér):煮。炮:烤。羔:小羊。82柘(zhè):甘蔗。83鹄酸:闻一多《楚辞校补》作“酸鹄”,当是用醋酸味烹制鹄。鹄(hú):天鹅。臇(juǎn):少汁的汤。凫(fú):野鸭。84鸿:雁。鸧(cāng):水鸟名,似雁。85露:借作“烙”,用火燻烤,一种烹调方式。臛(huò):不加菜,纯用汤煮,一种烹法,即今所谓焖。蠵(xī):大海龟。86厉:浓烈。爽:败,指败坏胃口。87粔籹(jù nǚ):用蜜和米面熬煎出来的一种食品。蜜饵:蜜糖糕,即甜糕。88怅惶(zhāng huáng):麦芽糖。89瑶浆:美酒。勺:通“酌”,酒斗,此代指酒。蜜勺:即甜酒。90实:充满。羽觞:鸟形酒杯。91挫:除去。糟:酒糟。冻饮:酒中加冰,作冷饮用。92酎(zhòu):醇酒。93酌:酒斗。94肴:做熟的鱼肉。羞:美味的食物。⑮《涉江》《采菱》《扬荷》：王逸注云："楚人歌曲也。"⑯酡（tuó）：因喝酒而脸红。⑰娭：同"嬉"，逗人的目光。眇视：斜视。⑱曾：通"层"。波：指眼波目光。⑲陆离：光彩内耀貌。⑳衽（rèn）：衣襟。交竿：交叉的竹竿。这是讲舞者腰肢回旋，衣襟相连，状若交叉的竹竿。⑩抚：手摸。案：抑。抚案：即收敛，指舞毕收敛手臂徐徐退场。⑩搷（tián）：急击。⑩《激楚》：楚歌舞曲名，节奏急促，音调高昂。⑩歈（yú）讴：都是歌曲的别称。⑩大吕：古代乐调名。⑩放：散开。陈：摆列。组：带子。缨：帽带。⑩妖玩：指妖艳的美女。⑩秀先：指特异出众。⑩琨（kūn）：或作"箟"，王逸注："箟，玉也。"蔽：一本作"簙"，下棋用的筹码。⑪六簙（bó）：古代一种棋戏，两人对弈，共六个筹码十二个棋子。⑪曹：偶，伴侣，指二人为伴对下。⑪遒：急。迫：逼。⑪枭：当是六簙的一种弈法，今已失传。牟：读做"侔"，相等之意。⑪五白：可能是最佳的胜采。呼五白：投骰时喝呼胜采，以助赌兴。⑪比：带钩。犀比：犀牛角做的带钩。⑪费：通"昲"，光耀，指带钩发光耀日。⑪铿（kēng）：撞击。簴（jù）：挂钟的架。⑪揳（jiá）：弹奏。梓瑟：梓木做的瑟。⑪镫：同"灯"。华镫：指有花纹的灯盏。错：雕琢刻镂。⑫结撰：结构撰述，指酒后赋诗。至：极，费尽。⑫假：同"嘉"，美之意。⑫极：极点，特长。⑫献：进。发：开始。⑫汩（yù）：急速貌。征：行。⑫菉：闻一多《楚辞校补》"菉当读为绿"。蘋：萍一类水草。⑫贯：穿过。庐江：水名，王夫之以为是襄汉之间的中庐水。⑫左：江南。长薄：地名，今不详。⑫倚：沿，靠。沼：沼泽，小池。畦：水田。瀛：大泽。⑫博：广阔无际。⑬青：青色的马。骊：黑马。驷：古代一车驾四马称驷。⑬悬火：举火。延起：火焰连绵而起。⑬玄：黑色。颜：疑为"烟"字之误。烝：火气上升。⑬步：徒步而行。骤：骑马奔驰。处：停止。⑬诱：指诱射野兽。骋先：争光。⑬抑：停止。骛（wù）：奔驰。若：顺。通：通达。⑬还：回头。⑬王：指顷襄王。梦：指云梦。⑬课：考察。后先：谁后谁先，即谁有本领。⑬亲发：亲自引弓发箭。⑭惮：借作"殚"，死。⑭朱明：太阳的美称。承：接，续。⑭皋：水边。被：覆，遮盖。⑭渐：淹没。⑭湛湛：水深貌。⑭哀：哀悯。江南：指楚国。

鉴赏

这是屈原所作的一篇十分富有特色的诗篇。所招之魂为谁，历来异说颇多。根据文义，一般以为当是屈原招楚怀王亡魂。怀王三十年（前221），怀王因受欺诈，入秦被扣留，竟客死于秦，"楚人怜之"。顷襄王即位后，恣情淫逸，朝政混乱，置国难父仇于不顾。屈原当时虽已流放江南，但面对时事，感慨国艰，更加哀悼入秦不返的怀王，于是便根据楚地民间歌曲的形式,作了这首“招魂词”,借招怀王之魂,抒发自己对祖国的热爱,并启发激励顷襄王发愤图强,报仇雪耻。

丰富的想象,奇特的夸张,使这首诗充满着浪漫色彩。诗人想象人的灵魂可以上天入地,周游四方,因而极写上下四方的险恶以劝怀王灵魂的归来。上下四方的险恶,各地又不相同。例如同样是吃人的恶人,东方是“长人千仞,惟魂是索些”,高大无比,专吃人的灵魂;南方则是“雕题黑齿,得人肉以祀,以其骨为醢些”,断发文身,野蛮丑陋,以人肉祭祖宗,用人骨捣酱汁;而天上却是“一夫九首,拔木九千些”,一个九头怪人,力大无穷,专门“悬人以娭,投之深渊些”,以杀人为取乐,并投之深渊;地府的“土伯”腹下垂着九块肉,头上长有尖利的角,三只眼睛老虎头,还有牛一样的身子,俨然是个凶狠的魔君。这些恶人形象虽然因地而异,但丑陋怪异于常人却是相同的;吃人的方式虽有不同,但吃人的凶残本质却是一致的。他们显然是诗人通过夸张地想象而创造出来的奇异形象,但其本质却又植根于现实,是诗人对现实生活认识的经验总结。惟其丑陋怪异,更显出其吃人的凶恶,这对“外陈四方之恶”,以劝谏怀王灵魂的归来起着强烈的烘托作用。再如描写毒蛇的“蝮蛇蓁蓁”“雄虺九首”,描写猛兽的“封狐千里”“虎豹九关”,描写毒虫的“赤蠵若象”“玄蜂若壶”,就巧妙地运用了古代的神话和传说,或夸张,或比喻,深刻而形象地揭露了它们对人的危害,很好地突出了诗人劝魂归来的主旨。而所有这些形象的塑造又无不体现出诗人丰富的想象力。

细腻的描写、强烈的对比,使这首诗歌具有很强的艺术魅力。诗中对于上下四方的描写笔法细腻、层次井然。诗人描写的虽是幻想中的情景,但都不是凭空臆造,而是根据地理环境创造出来的,所以又都各具特点。东方“流金铄石”,显然与人们认为日居东方,太阳从东方升起,东方特别炎热有关;南方“雕题黑齿”,雕题是指文身,黑齿是用漆染黑牙齿,这明明又是当时南方野蛮民族的特殊风俗;西方“流沙千里”“五谷不生”“求水无所得”;北方“增冰峨峨,飞雪千里”,气候严寒等,又都无一不与当地的自然条件相符合。诗人观察精密,故诗歌描写细致,虽不乏想象夸张,但却丝丝入扣,合情合理。关于楚国宫廷生活的描写,诗人更是环环紧扣,次序分明:先写建筑,次及居处,再说饮宴,接写歌舞,最后说游猎,排比铺陈,极有层次,流动而不呆板,细致而不琐碎,充分显示了诗人组织驾驭材料和语言的功力。即使是某一部分的描写,诗人也是章法谨严,有条不紊:如写居室,则先写室外,次写室内;室内又由上至下,由物到人，眉目清楚，一目了然。如写歌舞奏乐的场面："竽瑟狂会，搷鸣鼓些。宫庭震惊，发《激楚》些。吴歈蔡讴，奏大吕些。士女杂陈，乱而不分些。"既写出了音乐的美妙，又突出了人们的欢乐，有声有色，生动形象，读之犹如身临其境、宛在目前。这前后两个部分，"外陈四方之恶，内崇楚国之美"（王逸《楚辞章句》），又形成了鲜明强烈的对照。"外陈四方之恶"，以上下四方相对称，目的在于说明"天地四方，多贼奸些"，处处是可怕的事物，时时有葬身的危险，因以威吓灵魂，使其不敢留滞他乡。"内崇楚国之美"，极力铺陈夸饰宫室园圃的富丽堂皇、饮食乐舞的盛大优美、车马服御的豪华奢侈，目的又在于说明"像设君室，静闲安些"，楚国最平安，故乡最美好，用以招唤灵魂的归来。这种强烈的对比更加突出了作者对怀王的殷切深情和热烈期望，对顷襄王亦有激励的作用，具有显著的艺术魅力。

华丽的辞藻、优美的语言，使这首诗歌充满着浓厚的主观抒情色彩。诗人热爱自己的祖国，期待着怀王灵魂的归来，深切寄寓着对顷襄王振兴楚国、报仇雪恨的希望，浓墨重彩，充溢在诗篇的字里行间。为了突出楚国的美好，诗人用"高堂邃宇""层台累榭""网户朱缀"来描写宫室的高大和修饰的讲究。用"川谷径复，流潺湲些。光风转蕙，氾崇兰些"来形容环境的幽静宜人。用"弱颜固植""姱容修态""蛾眉曼睩""靡颜腻理"来描写美女的身姿容貌等。丰富的词汇，整齐的句子，既富于变化，又充满音韵，使诗歌辞藻华美艳丽而又铿锵悦耳，使诗人的主观情感充沛浓厚而又深致绵邈。再如紧接在招魂词铺陈描写之后的乱辞，写诗人在一个阳光明媚的春天被放逐江南，一路上看见那一望无际的青草绿水和正在游猎取乐的顷襄王，不禁万分感慨地叹道："朱明承夜兮，时不可淹。皋兰被径兮，斯路渐。湛湛江水兮，上有枫。目极千里兮，伤春心。魂兮归来，哀江南。"日月代谢，岁月如流，皋兰被径，芳草遮路，极目千里，由楚望秦，既伤怀王之不归，更哀顷襄之不悟，故春景虽佳，亦徒增忧伤而已，情不自禁地喊出了"魂兮归来，哀江南"的悲哀之声。这段乱辞，辞藻丰富而华艳，语言优美而精练，凄恻动人，感人肺腑，一唱三叹，韵味无穷。

精密的结构，民歌的形式，体现了这首诗的创新精神。这首诗同《离骚》一样，吸收了许多神话的材料，构成了一篇浓情壮彩的奇文。全诗由三个部分组成，前为引言，后为"乱辞"，中间为招魂的正文。"乱辞"句中用兮字，句式与屈原他作相同。引言是设为问答的叙事体，间杂散行诗句。中间的招魂词全用"些"字做语尾，不但与本篇前后两部分判然有别，而且在楚辞中也是少见的。“些”与“兮”一样,都是楚国方言。“些”字做语尾,又是楚国巫觋禁咒语中的旧习惯。屈原假托巫阳招魂,所以便完全遵守巫祝招魂词的形式,用他们的语调写成了这一篇奇文。除“些”字做语尾外,招魂词结构上“外陈四方之恶,内崇楚国之美”,从好坏正反两个方面落笔,亦符合民间文学的特点。手法上使用对照、对比和铺陈排比,也带有民间色彩。这种对于民间文学形式的吸取和精心构作,使得《招魂》有别于《楚辞》的其他篇章,不独形式新颖,而且内容深刻;既语言华美,又音韵铿锵。这是很富有创造性的。

(吴明贤)

大　招

青春受谢，	四季代谢，青春伊始，
白日昭只。	少阳运气，昭然光明。
春气奋发，	生机勃发，蠢蠢欲动，
万物遽只。	万物滋茂，争长竞盛。
冥凌浃行，①	玄冥驰行，周遍天地，
魂无逃只。	孤野游魂，无俟逃奔。
魂魄归徕！	魂啊魂啊，快快归来！
无远遥只。	莫再漂流，莫再远行。
魂乎归徕！	魂啊归来！
无东无西，	不要往东，不要往西，
无南无北只！	不要往南，北方勿去。
东有大海，	东方有海，浩大无涯，
溺水浟浟只。②	水势迅疾，沉溺万物。
螭龙并流，③	螭龙怪兽，随波逐流，
上下悠悠只。	其状悠然，上下沉没。
雾雨淫淫，	雾气茫茫，淫雨绵绵，
白皓胶只。④	冰海皓白，倏然凝固。
魂乎无东！	魂啊莫往东行！
汤谷寂寥只。⑤	汤谷寂寥，无所闻睹。
魂乎无南！	魂啊莫往南行！
南有炎火千里，	南方炎火千里，

蝮蛇蜒只。[6]	蝮蛇曲长当路。
山林险隘，	山险林隘难行，
虎豹蜿只。	时有虎豹出入。
鰅鳙短狐，[7]	鰅鳙鬼蜮为害，
王虺骞只。[8]	大蛇举首伺物。
魂乎无南！	魂啊莫往南行！
蜮伤躬只。	鬼蜮伤人狠毒。
魂乎无西！	魂啊莫往西行！
西方流沙，	西方流沙沉积，
漭洋洋只。	漭然漫无涯涘。
豕首纵目，[9]	其神猪头纵目，
被发鬤只。[10]	乱发披散难识。
长爪踞牙，	爪长牙利如锯，
诶笑狂只。[11]	得人狂猘笑意。
魂乎无西！	魂啊莫往西行！
多害伤只。	西方伤害难避。
魂乎无北！	魂啊莫往北行！
北有寒山，	北方雪山高寒，
逴龙赩只。[12]	烛龙蛇身而赤。
代水不可涉，	代水渺远难涉，
深不可测只。	其深不可度测。
天白颢颢，	冰雪照映天地，
寒凝凝只。	寒气凝结不去。
魂乎无往！	魂啊莫往北行！
盈北极只。	北极冰天雪地。
魂魄归徕，	魂啊魄啊，快快归来！

闲以静只。　　闲乐其心，宁静其居。
自恣荆楚，　　荆楚故国，恣意而行，
安以定只。　　安定乐业，永无危惧。

逞志究欲，　　快其志趣，穷其情欲，
心意安只。　　心有所安，意有所得。
穷身永乐，　　终身永世，其乐无穷，
年寿延只。　　顺情适性，保延年月。
魂乎归徕！　　魂啊归来！
乐不可言只。　此生之乐，难以言说。

五谷六仞，　　五谷盈积，其高六仞，
设菰粱只。　　菰米之饭，施设在案。
鼎臑盈望，[13]　鼎陈熟食，排列盈望，
和致芳只。　　椒桂调和，其味美鲜。
内鸧鸽鹄，[14]　鸧鸽鹄肉，盛纳于盘，
味豺羹只。　　豺肉之羹，加入其间。
魂乎归徕！　　魂啊归来！
恣所尝只。　　众味俱备，任凭品餐。

鲜蠵甘鸡，[15]　鲜洁之龟，甘腴之鸡，
和楚酪只。　　调和烹饪，佐以醋浆。
醢豚苦狗，[16]　稚猪肉酱，鼓烧狗肉，
脍苴蓴只。[17]　片肉薄匀，蘘荷飘香。
吴酸蒿蒌，　　吴人为羹，蒿蒌作料，
不沾薄只。　　不浓不薄，宜人胃肠。
魂兮归徕！　　魂啊归来！
恣所择只。　　恣意择取，尝此羹汤。

炙鸹烝凫，[18]	炙烤鸧鸹，烹蒸野鸭，
煔鹑陈只。[19]	煔爚鹑鹅，众禽毕陈。
煎鰿臛雀，[20]	煎煮鲋鱼，臛煮黄雀，
遽爽存只。[21]	差次其味，循序而存。
魂兮归徕！	魂啊归来！
丽以先只。	先进珍丽，庶快其心。
四酎并孰，[22]	四器醇酒，一时俱熟，
不涩嗌只。[23]	饮之醴滑，味甘不涩。
清馨冻饮，	尤宜冷饮，清新飘香，
不歠役只。[24]	酒中珍品，役贱何得。
吴醴白蘖，[25]	吴醴米曲，巧妙酤酿，
和楚沥只。[26]	制作楚沥，清而浓烈。
魂乎归徕！	魂啊归来！
不遽惕只。	宴饮欢乐，永无怵恻。
代秦郑卫，	代秦郑卫之音，
鸣竽张只。	鸣竽开张齐作。
伏戏《驾辩》，	伏戏创造《驾辩》，
楚《劳商》只。	楚有《劳商》之歌。
讴和《扬阿》，[27]	徒歌赓和《阳阿》，
赵箫倡只。	赵箫先倡其乐。
魂乎归徕！	魂啊归来！
定空桑只。[28]	空桑可听，定意楚国。
二八接舞，	十六美女联舞，
投诗赋只。	琴瑟合歌诗赋。
叩钟调磬，	叩金钟，击石磬，
娱人乱只。	乐人就班按部。

四上竞气，[29]	四曲竞其声气，
极声变只。	穷极变化之目。
魂乎归徕！	魂啊归来！
听歌谍只。[30]	备享歌舞欢娱。
朱唇皓齿，	朱唇启，皓齿露，
嫭以姱只。[31]	玉容花貌绝世。
比德好闲，	德行兼备闲雅，
习以都只。	技艺谙练超俗。
丰肉微骨，	体态丰满弱骨，
调以娱只。	舞姿和谐安逸。
魂乎归徕！	魂啊归来！
安以舒只。	观此缓解忧思。
嫮目宜笑，	顾盼笑脸生辉，
娥眉曼只。	娥眉曼泽溢情。
容则秀雅，	仪容典则秀俊，
稚朱颜只。	朱颜温润天真。
魂乎归徕！	魂啊归来！
静以安只。	安静颐养精神。
姱脩滂浩，	体态窈窕旷怡，
丽以佳只。	貌美性情顺善。
曾颊倚耳，[32]	腮满双耳熨帖，
曲眉规只。	曲眉有如半圆。
滂心绰态，	心态宽广绰约，
姣丽施只。	姣丽之质舒展。
小腰秀颈，	腰细秀颈颀长，
若鲜卑只。[33]	似若鲜卑所缠。

魂乎归徕!	魂啊归来!
思怨移只。	美色堪除幽怨。
易中利心,[34]	意诚直而心平,
以动作只。	动作顺意而成。
粉白黛黑,	粉面如玉,黛眉似漆,
施芳泽只。	气味芳香宜人。
长袂拂面,	轻舒长袖,微风拂面,
善留客只。	宾客陶醉氛氲。
魂乎归徕!	魂啊归来!
以娱昔只。	长夜欢娱达晨。
青色直眉,	直眉如青青柳叶,
美目媔只。	美目顾盼多黠慧。
靥辅奇牙,[35]	靥辅摇则奇牙出,
宜笑嘕只。[36]	一颦一笑极妩媚。
丰肉微骨,	凝脂滑腻乏骨力,
体便娟只。	姿态便娟更娇贵。
魂乎归徕,	魂啊归来!
恣所便只。	佳丽侍夜唯所为。
夏屋广大,	高殿峻屋宽敞,
沙堂秀只。	朱砂画其堂壁。
南房小坛,	南有别室小坛,
观绝霤只。[37]	楼观之檐精致。
曲屋步壛,[38]	曲檐回廊绕阁,
宜扰畜只。[39]	代步之马备就。
腾驾步游,	腾驾步行出游,

猎春囿只。	狩猎则有春囿。
琼毂错衡，	玉饰毂，衡错金，
英华假只。[40]	金碧辉映光明。
茝兰桂树，	茝兰桂树繁茂，
郁弥路只。	路旁葱郁如林。
魂乎归徕！	魂啊归来！
恣志虑只。	居处适意称心。
孔雀盈园，	孔雀群聚于园，
畜鸾皇只。	畜养鸾鸟凤凰。
鹍鸿群晨，	鹍鸡雁鹤鸣旦，
杂鹙鸧只。[41]	杂以啾啾鹙鸧。
鸿鹄代游，	鸿鹄往来游戏，
曼鹔鹴只。[42]	曼衍翩翻鹔鹴。
魂乎归徕！	魂啊归来！
凤皇翔只。	志与凤凰齐翔。
曼泽怡面，	肌肤曼泽怿颜，
血气盛只。	血气充盛刚健。
永宜厥身，	长宜保身养生，
保寿命只。	延年益寿吉安。
室家盈廷，	家室宗族盈廷，
爵禄盛只。	爵禄尽归豪彦。
魂乎归徕！	魂啊归来！
居室定只。	定居宗室齐欢。
接径千里，	楚疆接径千里，
出若云只。	贤俊层出如云。

三圭重侯，[43]	执圭封侯之臣，
听类神只。	类别贤愚若神。
察笃夭隐，	体察夭折隐逸，
孤寡存只。	孤寡悉得养存。
魂乎归徕！	魂啊归来！
正始昆只。[44]	仁政先后已正。
田邑千畛，[45]	田邑道路纵横，
人阜昌只。	人民繁盛阜昌。
美冒众流，[46]	善德广覆众庶，
德泽章只。	恩泽日益昭彰。
先威后文，	为政先武后文，
善美明只。	化育之光朗朗。
魂乎归徕！	魂啊归来！
赏罚当只。	赏罚莫不允当。
名声若日，	名声若日中天，
照四海只。	光辉照见四海。
德誉配天，	德于内，誉于外，
万民理只。	燮理万民无怠。
北至幽陵，	北极幽州边塞，
南交阯只；	南达交阯地带；
西薄羊肠，[47]	西近羊肠险隘，
东穷海只。	东穷人迹所在。
魂乎归徕！	魂啊归来！
尚贤士只。	楚国崇尚贤才。
发政献行，	发德政，进善行，
禁苛暴只。	禁苛除暴安民。

举杰压陛，	举豪杰，抑次等，
诛讥罢只。[48]	无德驽罢除尽。
直赢在位，[49]	忠直在位，余贤为副，
近禹麾只。[50]	恰如大禹，取士用仁。
豪杰执政，	豪杰当国，执持大政，
流泽施只。	广布恩泽，施其德音。
魂乎归徕！	魂啊归来！
国家为只。	为国为家，贤作辅臣。
雄雄赫赫，	国威雄赫武勇，
天德明只。	上天神德明丽。
三公穆穆，	三公庄严肃穆，
登降堂只。	玉堂升降纡徐，
诸侯毕极，	诸侯位极人臣，
立九卿只。	复设九卿为继。
昭质既设，[51]	画地作为昭质，
大侯张只。	其上侯布张施。
执弓挟矢，	执弓持矢比射，
揖辞让只。	举手揖让成仪。
魂乎归徕！	魂啊归来！
尚三王只。	效法三王之治。

注释

①冥：即玄冥，北方之神。凌：驰。浃：遍。②浟（yōu）浟：急速流淌的样子。③螭（chī）龙：传说中一种无角的龙。④胶：凝聚。⑤汤谷：即旸谷，传说是日出之处。⑥蝮（fù）蛇：一种喜居南方湿地的毒蛇。⑦鰅鳙（yú yóng）：皆鱼名。短狐：又叫射工，据说是长于南方水中的一种毒虫，闻人声则以口中毒液射人。⑧王虺（huǐ）：大蛇，即蟒。⑨豕首纵目：传说中西方之神，猪头纵目，爪长牙如锯齿，见人则狂笑熹乐。⑩鬤（náng）：头发散乱的样子。⑪诶（xī）笑：强笑。⑫逴

(chuò)龙:即烛龙,人面蛇身而赤,传为北方的山神。⑬臑(ér):熟。⑭鸧(cāng):一种青苍色的鸟。⑮蠵(xī):大龟名。⑯醢(hǎi)豚:把幼猪做成肉酱。苦狗:用豉烧狗肉(蒋骥说)。⑰脍:把肉切成片。苴蓴(jū pò):又叫蘘荷,味香,可作烹料。⑱鴰(guā):即鸧鴰,盖因其鸣声得名。⑲煔(qián):煮。⑳鲼(jí):同“鲫”,通称鲫鱼。臛(huò):清汤炖煮。㉑遽:趣。爽:差次。㉒酎(zhòu):醇酒。㉓嗌(yì):咽喉。㉔歠(chuò):通“啜”,饮也。㉕糵(niè):酿酒发酵的米曲。㉖沥:清酒。㉗《扬阿》:又作《扬荷》,即《阳阿》,古代楚地的歌曲名。㉘宝桑:瑟名。㉙四上:谓声音之上者有四,所谓鸣竽、《驾辩》、《劳商》、赵箫(洪兴祖说)。㉚课:具。㉛嫭(hù):同“嫮”,美好。㉜曾:“层”字的古体。此句谓面颊丰满,双耳生长熨帖。㉝鲜卑:又叫犀毘,鲜卑人所用的一种腰带,亦名为鲜卑。㉞易:直。利:和。㉟靥(yè)辅:颊上微窝,俗称酒窝。㊱嗎(xiān):微笑的样子。㊲观(guàn):楼上小榭。雷:通“溜”,屋檐水。绝雷:檐下用以阻绝水往内滴的木板叫绝雷。㊳步壛:长廊,俗称阶壛。壛与“檐”“檐”通。㊴扰畜:驯养家畜。㊵假:大,盛。㊶鹓鸧:鸹鹓。㊷鹔鷞:鷞亦作“鹴”,形似雁,长颈绿身。㊸三圭:公执桓圭、侯执信圭、伯执躬圭,故三圭指公侯伯。重侯:指子、男。㊹正始昆:昆者后也,谓正其行政之先后。㊺畛:田上道路。㊻冒:覆。㊼羊肠:战国时赵国的险隘名,故址在今太原市西北。㊽讥:无德之人。罢(pí):驽笨之人。㊾赢:余,指赢余贤俊(王逸说)。㊿禹麾:大禹指麾取士。51昭质:谓射侯所画之地(蒋骥说)。侯:习射时所张之布,检验是否中的。

鉴赏

这大约是西汉文士模仿《招魂》所作。历来对此文作者颇多推测,或谓屈原,或谓景差,或疑贾谊,或疑刘安。朱季海《楚辞解故》从词源学角度考察,列举此文用“乎”“只”,与屈宋用“兮”“些”不同;三公九卿之制定型于西汉;“粉白黛黑”不行于楚地,而常见《淮南鸿烈》称用诸证,认为当系淮南王及其门下文士所为,说甚有理。《大招》从题目、构思到用词造语,多与《招魂》相似,此正反映了西汉文人模仿楚风为文的习气。文中多言“安静”、保身延年,且杂以“先威后文”“名声”之语,是法、名、儒、道各家思想的杂糅反映,颇与《淮南子》撮合各家、而以黄老思想为宗的特点相似。《招魂》所招的对象为君主身份,故人们多以为屈原招客死于秦的怀王之魂,表达其恋君忧国之思;《大招》所招的对象为人臣身份,以三公九卿、治国栋梁期之,我们自然联想到忠而遭贬、冤死汨罗的屈原。作者对屈原的同情和崇敬,与刘安作《离骚传》的态度和评价比较接近。因此,《大招》可能是刘安或与他思想比较接近的门客所作。

无可讳言,作为《招魂》的规摹之作,此文在一定程度上失去了创新的魅力。尤其作为一篇招唤冥冥冤魂的文字,其奇谲怪味的想象力至关重要。就此而言,《大招》的想象力及由此体现的浪漫气息受到《招魂》的束缚。比较前后二文,前者的奇思怪想很能体现作者的形象思维能力,字里行间洋溢着才气,巧妙地用想象之物构成一种灵魂存在的环境气氛,也确实体现出楚风信巫、多淫祠的习俗。后文所构思的意象和选用的辞藻,多有似曾相识之感,作者的想象力和驾驭语言能力被机械的仿效所窒息,才气不足。自然,仿效行为本身就是束缚创造想象力的,并不直接是才力大小所致。

人们只注意到此文习用虚词"乎""只"之类。其实,这不只是它们与"兮""些"在字形和用词习惯上的差异,它反映了韵体文学发展到汉代,以楚地民歌为代表的"楚辞"与中原文学典范《诗经》走向融合的事实。《大招》在题材上、风格上、构思上、用词上,首先具有"楚辞"的基本特征。但较之《招魂》,它的句式更趋整饬,与《诗经》最普遍的四言句极接近。其次,以押同一韵部为标志,全文分为若干个组成部分,这些部分以六句、八句、十句为多,颇与《诗经》中各诗分章的形制相似。而《招魂》较普遍的是四句换韵,但有时十八句、二十句,甚至二十六句押一韵部。这表明"楚辞"很少整齐划一分章的习惯,而《大招》则明显受到《诗经》各诗在结构上的影响。再次,《大招》的后部,用了不少文学谈"兴道致治",以豪杰执政、选贤用能的社会理想招其魂,这种立足现实社会的人生态度,与楚风信鬼重祠之俗不同,它是中原民族传统生存观念的反映。因此,此文想象力不足的弱点,又很难完全归咎于仿效行为,尽管这是一个重要原因。中原民族以社会群体为依归以及其诗歌表现的写实特征,也在一定程度上影响到本文作者的创作出发点和表现风格。这当然也是汉王朝一统天下的社会客观现实所需要的。

正如尽管汉大赋的艺术独创性甚少但自有其时代意义和文学地位一样,从《大招》融汇了《诗经》、"楚辞"两种风格与表现特性这一意义看,它反映了时代的需求,顺应了文学演进发展的规律,自有其价值在。

全篇大致分为三个部分。

开头八句是全篇总冒。通过四季代谢、万物生灭相依的运行现象,确认人的生命与万事万物一样,躯体消灭,魂魄犹在。当太阴隐藏、少阳运气之时,万物充满生机,一派生命蠢动、竞相奋发的气象。当此之际,玄冥之神周游驰行,似在寻找着寄托物质外壳存在于自然界的机会。作者利用魂魄活跃、呼之欲出的时机,呼唤着“魂魄归徕! 无远遥只”。希望魂魄回复到万物灵长之中来,为故国、为曾奋斗过的社会政治理想而生。

“魂乎归徕! 无东无西,无南无北只”三句,用散行句式在全篇起第一次过渡作用。以下便分述东西南北之险恶可怖、魂不可往,来反证招魂之意。其东大海茫茫,雾雨淫淫,水势溺物,螭龙为害,那是一个寂寥空虚、渺无生气的世界:“魂乎无东!”其南炎火千里,其地卑湿多瘴,山险林隘,虎豹逡巡,鬼蜮横行,蝮蛇当道,射工潜藏,征途艰危,怎么能往呢?《梦溪笔谈》载:鄜延西北有范河,即流沙也。人马践之有声,陷则应时皆灭。或谓西域有沙海二千余里。沙乘大风如浪,行旅遇之,常为所压。其神面目狰狞,专以吃人为乐事。魂若西去,岂能逃避险境恶神的伤害! 至于北方,则天寒地冻,冷气弥漫,水深不可测,烛龙形象可怖。想及犹不寒而栗,魂魄何可亲往?

遍举四方险恶,皆不可往,而每称数一方之害,则再呼“魂乎无往”,可谓三致意焉者。四方既不可往,又有什么处所是魂魄寄托之地呢? “魂魄归徕! 闲以静只。自恣荆楚,安以定只”四句,继诸端劝阻之后作了明确交代,荆楚故国才是灵魂安息和复活的地方。“逞志究欲”六句紧接上文概说楚地何以可安的缘由。志欲心意就内在需求说,身乐寿延就外在满足说。作为一个社会的人,他有为国家为群体而生存的抱负理想和情操志趣,能快志穷欲则意无所恨矣;作为一个个体的人,他有保护自身生存追求生活乐趣的要求,能穷身永乐、益寿延年更何求焉? 这前后十句在全篇之中起第二次过渡作用,由前文陈述危害劝阻其行转而直招其魂来楚安定复活,是全篇的重心所在。所谓“魂乎归徕! 乐不可言只”,言其“乐”处,亦意分两层:先言声音居处、游观宴饮之乐,即所谓外在需求之乐;后言兴道致治、国泰民安、贤良得势之乐,即所谓快志安意之乐。

自“五谷六仞”至“魂乎归徕! 不遽惕只”共三十句,备陈食物充足精良,味道甘鲜可口,醇酒飘香,烹饪考究。招魂魄来居,享受饮食之乐。自“代秦郑卫”至“听歌譔只”十八句,则历数古来名曲雅乐,娓娓可听,穷声极变,悦耳动听。招其魂魄来居,享受闻听之乐。由曲而连带及舞,由音声述及舞容,故“朱唇皓齿”至“恣所便只”共四十句,即盛赞舞者仪态万方、容颜动人、技艺娴熟、聪明可爱。作者不惜笔墨从其外在色相之美写到其性情、心灵之美,从其以舞达意写到以目传情,大笔挥洒,极为浓丽。招其魂魄来居,享受观赏及宴居之乐。由宴寝而及居室之宽敞明亮,环境优雅;由环境而述及春囿百鸟争鸣，珍奇无所不有。出游有驯养之良马、华贵之车舆，其道则茝兰葱郁，桂树如林；再映照居处而祝室家宗族繁盛，爵禄归宗，安身保寿。招其魂魄来居，享受游观居处人伦之乐。

由"爵禄盛"三字逗出兴道致治之意。自"接径千里"以至篇末，都说楚国政治开明，疆域广阔，怜孤恤寡，悼天察隐，赏罚明当，德泽昭章；民安其业，臣尽其职，君贵其德；名扬四海，德达于天；选贤尚能，豪杰执政；禁苛除暴，驽罢退避。这种开明的政治背景和国富民强的局面，正是有志之士理想的用武之地，曾经忠而见谪、无罪冤死的魂灵，其复活再生，大展雄略，此即时欤！故作者以公卿之位、三五之治招其"魂乎归徕"！

此篇围绕招魂意旨而正反分说，各有轻重，而层次转换，意绪连贯井然。其反说四方险恶恐怖，所谓言其罪，则以天下之恶而归之；正说楚地之乐，所谓称其善，则以天下之美而加之。这种艺术表现的夸张原则，使正反两面的对照效果更加鲜明，增强了招魂的说服力。同时，这种夸饰笔法与以魂魄为招呼对象的主题甚为相益，其所形成的艺术氛围对强化题旨有密切作用。

其次，文中称数险恶则东西南北遍及，褒扬乐趣则起居、饮食、音声、舞容、游观枚举，明显带有汉大赋铺陈排比、穷物尽相的特征。其滔滔不绝的陈述，细密周至的笔触，用于招徕亡灵的主题，也能起到增强说服力的作用。其表达风格，也具有汉赋闳阔渊放的落落雄风。与汉赋的这种密切关系，也是我们认定此篇是西汉人所作的理由之一。

（杨胜宽）

惜　誓

惜余年老而日衰兮，	可叹我年老而日渐衰弱啊，
岁忽忽而不反。	时光匆匆一去不返。
登苍天而高举兮，	登临天际而举头四望啊，
历众山而日远。	经历众山去国日远。
观江河之纡曲兮，	目睹长江黄河纡徐曲折啊，
离四海之霑濡。	遭遇四海风波而湿衣。
攀北极而一息兮，	攀上北极星界权作休息啊，
吸沆瀣以充虚。[1]	呼吸清和之气以充饥。
飞朱鸟使先驱兮，	使朱雀前飞作我先导啊，
驾太一之象舆。	驾驭太一之神的象舆。
苍龙蚴虬于左骖兮，[2]	左骖的青龙屈曲而行啊，
白虎骋而为右騑。	右騑的白虎自由奔驰。
建日月以为盖兮，	日月就是我树立的车盖啊，
载玉女于后车。	后车载着美丽的玉女。
驰骛于杳冥之中兮，	驰奔在虚灵杳冥的境界中啊，
休息乎昆仑之墟。	歇息在昆仑之墟。
乐穷极而不厌兮，	游乐无穷永不厌倦啊，
愿从容乎神明。	愿随神明从容观览。
涉丹水而驰骋兮，	渡涉赤水继续驰骋啊，
右大夏之遗风。	感受大夏国的古老遗风。
黄鹄之一举兮，	黄鹄一飞千里之遥啊，
知山川之纡曲。	知晓山川的迂回曲折。
再举兮，	再飞而高瞻远瞩啊，

睹天地之圜方。	看清了天圆地方的形状。
临中国之众人兮，	俯见故国的世俗之辈啊，
托回飚乎尚羊。	凭借回风继续彷徨。
乃至少原之野兮，	来到了仙人所居的少原啊，
赤松王乔皆在旁。	赤松王乔都近在身旁。
二子拥瑟而调均兮，	二人抱瑟而试其音调啊，
余因称乎清商。	我则对清商之曲激赏。
淡然而自乐兮，	淡泊宁静自有乐趣啊，
吸众气而翱翔。	吸餐自然之气以翱翔。
念我长生而久仙兮，	思虑我虽长生成仙啊，
不如反余之故乡。	不如返回久别的故乡。
黄鹄后时而寄处兮，	黄鹄失时而难寻寄处啊，
鸱枭群而制之。	却被成群的鸱枭所控制。
神龙失水而陆居兮，	神龙去水而处于陆地啊，
为蝼蚁之所裁。	必为蝼蚁蚍蜉所欺。
夫黄鹄神龙犹此兮，	鹄与龙的命运尚且如此啊，
况贤者之逢乱世哉！	何况贤人之遭逢乱世！
寿冉冉而日衰兮，	年寿荏苒生命日衰啊，
固儃佪而不息。[③]	世事仍如转蓬不息。
俗流从而不止兮，	俗人随从而不知所止啊，
众枉聚而矫直。	邪恶蜂起反欲矫变忠直。
或偷合而苟进兮，	有人苟合偷生而得进啊，
或隐居而深藏。	有人隐身僻居藏其颖。
若称量之不审兮，	可悲称量事物之不分明啊，
同权概而就衡。[④]	贤愚高下难以权衡。
或推逡而苟容兮，	有人随势推移而阿世啊，
或直言之谔谔。	有人直言谔谔难苟合。
伤诚是之不察兮，	可叹不能体察这种忠诚啊，
并纫茅丝以为索。	竟把丝与茅纫为一索。

方世俗之幽昏兮，	时值世俗幽暗不明啊，
眩白黑之美恶。	惑乱了白黑与美恶。
放山渊之龟玉兮，	抛弃山中之玉和渊中之龟啊，
相与贵夫砾石。	共相宝贵瓦砾与小石。
梅伯数谏而至醢兮，⑤	梅伯多次谏诤被剁成肉酱啊，
来革顺志而用国。⑥	来革阿顺取谀却当国。
悲仁人之尽节兮，	可怜仁人尽其节概啊，
反为小人之所贼。⑦	反被小人所戕贼。
比干忠谏而剖心兮，	比干尽忠输谏遭剖心啊，
箕子被发而佯狂。⑧	箕子散发而佯装疯狂。
水背流而源竭兮，	水横流而源泉枯竭啊，
木去根而不长。	木去其根就不能生长。
非重躯以虑难兮，	不是吝惜身体顾虑赴难啊，
惜伤身之无功。	而是哀惜身未成功。
已矣哉！	罢了！
独不见夫鸾凤之高翔兮，	岂不见鸾鸟凤凰翱翔啊，
乃集大皇之野。⑨	成群聚集在天界之上。
循四极而回周兮，	循环四方而回旋啊，
见盛德而后下。	觅见盛德之君乃临降。
彼圣人之神德兮，	那有神圣德行的圣人啊，
远浊世而自藏。	远离浊世而隐遁自藏。
使麒麟可得羁而系兮，	假使麒麟也能羁绊束缚啊，
又何以异乎犬羊？	又与犬羊有什么两样？

注释

①沆瀣（hàng xiè）：天界清和之气。②蚴虬（yǒu qiú）：屈曲行动的样子。骖（cān）：夹辕的服马之外的马叫骖马，也叫骓马，左右各一，故此有“左骖”“右骓”之语。③儃（chán）佪：徘徊。④概：量粟麦时用以刮平斗斛的工具，即所谓

平斛木。⑤醢(hǎi):肉酱。⑥梅伯、来革:据说都是商纣王时的臣子。梅伯屡次谏诤,被商纣王处以醢刑。来革则奸佞进谮,深受商纣王宠信,地位显赫。⑦贼:戕害。⑧比干、箕子:据说都是商纣王时忠臣。比干常冒死进谏,商纣王怒而剖之,以观圣人之心。箕子惧祸,被发佯狂。⑨大皇:天也。

鉴赏

此篇作者生活的年代在贾谊之后刘向之前,或以为贾谊所作,其实不确。本篇的思想倾向与《吊屈原赋》所谓"历九州而相其君兮,何必怀此都也"极为相似,但这只能看出本篇作者采取了贾生的思想。并且此篇"已矣哉"以下的字句,几乎原样照搬了《吊屈原赋》中的词句。这正可旁证本篇非贾生作,他不大可能把同样的句子照搬在另一首作品里。本篇的构思和立意直接受到屈原《远游》的影响,选取了《吊屈原赋》中与此意相符的词句。因此,本篇乃西汉文人模仿屈赋之作。

王逸为此篇解题说:"惜者,哀也。誓者,信也,约也。言哀惜怀王,与己信约,而复背之也。……盖刺怀王有始而无终也。"(《楚辞章句第十一》)此篇作者极力摹写屈原遭遇怀王失信后的复杂心境。正当他受到信任、为楚国贡献才略时,怀王疏远他、贬谪他。这种突如其来的政治打击,使他无法接受既成事实。他哀怀王昏暗,恨奸佞进谗,看透了处身其间的溷浊世界,故托意玄冥,神游四方。诸神的导引,精灵的效力,天国的洁净,仙人的逍遥,这一切是令人惬意的。但正是这些美好的东西,勾起他对故国的眷恋,对昏暗政治的忧患。一种强烈的责任感和政治热忱促使他回故国去,尽自己忠君报国之义。然而,故国依然小人得势,陷害忠良,黑白不分,一片污浊。他失望、痛苦、愤怒、浩叹,无可奈何,无所适从……

应该说,作者所把握和表现的这种心态,是符合屈原当时实际情况的。如果屈原当初没有受到怀王的最大信任,后来他被谪便不会有那样深沉的忧愤;如果他不是那样地专一执著于追求社会理想与政治抱负,后来也就不至于不能自解以沉江明志。屈原的苦闷心境,常是个人的得失存亡与君国大体的废兴休戚纠结在一起。当他遭贬但对君国尚抱有希望时,周游之后急欲回到生长、熟悉的故土;当他对楚王绝望、确信楚国已无可作为时,游荡徘徊,举足无定,心绪最为复杂悲哀;当他意识到国家前途无望、自己的存在完全失去社会价值时,就坚决地走向死亡,希望以此来警醒当世、告诫后人。本篇比较细致地摹写了屈原的第二种心境。

从开头到“不如反余之故乡”共三十四句，写屈原远游的经过和感慨。前四句突如其来，屈原开始遨游苍天、经历众山的远游。说它突然，因为它没有《远游》篇前半部分细致描写做出决定前的犹豫，好似忽然念及人生短促，年力日衰，要趁尚能登临高举的时机，去呼吸天地灵气，游览自然奇观，绝不透露其政治失意、厌恶浊世、愤而神游的情由。作者把这些埋伏起来，留待后文去充分发挥。

接着描绘他遨游太空，俯见江河大地之纡曲，凭虚御风，吐纳灵气。朱鸟前领，龙虎效力，日月为车盖，象舆权代足，玉女陪行，驰骋远离尘嚣的杳冥之中，休息之处也是昆仑神山。这一切是如此新颖别致，令人心旷神怡，他目不暇接，乐而忘疲。其行旅的快乐节奏，与情绪的亢奋，给神游天界增添了无限神秘圣洁的气氛。神的世界是如此美好快乐，使他由衷感叹：“乐穷极而不厌兮，愿从容乎神明。”那么，神明的世界具有如此魅力，仅是新奇的神秘感，还是厌倦失望于尘世之后，对天界流露出一种蓦然回首的解脱？至此仍不说破，留下见仁见智的解读余地。继续写遨游者涉丹水观大夏遗风的征程。黄鹄一举而知天地行曲，再举而睹天地之圆方。这“黄鹄”显然是神游者的幻化，呼应着篇首，并把参天地、化物我的奇想由这一意象传出。他具有了甄别真伪、裁判善恶的神圣智慧。俯察故国，俗辈迷途不返，毕显丑恶，是不能回去的。故托回风而来到仙人赤松王乔之处，琴瑟相伴，淡然自乐。他过上了御风翱翔，以气为食的神仙生活。

他的游历、见闻、遭遇，像一首轻盈畅快的乐曲，使人陶醉、满足、舒适。然而，正是这些神奇绝妙的东西，与其在尘世经历的一切形成鲜明的对比，自然浮出那令人痛心疾首的往事，并在对比之下产生更为沉重的感叹。

“黄鹄后时而寄处兮”以下，情调节奏急转直下，叙述着楚国社会的种种丑恶和荒唐现象，直至发出“已矣哉”这无可奈何的感叹，才哀伤地结束了这段令人心碎的陈述。其间，作者严格地把一组组具有显著对比意义的意象罗列起来：黄鹄与鸱枭的水火不容；神龙与蝼蚁的你死我活；射利偷合的势利小人与高栖深藏的忠直之士的道魔相长；龟玉与砾石的贵贱遭遇；梅伯、比干、箕子与来革的浮沉生死。这些全如水中之影，恰好掉了个儿。而戏弄历史和社会经验的罪魁，正是商纣王、楚怀王、顷襄王之流。尽管作者碍于君臣名分不好一语道破天机，但所列举的事实令人只能得出这无情的结论。

明白了这个奥妙，回顾开首一段的遨游天界，及其彻底解脱的快感，才觉事出有因。而远游者遭遇如此不幸，尚念念不忘故土君国，其忠君恋乡之思才更形执著深沉。当这一切努力不能拯救国家与个人的命运时，他或者像本篇结尾所表示的那样，继续遨游、徘徊、期待，希冀着"盛德"临世，自己若麒麟之兆太平，贡献贤能智略，实现惨遭摧折的夙愿。或者如他后来义无反顾地所做的那样，以自己的生命为代价，以死谏君、以死警世、以死明志。

本篇为了实现两种对比鲜明的情调在表现主题上的艺术效果，发端突兀而起，全力铺写远游的快乐，一气写去，笔不旁顾。及因见故土而勾起往事，情调陡变，语气忿婉，产生了很好的反差效果。且叙写种种荒唐，两两相较，串联而出，似不如此不足以平其愤，把远游的缘由铺排得极充分。进而由字里行间流露的情调把当事人的心境及其变化摹写得真实恰当。

其次，本篇用笔朴实，文风平易，不仅没有汉赋的堆垛习气，也没有屈贾赋的词彩绚烂、令人读解不易。这在西汉大赋风靡成习的文坛上，是比较少见的。

（杨胜宽）

吊屈原

贾谊

恭承嘉惠兮，	我恭敬地承受皇帝恩惠，
俟罪长沙。①	就在长沙随时等候降罪。
仄闻屈原兮，②	我从旁听到了屈原先生，
自湛汨罗。③	他就在这汨罗江中自沉。
造托湘流兮，	我来到湘江畔托它寄意，
敬吊先生。	表示我尊敬地吊唁先生。
遭世罔极兮，④	屈原他遭遇到混乱世道，
乃陨厥身。⑤	以至把自己的生命送掉。
乌虖哀哉兮，⑥	啊，多么可悲啊多么可哀，
逢时不祥，	偏偏处在不吉利的时代。
鸾凤伏窜兮，	鸾鸟凤凰都已隐蔽躲藏，
鸱鸮翱翔。	猫头鹰得意地回旋飞翔。
阘茸尊显兮，⑦	平庸低能的人位尊名显，
谗谀得志。	诽谤谄媚的人满足欲望。
贤圣逆曳兮，	贤人圣人处于不顺境地，
方正倒植。	正直的人却被压在下方。
谓随、夷溷兮，⑧	认为卞随、伯夷污浊邪恶，
谓跖、跻廉。⑨	都说盗跖、庄跻廉洁无比。
莫邪为钝兮，⑩	莫邪宝剑被人认为很钝，
铅刀为铦。⑪	卷刃铅刀却被认为锋利。
于嗟默默，	可叹啊你现在默默无语，
生之亡故兮。	先生已经离开人世死去。

斡弃周鼎，[12]	抛弃了周代传国的宝鼎，
宝康瓠兮。	却很珍视那些破瓦盆底。
腾驾罢牛，[13]	使用疲乏老牛驾车奔跑，
骖蹇驴兮。	还让跛足毛驴拉车边套。
骥垂两耳，	骏马不受重用垂着两耳，
服盐车兮。[14]	拉着沉重盐车爬上山道。
章甫荐屦，[15]	把高贵的礼帽用来垫鞋，
渐不可久兮。[16]	它用不了多久就会坏掉。
嗟苦先生，	可悲的是苦了屈原先生，
独离此咎兮。	这些罪只有他全部遭到。
谇曰：[17]	〔尾声〕
已矣！国其莫吾知兮，	算了，国内没人了解我们，
子独壹郁其谁语？[18]	您又向谁诉说心中郁闷？
凤缥缥其高逝兮，	凤凰它飘然地高高飞去，
夫固自引而远去。	全是自己避开远远逃离。
袭九渊之神龙兮，	应该效法深渊中的神龙，
沕深潜以自珍。[19]	深深潜藏起来自我珍惜。
偭蟂獭以隐处兮，[20]	神龙将要离开蟂獭隐居，
夫岂从虾与蛭螾？[21]	难道还与小虫处在一起？
所贵圣之神德兮，	值得珍贵的是圣人美德，
远浊世而自臧。[22]	自己隐藏要与浊世远离。
使麒麟可系而羁兮，[23]	假使麒麟也可以被束缚，
岂云异夫犬羊。	那它和犬羊还不是一样。
般纷纷其离此邮兮，[24]	在混乱的社会遭此痛苦，
亦夫子之故也！	也有先生你自身的缘故。
历九州而相其君兮，	你应到九州去选择贤君，
何必怀此都也！	何必定要怀念故国首都。
凤皇翔于千仞兮，[25]	凤凰在千仞的空中飞翔，
览德辉而下之。	看到圣德光辉才肯下降。

见细德之险征兮，	发现薄德君王险恶征兆，
遥增击而去之。㉖	它就会远远地加快飞逃。
彼寻常之污渎兮，㉗	那些丈把宽的死水沟里，
岂容吞舟之鱼。	哪里能容得下吞舟大鱼。
横江湖之鳣鲟兮，㉘	横行在江湖的鲟鳇大鱼，
固将制乎蝼蚁！㉙	入小沟受制于蝼蛄蚂蚁！

（梅桐生 译）

注释

①俟(sì)罪：待罪。指被贬谪。②仄：通"侧"。仄闻，意即传闻。③湛：通"沉"。汨(mì)罗：江名，在今湖南省东北部。④罔极：没有标准，变化无常。此指社会混乱，世道黑暗。⑤陨：通"殒"。陨身：即死亡。⑥虖：通"乎"。⑦阘茸(tà róng)：指猥贱平庸的小人。⑧随：卞随，传说中夏朝的贤者。汤灭夏，让之天下，不受而逃，投水而死。夷：伯夷，殷末孤竹国君之长子，因反对周武王灭殷，不食周粟而饿死于首阳山。卞随、伯夷都是古人心目中品行高洁的贤者。溷(hùn)：污浊。⑨跖：盗跖。蹻：庄蹻。二人都是传说中的"大盗"。⑩莫邪：古代著名宝剑，吴国所造。⑪铦(xiān)：锋利。⑫斡(wò)：转。斡弃：舍弃。⑬罢：通"疲"。⑭骥：骏马。服：古代一车驾四马，两边为骖，中间为服。这里用作动词，同"驾"。骥服盐车喻埋没人才、才非所用。《战国策·楚策四》记汗明见春申君曰："君亦闻骥乎？……服盐车而上太行。……中阪迁延，负辕不能上。伯乐遭之，下车攀而哭之……"⑮章甫：古代的礼帽。荐：藉，意即垫。屦(jù)：用麻或葛制作的鞋。⑯渐：损坏，销蚀。⑰谇(suì)：犹《离骚》之"乱"，尾声。⑱壹郁：犹怫郁、抑郁，心情不舒畅。⑲沕(mì)：潜伏的样子。⑳偭(miǎn)：背弃。蟂(xiāo)：即"蛟"。獭(tǎ)：水獭。蟂、獭都是危害鱼的水生动物。㉑蛭(zhì)：水蛭，蚂蟥。螾(yǐn)：同"蚓"，蚯蚓。㉒臧：同"藏"。㉓麒麟：古代传说中似鹿，有角、尾和鳞甲的一种动物，古人以之象征祥瑞。㉔般：乱的样子。郵：通"尤"，罪过。㉕仞：八尺为仞。千仞：泛言其高。㉖增击：加快飞行。遥增击：《史记·屈原贾生列传》作"摇增翮"，意为奋然鼓动羽翼。㉗寻常：古以八尺为寻，倍寻为常。㉘鳣(zhān)：鳇鱼，无鳞，极大。鲟(xún)：即鲟鱼。㉙蝼蚁：蝼蛄、蚂蚁。《庄子·庚桑楚》："夫寻常之沟，巨鱼无所还其体，而鲵鳅（按，即泥鳅）为之制。"《战国策·齐策一》："君不闻海大鱼乎？……荡而失水，则蝼蚁得意焉。"这里借喻小国暗主不容忠臣，谗佞小人陷害贤良。

鉴赏

当屈原死后百有余年，西汉政治家、文学家贾谊因受权贵谗毁，出为长沙王太傅。贾生心情郁闷，意不自得，途经湘水，不禁心与屈子共鸣，于是投书以吊屈原，满腹悲愤地写下了这篇千古传诵的杰作。

屈、贾历来并称，司马迁在《史记》中即以二人合传。据其所载，屈、贾在才学、抱负和遭遇等方面确有诸多相似之处。然而贾谊之作《吊屈原》，并非仅由于此，主要还在于他与屈原虽生异代而同心。不妨说，正是由于上述诸多相似使得百载之下的贾谊与屈原心心相印、息息相通，因而拨动了心灵的琴弦，奏出了一曲悼屈亦悲己的动人哀歌。正如王芑孙《读赋卮言·导源篇》所说："贾傅以下，湛思邈虑，具有屈心。"刘熙载《艺概·赋概》也指出："读屈、贾辞，不问而知其为志士仁人之作。太史公之合传，陶明渊之合赞，非徒以其遇，殆以其心。"

就内容而论，《吊屈原》可分前、后两部分。前叙屈原遇难自沉之因，后抒作者自我解脱之情。所谓"遭世罔极"，所谓"逢时不祥"，即社会的黑暗不公和世风的浇漓不正是戕害屈原的罪魁。作者一针见血地指出，正因为"阘茸尊显兮，谗谀得志"，所以"贤圣逆曳兮，方正倒植"。他满腔愤慨的控诉道："鸾凤伏窜兮，鸱枭翱翔"；"谓随、夷溷兮，谓跖跻廉"；"莫邪为钝兮，铅刀为铦"。这一幅幅是非颠倒、违情悖理的图景，正是当时楚国社会的真实写照。社会如此黑暗，国君更是斥贤用奸，"腾驾罢牛，骖蹇驴兮。骥垂两耳，服盐车兮"。谗佞无能之辈飞黄腾达，千里马似的贤才却弃而不用，这样的国家怎能不亡？生活在这样国家里的贤能之士怎能不遭难呢？作者透过诗人屈原的悲剧命运，进而揭示了造成这一悲剧命运的社会原因，应该说是尖锐而深刻的，作者的眼光也应该说是犀利的。但如果没有相似的遭遇和相同的感受，便难以具有如此深刻的识见。

屈原在《离骚》"乱曰"中发出了心灵的呼号："已矣哉！国无人莫我知兮，又何怀乎故都！既莫足与为美政兮，吾将从彭咸之所居！"诗人峻洁的品格、高远的心志无人理解，自己怀抱的"美政"理想又无法实现，内心矛盾重重，前景茫然一片。于是诗人想到了传说中殷之时谏君不听、投水而死的贤臣彭咸，决心效法前贤，以身殉国。对于屈原自我选择而付诸实践的如此归宿，贾谊则颇不以为然。他在《吊屈原》的后半部分即"谇曰"（犹《离骚》之"乱曰"）一段中，表达了与屈原有所不同的认识，也抒发了自己内心的愤懑。这一段文字，与其说是“吊屈原”，毋宁说是作者在寻求精神上的自我解脱。“已矣！国其莫吾知兮”——基于相似的遭遇和感受，百年之后的贾谊发出了与当年屈原声口一致的感叹。然而贾谊认为，这种情况的出现自有其必然性：“凤缥缥其高逝兮，夫固自引而远去”；而且似乎也该当如此：“所贵圣之神德兮，远浊世而自臧。”作者充分认识到自我的价值，他以“麒麟”“凤皇”“神龙”“吞舟之鱼”“鳣鱏”等美好伟大的形象喻屈亦自喻，而以“蟂獭”“虾与蛭螾”“犬羊”“蝼蚁”等丑恶渺小的形象喻谗佞小人，爱憎分明地表达了不与宵小之辈共处，而欲“自珍”“隐处”的愿望。作者有强烈的自尊自爱之心，也有对自由自在的向往，“使麒麟可系而羁兮，岂云异夫犬羊”。他对未来充满信心，仍抱有大展宏图的希望，“历九州而相其君兮，何必怀此都也！”他不像屈原似的绝望，自以为尚有用武之地，甚至还企图把握自己的命运，自己主宰自己，不受他人羁绊，要像“翔于千仞”的“凤皇”那样，“览德辉而下之”；倘若“见细德之险征”，则“遥增击而去之”。合则留，不合则去。一位自尊自信、恃才傲物的抒情主人公形象跃于纸上。贾谊毕竟年尚少、气犹盛，虽然经历了屈原似的遭遇，却尚未走到绝望的境地。他感叹道：“彼寻常之污渎兮，岂容吞舟之鱼。横江湖之鳣鱏兮，固将制乎蝼蚁！”小水不容大鱼，鳣鱏受制于蝼蚁，作者如此形象地揭示了小国暗主不容忠良之臣，谗贼小人必将加害贤能之士。现实如此，无可奈何，只好将本来就渺茫的希望寄之于更加渺茫的未来了。

显而易见，贾谊虽然对群小蔽贤的险恶现实有着比较清醒的认识，但却无力反抗。他之所谓“远浊世而自臧”“览德辉而下之”，都不过是脱离现实的幻想。堪称一代英才的贾谊，也不能不像屈原一样，怎么也摆脱不了抑郁而终的可悲命运。这便是历史给他作出的必然安排。

作者饱蘸血泪写就的《吊屈原》，无愧为一曲时代的悲歌。

贾谊是骚赋的继承者，正如刘熙载所指出的，“屈子之赋，贾生得其质”（《艺概 · 赋概》）。这就是说，贾谊继承了屈原赋的精神实质。他那如屈子一样的忧国忧民之心，治国安民之志，忧谗畏讥之情，怀才不遇之恨，在《吊屈原》中展现无遗。

在表现手法上，《吊屈原》也继承了屈赋“依《诗》取兴，引类譬谕”（王逸《离骚经序》）的传统。这一手法的运用在作品中可谓俯拾皆是。且看：鸾凤与鸱鸮，莫邪与铅刀，周鼎与康瓠，骥与罢牛、蹇驴，神龙与蟂獭、虾、蛭螾，麒麟与犬羊，鳣鱏与蝼蚁，无不两两相对，适成鲜明对比。一言以蔽之，则是“阘茸尊显兮，谗谀得志”而“贤圣逆曳兮，方正倒植”。作者寄情于物，主体与客体融而为一，使所咏之物打上了浓烈的感情色彩。一连串生动的形象和鲜明的对比，突出了作品的主题，凸现了作者的情志，增强了艺术感染力。

贾谊赋乃“诗人之赋”，主情志而不尚藻绘，独具清峻悲凉的艺术风格。《文心雕龙·体性》称“贾生俊发，故文洁而体清”，明代张溥说他“骚赋词清而理哀”（《汉魏六朝百三家集题辞》），都指明了这一风格特征。在其传世之作中，当以《吊屈原》为此种风格之代表。

（熊宪光）

鹏　　鸟

贾　谊

单阏之岁兮，[1]	在太岁在卯的这一年里，
四月孟夏；	正是四月里初夏的时节。
庚子日斜兮，[2]	庚子日夕阳西下的时候，
鹏集予舍。	猫头鹰飞进了我的住宅。
止于坐隅兮，	它停息在我座位的一角，
貌甚闲暇。	样子十分从容优闲自得。
异物来萃兮，	奇怪的动物来这里停宿，
私怪其故；	心里暗暗惊疑有何缘故。
发书占之兮，	我打开策数的书来占卜，
谶言其度。[3]	书上谶言指出吉凶定数。
曰:“野鸟入室兮，	书上说:“野鸟飞入了房屋，
主人将去。”	主人将要离开这里搬出。”
请问于鹏兮:	于是我就请教于猫头鹰:
“予去何之？	“我离开这里要去何处？
吉乎告我，	如果有吉事请向我说明，
凶言其灾。	即使有凶事把灾难告诉。
淹速之度兮，[4]	我的寿命究竟是长是短，
语予其期。”	希望猫头鹰把期限指出。”
鹏乃叹息，	猫头鹰听后就深深叹息，
举首奋翼，	把头高高昂起展开两翼。
口不能言，	猫头鹰它口中不能说话，
请对以臆。[5]	它只好示意来代表回答。

曰："万物变化兮，	它说："世上万物都在变化，
固无休息。	本来没有什么运动停息。
斡流而迁兮，[6]	一切事物都在运转推移，
或推而还。	永远循环反复发展不已。
形气转续兮，	形和气在相互连续转化，
变化而嬗。[7]	这种变化就像蝉的蜕皮。
沕穆无穷兮，[8]	自然的道理真深奥无穷，
胡可胜言！	语言那里能够表达清楚！
祸兮福所倚，	灾祸就紧紧依靠着幸福，
福兮祸所伏。	幸福也有灾祸暗暗潜伏。
忧喜聚门兮，	忧愁喜事常聚一家之门，
吉凶同域。	吉祥凶咎往往同在一处。
彼吴强大兮，	就像那十分强大的吴国，
夫差以败；	夫差终于失败成为俘虏；
越栖会稽兮，[9]	越王兵败退守会稽山上，
勾践霸世。	勾践终于成为春秋霸主。
斯游遂成兮，	李斯游说秦国取得成功，
卒被五刑。[10]	终于受五种酷刑的惩处。
傅说胥靡兮，[11]	傅说虽是服劳役的刑徒，
乃相武丁。	后担任武丁的相国职务。
夫祸之与福兮，	灾祸与幸福总相因相伏，
何异纠缠！[12]	像搓成绳的线紧相依附！
命不可说兮，	天命不能够用语言解说，
孰知其极？	谁能预知它终极在何处？
水激则旱兮，[13]	水受外物冲击奔流迅速，
矢激则远。	箭受外力推动远远射出。
万物回薄兮，	万物在反复不停地激荡，
振荡相转。[14]	不断相互转化相互影响。
云蒸雨降兮，	水汽上升成云下降成雨，

纠错相纷。	相互纠缠错杂纷乱不已。
大钧播物兮，[15]	自然造化功能推动万物，
坱圠无垠。[16]	使它运行变化无穷无际。
天不可预虑兮，	天太高远不可预为思虑，
道不可预谋。	道太深奥不能预先谋计。
迟速有命兮，	寿命是长是短自有定数，
焉识其时！	哪里能够预知它的限期！
且夫天地为炉兮，	何况天地就是冶金火炉，
造化为工。	自然造化就是冶金师傅。
阴阳为炭兮，	阴阳像炭一样熔化万物，
万物为铜。	万物像铜一样被熔被铸。
合散消息兮，	万物或聚或散或生或灭，
安有常则？	那里会有一定规律法度？
千变万化兮，	一切事物产生千变万化，
未始有极。	未尝都有终极都有限度。
忽然为人兮，	生而为人这是偶然的事，
何足控揣。[17]	对待生命何必珍重爱护。
化为异物兮，	人死身体变成别的东西，
又何足患！	这是自然现象不足忧虑！
小智自私兮，	眼光短浅的人只顾自身，
贱彼贵我。	他们轻视外物看重自己。
达人大观兮，	心胸广阔的人高瞻远瞩，
物无不可。	万物一视同仁无所不宜。
贪夫徇财兮，[18]	贪财好利的人以身殉财，
烈士徇名。	重义轻生之士身殉名誉。
夸者死权兮，	追求虚荣的人贪权丧生。
品庶每生。[19]	一般俗人贪生害怕死去。
怵迫之徒兮，[20]	为利所诱为势所迫的人，
或趋西东。	不免东奔西走避害趋利。

大人不曲兮，[21]	道德高尚的人超脱物欲，
意变齐同。[22]	对待万物变化等同齐一。
愚士系俗兮，	一般愚夫都被世俗羁绊，
窘若囚拘。	举动拘束像被禁的囚犯。
至人遗物兮，[23]	至德的人遗弃世俗物累，
独与道俱。	所以他独能与大道共存。
众人惑惑兮，	众人都迷惑于世俗利害，
好恶积亿。[24]	爱憎的感情已积满胸怀。
真人恬漠兮，	得道的人处世清心寡欲，
独与道息。	所以他独能与大道共处。
释智遗形兮，	只有绝圣弃智遗弃形体，
超然自丧。	超脱万物之外忘记自己。
寥廓忽荒兮，	进入深远广阔恍惚境界，
与道翱翔。	人才能与大道合为一体。
乘流则逝兮，	人生如木浮水顺流则行，
得坻则止。[25]	遇到水中小洲就得停息。
纵躯委命兮，	把身体完全交付给命运，
不私与己。	别把它看成自己的东西。
其生兮若浮，	活着是把身体寄托世上，
其死兮若休。	死了也就好像长久休息。
澹乎若深渊之静，	心情要像深渊一样宁静，
泛乎若不系之舟。	行动像不系的船在漂行。
不以生故自宝兮，	不因为活着而宝贵自己，
养空而浮。[26]	浮游人世修养空虚灵性。
德人无累兮，[27]	修养高尚的人没有牵累，
知命不忧。	不忧不愁因为他知天命。
细故蒂芥兮，[28]	那些不快意的琐细事情，
何足以疑！”	有什么值得我疑虑在心！”

（梅桐生　译）

注释

①单阏(chán yān):太岁在卯曰单阏。这年是汉文帝六年,丁卯年,即公元前174年。②庚子:古时用干支记日,庚子即四月中的一天。③谶(chèn):预示吉凶祸福的话。度:数,指吉凶祸福的定数。④淹速之度:指死生快慢的定数。淹:迟,慢。速:疾,快。⑤臆:《汉书·贾谊传》作"意"。一说:臆,胸。请对以臆:请用心中所想的来对答。⑥斡(wò):转。斡流:运转。⑦蟺(chán):通"蝉"。意即如蝉的蜕化。一说:蟺,互相连续之意。⑧沕(wù)穆:精微深远的样子。⑨会(kuài)稽:山名,在今浙江省中部。春秋时越国被吴国打败,越王勾践退居于此。后来勾践发愤图强,兴复越国,又灭吴称霸。作者用这一史事说明成败得失相因相随的道理。⑩五刑:据《汉书·刑法志》:"当三族者,皆先黥(qíng,在脸上刺字),劓(yì,割掉鼻子),斩左右止(同'趾',脚),笞(chī,用竹板、荆条打)杀之,枭(xiāo,悬头示众)其首,菹(zū,剁成肉酱)其骨肉于市。其诽谤詈诅者,又先断舌。故谓之具五刑。"这是汉兴之初的刑法规定。李斯于秦二世二年(前208)七月具五刑,被腰斩,大约与此相仿。⑪胥靡:古代把罪人互相系在一起,使服劳役的一种刑罚。这里即指"刑徒"。⑫纠:两股线捻成的绳。纆(mò):三股线捻成的绳。⑬旱:通"悍"。这里指水的迅猛奔腾。⑭振:同"震"。⑮钧:制作陶器所用的转轮。大钧:指造化,即大自然。播物:指运转造物。⑯坱圠(yǎng yà):形容无边无际的样子。⑰控揣:玩弄爱惜的意思。一本作"控抟(tuán)",意为珍贵爱惜。⑱徇:通"殉",为了某种目的而死。⑲品庶:众庶,一般人。每生:贪生怕死。⑳怵(chù):指为利所诱。迫:指为贫贱所迫。㉑曲:通"屈"。不曲:指不被物欲所屈。㉒意:通"亿"。㉓至人:修养最高的人。所谓"至人"与以下的"真人""德人"等都是道家心目中理想化的人物。㉔亿:通"臆"。积亿:积满胸中。㉕坻(chí):水中的小洲或高地。㉖养:涵养。空:空虚。㉗德人:据《庄子·天地》,指所谓"居无思,行无虑,不藏是非美恶"的人。㉘细故:细小的事故。蒂芥:即"芥蒂",微小的东西,一般用来比喻心里想不开的疙瘩。细故蒂芥,在这里即指"鹏集予舍"之事。

鉴赏

贾谊因受权贵谗毁,出为长沙王太傅。他壮志未酬,忧愤莫解,在卑湿偏远的长沙忽忽过了三年。汉文帝六年(前174)四月里的一天,当太阳偏西时分,一只鹏鸟(俗称猫头鹰)飞入贾谊的居室,悠闲自在、从容不惊地停留在座位的一角。长沙古俗,以为鹏乃不祥之鸟,此鸟入室则主人将死。贾谊谪居长沙,郁郁寡欢,又见野鸟入室,不禁内心伤悲,“以为寿不得长,乃为赋以自广”(《汉书·贾谊传》)。“鹏集予舍”本来不过是偶然的事件,但身处逆境的贾谊却被深深地触动了心底的哀伤。于是他百感交集,寄情于文,写下了这篇著名的《鹏鸟》赋,聊以自我宽慰。

东晋大诗人陶渊明在《读史述》中合赞“屈贾”道:“嗟乎二贤,逢世多疑。候詹写志,感鹏献辞。”贾谊“感鹏”而作之赋,其字里行间充溢着忧生之嗟。正如《文选·鹏鸟赋》李善注所言:“贾生英特,弱龄秀发,纵横海之巨鳞,矫冲天之逸翰,而不参谋棘署,赞道槐庭,虚离谤缺,爰傅卑土,发愤嗟命,不亦宜乎!”此所谓“发愤嗟命”之语,不但道出了作者的写作意图,而且点明了作品的主旨所在。

《鹏鸟》分前、后两段。前写“感鹏”,以记叙为主,叙写了“鹏集予舍”的时间、地点及其神态,并由探求其故而引发吉凶祸福之问。后即“献辞”,以议论为主,假托“鹏”之对答,引出全文主干。作者奉老庄齐死生、等祸福的消极思想为精神武器,谆谆申言“祸兮福所倚,福兮祸所伏。忧喜聚门兮,吉凶同域”,从而表达了生不足悦、死不足患、纵躯委命、知命不忧的人生观。这种对人生的探索和对命运的思考看似超脱,实质上则深深地蕴涵着忧患的意识,它曲折地反映了现实的严酷和作者遭遇的可悲。作者的内心实在并非“澹乎若深渊之静”,而是汹涌着不平的浪潮。在现实生活中,作者怀才不遇,“国其莫我知兮”;又谪居卑湿之地,深恐寿不得长。于是只好乞灵于老庄之道,向往着如“达人”“大人”“至人”“真人”“德人”似的“独与道俱”“独与道息”“与道翱翔”而“无累”“不忧”。这种思想的产生,固然与汉初崇尚黄老之学的时代风气不无关系,而更主要的则是作者在现实生活中碰壁之后深感走投无路的一种自我排遣。作者无可奈何地寄望于虚无缥缈的“道”,似乎一时求得了心理平衡,然而实际上只不过是一种自我欺骗罢了。透过那表面上颇为“平静”的说理之词,我们仍不难感受到一股强烈的抑郁不平之气,并触摸到一颗疾跳着的哀愁忧伤之心。

这无疑是一篇封建社会中身处逆境的知识分子感愤于怀才不遇的典型心态的记录。

此赋在写作上的一大特点是构思新颖而别致。全文假托与鹏鸟相问答,借鹏鸟“请对以臆”而展开说理、抒情。这种形式,是对前人传统的继承和创新。《诗经》中早有所谓“禽言诗”,如《豳风·鸱鸮》即为其例。该诗也许别有寄托,但其全篇均记母鸟哀诉之辞,诗人主体则始终未见。在先秦诸子散文中,以《孟子》为代表,有所谓"对话体",这是在"语录体"散文基础上的发展。文中往往并记对话之双方,而主、客之辞则有详略主次之别。贾谊之作《鹏鸟》显然吸取了"禽言诗"和"对话体"散文的一些特点,而将二者融而为一,创造出一种与禽问答、借禽言志的新形式。倘与单纯寄情于物、咏物言志者相较而论,这无疑是一种革新和进步。这种形式将所咏对象人格化,而使之俨然成为"对话"的一方,显然更富于人情味,同时也更具艺术魅力。

《鹏鸟》有偏重说理的倾向,诚如《文心雕龙·诠赋》所指出:"贾谊《鹏鸟》,致辨于情理。"如果以之与《吊屈原》比较,这一特点就更为突出。《鹏鸟》不以抒情写志为主,而以辩理为主,显然不同于骚赋的传统,而是对屈原《天问》和荀况《礼》《智》等赋的一些特点的继承、发扬。刘熙载指出,"《鹏赋》为赋之变体",又说"赋盖有思胜于辞者"(《艺概·赋概》)。《鹏鸟》如此富于哲理性,自不免"思胜于辞",这显然是先秦诸子长于思辨、习于逞说的遗风之再现。

事实证明,贾谊不但在政治上善于总结历史经验,提出新见解;而且在艺术上也善于继承前人传统,勇于创新。《鹏鸟》堪称赋史上第一篇成熟的哲理赋,也无愧为第一篇以四言为主的对话体赋。仅此一端,就充分体现了作者在艺术上难能可贵的创新精神。

《鹏鸟》虽以四言为主,且用韵语,但实际上已呈现出散文化的倾向。不过,贾谊"议惬而赋清"(《文心雕龙·才略》),其赋情真意切,远非后来那些专事辞藻以为勋绩的汉赋作品可比。《鹏鸟》不以铺陈写物见长,而以议论说理取胜。作者善于运用贴切的比喻,以生动的形象给本来抽象的哲理赋以血肉,使之鲜明可感,娓娓动人。如"水激则旱兮,矢激则远。万物回薄兮,振荡相转","且夫天地为炉兮,造化为工。阴阳为炭兮,万物为铜",又如"乘流则逝兮,得坻则止。纵躯委命兮,不私与己。其生兮若浮,其死兮若休。澹乎若深渊之静,泛乎若不系之舟"等,都不仅形象鲜明,而且语言凝练,音节浏亮,表现出作者具有非凡的语言艺术功力。

《鹏鸟》的结构艺术亦颇值得称道。此赋头绪井然,来龙去脉清晰可辨,有如一气呵成。如其篇末以"细故蒂芥兮,何足以疑"收束全文,便有呼应首尾、连贯前后之妙。所谓"细故蒂芥",即对前面"感鹏"一段记叙的总评,而"何足以疑"则是对后面"献辞"一段议论的结语。此赋开阖得法,谨严有序,堪称赋中佳作。

(熊宪光)

招隐士

淮南小山

桂树丛生兮山之幽，	桂树丛生在那深山幽谷里，
偃蹇连蜷兮枝相缭。[1]	桂干挺拔，桂枝纠结蜿曲，茂密而佳美。
山气巃嵸兮石嵯峨，[2]	那山间云雾弥漫，岩石巍峨，
溪谷崭岩兮水曾波；[3]	陡峭的溪谷中，急流涌起高波；
猿狖群啸兮虎豹嗥，[4]	更有那群猿长啸，虎豹吼叫，
攀援桂枝兮聊淹留。	我们的王孙就隐处在那险恶的山坳。
王孙游兮不归！	王孙啊，你在那山中久游不归，可知我们相思的滋味？
春草生兮萋萋，	自春草开发，盖满原野，到严冬的岁暮腊月，
岁暮兮不自聊，	那相思排遣不去，无一刻停歇，
蟪蛄鸣兮啾啾。[5]	如今又到了啾啾蝉鸣的夏节，不知要熬到何时才可了却。
坱兮轧，[6]	那山中云遮雾盖，
山曲岪，[7]	险阻幽深，
心淹留兮恫慌忽。[8]	已够怕人惊心。
罔兮沕，[9]	还要提心吊胆，
憭兮栗，	战战兢兢，

虎豹穴，	去穿越那虎豹窟穴，
丛薄深林兮人上栗。	深山老林。
嵚岑碕礒兮，	那山石，
硱磳磈硊；[10]	奇形怪状，突兀险峻；
树轮相纠兮，[11]	那山林，
林木茷骫；[12]	树枝纽结，茂密幽深；
青莎杂树兮，[13]	遍地青莎、薠草丛生，
薠草靃靡。[14]	哪有人行的路径。
白鹿麏麚兮，[15]	那群居的鹿子、獐子，
或腾或倚——	或腾跃追逐，或相倚亲近——
状貌崟崟兮峨峨，[16]	头角高耸，
凄凄兮漇漇。[17]	毛色光润。
猕猴兮熊罴，	那失群的猕猴、熊罴，
慕类兮以悲。	为寻找同类而声声悲鸣。
攀援桂枝兮聊淹留。	王孙啊，你隐处在那险恶的山坳。
虎豹斗兮熊罴咆，	你看那虎豹争斗，熊罴咆哮，
禽兽骇兮亡其曹。[18]	吓得禽兽都四散奔逃。
王孙兮归来！	快回来吧，王孙！
山中兮不可以久留！	那山中危险，不可以久留！

注释

①偃蹇（yǎn jiǎn）：高耸貌。连蜷（quán）：屈曲貌。②宠炊（lóng zǒng）：云气弥漫貌。③曾：同“层”。④狖（yòu）：长尾猿。⑤蟪蛄：蝉。⑥坱（yǎng）轧：云气弥漫貌。⑦曲岪（fú）：曲折盘纡貌。⑧恫（dòng）：恐惧。⑨罔沕（mì）：忧惧貌。⑩碕礒（qí yǐ）、硱磳（jūn zēng）、磈硊（kuǐ wěi）：都是形容山石形状的联绵词。⑪轮：指横枝。⑫茷骫（bá wěi）：盘曲貌。⑬树：作动词，“杂树”，犹言丛生。⑭靃（suǐ）靡：凌乱貌。⑮麏（jūn）：獐子。麚（jiā）：雌鹿。⑯崟（yín）崟：义

同"峨峨",高耸貌。⑰凄凄:即"萋萋",盛貌。漇(xǐ)漇:滋润貌。⑱曹:同"类"。亡其曹:失群奔散。

鉴赏

这是汉人拟作"楚辞"中的名篇,作者是淮南王刘安的宾客,名号无考。署"淮南小山"作,乃是泛指。淮南王刘安酷好辞赋,门下召集了大批文士从事辞赋创作,所作辞赋,仿《诗经》"雅"诗分《大雅》《小雅》编例,以类相从,编为《大山》《小山》二编,不署各篇作者姓名,而总名之为《淮南王群臣赋》(总名见《汉书·艺文志》,或为刘向校理诗赋时合《大山》《小山》所为)。刘向编辑《楚辞》,从《淮南王群臣赋》的《小山》编采录此篇,既无从考知作者姓名,只得以其出处题署,署为"淮南小山",意即《淮南王群臣赋》的《小山》编所收作品的作者所作。故王逸《楚辞章句》特地对这个题署提出解释,指出"小山"非作者名号,但他未能讲清这个题署的来龙,后人仍有所疑。萧统《文选》采录此篇,直标刘安作,乃误。

篇中召唤一位与作者关系亲密而久游不归的"王孙"归来,篇题所谓"隐士",即指这位"王孙"。

行文分五层。首六句为第一层,写隐士隐处的深山幽谷环境险恶。首二句描写桂树的生长习性和佳美体态,以其生长习性——"丛生兮山之幽",引出下文对深山幽谷险阻、患害的环境描写,是"引起所咏之词"的"兴"。三、四句极写山中险阻,五句极写山中患害,写得惊心动魄,历历如在目前。六句扣篇题点出本旨("攀援桂枝",与起兴二句照应,喻隐士隐处山中),包含两层意思:一是承前说隐士就隐处在这多险阻、患害的深山幽谷;一是承前说深山幽谷环境险恶,非隐士久处之地。前一层意思是行文所需,而后一层意思则是题旨即全篇命意所在,作者以"聊淹留"三字把这两层意思同时兼顾地表现出来,可谓妙绝。

下四句为第二层,抒写对篇中主人公——"王孙"的相思情怀。"王孙游兮不归",写其出游时间长。这句点明本篇作意,即为召唤久游不归的"王孙"这个特定对象而作。说其"不归",即盼望归来。"春草生兮萋萋,岁暮兮不自聊,蟪蛄鸣兮啾啾"三句便承"不归"写其盼望归来的相思之情。"不自聊"三字贯串三句,承"不归"说明相思情怀不可抑制、不可排遣。由"春草生"到"岁暮",已是一年;"蟪蛄"即蝉,蝉鸣在夏日,由"岁暮"至"蟪蛄鸣",又是半年。三句说,在不可抑制、不可排遣的相思之中熬过了一年,又熬过了半年。作者以三个节令的巧妙安排,把其相思之苦浓烈而鲜明地表现了出来,技巧颇为高明。同时,这三句把故土写得情趣盎然、美不胜收——“春草”句极写春日青草生发盖满原野的美景,“蟪蛄”句极写夏日蝉鸣安闲幽静的良辰,“岁暮”指年终佳节——固然在于以良辰美景、节候佳日增强其抒情的浓度,即所谓“每逢佳节倍思亲”之意;更在于以故土良辰美景、节候佳日与上层所写山中险恶环境相对比,以抒写相思,同为召唤“王孙”归来之笔。这一层笔墨简练之极,而读来耐人寻味,有颇高的艺术性。

下七句为第三层,写山中险阻、患害环境令人产生的恐怖心理。上三句写对幽深险阻环境的恐怖。“慌忽”,指心神把握不定,犹如说惴惴不安,以之写人物在幽深险阻环境中的恐怖心理,颇为恰当。下三句进层写对虎豹患害的恐怖。“罔沕”,形容忧惧的样子,犹如说提心吊胆;“憭栗”,形容恐惧的样子,犹如说战战兢兢。二句把人物在虎豹潜藏的危险环境中行进的恐怖心理表现得非常形象。作者颇能把握住人物在特定环境中的恐怖心理,写得富于生活经验。此层以写恐怖召唤王孙归来。

下十二句为第四层,写隐士隐处山中的孤独。上六句极写山中石险、林密、杂草丛生,刻画出一个人迹罕至的幽深环境,以其环境幽深,来展示隐士的孤独。下六句写鹿子、獐子群居而喜,猕猴、熊罴失群而悲,其意是说山中群兽尚且喜群居而厌孤独,何况人呢?与人比况,来显示隐士的孤独心理。不直接从隐士着笔,只就山中环境特征的倾向性描写,便把其隐处山中的孤独心理突出地展示出来,很有特色。此层以写孤独召唤王孙归来。

末五句为第五层,总结全篇,点明要旨。“攀援桂枝兮聊淹留”是首层破题命意的关键句,亦是全篇的中心句,故重出以强调,并相呼应,以显其结构完整。山中险恶,以虎豹、熊罴最甚,故中间二句特地拣出以强调。末二句与第二层照应,召唤“王孙”归来,点明全篇意旨。此层是作品的尾声,有如屈原《离骚》的“乱曰”,读来有“曲终奏雅”之妙。

这篇作品,拟“骚”而不泥于迹象,句式参差变化,音调浏亮谐美,讲求表现技巧,处处灵气飞动,是汉人拟作“楚辞”中一篇富于创造性和艺术性的不可多得的精致之作。

王逸《楚辞章句》认为这篇作品是“闵怀屈原”之作,屈原非隐士,而以隐士比屈原则更不恰当,其说牵强附会甚明。清人王夫之《楚辞通释》又认为是“为淮南王招致山谷潜伏之士”之作,然篇中所谓“隐士”,并非泛指,而是一位与作者关系亲密的特定对象,其说仍难成立。近人马茂元等用《史记·淮南衡山列传》所记淮南王刘安的生平来考察这篇作品,发现这篇作品的词意与刘安的生平颇相吻合。刘安在武帝初年,以高帝亲孙(与篇中称“王孙”吻合)、武帝诸父的身份,又辩博善文辞,颇得武帝亲近。武帝其时无太子,引起诸王对帝位继承权的窥视,因而宗室间的矛盾异常激烈,而刘安以得武帝亲近,谋取帝位继承权的欲望也最强烈,他时常出入长安,结交大臣,安插耳目,置己身于激烈矛盾的焦点上,成为众矢之的。马氏等人认为,此篇当是作为他臣下兼宾客的小山之徒,在他利令智昏的乐观之际,向他进的一服清凉剂,以他所喜好的“楚辞”文学形式,用象征的文学手段向他点明现实险恶、应当极早虎口抽身的只有当事者才能明了意旨的讽谏之作(马茂元《楚辞选》)。这个见解,非凭空“以意逆志”,且解说圆通,比较合乎情理。以这个见解来看待这篇作品,其艺术成就,就更显得光彩照人。

(常思春)

七　谏

东方朔

初　放

平生于国兮，[①]	我屈原从小生活在国都，
长于原野。	而今长大却在原野居住。
言语讷譅兮，[②]	我的口齿笨拙不善言辞，
又无强辅。	又无有势力的朋友帮助。
浅智褊能兮，[③]	我的才智疏浅能力微薄，
闻见又寡。	而又孤陋寡闻无甚长处。
数言便事兮，[④]	有利君国的话屡次进上，
见怨门下。[⑤]	便把君王手下亲信惹怒。
王不察其长利兮，	君王也不明察话的好处，
卒见弃乎原野。	终于听信谗言把我放逐。
伏念思过兮，	我暗自反省自己的行为，
无可改者。	却没什么要改正的错误。
群众成朋兮，[⑥]	群小们总是在结党营私，
上浸以惑。[⑦]	君王越来越受他们迷惑。
巧佞在前兮，	佞臣取巧出入君王之前，
贤者灭息。[⑧]	忠贞贤臣有话难以说出。
尧舜圣已没兮，	尧舜似的贤君早已不见，
孰为忠直？	又忠贞正直地为谁服务？
高山崔巍兮，	崇山峻岭永远巍峨耸立，
流水汤汤。[⑨]	流水浩浩荡荡东流不住。

死日将至兮，	人已衰老死期就要来到，
与麋鹿同坑。[10]	只能在荒野与禽兽为伍。
块兮鞠，[11]	而今块然独处孤独无偶，
当道宿。	无所归依在道路上露宿。
举世皆然兮，	整个世道都是这样浑浊，
余将谁告？	我的衷情又能向谁倾诉？
斥逐鸿鹄兮，	他们赶走了鸿雁和天鹅，
近习鸱枭。[12]	却把恶禽鸱枭亲近保护。
斩伐橘柚兮，	他们把甜甜的橘柚砍掉，
列树苦桃。	到处栽种苦桃这种树木。
便娟之脩竹兮，[13]	那些婆娑摇曳的美竹啊，
寄生乎江潭，	却只能在江边潭畔独处。
上葳蕤而防露兮，[14]	它上有茂盛的叶片御寒，
下泠泠而来风。[15]	下边阵阵凉爽清风送出。
孰知其不合兮，	谁能了解我与君王不合，
若竹柏之异心。[16]	不同心就像竹子与柏树。
往者不可及兮，	逝去的圣王我追赶不上，
来者不可待。	却又等不到以后的明主。
悠悠苍天兮，	高远的苍天啊高远的天，
莫我振理。[17]	你为何不解救我的冤屈。
窃怨君之不寤兮，	我怨恨君王他终不觉悟，
吾独死而后已。	唯有独抱忠信一死结束。

（黄寿祺、梅桐生译，略有改动）

注释

①平：屈原之名。②讷：迟钝。謇：艰难。此指拙于辞令。③褊（biǎn）：狭，此处引申为微薄。④数（shuò）：屡次。便事：有利的事。⑤门下：国君亲近之人。⑥群众：群小。成朋：结党。⑦浸：渐渐。⑧灭息：消声无言。⑨汤（shāng）

汤:大水急流貌。⑩坑:陂池,此指陷阱。⑪块:独处貌。鞠:匍匐。⑫近习:亲近。鸱枭:猫头鹰,古人以为恶鸟。⑬便(pián)娟:轻盈美丽貌。⑭葳蕤(wēi ruí):繁盛的样子。⑮泠(líng)泠:清凉爽快貌。⑯竹柏异心:王逸《楚辞章句》:"竹心空,屈原自喻志通达也;柏心实,以喻君阍塞也。"⑰振:解救。理:答理。

鉴赏

中国早期封建社会,有一类文人,他们满腹经纶,博闻善辩,关注国事,渴求功名,文辞甚高,自视也甚高,然而却因种种原因,终不为朝廷所用。进不能取卿相,退又不甘隐山林,这种尴尬处境,使他们转而抑圣为狂,谐谑放荡。他们常常通过滑稽奇特的言行,去曲折地表达自己的失意之悲和对朝廷政治的讽谏。然而在君王眼中,他们终不过是调笑取乐的工具。

东方朔正是这类文人的代表,所谓"滑稽之雄"(《汉书·东方朔传》)。

不过,在总题为《七谏》的七首诗歌里,东方朔并没有摆出玩世不恭的面孔,他换了一种同样曲折的方式——借屈原之口,代屈原抒情来表达上述特定心态。用王逸《楚辞章句》的话说,就是"追悯屈原,故作此辞以述其志,所以昭忠信、矫曲朝也"。即一方面结合屈原身世,运用屈原骚赋的形式,去表达屈原的政治、人生态度;一方面也表达出自己对当朝的劝谏,发泄出自己的沉沦之悲。这种含义的二层性,应当是我们理解《七谏》的门径。

《初放》是《七谏》的首篇,写屈原初被放逐时对楚国黑暗政治的抨击,表现屈原宁可孤独而死也绝不改变自己人格情操的高洁精神。诗歌可分为三段。

首段从头至"伏念思过兮,无可改者"。本段用赋的手法,简述屈原"信而见疑,忠而被谤"的身世遭遇以及无可改悔的坚定立身态度。诗歌头两句写出一种似乎矛盾的现象:出生在国都,却生活在山野。这本是屈原遭遇的总述,这两句置于全诗之首,暗中提出了一个问题,让人去思索其究竟。以下便是作者对此问题的简单回答:原来是自己天资驽钝,拙于辞令,加之势单力薄,遂以直谏不被君王理解而遭放逐。"言语讷譅"几句,王逸《楚辞章句》认为"是其谦也"。确实,当年的屈原是"博闻强志,明于治乱,娴于辞令"的(《史记·屈原贾生列传》),写本诗的作者也"博闻辩智"(《汉书·东方朔传》),才思敏捷,都绝非"言语讷譅""浅智褊能"之辈。因此,这与其说是自谦,不如说是一种愤激的反语。"言语讷譅"是说自己没有巧言佞舌,"浅智褊能"是说自己不善逢迎钻营,所以屡次忠言直谏,既为君王亲信所怨,又为君王本人所恼,终于被弃。下面“伏念思过”,是被逐后的深沉反思,“无可改者”是思索的结论。它看似平常,语气却是斩钉截铁的决断,使人想到《离骚》中“虽九死其犹未悔”。

第二段从“群众成朋兮”到“下泠泠而来风”。本段以议论为主,对朝廷不肖居上、大贤处下、谄佞得志、忠直孤独的黑暗腐败现象,进行了猛烈的抨击。细味此段,又可分为两层。第一层至“余将谁告”。它采用直接论政的手法,使作品锋芒毕露。“群众成朋”与前之“又无强辅”呼应对比,写出小人充斥朝廷的惊心现实。“上浸以惑”与“尧舜圣已没”则直刺国君昏昧。“高山崔巍”四句,从内容上讲是用自然之永恒反衬人生之短暂,这种浓厚的生命意识与被放逐处境的结合,便写出一种深沉悲痛;从诗歌形象讲,无论巍巍高山还是浩荡流水,都带有一种崇高阔大的气魄,挟着一股浩然正气,这又使诗歌在悲伤中具有了崇高的意境与悲壮的气氛。“块兮鞠”四句则进而写出了黑暗政治下正直之士的孤独感和悲凄处境。第二层是第一层的艺术形象化,它沿用《离骚》“香草美人”手法,以被斥逐的鸿鹄、被斩伐的橘柚象征贤才直士的遭遇,以被保护的鸱枭、被栽培的苦桃象征奸佞之辈的得意处境,形象地描绘出了朝廷黑白混淆是非颠倒的现实。“便娟之脩竹”四句,则通过婆娑修竹生于郊野江潭的描绘,进一步写出这种现实,同时用修竹上防寒露、下送清风的美好品质,象征地写出了自己顶邪恶、惠下民的美德。

第三段为诗歌最后八句。本段转以抒情的笔调,表达被放逐后的深沉孤独与悲哀,并再次表明了自己正道直行、死而后已的决心。“孰知其不合兮”两句,写自己与君王政见根本不同,分歧是无法弥合的。这里用了一个形象的譬喻,“若竹柏之异心”。王逸《楚辞章句》说:“竹心空,屈原自喻志通达也;柏心实,以喻君闇塞也。”这样讲是很准确的。“往者”两句,写出了屈原作为一个头脑睿智、眼光远大的政治家在那样一个特定时代的强烈孤独感。本来,一切超凡出众的人都难免有一种落落寡合、眼空无物的孤独,更何况屈原又有那样悲剧性的遭遇呢。这两句使我们想起后来陈子昂那“前不见古人,后不见来者。念天地之悠悠,独怆然而涕下”(《登幽州台歌》)的悲怆浩叹。应该说,东方朔代屈原所抒发的这种感慨,与古往今来一切难为人知、不为世用的志士仁人的感慨都是相通的。紧接这种感慨,是对天的呼号,所谓“劳苦倦极,未尝不呼天也”(《史记·屈原贾生列传》),它将绝望悲怆的情绪,推到了一个高潮。最后两句,则又是从高潮的大跌落,情绪由高亢转向深沉，而唯其深沉，诗人那无边的幽愤、那崇高的人格，才获得了更为感人的力量。从内容上讲，这两句正与《离骚》中哲王不寤"怀清白以死直"同，表达了屈原决心以生命殉自己理想的精神。

前面谈到，东方朔这组作品具有两重内涵，既是代屈原立言，又为自己寄慨。但由于诗歌是代言体，所以我们对它首先要结合屈原的身世去理解。至于东方朔本人的感慨和讽谏，则可从诗歌的基本内容与情绪基调上去作总体把握，而不必非要将诗句与东方朔的具体经历一一比附不可，否则便易流于穿凿，违背鉴赏规律。

本诗既是代言体，所以与屈原诸作相比，没有多少独创性，例如四句一转的章法，香草美人的比兴等等都是沿袭屈原的。不过，诗歌在写作上也有一些特点。例如从手法上讲，它大体按照叙事—议论—抒情的顺序写作，但三者又常常是融混难辨的。与此相应，从情绪基调讲，则大体是平静—激烈—深沉，而每段之中又自有跌宕起伏（例如末段），但总的说来全诗是悲怆炽烈的。此外，它的句法较灵活，"块兮鞠"两句，引入三字句，使诗歌在节奏上奇崛而富于变化。所有这些都是值得注意的。

（田守真）

沈　江①

惟往古之得失兮，②	我思考古往今来的兴衰，
览私微之所伤。③	观国君亲近佞臣的危害。
尧舜圣而慈仁兮，	尧舜圣明对百姓又仁慈，
后世称而弗忘。	后代称颂他们永远不忘。
齐桓失于专任兮，④	齐桓公失去了国家大权，
夷吾忠而名彰。⑤	管仲忠直名声更加显扬。
晋献惑于孋姬兮，⑥	晋献公被宠妃骊姬迷惑，
申生孝而被殃。⑦	申生因孝顺而被谗遭殃。
偃王行其仁义兮，⑧	徐偃王行仁义不备武装，
荆文寤而徐亡。⑨	楚文王发觉后徐国灭亡。
纣暴虐以失位兮，⑩	殷纣王因残暴肆虐失位，
周得佐乎吕望。⑪	周得天下因有贤臣吕望。

修往古以行恩兮，[12]
封比干之丘垄。[13]
贤俊慕而自附兮，[14]
日浸淫而合同。[15]
明法令而修理兮，
兰芷幽而有芳。[16]
苦众人之妒予兮，
箕子寤而佯狂。[17]
不顾地以贪名兮，
心怫郁而内伤。[18]
联蕙芷以为佩兮，
过鲍肆而失香。[19]
正臣端其操行兮，
反离谤而见攘。[20]
世俗更而变化兮，
伯夷饿于首阳。
独廉洁而不容兮，
叔齐久而逾明。[21]
浮云陈而蔽晦兮，[22]
使日月乎无光。
忠臣贞而欲谏兮，
谗谀毁而在旁。
秋草荣其将实兮，[23]
微霜下而夜降。
商风肃而害生兮，[24]
百草育而不长。
众并谐以妒贤兮，[25]
孤圣特而易伤。[26]
怀计谋而不见用兮，

武王效法古人施行恩惠，
封赐比干之墓大力表彰。
贤能英俊羡慕纷纷投奔，
人才天天增多统一有望。
明确了法令又制定良策，
兰芷在暗处也散发馨香。
群小对我妒忌令人苦恼，
想披发装疯像箕子那样。
但贪求名声不顾念家乡，
我胸中又忧闷内心悲伤。
把芳香的蕙芷结成佩带，
经过鲍鱼之肆失去芬芳。
正直臣子端正他的品行，
反要受到诬蔑遭到流放。
社会在更替时代在变化，
伯夷宁愿守节饿死首阳。
他们独行廉洁不容于世，
日子越久叔齐名声越响。
层层乌云遮蔽太阳月亮，
使得日月失去灿烂光芒。
正直坚贞忠臣想要规劝，
佞臣却在君旁进谗诽谤。
秋天百草的花都要结实，
夜里严寒霜露悄悄下降。
急疾的西风摧残着生物，
使得百草披靡难以生长。
群小勾结起来妒害贤良，
贤才能人孤独更易受伤。
我身怀良策而不被任用，

岩穴处而隐藏。	只能在岩洞中栖身隐藏。
成功隳而不卒兮，[27]	子胥功成后受无穷谗毁，
子胥死而不葬。[28]	被逼而死尸体弃而不葬。
世从俗而变化兮，	世人从俗变化随波逐流，
随风靡而成行。	就像草顺风倒整齐成行。
信直退而毁败兮，	诚信正直的人身退名毁，
虚伪进而得当[29]。	虚伪谗佞的人身显名扬。
追悔过之无及兮，	国危时追悔已经来不及，
岂尽忠而有功。	这时尽忠怎能认为有功。
废制度而不用兮，	他们废弃制度而不实行，
务行私而去公。	一心追求私利毫不为公。
终不变而死节兮，	我守清白而死终不改变，
惜年齿之未央。[30]	可惜我还年轻不愿死亡。
将方舟而下流兮，[31]	我将乘着方舟随江而下，
冀幸君之发矇。[32]	希望君王觉悟不再迷茫。
痛忠言之逆耳兮，	想忠言不中听使人哀痛，
恨申子之沈江。[33]	子胥被杀沉江令人悲伤。
愿悉心之所闻兮，[34]	愿把全部史实告诉君王，
遭值君之不聪。[35]	可是遇到君王不愿听讲。
不开寤而难道兮，	君王不觉悟难向他陈述，
不别横之与纵。[36]	他糊里糊涂地不辨横竖。
听奸臣之浮说兮，	但却听信奸臣虚浮假话，
绝国家之久长。	使国家的命运难以久长。
灭规矩而不用兮，[37]	放弃先王法度而不施行，
背绳墨之正方。[38]	违背正确原则前进方向。
离忧患而乃寤兮，	只有遭到危险才能觉醒，
若纵火于秋蓬。[39]	但已像火烧在秋蒿草上。
业失之而不救兮，[40]	君王既然失道自身难保，
尚何论乎祸凶。	还可谈论什么国家吉凶。

彼离畔而朋党兮，[41]	谗佞小人都在结党营私，
独行之士其何望！[42]	忠直的人对国有何指望！
日渐染而不自知兮，[43]	天天逐渐变化还不知道，
秋毫微哉而变容。[44]	秋毫虽小日日改变容貌。
众轻积而折轴兮，	轻物多载车子也会断轴，
原咎杂而累重。[45]	大错都是小错累积所造。
赴湘沅之流澌兮，[46]	我要投入湘江沅水之中，
恐逐波而复东。	恐怕随波逐流又要向东。
怀沙砾而自沈兮，[47]	还是怀抱石头自沉江里，
不忍见君之蔽壅。[48]	不忍看见君王糊涂昏庸。

（黄寿祺、梅桐生　译）

注释

①沈：同“沉”。②惟：思考，谋虑。③私：偏爱。微：卑贱，指佞谗小人。④专任：国家大权。⑤夷吾：即管仲，春秋初期政治家。初事公子纠，后相齐桓公，使之成为五霸之首。《左传》载，管仲临死告诫桓公，不可重任竖刁、易牙。桓公不从，使专国政。桓公卒，二子各欲立其所傅公子。诸公子争立，国家大乱。⑥孊姬：即骊姬，春秋晋献公的宠妃。⑦申生：晋献公太子。据《左传》《国语》《史记》载，骊姬生子奚齐，欲废前夫人齐姜所生子申生的太子地位，以奚齐取代，便利用献公的糊涂和自己的专宠，先勾结小人陷害申生，后在申生所献祭母供品中下毒，逼使申生“获罪”自杀。⑧偃王：即徐偃王，相传周穆王时徐国国君。⑨荆文：楚文王。荆，春秋楚国的古称。周穆王巡狩，诸侯共尊偃王，穆王令楚出兵灭其国。《楚辞章句》：“言徐偃王修行仁义，诸侯朝之三十余国，而无武备。楚文王见诸侯朝徐者众，心中觉悟，恐为其并，因兴兵击之而灭徐也。”按：偃王当周穆王时，即西周之时，而楚文王乃春秋时，相去甚远。史书记载各异，此处当指徐为楚败灭，不指文王为是。⑩纣：商末代君主，暴淫无道。武王伐之，纣兵败自焚于鹿台。⑪吕望：即姜尚。文王遇于渭滨，同载而归，说“吾太公望子久矣”，因号太公望。西周初官太师，亦称师尚父。佐武王灭商有功，封于齐，为齐之始祖，有太公之称，俗称姜太公。⑫修：学习，遵循。⑬比干：殷朝贤臣。纣王的叔父，官少师。传说纣王淫乱，比干犯颜强谏，纣怒，剖其心而死。丘垄：坟墓。封墓，增土于坟，表示加礼于死者。⑭自附：自来归附。此言慕周之德，日

来亲附。⑮浸(qīn)淫:浸渍。合同:《楚辞章句》:“四海并合,皆同志也。”指天下统一。⑯“明法令”二句:《楚辞章句》:“言国家选贤任士,官得其人,法令修理,故幽隐之士皆有嘉名也。”兰芷:兰草和白芷,皆香草。下文蕙,即佩兰,也是香草。⑰箕子:商纣诸父,封国于箕,故称。纣暴虐,箕子谏不听,乃披发佯狂为奴,为纣所囚。武王灭商,释箕子之囚。寤:通“悟”,醒悟。⑱佛(fú)郁:愤懑,心情不舒畅。⑲鲍肆:鲍鱼之肆。陈货鬻物之所曰肆。《孔子家语·六本》:“与不善人居,如入鲍鱼之肆。”谓恶人之行,如鲍鱼之臭。⑳离:遭逢。攘:排斥。㉑伯夷、叔齐:商孤竹君的两个儿子。相传其父遗命立次子叔齐为继承人。父死,叔齐让位给伯夷,伯夷不受,叔齐也不愿登位,先后逃至周国。武王伐纣,两人叩马谏阻。武王灭商,他们耻食周粟,逃到首阳山,采薇而食,饿死山里。封建社会里视之为高尚守节的典型。逾:通“愈”。㉒晦:昏暗。㉓荣:草本植物的花。㉔商风:秋风,西风。㉕并:一齐。谐:同。㉖孤圣特:一作“圣孤特”。圣,指有圣明之智。孤特,孤立无援。㉗隳(huī):毁坏。㉘子胥:伍子胥,名员,春秋楚人。据《国语》《史记》载,父奢兄尚被楚平王杀害。子胥奔吴,与孙武共佐吴王阖闾伐楚破郢。吴王夫差败越,越清和,子胥谏不从,渐被疏远。夫差信伯嚭谗,赐剑命子胥自杀。洪兴祖《楚辞补注》:“吴王取子胥尸,盛以鸱夷革,浮之江中,故曰死而不葬也。”其后,越果灭吴。㉙进而得当:指进用在位,而当显职也。㉚年齿:年龄。未央:未尽。㉛方舟:两舟相并,也指竹木编成的筏。㉜发矇:拨发矇眼的事物。喻开阔眼界。㉝申子:即伍子胥。吴封子胥于申地,故号申胥、申子。㉞悉:尽,全。㉟聪:听觉灵敏。㊱不别横纵:不辨横直。喻不明是非,不辨贤愚。㊲规矩:校正圆形方形之器,喻准则或礼法。㊳绳墨:匠人以绳濡墨打直线的工具,喻规矩或法度。正方:法式,准则。㊴蓬:草名,蓬蒿。㊵业:既然,已经。㊶畔:通“叛”。离畔:离叛,指谗佞小人。㊷独行:志节高尚,不随俗浮沉。㊸染:沾污。㊹秋毫:鸟兽之毛,至秋更生,细而末锐,故名。变容:《楚辞章句》:“若秋毫更生,其容微眇,而日长大也。”㊺原:推其根原。咎:过也。全句意为,其过咎由重累杂载众多之故。㊻澌(sī):解冻时流动的水。流澌:流水。㊼砾:小石。㊽蔽壅:蒙蔽,壅塞。

鉴赏

根据司马迁《史记》记载,诗人屈原在写下他的绝命词《怀沙》之后,“怀石遂自沈汨罗以死”。东方朔这首《沈江》便是用代言体模写了诗人投江自杀前的悲愤之情和复杂心理。

全辞四十句,大致可以分作三段。第一段(1—9 句),中心是“惟往古之得失”。《说文》称“惟,思也”,就是说这段文章主要抒写屈原对历史兴亡的思考。诗人开篇即提出一个角度新颖的结论,“惟往古之得失兮,览私微之所伤”。这不仅是本段的中心,同时也是全篇的主题,诗中所涉及的大量历史或现实的题材,都为这一结论的形成提供了依据。这种把世道盛衰仅仅归咎于是否“亲近佞臣”(“私微”)的思想,作为一种历史观似乎有些浅薄,但它比起古今中外诸如“天道循环”“绝对理念”之类形而上的高深学问来,却更富有现实的感性内容和批判意义。因为,离开了人这个主体来侈谈社会发展的根本规律,一切都是空话。历史的耻辱和灾难,人总有不可推卸的责任。所以,诗人在剖析了齐桓、晋献用佞信谗的惨痛教训和巨大危害之后,进而通过“纣暴虐以失位兮,周得佐乎吕望”的鲜明对比,呼吁国君表彰忠直,近贤远佞,指出唯有如此,国家方有复兴的希望。到此,诗人怀着激情描绘了自己对这一盛世的憧憬,“贤俊慕而自附兮,日浸淫而合同。明法令而修理兮,兰芷幽而有芳”。

第二段(10—22 句),大意是“苦众人之妒予”。这段承接上文,笔锋转入现实,抒写诗人自己遭到群小排斥、诬蔑的痛苦。诗人的痛苦是复杂的、多层次的。他不仅为“反离谤而见攘”悲愤,也不仅因“怀计谋而不见用”苦恼,诗人尤其深感忧虑和伤痛的是“商风肃而害生兮,百草育而不长”,“废制度而不用兮,务私行而去公!”美好的东西被摧残了,国家的法度被破坏了,整个社会迅速地向着腐败坠落,“世从俗而变化兮,随风靡而成行!”为了保持洁白的节操,我将以年轻的生命重演箕子、子胥式的亘古悲剧,虽抱憾而又值得。“终不变而死节兮,惜年齿之未央”,诗章在低沉的悲观中为诗人高昂的气节所振起。

第三段(23—40 句),主旨是“冀幸君之发矇”。这段写国君昏庸不辨忠奸,以至断送了国家的前途而不觉悟。“秋毫微哉而变容”,诗人超前敏锐,洞悉祖国命运的危机;“若纵火于秋蓬”,而奸佞之徒却变本加厉,结党营私。在这法制混乱,政治腐败的严峻时刻,正直的人对国又有何指望!还是自沉汨罗吧,我实在不忍见君主这样的糊涂昏聩,听任小人的愚弄。也许死可以震惊世俗,警醒国君,使我的亡灵显示力量!

以上三段,层次清晰,各有侧重而又有机统一。“惟”“苦”“冀”,思考、苦恨、希望,直至最终绝望不忍,形成全文的诗情脉络和结构框架。在这一脉络和框架上,作者围绕“惟往古之得失兮,览私微之所伤”这一主题,通过历史的反思深刻地审视现实,把诗人死前的深广忧愤和复杂心理作了详尽的描写,从而展示了诗人“虽与日月争光可也”(刘安

《离骚序》)的崇高精神境界。这就使我们清楚地看到,伟大诗人屈原的沉江,既不是感情的冲动,也不是无谓的自绝,而是保持人格理想的从容选择和实现劝世谏君的英勇壮举,不是精神的崩溃,而是精神的超越。所以,全辞表现了诗人对死的一种无所畏惧的平静态度,以至朱熹有"其词气平缓"(《楚辞集注》)之说。自古以来,从"渔父"、贾谊,到扬雄、班固,对屈原的自沉都颇有微词或感到不可理解,"遇不遇命也,何必沈身哉"(《汉书·扬雄传》)。东方朔也称得上是屈原一个较早的知音了。

这首辞在表现手法上还有几个特点。其一是对比,历史与现实,忠臣与奸佞,明主与昏君。这种对比手法植根于作者对现实生活矛盾的深刻认识,举重就轻地表现了诗人爱憎分明的情感态度和思想倾向,揭示了诗人置身社会冲突的悲剧命运。其二是比喻。善用象征性比喻来表达诗人的审美理想,是楚辞的一大特色,《沈江》在这方面也有很好的继承。这在第一段虽然只有一句,"兰芷幽而有芳",而在第二、第三段却不胜枚举,请读者自去理会。其三是在抒情、议论的主体结构中缀以叙述,诸如"将方舟而下流兮",造成文章的波澜,推进层次的变化,与流放诗人的生活节奏和谐统一。此外全辞邻韵相押,东江合韵,读起来舒缓流畅,使人似乎可以感受到诗人死前激情趋于平静的心态。

王逸在《楚辞章句·七谏序》中说:"东方朔追悯屈原,故作此辞以述其志。所以昭忠信,矫曲朝也。"这话是很中肯的,东方朔之作《七谏》(特别是这首《沈江》),实与贾谊《吊屈原赋》相类,是借吊屈原以自吊,从中我们可以看到作者对西汉社会现实的不满和批判。"孤伟自死,社会依然"(鲁迅《摩罗诗力说·论屈原语》),《沈江》之作良有以也。

(蒲友俊)

怨　世

世沈淖而难论兮,①	社会腐败没落难以评说,
俗岭峨而嵾嵯。②	世俗毁誉高下差别太多。
清泠泠而歼灭兮,③	洁白纯净东西已经没有,
溷湛湛而日多,④	天天增多的都肮脏龌龊。
枭鸮既以成群兮,⑤	猫头鹰都已经成群结队,

玄鹤弭翼而屏移。[6]	黑鹊收敛两翅被迫退缩。
蓬艾亲入御于床第兮，[7]	蒿艾受到喜爱铺满床上，
马兰踸踔而日加。[8]	恶草马兰繁茂越长越多。
弃捐药芷与杜衡兮，[9]	他们抛弃白芷杜衡香草，
余奈世之不知芳何。	世人不知香臭我能如何。
何周道之平易兮，	周朝的道路是多么平直，
然芜秽而险戏。[10]	现已荒芜破败危险很多。
高阳无故而委尘兮，[11]	古帝高阳无故受到诬蔑，
唐虞点灼而毁议。[12]	尧舜圣明也遭谗毁诽谤。
谁使正其真是兮，	让谁来判断他们的是非，
虽有八师而不可为。[13]	虽有八个贤人也难评讲。
皇天保其高兮，	老天永远保持高高在上，
后土持其久。	大地深厚永存日久天长。
服清白以逍遥兮，	我的行为清廉自由自在，
偏与乎玄英异色。[14]	偏偏不喜欢那污浊黑色。
西施媞媞而不得见兮，[15]	西施虽然美丽受到排挤，
嫫母勃屑而日侍。[16]	嫫母丑陋却得亲近宠爱。
桂蠹不知所淹留兮，[17]	桂树蠹虫不知满足停留，
蓼虫不知徙乎葵菜。[18]	蓼虫吃苦菜不知吃甜菜。
处湣湣之浊世兮，[19]	我处在这惑乱浑浊世上，
今安所达乎吾志。	现在怎能实现我的理想。
意有所载而远逝兮，[20]	我胸怀大志要远走高飞，
固非众人之所识。	本来不是群小所能了解。
骥踌躇于弊辇兮，	拉着破车骏马踌躇不前，
遇孙阳而得代。[21]	遇到伯乐破车才被替代。
吕望穷困而不聊生兮，[22]	吕望在穷困时无以求生，
遭周文而舒志。	碰到文王施展大略雄才。
甯戚饭牛而商歌兮，[23]	甯戚喂牛唱着悲痛的歌，
桓公闻而弗置。	齐桓公听到后贵宾相待。

路室女之方桑兮，	旅舍的姑娘她正在采桑，
孔子过之以自侍。[24]	孔子尊敬地经过她身旁。
吾独乖剌而无当兮，[25]	我独与时相违不容于世，
心悼怵而耄思。[26]	我的心中凄怆心烦意乱。
思比干之恲恲兮，[27]	思念比干能够忠心耿耿，
哀子胥之慎事。[28]	哀痛子胥侍君谨慎实在。
悲楚人之和氏兮，[29]	楚人卞和遭遇令人悲痛，
献宝玉以为石。	贡献宝玉认为献的石块。
遇厉武之不察兮，	遇到厉王武王不加明察。
羌两足以毕斫。	两脚都被砍掉身受残害。
小人之居势兮，[30]	小人们得势后身居高位，
视忠正之何若。	忠正的人受到如此对待。
改前圣之法度兮，	他们改变前代圣贤法度，
喜嗫嚅而妄作。[31]	喜欢阴谋诡计妄作胡来。
亲谗谀而疏贤圣兮，	君王亲近坏人疏远良臣，
讼谓闾娵为丑恶。[32]	把美女闾娵也诬为丑怪。
愉近习而蔽远兮，[33]	君王宠爱亲信排斥贤人，
孰知察其黑白。[34]	谁能知道他们是黑是白。
卒不得效其心容兮，[35]	我始终不能为国君效力，
安眇眇而无所归薄。	前途渺茫我的归宿何在。
专精爽以自明兮，[36]	自己忠情专一光明磊落，
晦冥冥而壅蔽。[37]	世道浑浊黑暗蒙蔽国君。
年既已过太半兮，	我现在已经是年过半百，
然埳轲而留滞。[38]	但却终不得志毫无取进。
欲高飞而远集兮，[39]	我想远走高飞离开故乡，
恐离罔而灭败。[40]	又怕遭受处罚身败名毁。
独冤抑而无极兮，	独受冤枉压抑无穷无尽，
伤精神而寿夭。	摧残我的精神减损寿命。
皇天既不纯命兮，	既然老天这样反复无常，

余生终无所依。	我的一生始终没有依傍。
愿自沈于江流兮，	宁愿投身到江流中去啊，
绝横流而径逝。[41]	我自绝于流水漂向远方。
宁为江海之泥涂兮，	宁愿成为江海中的泥沙，
安能久见此浊世。	怎能长久活在浑浊世上。

（黄寿祺、梅桐生　译）

注释

①沈(chén)淖：沉溺，犹沉沦。②岑(cén)峨：高下不齐貌。嵾嵯：同"参差"，不齐貌。③泠(líng)泠：清凉，冷清貌。引申为清白貌。歼：尽，灭。歼灭：消失。④溷(hùn)：混浊。湛湛：厚重貌。⑤枭鸮(xiāo)：枭即"鸮"。⑥玄鹤：黑鹤。古代传说鹤千年化为苍，又千年变为黑，谓之玄鹤。弭翼：收敛翅膀，借喻为退隐。屏(bǐng)移：犹屏退，退隐。⑦蓬艾：蓬蒿与艾蒿，皆草名。御：指御房。第(zǐ)：竹编的床板，这里指床，喻亲密。⑧马兰：草名，又叫马兰头。《楚辞补注》："《本草》云：马兰生泽旁，气臭，花似菊而紫。楚词以恶草喻恶人。"踸踔(chěn chuō)：迅速滋长。⑨药芷：芍药和白芷，香花香草。杜衡：香草名，又叫马蹄香。⑩险戏：险阻崎岖，喻艰难。《楚辞章句》："险戏，犹言倾危也。"⑪高阳：即颛顼，古帝名，五帝之一。相传为黄帝之孙，昌意之子，号高阳氏。委尘：《楚辞章句》："委尘，坋尘也。"即被尘沾污，喻受诬。⑫点灼：诬蔑。⑬八师：《楚辞章句》："八师，谓禹、稷、卨、皋陶、伯夷、倕、益、夔也。"此八人皆尧舜贤臣，被尊为师傅。⑭玄英：纯黑色，喻贪浊。《楚辞章句》："言己被服芬香，履修清白，偏与贪浊者异行，不可同趣也。"一说"服"与"行"义同。⑮西施：春秋越人，以美著称。后代称绝色美女。媞(tí)媞：美好。⑯嫫(mó)母：古代传说中的丑妇。勃屑：跛行貌。⑰桂蠹：《楚辞章句》："桂蠹，以喻食禄之臣也。"⑱蓼(liǎo)虫：寄生于蓼草中的昆虫。常用以比喻安于常习，不知辛苦。《楚辞章句》："言蓼虫处辛烈，食苦恶，不能知徙于葵菜，食甘美，终以困苦而癯瘦也。"⑲涽(hūn)涽：昏乱貌。⑳意有所载：指心载忠正之志。㉑孙阳：伯乐的姓名。春秋秦穆公时人，以善相马著称。㉒吕望：见《沈江》注。聊生：赖以维持生活。㉓甯戚：春秋时卫人。商歌：悲凉低音的歌。据《吕氏春秋》《史记》载，甯戚家贫，为人挽车。至齐，喂牛车下，扣牛角而商歌曰："南山矸，白石烂，生不遭尧与舜禅，短布单衣适至骭，从昏饭牛薄夜半，长夜曼曼何时旦？"（据《三齐记》）桓公夜出闻之，知其贤，拜为上卿。后以喻自荐求官。㉔侍：陪从尊长身旁叫侍。自侍：自己整

肃,恭敬对方。《楚辞章句》:“言孔子出游,过于客舍,其女方采桑,一心不视,喜其贞信,故以自侍。”㉕乖剌(là):违忤,不和谐。㉖悼怵(chù):伤感悲痛。毷思(mào sī):心情昏乱。㉗比干:见《沈江》注。伻(pēng)伻:忠直貌。㉘子胥:见《沈江》注。慎事:《楚辞章句》:“子胥临死曰:抉吾两目,置吴东门,以观越兵之入也。死不忘国,故言慎事也。”《楚辞补注》:“子胥慎事吴王而见杀,故哀之。”㉙羌:语首助词。斫:斩。“悲楚人”四句:据《韩非子·和氏》载,相传春秋时楚人卞和得宝玉之璞,先后献给楚厉王、楚武王,或毁之以为石,被认为欺诈,先后截去左右脚。及楚文王立,和氏抱璞泣于荆山之下,泪尽继之以血。文王使人理其璞而得宝玉,称为和氏璧。㉚“小人”二句:《楚辞章句》:“言小人智少虑狭,苟欲承顺求媚,以居位势,视忠正之人当何如乎?甚于草芥也。”后句译文当为“看待忠正的人又将如何”。㉛嗫嚅:窃窃私语。㉜讼:通“公”,公然,明白。闾娵(jū):古美女。㉝愉:喜欢。近习:指君王亲幸的人。㉞“孰知”句:《楚辞章句》:“谁当知己之清白,彼之贪浊也。”㉟卒:终于。薄:依附。“卒不得”二句:《楚辞章句》:“言己放流,不得内竭忠诚,外尽形体,东西眇眇,无所归附也。”㊱精爽:犹精神。㊲晦冥冥:昏暗。壅蔽:见《沈江》注。㊳埳轲:同“坎坷”。本指道路不平,车行不便,引申为遭遇多有挫折。留滞:停留:㊴远集:指远止他方。㊵离:一作“罹”,遭受。罔:王纲,法网。此处喻法。㊶径:一作“远”。

鉴赏

此诗是组诗《七谏》的第三首,其写作背景和意旨同《沈江》。从形式看,仍用代言体叙事抒情;从内容看,是写屈原于流放中决心怀石沉江前对当时楚国世道黑暗的怨恨,故题曰《怨世》。诗从世道的混浊黑暗入手,继而表明屈原偏反其道而行之的忠直态度,最后写到自己的不幸遭遇,决心怀石沉江。充分表现了屈原对黑暗世道的不满和怨恨以及自己决心沉江远逝时的矛盾痛苦心情。可分三部分读之。

从开头至“虽有八师而不可为”是第一部分。写世道的混浊黑暗,并指出其原因在于贪浊之人当道,廉洁之人被谗受压,其结果自然只能是不论是非,不辨忠佞,风俗毁誉,高下参差了。故诗一开头就在“世道”二字上着眼,说“世沈淖而难论兮,俗岒峨而嵾嵳”。具体而言,一是黑白不分,纯洁的东西日见其少,以至消灭;龌龊的东西日见其多,以至繁盛。可见贤者不见重用,愚者进在显位,世风之日下可叹!二是贪狠之人如“枭鸮”者已成群结队、组成联盟,而廉洁之士如“玄鹤”者反敛节而退隐。可见黑暗势力的强大,正气不伸,世风之日下可哀!

三是佞谄小人如“蓬艾”、如“马兰”者,受到君王的亲近,其踊跃欣喜之状,如这些杂草之铺满御床,而忠正之士如“药芷”、如“杜蘅”者,反被抛弃,非但君王瞧不上眼,连世人也随波逐流,不知其芳。可见上不任贤,世风之日下已无可奈何了!至此,诗人不得不发出沉痛的感叹:周朝用贤之道于今已“芜秽而险戏”,高阳古帝之德于今也已“委尘”,唐虞之圣于今也遭“点灼而毁议”,佞人妄论,以善为恶,“谁使正其真是兮,虽有八师而不可为”!可见世风之日下,已到了难以评说、无可挽回的地步。

第二部分至“孔子过之以自侍”,写屈原偏反其道而行之的坚决态度,希望一遇贤人明主,以救世风。屈原态度之坚决,志之不可夺,诗用比兴手法加以烘托,有如皇天之“保其高兮”,后土之“持其久”。接着写他“偏与乎玄英异色”的志趣。世道亲近小人,斥逐君子,正如喜爱丑女“嫫母”而排挤美女“西施”,言下之意自己偏要做不讨人喜欢的“媞媞”“西施”,决不当日侍左右的“勃屑”“嫫母”。食禄之臣居高位,享厚禄,而妄行佞谄,必将失其位,正如蠹虫依桂树,食芬芳,不知留止,而妄欲移徙,必将亡其所一样。人的洁身自好,不能变志易行,以求禄位,必将穷困而终身,正如蓼虫处苦菜,食苦恶,不知徙于葵菜,食甘美,必将困苦而癯瘦一样。两相比较,言下之意,自己偏要做“蓼虫”而决不当“桂蠹”。然则“处滑滑之浊世兮,今安所达乎吾志”?只有保持忠正之志,欲远去以求贤人明君。但愿如千里马而遇伯乐,如姜太公而遇文王,如甯戚而遇桓公,如桑女而遇孔子。可见屈原处浊世而无人理解、欲救世风而不被重用才想到远行求贤,正所谓“路曼曼其脩远兮,吾将上下而求索”。这就进一步表现了屈原的坚强意志和忠直态度。

最后一部分承上而来,古贤俊皆有所遇而“吾独乖剌而无当兮,心悼怵而耄思”,转写屈原的遭遇和决心委命江流时的痛苦心情。这一部分写了三层意思:一是着重从小人得势角度写自身的遭遇。“思”比干忠心耿耿,被纣王剖心而死;“哀”伍员慎事吴王,被夫差赐剑而亡;“悲”卞和献璞,被毁之为石,砍去双脚。这些可思可哀可悲的事,无一不是因小人智少虑狭,承顺求媚,身居高位,以其愚心妄改前圣之法,背义谋私,妄造虚伪以谮毁贤人,视贤人甚于草芥所致。而自己遭到排挤不也正是这样吗?二是着重从君王亲谗角度写自身的遭遇。君王“亲谗谀而疏贤圣”,以美为丑;君王“愉近习而蔽远”,不辨黑白,流放忠良,使贤人“不得效其心容”。而自己遭到流放不正是这样吗?而小人的谗谄蔽明,君王的亲信谗谀,又是互为因果表里的,这就决定了时世之沉沦是势所必然的了。最后一层则是着重从自身的遭遇写悲愤的心情，直至决心投江殉国作结。屈原精忠报国，一片赤诚，然而因佞人阻道而不得进，年过半百，却坎坷沉滞无所成就；欲高飞远止他方，又恐横遭罪法而灭败了忠厚之志；不远走高飞，而冤抑无极，既伤精神又寿夭，真是到了欲留不能，欲去不行，无路可走，陷入绝境的地步。于是才推出诗的最后四句。“愿自沈于江流兮，绝横流而径逝。宁为江海之泥涂兮，安能久见此浊世。”其怨恨之甚，无以复加，字字血泪，疾痛惨怛！

此诗抓住屈原被疏遭放后思想感情中的一个“怨”字叙事抒情，这与“屈原之作《离骚》，盖自怨生也”（《史记·屈原贾生列传》）的观点是一致的。通过“怨世”而“悲其志”，进而想见其为人，既再现了屈原这一伟大爱国诗人的感人形象，又于字里行间充满了对屈原崇高品格的无限景仰以及对屈原遭遇的深厚同情，同时又谴责了世道的黑暗。由于作者有与屈原大体相类的遭遇（已见《沈江》析文），故借作辞以寄愤，因而所写之“文如其所欲写之人”，而又借他人杯中之酒浇自己胸中块垒。在内容上，通过屈原的“怨世”而指出国家的安危存亡与国君“远巧佞，退谗言”、举贤任能密切相关，是可贵的。其他写作上的特点与《沈江》大同，故从略不论。

（蓉　生）

怨　思

贤士穷而隐处兮，	贤良的人处困境受穷苦，
廉方正而不容。	廉洁正直行为世上难容。
子胥谏而靡躯兮，[①]	子胥规劝吴王没得好死，
比干忠而剖心。[②]	比干忠心耿耿却被剖心。
子推自割而饲君兮，[③]	子推割自己的肉救国君，
德日忘而怨深。	恩德逐渐被忘怨恨加深。
行明白而曰黑兮，	行为清白却被诬蔑为黑，
荆棘聚而成林。	荆棘聚满朝廷已经成林。
江离弃于穷巷兮，	香草江离抛在穷街陋巷，
蒺藜蔓乎东厢。	刺从恶草长在宫殿华堂。
贤者蔽而不见兮，	贤臣受到排挤难见君主，

谗谀进而相朋。	奸臣受到重用结为朋党。
枭鸮并进而俱鸣兮，	猫头鹰成群飞进来鸣叫，
凤皇飞而高翔。	凤凰只能离开高高飞翔。
愿一往而径逝兮，	想见一见君王我就远去，
道壅绝而不通。	但是道路阻绝不能通行。

（黄寿祺、梅桐生　译）

注释

①子胥:伍子胥。靡躯:(死后)找不到躯体。②比干:殷纣王时贤臣。伍子胥与比干事已见屈原《九章·涉江》。③子推:介子推,事已见屈原《九章·惜往日》。

鉴赏

《怨思》是《七谏》组诗中最短的一首诗,通篇集中在一个“怨”字上。但这里的“怨”不是个人身世之幽怨,而是对国事、对朝廷政治深广的怨愤。它集中表现了屈原性格、形象中批判的一面、反抗的一面,而这正是屈原性格中最有价值的一面。当然,它也展示了东方朔本人深沉的忧患意识。

全诗带有一种政论性。一开始的两句便写出黑暗政治的基本特征:贤良方正之士处境困顿险恶。这两句仿佛是政论的论点,也是“怨”之所由生,可以说是统摄全诗的。何以证明这个论点呢?诗歌以下便引历史以为据:吴国的伍子胥、殷商的比干、晋国的介子推,不都是忠心耿耿地效忠君国的么?可他们有谁被君王所知、为君王所用、得到好下场呢?但这里与其说是在谈历史,不如说是在刺现实,历史人物在这里是具有一种隐喻义的,即当今子胥、比干、子推似的正直之士都被摧残打击。这种历史和现实的重合,仿佛是在告诉读者,此种状况是古已有之,而今尤为酷烈。“行明白而曰黑”以下,则用对比与象征的手法,去形象地描绘善与恶、忠与奸、正与邪的不同境况:善鸟芳草或被弃、或远翔,恶禽臭物或喧嚣、或滋蔓。诗歌在这种象征性的虚的描写中,又插入两句实写,“贤者蔽而不见兮,谗谀进而相朋”,虚实相生,虚为实的象征,实为虚的注脚。从内容上讲,这是前面部分的深入与扩大。诗歌最后两句,进而抒写主人公自身的悲剧性处境:多想再见一次君王,献上最后一次忠言,这以后即便高飞远引也心甘。然而通向国君的道路已被小人堵塞,这最后的愿望也无法实现了。这两句,使诗题的“怨”字有了更深的涵义。

这是一首典型的政治抒情诗,它的主旨可以借用《史记·屈原贾生列传》的一句话来概括:“疾王听之不聪也,谗谄之蔽明也,邪曲之害公也”。这正是“怨思”的内涵所在。

由于是代言体,诗歌写法上仍是模拟屈原风格的。它使人想起《离骚》中的某些章节,想起《涉江》的末段,但它的篇幅更短小、锋芒更集中,当然,内容也更单一一些。

本诗同样也寄托了作者对当世的批判。

作者的时代、遭遇不同于屈原,汉武帝也不似当日的楚怀王、顷襄王那么昏庸,但谄谀权贵居于上位,忠直之士受贬遭害之事亦时有发生。如当时的董偃就曾因与窦太主有私而获宠,并被武帝封以高位,后虽因东方朔谏而宠衰,但之后“公主贵人多踰礼制”(《汉书·东方朔传》)。而作者则“悉力尽忠以事圣帝,旷日持久,官不过侍郎,位不过执戟……同胞之徒无所容居”(《答客难》),正是这种现实使作者在屈原的遭遇上引起了共鸣,因而得以在代屈原抒怨愤的同时,也抒发自己对国事的感慨、对自己命运的怨思。

《汉书·东方朔传》说东方朔好滑稽调笑,“然时观察颜色,直言切谏”。本诗虽不是“直言”,但也具有“切谏”的功能。

(田守真)

自　悲

居愁勤其谁告兮,[①]	身居山泽愁苦向谁去讲,
独永思而忧悲。	独自深思心中无限悲伤。
内自省而不惭兮,	考察自己行为问心无愧,
操愈坚而不衰。	我的信心十足意志坚强。
隐三年而无决兮,[②]	我被放逐三年没有音信,
岁忽忽其若颓。[③]	岁月很快过去如水流淌。
怜余身不足以卒意兮,[④]	可怜我的一生终不得志,
冀一见而复归。	希望再见君王返回故乡。

哀人事之不幸兮，	哀痛我的遭遇总是不幸，
属天命而委之咸池。[5]	只好靠天命把天神依傍。
身被疾而不闲兮，[6]	我身患疾病总不见好啊，
心沸热其若汤。	心中焦急像沸腾的热汤。
冰炭不可以相并兮，	冰和炭不能够放在一起，
吾固知乎命之不长。	本来知道我的寿命不长。
哀独苦死之无乐兮，	孤苦无乐而死令人悲哀，
惜予年之之未央。	痛惜我还年轻就要死亡。
悲不反余之所居兮，	悲叹不能返回我的旧居。
恨离予之故乡。	怨恨啊离开了我的故乡。
鸟兽惊而失群兮，	鸟兽如果受惊离群失散，
犹高飞而哀鸣。	还会高高飞翔哀鸣悲伤。
狐死必首丘兮，	狐狸死时头要向着故丘，
夫人孰能不反其真情。	人老将死谁不思念家乡。
故人疏而日忘兮，	旧人被疏远了渐渐淡忘，
新人近而俞好。[7]	新人得到亲近越来越好。
莫能行于杳冥兮，[8]	谁能默默无闻去做好事，
孰能施于无报。	谁能施舍别人不要酬报。
苦众人之皆然兮，	苦恼众人都把名利追求，
乘回风而远游。	我只能乘旋风外出远游。
凌恒山其若陋兮，[9]	登临恒山觉得它太渺小，
聊愉娱以忘忧。	我暂且在这里娱乐忘忧。
悲虚言之无实兮，	假话没有凭据令人可悲，
苦众口之铄金。	金子也会熔于众人之口。
过故乡而一顾兮，	经过故乡时我回头一望，
泣歔欷而沾衿。	悲伤的热泪已沾湿衣裳。
厌白玉以为面兮，[10]	我的行为就像白玉纯洁，
怀琬琰以为心。[11]	我内心像美玉琬琰一样。
邪气入而感内兮，	邪恶俗气虽想侵袭入内，

施玉色而外淫。[12]	玉的本色不变外表放光。
何青云之流澜兮，[13]	天上乌云为何翻卷波澜，
微霜降之蒙蒙。	微霜正在迷迷蒙蒙下降。
徐风至而徘徊兮，	轻风吹来使我徘徊飘荡，
疾风过之汤汤。[14]	阵阵疾风吹过迅猛异常。
闻南藩乐而欲往兮，[15]	听说南国快乐我想前往，
至会稽而且止。	停下休息来到会稽山上。
见韩众而宿之兮，[16]	看见仙人韩众在此停宿，
问天道之所在。[17]	我就请教他天道在何方。
借浮云以送予兮，	凭借着浮云送我去远游，
载雌霓而为旌。	彩虹作旗帜在车上飘扬。
驾青龙以驰骛兮，	驽着青龙的车向前奔驰，
班衍衍之冥冥。[18]	我的车迅速地奔向远方。
忽容容其安之兮，[19]	青龙快速飞奔不知到哪，
超慌忽其焉如。[20]	前途遥远迷茫知向何方。
苦众人之难信兮，	众人难以信任使人痛苦，
愿离群而远举。	宁愿离开他们远走他乡。
登峦山而远望兮，	登上小小山岗远远眺望，
好桂树之冬荣。	惊喜桂树冬天花朵开放。
观天火之炎炀兮，[21]	看到天降火灾炽盛异常，
听大壑之波声。[22]	俯听大海涛声汹涌激荡。
引八维以自道兮，[23]	我揽持八维而引导自己，
含沆瀣以长生。[24]	吸饮夜半水汽以求命长。
居不乐以时思兮，	居处不愉快我常常忧思，
食草木之秋实。	我吃草木秋天结的果实。
饮菌若之朝露兮，[25]	我喝菌若上清晨的露水，
构桂木而为室。	用桂木来构造我的居室。
杂橘柚以为囿兮，	我在园圃中种上橘和柚，
列新夷与椒桢。[26]	还栽培辛夷花椒女贞子。

鹍鹤孤而夜号兮,㉗	鹍鸡白鹤夜里孤苦悲啼,
哀居者之诚贞。㉘	哀痛隐居的人诚信正直。

（黄寿祺、梅桐生　译）

注释

①勤:一本作"苦"。②无决:没有听到君王召回的命令。《楚辞章句》:"古者人臣三谏不从,待放三年,君命还则复,无则遂行也。"③颓:水向下流。④卒意:尽意,实现自己的愿望。⑤咸池:天神。⑥间:病愈。⑦俞:同"愈"。⑧杳冥:原意昏暗。引申为暗中,默默无闻地。⑨恒山:又称北岳,为五岳之一。⑩厌:著,施用。以白玉做外表,意即其外表行为如白玉般洁白无瑕。⑪琬琰(wǎn yǎn):美玉名。⑫外淫:《楚辞章句》云:"淫,润也。"外面表现出光润来。⑬流澜:形容乌云很浓厚。⑭汤(shāng)汤:水大貌,此形容风大。⑮南藩:南方诸侯国。⑯韩众:仙人。齐人韩众为王采药,王不肯服,韩众自己服食而成仙。⑰天道:长生之道。⑱班衍衍:速度极快。⑲容容:飞扬貌。⑳超:遥远。焉如:到哪里。㉑天火:由雷击或物体自燃引起的大火。㉒大壑:《楚辞章句》云:"大壑,海水也。"指大海。㉓八维:四方(东、南、西、北)和四隅(东南、西南、东北、西北)合称八维。道:又作"导"。㉔沆瀣(hàng xiè):夜间的水汽。㉕菌:香草名。㉖新夷:即辛夷。桢:女贞子。㉗鹍鹤:鸟名,状如鹤,长颈红嘴,羽毛呈黄白色。㉘居者:隐居的人,指屈原自己。

鉴赏

屈原的作品,如《离骚》《九章》等,从不同的角度和侧面,完成了诗人形象的自我塑造。展现在我们面前的是一个悲剧性的巨人形象,是一个充满矛盾痛苦的多面体,是作者思想、人格、情感的自我表现。屈原的作品形成了一个自足完满的自我形象系统,通过这些作品,后人可以了解诗人生平、思想、人格和情感等重要方面。但是,对一个作家的全面认识,不仅包括作家的自我表现,而且还包括人们对他的认识和评价,《自悲》就是以代言体的形式来表现读者东方朔的信息反馈的。它再现了屈原形象的一个侧面,刻画了屈原放逐时的矛盾心理,从而有两个方面的意义,一是进一步完善了屈原形象,另一方面,它又并非消极被动的再现或模仿屈原的作品,而是在再创造的时候,渗透了东方朔的情感，借屈原的形象，折光般地闪现了作者的思想、情感和个性。可以说，这后一方面的意义，才是《自悲》一诗的价值所在。

《自悲》一诗，大体可以分为两个部分，从开篇到“孰能施于无报”是第一部分，再现了屈原放逐于山泽林薮三年后，绝无被召回朝廷可能的情况下的矛盾痛苦心理。希望破灭了，屈原反躬自省，自觉问心无愧，决心坚持操守，矢志不渝，同时又悲伤老之将至、志业难成，他深恨小人当道，迫使自己远离故国。这一段描写缠绵悱恻、幽情婉转，将屈原内心的苦闷悲愤揭示得淋漓尽致，而在悲哀中，又写出了他“操愈坚而不衰”的坚韧执著的个性，具有悲与壮的美学意蕴。从“苦众人之皆然兮，乘回风而远游”到篇终，写屈原被迫远游，他北登恒山，南临会稽，人间之游不能解除痛苦，于是升腾远举，在天外寻找隐居之乐，但离群索居的生活仍旧不能使他得到片刻的安宁，他生性富于求索、不甘寂寞，他激烈的情感和倔犟的性格时时在煎熬着自己。这一部分采取层层递进、步步深入的手法，将屈原居则忽忽若有所失，出则不知其所往，悲肠一日九转的心理在更高更深的层次上刻画出来，远远超出了“自悲”的畛域，上升到悲天悯人、伤世感时的境界，凸现了屈原的伟大人格。

作为一首代言体诗，如果仅仅代他人说话，或简单机械地复述他人的作品，那这样的代言诗是不足称道的。《自悲》一诗的价值就在于它代屈原而言之时，表现了东方朔的思想、情感和个性。司马迁在《史记》中列东方朔入《滑稽列传》，公正地评价了东方朔的学识、志向、辩才，也正确评价了他对当时社会丑恶现实的不满和他一生不得志的遭遇。然而，东方朔尚在世时，就有人讥笑他“积数十年，官不过侍郎，位不过执戟”，并讥笑他是“狂人”；东方朔死后，他嬉笑怒骂的那种“颠狂”性格，被误解为滑稽可笑、哗众取宠、荒诞不经。汉武帝对东方朔采取的是“倡优畜之”的态度，而后人却以此视东方朔为俳优小人，是专事取悦君王的弄臣，人们忽视了东方朔在华丽而可笑的外衣掩盖下悲剧的一生。东方朔生于西汉鼎盛时期，但他以敏锐的目光发现了盛世的黑暗和腐朽，他自称“陆沉于俗，避世金马门”，在著名的《答客难》中，他指出一个人的功业志向的成功与否受制于统治者，“尊之则为将，卑之则为虏，抗之则在青云之上，抑之则在深泉之下，用之则为虎，不用则为鼠”，这是他一生经历的痛苦总结，是对统治者摧残人才的控诉。他大胆批评汉武帝大兴宫室、衣食犬马、作俳优、舞郑女的荒淫生活。（见《汉书·东方朔传》）他著有《非有先生论》借古讽今，在临死之前，他还进谏汉武帝“愿陛下远巧佞，退谗言”（《史记·滑稽列传》),这些都说明东方朔是一个正直敢言的知识分子,他的滑稽行为,是希望在插科打诨中,揭露出事物的矛盾,以此规劝君王。这一点与汉大赋作家的讽谏之意相同,可惜汉武帝到东方朔死时,才感到他"多善言"。正因为东方朔有这样的经历、这样的思想,所以,他对屈原抱有深切的同情和敬仰。王逸认为《七谏》是"追悯屈原,故作此辞以述其志,所以昭忠信、矫曲朝也",其实这只说到了东方朔创作《七谏》的一个方面,没有看到他尊屈原以为师、以其志为同调的主要方面。屈原生于乱世,用其生命为楚国的前途、同奸佞权臣抗争,有着惊天动地的举动。东方朔生于太平盛世,他的避世金马门的朝隐之举,用心良苦,也是为了规劝汉武帝,虽然他没有作出壮举,但其品格情操也是无可非议的。他的《七谏》无论是思想内容,或是艺术形式,都是应该肯定的。

在屈原光辉形象的掩盖下,《七谏》被后人视为模仿《九章》之作,不曾给以重视,这是应该重新加以认识和评价的。我们认为,这是鉴赏《七谏》各篇的前提。

(田耕宇)

哀　命

哀时命之不合兮,[1]	可哀啊我真是生不逢时,
伤楚国之多忧。	悲伤啊楚国总是多难多忧。
内怀情之洁白兮,	我的内心情感纯洁无瑕,
遭乱世而离尤。[2]	遇到混乱世道却把罪受。
恶耿介之直行兮,	他们仇恨光明正大品行,
世溷浊而不知。	社会黑暗不知善恶美丑。
何君臣之相失兮,	为何明君贤臣要分离啊,
上沅湘而分离。	我逆沅湘而上与君分手。
测汨罗之湘水兮,	我将沉身汨罗湘水之中,
知时固而不反。	已知社会丑恶决不回头。
伤离散之交乱兮,	伤心人民离散君臣相怨,
遂侧身而既远。	心中恐惧不安赶快远走。
处玄舍之幽门兮,[3]	我深藏在黑暗居室里面,

穴岩石而窟伏。	我隐居在岩石洞穴之中。
从水蛟而为徒兮，	我跟随着水中蛟龙生活，
与神龙乎休息。	我同神龙一起休息活动。
何山石之崭岩兮，	高山是多么的巍峨险峻，
灵魂屈而偃蹇。	我的灵魂委屈困顿难行。
含素水而蒙深兮，④	我饮用无尽的洁净清泉，
日眇眇而既远。	一天天远远地离开朝廷。
哀形体之离解兮，	哀痛我的身体精疲力尽，
神罔两而无舍。⑤	我的神思恍惚何止何停。
惟椒兰之不反兮，⑥	想到子椒子兰不让回去，
魂迷惑而不知路。	我的魂魄迷惑不知路径。
愿无过之设行兮，⑦	我愿终无过错坚持己行，
虽灭没之自乐。	虽然身败名裂我也甘心。
痛楚国之流亡兮，	悲痛楚国命运将要危亡，
哀灵脩之过到。⑧	这是国君之过令人伤心。
固时俗之溷浊兮，	本来世道就是这样混乱，
志瞀迷而不知路。⑨	我不知道出路心中迷茫。
念私门之正匠兮，⑩	想到群臣都以私心治国，
遥涉江而远去。	我愿渡过长江走向远方。
念女媭之婵媛兮，⑪	想到女媭对我关切爱护，
涕泣流乎於悒。	不禁涕泪横流叹息悲伤。
我决死而不生兮，	我决心一死而不愿求生，
虽重追吾何及。	虽然再三追怀我也这样。
戏疾濑之素水兮，	我游戏在急流清水之中，
望高山之蹇产。	仰望高山那么险峻奇岖，
哀高丘之赤岸兮，	悲高丘也有危险的赤岸，
遂没身而不反。	我愿投身江中不愿回还。

（黄寿祺、梅桐生　译）

注释

①时命:时代与个人命运。时命不合即生不逢时。②离:遭遇。尤:罪过。③玄舍、幽门:皆指黑暗的居室,这里象喻流放中的困顿处境。④素水:《楚辞章句》:"白水也。"蒙深:疑指泉流烟水蒙蒙而深邃之貌。⑤罔两:《楚辞章句》:"无所据依貌也。"⑥椒兰:《楚辞章句》:"椒,子椒也;兰,子兰也。"二人皆楚国权贵。⑦设行:疑指施行,即依已意而行。⑧到:《楚辞章句》:"到,至也。"过到:过错所至。⑨瞀(mào)迷:《楚辞章句》:"瞀,闷也;迷,惑也。"此指内心烦乱迷茫。⑩匠:《楚辞章句》:"教也。"此句"言己念众臣皆营其私,相教以利,乃以其邪心欲正国家之事"。⑪女媭:女性的长者,参看屈原《离骚》。

鉴赏

本诗题取自诗歌首句"哀时命之不合",即悲叹生不逢时的命运。但这里的"生不逢时",并非一般意义上蹭蹬不遇的个人命运悲剧,而是具有更深广的内容。诗歌写屈原在流放漂泊途中,有感于个人高洁品质与污浊时代间的激烈冲突、有感于自身现实处境和国家前途危机而抒发的忧愤之情。因此,"哀命"是哀自己的性格悲剧和楚国的政治悲剧。它的基调与精神与屈原的《九章》一类作品是完全一致的。

诗歌大体可分为三个部分。第一部分从篇首至"遂侧身而既远",写屈原漂泊沅湘悲惨命运的缘由。诗歌一开始便在对命运的嗟叹中写出了善与恶、个人与时代间的尖锐对立与冲突,个人和时代无法调和,一方面自己"内怀情之洁白",另一方面则是多难多忧的混乱世道,是容不得耿介直行的污浊现实。既如此,屈原与君王分离、与朝廷远别的命运便是注定的了。"何君臣之相失兮"两句,看似疑问,实为喟叹,因为诗歌前面几句已经道出了原因,而且后面四句也在暗示自己决定沉江而死("测汨罗之湘水")的同时,进一步回答了这个问题。所以这里并非出于理性去质疑究竟,而是饱含深沉悲愤的情感抒发。"知时固而不反",是说我已看透了时代的黑暗、社会的丑恶,深知自己终不得返于朝廷。"伤离散之交乱兮,遂侧身而既远"则进而写在决心与君王、朝廷长别之际,屈原不由得再次为君臣、人民的离散,为奸佞的交相作乱而深深忧伤。

第二部分从"处玄舍之幽门兮"至"魂迷惑而不知路",写屈原在流放漂泊中处境的孤清艰难与精神的痛苦迷茫。“处玄舍之幽门”四句，说自己或深藏，或穴居，与水蛟做伴，同神龙为伍，这当然是屈原流放生涯的艺术写照，但它还暗含有另一层意蕴，这便是在隐处之中坚持自己的人格操守。因为水蛟、神龙在东方朔之前的文化传统中，已被赋予了怀盛德而隐处的象征意味。例如《周易·乾》：“潜龙勿用，”孔颖达疏：“小人道盛，圣人虽有龙德，于此时唯宜潜藏，勿可施用”。又贾谊《吊屈原》：“袭九渊之神龙兮，沟深潜以自珍。”所以王逸《楚辞章句》解“从水蛟”两句说“自喻德如蛟龙而潜匿也”。“何山石之崭岩兮”四句，借道路的险峻崎岖写屈原内心的压抑与不平。正是在此不平之中，屈原饮着深山之中烟水蒙蒙的深泉，一天天地远离了朝廷。这仿佛《离骚》中的“朝饮木兰之坠露兮，昔餐秋菊之落英”，写出了屈原洁身自好的精神。然而对屈原这样满怀对国家忧患的人来说，离开朝廷与政治到底是痛苦之事。“哀形体之离解”四句，便写出了他在朝廷为小人把持、自知不得返的情况下精神的痛苦、恍惚、分裂和迷茫，写出了屈原在这种特定处境中心情的复杂性和矛盾性。

第三部分从“愿无过之设行兮”至结束，写屈原在痛苦之中，决心沉江而死，不向现实低头的命运选择。前四句接写他的复杂心境，坚持正道直行、虽死无憾的“愿”与“乐”，对楚国前途危亡的“痛”，对君王不悟的“哀”。下面四句再写时代的污浊，小人的邪心私欲，以及自己面对此的迷茫与远逝的决心。“念女媭之婵媛”四句，则沿用《离骚》的写法，写流放中的屈原想到当初女媭对自己的关切和反复劝诫时的心情。在《离骚》中，屈原曾写女媭这位女性长者反复告诫自己：世道昏昧，小人横行，个人的忠直只能招来灾祸。言外之意，是劝屈原洁身自好，少干预朝廷的事。而今屈原已被放逐，女媭之言已成事实，想到此，不禁感慨万端，泪水纵横。但是，屈原毕竟不是苟且偷生之人，个人既不能改变现实，便决心用死去殉自己的理想节操。最后四句，写屈原游戏于楚地急湍的清流，仰望险峻的高山。这里，素水高山一方面是屈原临死前生活环境的实写，但同样也具有象征意味，它暗寓着屈原人格的高洁和志向的高远。所以王逸说：“言已履清白，其志如水，虽遇弃放，犹志仰高远而不懈也。”（《楚辞章句》）但是自然山水并不能使他忘怀现实，望见峻峭险危的山巅，他联想到的是楚国的危险处境、朝廷的黑暗现实，内心悲哀难禁，于是终于决定投身江流、永不复返。

诗歌表达的内容并不复杂，反反复复抒写的都是对谗谄蔽明、邪曲害公、忠直之士受妒遭弃的忧愤。这也是对屈原诗歌“一篇之中三致志焉”(《史记·屈原贾生列传》)特点的继承。不过,诗歌在抒情手法上并不单一,或者直抒胸臆(如第一、三部分),或者结合环境气氛抒情(如第二部分),或者借助象征抒情(如上所析的二、三部分中一些章句),所以并不太给人以重复单调之感。与此相应,诗歌的情调气氛亦富于变化,大体说来,第一部分愤激高亢,第二部分凄清幽冷,第三部分哀怨沉痛。而全诗的内在情绪始终是炽烈的,总基调是悲愤的。

同《七谏》的其他诗歌一样,东方朔在本诗中既代屈原抒愤,也寄托了自己的现实政治忧愤和人生感慨。他的一生虽未有过屈原似的激烈悲剧冲突,却也是被视为俳优的一生、压抑的一生、“避世金马门”(《史记·滑稽列传》)的一生。他曾遭过小人的诽谤,也曾被免为庶人,“悉力尽忠”却“终不见用”(参看《汉书·东方朔传》),这在某种程度上也可以说是“君臣之相失”。所以,尽管我们无法说出诗歌哪句是表达的作者某种遭遇与感情,但我们却可以说,全诗的总情绪也正是东方朔本人的情绪和感慨。

(田守真)

谬　谏

怨灵修之浩荡兮,	君王糊里糊涂使人怨恨,
夫何执操之不固。	他的意志为何经常变更。
悲太山之为隍兮,	大山将为池塘多么可悲,
孰江河之可涸![1]	哪一条江河会枯竭水退!
愿承闲而效志兮,	我愿趁君闲暇进献忠言,
恐犯忌而干讳。	又怕犯忌讳把君王得罪。
卒抚情以寂寞兮,	终于压抑感情闭口不言,
然怊怅而自悲。	但是心中懊恼自恨伤悲。
玉与石其同匮兮,	美玉石块受到相同对待,
贯鱼眼与珠玑。	鱼眼宝珠看作一样珍贵。
驽骏杂而不分兮,	劣马骏马混杂一起不分,
服罢牛而骖骥。	老牛驾中骏马在边跟随。
年滔滔而自远兮,	岁月不停流逝越去越远。

寿冉冉而愈衰。	年纪老了一天不如一天。
心悇憛而烦冤兮，	我满腔的忧愁烦闷难遣，
蹇超摇而无冀。②	前途无望心里总不安定。
固时俗之工巧兮，	本来社会习俗善于取巧，
灭规矩而改错。	废弃法度又把良策改变。
却骐骥而不乘兮，	闲置那千里马不去乘驾，
策驽骀而取路。	赶着劣马上路慢慢向前。
当世岂无骐骥兮，	当今难道会没有千里驹，
诚无王良之善驭。③	但却没有王良善于驾驭。
见执辔者非其人兮，	骏马见赶车的不是好手，
故驹跳而远去。	就要连蹦带跳远远逃走。
不量凿而正枘兮，	不度量凿孔就削好木柄，
恐矩矱之不同。④	恐怕尺寸大小不会相同。
不论世而高举兮，	不观察世风把美德推崇，
恐操行之不调。	恐怕品行节操难于合众。
弧弓弛而不张兮，	松弛的强弓还没有拉开，
孰云知其所至？	谁能说清它有多大力量。
无倾危之患难兮，	国家还未出现危险患难，
焉知贤士之所死？	怎能知道贤士为国而亡。
俗推佞而进富兮，	世俗以佞为贤以富为良，
节行张而不著。	良好品行难以推广发扬。
贤良蔽而不群兮，	好人受到排挤十分孤立，
朋曹比而党誉。	谗佞结党营私互相推举。
邪说饰而多曲兮，	装饰歪门邪道总非直理，
正法弧而不公。	违背正当法度还是不公。
直士隐而避匿兮，	忠直的人都已隐居避世，
谗谀登乎明堂。	好吹好捧之徒挤进朝中。
弃彭咸之娱乐兮，	抛弃彭咸廉洁正直行为，
灭巧倕之绳墨。⑤	把巧倕的绳墨废除不用。

箟簬杂于黀蒸兮，	竹子麻秸混杂一起为烛，
机蓬矢以射革。[6]	用草箭射皮革还拉强弓。
驾蹇驴而无策兮，	没有鞭子驾驭跛脚毛驴，
又何路之能极？	哪一条道路啊能走到底？
以直针而为钓兮，	用直的针当钓鱼的鱼钩。
又何鱼之能得？	又能够钓得到什么大鱼？
伯牙之绝弦兮，	伯牙所以不再拨弄琴弦，
无钟子期而听之。[7]	是因为失去知音钟子期。
和抱璞而泣血兮，	卞和怀抱玉璞痛哭流血，
安得良工而剖之？[8]	从哪里得到良匠琢出宝玉。
同音者相和兮，	音调相同互相呼应谐和，
同类者相似。	事物同类性质彼此相似。
飞鸟号其群兮，	飞鸟啼叫是在召唤朋友，
鹿鸣求其友。	麋鹿鸣叫是在呼求伴侣。
故叩宫而宫应兮，	叩击大宫调少宫声相应，
弹角而角动。[9]	弹奏大角调少角调齐鸣。
虎啸而谷风至兮，	猛虎咆哮山谷卷起大风，
龙举而景云往。	神龙飞升上天彩云随行。
音声之相和兮，	音与声互相对立而谐和，
言物类之相感也。	说明万物同类相互感应。
夫方圜之异形兮，	所以方与圆的形状不同，
势不可以相错。	难以错杂一起混同一形。
列子隐身而穷处兮，	列子隐居避世处境穷困，
世莫可以寄托。[10]	因为社会不能托身寄命。
众鸟皆有行列兮，	天上众鸟都是各自成群，
凤独翱翔而无所薄。	凤凰孤独飞翔无所依凭。
经浊世而不得志兮，	我经历了浊世很不得志，
愿侧身岩穴而自托。	宁愿隐居岩洞逃避浊世。
欲阖口而无言兮，	我想对于国事闭口不言，

尝被君之厚德。	但曾受到君王深恩厚德。
独便悁而怀毒兮，	我独自忧愁而心怀怨恨，
愁郁郁之焉极。	我的愁情无限何时了结。
念三年之积思兮，	想念君王三年忧思积聚，
愿一见而陈词。	希望见君一面向他表白。
不及君而骋说兮，	我没遇上贤君尽情直言，
世孰可为明之？	人世黑暗又向谁去说明。
身寝疾而日愁兮，	我身卧病整日忧愁烦闷，
情沈抑而不扬。	感情压抑难以表达内心。
众人莫可与论道兮，	无人可以和我谈论道理，
悲精神之不通。	可怜我的思想君王难明。

乱　曰

鸾皇孔凤日以远兮，	鸾凤孔雀天天远离离乡，
畜凫驾鹅。[11]	野鸭野鹅却在家中喂养。
鸡鹜满堂坛兮，	呆鸡笨鸭占满殿堂庭院，
蛙黾游乎华池。[12]	青蛙在华丽的池中游荡。
要袅奔亡兮，[13]	骏马要袅只能奔命逃亡，
腾驾橐驼。	骆驼却驾着车奔驰道上。
铅刀进御兮，	把钝拙的铅刀进献君王，
遥弃太阿。	锋利的太阿剑却被远弃。
拔搴玄芝兮，	神草玄芝已被除干净，
列树芋荷。	到底栽种的是荷花山芋。
橘柚萎枯兮，	那橘树和柚树逐渐枯萎，
苦李旖旎。	那枝叶繁茂的却是苦李。
甂瓯登于明堂兮，	瓦盆陶罐陈列明亮殿堂，
周鼎潜乎深渊。	周朝宝鼎抛进深渊水底。

自古而固然兮，	是非颠倒自古就是如此，
吾又何怨乎今人！	我对现在的人有何怨气！

（黄寿祺、梅桐生　译）

注释

①太：同“大”。隍（huáng）：《楚辞章句》：“隍，城下池也”，《说文》：“城池有水曰池，无水曰隍”。这句形容怀王主张的剧烈变化。②悇憛（tú tán）：《楚辞章句》：“忧愁貌也。”超摇：《楚辞章句》：“不安也。”③王良：春秋时，晋国善御者。《楚辞补注》：“许慎云，王良，晋大夫御无恤子良也，所谓御良也。”④凿：古代斧头上插柄的孔眼。枘（ruì）：斧柄插入斧头孔内的部分。矩矱（jǔ huò）：法度，这里引申为尺寸。⑤彭咸：相传为殷时贤大夫，因谏其君不听，投水而死。《楚辞补注》：“彭咸以伏节死义为乐，而时人弃之。”倕（chuí）：《吕氏春秋·离谓》注：“倕，尧之巧工”。⑥菎蕗（kūn lù）：《楚辞章句》注曰：“香直之草。”黀（zōu）：《说文》：“麻藍也。”即麻秆。蒸：折麻秆的中秆。《广雅·释器》：“古人造烛用之。凡用麻干葭苇竹木为烛皆曰蒸。”蓬矢：用蓬蒿做的箭。⑦伯牙：春秋时人。《列子·汤问》：“伯牙善鼓琴，钟子期善听。伯牙鼓琴，志在登高山。钟子期曰：‘善哉！峨峨兮若泰山。’志在流水，钟子期曰：‘善哉！洋洋兮若江河。’伯牙所见，钟子期必得之。”《吕氏春秋·本味》：“钟子期死，伯牙擗琴绝弦，终身不复鼓琴，以为世无足以鼓琴也。”本文比喻说明贤臣不得明主，只得缄口不言。⑧卞和：战国楚人。《楚辞章句》：“昔卞和得宝玉之璞，而献之楚厉王，或毁之以为石，王怒，断其左足。武王即位，和复献之，武王不察视，又断其右足。和乃抱宝泣于荆山之下，悲极血出。于是暨（及）成王，乃使工人攻之，果得美玉，世所谓和氏璧也。”⑨宫：五音（宫、商、角、徵、羽）之一。角：亦五音之一。《楚辞补注》：“《庄子》云，鼓宫宫动，鼓角角动，音律同矣。《淮南》云，调弦者叩宫宫应，弹角角动，此同声相和者也。注，叩大宫则少宫应，弹大角则少角动。”此句比喻说明君臣、同僚之间同气相求，同声相应。⑩列子：战国郑人。⑪驾（jiā）鹅：野鹅。⑫蛙黾（měng）：蛙的一种。《楚辞章句》：“蛙黾，谕谗谀弄口得志也。”⑬要袅（yǎo niǎo）：同“騕袅”，古代良马名。《楚辞补注》引应邵曰：“騕袅，古之骏马，赤喙玄身，日行五千里。”

鉴赏

洪兴祖《楚辞补注》云:“《汉书·朔传》亦郁邑于不登用,故因名此章为《谬谏》。若云谬语,因托屈原以讽汉主也。”这就是说,《谬谏》一文渗进了作者自己求谏武帝的希望和抑郁失志的悲哀,所以虽是模拟之作,较之其他六章,就显得感情沉重,语意委曲。

全辞四十一句,大致可以分为四段。

第一段从“怨灵脩之浩荡兮”到“骞超摇而无冀”。这一段主要写诗人为楚怀王“执操之不固”而悲痛、失望。“悲太山之为隍兮,孰江河之可涸”,以夸张的语言形象地传达了诗人强烈深广的哀怨。“玉与石其同匮兮,贯鱼眼与珠玑。驽骏杂而不分兮,服罢牛而骖骥。”面对昏君的贤佞不分,诗人欲谏犹止,欲罢不能。当此年光流逝,衰朽在即之际,“承闲效志”的时机已不多,这是内心进一层的苦闷与彷徨。

第二段从“固时俗之工巧兮”到“安得良工而剖之?”这一段进一步痛斥奸佞之徒以巧伪愚惑君主,造成了贤臣避世,“谗谀”竞进的严重危机;同时也表达了诗人(和作者)怀才不遇的悲愤和积极用世的强烈愿望。诗人仰望苍天,疾声质问:“和抱璞而泣血兮,安得良工而剖之?”

第三段从“同音者相和兮”到“言物类之相感也”。这一段作者调转笔锋,文气一变,波澜不惊,怀才不遇的悲愤为积极用世的强烈愿望所淹没,一种充满理性之光的美好憧憬逐渐升华,使诗人复杂的感情得到暂时的净化和舒展,这就是对君臣遇合、贤臣明主的热烈向往和期待。

第四段从“夫方圜之异形兮”到全文结束。这一段诗人的感情又骤然出现一个大的迭落,因不愿随波逐流而含冤被放的现实破灭了闪光的理想,内心深处的悲苦又重新泛起。尽管为了保持清白的节操而甘心隐居自托,而区区之心却难以割断对君主的眷恋。在这“身疾寝而日愁”的时刻,仍然执著地“愿一见而陈词”,照应前文“寿冉冉而愈衰”的话。切切忠谏之情,不禁使读者想起韩愈的诗句,“本为圣明除弊政,敢将衰朽惜残年!”

以上四段,在表现手法上有一个很大的共同之处,也是整首辞的一个艺术特点,就是善于运用富于哲理意味的比喻。诸如“玉与石其同匮兮,贯鱼眼与珠玑”,“驾蹇驴而无策兮,又何路之能极?”“夫方圜之异形兮,势不可以相错。”特别是第三段,句句都是类似的比喻,“故叩宫而宫应兮,弹角而角动”,衍化

《庄子》之文,理趣精妙。而且这些富于哲理的比喻,正像屈原的作品一样,往往可以按照诗人的审美理想,划分为两大对立相反的形象系列,思想深邃,情感丰富,既能以理服人,又能以情动人,强化了"谏"的效果。

东方朔一生直谏,多遭冷落,这篇讽谏如其人之"不登用"也是预料中的事,然而究竟写了,也许是"骨鲠在喉,不吐不快",也许是"我已经说了,我已经拯救了我的灵魂!"(恩格斯语)至于狂者之妄言为谬,名之《谬谏》者,谦虚邪?幽怨邪?愤激邪?抑或兼而有之?

最后的一段乱辞即尾声,是《七谏》全篇的结尾,而不是《谬谏》一篇的结尾。主要化用屈原《九章·涉江》的尾声:"鸾鸟凤皇,日以远兮。燕雀乌鹊,巢堂坛兮。露申辛夷,死林薄兮。腥臊并御,芳不得薄兮。……"意亦相似,读者可以参看该篇相关的分析。兹不赘言。

(蒲友俊)

哀时命

庄忌

哀时命之不及古人兮,[1]	哀叹生时年命不如古人那么好啊,
夫何予生之不遘时。[2]	为什么独独我降生不逢清明之时。
往者不可扳援兮,[3]	往古的圣哲不可扳引而见啊,
来者不可与期。	后代的明君更不能须待与期。
志憾恨而不逞兮,[4]	远大志向恨只恨难以实现啊,
抒中情而属诗。[5]	聊且抒发情怀缀以成诗。
夜炯炯而不寐兮,[6]	夜里,目光炯炯难以成眠啊,
怀隐忧而历兹。[7]	暗自忧虑,累月经岁常常如此。
心郁郁而无告兮,[8]	忧郁难遣,无人可以倾诉啊,
众孰可与深谋。	世人虽多,哪一个能解我愁思。
欿愁悴而委惰兮,[9]	愁苦憔悴不堪以致懈倦难振啊,
老冉冉而逮之。[10]	光阴荏苒,不觉老之将至。
居处愁以隐约兮,[11]	居住山林而隐身自约啊,
志沈抑而不扬。	神志压抑,再也不能扬见君王。
道壅塞而不通兮,	通往京师的大道早已阻塞啊,
江河广而无梁。[12]	河广水阔,却无直达彼岸的桥梁。
愿至昆仑之悬圃兮,[13]	渴望到昆仑的悬圃游赏啊,
采钟山之玉英。[14]	再去钟山采吃玉英以益寿延年。
擥瑶木之橝枝兮,	采折了瑶木橝树的枝条之后啊,
望阆风之板桐。[15]	又向阆风、板桐两座山峰登攀。
弱水汩其为难兮,[16]	流水湍急的弱水横亘于前啊,
路中断而不通。	去往仙山的道路忽地中断。

势不能凌波以径度兮,	我无法踏着波涛径直过渡啊,
又无羽翼而高翔。	胁下又未生双翅而使我飞腾向前。
然隐悯而不达兮,[17]	身居山林,暗自感叹壮志难达啊,
独徙倚而仿徉。[18]	只孤独地低回彷徨。
怅惝惘以永思兮,[19]	心有所惧哪能不长思难已啊,
心纡轸而增伤。[20]	盘屈绞痛,更加重了忧伤。
倚踌躇以淹留兮,[21]	我为何踌躇逗留而不启程啊,
日饥馑而绝粮。	只担心老百姓逢荒年断了食粮。
廓抱景而独倚兮,[22]	独自抱影孤立而低回无绪啊,
超永思乎故乡。	哪能不时时怀念那可爱的故乡。
廓落寂而无友兮,[23]	没有志同道合的朋友真寂寞无聊啊,
谁可与玩此遗芳?[24]	谁可和我一起嗅玩鲜花固有的芬芳。
白日晼晚其将入兮,[25]	西下的夕阳正在晼晚而没啊,
哀余寿之弗将。[26]	我的生命大概也不会久长。
车既弊而马罢兮,[27]	驾乘的车已坏而马也疲倦了啊,
蹇邅徊而不能行。[28]	回还不前只原地徜徉。
身既不容于浊世兮,	我既不为浊世所容啊,
不知进退之宜当!	又不知如何进退才算恰当。
冠崔嵬而切云兮,[29]	崔嵬高耸的帽子势欲迫近半空流云啊,
剑淋离而纵横。[30]	长长的宝剑佩在腰间摆动纵横。
衣摄叶以储与兮,[31]	穿着宽袍大袖的衣服也并不舒展自如啊,
左袪挂于扶桑。[32]	东行时,左袖挂在太阳升起的扶桑之上。
右衽拂于不周兮,[33]	西去时,右襟又拂于大荒不周山之巅啊,
六合不足以肆行。[34]	我祝愿我能超越天地及东南西北

	四方。
上同凿枘于伏羲兮，[35]	德行上可辅佐伏羲而同声相应啊，
下合矩矱于虞、唐。[36]	下亦能协助尧、舜而有共同政治理想。
愿尊节而式高兮，[37]	我是以伏羲、尧、舜为最高准绳啊，
志犹卑夫禹、汤。	心里早就鄙视夏禹和商汤。
虽知困其不改操兮，	明知这样会穷困可也不改操守啊，
终不以邪枉害方。[38]	一定不能以邪恶枉道损害方正贤良。
世并举而好朋兮，[39]	人们喜欢互相吹捧而结为朋党啊，
壹斗斛而相量。[40]	他们常以贪婪胸怀把他人度量。
众比周以肩迫兮，[41]	群小打得火热肩并着肩啊，
贤者远而隐藏。	贤良正直的人只得远走退藏。
为凤皇作鹑笼兮，	做一个装鹌鹑的竹笼让凤凰栖息啊，
虽翕翅其不容。[42]	即使收敛其翅膀亦难以相容。
灵皇其不寤知兮，[43]	皇上至今还不觉醒啊，
焉陈词而效忠？	我怎能直陈政见以为国尽忠？
俗嫉妒而蔽贤兮，	一般人嫉妒心严重因而阻挡了贤良啊，
孰知余之从容？	谁能了解执守忠信而意态从容？
愿舒志而抽冯兮，[44]	我又一次愿意表白志向而发泄愤怨啊，
庸讵知其吉凶？[45]	哪里顾得上后果是吉是凶？
璋珪杂于甑窐兮，[46]	恰如璋珪混杂于瓦甑孔穴里啊，
陇廉与孟娵同宫。[47]	又如丑妇陇廉和美女孟娵同住一室中。
举世以为恒俗兮，[48]	世间庸俗之辈认为这都是常见现象啊，

固将愁苦而终穷。[49]	我将终身穷苦而难展愁容。
幽独转而不寐兮，	我独自思索辗转不能入睡啊，
惟烦懑而盈胸。	烦躁愤懑郁结满胸。
魂眇眇而驰骋兮，	精魂眇眇到处飘游啊，
心烦冤之忡忡。[50]	烦冤莫解而忧心忡忡。
志欿憾而不憺兮，[51]	心中含恨极不宁静啊，
路幽昧而甚难。	虽欲远行可道路却深冥朦胧。
块独守此曲隅兮，[52]	我独自居住在深山一角啊，
然欿切而永叹。	心中悲切只有付之长叹。
愁脩夜而宛转兮，[53]	愁只愁长夜漫漫情思宛转啊，
气涫鬻其若波。[54]	心潮沸腾犹如浪涌波翻。
握剞劂而不用兮，[55]	真像拿着刻刀而不能雕刻啊，
操规矩而无所施。[56]	又如拿着规矩无处去画方画圆。
骋骐骥于中庭兮，[57]	跨骑骏马如果只在园庭奔驰啊，
焉能极夫远道？	哪能自由地跑得很远很远？
置猨狖于棂槛兮，[58]	将猨狖关在阶际圈栏里，
夫何以责其捷巧？	哪能嘲笑它们小又灵巧而不能登岩涉险？
驷跛鳖而上山兮，[59]	驾驶跛脚的鳖鱼上山啊，
吾固知其不能升。	早就知道难以步步高升。
释管、晏而任臧获兮，[60]	罢免管仲、晏子而任用顺从的奴仆啊，
何权衡之能称？	作出的决策哪能符合国情？
箟簬杂于黀蒸兮，[61]	箟簬与麻丛混杂真乃良莠不分啊，
机蓬矢以射革。[62]	张强弩而用蓬蒿之箭射犀革之盾必然无成。
负檐荷以丈尺兮，[63]	背负肩挑只能丈尺而步啊，
欲伸要而不可得。	早想伸腰行走可是难以遂心。

外迫胁于机臂兮,[64]	我好像架于机弩上待发的箭头啊,
上牵联于矰谁。[65]	也好似用生丝拴系着的射鸟的短矢。
肩倾侧而不容兮,[66]	虽欲胁肩倾侧而不见容啊,
固陿腹而不得息。[67]	本想甘受委屈可内心又难以宁息。
务光自投于深渊兮,[68]	务光这位清白之士才自沉于水中啊,
不获世之尘垢。	终于免却尘世污垢的侵蚀。
孰魁摧之可久兮,[69]	谁又能长期经得起奸邪的打击啊,
愿退身而穷处。	只好适时隐退而在山林穷处。
凿山楹而为室兮,[70]	我开凿山岩而为居室的楹柱啊,
下被衣于水渚。[71]	浣洗衣服就去到下边水边的沙渚。
雾露濛濛其晨降兮,	明天,清晨雾露下降濛濛一片啊,
云依斐而承宇。[72]	依依浮云整天萦绕于我的屋宇。
虹霓纷其朝霞兮,[73]	晴日,朝霞满天犹如彩虹耀目啊,
夕淫淫而淋雨。	到傍晚忽又下起淫淫淋雨。
怊茫茫而无归兮,	此时此刻,忽觉人世茫茫无所归依啊,
怅远望此旷野。	目力所及是无边无际的旷野。
下垂钓于谿谷兮,	平日里,闲极无事只好去溪边钓鱼啊,
上要求于仙者。[74]	有时候,更想和仙人结伴同游。
与赤松而结友兮,[75]	于是,我和赤松结成知交啊,
比王侨而为耦。[76]	又和王侨成了挚友。
使枭杨先导兮,[77]	指令山神枭杨权作开路使者啊,
白虎为之前后。[78]	而白虎作为护卫或前或后。
浮云雾而入冥兮,[79]	我们乘驾着云雾进入了冥渺世界啊,
骑白鹿而容与。[80]	骑上白鹿从容不迫更逸兴无穷。
魂眐眐以寄独兮,[81]	我的神魂孤独地随着仙人行游啊,
汩徂往而不归。[82]	恰如急流奔注而永不回归。

处卓卓而日远兮，[83]	仙人所居一日比一日高远啊，
志浩荡而伤怀。	我心中激动而无比伤怀。
鸾凤翔于苍云兮，	看那鸾凤翱翔于高高的云端啊，
故矰缴而不能加。	人间射出的箭矢其奈它何！
蛟龙潜于旋渊兮，[84]	又看那蛟龙藏于九旋深渊啊，
身不挂于网罗。	轻易地躲过了渔人撒下的网罗。
知贪饵而近死兮，	它们深知贪吃香饵就近乎死亡啊，
不如下游乎清波。	倒不如下游于河底的清波。
宁幽隐以远祸兮，[85]	我也宁肯幽藏隐身以远避灾害啊，
孰侵辱之可为？[86]	谁再能对我恣意羞辱侵夺？
子胥死而成义兮，[87]	伍子胥为国尽忠死而成义啊，
屈原沈于汨罗。	屈原与祖国共存亡自沉于汨罗。
虽体解其不变兮，[88]	他的躯体很可能为党人肢解啊，
岂忠信之可化。[89]	可忠信的人品永为后人景慕。
志怦怦而内直兮，[90]	我的心志虽怦怦不安可也忠直耿介啊，
履绳墨而不颇。[91]	遵循正直之道而绝不稍有偏颇。
执权衡而无私兮，[92]	评量任何事情都不存私见啊，
称轻重而不差。	处理一切问题也从无差错。
摡尘垢之枉攘兮，[93]	去掉那乱纷纷的灰尘污垢啊，
除秽累而反真。[94]	除却人世污秽累赘就能返璞归真。
形体白而质素兮，	形体洁白而本质纯素啊，
中皎洁而淑清。	心地善良而磊落光明。
时猒饫而不用兮，[95]	当世厌恶正直之士而不重用啊，
且隐伏而远身。	故而隐伏山林斥远已身。
聊窜端而匿迹兮，[96]	聊且窜伏自藏而逃头匿足啊，
嘆寂默而无声。[97]	强忍着寂寞而吞舌无声。
独便悁而烦毒兮，[98]	独自悁悒而烦闷难消啊，
焉发愤而抒情？	怎能发泄愤怨而表白忠直之心？

时暧暧其将罢兮，[99]	时世幽昧而我也心劳力竭啊，
遂闷叹而无名。[100]	所慨叹的是没有赢得传世美名。
伯夷死于首阳兮，[101]	伯夷不仕周朝饿死于首阳山啊，
卒夭隐而不荣。	到头来隐姓埋名而不显荣。
太公不遇文王兮，[102]	吕望如果不在屠肆遇着文王啊，
身至死而不得逞。[103]	终其身他的政治理想亦不能得逞。
怀瑶象而佩琼兮，	我身怀瑶象并佩带琼玉啊，
愿陈列而无正。[104]	愿意献呈忠心而无明正之君。
生天坠之若过兮，[105]	我降生天地之间就像一场风雨眨眼而过啊，
忽烂漫而无成。[106]	忽地晻然消散，徒悲我老大无成。
邪气袭余之形体兮，	我感到邪恶之气正在袭我形体啊，
疾憯怛而萌生。[107]	疾病隐痛正在体内暗发滋生。
愿壹见阳春之白日兮，	我只希望能看到明年的阳春丽日啊，
恐不终乎永年！[108]	但病体已成恐怕难于终享天赐年命！

注释

①时命：生时命运。②夫：发语词。夫何：为什么。予：我。遘：遇，逢。③扳：同“攀”，引。④逞：解，纵，引申为实现。⑤中情：心中的激情。属：缀合。属诗：作诗。⑥炯炯：形容目光。寐：睡去。⑦历兹：经岁累月以至于此。⑧无告：无人可以诉说。⑨欿（kǎn）愁悴：愁苦憔悴的样子。屈原辞中常有三字组成的状语置于句首。此为庄忌仿屈辞的这种构词法之一例，本篇还有这种例证。委惰：懈倦。⑩逮：及，到，至。⑪约：约束。隐约：隐身守约。⑫梁：桥梁。⑬昆仑：昆仑山，神话认为它是天帝的下都。悬圃：《淮南子·地形篇》：“昆仑之丘……或上倍之，是为悬圃，登之乃灵，能使风雨。”⑭钟山：在昆仑山之西北。王逸《楚辞章句》引《淮南子》曰：“钟山之玉，烧之三日，其色不变。”玉英：玉有英华之色。⑮阆风、板桐：《楚辞补注》引《博雅》云：“昆仑虚有三山：阆风、凉风、玄圃。”⑯弱水：《楚辞补注》引应劭曰：“弱水出张掖删丹，西至酒泉，合黎、余波入于流沙。”汩（gǔ）：流水湍急的样子。⑰隐悯：暗自感叹。⑱徙倚：低回。仿佯（páng yáng）：犹豫不定，来回地走。⑲惝惘：惊恐的样子。永思：思念不已。

⑳纡轸(zhěn):心屈缠痛。增伤:倍增感伤。㉑淹留:滞留,停留,逗留。㉒廓:空。抱景:独抱形影。㉓廓落寂:空虚寂寞。㉔玩:把玩,欣赏。遗芳:象征传统的优秀品德。㉕晼(wǎn)晚:形容日落时的景象。㉖将:长。㉗弊:败,坏。罢(pí):倦,劳累。㉘蹇邅徊:蹇然邅徊,即不能再往前行。邅,楚人谓回转曰邅。㉙冠:帽子。崔嵬:高耸的样子。切云:迫近流云。㉚淋离:长长的样子。㉛摄叶、储与:不舒展的样子。㉜袪:袖。扶桑:日出所披拂的大树,在东海。㉝衽:衣的前襟。不周:不周山,神话中在西北的一座有缺口的山。《山海经·大荒西经》:"大荒之隅,有山而不合,名曰不周。"㉞六合:天地及东南西北四方。㉟凿:穿孔。枘:刻木端以入凿。凿枘:即现在木工所说的公母榫。㊱矩矱(huò):规测,法度。㊲尊节而式高:尊高节度。㊳方:公道方正的行为。㊴并举:并相党与。朋:朋党。㊵壹:同"一",使动用法。此句意谓持其贪佞之心以量清白之士。㊶比:亲。周:合。肩迫:并肩。㊷翕(xī):合。翕翅:合拢翅膀。㊸灵皇:指当今皇帝。不寤知:不觉醒。㊹抽冯:发泄愤懑。冯,一作"漻",一作"懑",一作"愁"。㊺庸讵:哪里。㊻甑(zèng):古时蒸饭所用瓦器。窐(guī):孔穴。㊼陇廉:丑妇名。孟娵(jū):美女名。㊽恒俗:常见的习俗。㊾终穷:终身穷苦。㊿忳忳:忧虑的样子。51憺(dàn):安然,淡泊。52曲隅:山曲的一角。53脩夜:长夜。54灒:同"沸"。涫灒:沸腾。55剞劂(jī jué):用于雕刻的刀子。56规矩:量方圆的工具。57骐骥:骏马。58猨狖(yòu):猴的一种。棂槛:阶际圈栏。59驷:驾驭。60释:放走,免去。管晏:管仲、晏婴。臧获:奴婢贱称,骂奴曰臧,骂婢曰获。61箟簬(kūn lù):同"菎蕗",香草。黀(zōu):麻黇。蒸:折麻中秆。《楚辞章句》释《七谏·谬谏》同句云:"言持菎蕗香直之草,杂于黀蒸,烧而燃之,则不识于物也。以言取忠直弃之林野,亦不知贤也。"62矢:箭。《楚辞章句》释《七谏·谬谏》同句云:"言张强弩之机,以蓬蒿之箭,以射犀革之盾,必榷折无能所入也。言使愚巧任政,必致荒乱,无所能成也。"63负担荷:背负肩挑。丈尺:丈尺而步,表明行走极不自由。64迫胁:近附。机臂:弩身。65矰(zēng)雔:系有生丝的射鸟短矢。雔,一作"弋"。66肩倾侧:有孟子所说的"胁肩谄笑"之意。67陿(xiá):隘,窄。68务光:古清白之士,见《庄子》。69魁摧:狠狠打击。可久:得以长久。70楹:柱。71被衣:及于洗衣。水渚(zhǔ):水边沙洲。72斐:一作"霏"。宇:屋宇。73虹霓(ní):彩虹。霓:颜色较淡的虹,称副虹。74求,一作"结"。要(yāo)求:要结。仙者:仙人。75赤松:仙人名。76王乔:仙人名。77枭杨:山神,实即狒狒。78白虎:本为星宿名,即西方奎、娄、胃、昴、毕、觜、参等七星的合称。79浮:腾起,驾乘。80容与:从容不迫的样子。81眐(zhēng)眐:独行的样子。82徂(cú):往,到。83卓卓:高高的样子。84旋渊:九旋之渊,至深之渊。85幽隐:幽藏隐身。远祸:避祸。86侵辱:恣意羞辱。87子胥:伍子胥,名员,春秋时楚人。因父兄无辜被楚平王杀害,子胥奔吴,佐吴伐楚。后吴越争

霸，子胥忠心于吴，因太宰伯嚭进谗，吴王夫差赐剑自刎。⑧体解：躯体被肢解。⑧化：变。⑨怦(pēng)怦：心跳的样子。内直：内心忠直耿介。⑨绳墨：比方正直的道理。颇：倾，偏差。⑨权衡：斟酌，评量。⑨摡：去掉。枉攘：乱纷纷的样子。⑨反真：回到质朴的本来面貌。⑨时：当世，暗指当时在位的皇帝。猒饫：厌倦，厌恶。⑨窜端：逃头。匿迹：匿足。⑨嗼寂默：吞声不语的样子。⑨便悁：一作"悁悒"，愁闷不安。烦毒：愁烦到了极度。⑨暧暧：不明的样子。⑩无名：没有美名。⑩伯夷：商孤竹君之子。商亡，伯夷与其弟叔齐耻食周粟，隐于首阳山，采薇而食，终饿死。⑩太公：姜太公，即吕望。⑩得逞：得以实现。⑩无正：无明正之君。⑩天坠：天地。若过：若风雨之过去。⑩烂漫：此处有消散之意。无成：没有任何成就。⑩疾：疾病。憯怛：憯痛。⑩永年：应享的年命。

鉴赏

《哀时命》作者身世情况，现在所知甚少。本姓庄，东汉时因避明帝刘庄之讳，改姓严。会稽吴(今江苏省吴县)人，一称由拳(今浙江省嘉兴)人，好辞赋。先遭景帝不好辞赋，无所得志，乃游吴，与邹阳、枚乘同为吴王濞门客。吴既败，忌徒步入梁，受知孝王武，与邹阳、枚乘、司马相如等同受尊重，忌名尤甚，称庄夫子。时逢孝王武谋求为汉嗣，并因此谋杀袁盎，忌与枚乘等皆不敢谏，深感深居危国而不安。《汉志》著录其辞赋二十四篇，多亡佚，今仅存《哀时命》一篇，见于王逸《楚辞章句》中。

王逸称："忌哀屈原受性忠贞，不遭明君而遇暗世，斐然作辞，叹而述之，故曰《哀时命》也。"(《楚辞章句》)今仔细阅读《哀时命》，虽属骚体，其内容亦含愤世嫉俗之意，而略与屈原《离骚》相通，然而文中之"予"，实际上不是指屈原，而为庄忌自称。其中有"屈原沈于汨罗"之句，表明即为庄忌的语气，因为屈原既死他怎能引自己自沉之事以发感慨呢？特别是文中更反复强调"众比周以肩迫之，贤者远而隐藏"，"孰魁摧之可久兮，愿退身而穷处"，"宁幽隐以远祸兮，孰侵辱之可为"，"时猒饫而不用兮，且隐伏而远身"，"时暧暧其将罢兮，遂闷叹而无名"，"生天坠之若过兮，忽烂漫而无成"，如此等等，虽倾向于远祸全身而又执著于功名的追求，虽有愤世之感而又存恋生之念，与屈原义无反顾、以死殉国的鲜明态度就相去甚远。尤其"肩倾侧而不容兮，固陿腹而不得息"的那种取悦奸佞的做法，更与屈原疾恶如仇的坚定立场不可同日而语。这样看来，王逸所谓《哀时命》为"哀屈原"而作，其解释是不准确的，实为一种主观臆断。

鲁迅先生在《汉文学史纲要》中指出:“汉兴,高祖亦不乐儒术”,“高祖崩,儒者亦不见用”,“及至孝景,不任儒”(《汉宫之楚声》),而且,景帝还“不好词赋”(《藩国之文术》)。可以推知,汉初之儒者及辞赋家等知识分子,都会感到“生之不遘时”,“志憾恨而不逞”。因此,庄忌的《哀时命》,虽非“哀屈原”,确是汉初知识分子们的自哀,自哀生不逢辰、怀才不遇。其中的抒情主人公“予”,也就是那个历史时代被压抑、被排斥的正直知识分子的典型形象,当然亦将作者庄忌的身世经历和人生体验概括在里面了。

就《哀时命》的内容言之,可以分为四个大段落。

第一大段写壮志难酬,无所适从。首先写“予”深感孤寂,“心郁郁而无告兮,众孰可与深谋?”接着写他在现实生活中,觉得“道壅塞而不通兮,江河广而无梁”,实现其壮志已根本不可能了。于是,他驰骋想象,遨游昆仑,以求解脱。然而亦难以遂愿,“弱水汩其为难兮,路中断而不通”。终于,他从想象世界回到现实人生之中,孤寂之感亦倍增,竟至不知如何是好,“身既不容于浊世兮,不知进退之宜当!”从而深刻地反映了汉初知识分子安身立命的艰难。

第二大段写志浩行芳,世不见容。“予”亦如屈原那样,“冠崔嵬而切云兮,剑淋离而纵横”,“虽知困其不改操兮,终不以邪枉害方”。他实在忍不住了,才指斥现实社会以至朝廷都良莠不分、美丑颠倒,“璋珪杂于甑窐兮,陇廉与孟娵同宫”。正因为志浩行芳,如此浊世对于他哪能相容呢?于是只能“魂眇眇而驰骋兮,心烦冤之忡忡。志欿憾而不憺兮,路幽昧而甚难”。汉初的正直知识分子,真乃时运不佳啊!

第三大段写奸佞当道,安心退隐。“予”虽然不得已早已退隐,但对于“块独守此曲隅”的孤寂生活并不安心,总为其天生之才未能尽用而懊恼,而且,他虽身居山林,还心存魏阙,担心朝廷“释管晏而任臧获兮,何权衡之能称”。可他,又惧于奸佞当道,如跻身朝中,会如务光那样受到迫害而“自投于深渊”。他为了远祸全身,只得“愿退身而穷处”。这表明,他对于退隐由不安心而终于安心了。而且表示,要“下垂钓于谿谷兮,上要求于仙者”,“浮云雾而入冥兮,骑白鹿而容与!”终于,精神得到了解放!

第四大段写守直不变,仍有所期。“予”表明他虽“幽隐以远祸”或“隐伏而远身”,但要效法伍员、屈原等忠直之士,“志怦怦而内直兮,履绳墨而不颇”,“形体白而质素兮,中皎洁而淑清”。而且,他在隐居中仍有所期,期望有朝一日能如太公遇文王一样,遇着明君,以逞大志,实现宿愿。不过,于此希冀之实现,并无多大信心。因之,此文的结尾便笼罩着一层悲凉气氛。“生天坠之若过兮,忽烂漫而无成”,“愿壹见阳春之白日兮,恐不终乎永年!”如此描写,曲折而强烈地表达了汉初知识分子内心的苦闷和抗争。

如果将屈原《离骚》中的“余”和庄忌《哀时命》中的“予”相对照来看,无疑二者都是正直知识分子形象,而且前者的言谈举止及精神气质对后者是有深刻影响的,最为突出的就是都以志浩行芳、关心国事为共同性格特征,表现了我国古代正直知识分子特有的高尚人格和时代政治责任心。可是由于二者各自所处的历史时代情势颇不一样,其志愿、思想、情感亦有不同之处。前者面临自己的祖国即楚国将为强秦所灭的危险,他一方面指斥朝中奸佞,一方面决心以身殉国,表示“吾将从彭咸之所居”,“虽九死其犹未悔”!爱国立场十分坚定。后者在汉初所处的藩国虽有种种危机,然而新建不久的汉朝——统一的封建大帝国蒸蒸日上,十分兴旺,所以他在指斥朝中奸佞的同时,仅求隐居避祸,但也一直守直不变,并期明君任用,以遂大志。当然,后者较之前者个性上也是较为软弱的,但终究还是难得的正直知识分子。因之,也应予以肯定,不必求全责备。

还应看到,在创作上,屈原的《离骚》及其他作品对于庄忌的《哀时命》亦深有启示作用。诸如屈原作品将现实与理想、人世和神界交融在一起的创作方式,以及体式、句法的运用(打破四言局限,代之以参差错落、灵活自由的长短句),甚至具体的比喻、象征及语句的设置,《哀时命》都有所借鉴,有所效仿,甚而有所袭用。特别应该一提的是,在汉初文坛上开始形成以铺叙宫苑景物为能事的赋体之时,《哀时命》还能恪守屈原的创作传统,保持着抒情言志的诗歌本色,这更是难能可贵。所以,今天我们不能因为《哀时命》比之《离骚》在艺术上有所逊色,缺乏创造精神,就全然抹杀其艺术成就及历史价值。

(周子瑜)

九　怀

王　褒

匡　机[1]

极运兮不中，[2]	背离正道呵走邪路，
来将屈兮困穷。[3]	如今终于遭困穷。
余深愍兮惨怛，[4]	我心忧伤呵深无限，
愿一列兮无从。[5]	想要陈述路不通。
乘日月兮上征，	愿乘日月呵游太空，
愿游心兮鄗酆。[6]	心中顾念鄗与丰。
弥览兮九隅，[7]	遍览九州呵和四野，
彷徨兮兰宫。[8]	徘徊流连在兰宫。
芷闾兮药房，	香芷的屋呵白芷房，
奋摇兮众芳。	百花芳香袭心田。
菌阁兮蕙楼，	香菌阁子呵蕙草楼，
观道兮从横。[9]	览察四周路纵横。
宝金兮委积。	黄金灿灿呵堆成山，
美玉兮盈堂。	美玉闪闪积满堂。
桂水兮潺湲，	桂花香水呵流潺潺，
扬流兮洋洋。	扬波逐浪浩洋洋。
蓍蔡兮踊跃，	神龟欢喜呵多活跃，
孔鹤兮回翔。[10]	孔雀仙鹤左右旋。
抚槛兮远望，	凭栏远眺啊情满怀，
念君兮不忘。	思念君王怎能忘？

佛郁兮莫陈，
永怀兮内伤。

满腔忧愤呵何处诉？
长思切切摧心肝！

（汤漳平　译）

注释

①《匡机》是《九怀》的首篇，《九怀》各小篇题义隐晦，故略作解释。本篇题义，姜亮夫在《楚辞通故》第三辑《书篇部九》引用徐仁甫的《九怀篇题试解》说："其词有'顾游心兮鄗酆'，'念君兮不忘'，则几通机……《说文》：'几，微也，殆也。几一作机，暗喻天子。匡即《孝经》'匡救其恶'之匡，谓君有微殆，吾欲匡救之，即愿为忠臣也。"这一解释大致合理。但机似应释为"几"的原意，即"殆"的意义。《尔雅注疏·释诂下》："噊、几、裁、殆，危也。"本篇一开始就写"极运兮不中，来将屈兮困穷"，说明国家已危殆，因此匡机应为匡救国家之危机。②极运：王逸释为"周转求君，道不合也"（《楚辞章句》），似不确。姜亮夫在《楚辞通故》中释"极"为中心的意思，认为"极运言同中心之运转也"（四辑《词部十》）。所谓"不中"，即不合轨道也。③困穷：处境窘迫，由"屈"而至困穷，不可释为贫困。④惨怛（dàn）：忧伤。⑤一列：《楚辞章句》注："欲陈忠谋，道阻隔也。"则一列是全部倾诉的意思。⑥鄗：同"镐（hào）"，古地名，周武王所定都城。酆：古都名，周文王营建的都城。酆、鄗均在今陕西西安南，以沣水为界，以西为酆京，以东为鄗京。⑦九隅：九州。⑧兰宫：兰为香草，这里和下面的芷闾、药房、菌阁、蕙楼，都是说以芳洁之物置于宫室之中。⑨观道：观望道路。从横：即纵横。⑩蓍蔡：灵龟。《楚辞补注》："《文选》云，搏耆龟。注云：耆，老也。龟之老者神，引'耆蔡兮踊跃'。据此，则蓍当作耆。"蔡：大龟。《楚辞补注》："《淮南》云：大蔡神龟。注云：大蔡，元龟所出地名，因名其龟为大蔡。"踊跃：欢乐。《楚辞章句》注："蓍龟喜乐。"

鉴赏

王褒的《九怀》由九个短篇构成。虽然不像《离骚》那样"金相玉质，百世无匹"（王逸《楚辞章句·离骚叙》），但在文学发展史上，还是有其自身的价值和一定的影响。

王褒是屈宋之后楚辞的继作者，是汉代著名的楚辞作家之一，也是楚辞向汉赋演变的重要人物。过去一般人认为，贾谊、王褒、刘向等人的作品，是用"代言体"写成，情文远不及屈宋诸骚，因此，很少有人研究。朱熹甚至认为他们是“无所疾痛而强为呻吟者”(《楚辞辩证》)。这种看法影响很大，然而朱熹完全忽视了他们在文学发展史上的地位。楚辞演变为汉赋，没有这批中介作家是不可想象的。刘勰在《文心雕龙·诠赋》里说：“赋也者，受命于诗人，拓宇于楚辞也。”说“拓宇于楚辞”是说它受到楚辞的影响，正是由于赋体的发展和楚辞有着密切的关系，所以汉代往往把辞赋连称。从文学发展史上看，汉初楚辞作家的作品，虽是追随屈宋余绪，但与屈宋诸骚比较起来，已初有转变，实际上已是一种“骚体赋”，其后则逐渐演变为有独特特征的散体大赋，可见汉代楚辞作品是不应小视的。

王褒《九怀》的九篇作品，都是政治抒情诗。它们强烈的政治性、浓重的抒情意味与《离骚》基本上是一致的，并且在表现方式上，多效法《离骚》，采用幻想、夸张的手法，很少纪实之辞。《九怀》的语言流畅、生动，也很形象，篇章结构跌宕有致，诚笃的爱国思想与丰富的想象相结合，这是《九怀》这组诗歌的主要特色。

《匡机》是《九怀》中的第一篇。全诗结构分为三个层次。前四句为第一层，写诗人想向君王表达自己的忠心，但无门可入的痛苦心情。从第五句“乘日月兮上征”至“孔鹤兮回翔”为第二层，写诗人在极度的苦闷中去国远游，并寻找到法度修明、群贤必至的理想境界。在这里“众芳奋摇”，“宝金委积”，“美玉盈堂”，“蓍蔡踊跃”，“孔鹤回翔”。这里的芳草、金玉、龟鹤都是比喻贤臣、能臣及德行美好、才华出众的人才，这是从《离骚》“昔三后之纯粹兮，固众芳之所在”化出来的。在这个理想境界中，不仅群贤必至，而且人人心情舒畅、精神振奋，“踊跃”“回翔”就是形容人们欢乐和自由自在的样子。这与去国远游前的环境形成鲜明的对比。最后四句为第三层，写诗人突然望见故国，思念君国的感情又涌上心头，顿时感到自己满腔的忧愁无人可以诉说，对君王长久的思念深深地折磨着自己。这里我们不能简单地理解为诗人仅仅对君王的依恋，而是表现诗人对国家和人民命运的深切关怀，这不仅是《匡机》一篇的基调，也是《九怀》总的基调。

王逸《楚辞章句》说：“褒读屈原之文，嘉其温雅，藻采敷衍，执握金玉，委之污渎，遭世溷浊，莫之能识。追而愍之，故作《九怀》，以裨其词。”可见王褒作《九怀》还是有感而作，并非无病呻吟。从这首诗中，不仅可以看出作者对屈原的遭遇有深切的同情，而且对屈原眷恋祖国的思想感情有深刻的理解。因此，这首诗不但准确地表达了屈原对理想政治的追求，也恰当地表达了屈原思君恋国的复杂、矛盾的心情。

（梅桐生）

通　路

天门兮地户，	上有天门下地户，
孰由兮贤者？	哪见贤者走的路？
无正兮溷厕，[1]	是非不分奸佞多，
怀德兮何睹？	品德高者何曾睹？
假寐兮愍斯，[2]	和衣而眠心忧伤，
谁可与兮寤语？	同道之人在何处？
痛凤兮远逝，	哀叹凤凰已远逝，
畜鴳兮近处。[3]	家养的鴳雀日亲附。
鲸鱏兮幽潜，[4]	鲸鲟潜藏下深渊，
从虾兮游陼。[5]	小鱼小虾戏洲渚。
乘虬兮登阳，[6]	愿乘飞龙登云间，
载象兮上行。[7]	愿骑神象上九天。
朝发兮葱岭，[8]	朝发西极之葱岭，
夕至兮明光。[9]	暮宿东极之丹峦。
北饮兮飞泉，[10]	北饮飞泉解饥渴，
南采兮芝英。	南采灵芝可延年。
宣游兮列宿，[11]	遍历六合览众星，
顺极兮彷徉。	周绕北极游天庭。
红采兮骍衣，[12]	采来霓虹制上衣，
翠缥兮为裳。[13]	裁下青云做下裳。
舒佩兮綝纚，[14]	行来玉佩响叮当，
竦余剑兮干将。[15]	干将宝剑握手上。
腾蛇兮后从，[16]	腾蛇紧随在我后，
飞駏兮步旁。[17]	駏驉奋飞在身旁。
微观兮玄圃，[18]	天园玄圃细观察，

览察兮瑶光。[19]	遍览北斗见瑶光。
启匮兮探筴，[20]	发匣引筹占吉凶，
悲命兮相当。	可怜命该遭离殃。
纫蕙兮永辞，	连接蕙草长诀别，
将离兮所思。	将离亲人与故乡。
浮云兮容与，	乘云飘飘从此去，
道余兮何之。	不知带我往何方？
远望兮仟眠，[21]	遥望故土何昏昏，
闻雷兮阗阗。[22]	但闻迅雷声阗阗。
阴忧兮感余，	满心忧虑入我怀，
惆怅兮自怜。	怅然若失独悲伤！

注释

①无正：是正直的反义词，代指奸佞之徒。所以《楚辞章句》释为“邪佞杂乱，来并居也。”《九章·抽思》有“并日夜而无正”句，《楚辞章句》注云：“君性不端，昼夜谬也。”可知“无正”即是“不端”之意。②假寐：《楚辞章句》注：“不脱冠带而卧曰假寐。”③鴳：《释文》作“鷃（yàn）”，一种飞得很低的小鸟。这里以喻小人。④鲸鱏（xún）：鲸即大鲸鱼，鱏是鲟鱼的古称。《经典释文》卷三十引《字林》云：“长鼻鱼也，重千斤。”⑤陼：一作“渚”，江中小岛。《尔雅·释水》：“水中可居者曰洲，小洲曰渚。”⑥登阳：即上天，古以天为阳，地为阴。⑦载象：骑着神象。《楚辞章句》注：“神象白身赤头，有翼能飞也。”⑧葱岭：旧传为西极之高山名。《楚辞补注》云：“葱岭，山名，其山高大，生葱，故名。”古代将帕米尔高原和昆仑山、喀喇昆仑山脉西部诸山总称葱岭。⑨明光：王逸注为“东极之丹峦”。当即《山海经》中所载的明星之山。《大荒东经》：“大荒之中，有山名曰明星，日月所出。”⑩飞泉：神话传说中的神泉天液，《楚辞补注》：“六气日入为飞泉。”并引张辑说：“飞泉在昆仑西南。”⑪宿：指星宿，我国古代天文学家把星的聚合体分为二十八宿。列宿：即众星座。⑫红采兮骍（xīng）衣：据《楚辞补注》：古本为“虹采兮霓衣”。骍：原指红色的马，这里形容红的颜色。⑬翠缥：青白色的帛为缥，这里代指青云。⑭绁䌫（lín lí）：据姜亮夫《楚辞通故》释：“绁䌫即淋漓、淋䌫，其音皆本于先秦之陆离。……在水，则从水，作淋䌫；在佩，则从糸，作绁䌫。”（第四辑《词部》十）这里指玉佩盛美。⑮干将：我国古代著名宝剑名。

传为春秋时名匠干将、莫邪夫妇为吴王所作之宝剑。剑成为二,其中雄剑为干将,雌剑为莫邪。⑯腾蛇:即螣蛇,神话中的神蛇,能无足而飞腾。“郭璞云:螣,龙类,能兴云雾而游其中。”(《楚辞补注》引)⑰飞驱(jù):即神话传说中的怪兽驱驉(xū),似骡,能日行五百里。⑱玄圃:又作悬圃,传说在昆仑山上,是天帝的园苑。王逸释之为“帝圃”“天园”。⑲瑶光:据《楚辞补注》注:“瑶光,北斗杓第七星也,居中而运,历指十二辰。”⑳筴(cè):同“策”,为古代占卜用的蓍草。㉑仟眠:一作“芊瞑”,一作“晦昏”,都是天色昏暗的意思。㉒阗(tián):雷声很响。

鉴赏

《通路》是《九怀》中最长的一篇。篇题《通路》,写的内容是寻找出路,所以诗一开头就写道:“天门兮地户,孰由兮贤者?”徐仁甫认为文中写的是“作者欲通仕路而不可得也”(转引自姜亮夫《楚辞通故》第三辑《书篇部》九)。

诗三十六行,可分为三部分。

前十句为第一部分,着重描写由于现实社会的黑暗,使贤能之士难以找到出路。诗篇开门见山地写道:“天门兮地户,孰由兮贤者?”作者以登天有门和入地有户,来反衬现实生活中贤者的悲哀:六合之内,他们竟然不知出路在何方?紧接着作者回答了造成这种状况的原因:“无正兮溷厕”,“无正”就是品德不端的人,也即奸佞之徒。既然奸佞之徒并居要职,那么品德高尚的贤者当然也就难以指望一展抱负了,所以说“怀德者何睹”。“怀德”和“无正”是相对应的,指具有两种不同道德品质的人。王逸释为“忠信之士,不见用也”是恰切的。面对这样的现实,作者自然只能感到忧伤和孤独,“愍斯”是对这种现象感到悲伤,因而感慨于自己找不到志同道合者。后四句以凤凰远逝、鲸鲟深藏同鸩雀受宠、小鱼虾兴高采烈的现象作了鲜明的对比,进一步揭露社会现实中的不合理,给人以深刻印象。

第二部分从“乘虬兮登阳”至“览察兮瑶光”共十六句,写自己在现实中由于失意而幻想畅游太空的情景。他乘着虬龙和神象升上九天,腾蛇和飞驱在两旁跟从;以彩虹为衣,青云为裳;身上玉佩叮当,手中紧握宝剑,何等神气!而他的行踪,则从西极葱岭,到东极明光;宣游列宿、顺极彷徉;微观玄圃、览察瑶光;六合之中,无处不可到!至于南采灵芝、北饮仙泉,无物不可得!作者以神游天界的逍遥无碍和在凡世间的无路可通又作了一番鲜明对比。

从“启匮兮探筴”到结束,这十句为第三部分。这是作者在神游天庭后,进一步描写环境险恶,难以掌握自己命运的悲哀。正由于他的这种心理，“启匮兮探筴”，占卜自己的前途和命运。然而“悲命兮相当”，占卜的结果和自己的实际遭遇相同，也就是第一部分所描述的那种境况，因此，他只能作远离故乡故国的准备了。瞻望前途，依然是一片茫然，所以尽管乘着白云飘飘而去，但却不知道最终落脚于何方。“何之”就是“往何方去”，对于离别，他感到痛苦，然而不离去，又没有自己的出路。“远望兮仟眠，闻雷兮阗阗”，王逸对前一句的解释是“遥视楚国，暗未明也”，对后一句是“君好妄怒，威武盛也”（《楚辞章句》），尽管解释得过于质直，但基本上是准确的。作者描写的视角是从天上俯视地下，他看到的是故乡浓云密布、暴雷震天，没有光明，也没有希望。这就难怪诗篇结束时要“阴忧兮感余，惆怅兮自怜”了。

《九怀》的九篇诗作，大体上都是一个创作模式，每篇开头写现实生活中的黑暗，接着是远游（包括九州、太空、江海等等），最后是自伤。但在其他篇中，大多是首尾两部分很短，着墨多的是中间部分的远游，如同《楚辞·远游》篇的结构。唯独《通路》篇中，三个部分内容都比较均衡，感情似乎也较真实。历代对《九怀》向来评价不高，认为它和东方朔的《七谏》、王逸的《九思》等都是“无病呻吟”之作，在思想上没有新的建树，在艺术上也没有新的突破。这从总的方面说是对的，但是这些作品，毕竟也反映了不同时期文人的思想情绪，其中对黑暗现实的不满和揭露，怀才不遇的痛苦和追求等，这是封建时代多数不得意文人的共同心理状态，作品虽是打着“悯屈”的旗号，实则主要是抒发自己的感情。所以其中一些篇章，因为触及到自己的伤心处，倒也写得令人颇感同情，此篇即是一例。至于在艺术上实在无多少可谈之处，如本篇中间一段写远游，“所用事象，皆屈子各文之所常言也”（姜亮夫《楚辞通故》第三辑《书篇部》九），也就难以感人了。

（汤漳平）

危　俊

林不容兮鸣蜩，[①]	鸣叫的蝉难在林中栖息，
余何留兮中州？[②]	我又为何要在中国停留。
陶嘉月兮总驾，[③]	到吉日愉快地把车聚集，
搴玉英兮自修。	采摘美玉花朵修饰自己。
结荣茝兮逶逝，[④]	草茝系好书信我将离去，

将去烝兮远游。⑤	我要离开君王外出远游。
径岱土兮魏阙，⑥	我直往巍峨雄伟的泰山，
历九曲兮牵牛。⑦	经过九天我去访问牵牛。
聊假日兮相佯，	姑且趁这时光徘徊游荡，
遗光耀兮周流。	灿烂光芒照耀游遍四周。
望太一兮淹息，⑧	仰望太一尊神停滞不前，
纡余辔兮自休。⑨	舒缓我的马勒停下暂休。
晞白日兮皎皎，⑩	清晨东方升起明亮太阳，
弥远路兮悠悠。⑪	道路多么遥远没有尽头。
顾列孛兮缥缥，⑫	回头看见彗星轻轻飞去，
观幽云兮陈浮。⑬	山中云气弥漫随风飘浮。
钜宝迁兮砏磤，⑭	太岁星在转移隆隆震响，
雉咸雊兮相求。⑮	野鸡声声鸣叫雌雄相求。
泱莽莽兮究志，	四周辽阔广大无边无际，
惧吾心兮㤽㤽。⑯	担心自己心中又生忧愁。
步余马兮飞柱，	我的马在飞柱山下徘徊，
览可与兮匹俦。⑰	我观察谁能作我的配偶。
卒莫有兮纤介，⑱	众人邪佞终究不够理想，
永余思兮怞怞。⑲	深深思虑啊我无限心忧。

注释

①蜩（tiáo）：蝉。②中州：中国。《汉书·司马相如传》注："中州，中国也。"③陶：愉快、欢乐。嘉月：吉祥的日子。总：汇集，聚集。总驾：聚集车辆。④结：打结。古代书信是卷成卷子，外用小带束住，在打结处加封泥。结荣茝：就是用茝草作束带，束住给情人的信。逶（wēi）：一作"远"。⑤烝：君王。王逸《楚辞章句》："《尔雅》曰，林、烝，君也。"⑥岱（dài）：泰山的别名，也叫"岱宗""岱岳"。魏阙：古代宫门前悬挂法令的地方。洪兴祖《楚辞补注》："许慎云，巍巍高大，故曰魏阙。"这里作形容词，高大巍峨的意思。⑦九曲：九天。牵牛：星名，在天鹰星座。⑧淹息：停滞不前。⑨纡（yū）：屈曲。引申为舒缓、放松。⑩晞

(xī):天亮时的日光。《毛诗正义》疏:“谓将旦之时,日之光气始升。”皎皎:洁白明亮。⑪弥:长,久。⑫列孛(bèi):彗星。王逸《楚辞章句》:“邪视彗星,光瞥瞥也。”⑬幽云:山中云气。⑭钜宝:太岁星。王逸《楚辞章句》:“太岁转移,声礚磑也。”砏磤(pīn yǐn):洪兴祖《楚辞补注》:“石声。”⑮雊(gòu):野鸡叫。⑯俦(chóu)俦:忧愁的样子。⑰匹俦:这里指配偶。王逸《楚辞章句》:“历观群英,求妃合也。二人为匹,四人为俦。”⑱纤介:细微的意思。这里指品格卑劣的人,即小人。王逸《楚辞章句》:“众皆邪佞,无忠直也。”⑲怞(yóu)怞:忧愁的样子,《楚辞补注》:“怞,忧貌。”

鉴赏

《危俊》是《九怀》中的第三篇。这首诗主要写“览可与兮匹俦”的活动,即用寻找配偶来比喻寻求了解自己胸怀,在政治与自己志同道合的人。这是效法屈原《离骚》求宓妃、寻佚女的表现手法,表达诗人对理想不屈不挠的追求。全诗可分为三层:前六句为第一层,写恶劣的环境难容,诗人只好选择吉日,整好行装,精心地修饰自己,用香草系好送给情人的书信,离开君王外出远游,去寻求配偶。从“径岱土兮魏阙”至“雉咸雊兮相求”为第二层,写想象中远游的情节:在浪漫主义幻想中,诗人构思驾车勒马,经过巍峨的泰山,升上九天遨游,访牵牛,望太一,追彗星,历钜宝。然而在浩瀚无垠的天际,什么人也没有找到,只听见地上的野鸡一声声鸣叫,雌雄相求。最后六句是第三层,写诗人面对茫茫宇宙而产生的求偶不遇的痛苦心情。

这是一首政治抒情诗,作者代屈原抒发追求真理的政治感情。一般说来,政治感情的抒发比较容易流于抽象的说理、概念化的口号,作者学习《离骚》的表现手法,巧妙地运用比喻,使这种政治感情与想象结合起来,把幽独的抒怀与幻想的描写交织在一起,表现了一个苦闷的灵魂上天下地对真理的追求,寻找政治上的知己的愿望。但是这首诗的想象并没有得到充分的展开,求偶的主题也表达得不够鲜明,艺术感染力不及《匡机》。

(梅桐生)

昭　世

世溷兮冥昏,[1]　　社会腐败混乱政治黑暗,

违君兮归真。[②]	我将离开君王追求性真。
乘龙兮偃蹇，[③]	乘驾着灵活高傲的神龙，
高回翔兮上臻。[④]	高高回旋翱翔向上飞升。
袭英衣兮缇绍，[⑤]	穿上鲜艳上衣五彩缤纷，
披华裳兮芳芬。	披着华丽下裳散发芳香。
登羊角兮扶舆，[⑥]	驾着旋风慢慢盘旋而上，
浮云漠兮自娱。[⑦]	乘云渡过银河愉快歌唱。
握神精兮雍容，[⑧]	我的精神振作从容不迫，
与神人兮相胥。[⑨]	我与仙人们还互助相帮。
流星坠兮成雨，	天上流星陨落犹如降雨，
进瞵盼兮上丘墟。[⑩]	左顾右盼我登上了荒墟。
览旧邦兮滃郁，[⑪]	忽然看见故乡云气迷蒙，
余安能兮久居。	我怎么能长久居留这里。
志怀逝兮心懰栗，[⑫]	想要远走高飞内心悲伤，
纡余辔兮踌躇。	舒缓我的马勒犹豫彷徨。
闻素女兮微歌，[⑬]	轻风传来素女婉转歌声，
听王后兮吹竽。[⑭]	我还听见宓妃竽声悠扬。
魂悽怆兮感哀，[⑮]	我的灵魂悲痛深感哀伤，
肠回回兮盘纡。[⑯]	心中烦乱牵动缕缕愁肠。
抚余佩兮缤纷，	抚摩身上玉佩叮当作响，
高太息兮自怜。	我深深地长叹自怜自伤。
使祝融兮先行，	扭转车头派遣祝融开路，
令昭明兮开门。[⑰]	我命令炎神去打开天门。
驰六蛟兮上征，	驾着六条蛟龙向上奔驰，
竦余驾兮入冥。[⑱]	我驱车驰向遥远的地方。
历九州兮索合，[⑲]	我游遍了天下寻找伴侣，
谁可与兮终生。	谁可终生为友苦乐同当。
忽反顾兮西囿，[⑳]	突然我向西囿回头眺望，
睹轸丘兮崎倾。[㉑]	看见山陵高峻崎岖峥嵘。

横垂涕兮泫流，[22]	思念故乡使我涕泪横流，
悲余后兮失灵。[23]	悲伤我的君王糊涂昏庸。

（黄寿祺、梅桐生　译）

注释

①冥昏：黑暗。②违君：离开君王。归真：还其本来，恢复真性。③偃蹇：高傲，夭矫。④臻：达到。⑤袭：穿。英衣：美丽如花的上衣。缇（tí）：黄赤色的丝织品，这里作形容词，金黄色的。緆（qiè）：麻织的衣，这里作形容词，颜色错杂的。⑥羊角：旋风。扶舆：盘旋的样子。⑦云漠：疑是"云汉"之误。云汉即银河。⑧神精：人的精神。雍容：温和，从容不迫的样子。⑨胥：助。⑩瞵（lín）盼：左顾右盼。⑪滃郁：云气升起的样子。⑫恻栗（liú lì）：忧伤，悲怆。⑬微歌：轻歌。⑭王后：指宓妃。⑮悽怆：悲痛、伤感。⑯回回：纡曲，引申为心乱的样子。盘纡：屈曲。⑰昭明：炎神。⑱竦：敬肃的意思，引申为振作。⑲索合：寻求配合的人。⑳西囿：不详，疑为陇蜀之地的园圃。㉑轸（zhěn）丘：高峻的山。㉒泫（xuàn）：流泪。㉓失灵：头脑不清。

鉴赏

在腐朽黑暗的政治现实面前，是远遁高举，还是执著流连？这是摆在屈原面前的一个不好解决的难题。本诗通过反复的对比和曲折的咏唱，以深沉的笔调和浓重的色彩，描写和揭示了屈原矛盾复杂的内心世界，字里行间充溢着对黑暗政治的愤慨之情和对祖国家乡的满怀热爱之心，表现了屈原崇高的爱国主义精神。

围绕着屈原内心的矛盾，诗歌以迂回曲折、首尾照应的笔法，一次又一次地展示了屈原激烈的思想斗争，通过不断的自我交锋，把他那种刚正不阿、不肯随乎流俗的凛然正气和对家国的深情眷怀，体现得十分深沉而又热烈，起到了感奋人心的效果。

诗歌一开始就以强烈的激情唱出："世溷兮冥昏，违君兮归真。"屈原在楚国，"信而见疑，忠而被谤，能无怨乎？"（《史记·屈原贾生列传》）这两句诗劈头而起，像火山爆发一样，宣泄了屈原久已郁积于心的满腔悲愤，是对楚国腐败政治的愤怒控诉，也是期望追求理想境界的自我宣言。他表示将离开楚国和君王，远走高飞，以保持自己纯真的本性。于是，他想象自己驾着神龙凌空翱翔，穿着华丽而又芬芳四溢的衣裳，乘着旋风在浩渺无际的银河上放声高唱，他的精神从容而又愉快，并且与仙人们亲密无间、相敬相帮。这一切，充满了昂扬奋发的精神和勃勃生机，显得无比的神奇和美好，与人间浊世形成了鲜明的对照。可以说，这是屈原在极度苦闷之中，力求解脱而心造的幻影，他企望从远走高飏中获得精神的自由。然而，有着炽热的爱国激情的屈原，是无法做到的。当他左顾右盼地登上荒丘之时，视线突然而又必然地集中到了难舍难忘的故乡之上，那里，云气迷蒙，一片昏暗，全国政治混乱，人民痛苦不堪，他的强烈的匡时济国之心，使他不能不以家国苍生为念，无法在理想的境界中自我逗留。“志怀逝兮心惏栗，纡余辔兮踌躇”，正是这种矛盾心情的真实写照。前一句从心理上进行了深刻的剖析，后一句则从行动上作了生动的描写，二者相得益彰，十分形象。

但是，当屈原正要回到现实社会中来时，却又忽然听见了虚无缥缈的天国之上那素女轻柔的歌声和宓妃悠扬的竽声。这仅只是歌声、竽声吗？不，这是他憧憬的理想之国对他发出的深情的召唤。这又一次牵动了他的何去何从的缕缕愁思。“魂悽怆兮感哀，肠回回兮盘纡”，这催人泪下的痛苦，进一步表现了他内心的深刻矛盾。两相权衡，想到社会的黑暗，经过痛苦的抉择，他终于选取了通向理想的道路，由祝融开道，炎神开门，驾着六条蛟龙，上下四方求索。但是，当他“忽反顾兮西囿，睹轸丘兮崎倾”的时候，又不禁涕泗纵横，深深地思念起故乡和君王来。这种思想上的反复斗争和矛盾，最后终于从天上落到了人间，从理想移向了现实，一种忧时愤世之感，到诗章的结尾，闪射出了特别耀眼的火光。最后一句“悲余后兮失灵”与开始第二句“违君兮归真”，前后呼应，虽然都有对糊涂君王的怨愤之意，但是，仔细咀嚼，却有着明显的区别。“违君兮归真”，说得斩钉截铁，毫不游移，在极端愤怒之中，表示要与君王彻底决裂。但是，通过一次又一次的反复曲折的思想斗争，强烈的家国之思还是战胜了远走高飞之意。“悲余后兮失灵”，更多的是对君王在政治上的错误的惋惜，以及希图君王改过从善、励精图治的热切盼望。一个“悲”字，包含着多么复杂沉痛的感情！这里面当然含蕴着个人的失言，但主要的还是对君王、对国事的忧虑和关切。这两种感情，看似矛盾，而实又统一。正是在这种矛盾冲突之中，表现出了屈原崇高的精神境界和令人景仰的道德情操！

与表现屈原波澜起伏的思想矛盾相应，本诗在风格上显得沉郁而又豪放。当描写屈原乘龙飞升之时,真有"天风浪浪,海山苍苍"(司空图《诗品》)的雄阔气势。作者驰骋想象,运用了一系列神话传说,显得迷离恍惚,壮美神奇;同时,还使用了"袭英衣兮缇缯,披华裳兮芳芬""流星坠兮成雨"等大量色彩绚烂的词句,显得五彩斑斓,成功地渲染了屈原对于精神解脱的向往,强烈地反衬了对于家国的执著思念。这些,使得诗风豪迈奔放,纵横自如,有如万马之飞腾,一往无前而不可抑勒。当描写屈原思念家乡之时,又低回宛转,一往情深,犹如表面沉静的一泓深水,而水底却翻卷着永不平息的波涛。这两种风格的统一,正是屈原矛盾心理的统一,艺术与思想和谐一致,达到了较为完美的程度。

(管遗瑞)

尊　嘉

季春兮阳阳,①	阳春三月天气风和日暖,
列草兮成行。	群芳争妍斗艳排列成行。
余悲兮兰生,②	兰草独自凋零使我悲哀,
委积兮从横。	茎叶交错重叠花朵损伤。
江离兮遗捐,	香草江离被遗弃在山林,
辛夷兮挤臧。③	美丽辛夷受排挤而隐藏。
伊思兮往古,	于是我想到前世的俊贤,
亦多兮遭殃。	命运大多不好遇祸遭殃。
伍胥兮浮江,	子胥尽忠被害弃尸江河,
屈子兮沈湘。	屈原受嫉遭谗自沉湘江。
运余兮念兹,④	联想到自己今天的遭遇,
心内兮怀伤。	内心悲痛难诉几断愁肠。
望淮兮沛沛,	我望着淮河水波涛滚滚,
滨流兮则逝。	来到河畔就想顺流而往。
榜舫兮下流,⑤	乘着小船顺水驶向远方,
东注兮磕磕。⑥	流水东注入海浪涛激荡。
蛟龙兮导引,	蛟龙在前游戏为我导航,

文鱼兮上濑。⑦	文鱼助我迎着急流而上。
抽蒲兮陈坐，⑧	用蒲草做坐席铺在船中，
援芙蕖兮为盖。	采荷花做船篷盖在船上。
水跃兮余旌，	波浪翻卷水珠溅上船旗，
继以兮微蔡。⑨	船中香草旁边水花开放。
云旗兮电骛，⑩	云旗招展船儿风驰电掣，
儵忽兮容裔。⑪	小船迅速飞奔起伏跳荡。
河伯兮开门，	河伯把他府第大门打开，
迎余兮欢欣。	欢欣鼓舞迎接我的来访。
顾念兮旧都，	这时候我忽然思念故国，
怀恨兮艰难。	心生怨恨感到前途无望。
窃哀兮浮萍，	可怜啊我就像水上浮萍，
汎淫兮无根。⑫	到处漂浮没有自己家乡。

注释

①阳阳:风和日暖的样子。②生:王逸《楚辞章句》注:生,一作悴。"哀彼香草,独陨零也。"③挤臧:受排挤而隐藏。洪兴祖《楚辞补注》:"挤,排也。臧,匿也。"④运余:回头想到自己。⑤榜:船桨。这里作动词。榜舫:乘舟。王逸《楚辞章句》:"乘舟顺水,游海滨也。"舫:两条船并在一起,也作船的通称。⑥磕(kē)磕:水石相互撞击声。⑦濑:急流。⑧抽蒲:拔取蒲草,蒲草叶可编织为席、扇、篓等用具。⑨蔡:草名。洪兴祖《楚辞补注》:"蔡,草也。"⑩骛(wù):急跑。电骛:风驰电掣般前进。⑪容裔:上下起伏的样子。⑫汎淫:漂浮。洪兴祖《楚辞补注》:"相如赋云:'汎淫汎滥',汎音冯,浮也。"

鉴赏

这是《九怀》中第五首短诗。在遣词用意上与《离骚》的后半部分是一脉相承的,主要表现诗人眷恋故国的爱国思想感情。《匡机》一篇是描写诗人在天上找到了理想境界,这一篇则写诗人在水中找到了理想的环境,但同样因"顾念兮旧都"而不忍离开故国。作者从另一个角度又一次表现了屈原的爱国情操和爱国信念。

这首诗共三十句，可分为三层。前十二句为第一层，描写诗人所处的环境恶劣，社会混浊，人才受到排挤和压抑，“江离兮遗捐”“辛夷兮挤臧”。诗人联想到古往今来贤能总受迫害，心中无限的忧闷。中间十四句，即“望淮兮沛沛”至“迎余兮欢欣”为第二层，描写诗人在水中神游的愉快情景。乘着香蒲为席、荷花为盖的小船游荡，船边水花开放，云旗招展，船前蛟龙引导，文鱼相助，船儿乘风破浪来到河伯府，受到河伯的热烈欢迎。最后四句为第三层。诗人忽然“顾念兮旧都”，又黯然神伤起来，前途依旧渺茫，竟没有一丝希望，自己不过像无根的浮萍一样到处漂荡。

这首诗把诗人起伏不定的感情变化，复杂的内心世界，刻画得较为真实动人。

第一层的感情是“心内兮怀伤”，情绪是沉闷的。第二层在水中神游，情绪逐渐变化，随着波浪的翻卷、水花的跳荡，小船风驰电掣般地前进，诗人的情绪越来越好，受到河伯欢迎时，诗人的心情是十分喜悦的。第三层的情绪在经过一番欣喜之后，却又感伤起来。而且那种感伤的情思与远游的急切，及找到理想环境后的喜悦，恰成鲜明的对照。这种对照反映了暂时的喜悦与长久的忧愁的矛盾：希冀摆脱忧愁而去远游，又由于忧愁的无法摆脱而感伤，在找到理想环境后更知忧愁的无法摆脱，所以，深藏在内心深处的忧国忧民、思恋君国的情绪反倒更加浓重。这首诗以沉闷的调子起头，以欢快的节奏发展，以感伤的旋律结束。先抑、后扬、再抑，造成了情绪的起伏跌宕，巧妙而深沉地表达了诗人复杂的内心世界。

（梅桐生）

蓄　英

秋风兮萧萧，	秋风阵阵吹来其声萧萧，
舒芳兮振条。①	树木花草在秋风中动摇。
微霜兮眇眇，	微霜轻轻降临微寒渐生，
疾殀兮鸣蜩。	飞蝉蜷缩双翼不再鸣叫。
玄鸟兮辞归，②	春燕即将飞回温暖南方，
飞翔兮灵丘。③	它在神山上空飞翔盘绕。
望谿兮滃郁，	我看见山谷中云风弥漫，

熊罴兮响嗥。[4]	山林里熊罴在声声吼叫。
唐虞兮不存，	今天世上已经没有尧舜，
何故兮久留？	为何久留这里忍受煎熬？
临渊兮汪洋，	瞻望大川流水无边无际，
顾林兮忽荒。	回视山林树木隐隐约约。
修余兮袿衣，[5]	我已经修整好自己衣裳，
骑霓兮南上。	骑上虹霓高高飞向南方。
乘云兮回回，[6]	我乘着那彩云迅速奔驰，
亹亹兮自强。[7]	我要勤勉不倦庄敬自强。
将息兮兰皋，	我将在兰草的水滨休息，
失志兮悠悠。[8]	考虑不周使我深思难忘。
蚡蕴兮霉黧，[9]	我的忧思郁积面目垢黑，
思君兮无聊。	我思念着君王愁闷难当。
身去兮意存，	身离国君但还情牵意连，
怆恨兮怀愁。	胸中满怀忧愁内心悲伤。

（黄寿祺、梅桐生　译）

注释

①舒芳：使花草舒展、摇动的意思。振条：让树枝动摇。②玄鸟：燕子。③灵丘：神山。④响：同“吼”。嗥（háo）：野兽叫。⑤袿（guī）衣：长襦，即长衣。⑥回回：杂沓奔驰的样子。⑦亹（wěi）亹：勤勉不倦的样子。⑧失志：欠考虑。⑨蚡蕴（fén yùn）：蓄积。霉：青黑。黧（lí）：黑黄。

鉴赏

善于以铺陈手法写景，通过景物来表现人物的思想感情，是楚辞的艺术特点之一。作者在这首诗中，也成功地运用了这一手法，将屈原对楚国政治黑暗、人民横遭摧残的忧愤之情，以及对君王、对故国家乡的深深怀恋，寓于形象生动的景物描写之中，把情感表达得深沉含蓄，曲折有致，感人肺腑。

诗篇刚刚发端，作者就用白描手法，勾勒、描绘出了一幅萧条、惨淡的荒野秋景图。在那茫茫山野中，秋风凄紧，树木花草在冷风中瑟瑟发抖；微霜又进一步带来了寒意，蝉儿噤口不言；燕子急忙从山上匆匆飞走，到南国寻找温暖的地方。于是，山谷里只留下一片空寂，在那弥漫的云气中，传来一阵阵熊罴的吼叫声，显得恐怖而又阴森。这是一个多么令人毛发悚然的所在！这是楚国某地当时的自然实景吗？是的，在古代的蛮荒之地，又当肃杀的深秋时节，理当如此。但又不完全是自然实景，作者在细致地描写这些景物之时，已经从笔底毫端摄入了政治腐败、气息奄奄的楚国的政治影像，是一种形象的比喻，借以勾画出屈原个人悲剧产生的社会背景。在楚国，由于奸邪当道、政治混乱，君王也昏庸糊涂，正直的爱国之士屈原被谗放逐，从此，国事日非，民生凋敝，国力不断衰弱，这与这幅秋景图所反射出来的折光，不正是丝丝入扣、完全吻合吗？同时，这些景物也形象地反映了屈原在远谪穷荒、间关万里的情况下，那种悲凉、孤寂、忧愤的心情。在这些景语之中，蕴含着十分丰富而又深刻的情语，讽诵之后，不禁哀感沉痛。

面对这样的腐败政治和自己的不幸遭遇，屈原将作何考虑呢？他首先想到的是，要像玄鸟之辞归一样，离开这个污浊的社会，另觅理想之所。"唐虞兮不存，何故兮久留"，正是这种愤慨心情的表现。于是，他在不无留恋地回顾了那象征楚国的隐约可见的萧瑟山林之后，修整好自己的衣裳，骑上虹霓，乘着彩云，载欣载奔，飞向南方。这些美好的想象和一连串轻松自如的动作，活画出了屈原在刚刚离开逼人的政治漩涡之后，那种如释重负的、欢欣愉快的喜悦心情。这一段，写得色彩浓丽，境界开阔，气魄雄伟，把屈原的形象和心理刻画得栩栩如生，具有怀抱尽舒的艺术情思。

然而，当屈原在"将息兮兰皋"的时候，又不禁"失志兮悠悠"了，内心充满了愁苦。这是为什么呢？"思君兮无聊"，"身去兮意存"，道出了个中原因。原来，屈原面对黑暗政治，虽然想离开君王，远走他乡，但这仅仅是他思想上的一个方面，而且这个方面是由于遭际坎坷、情绪愤激所致。他的思想中的更为主要的方面，却是时时刻刻都在以家国、君王为怀，希望国王重新振作起来，国家变乱为治，家乡再度兴旺繁荣。如今，在漂泊天涯、万里投荒的艰难困境中，思家念国的心情就自然而然地更加强烈。他面目黧黑，内心悲伤，满怀忧愁，可见日夜不停地眷念祖国之深。最后两句"身去兮意存，怆恨兮怀愁"，就直接表明了他的这种心情，是全诗的点睛结穴之处，也是面前层层铺垫、多方映衬的最后归宿。它以直抒怀抱的形式，与前面的景语相为表里，把感情推向了高潮，表现出屈原热爱祖国家乡的强烈感情，同时也留给读者以无穷的回味余地。这种层层推进、最后点明主旨的表现方法，对于描写曲折复杂的感情，起了很好的作用。

本篇句式整齐，如果去掉“兮”字，就是规范的四言诗，显然是取法《九章》。本诗节奏和谐，读来朗朗上口，流畅自然。本篇还较多地使用了叠字，如“萧萧”“眇眇”“回回”“悠悠”等，增加了音韵美，有助于表达忧愤而又缠绵的感情，使笔调显得苍凉雄浑、悱恻动人。

（管遗瑞）

思　忠

登九灵兮游神，①	我想登上九天舒畅精神，
静女歌兮微晨。②	黎明时传来了神女歌声。
悲皇丘兮积葛，③	悲哀大山上的众多葛草，
众体错兮交纷。	茎叶交错生长纷繁茂盛。
贞枝抑兮枯槁，	正直的枝条却受压枯萎，
枉车登兮庆云。④	弯曲的装满车反见珍贵。
感余志兮惨慄，	想到这些使我无限悲痛，
心怆怆兮自怜。	心里充满忧愁独自伤悲。
驾玄螭兮北征，⑤	驾着玄螭驱车向北奔去，
向吾路兮葱岭。	我的道路向着西北葱岭。
连五宿兮建旄，⑥	连接五个星宿作我大旗，
扬氛气兮为旌。⑦	大雾就像旗帜随车飘行。
历广漠兮驰骛，	经过广阔沙漠纵马驰骋，
览中国兮冥冥。	看见中国上空昏暗不明。
玄武步兮水母，⑧	天龟和水神都前来送我，
与吾期兮南荣。⑨	以后相会南方与我约定。
登华盖兮乘阳，⑩	我攀登上北斗升到天上，
聊逍遥兮播光。	姑且自由自在传播光芒。

抽库娄兮酌醴,[11]	提起库娄群星斟满酒浆,
援瓟瓜兮接粮。[12]	捧着天官四星承接食粮。
毕休息兮远逝,	休息好后我将远远离去,
发玉轫兮西行。	驱车出发我要奔向西方。
惟时俗兮疾正,	想到世俗的人嫉恨忠直,
弗可久兮此方。	我不可以久留这个地方。
寤辟摽兮永思,[13]	我日夜地抚胸长久思虑,
心怫郁兮内伤。	忧愤积结使我体内损伤。

注释

①九灵:九天。王逸《楚辞章句》:“想登九天,放精神也。”游神:舒畅精神。②静女:神女。《楚辞章句》:“神女夜吟,声激清也。”③皇丘:大山。④庆云:《楚辞章句》:“庆云,喻尊显也。”⑤玄螭:山神。《楚辞章句》:“将乘山神,而奔走也。”⑥五宿:天上五个星宿。⑦氛:通“雰”,雾气。⑧玄武:北方太阴之神,其形象为龟,所以称为天龟。水母:水神。《楚辞章句》:“天龟水神,侍送余也。”⑨南荣:南方。《楚辞章句》:“南方冬温,草木常茂,故曰南荣。”⑩华盖:北斗星等一群星。《楚辞补注》:“华盖七星,其柢九星,合十六星,如盖状。在紫微宫中,临勾陈上,以荫帝座。”乘阳:上天。⑪库:星名。⑫瓟(bó)瓜:小瓜,这里是星名。⑬辟:抚胸,拍胸的样子。《楚辞章句》:“辟,拊心貌。”摽(biào):拍击。《楚辞补注》:“摽,击也。”

鉴赏

这是《九怀》中第七首诗。主要表达诗人不见容于君、不受知于人的怨恨心情。

全诗结构分为三层。前八句为第一层,用葛草的不同遭遇比喻人才的不同境遇,慨叹在混浊社会中人才被压抑受埋没的情景,由此而联想到自己的不幸处境。中间十四句,即“驾玄螭兮北征”至“发玉轫兮西行”为第二层,写诗人去国远游,北征西行,上天下地的情景。这一层完全采用幻想的形式、虚构的境界,写出他深刻的内心世界,表现诗人反抗现实的叛逆精神。最后四句为第三层,抒发诗人对周围现实环境的怨恨和内心的苦闷。

诗中北征西行一层的描写，想象是大胆、奇异、奔放不羁的。如“连五宿兮建旄，扬氛气兮为旌”“抽库娄兮酌醴，援瓟瓜兮接粮”等，他把天上的五个星宿作为他出征的大旗，幻想浓雾像众多的旗帜在他车子的四周飘扬动荡。他登上北斗，升到天上，能提起库娄星斟满酒浆，敢于捧起天官四星承接食粮，想象是奇特的。“抽库娄兮酌醴”一句显然是从《九歌·东君》“援北斗兮酌桂浆”一句化来的，“援瓟瓜兮接粮”就是作者的创造了。诗中把库娄群星比作盛酒的容器，把瓟瓜群星看成盛粮的口袋，这些用具也只有像屈原这样伟大的、顶天立地的诗人才配使用。这一想象不仅合理，而且很有气魄。

（梅桐生）

陶　壅

览杳杳兮世惟，[1]	看见世人思想多么愚昧，
余惆怅兮何归。	心里失意忧愁无处可归。
伤时俗兮溷乱，	哀伤社会如此昏暗混乱，
将奋翼兮高飞。	我将振奋双翼远走高飞。
驾八龙兮连蜷，[2]	驾着八龙飞翔盘旋前进，
建虹旌兮威夷。[3]	树立彩虹大旗随风飘舞。
观中宇兮浩浩，[4]	看到天下这么辽阔广大，
纷翼翼兮上跻。[5]	振作精神迅速向上飞奔。
浮溺水兮舒光，[6]	渡过弱水河我焕发光彩，
淹低佪兮京沶。[7]	暂且留在高洲游荡徘徊。
屯余车兮索友，	把车驻扎下来寻求伴侣，
睹皇公兮问师。[8]	看到天帝向他请教学习。
道莫贵兮归真，[9]	他说道最高是归真返朴，
羡余术兮可夷。[10]	赞扬我的道术令人可喜。
吾乃逝兮南娭，[11]	于是我又驱车奔向九嶷，
道幽路兮九疑。	经过九嶷山路阴暗崎岖。
越炎火兮万里，	我又穿越万里炎热地带，

过万首兮嶷嶷。[12]	涉匝海中万千高峻岛屿。
济江海兮蝉蜕，[13]	渡过江海我将得到解脱，
绝北梁兮永辞。	越过北面桥梁永远别离。
浮云郁兮昼昏，	乌云弥漫天空白日昏暗，
霾土忽兮塺塺。[14]	大风上下翻卷尘土扬起。
息阳城兮广夏，[15]	我休息在阳城广大屋里，
衰色罔兮中怠。[16]	我的意志松懈精神疲乏。
意晓阳兮燎寤，[17]	我的心中明亮理解事理，
乃自訡兮在兹。[18]	在此我要认真检查自己。
思尧舜兮袭兴，[19]	思慕尧舜二圣相继兴盛，
幸咎繇兮获谋。	希望遇到皋陶得到教益。
悲九州兮靡君，	悲伤普天之下没有贤君，
抚轼叹兮作诗。	只好伏车作诗寄托悲绪。

（黄寿祺、梅桐生　译）

注释

①"览杳杳"句：应为"览世惟兮杳杳"，因首句协韵而倒置。杳杳：深远、幽暗的样子，这里引申为愚昧。世惟：世人的思想。②连蜷：长屈的样子。③威夷：即逶迤，形容旗帜飘扬的情状。④中宇：宇中，天下。⑤跻：登开。⑥溺水：即弱水，水名。⑦京沶(chí)：水中高地。⑧皇公：天地。⑨归真：返其本性。⑩夷：喜。⑪南娭：九嶷山。⑫万首：指海中岛屿很多。嶷(nì)嶷：高峻的样子。⑬蝉蜕：比喻解脱。⑭塺(méi)塺：尘土飞扬的样子。⑮阳城：地名，春秋时楚地。夏：通"厦"。⑯衰：据《楚辞章句》，一本作"气"。⑰晓阳：据闻一多《楚辞校补》，"阳"读为"畅"，晓畅犹通达也。燎寤：即"憭悟"，理解。⑱訡(zhěn)：视，诊视，检查。⑲袭兴：相继兴盛。

鉴赏

这是《九怀》中的第八篇，题为《陶壅》。陶，即郁陶，忧思积聚的样子。壅，壅塞不通。据《孟子·万章上》"郁陶思君尔"可知，此指屈子既疏,郁陶思君、冀幸君之一悟,然君门阻隔,无以上达,惆怅而独悲也。

开头四句为第一段,揭示"奋翼高飞"的原因。世惟杳杳,时俗混乱,作为正直之士的"我",失意侘傺,无所归宿,无枝可依,无法实现自己的理想,这是写"高飞"的缘起。接着写出行的仪仗之盛,八龙盘蜷,虹旌委蛇,脱胎于《离骚》"驾八龙之婉婉兮,载云旗兮委蛇",而在字句上又有所变化。从"观中宇兮浩浩,纷翼翼兮上跻"起写行程,这两句是一个过渡,一旦脱离混浊污秽之地,顿觉眼界大开,神思飘扬,怡情悦目,飞奔而去。"我"先走水路,渡过弱水,在洲中高地上略作停留;继而走陆路,屯车寻友,"道莫贵兮归真",与《远游》思想吻合。得到"皇公"赞扬后,即驱车前进,奔向九嶷山,但道路崎岖。最后用如椽大笔总写行色之壮,"炎火""万首",既言行程之遥,又言行程之艰,"越""过""济""绝",不仅言行程之速,而且点明又由陆路转至水路,水陆兼程,历尽艰辛。但当"我"渡过北梁准备"永辞"时,浩浩中宇顿时变了颜色,浓云密布,暗如长夜,狂风大作,尘埃翻飞,不得不在"阳城"暂作歇息,而自己已经筋疲力尽,元气大伤。这第二段所写"行程",扑朔迷离,若明若暗,似曾相识,又境界独开,姜亮夫先生认为这是《远游》及《离骚》的"西征"之义(《楚辞通故》第三辑)。但细品文意,似觉不确,就字句形式、叙述语气来看,颇类《离骚》"远行"之状,但就内容而言,却是表现"上下求索"的,并突出追求的执著与失败,作者以恍惚虚设之辞描述了行程中的一幅幅画面,而思想感情也随着画面的推出而不断变化,从而在光怪陆离中发掘人世的真相。

第三段写痛苦追求之后的冷静思考,与首段遥相呼应。在曲折追求失败后,"我"反而晓畅憭悟了,虽然希望有尧舜之兴、咎繇之遇,但现实太严峻了,今非昔比,"悲九州兮靡君",虽说"天涯何处无芳草",却没有一个值得爱慕的,天下之大,竟没有一个"矩矱之所同"(《离骚》)的明君。这不仅正面回答了追求失败的原因,而且显示了"我"的美好理想的实质内涵:明君贤臣,君臣契合。

总之,这首代言诗并非泛泛而言,无病呻吟,对屈子失去君国后的忧郁愁闷,颇能揣摩、感受,且能进入角色表现,写出了屈子遭时不遇、思致郁塞的苦闷。在艺术上,亦颇得屈子笔意,以远行高飞的缘起、经过、感受,象征主人公政治生活的追求与不屈,而热闹的画面,浪漫的情调,又反衬出失意的无法排解。在句式上,采用了整齐的五言句式,并且在每句第三个音节之后间有语助词"兮",前面三个音节为"一二"结构,第一个单音词往往是动词,以促动思绪的变化、场面的转换,这种句式见于《九歌》。但《九歌》中第一个音节为动词的,虽有运用,还不普遍,而较多的见于另一种楚辞五言句式,如《思美人》"登高吾不悦兮,入下吾不能"。通过比较,我们可以看到继承、融合了屈赋句式的《陶壅》句式。其表现在:一、句中(一般在第四字)有语助词"兮";二、每句的第一个音节一般是动词;三、每两句一顿,大都四句为一节。这些特点在诗歌效果上,则表现出鲜明的节奏美、和谐的韵律美,而这种节奏、韵律又与主人公快速而艰辛的行程、怅惘而多变的心情相吻合。

(周建忠)

株　昭

悲哉于嗟兮!	可怜啊我心中多么悲伤,
心内切磋。[①]	满腔愤懑使我痛断愁肠。
款冬而生兮,[②]	款冬在严寒下生长开花,
凋彼叶柯。	百草根茎却又受到损伤。
瓦砾进宝兮,	瓦器石头作为宝贝进献,
捐弃随和。[③]	隋侯珠和氏璧抛弃一旁。
铅刀厉御兮,[④]	受到重用是钝挫的铅刀,
顿弃太阿。[⑤]	认为太阿不利没人肯要。
骥垂两耳兮,	千里马疲惫地垂下两耳,
中坂蹉跎。[⑥]	爬到半山坡上失足跌倒。
蹇驴服驾兮,	跛脚毛驴驾在车的当中,
无用日多。	它能够拉车的时候很少。
修洁处幽兮,	清白廉洁得到恶劣处境,
贵宠沙劘。[⑦]	权贵宠臣却能亲近国君。
凤皇不翔兮,	凤凰不能上天自由翱翔,
鹑鴳飞扬。	鹌鹑鴳雀却可到处飞扬。
乘虹骖蜺兮,	我要乘驾虹霓外出远游,
载云变化。	车上载着彩云变化无常。
鹪鹏开路兮,[⑧]	我命令凤凰在前面开路,

后属青蛇。	叫青蛇在后边紧紧跟上。
步骤桂林兮，⑨	向着桂林或慢或快前进，
超骧卷阿。⑩	马儿昂首越过险峻山冈。
丘陵翔舞兮，	山丘欢乐起舞迎接着我，
谿谷悲歌。	溪谷流水潺潺慷慨悲歌。
神章灵篇兮，	众神写出了美妙的诗篇，
赴曲相和。⑪	弹奏琴瑟五音相互应和。
余私娱兹兮，	我默默地感到非常愉快，
孰哉复加。⑫	天下何处会有这种欢乐。
还顾世俗兮，	回头看看人间世俗生活，
坏败罔罗。⑬	废弃仁义社会一片混浊。
卷佩将逝兮，⑭	我将收拾行装远远离去，
涕流滂沲。⑮	但是思君念国涕泪太多。

（黄寿祺、梅桐生　译）

注释

①切磋：古时加工骨器称切，加工象牙称磋。这里比喻内心悲痛极点。②款冬：植物名，菊科，多年生草木。百草中此花最先开，虽冰雪下也生芽，所以叫款冬。③随和：即隋侯之珠、和氏之璧。④厉御：积极进献。⑤顿：废。太阿：古代宝剑名，也作“泰阿”。⑥坂：山坡。蹉跎（cuō tuó）：失足，摔倒。⑦沙：抚摩，引申为亲近。劘（mó）：迫近。⑧鹔鹴：凤凰。⑨步：缓行。骤：疾走。步骤：引申为缓急、快慢。⑩骧（xiāng）：马抬着头快跑。卷：曲折，引申为险峻。阿：大陵，高山。⑪赴曲：乐曲齐奏。⑫孰哉复加：指天下欢悦，亦不能过此。⑬坏败罔罗：不再使用各种优秀人才。⑭佩：原指系在衣带上的装饰品，这里指代衣服。卷佩：收拾行装。⑮滂沲：同“滂沱”。

鉴赏

这是《九怀》中的第九篇，题为《株昭》。株为“诛”之借，引申为责让之意。昭即明显、醒豁。株昭，即昭责，公开批评世道昏暗，是非颠倒,感叹“英俊沉下僚”(左思《咏史》),抒发世无知音之悲。

全篇可分为三段。从开头至“凤皇不翔兮,鹑鴳飞扬”为第一段。以“悲哉于嗟兮”一声长叹开篇,直接抒发了“心内切磋”、愁肠百结的苦闷,为全篇奠定了悲愤激切的基调。接着通过六对意象的比较,突出楚国忠佞易位、黑白倒置的现实,回答内心痛苦的原因。这六对意象又分为两个系列,一是款冬、瓦砾、铅刀、蹇驴、贵宠、鹑鴳,一是百草、随和、太阿、骥、修洁、凤凰,颇有“善鸟香草,以配忠贞;恶禽臭物,以比谗佞”之义,不仅依诗取兴,引类譬喻,而且借代象征,形成体系。所以王逸注楚辞时,不译喻体本意,只注出比喻、象征之义,如注“瓦砾”为“佞伪愚戆”,“铅刀”为“顽嚚之徒”,“蹇驴”为“驽钝之徒”,而注“随和”为“贞良君子”,“太阿”为“明智忠贤”,“骥”为“雄俊”,“凤凰”为“贤智”等,虽太指实,但大要不失其本旨。其实,这两个系列的意象,不仅不必一一注出本意,而且不必一一指出各自的喻义,而要从象征体系的高度去理解。前者喻指佞伪、顽嚚、驽钝,却贵宠、盈国、得志、横行;后者喻指贞良、雄俊、明智、修洁,却遗之山泽,居之陋侧,得不到重用。屈原希望有“举贤授能”的人才政策,而现实恰恰相反,怀瑾握瑜、志存高远者却遭谗被疏,屈心抑志,怎能不愁思愤懑、激奋叹息呢?这段代言直接源于屈原作品,如《涉江》之乱所揭示的“阴阳易位”,《怀沙》所批判的“变白以为黑兮,倒上以为下”,对比之下,王褒的这篇《株昭》既有继承、融合,又有自己的构思与风格。

从“乘虹骖蜺兮”至“孰哉复加”为第二段,写“我”去俗远征,表现自己对美好理想的不屈追求。首以比喻写仪仗,鹪鹏、青蛇,各为所用;次以对偶写行程,桂林、卷阿,言其遥远;再以拟人写心情,翔舞、悲歌,既承上“于嗟”,又启下“娱兹”,过渡自然,终以夸张写异域之乐。这一段的理想境界与第一段的丑恶现实形成了鲜明的对比,而这种对比又不是纯客观描述的平行比较。如第一段写忠佞易位,但第二段没有写忠贤得路,只是从主观情绪上形成两极对比,而且在方法上也有变化,前为直陈、哭诉,而后为渲染、虚拟,既遥遥相对,又别开生面。理想的光辉反衬出现实的黑暗,而丑恶现实又是产生理想的客观基础。“我”在这个现实中感到一筹莫展,痛苦伤感,但没有放弃追求,消极随俗,而是骇世惊俗,执著求索。更可贵的是,“我”又不仅仅沉浸在理想中自慰自乐,而是在追求理想时不忘记严峻的现实。所以第三段(最后四句)写“我”乐极生悲,从心旷神怡的极乐世界直面冷酷的人生,而这“败坏罔罗”的混浊又坚定了“将逝”的念头,但思君念国,为其本性,一想到远逝另择,就情不自禁地涕泪交流。因为屈原的伟大不是单向的,而是体现在不随从流俗、不放弃理想、不离开故国几个方面上,而正是这些导致了他的人生悲剧。可见王褒在“追悯”之中,颇多体悟,达到了“作赋骋词,以赞其志”的目的。回过头再看全篇起句的“悲哉”之叹,我们就可以体悟到与“涕流滂沲”的层次区别,开头是因忠佞错位、心志怫郁,而结处是有出路却不愿,若不走又无望,从而把矛盾、痛苦、悲伤推到高潮。“男儿有泪不轻弹”,而泪流满面,浸湿青衫,则是极度痛苦的表现。这滂沱之泪,容易使我们想起《离骚》中的叹息掩涕、余襟浪浪,使我们感到王褒确为屈原的异代知音。

(周建忠)

乱　曰

皇门开兮照下土,①	王门大大打开光照四方,
株秽除兮兰芷睹。②	邪恶驱除干净英俊满堂。
四佞放兮后得禹,③	放逐驩共苗鲧才得大禹,
圣舜摄兮昭尧绪,④	虞舜执政唐尧事业兴旺,
孰能若兮愿为辅。⑤	谁像尧舜我愿辅佐君王。

(黄寿祺、梅桐生　译)

注释

①皇门:王门。②株:泛指草木。③四佞:指尧的四个臣子,驩(huān)兜、共工、苗、鲧。④摄:摄政,代君主处理国政。绪:前人留下来的事业。⑤能若:如尧舜。

鉴赏

以上为《九怀》之“乱”。“乱”,“发理词指,总撮其要”(王逸《楚辞章句》),乃全诗之总结。从音乐角度讲,以曲终为乱,“繁音促节,交错纷乱”(蒋骥《山带阁注楚辞》),是全诗之高潮。虽然“乱”总九篇立说，但又是直接从《株昭》过渡而来，所以与《株昭》的题旨较为切近。《株昭》的两大人物系列到这儿演化为株秽、四佞与兰芷、禹舜。只有除株秽，才能兰芷芬芳，俊义满堂；只有放四佞，禹、舜才能秉政执纪，竭忠尽智。所以这种明君贤臣的正态分布，包含着“我”对改变是非颠倒、忠佞易位的现实的深切期望，也流露了“我”对君臣契合标准的理解。显然，作者在描述主人公的理想世界时融进了自己的希望之光。姜亮夫先生认为该诗“乱”词的思想，是“古大臣辅弼之所同愿”，因而在理解上不可拘执一端，“以为屈原之怀固可，以为作者探屈子之怀亦可，以为作者自怀亦无不可”（《楚辞通故》）。

（周建忠）

九　叹

刘　向

逢　纷

伊伯庸之末胄兮，　　我是伯庸大人的后代啊，
谅皇直之屈原。①　　确有忠直美德的屈原。
云余肇祖于高阳兮，②　　我的始祖是古帝高阳啊，
惟楚怀之婵连。③　　楚怀王与我有族亲相连。
原生受命于贞节兮，④　　我受阴阳正气而降生啊，
鸿永路有嘉名。　　前程远大而美名昭显。
齐名字于天地兮，　　我的名和字与天地相齐啊，
并光明于列星。　　光明的德行和群星同灿。
吸精粹而吐氛浊兮，　　吸天地精华而吐出浊气啊，
横邪世而不取容。　　专横邪恶的人世难容自己。
行叩诚而不阿兮，　　行为真诚刚直不阿啊，
遂见排而逢谗。　　于是受到毁谗和排挤。
后听虚而黜实兮，　　君王听信假话贬黜真诚啊，
不吾理而顺情。　　不理睬我而顺从邪伪之情。
肠愤悁而含怒兮，　　我心怀愤恨怒火填膺啊，
志迁蹇而左倾。⑤　　我的意志迁移心里不平。
心悦慌其不我与兮，⑥　　精神恍惚因为国君不信任我啊，
躬速速其不吾亲。⑦　　冷冷的样子不与我亲近。
辞灵脩而陨志兮，　　我辞别君王而怅然失意啊，
吟泽畔之江滨。　　只好吟咏在江畔水滨。

椒桂罗以颠覆兮，	先贤如椒桂遭祸颠扑啊，
有竭信而归诚。	仍竭尽忠信而归于诚心。
谗夫蔼蔼而漫著兮，⑧	谗人众多褒己而贬人啊，
曷其不舒予情？	为什么不让我表明衷情？
始结言于庙堂兮，	当初国君与我在宗庙约好啊，
信中涂而叛之。	如今却听信谗言中途变心。
怀兰蕙与衡芷兮，	我怀有各种美丽香草啊，
行中野而散之。	来到荒野也只好将它们抛弃。
声哀哀而怀高丘兮，	我怀念故土高山发出悲声啊，
心愁愁而思旧邦。	思恋着家乡满怀愁情。
愿承闲而自恃兮，	希望趁君闲暇自以为能表明忠心啊，
径淫曀而道壅。	可前途暗淡道路不通。
颜霉黧以沮败兮，	我面黄肌瘦形体消损啊，
精越裂而衰耄。⑨	身体衰老而失意灰心。
裳襜襜而含风兮，⑩	冷风吹动我的下裙啊，
衣纳纳而掩露。⑪	寒露沾湿我的衣衫。
赴江湘之湍流兮，	在长江湘水的激流中啊，
顺波凑而下降。	顺波浪漂流而向下航行。
徐徘徊于山阿兮，	慢慢行走在山谷之间啊，
飘风来之汹汹。	吹来阵阵迅猛的疾风。
驰余车兮玄石，	我的车子啊向玄石山奔去，
步余马兮洞庭。	我的马儿啊徘徊在洞庭湖畔。
平明发兮苍梧，	黎明啊我从苍梧山出发，
夕投宿兮石城。	傍晚投宿啊来到石城山。
芙蓉盖而菱华车兮，⑫	荷花般的车盖菱花装饰的车子啊，
紫贝阙而玉堂。	紫贝般的楼台白玉装饰的厅堂。
薜荔饰而陆离荐兮，⑬	薜荔为装饰美玉作卧席啊，

鱼鳞衣而白霓裳。	五彩鳞纹上衣洁白的裙裳。
登逢龙而下陨兮，[14]	登上逢龙山向下俯瞰啊，
违故都之漫漫。	离开故国道路多漫长。
思南郢之旧俗兮，	想起郢都的风土人情啊，
肠一夕而九运。	一夜之间九转愁肠。
扬流波之潢潢兮，[15]	扬起宽广激荡的洪流啊，
体溶溶而东回。[16]	波涛翻滚把我送向东方。
心怊怅以永思兮，	心中忧愁思虑绵长啊，
意晻晻而日颓。[17]	精神抑郁一天天地颓唐。
白露纷以涂涂兮，[18]	浓厚的白露纷纷降下啊，
秋风浏以萧萧。	秋风吹来萧萧作响。
身永流而不还兮，	我身随长流不复还啊，
魂长逝而常愁。	灵魂久离而长思故乡。
叹曰：	多么可叹啊：
譬彼流水，纷扬磕兮。[19]	我像那流水，波浪叮咚啊。
波逢汹涌，濆滂沛兮。	浪涛汹涌，浩浩荡荡啊。
揄扬涤荡，漂流陨往，	风扬水波，漂流向前，
触崟石兮。[20]	浪涛拍打岩石上啊。
龙邛脟圈，缭戾宛转，[21]	盘旋蜿蜒回转冲击，
阻相薄兮。	水流终究被阻挡啊。
遭纷逢凶，蹇离尤兮。	遭遇纷纠，碰上灾难啊。
垂文扬采，遗将来兮。	只好留下诗篇，以待来日的英明君王啊。

注释

①谅：确实。皇：大。②云：句首语气词。③婵连：指亲族相连。④贞节：贞，正；节，节度。《楚辞章句》："言屈原受阴阳之正气。"⑤迁蹇：流连徘徊。左倾：喻心里不平。⑥悦慌：心情恍惚。⑦速速：不亲近的样子。⑧蔼蔼：众多的

样子。漫：污蔑（别人）。著：夸耀（自己）。⑨越：离去。耄（mào）：衰老。⑩襜（chān）襜：衣服飘动的样子。⑩纳纳：沾湿的样子。⑫菱：水生植物，叶浮水面，夏天开花。⑬陆离：美玉。荐：卧席。⑭陨：这里指向下望。⑮潢潢：水势浩大的样子。⑯溶溶：波涛翻滚的样子。⑰晻晻：抑郁的样子。⑱涂涂：浓厚的样子。⑲礚（kē）：水石撞击声。⑳崟（yín）：尖锐。㉑龙邛：水波互相撞击之貌。脟（liè）圈、缭戾：水流回旋的样子。

鉴赏

宣帝时，皇朝招选名儒俊才，刘向以擅长辞赋而中选，但他的辞赋今仅存《九叹》一篇。

王逸《楚辞章句》说作者"追念屈原忠信之节，故作《九叹》。叹者，伤也，息也。言屈原放在山泽，犹伤念君，叹息无已"。《九叹》由九个短篇组成。这些作品虽然是代屈原抒情，但作者能较正确地理解、体会屈原的思想感情。作品中抒发的屈原不见容于君、不受知于世的悲叹、表现的强烈的爱国热情和为了追求理想而不屈不挠的执著精神，这些与屈原的思想基本上是一致的。

《逢纷》为《九叹》的第一首，意思是遭逢乱世。开头，作者先代表屈原介绍自己的名字、身世和秉性，这让人联想到《离骚》的开篇。

接下来，作者以屈原的口吻诉说由于奸邪当道，君王听信谗言，致使自己不被信任，因而愁肠百结的情怀。

作品的后半部分所写的，当是屈原遭到谗毁离开郢都后的心情。他并没有因为离开故都而放弃自己的政治追求。家乡的高山流水、风土人情，无时无刻不激起诗人的怀恋。一路上的所见所闻，也使这种思念故国故乡的感情和气氛愈加浓重。作者把感情的表达和环境的描写融为一体，表现手法上取得了相当的成功。屈原虽然满腔愁思，形销骨立，但他对自己崇高政治理想的追求和对邪恶势力的斗争仍然坚忍不拔，表达了他对光明的渴望和追求、对祖国对君王的无限忠贞。

最后，作者描写了飞流激湍、几经回旋激荡而终于受到阻碍的艺术画面，来象征屈原的政治理想最终还是不能实现，于是只好留下诗篇，寄希望于将来。

这篇作品从思想内容到情绪基调都与屈原的作品基本一致。在描写的手法上，虽不及屈原的作品具有那样鲜明的浪漫主义倾向和强烈的艺术感染力，但模仿得也很相似，风格大体是相同的。

（龚克昌　唐子恒）

离　世

灵怀其不吾知兮，[1]	怀王不知道我清白廉正，
灵怀其不吾闻。	怀王不了解我忠心耿耿。
就灵怀之皇祖兮，	我要向怀王的祖先申冤，
愬灵怀之鬼神。	我要向怀王的鬼神求证。
灵怀曾不吾与兮，	怀王的心不与我的相同，
即听夫人之谀辞。	又听信小人的无耻谗言。
余辞上参于天墬兮，[2]	我说的话可以上合天地，
旁引之于四时。	也能够从旁用四时检验。
指日月使延照兮，[3]	太阳月亮永远知道我心，
抚招摇以质正。[4]	北斗七星也可为我证明。
立师旷俾端词兮，[5]	我用的词可请师旷考察，
命咎繇使并听。[6]	我讲的话可让皋陶细听。
兆出名曰正则兮，[7]	炙龟求得我的名叫正则，
卦发字曰灵均。	卜卦得到我的字是灵均。
余幼既有此鸿节兮，[8]	我小时候已有好的节度，
长愈固而弥纯。	长大节度更加纯正坚定。
不从俗而诐行兮，[9]	从不随波逐流胡作妄行，
直躬指而信志。[10]	我身正志坚而充满信心。
不枉绳以追曲兮，	决不改变直行追求邪曲，
屈情素以从事。[11]	委屈自己心志阿谀逢迎。
端余行其如玉兮，	端正我的行为纯洁如玉，
述皇舆之踵迹。[12]	遵循先王治国光辉足迹。
群阿容以晦光兮，[13]	群小阿谀奉承君王不明，
皇舆覆以幽辟。[14]	朝廷一片黑暗国家危倾。
舆中涂以回畔兮，[15]	好像车行中途忽然回转，

驷马惊而横奔。	如四马惊惧而乱跑狂奔。
执组者不能制兮，[16]	抓住缰绳的人不能控制，
必折轭而摧辕。[17]	车轭必然折断车辕毁损。
断镳衔以驰骛兮，[18]	马勒断衔口裂车马飞驰，
暮去次而敢止。[19]	傍晚经过旅舍谁敢制止。
路荡荡其无人兮，	道路空空荡荡没有一人，
遂不御乎千里。	车马无羁奔走千里路程。
身衡陷而下沈兮，	马儿陷入泥泽疲惫倒下，
不可获而复登。	车马重新上路已不可能。
不顾身之卑贱兮，	我不顾念自身卑微贫贱，
惜皇舆之不兴。	哀伤楚国事业不能兴盛。
出国门而端指兮，	我离开郢都而意志坚定，
冀壹寤而锡还。[20]	希望君王觉悟赐我回还。
哀仆夫之坎毒兮，[21]	可怜仆夫为我表示愤恨，
屡离忧而逢患。	多次受到迫害遭到祸患。
九年之中不吾反兮，	放逐九年君不让我回转，
思彭咸之水游。	使我想起彭咸水里游戏。
惜师延之浮渚兮[22]	痛惜师延浮游濮水小洲。
赴汨罗之长流。	我也将要奔赴汨罗江流。
遵江曲之逶移兮，[23]	沿着曲折长江宛转前进，
触石碕而衡游。[24]	船儿碰到石岸掉头横走。
波澧澧而扬浇兮，[25]	涛声澎湃急流翻起波浪，
顺长濑之浊流。	顺着湍急江水驶进浊流。
淩黄沱而下低兮，[26]	乘着长江波浪顺流而下，
思还流而复反。	心中想返回又扭转船头。
玄舆驰而并集兮，[27]	驾着水车与船并肩向前，
身容与而日远。	我安闲放任地越走越远。
櫂舟杭以横濿兮，[28]	我拨正了航船横渡长江，
济湘流而南极。	我渡过湘水后走向南方。

立江界而长吟兮，	站在长江边上迎风高唱，
愁哀哀而累息。	声声长叹心里无限悲伤。
情慌忽以忘归兮，[29]	我的心中糊涂忘归故里，
神浮游以高厉。[30]	精神浮游四周高高飞扬。
心蛩蛩而怀顾兮，[31]	心中常怀忧愁思君念国，
魂眷眷而独逝。[32]	魂魄向往故都独自前往。
叹曰：	多么可叹啊：
余思旧邦，心依违兮。	思念故乡心中迟疑不决，
日暮黄昏，羌幽悲兮。	暮色苍茫使我无限忧伤。
去郢东迁，余谁慕兮。	离开郢都东去我思念谁，
谗夫党旅，其以兹故兮。	谗人朋党众多使我流放。
河水淫淫，情所愿兮。	河水潺潺东流我心羡慕，
顾瞻郢路，终不返兮。	回望郢都道路终不还乡。

（黄寿祺、梅桐生　译）

注释

①灵怀：指楚怀王。②参：配合。墬：籀文"地"字。③延：长。照：知。④招摇：星名，北斗星座杓部的一颗星。⑤师旷：春秋晋国乐师，生而目盲，善听乐声。⑥咎繇（yáo）：即皋陶，传说是舜的臣子，掌管刑狱。⑦兆：古代占卜烧灼龟甲，龟甲的裂纹称兆，用以判断吉凶。⑧鸿节：大的节度，美好的品格。⑨诐（bì）：不正，邪僻。⑩躬：身。指：通"恉"，意志。直躬指：身正志坚。⑪情素：素志，一贯的志向。⑫述：遵循，依照。皇舆：代指朝廷，国家。这里指先王治理国家。⑬晦光：遮蔽光明，指遮蔽君王的聪明。⑭幽辟：闇昧，昏暗。⑮回畔：回转。⑯组：绶一类带子，这里指马缰。⑰轭（è）：车上用具，头系在车辕前横木，脚架于马头。辕（yuán）：车前驾牲畜的直木。⑱镳（biāo）衔：马嚼子。镳：马口衔铁器出在外的两头部分。⑲次：房舍。⑳锡：赐。㉑坎毒：愤恨。㉒师延：商纣王的臣子，为纣王作新声百里之乐，纣王失道，师延抱乐器投濮水而死。㉓逶移：曲折婉转。㉔碕（qí）：曲岸。衡：通"横"。㉕澧（lǐ）澧：波浪声。浇：回波。㉖黄沱：长江的别名。或以为即荆州沱水，黄陵水。㉗玄舆：以水为车。玄：水。㉘櫂（zhào）：划船的用具。杭：通"航"。舟杭：船。濿：

渡。㉙慌忽：心神不定。㉚厉：飞扬。㉛蛩（qióng）蛩：忧戚。㉜眷眷：依恋向往。

鉴赏

人不被人理解是痛苦的。在古代，臣子不被君王理解往往遭受贬谪、流放，甚至杀身之祸，自是痛苦不堪。然而这在古代又是非常普遍的现象。屈原高洁忠贞而横遭诬罔和流放，非常有代表性，所以他的遭际在后世引起广泛而长久的共鸣。作者刘向也因弹奏宦官弘恭、石显被废十年，对屈原的身世感触很深，故作《九叹》写屈原以自况。

诗前十二句劈头写屈原不被楚王了解，又努力寻求了解。他向先王诉说，请天地日月为自己的忠贞高洁作证。诗运用排比、夸张和拟人的手法，造成磅礴的气势，写得信誓旦旦。这是虚写屈原的高洁忠贞。

以下十句写屈原生来就有美好的品德，自幼的修炼使他的品德更加纯粹高尚。虽然他遭受奸佞的谗毁和迫害，而丝毫不蝇营狗苟、随波逐流，依然想着协助君王治理好自己的国家。这一节正面写屈原的高洁忠贞。

以下十二句写楚国奸臣当道，把国家弄得一塌糊涂。楚王昏聩，法度毁坏，国家像一驾失去控制的马车，狂奔乱跑，眼看就要陷入泥潭。诗虽然写的是楚国政治的腐败和危险处境，实际上从侧面表现屈原爱国之忧和治国才能。在表现手法上也有突出的特点。诗用“皇舆”比喻朝廷和国家，又围绕着这个中心比喻，从不同角度多方面设置比喻。用“驷马横奔”比喻国家背离正确的政治轨道，用“执组者”比喻国君，用“断镳衔”比喻正确的政策遭受破坏，用“身衡陷而下沈”比喻国家穷途末路，将有没顶之灾。它仿佛长藤结瓜，形成一个系统。用“皇舆”比喻朝廷和国家虽然始于屈原，刘向将它发展为长达十二句的一套有关联有中心的比喻，却不能不说是伟大的创造。这样成套的比喻在我国古典诗辞中很少见。

以下十句写屈原虽被贬谪，心中依然时刻期望着国家的兴盛。他希望有一天楚王能召回他，亲自振兴自己的祖国。可是他在贬谪中度过了九年，不仅没有被召回，反而被流放到更远的汨罗江。诗进一步写屈原的忠贞和楚王的“不察”。

以下十八句写屈原乘舟溯流向汨罗去，江流曲折，波浪翻滚。他的心情也像江流一样千回万转，激荡起伏。有时他真想掉转船头回郢都，但又不能这么做。他只有立在江边长长叹息，神游郢都。楚王的命令是无法违抗的，无情的江水载着他日日南去。诗在写作上也颇有匠心。诗紧扣流放的行程，把屈原惆怅的思绪和曲折的江流、翻涌的波涛浑然融合一体，把屈原流放的失意和对国都的眷恋之情，表现得楚楚动人。

最后，诗用"叹曰"总结全文。屈原的心像滔滔东流的江水思念着郢都，而通向郢都的路只能回头望望而已，屈原永远回不去了！多么遗憾！多么凄怆！言有尽而意无穷，诗至此结束了，它的余音却久久在我们心中回荡。

（刘文刚）

怨　思

惟郁郁之忧毒兮，[1]	我的心情沉闷忧愁怨恨啊，
志坎壈而不违。[2]	遭遇虽不顺利忠信不离。
身憔悴而考旦兮，[3]	我的身心憔悴夜不能寐啊，
日黄昏而长悲。	从清晨到黄昏长久伤悲。
闵空宇之孤子兮，	可怜独坐空屋中的孤儿啊，
哀枯杨之冤雏。[4]	哀伤枯杨上的小鸟无依。
孤雌吟于高墉兮，[5]	雌鸟失群在高墙上哀鸣啊，
鸣鸠栖于桑榆。	斑鸠站在桑树上悲啼。
玄猿失于潜林兮，	黑猿离开了茂密的树林啊，
独偏弃而远放。	独被抛弃在很远的地方。
征夫劳于周行兮，[6]	征夫在大道上行役不归啊，
处妇愤而长望。	家中妻子怨恨翘首企望。
申诚信而罔违兮，	我一再重申不违背诚信啊，
情素洁于纽帛。	我的感情有如束帛洁净。
光明齐于日月兮，	我的美德可与日月争光啊，
文采耀于玉石，	我的学问好像玉石闪亮。
伤压次而不发兮，	可惜受到压抑难以舒展啊，
思沈抑而不扬。	我的思想受制不能发扬。

芳懿懿而终败兮，[7]	芬芳的鲜花终会凋残啊，
名靡散而不彰。	美名传播再远也会消失。
背玉门以奔骛兮，[8]	离开君王我要远远出走啊，
蹇离尤而干诟。[9]	不愿遭受罪过自取耻辱。
若龙逢之沈首兮，[10]	像关龙逢那样劝桀被害啊，
王子比干之逢醢。[11]	王子比干劝纣遭到杀戮。
念社稷之几危兮，	担心楚国命运十分危险啊，
反为雠而见怨。	却与众人为仇受人埋怨。
思国家之离沮兮，	思虑国家法度遭受破坏啊，
躬获愆而结难。	自身反而获罪忧患难遣。
若青蝇之伪质兮，	谗人就像青蝇一样变化啊，
晋骊姬之反情。[12]	晋国骊以姬申生忠孝为叛。
恐登阶之逢殆兮，	我怕走到君前遇难逢殃啊，
故退伏于末庭。	所以我在远处退身隐藏。
孽臣之号咷兮，	谗佞奸臣在朝廷上喧哗啊，
本朝芜而不治。	国家将要倾危命运不长。
犯颜色而触谏兮，	我触犯君王而直言规劝啊，
反蒙辜而被疑。	反而蒙受罪过被君猜疑。
菀蘼芜与菌若兮，[13]	蘼芜和杜若混杂一起啊，
渐藁本于洿渎。[14]	藁本被浸入脏水沟里。
淹芳芷于腐井兮，[15]	芳香白芷淹在臭水井中啊，
弃鸡骇于筐簏。[16]	宝贵的犀角被抛进竹器。
执棠谿以刜蓬兮，[17]	用棠谿利剑去割取野草啊，
秉干将以割肉。	干将宝剑却被当作割肉刀。
筐泽泻以豹鞹兮，[18]	五彩豹皮制的口袋装满恶草啊，
破荆和以继筑。[19]	使用大杵舂破和氏之宝。
时溷浊犹未清兮，	社会浑浊是非不清啊，
世殽乱犹未察。	人世混乱美丑好坏不明。
欲容与以竢时兮，	我想安逸自得等待时机啊，

惧年岁之既晏。	年纪已经衰老令人担心。
顾屈节以从流兮，	想要改变节操随俗从流啊，
心巩巩而不夷。[20]	心里感到不舒服实在很不乐意。
宁浮沅而驰骋兮，	宁愿到沅水去浮游驰骋啊，
下江湘以邅回。[21]	下到长江湘水徘徊游戏。
叹曰：	多么可叹啊：
山中槛槛，余伤怀兮。[22]	山里车声回响我心伤悲啊。
征夫皇皇，其孰依兮。	征夫无依无靠恐惧惊慌啊。
经营原野，杳冥冥兮。[23]	原野四面八方空旷深远啊。
乘骐骋骥，舒吾情兮。	乘上骏马使我心情舒畅啊。
归骸旧邦，莫谁语兮。	尸骨想归故乡又向谁讲啊。
长辞远逝，乘湘去兮。	只能乘上湘水漂流远方啊。

（黄寿祺、梅桐生译，略有改动）

注释

①毒：怨恨。②坎壈（lǎn）：坎坷不平。③考旦：直到天亮。考：终。④冤雏：即鹓雏，一种小鸟。⑤墉（yōng）：城墙。⑥周行（háng）：大路。⑦懿（yì）懿：芳香的气味，此指鲜花。⑧玉门：指君门。骛（wù）：奔驰。⑨蹇（jiǎn）：发语词。⑩龙逢：即关龙逢，桀臣。相传桀造酒池糟丘，龙逢极力谏止，被杀。沈首：指被杀害。沈即沉。⑪比干：殷纣王叔伯父（一说纣王庶兄）。相传纣王淫乱比干强谏，纣怒，将他杀死。醢（hǎi）：一种把人剁成肉酱的酷刑。⑫骊姬：一作"孋姬"，春秋时晋献公夫人。曾玩弄诡计谮杀太子申生。并逼得公子重耳、夷吾出奔。⑬菀：混积。蘼芜：植物名，花可供观赏，根可入药。菌若：即杜若，香草名。⑭藁（gǎo）本：香草名，根可入药。⑮芷（zhǐ）：白芷，香草名。⑯鸡骇：一种犀牛，此指犀角。簏（lù）：竹箱。⑰棠谿：与下句"干将"均利剑名。刜（fú）：砍。⑱筐：装满。泽泻：恶草。鞹（kuò）：去毛的皮。⑲继筑：大杆。⑳巩巩：束缚，拘束。夷：高兴。㉑邅回：回旋，转来转去。㉒槛槛：车声。㉓经营：指四方。南北为经，东西为营。

鉴赏

这是一首抒发诗人哀怨郁闷感情的诗篇。

题目和开头四句点破哀怨痛苦的心情和原因:遭遇坎坷不顺,志向得不到实现。这个志向,主要是政治上的。由于政治主张得不到施行,国家前途渺茫,百姓生活在水深火热之中,致使诗人触景生情,对孤儿、鸟鹊、黑猿、征夫、处妇等等都怀有一股深切的同情和哀伤。

接下来,作者以屈原的口吻写自己德行、感情的纯正不阿,而又怀才不遇,使自己的思想感情受到极大压抑。面对严酷的现实,回想起历史上刚强正直的大臣的遭遇,自己担心国家的前途,百姓的命运,却又因谗臣当道,无力回天。作者把屈原当时这种既愤懑怨怒又压抑哀伤的心情描写得相当准确。

后半部分,作者大量运用比兴的手法,用各种香草比喻屈原,以恶草比喻众谗臣,这是在屈原诗篇中可以常见到的手法。同时,又以“鸡骇”“棠谿”“干将”“豹鞹”“荆和”等比喻像屈原这样正直、爱国而且有能力、有才华的大臣,通过他们的遭遇,揭示善恶是非颠倒、美丑好坏混乱的社会现实。由于上述手法的运用,使得主观感情与客观实体结合起来,政治感情的抒发就不是概念化的口号,不是个人主观情绪自身,而外部景物也不单纯是客观事物自身,而是带上了强烈的感情色彩。

结尾部分,以流放中的屈原的口气写自己思念故乡而又无法回去,只好在原野里、湘水上游荡、漂流,给人留下一种“此恨绵绵无绝期”的深远回味。

(龚克昌　唐子恒)

远　逝

志隐隐而郁佛兮,[1]	我心中不舒畅满怀忧愁,
愁独哀而冤结。	独自哀伤与人结下冤仇。
肠纷纭以缭转兮,[2]	心乱如麻愁肠旋转回环,
涕渐渐其若屑。[3]	热泪潸然而下涕泣交流。
情慨慨而长怀兮,	我常感慨叹息长久思想,
信上皇而质正。[4]	想请上帝证明给我伸张。

合五岳与八灵兮，[5]	我请五岳八方之神会合，
讯九鬿与六神。[6]	并向九星六宗之神问话。
指列宿以白情兮，	指着二十八宿表明内心，
诉五帝以置词。[7]	我向五方之帝倾诉真情。
北斗为我折中兮，	北斗为我调和无所偏颇，
太一为余听之。	太一为我听讼辨别善恶。
云服阴阳之正道兮，	群神劝我实行仁义正道，
御后土之中和。	思想要像大地一样中和。
佩苍龙之蚴虬兮，[8]	行为要像苍龙能屈能伸，
带隐虹之逶蛇。[9]	意志要像长虹文采飞扬。
曳彗星之皓旰兮，[10]	精神要像彗星光明闪耀，
抚朱爵与鵔鸃。[11]	举动要像神鸟飞冲天上。
游清灵之飒戾兮，[12]	我上游清凉的清灵之庭，
服云衣之披披。[13]	我身穿长长的五彩云衣。
杖玉华与朱旗兮，	拿着美玉花带红色大旗，
垂明月之玄珠。[14]	佩带的夜光珠光彩娈娈。
举霓旌之墆翳兮，[15]	举起虹霓旗帜遮天蔽日，
建黄纁之总旄。[16]	扬起色彩缤纷金黄大旗。
躬纯粹而罔愆兮，	我的行为纯粹没有过失，
承皇考之妙仪。	我继承先父高妙的容止。
惜往事之不合兮，	痛惜从前与君思想不合，
横汨罗而下沥。	只好横渡汨罗随水而往。
乘隆波而南渡兮，[17]	乘着滔滔江水向南前行，
逐江湘之顺流。	追逐长江湘水层层波浪。
赴阳侯之潢洋兮，[18]	奔向波涛之乡渺渺茫茫，
下石濑而登洲。	渡过急流险滩攀登洲上。
陵魁堆以蔽视兮，[19]	山陵高峻挡住我的视线，
云冥冥而闇前。	乌云层层使我眼前晦暗。
山峻高以无垠兮，	群山巍峨峥嵘连绵不断，

遂曾闳而迫身。[20]	高大山势压迫我的身边。
雪雰雰而薄木兮，	大雪纷纷扬扬盖在树上，
云霏霏而陨集。[21]	乌云翻卷盘旋会聚下降。
阜隘狭而幽险兮，	山中悬崖狭谷阴幽险峻，
石嵾嵯以翳日。	岩石奇形怪状遮住阳光。
悲故乡而发忿兮，	思念故乡心里充满怨恨，
去余邦之弥久。	我离开故土的日子已长。
背龙门而入河兮，[22]	走出郢都东门进入大河，
登大坟而望夏首。[23]	我登上高坡把夏水眺望。
横舟航而济湘兮，	然后扭转船头横渡湘水，
耳聊啾而傥慌。[24]	我的耳鸣心跳心中忧伤。
波淫淫而周流兮，	湘水波浪滚滚回旋流转，
鸿溶溢而滔荡。[25]	流水奔腾汹涌浩浩荡荡。
路曼曼其无端兮，	道路遥远漫长没有尽头，
周容容而无识。[26]	四周纷乱变动难以认识。
引日月以指极兮，[27]	我依靠日月星辰的指引，
少须臾而释思。	我才暂时解除心头忧思。
水波远以冥冥兮，	流水广漠无垠无穷深远，
眇不睹其东西。	浩渺辽阔不能辨别方向。
顺风波以南北兮，	顺着狂风巨浪走南闯北，
雾宵晦以纷纷。[28]	大雾弥漫江面晦暗迷茫。
日杳杳以西颓兮，	太阳深远幽暗向西落下，
路长远而窘迫。	路途长远忧心难以抒发。
欲酌醴以娱忧兮，	我想举起美酒借酒浇愁，
蹇骚骚而不释。[29]	心里愁思无穷难以解忧。
叹曰：	多么可叹啊：
飘风蓬龙，埃坲坲兮。[30]	大风盘旋回荡尘埃飞扬，
草木摇落，时槁悴兮。	旋风摇动草木枝叶凋丧。
遭倾遇祸，不可救兮。	遭遇倾危祸殃不可挽救，

长吟永欷，涕究究兮。[31] 只能声声长叹涕泪交流。
舒情陈诗，冀以自免兮。 舒展心中感情希望免祸，
颓流下陨，身日远兮。 但随流水而下难以回头。

（黄寿祺、梅桐生 译）

注释

①隐隐：忧愁。郁佛：忧闷。②缭：绕。缭转：回环旋转。③渐渐：流泪的样子。④上皇：上帝。⑤五岳：五方之山。东为泰山，西为华山，南为衡山，北为恒山，中为嵩山。八灵：八方之神。⑥九鬿（qí）：北斗九星。北斗七星加第六星旁的一颗星和北斗杓端的招摇星。六神：六宗之神。⑦五帝：五方之帝。⑧蚴虬（yǒu qiú）：屈曲行动的样子。⑨隐：大。⑩皓旰（hào gàn）：明亮的样子。⑪朱爵、鵔鸃（jùn yí）：二者都是神俊的鸟。⑫飒戾：清凉貌。⑬披披：长貌。⑭明月：夜光珠。⑮墆翳（dì yì）：隐蔽的样子。⑯黄纁（xūn）：赤黄色。天气玄黄，所以叫黄纁。⑰隆：大，盛。⑱阳侯：大波之神。潢洋：水深的样子。⑲陵：山。魁堆：高的样子。⑳曾：重。闳：大。曾闳：巨大。㉑陨：落，降。陨集：向下聚集。㉒龙门：郢东门。㉓坟：水中高洲。夏首：夏水之口。㉔聊啾：耳鸣。恍慌：忧愁。㉕鸿溶溢：水势盛大。㉖容容：纷乱变动的样子。㉗极：北极星。㉘宵晦：像夜一样阴暗。纷纷：浓厚的样子。㉙骚骚：愁思不可排遣的样子。㉚蓬龙：风吹的样子，犹如转蓬。坲（fú）坲：尘埃飞扬。㉛欷（xī）：抽泣，哽咽，悲叹。究究：不止的样子。

鉴赏

这首诗所写的还是屈原不为楚王信任，怀瑾握玉，远放汨罗，抑郁哀怨。内容和《离世》有相似之处，而写作方法又迥异其趣。下面就主要的几点谈谈。

《离世》写屈原的“鸿节”，基本是概括的叙述。本诗写屈原品格的“纯粹”和“妙仪”，则运用象征手法。象征是屈原常用的表现方法，如《离骚》中的“扈江离与辟芷兮，纫秋兰以为佩”，用香草来作象征。和屈原不同，刘向这里用浪漫主义手法来象征。同是表现屈原的形象和美德，刘向笔下的屈原更夸张、更浪漫。他佩戴着蚴虬的苍龙，以五彩缤纷的虹为带，曳着光芒闪耀的彗星，举着霓的旗帜，遮天蔽日，这是一个何等美好而伟大的形象，简直

高出天外！这样的象征既绘出人物超现实的外形，又充分展示出人物广阔而纯洁的内心世界，奇妙瑰丽，给人以异乎寻常的美的享受。

《离世》写屈原流放汨罗，抓住乘舟溯流往汨罗来抒情写臆，本诗则将赴汨罗途中山岭、江水、天气、景物综合起来，融情入景，并巧妙结合象征和比兴，来表现屈原的心境。"陵魁堆以蔽视兮"至"石嵾嵯以翳日"八句，极写山岭的险峻，云色的阴沉，飞雪的凝重，隐隐表现屈原流放前途的蹭蹬和心情的郁结。又如"水波远以冥冥兮"至"路长远而窘迫"六句，借景物的烘托，表现前景的渺茫和深深的哀愁。这些地方可以看出作者善于在铺写中运用比兴和以景抒情的才能。

在语言上，这首诗大量运用叠字、双声、叠韵，造成一种舒缓低沉而又时而起伏跌宕的格调，很适于表现屈原哀怨的心情。诗开头六句，用"隐隐""渐渐""慨慨"三个叠字；"水波远以冥冥兮"至"路长远而窘迫"六句，也有三个叠字，"冥冥""纷纷""杳杳"。全诗共有十五个叠字，不可谓不多。它的妙处在于能发挥汉语的优点，多而不赘，并形成一种独特的语言风味。这种语言不仅加强了内容的表达，读来也令人荡气回肠。

（刘文刚）

惜　贤

览屈氏之《离骚》兮，	读完了屈原的《离骚》啊，
心哀哀而怫郁。①	我满腔忧愤无限伤悲。
声嗷嗷以寂寥兮，②	对着空寂荒野大声疾呼啊，
顾仆夫之憔悴。	看见仆人像我一样憔悴。
拨谄谀而匡邪兮，	我要惩治谗人纠正邪恶啊，
切溋涊之流俗。③	我要洗涤世上污泥浊水。
荡渨涹之奸咎兮，④	要扫荡卑劣的奸佞罪恶啊，
夷蠢蠢之溷浊。⑤	要灭除贪残的无礼行为。
怀芬香而挟蕙兮，	我怀抱的蕙草芳香馥郁啊，
佩江蓠之斐斐。⑥	佩带洁净江离往来徘徊。
握申椒与杜若兮，	我拿着清香的申椒杜若啊，
冠浮云之峨峨。⑦	戴着切云的高冠崔巍得体。

登长陵而四望兮，	登上高大山陵四面眺望啊，
览芷圃之蠡蠡。[⑧]	看到香芷小树排列整齐。
游兰皋与蕙林兮，[⑨]	来到兰花水滨蕙草芳林啊，
睨玉石之嵾嵯。[⑩]	就像看到玉石一样参差不齐。
扬精华以眩耀兮，	发扬精华如玉光辉闪耀啊，
芳郁渥而纯美。	香气浓郁纯洁美好。
结桂树之旖旎兮，[⑪]	我结上柔嫩的桂树枝条啊，
纫荃蕙与辛夷。	再串连各种芬芳的香草。
芳若兹而不御兮，	如此芬芳的香草不被利用啊，
捐林薄而菀死。[⑫]	被抛进丛林堆积烂掉。
驱子侨之奔走兮，[⑬]	我想跟随子侨学道成仙啊，
申徒狄之赴渊。[⑭]	又仰慕申徒狄避世投河。
若由夷之纯美兮，[⑮]	要像许由伯夷清高纯洁啊，
介子推之隐山。[⑯]	要学介子推隐居深山。
晋申生之离殃兮。[⑰]	痛惜晋国申生受谗遭殃啊，
荆和氏之泣血。[⑱]	可怜楚国卞和泪尽血淌。
吴申胥之抉眼兮，[⑲]	吴国子胥要求死后撬开两眼啊，
王子比干之横废。[⑳]	比干却被纣王剖开胸膛。
欲卑身而下体兮，	想要卑躬屈节同流合污啊，
心隐恻而不置。	心中隐隐作痛不愿这样。
方圜殊而不合兮，	方和圆合不在一起啊，
钩绳用而异态。	曲钩直绳用途也不一样。
欲竢时于须臾兮，	我想等候一会美好时光啊，
日阴曀其将暮，[㉑]	被遮蔽的太阳已近山上。
时迟迟其日进兮，	天时每日运转从容不迫啊，
年忽忽而日度。	岁月每天过去匆匆忙忙。
妄周容而入世兮，[㉒]	想要逢迎谄媚讨好人啊，
内距闭而不开。	我的内心笨拙思想不通。
竢时风之清激兮，	盼望世风清廉激发人心啊，

愈氛雾其如壓。㉓	雾气却如尘土越来越浓。
进雄鸠之耿耿兮,	想要进雄鸠般小小诚信啊,
谗介介而蔽之。㉔	又要遭到谗人离间阻挡。
默顺风以偃仰兮,	想沉默不语顺风随俗啊,
尚由由而进之。㉕	心里犹豫迟疑不肯这样。
心忙恨以冤结兮,㉖	我的心中失意怨恨郁结啊,
情舛错以曼忧。㉗	我的思绪错乱忧愁深长。
搴薜荔于山野兮,	我在荒山野岭摘取薜荔啊,
采撚支于中洲。㉘	采集撚支香草在小岛上。
望高丘而叹涕兮,	遥望楚国朝廷叹息流涕啊,
悲吸吸而长怀。㉙	长久思念我声声悲泣。
孰契契而委栋兮,㉚	谁能忧国忧民贡献自己啊,
日晻晻而下颓。㉛	太阳渐渐昏暗坠落下去。
叹曰:	多么可叹啊:
江湘油油,长流汩兮。㉜	长江湘水不断向东流去啊。
挑揄扬汰,荡迅疾兮。㉝	流水扬起波浪奔流迅疾啊。
忧心展转,愁怫郁兮。	夜不能寐心头忧愁烦闷啊。
冤结未舒,长隐忿兮。	怨情郁结难解长怀愤恨啊。
丁时逢殃,可奈何兮。㉞	生当遇到灾难无可奈何啊。
劳心悁悁,涕滂沲兮。㉟	只能劳心忧闷涕泪纵横啊。

(黄寿祺、梅桐生译,略有改动)

注释

①怫(fú)郁:心情不舒畅。②嗷嗷:大呼声。寂寥:空旷无人的样子。③切:此指荡涤冲刷。淟涊(tiǎn niǎn):污浊。④溾涹(wēi wō):污秽。⑤蠢蠢:没有礼义的样子。⑥斐(fěi)斐:来往徘徊。⑦浮云:冠名,犹云"切云",比喻冠高。⑧蠡(lǐ)蠡:犹历历,成行成列的样子。⑨皋(gāo):水边地。⑩睨(nì):转头看。⑪旖旎(yǐ nǐ):柔和美丽的样子。⑫薄:林木丛生处。菀:堆积。⑬驱:驰,此指追随。侨:即王子乔,传说古仙人。⑭申徒狄:殷末人,相传不忍见纣暴

虐,抱石投水而死。⑮由:许由。相传为尧时隐士,不接受尧让给他的天下。夷:伯夷。殷时孤竹君之子,不受君位,武王灭殷后与其弟叔齐不食周粟,饿死首阳山中。⑯介子推:春秋晋人,晋文公返国后,他隐居深山,文公放火逼他出山,他坚持不出,最终被焚死。⑰申生:春秋时晋献公太子,因受后母骊姬诬陷而死。离:通"罹",遭受。⑱和氏:即卞和,春秋楚人,相传他得玉璞献给楚厉王、武王,被认为欺诈,被砍去双脚。文王即位,他抱璞哭于荆山下,泪尽继之以血。后文王使人剖璞加工,终得和氏璧。⑲申胥:即伍子胥,春秋吴大臣。⑳比干:《史记·殷本纪》载纣说,"吾闻圣人心有七窍,剖比干观其心"。㉑曀(yì):阴暗。㉒周容:谄媚逢迎,苟合于人。㉓塺(méi):尘土。㉔介介:分隔,离间。㉕由由:犹豫。由由而进:意为"因犹豫而不能进"。㉖怳悢(kuǎng lǎng):失意的样子。㉗舛(chuǎn):相违背。㉘揿支:香草名。㉙吸吸:上气不接下气的样子。㉚契契:忧愁的样子。委栋:献出栋梁般的才谋,比喻献身。㉛晻(yǎn)晻:太阳西下,日光暗淡的样子。㉜油油:水流动的样子。汩(yù):水流迅急的样子。㉝挑:搅动。揄(yú):挥扬。汰:波。㉞丁:当。㉟悁(yuān)悁:忧闷的样子。沲(duò):同"沱"。

鉴赏

本篇题为"惜贤",当是惋惜感叹有德行有能力的人才遭受打击谗毁而不被任用。

开头两句作者以自己的口气写读过《离骚》后心情忧愤哀伤,引入正题。下面则照例代表屈原抒发情怀。

诗人首先直抒胸臆,表达对奸佞谗毁、卑鄙贪残等打击陷害贤人的邪恶势力的愤恨和要涤荡这些污泥浊水的愿望。接着通过比兴手法对贤德和贤才进行赞颂。诗人写屈原手里拿的、怀中抱的、身上佩戴装饰的以及所到之处观赏到的鲜花、香草,就是以自然界里美的艺术形象对社会上真、善的德行和才能的象征。

从"驱子侨之奔走兮"以下,诗人列举出九个传说中或历史上的人物,通过对这些人物的态度来表达自己的政治理想,抒发满怀的郁闷和愤慨。作者对王子乔、申徒狄的避世远遁表示敬慕,愿意学习许由、伯夷、介子推的廉洁清高,为保持操守不惜牺牲生命的品格。同时又对申生、卞和、伍子胥、比干等人受到的残酷迫害给予深切的同情。这同情中也包含着对那些昏庸的君王和谗佞小人的愤慨和控诉。

接下来,作者又一次直抒胸臆:忠奸邪正如冰炭同器,日月运转,不舍昼夜;邪恶势力日见猖狂,自己又不想卑躬屈节、随波逐流，纵然忧国忧民，也只能空怀一腔热血、满腹经纶而望洋兴叹。

（龚克昌　唐子恒）

忧　苦

悲余心之悁悁兮，	我的心中忧愁无限悲伤，
哀故邦之逢殃。	深深痛惜祖国将要危亡。
辞九年而不复兮，	与君辞别九年不能回去，
独茕茕而南行。	孤单单地一人走向南方。
思余俗之流风兮，	想到楚国世俗贪谗成风，
心纷错而不受。	使我心绪烦乱不愿去想。
遵野莽以呼风兮，	沿着山野漫步迎风呼唤，
步从容于山廋。[1]	在山弯里徐行不慌不忙。
巡陆夷之曲衍兮，[2]	我在高山曲泽旁边巡行，
幽空虚以寂寞。	四周幽静空虚没有声响。
倚石岩以流涕兮，	我依靠着石岩悲痛流涕，
忧憔悴而无乐。	身心憔悴没有快乐时光。
登巑岏以长企兮，[3]	登上峻峭山峰长久站立，
望南郢而窥之。	久久眺望郢都凝视家乡。
山修远其辽辽兮，[4]	离开故都山路多么遥远，
涂漫漫其无时。	离开家乡道路多么漫长。
听玄鹤之晨鸣兮，[5]	听见神鸟玄鹤清晨鸣叫，
于高冈之峨峨。	看见它站在高峻山冈上。
独愤积而哀娱兮，	孤独愤恨使我苦中作乐，
翔江洲而安歌。	来到江中小洲尽情歌唱。
三鸟飞以自南兮，[6]	我看见三青鸟从南飞来，
览其志而欲北。	观察它们想要飞向北方。
愿寄言于三鸟兮，	我想委托三鸟给我送信，
去飘疾而不可得。	可惜飞得太快我追不上。

欲迁志以改操兮，	想要放弃志向改变节操，
心纷结其未离。	思绪烦乱郁结未离心上。
外彷徨而游览兮，	外表安逸自在徘徊游荡，
内恻隐而含哀。	内心隐隐作痛满怀忧伤。
聊须臾以时忘兮，	暂且追求片刻愉快时光，
心渐渐其烦错。	心绪渐渐错乱烦闷难当。
愿假簧以舒忧兮，	希望借助乐器聊解忧愁，
志纡郁而难释。	怀中愁情萦绕实难遗忘。
叹《离骚》以扬意兮，	吟叹我的《离骚》抒发情怀，
犹未殚于《九章》。	但是却难唱完诗歌《九章》。
长嘘吸以於悒兮，⑦	我长长的抽泣声声悲啼，
涕横集而成行。	我的涕泗交流热泪成行。
伤明珠以赴泥兮，	珍珠埋进泥里令人悲痛，
鱼眼玑之坚藏。	鱼眼作为宝珠牢固保藏。
同驽骡与乘驵兮，⑧	骡子和骏马被同样看待，
杂班駮与阘茸。⑨	杂色马和劣种大受欣赏。
葛藟虆于桂树兮，⑩	恶草葛藤攀缘桂树枝条，
鸱鸮集于木兰。	猫头鹰都聚集木兰花上。
偓促谈于廊庙兮，⑪	局促的小人在朝廷谈论，
律魁放乎山间。⑫	高大的贤士在山野流放。
恶虞氏之箫韶兮，⑬	世人厌恶虞舜箫韶之乐，
好遗风之激楚。⑭	喜欢流行音乐凄楚激昂。
潜周鼎于江淮兮，⑮	传国宝鼎沉入江淮之中，
爨土鬵于中宇。⑯	土锅却使用在殿堂之上。
且人心之持旧兮，⑰	人心怀旧想要坚守信义，
而不可保长。	可惜世风如此难保久长。
遵彼南道兮，	我把自己车马转向南方，
征夫宵行。	像征夫昼夜在路上奔忙。
思念郢路兮，	我深深思念着郢都道路，

还顾睠睠。	频频回首眺望心中向往。
涕泪交集兮，泣下涟涟。[18]	涕泣纵横热泪滚滚流淌。
叹曰：	多么可叹啊：
登山长望，中心悲兮。	登上高山远望心中悲伤，
菀彼青青，泣如颓兮。	看到草木茂盛眼泪直淌。
留思北顾，涕渐渐兮。	向北顾念郢都涕泣交流，
折锐摧矜，凝汜滥兮。[19]	意志摧折不愿与世沉浮。
念我茕茕，魂谁求兮。	孑然一身灵魂把谁寻求，
仆夫慌悴，散若流兮[20]。	我的仆人愁悴散亡如流。

（黄寿祺、梅桐生译，略有改动）

注释

①廋（sǒu）：通“薮”，弯曲之处。②陆夷：大的土山和平地。衍：湖泽。③巑岏（cuán wán）：峻峭的山峰。④辽辽：远貌。⑤玄鹤：传说中的神鸟。⑥三鸟：指神话中的三青鸟。⑦嘘吸、於悒：皆为啼泣之貌。⑧乘驵（zù）：骏马。⑨班駮：杂色的马。阘茸（tà róng）：阘是小门，茸是小草。比喻卑劣下贱的，这里比喻劣马。⑩藟（lěi）：藤。虆（léi）：藤蔓攀缘，作动词用。⑪偓促：狭小局促，此指贪谗小人。廊庙：指朝廷。⑫律魁：高大的样子，这里代指览智之士。⑬箫韶：相传是舜的音乐。⑭激楚：指声音激昂凄楚的音乐。⑮周鼎：古代象征国家政权的传国之宝。⑯鬵（xín）：大釜。⑰持旧：保持旧有的信义。⑱涟涟：泪流不断的样子。⑲摧：挫伤。矜：严肃。⑳慌：逃亡。悴：愁苦。

鉴赏

本篇以强烈的激情和深沉的笔触，通过对屈原被放逐异乡时的形象和活动的描写，展示了他忧思绵绵、凄苦无尽的内心世界，集中抒发了对故国家乡的无限眷恋之情，具有感人肺腑的力量。

为了把屈原眷怀故乡之情表达得淋漓尽致，作者在诗篇的结构上采用了若断若续、回环往复的手法，以主人公思想的跃动、发展为线索，反反复复地再三咏唱，层层紧扣，将感情抒发得特别充沛、浓烈和炽热。根据基本内容，全诗可以细分为五段。第一段从“悲余心之悁悁兮”到

"忧憔悴而无乐",以"悲"字领起,以"忧"字呼应,为全诗的忧苦情绪定下了基调。屈原九年放逐在外,无时无刻不在以多难的祖国为念,直到他心绪烦乱得不愿再想。然而,他又怎能超离这种痛苦呢?难以排遣的忧思,使得他整日里只有憔悴和悲伤。接着,第二段从"登巑岏以长企兮"到"去飘疾而不可得",就具体描写了屈原情不自禁地登山远眺家乡和希望通过"三鸟"寄言的情形。但是,山重重,路漫漫,故乡杳不可见,"三鸟"也难慰人心,飘然而来,倏然而去。对于故乡的一片思念和关切之情,带来的只是悲哀和失望。到第三段,从"欲迁志以改操兮"开始,屈原再次希望自己能从忧苦的心情中振拔出来,以求心情的宁静和精神的愉快,他吟唱自己的《离骚》和《九章》,然而,这不仅不能使他如愿,反而"涕横集而成行",思乡之念愈加强烈。于是,第四段从"伤明珠以赴泥兮"到"涕泪交集兮,泣下涟涟",屈原就不由自主地回想起故国的种种情形,对那鱼目混珠、是非颠倒的黑暗政治,表示了自己的愤慨。尽管如此,他却并没有嫌恶祖国,他虽然因为朝中不能容身,不得已而南行,但仍然从心底里发出了"思念郢路兮,还顾睠睠"的一片深情,充满着无穷无尽的眷恋之意。最后一段,屈原又一次"登山长望""留思北顾",他想到自己茕茕孑立、有家难回、有国难归,不禁悲从中来,泣下沾襟。这与开首四句相照应,并且进一步启人深思,留下了极为深长的情意。这里面饱含着屈原多么真挚的故国之思,蕴蓄着多么深沉执著的感情!

姜夔在《白石道人诗说》中说:"波澜开合,如在江湖中,一波未平,一波已作。"用来比喻本诗的结构,十分贴切。每一段落中,都包含着复杂的感情:一方面是思绪如麻,极度悲伤,希望从思念家国的苦痛中解脱出来;而另一方面,却是不由自主地念念不忘自己的祖国和家乡,并且思念之情愈来愈浓,与日俱增,结果陷进了更深的痛苦之中。我们仿佛看到屈原在感情织成的罗网中不停地挣扎,他愈是挣扎,罗网就愈是收束得紧,他的痛苦也就愈深。这种思想上的矛盾、冲突,使得屈原思念故国的感情,犹如滚滚滔滔的波澜,在诗中不断地升起、跌落,然后又更高地升起,形成浩浩千里、汹涌澎湃之势,发出震撼人心的力量。此外,段与段之间,似乎可以各自独立,但却有着不可分割的内在联系。每段的前半多是承上而来,而最末一句又为下一段的开始作了必要的暗示和导引,全诗好像一根链条,中间环环紧扣,形成往复回环之势。按照心理规律,人在极端愁苦之时,总是一遍又一遍地反复思考着同一个问题。这种结构方法,正与此时屈原的心情相一致。全诗就在这千岩万转、山重水复之中,反复咏唱,曲折致意。通过波澜迭起、往复回环，恰到好处地表现了屈原的满腔激情，给读者的感情打上了深深的烙印，从而使人受到不能自已的感动。

本诗在表达屈原的上述思想感情时，不是静止地抒情，而是把人物放到特定的环境中，通过对一连串行动的具体描写，使人物生动形象，感情鲜明真切。这样，寓情于动，动中见情，收到了良好的效果。屈原由于愁怨难诉，无法控制自己的感情。他时而在旷野的草丛中奔走呼号、迎风高歌，以发泄自己的满腔愤懑；时而漫步在山弯之中和曲池之畔，以排遣空虚和寂寞的心情；时而倚靠在山岩之旁，涕泗交流，显得悲愁欲绝；时而登上峻峭的山峰，翘首眺望，时刻眷怀的故乡，忧思难已；时而来到江中小岛，浅吟低唱，对景徘徊；时而在路上奔忙，一边向南行进，一边还频频回望故国，表现了依依难舍的情怀。通过这些具体的行动和铺叙性的描写，一位遭遇不幸的爱国者的忧苦形象，就十分清晰地凸现在读者眼前。他的感情时而激奋昂扬，时而低回掩抑，似乎变化无定，然而，那种对故国家乡的深切眷念之情，却像一条红线，贯串始终，无时无刻不从主人公肺腑中沛然涌出。这种火一般的激情，在行动中体现得格外鲜明，格外真切。

与表现这种激情相应，本诗在句法上采用了《离骚》和《九章》中的几种基本形式，在整齐中富有变化，显得参差错落，较为灵活自由。节奏上比较统一，但又有舒缓与急促的适当对比。这些，对于表现大起大落、汹涌奔腾的感情，起了很好的作用。

（管遗瑞）

愍命

昔皇考之嘉志兮，	当年我先父志向美好啊，
喜登能而亮贤。	喜欢推举智士表彰贤能。
情纯洁而罔薉兮，①	性情纯洁而无污秽啊，
姿盛质而无愆。②	没有过失而资质美盛。
放佞人与谄谀兮，	远放巧佞谄谀的小人啊，
斥谗夫与便嬖。	斥责谗人和取宠的近臣。
亲忠正之悃诚兮，③	亲近正直忠厚之士啊，
招贞良与明智。	招致品行忠贞贤明与能洞察

	事理的人。
心溶溶其下可量兮，[4]	心胸开阔不可度量啊，
情澹澹其若渊。[5]	性情恬逸像深渊一样安静。
回邪辟而不能入兮，[6]	曲枉邪僻的言行难以侵入啊，
诚愿藏而不可迁。	实愿保持此心永不变更。
逐下袟于后堂兮，[7]	把乱政的侍妾赶进后堂啊，
迎宓妃于伊洛。[8]	把宓妃从洛水迎到朝廷。
刜谗贼于中廇兮，[9]	把谗谀小人驱出厅堂啊，
选吕管于榛薄。[10]	从民间提拔吕尚管仲般的大臣。
丛林之下无怨士兮，	使山野之中无怨恨之士啊，
江河之畔无隐夫。	让江河之畔无隐居贤人。
三苗之徒以放逐兮，[11]	三苗之徒通通放逐啊，
伊皋之伦以充庐。[12]	用伊尹皋陶之辈辅佐国君。
今反表以为里兮，	如今把衣表当成衣里啊，
颠裳以为衣。	把下裙倒过来当成上装。
戚宋万于两楹兮，[13]	亲近宋万之流把他们置于尊位啊，
废周邵于遐夷。[14]	废弃周公邵公把他们远远流放。
却骐骥以转运兮，	让千里马去拉车负重啊，
腾驴骡以驰逐。[15]	骑着驴骡去奔跑驰骋。
蔡女黜而出帷兮，	蔡国美女被贬出帷帐啊，
戎妇入而彩绣服。	让西戎丑妇进来还身穿彩绣衣裳。
庆忌囚于阱室兮，[16]	庆忌被囚在陷阱之内啊，
陈不占战而赴围。[17]	派陈不占解围上战场。
破伯牙之号锺兮，[18]	打破伯牙的号锺琴啊，
挟人筝而弹纬。[19]	拿来凡人的小筝张弦弹弄。
藏瑉石于金匮兮，[20]	把瑉石珍藏进金匣里啊，
捐赤瑾于中庭。	美玉赤瑾却扔在庭中。
韩信蒙于介胄兮，[21]	韩信披上盔甲只当小卒啊，

行夫将而攻城。	让行伍小兵率军围城进攻。
莞芎弃于泽洲兮，[22]	将莞芎抛弃在水泽里啊，
瓟蠡蠹于筐簏。[23]	小匏瓢藏进筐簏中。
麒麟奔于九皋兮，[24]	麒麟奔逃进深远水泽啊，
熊罴群而逸囿。	熊罴成群奔跑在宫苑里。
折芳枝与琼华兮，	折断芳香树木如玉鲜花啊，
树枳棘与薪柴。	种植荆棘与败草枯枝。
掘荃蕙与射干兮，[25]	挖掉了荃蕙与射干啊，
耘藜藿与蘘荷。[26]	培植蘘荷与藿藜。
惜今世其何殊兮。	痛惜今世贤愚有何差别啊，
远近思而不同。	思虑远近智谋不同。
或沉沦其无所达兮，	有人沉沦世俗困而不达啊，
或清激其无所通。	有人清明激奋却又事理不通。
哀余生之不当兮，	哀叹我生不逢时啊，
独蒙毒而逢尤。	偏偏蒙受苦难遇到责难。
虽謇謇以申志兮，[27]	纵然忠心耿耿表达心志啊，
君乘差而屏之。	与君意相违被屏弃一边。
诚惜芳之菲菲兮，	自爱服饰菲菲芳香啊，
反以兹为腐也。	君王反以为这是腐臭。
怀椒聊之蔎蔎兮，[28]	怀揣椒聊充满香气啊，
乃逢纷以罹诟也。	遭逢乱世受到耻辱。
叹曰：	多么可叹啊：
嘉皇既殁，终不返兮。	明王已经去世，我终难回返啊。
山中幽险，郢路远兮。	山中幽暗危险郢都路漫漫啊。
谗人谗谗，孰可愬兮。[29]	谗臣巧言善辩向谁诉说啊。
征夫罔极，谁可语兮。	远行人前路无尽又与谁言啊。
行吟累欷，声喟喟兮。[30]	边走边叹啊悲声不断啊。
怀忧含戚，何侘傺兮。[31]	多么失意啊忧愁无限啊。

（龚克昌、唐子恒　译）

注释

①蕆:同“秽”。②姿:通“资”。愆(qián):过错。③悃(kǔn):忠厚。④溶溶:宽广的样子。⑤澹(dàn)澹:恬静。⑥辟:邪僻。回邪辟:枉曲不正。⑦下袟(zhì):指国君的侍女近臣等。⑧宓妃:传说中洛水之神。⑨廇(liù):中庭。⑩吕:吕尚,世称姜太公,曾辅佐周武王灭殷。管:管仲,春秋时齐国贤臣。榛薄:丛杂的草木,这里指民间。⑪三苗:传说中尧的佞臣,后被流放三危山。⑫伊:伊尹,商汤时大臣,曾佐汤灭夏桀。皋:皋陶,传说为舜时贤臣。⑬宋万:宋闵公时的逆臣。楹:柱。两楹:两柱之间,正门前,指尊者所处的地方。⑭周:即周公旦,周时功臣,文王子,辅武王、成王。邵:即周邵公奭(shì),周武王大臣。⑮腾:乘。⑯庆忌:春秋吴国公子,以有勇力著称。⑰陈不占:齐臣,以胆怯出名,打仗时被钟鼓之声吓死。⑱伯牙:春秋时著名琴师。号锺:相传为古代珍贵的琴名。⑲纬:装上琴弦。⑳瑉(mín)石:次于玉的美石。㉑韩信:西汉时名将。㉒莞芎:香草名。㉓蠡(lí):瓢。篚:竹器。方为筐,圆为篚。櫜:收藏。㉔九皋:水泽深处。㉕荃蕙、射干:均为香草名。㉖藜:一种野菜。藿:豆叶。蘘荷:恶草。㉗謇謇:忠贞的样子。㉘椒聊:香草名。莅(shè)莅:香气。㉙戋戋:巧言善辩的样子。㉚欷(xī)、喟喟:均为悲叹声。㉛侘傺(chà chì):失意而精神恍惚的样子。

鉴赏

《愍命》是《九叹》的第七篇。这篇以屈原的口吻哀叹自己命运乖蹇,生不逢时,表达对前朝盛世的追念和对忠奸不分、贤愚颠倒的现实的控诉。

诗的头一部分,借屈原的口气回忆他父辈时代政通人和的社会局面。他的父亲有美好的志向和纯洁的性情,由于受到国君的信任,其政治主张得以实行。于是罢黜奸佞邪恶,摒弃谗谀小人,忠贞贤能之士都得到提拔重用,以辅君治国。这段描写渗透出一股无限向往之情。

中间一部分,则回到现实中来,写忠奸、贤愚的颠倒。这一部分作者大量运用了比兴手法,而且用以比喻的事物都是两两相对的。“表”与“里”,“裳”与“衣”,“宋万”与“周邵”,“骐骥”与“驴骡”,“蔡女”与“戎妇”,“庆忌”与“陈不占”,“号锺”与“人筝”,“瑉石”与“赤瑾”,“韩信”与“行夫”,“莞芎”与“瓟蠡”,“麒麟”与“熊罴”,“芳枝、琼华”与“枳棘、薪柴”,“荃蕙、射干”与“藜藿、蘘荷”,等等。通过对这一长串对立事物的境遇的描写,淋漓尽致地描绘出了当时社会上真、善、美与假、恶、丑的对立和颠倒。在这种情势下，自己虽有治国良策，而且忠心耿耿，但也只能受到摒弃，蒙受耻辱。这与前一部分所描写的贤能智士扬眉吐气的情态形成鲜明的对比。

结尾部分感叹美好的盛世已经一去不复返，表达屈原因不能重返郢都、报效国家而产生的苦闷、失望和无限哀愁。

（龚克昌　唐子恒）

思　古

冥冥深林兮，	山林无穷无尽阴暗幽深，
树木郁郁。	树木密密层层生长茂盛。
山参差以崭岩兮，[1]	高山峰峦参差巉岩峥嵘，
阜杳杳以蔽日。	峻岭遮天蔽日时阴时晴。
悲余心之悁悁兮，	可怜我的心中无限愁闷，
目眇眇而遗泣。	举目无亲使我涕泣淋淋。
风骚屑以摇木兮，[2]	秋风萧萧轻轻摇动草木，
云吸吸以湫戾。[3]	白云卷曲浮动相随而行。
悲余生之无欢兮，	悲伤我的一生毫无欢乐，
愁倥偬于山陆。	忧愁困苦久居深山野岭。
旦徘徊于长陂兮，	白天我在长坡徘徊游荡，
夕彷徨而独宿。	夜晚孤孤单单独宿山上。
发披披以鬤鬤兮，[4]	我的头发散乱蓬蓬松松，
躬劬劳而瘏悴。[5]	身心劳苦憔悴贫病卧床。
魂眐眐而南行兮，[6]	魂魄心神不定匆匆南行，
泣霑襟而濡袂。[7]	我的涕泪交流沾湿衣裳。
心婵媛而无告兮，	心中愁情牵持向谁诉说，
口噤闭而不言。	只能噤若寒蝉闭口不讲。
违郢都之旧闾兮，	离开我的首都我的家乡，
回湘沅而远迁。	经过湘江沅水走向远方。

念余邦之横陷兮，	思念我的祖国横遭灾难，
宗鬼神之无次。[8]	祖宗无人祭祀使人心伤。
闵先嗣之中绝兮，[9]	哀怜祖先事业由此中断，
心惶惑而自悲。	心中恐惧疑惑独自悲伤。
聊浮游于山陜兮，[10]	暂且到山峡里徘徊行走，
步周流于江畔。	来至长江边上各处游荡。
临深水而长啸兮，	面临万丈深渊长声歌吟，
且倘佯而氾观。	姑且踱至溪畔踟蹰观望。
兴《离骚》之微文兮，[11]	创作《离骚》隐约讽喻文章，
冀灵脩之壹悟。	君王能够醒悟是我希望。
还余车于南郢兮，	能让我的马车返回郢都，
复往轨于初古。	遵循先王辙迹决不改向。
道脩远其难迁兮，	郢路遥远啊我实难回还，
伤余心之不能已。	我真情不自禁暗暗心伤。
背三五之典刑兮，[12]	君王背离三皇五帝常法，
绝《洪范》之辟纪。[13]	断绝《洪范》五行准则纪纲。
播规矩以背度兮，	放弃圆规直尺违背法度，
错权衡而任意。	丢开称物权衡任意估量。
操绳墨而放弃兮，	认真执行法纪遭受放逐，
倾容幸而侍侧。[14]	小人侧头安身得近君旁。
甘棠枯于丰草兮，	棠梨枝叶枯萎野草丰盛，
藜棘树于中庭。	蒺藜荆棘种满庭院中央。
西施斥于北宫兮，	美女西施被斥冷宫之中，
仳倠倚于弥楹。[15]	丑妇仳倠得宠近侍君王。
乌获戚而骖乘兮，[16]	力士乌获作为贴身警卫，
燕公操于马圉。[17]	贤臣燕公执役操劳马房。
蒯聩登于清府兮，[18]	蒯聩叛逆无义能进宗庙，
咎繇弃而在野。	皋陶贤明圣智弃逐远方。
盖见兹以永叹兮，	是非如此颠倒使我长叹，

欲登阶而狐疑。	想要进身规劝犹豫惊慌。
乘白水而高骛兮，	还是乘着白水远走高飞，
因徙弛而长词。[19]	趁此退身回转永别君王。
叹曰：	多么可叹啊：
倘佯垆阪，沼水深兮。[20]	倘佯黑黄山上池水深长，
容与汉渚，涕淫淫兮。	徘徊汉水之滨涕泪流淌。
钟牙已死，谁为声兮。	子期伯牙已死谁弹妙音，
纤阿不御，焉舒情兮。[21]	纤阿不御怎能发挥力量。
曾哀凄欷，心离离兮。[22]	无限悲哀凄凉心痛欲裂，
还顾高丘，泣如洒兮。	回望楚国朝廷泪洒地上。

（黄寿祺、梅桐生 译）

注释

①崭（zhǎn）：高大的样子。②骚屑：风声貌。③吸吸：浮动的样子。湫戾（qiū lì）：卷曲的样子。④披披：散乱的样子。鬤（ráng）鬤：头发乱貌。⑤瘏（tú）：因劳致病。⑥侄侄：心神不定的样子。⑦濡袂（rú mèi）：浸湿袖子。⑧宗鬼神：宗族祖先的鬼神。无次：失其次第而不见祀。⑨先嗣：先祖事业的继续。⑩陿：同“峡”。⑪微文：隐约讽喻之文。⑫三五：三皇五帝。典：常。刑：法。⑬洪范：《尚书》篇名。辟纪：法度，准则。⑭倾容：侧头安身之人。⑮仳倠（pí suī）：古代丑女之名。弥楹：立遍两柱之间。⑯乌获：古代力士之名。骖乘：坐在车右边的近侍警卫。⑰燕公：即邵公，封于燕，故名。马圉（yǔ）：养马的地方。⑱蒯聩（kuǎi kuì）：卫灵公太子，欲害其母。清庙：即宗庙。⑲徙弛：退却。⑳倘佯：山名。垆（lú）：黄黑色之土。沼：池。㉑纤阿：古之善御者。㉒离离：剥裂貌。

鉴赏

本篇采用倒叙的笔法，先写屈原在放逐后孤苦无告的悲伤心境，然后回顾了遭受放逐的经过，以及朝中是非颠倒的情形，怀古伤今，倾诉了知音永绝、满腔悲愤的孤独之感，读来凄恻动人。

本诗在情景交融方面，颇具特色。作者通过对环境、人物的细致生动的描写，来渲染、烘托屈原孤独的心境和无尽的愁思。这集中表现在第一段，即前十八行。作者在全诗开头，人物还未出场之前，首先就以四句写景，“冥冥深林兮，树木郁郁。山参差以崭岩兮，阜杳杳以蔽日”。在阴暗的深林里，古木参天，丰草遍野，高山大岭峥嵘峻峭、遮天蔽日，光线幽昧黯淡，这是一种多么荒凉、凄惨的境界。短短四行诗，为人物的出场，事先创造了一种艺术氛围，向读者暗示出了诗中主人公绝不是一个情绪快乐的人。接着，主人公出场了，果然，他忧心忡忡，泪流满面，披头散发，心神不定，从这些生动的具体形象中，展示出了屈原内心无穷无尽的苦闷和忧虑。这里，作者双管齐下：一方面注意了人物形象的刻画，把外貌的描写和内心世界的揭示，紧密结合在一起；另一方面，又把景物的描写、渲染，与人物的感情有机地融为一体。如果说，开头四句还仅仅是静态的描写的话，那么，接下来就是动态的渲染了。你听，秋风吹来，草木沙沙作响，一派萧瑟之声。与此相伴，风起云涌，浓雾在山林间卷曲浮动，一片迷茫。这些渲染，使得本来就荒凉、凄惨的境界，更增加了阴森、恐怖的气氛。在这样的环境里，屈原迎风披散着头发，一会儿在荒山野岭间疾走，一会儿在长坡上徘徊游荡，一会儿自言自语、伤叹孤独，一会儿缄口不言、愁思郁结。这样，情景相生，互相映发，主人公在遭受佞人谗毁、排挤而被放逐后的悲愤、伤感心情，在刚刚出场后就得到了有力的表现。到第二段（即次十六行），写屈原在忧思难解的心情中，回顾自己被放逐后的经过，表现了对故国的深切怀恋和对国势艰危的哀愁与忧虑。这里，作者也采用了情景交融的手法，把屈原的活动置于高高的山峡之中和万丈深渊之畔，用这些富有特征性的景物，来衬托屈原孤愤的心情、深化人物的感情，收到了很好的效果。王夫之在《薑斋诗话》中说：“情、景名为二，而实不可离。神于诗者，妙合无垠。”本诗的作者在情景关系上作了较好的处理，把屈原的思想表达得真切、深沉，体现了自己的匠心。

不仅如此，本诗还成功地运用了比喻的艺术手法，含蓄曲折而又形象生动地表现了屈原对朝廷中黑白不分、是非混乱的腐败政治的不满和担忧。第三段（从“背三五之典刑兮”到“因徙弛而长词”，共十八行）和第四段（“叹曰”之后六行）较多地使用了这种手法，而且具有种种变化。一种是运用象征而兼有比喻的手法，来形容朝廷的衰败景象。“甘棠枯于丰草兮，藜棘树于中庭。”朝廷之中，本是神圣之地，如今却杂草丛生，荆棘满地，甘棠枯萎，一片荒凉，通过这种意象，生动地暗示出了政治的腐败。其中，作者又隐以甘棠比喻贤者，丰草、藜棘比喻小人，十分形象。另一种是通过美丑、善恶的对比，来比喻楚国政治的是非颠倒。第三段后半部分运用排比句式，接连列举了三对历史人物，即美女西施和丑妇仳倠、莽汉乌获和贤臣燕公、恶人蒯聩和圣智皋陶。显然，作者是以西施、燕公、皋陶来比喻屈原一类的正直之士，而以仳倠、乌获、蒯聩来比喻郑袖、子兰之流的邪恶之人。以人比人，比得十分得体，具有怀古讽今的作用。而且又兼用对比的方法，把善人恶报、恶人善报的黑暗现实揭露无遗，表现了屈原对当今时事的极端愤慨的心情。还有一种是更为婉曲的比喻："钟牙已死，谁为声兮。纤阿不御，焉舒情兮。"以钟子期、俞伯牙这对知音之死，来比喻屈原的孤立无援，表现出知音难觅的悲痛心情。以古之善御者纤阿来比楚王，言楚王不任用贤者，忠直之士又怎能为楚国尽力呢？表现了屈原报国无门的哀伤之情。由于运用了以上这些比喻，不仅丰富了全诗的艺术手法，而且感时伤事，寄慨遥深，将抽象的道理讲得生动活泼、娓娓动听，从而很好地表现了屈原怀古伤今的内心世界，一片忠于祖国的拳拳之心，充溢于字里行间，令人感动不已。这些比喻，如周振甫先生所说是"用比喻来代替被比的事物，被比的事物没有说出来"（见《文心雕龙选译》中"比兴"解说），也就是使用借喻的手法。这正是楚辞的特点，本篇体现得较为鲜明。

本诗还较多而集中地运用了叠字，例如"冥冥""郁郁""杳杳""眇眇""吸吸"等等，及联绵字，如"参差""倥偬""彷徨"等。这样，不仅使诗意表达得反复低回、抑扬不尽，而且更增加了诗歌的音律美和修辞美，读来流畅自然，韵味无穷。

（管遗瑞）

远　游

悲余性之不可改兮，	悲叹我的本性不可改变，
屡惩艾而不移。[①]	屡次吸取教训坚定不移。
服觉皓以殊俗兮，[②]	服饰十分鲜艳与众不同，
貌揭揭以巍巍。[③]	形象高高大大顶天立地。
譬若王侨之乘云兮，	我像仙人王侨驾雾乘云，
载赤霄而凌太清。[④]	乘着红色云气飞升天庭。
欲与天地参寿兮，[⑤]	我的寿命能像天地久长，

与日月而比荣。	我的光荣就如太阳月亮。
登昆仑而北首兮，[6]	登上昆仑高山向北而坐，
悉灵圉而来谒。[7]	天上全部仙人都来拜望。
选鬼神于太阴兮，[8]	我从太阴气中选择鬼神，
登阊阖于玄阙。[9]	和我登上天门进入殿堂。
回朕车俾西引兮，	扭转我的车马奔向西方，
褰虹旗于玉门。[10]	举起虹旗直驱玉门山上。
驰六龙于三危兮，[11]	乘驾六龙奔驰三危山顶，
朝西灵于九滨。[12]	召西方之神到九曲水滨。
结余轸于西山兮，[13]	旋转我的车子向着西山，
横飞谷以南征。[14]	横渡飞泉山谷又向南行。
绝都广以直指兮，[15]	穿过都广山野一直朝前，
历祝融于朱冥。[16]	会见祝融海神经过朱冥。
枉玉衡于炎火兮，[17]	回转我的玉车穿过炎火，
委两馆于咸唐。[18]	我两次曲意在咸池暂停。
贯澒濛以东朅兮，[19]	贯穿鸿蒙之气向东离去，
维六龙于扶桑。	六条飞龙系在扶桑树上。
周流览于四海兮，	我要周行各地观察天下，
志升降以高驰。	并想上上下下奔驰各方。
征九神于回极兮，[20]	召九天之神在天中会见，
建虹采以招指。[21]	高举彩虹大旗指挥四方。
驾鸾凤以上游兮，	乘驾鸾鸟凤凰向上游荡，
从玄鹤与鷦明。[22]	率领玄鹤鷦明紧跟身旁。
孔鸟飞而送迎兮，	孔雀上下飞舞迎来送往，
腾群鹤于瑶光。[23]	仙鹤成群飞腾经过瑶光。
排帝宫与罗囿兮，[24]	排开天帝之宫进入天苑，
升县圃以眩灭。[25]	登上悬圃仙山心明眼亮。
结琼枝以杂佩兮，	系结美玉枝条掺杂玉佩，
立长庚以继日。	升起长庚明星接替太阳。

凌惊雷以轶骇电兮，[26]	乘驾滚滚惊雷追逐闪电，
缀鬼谷于北辰。[27]	还把百鬼系在北极星上。
鞭风伯使先驱兮，	我又鞭策风伯开路向前，
囚灵玄于虞渊。[28]	并把玄帝之神囚禁虞渊。
遡高风以低回兮，[29]	迎着高天大风徘徊游荡，
览周流于朔方。	我还观察各地游遍北方。
就颛顼而陈词兮，	我向圣帝颛顼倾诉痛苦，
考玄冥于空桑。[30]	考察玄冥之神来到空桑。
旋车逝于崇山兮，[31]	然后旋过车头驰往崇山，
奏虞舜于苍梧。	向虞舜进言来苍梧山旁。
济杨舟于会稽兮，	乘上杨木轻舟行至会稽，
就申胥于五湖。	请教伍子胥在五湖之上。
见南郢之流风兮，	看见楚国郢都流行风俗，
殒余躬于沅湘。	只能投身自沉沅水湘江。
望旧邦之黯黮兮，[32]	望见故国家乡昏暗不明，
时溷浊其犹未央。	人世混乱污浊令人失望。
怀兰茝之芬芳兮，	怀抱兰花茝草散发芳香，
妒被离而折之。	众人嫉妒摧折分散四方。
张绛帷以襜襜兮，[33]	陈设深红幕布鲜艳美好，
风邑邑而蔽之。[34]	轻风细微柔弱被它阻挡。
日暾暾其西舍兮，	太阳炽盛明亮降落西方，
阳焱焱而复顾。[35]	阳光炎热势盛还想返上。
聊假日以须臾兮，	暂且趁此时光游戏片刻，
何骚骚而自故。[36]	心中忧愁如故始终难忘。
叹曰：	多么可叹啊：
譬彼蛟龙，乘浮云兮。	我好像乘云的深渊蛟龙，
汎淫澒溶，纷若雾兮。[37]	浮游层层浓云被雾迷蒙。
潺缓轇轕，[38]	蛟龙卷曲纵横如水流动，
雷动电发，馺高举兮。[39]	乘驾雷电迅速高飞天空。

升虚凌冥，[40]	蛟龙登上天界高远无涯，
沛浊浮清，入帝宫兮。	弃污秽浮清气进入帝宫。
摇翘奋羽，[41]	蛟龙摇头摆尾展开双翅，
驰风骋雨，游无穷兮。	驱使风雨遨游无穷太空。

（黄寿祺、梅桐生　译）

注释

①惩艾：被惩创而戒惧，也指从失败中吸取教训。②觉：较。晧：鲜明。觉晧：特别鲜明。③揭揭：高貌。④太清：天空。⑤参寿：同寿。⑥首：向。北首：向北坐。⑦灵圉：众神。⑧太阴：极盛的阴气。⑨玄阙：天上的宫殿。⑩玉门：山名。⑪三危：神话中的仙山。⑫西灵：西方之神。九滨：九曲水滨。⑬结：旋。轸（zhěn）：谓车。⑭飞谷：神话中的飞泉之谷，太阳运行经过的地方。⑮都广：神话中的地名。⑯朱冥：泛指祝融所居之地。⑰枉：回转。玉衡：饰玉的车辕头上的横木，此处指车。⑱委：曲意。两馆：两次停息住宿。咸唐：咸池。⑲澒濛（hòng méng）：气，没有成形的气。朅（qiè）：离去。⑳九神：九天之神。回极：天之中央。㉑召指：指挥。㉒鵁（jiāo）明：鸟名。㉓瑶光：北斗星中的一颗星。㉔罗囿：天苑。㉕眩灭：炫耀。或解为目光无主，不能仰视。㉖轶：追逐，超越。㉗鬼谷：在北斗星下，众鬼聚居处。㉘灵玄：玄帝。虞渊：神话中的地名，日所入之地。㉙遡：同“溯”。㉚玄冥：太阴之神，主刑杀。㉛崇山：山名，驩兜所放之山。㉜黯黮（àn tǎn）：不明的样子。㉝襜（chān）襜：鲜艳的样子。㉞邑邑：微弱的样子。㉟焱焱：同“炎炎”，势盛。㊱自故：依然如故。㊲汎淫：随水浮游。澒溶：深广的样子。㊳轇轕（jiāo gé）：参差纵横。㊴馺（sà）：迅疾的样子。㊵虚、冥：天空。㊶翘：鸟尾上的长毛，泛指尾。

鉴赏

人处在痛苦中，总想解脱，心情非常复杂。屈原不愿用同流合污来摆脱痛苦，一心要保持自己的高洁，自然会想离开楚国这个恶劣的环境，像古代仙人王侨那样乘云漫游。

屈原果真登上仙界昆仑，到玄阙，又历玉门、三危、九滨、西山、飞谷、都广、朱冥、炎火、咸池、扶桑、帝宫、罗囿、县圃、北辰、虞渊、空桑……他驱使或会见的有众仙、鬼神、六龙、西灵、祝融、九神、鸾凤、玄鹤、鵁明、孔鸟、群鹤、惊雷、骇电、铁电、风伯、灵玄、玄冥……诗为我们展现的是多么光怪陆离、瞬息万变的神话世界！用如此长的篇幅，描绘如此瑰丽多彩的神话境界，在我国诗歌中是罕见的。伟大浪漫主义诗人李白笔下常常出现很多神话境界，有代表性的如《梦游天姥吟留别》《梁园吟》，但景象都不如这样神奇，这样壮丽——虽然李白的仙境要有诗意得多。大约是因刘向生活在汉代，去古未远，神话传说比后世丰富的缘故。

屈原从乘云驭气的空中远游，又转向天南地北的人间远游。他在北方会见了古代的帝王颛顼，向他诉说自己的遭遇，又到南方的苍梧向虞舜诉说自己的遭遇，又到五湖会见了先贤伍子胥。屈原本想通过与圣帝和古贤的交谈，使自己的遭遇和痛苦能够得到理解和排遣，然而这个目的并没有达到。

屈原是一个伟大的爱国者，无论到空中远游，还是在人世远游，都不过是一刹那的念头。他并不想真正逃避现实，并不想真正离开自己的祖国。刘向用这种游仙的超现实主义手法，正是为了表现屈原对祖国的忠诚。这样，屈原就陷入了深深的矛盾中。他热爱自己的祖国，而楚王昏庸，奸佞当道，祖国处在风雨飘摇之中。他想拯救自己的祖国，而自己正遭受流放，无法施展自己的政治抱负和才能。屈原预感到楚国将被秦国吞灭，他不愿意眼睁睁地看着祖国受敌人的蹂躏。“殒余躬于沅湘”，他只有用沉江殉自己的祖国、殉自己的理想。

如前所述，通过展示奇特壮丽的神话境界来和楚国黑暗现实加以对比，表现屈原的爱国主义精神，是本诗的最大艺术特色。此外，在结构和语言方面，这首诗也有自己的长处。

本诗结构严谨，既层次分明，而又浑然天成。诗从天上写到人间，从古代写到当代，空间时间跨度大，层次间不用过渡文字，全靠文意自然衔接。诗从“余性之不可改”，用王侨乘云自喻，再转入写“登昆仑而北首兮”的游仙，水到渠成。写完游仙，写“遡高风以低回兮，览周流于朔方”，由仙界转而游人间的北方，也是顺理成章的。又由人间的北写到南，由东写到西，由人间的游览，转而写“见南郢之流风兮，殒余躬于沅湘”，转而写楚国，更是天衣无缝。

诗在运用语言时，能根据不同的内容，采用不同的形式的语言。诗写游仙，用一个动词加两个名词的句式为主（如“驰六龙于三危兮”“朝西灵于九滨”），其中一个名词是地名，激越畅快，铿锵有力，以极快的节奏，展示一个一个的仙境，令人目不暇接。而写楚国，则用一个名词配上动词、副词和形容词的句式，而且多用叠字、双声、叠韵，语气舒缓而低沉，很适于描写楚国的黑暗和屈原的哀怨。语言这样随内容的变化而变化，表现出作者驾驭语言的高度才能和技巧。

（刘文刚）

九　思

王　逸

逢　尤

悲兮愁，哀兮忧。	我的心中多么悲哀忧愁。
天生我兮当闇时，	天生我遇到了黑暗时候，
被诼谮兮虚获尤。①	受人诬陷无故遭到罪尤。
心烦愦兮意无聊，②	我的心里烦乱情绪愁闷，
严载驾兮出戏游。③	赶紧乘驾车马出外远游。
周八极兮历九州，④	游遍遥远八方天下九州，
求轩辕兮索重华。	要把圣明黄帝大舜寻求。
世既卓兮远眇眇，⑤	离开前圣时代已经遥远，
握佩玖兮中路躇。⑥	手握玉佩半路徘徊心忧。
羡咎繇兮建典谟，⑦	羡慕皋陶建立制度谋略，
懿风后兮受瑞图。⑧	我仰慕接受瑞图的风后。
愍余命兮遭六极，⑨	可怜我的命运多灾多难，
委玉质兮于泥涂。	美好品质弃于污秽路途。
遽傽遑兮驱林泽，⑩	恐惧惊慌驱向山林水泽，
步屏营兮行丘阿。⑪	惶惶失措我向深山奔走。
车轨折兮马虺颓，⑫	我的车辕折断马也疲病，
惷怅立兮涕滂沲。⑬	我怅然呆立着热泪直流。
思丁文兮圣明哲，⑭	想遇到圣哲明智的文王，
哀平差兮迷谬愚。⑮	哀伤夫差平王糊涂荒谬。
吕傅举兮殷周兴，	举用傅说吕望殷周兴盛，

忌嚭专兮郢吴虚。⑯	无忌伯嚭专权楚吴成墟。
仰长叹兮气噎结，	仰天长叹使我胸中气闷，
悒殟绝兮咶复苏。⑰	忧郁愤怒使我死去活来。
虎兕争兮于廷中，⑱	猛虎犀牛还在朝廷争权，
豺狼斗兮我之隅。⑲	豺狼就在我的身边斗气。
云雾会兮日冥晦，	云雾聚集太阳昏暗不明，
飘风起兮扬尘埃。	大风旋转灰尘扬满天地。
走罔罔兮乍东西，⑳	我触犯了谗人到处奔逃，
欲窜伏兮其焉如？	想要隐藏下来能到何处。
念灵闺兮隩重深，㉑	想到国王宫殿深远难入，
愿竭节兮隔无由。	愿意竭尽忠诚无理受阻。
望旧邦兮路逶随，㉒	望见故国道路曲折遥远，
忧心悄兮志勤劬。㉓	心中忧愁凄惨矢志不移。
魂茕茕兮不遑寐，	灵魂孤孤独独无暇睡觉，
目脉脉兮寤终朝。㉔	漫漫长夜眼睁睁地过去。

（黄寿祺、梅桐生　译）

注释

①诼谮：造谣诬陷。虚：平白无故地。②烦愦(kuì)：心烦意乱。③严：急，赶快。④八极：极为遥远的地方。《淮南子·地形》："八纮之外，乃有八极。"⑤卓：遥远。⑥玖(jiǔ)：黑色如玉的石头。⑦典谟：制度谋略。一说是《尚书》中的篇名，典，指《尧典》；谟，指《皋陶谟》。⑧风后：黄帝时人。黄帝在海隅遇到他，举用他为相。《山西通志》："风后，解州人。黄帝得六相而天下治，风后其一也。"⑨六极：六种凶事，指遭遇的极度不幸。《尚书·洪范》："六极：一曰凶短折，二曰疾，三曰忧，四曰贫，五曰恶，六曰弱。"⑩偉遑(zhāng huáng)：惊慌失措的样子。《楚辞补注》："《集韵》：'偉遑，行不正。'"⑪屏营：惊慌失措的样子。⑫轨(yuè)：小车车辕前端和车衡相衔的关键，这里指车辕。虺颓：疲极而病。⑬惷(chōng)：《楚辞章句》："一作惆。"⑭丁文：遇到周文王。《楚辞章句》："丁，当也。文，文王也。"⑮平差：《楚辞章句》："平，楚平王。差，吴王夫差也。"⑯忌嚭：《楚辞章句》："忌，楚大夫费无忌。嚭，吴大夫宰嚭。"⑰殟：《楚辞章句》："《释

文》作愠。”悒愠(yì yùn),忧郁愤怒。咶(huá):喘息。⑱虎兕(sì):猛虎和雌的犀牛。《楚辞章句》:“虎兕,恶兽,以喻奸臣。”⑲隅:《楚辞章句》:“旁也。”⑳踼(chàng):《楚辞补注》:“距也,踏也。”走踼:走踏,引申为触犯。走踼罔:《楚辞章句》:“动触谄毁,东西趣走。”㉑灵闺:《楚辞章句》:“灵,谓怀王。闺,阁也。”灵闺:君王的宫殿。隩(ào):通“奥”,深。㉒逶随:《楚辞章句》:“迂远也。”曲折遥远。㉓悄:《楚辞章句》:“悄,犹惨也。”勤劬:勤劳。志勤劬:指为国事忧心而矢志不移。㉔脉(mò)脉:眼睁睁地。《楚辞章句》:“视貌……言通夜不能瞑也。”

鉴赏

《九思》是王逸代屈原抒发忧愤之情的作品。他自己说:“逸与屈原,同土同国,悼伤之情,与凡有异。窃慕向、褒之风,作颂一篇,号曰《九思》,以裨其辞。”虽为代言体诗,但对屈原被逐后的思想感情的把握较为准确,也体现了作者对屈原的热爱、崇敬之情。

《逢尤》是《九思》的第一篇。全篇抒发屈原遭受“诼谮”后的悲愤与对国事的忧虑,表现屈原虽然不逢明君犹然对楚国无限忠诚的强烈的爱国感情。

全篇可分为三个部分。从开篇至“求轩辕兮索重华”是第一部分。抒写遭受奸人诬陷、现实地打击而“戏游”,以求明君知遇的苦闷情怀。在这里,“被诼谮兮虚获尤”是“戏游”的原因,“求轩辕兮索重华”亦即是盼望明君知遇,是“戏游”的目的。这里的“戏游”,也就是“远游”,王逸认为《远游》诗为屈原所作。诗中的“戏游”显然是从《远游》中来的。《远游》中,屈原“上下而求索”,表现一种超凡出世的思想,而本篇却把“戏游”的目的集中到寻求明君上,实际上是牢牢地与现实联系在一起了。应该指出的是,“戏游”其实是一种精神的活动,一种希望,一种不满于现实而产生的精神苦闷的寄托,是失望于现实而在往古历史中去寻求精神安慰的表现。但“戏游”所造成的历史与现实的巨大反差,往往并不是精神上的解脱,而是一种负累,一种更为强烈的刺激,结果是使“戏游”者内心的苦闷加深。这在第二部分里有着直接的表现。

从“世既卓兮远眇眇”至“悒殟绝兮咶复苏”,是本篇的第二部分。在这部分里,集中地抒发寻求明君而不可得,内心的苦闷与悲伤。承前而来,诗到此处,即起一大转折。起始一句,“世既卓兮远眇眇”,宣告希望的破灭,从对历史的悬想中跌回到现实的境遇之中。黄帝、大舜的时代已成历史,一去不返,又怎能指望他们的知遇呢？于是屈原“握佩玖兮中路躇”，内心忧虑，徘徊不安。尤其是对照历史人物咎繇、风后受明君赏识，君臣际会从而建功立业，联想自己不仅不受赏识反而遭谮被逐、命遭六极、玉质委弃的遭遇，就倍加苦闷痛惜，以至涕泪滂沱，痛哭失声。这里有屈原自比咎繇、风后的自负，唯其自负，也就更加有不逢明君、宏图难展、报国无门的自怜自苦。这部分的关键在于字面的对“圣明”君主的希望而实际上是对现实中君王不明的一种愤懑的感情。“思丁文兮圣明哲，哀平差兮迷谬愚”，希望生在“圣明”的文王时代，是说自己没有生在那个时代，谴责“迷谬愚”的平王、夫差，实质上是对楚怀王的指斥。以下再举古人为例，说明举贤用能与“迷谬愚”对国家兴亡的作用：殷王信任傅说，文王启用吕尚，殷朝、周朝因之而兴；任用奸邪的楚平王、吴夫差，导致了国破城倾。这是历史的殷鉴，但怀王并不以为鉴，而一味地重用奸邪，想到这里，屈原真是痛心疾首，心胆欲裂，所谓“仰长叹兮气噎结，悒殟绝兮咶复苏”。在这里，既是对屈原此时痛苦万状的心理活动的表现，同时在诗法上，也具有一种承上启下的作用。

第三部分，从“虎兕争兮于廷中”至全篇结束。这部分有两层意思。一是对朝堂之上群小纵横的局面表示自己的愤怒。从“虎兕”以下四句中，“虎兕”“豺狼”等凶恶的猛兽，都是比喻、指斥当道群小的，而“飘风”扬尘、“云雾”蔽日，则既是对群小纵横于庙堂、遮蔽圣听的象征性说法，也似有为怀王开脱体谅之意。二是表现自己虽然被逐在野，仍然忠于楚国、忧怀国事的“九死其犹未悔”的感情。诗中说，虽然自己被放逐，仍然常“念灵闺”，誓愿“竭节”，虽此意由于“隩重深”而“无由”得达“灵闺”，但不改其“忧心悄兮志勤劬”。他的心魂仍然是萦系楚国，以致常常夜不能寐、苦恨到天明。

总的说来，这首诗的主旨是表达一种对楚怀王、楚国的强烈忠诚。这里有怨、有忧，有愤慨、有谴责，但无论怎样，出发点都是对国家深厚的热爱。诗中赞颂圣明之君，意在希望怀王醒悟、效法。他也有对楚怀王的怨愤，有个人不受重用、难以建功立业的极度苦闷和不满，但这些也都是与对国家前途命运的关注联系在一起的，也是应该肯定的。

这首诗的表现手法，除具有《楚辞》作品一般的特点外，还有两点应该注意。一是感情线索的跌宕起伏。诗中先写不遇明君反遭“诼谮”的忧愤，次抒寻求明君无望和对奸邪当道的愤慨，再表达对国家的忠诚。这个过程迂回曲折，把“国不用我我忧国，君不爱我我爱君”的感情表现得十分真切。二是对比手法的灵活运用。诗中先以自己的遭遇与皋陶、风后对比，来突出自己遭遇的不幸；次以“圣明”的文王等明君与“迷谬愚”的平王、夫差对比，表现他们在用人方面造成不同的后果。这都有助于表现屈原感情强烈的波动起伏，强化了作品的艺术表现力。

（张效民）

怨　上

令尹兮謷謷，[1]	楚国首相行不端，
群司兮譨譨。[2]	文武百官多谗言。
哀哉兮淈淈，[3]	一国混乱真可叹，
上下兮同流。	君臣上下都一般。
菽藟兮蔓衍，[4]	荒草野藤已蔓延，
芳虈兮挫枯。[5]	香花芳草却枯烂。
朱紫兮杂乱，[6]	紫胜红色秩序乱，
曾莫兮别诸。[7]	世上无人能分辨。
倚此兮岩穴，	独处深山居岩洞，
永思兮窈悠。[8]	思君念国路遥远。
嗟怀兮眩惑，[9]	哀伤怀王眼不明，
用志兮不昭。[10]	行忠尽义身难显。
将丧兮玉斗，[11]	楚国将丧栋梁材，
遗失兮钮枢。	君王遗失能与贤。
我心兮煎熬，	我的心里似熬煎，
惟是兮用忧。[12]	想到这里忧无限。
进恶兮九旬，[13]	心中憎恨九旬饮，
复顾兮彭务。[14]	思念务光想彭咸。
拟斯兮二踪，[15]	踏着两人脚印行，
未知兮所投。	未知前途心不明。
谣吟兮中野，[16]	徘徊荒野独歌咏，
上察兮璇玑。[17]	抬头仰望北斗星。

大火兮西睨，[18]	向西斜视火星下，
摄提兮运低。[19]	不寐愁看摄提行。
雷霆兮硠磕，[20]	惊雷阵阵隆隆响，
雹霰兮霏霏。[21]	冰雹雪水纷纷降。
奔电兮光晃，	闪电奔驰光耀眼，
凉风兮怆悽。	秋风袭来心凄凉。
鸟兽兮惊骇，	飞禽走兽都惊骇，
相从兮宿栖。	相跟相随各处藏。
鸳鸯兮噰噰，[22]	双双和鸣是鸳鸯，
狐狸兮徶徶。[23]	对对狐狸相依傍。
哀吾兮介特，[24]	可怜自己孤单单，
独处兮罔依。	独处无依心忧伤。
蝼蛄兮鸣东，[25]	只有蝼蛄在东鸣，
蟊蠽兮号西。[26]	小蝉蟊蠽鸣西墙。
蛓缘兮我裳，[27]	毛虫爬上我衣裳，
蠋入兮我怀。[28]	蠋虫钻到我身上。
虫豸兮夹余，[29]	无数小虫夹攻我，
惆怅兮自悲。	失意懊恼自悲伤。
伫立兮忉怛，[30]	无穷悲痛久呆立，
心结缗兮折摧。[31]	忧心郁结心沮丧。

（黄寿祺、梅桐生　译）

注释

①謷(ɑ́o)謷:《楚辞章句》:“不听话言而妄语也。”令尹:春秋时楚国最高的官职。《楚辞章句》:“楚官,掌政者也。”②群司:文武百官。谹(nóu)谹:《楚辞章句》:“言皆竞于佞也。”③淈(gǔ)淈:水泉涌出的样子。引申为混乱。《楚辞章句》:“一国并乱也。”④菽:豆的总名。藟(lěi):蔓草。菽藟:在这里泛指小草。⑤虈(xiāo):香草。《楚辞补注》:“《本草》:‘白芷,一名虈。’《说文》:‘楚谓之蓠,晋谓之虈,齐谓之茝’”。挫枯:《楚辞章句》:“弃不用也。”⑥朱紫:《论语·

阳货》:“恶紫之夺朱也。”《集解》:“朱,正色。紫,间色之好者。恶其以邪好而乱正色。”后来朱紫比喻正邪、是非、优劣等。⑦别诸:即辨别,区分。⑧窈悠:这里指道路遥远。《楚辞章句》:“长守忠信,念无违而涂悠远也。”⑨怀:指楚怀王。《楚辞章句》:“怀,怀王也。”⑩用:使用,引申为“行”。志:忠信之志。用志:指行忠尽义的人。⑪玉斗:《楚辞章句》:“钮枢、玉斗皆所宝者。”“言放弃贤者逐去之。”⑫惟:想,思。⑬九旬:指九旬之饮。《楚辞章句》:“纣为九旬之饮而不听政。”⑭彭务:《楚辞章句》:“彭,彭咸。务,务光。皆古介士,耻受污辱,自投于水而死也。”⑮拟:《楚辞章句》:“则也”。则,效法。⑯中野:荒野之中。⑰璇玑:《楚辞补注》:“北斗魁四星为璇玑。”璇玑,指北斗星中的两颗星:天璇、天玑。⑱大火:星名。一年自秋季开始,大火星自西而下,又叫流火。⑲摄提:星名。《史记·天官书》:“大角者,天王帝廷,其两旁各有三星,鼎足句之,曰摄提。”属亢宿,共六星,位于大角星的两侧。左三星叫左摄提,右三星叫右摄提,在牧夫星座。运低:《楚辞章句》:“摄提运下,夜分之候,愁思不寐,起视星辰,以解戚者也。”⑳硠礚(láng kē):《楚辞章句》:“雷声。”㉑霰(xiàn):小雪珠。㉒噰(yōng)噰:鸟声和鸣。《楚辞章句》:“和鸣貌也。”㉓徽(méi)徽:《楚辞章句》:“相随貌。”㉔介特:耿直、清高而孤独的人。《楚辞章句》:“独也。”㉕蝼蛄(lóu gū):一种对农作物有害的昆虫。㉖蟊蠽(máo jié):蝉类。《尔雅·释虫》:“茅蜩。”郭璞注:“江东呼为茅蠽,似蝉而小,青色。”《义疏》:“此蝉好鸣于草梢。”㉗蛓(cì):《楚辞补注》:“《说文》云:毛虫,有毒螫人。”㉘蠋(zhú):蛾类的幼虫。㉙豸(zhì):无脚的小虫。㉚忉怛(dāo dá):悲痛。㉛缗(gǔ):《楚辞补注》:“结也。”结缗:郁结。

鉴赏

这是《九思》的第二篇。如果说《逢尤》主要是怨君不明的话,那么这首诗主要的目的如其题“怨上”所表明,是对朝廷当道的怨愤。诗的第一部分主要抒发怨愤的感情。一开头即把“怨”的对象端了出来:令尹无行,群司竞佞。并直斥其“上下”“同流”合污以致“菽藟蔓衍,“芳繭挫枯”,“朱紫”易位,是非混淆,黑白颠倒的混乱局面。可谓痛快淋漓。细审诗意,诗中所指斥的“淈淈”局面,都与群小当道、贤人委弃有着直接的联系。所以,这部分的重点是抒发对群小当道、贤人放逐的愤慨。

自“倚此兮岩穴”至“未知兮所投”,为本篇第二部分。从对现实的指斥转入对诗人主体情感的抒发。尽管已被放逐在野,尽管一再遭受群小的“诼谮”迫害,但终不改其忠君忧国之志。这里的“永思”“嗟怀”,不仅是对自身遭遇的叹息,也是从国家大局着眼,叹息楚国“将丧兮玉斗,遗失兮钮枢”。这里的“玉斗”“钮枢”都是对贤良人才的比喻的说法。自然也有自况之意,但又超越了自怜自伤的境界而达到忧国忧君的境界。面对这种现实,诗中抒发的是内心痛苦如煎如熬而又无可奈何的情感。“进恶兮九旬”是说不愿与群小同流合污,“复顾兮彭务”是表明对于耿介独特的彭咸、务光二位古贤的敬慕。后两句则说,虽然仰慕他们,但又不能如他们一样,遭受打击,为保持个人的人格而投水自尽,一死了之。因为,屈原想到的不仅是个人的荣辱,而萦系着的是楚国的前途与命运。虽然遭谮被逐,但仍然对怀王、对楚国抱有希望。因而,这部分中,主体感情是十分复杂、矛盾的。也正是在这种复杂、矛盾的多层次的情感抒发中,抒情主人公的形象才更为真切地凸现出来。

从“谣吟兮中野”至结尾,是本篇的最后一个部分。在上一部分中,表现了屈原的苦闷、矛盾的情感,他处在一种进亦忧、退亦忧的境况中。既恶“九旬之饮”,又不能“从彭咸之所居”。“未知兮所投”,实际是说不能如“彭务”一样。这部分则紧承上文,抒发一种不知所措的茫然若失的情怀,表现的是屈原性格中“孤独”“介特”的层面。起首写他“谣吟兮中野”,苦闷、孤独的内心感受促使他中夜不眠,行吟于野,有长歌当哭之意。他“愁思不寐,起视星辰,以解戚者也”(《楚辞章句》),但苍天无语,唯有“大火”“西睨”,“摄提”“运低”,更加惊雷阵阵,雹霰霏霏,电闪风凉,鸟兽惊骇。这里的一组描写自然景观、动物的诗句,极有力地烘托了屈原内心情感的涌动奔腾。“雷霆”以下诸句,构成排比,颇有气势,对孤独、苦闷的抒情主人公形象,也起到了有力的映衬作用。读着诗句,一个孤独、憔悴、神色悲愤而又茫然的形象就浮现纸上。“哀吾兮介特,独处兮罔依”,正是这个形象的传神写照。以下“蝼蛄兮鸣东”至“惆怅兮自悲”,情调转为悲凉。是以虫豸的鸣叫来突出抒情主人公内心的孤独悲凉。尤其是“虫豸兮夹余,惆怅兮自悲”,似以虫豸喻奸人,更是写不仅奸人排挤打击,而且虫豸也不相容,这也就更深一层地表达了孤独者的愤懑。结尾两句,则是收束全文,突出自己无以排遣的痛苦感情。用“心结缗兮折摧”这一显得夸张的说法,表明对国家、个人不幸遭遇的深切关注。

全诗的情感基调是怨愤而悲凉的,但又处处充满着忧怀国事的爱国情感。写法上,采用大量楚地风物以喻正邪、忠奸,既合于楚辞作品“书楚语、作楚声、纪楚地、名楚物”的特点,且具特定的象征意义。而诗中对自然气候、景物的描绘,多排比、铺叙、互文的手法，也是楚辞中所习见的。

诗中还采用了烘托手法来强化气氛和呼应抒情主人公情感的发展变化，既有利于其形象的塑造，也有助于抒发主人公特殊的情绪和感受。

（张效民）

疾 世

周徘徊兮汉渚，	我在汉水之滨徘徊周游，
求水神兮灵女。①	想着去把汉水神女追求。
嗟此国兮无良，②	楚国已无贤良让人悲叹，
媒女诎兮谑謱。③	媒人不善言辞话语混乱。
鴳雀列兮哗讙，④	鴳雀成群成列叫声喧哗，
鸲鹆鸣兮聒余。⑤	八哥鸣叫聒耳叽叽喳喳。
抱昭华兮宝璋，⑥	我怀抱着美玉昭华与璋，
欲衒鬻兮莫取。⑦	想要出售却无一人问价。
言旋迈兮北徂，⑧	只好只身一人出游北方，
叫我友兮配耦。⑨	若遇良友结伴同行前往。
日阴曀兮未光，⑩	太阳无光天空阴暗不明，
阒睄窕兮靡睹。⑪	四处昏暗幽深方向难分。
纷载驱兮高驰，	杂乱中乘车马高驰而去，
将咨询兮皇羲。⑫	欲向古帝伏羲求教询问。
遵河皋兮周流，	沿着黄河岸边周行寻找，
路变易兮时乖。⑬	道路已经改变时代背离。
沥沧海兮东游，⑭	渡过茫茫沧海向东远游，
沐盥浴兮天池。⑮	我还在天池里沐浴盥洗。
访太昊兮道要，⑯	访问东方青帝天道要领，
云靡贵兮仁义。	他告诉我最贵就是仁义。
志欣乐兮反征，	心中欣喜转车向西而去，
就周文兮邠岐。⑰	我请教周文王来到邠岐。

秉玉英兮结誓，	拿着玉花我与文王誓约，
日欲暮兮心悲。	日薄西山引起心中悲戚。
惟天禄兮不再，⑱	天赐福禄机会不可再得，
背我信兮自违。	放弃忠信就是自我背叛。
踰陇堆兮渡漠，⑲	越过陇堆山再横穿大漠，
过桂车兮合黎。⑳	经过西方桂车又到合黎。
赴昆山兮馽騄，㉑	奔赴昆仑仙山取得骏马，
从邛遨兮栖迟。㉒	跟从邛邛駏虚遨游休息。
吮玉液兮止渴，㉓	我吮吸琼蕊精气以止渴，
啮芝华兮疗饥。㉔	又吃那灵芝花朵以充饥。
居嵺廓兮尠畴，㉕	身居空山野林孑然一身，
远梁昌兮几迷。㉖	我的处境困窘进退无据。
望江汉兮濩渃，㉗	望着江汉之水浩渺无边，
心紧絭兮伤怀。㉘	思乡之情令人缠绵伤心。
时昢昢兮旦旦，㉙	太阳刚刚升起天方微明，
尘莫莫兮未晞。㉚	四周浓雾弥漫尚未散离。
忧不暇兮寝食，	心中忧愁使我废寝忘食，
吒增叹兮如雷。	我大声怒吼啊浩然叹息。

（黄寿祺、梅桐生译，略有改动）

注释

①灵女：水神。②此国：楚国。③谜谈(lián lóu)：絮语不清。④讙(huān)：通“喧”，喧哗。⑤鸲鹆(qú yù)：鸟名，即八哥。⑥昭华：玉名。宝：作动词，珍藏。璋：玉器。⑦衒鬻(xián yù)：叫卖。⑧言：第一人称代词，“我”。徂(cú)：往。⑨这句说楚国已无贤人，期望北行遇上贤友。⑩曀：昏暗。⑪閴(gè)：窥。睄窕：昏暗幽深。⑫皇羲：伏羲。⑬时乖：指与伏羲的时代背离。⑭沥：通“厉”，不脱衣服涉水。⑮天池：指沧海。⑯太昊(hào)：东方青帝，一说指伏羲。道要：天道之要务。⑰邠岐(bīn qí)：今陕西邠县和岐山县东北，周朝最早的领土。⑱天禄：天赐的福禄。⑲陇堆：山名。⑳桂车、合黎：皆西方山名。㉑馽(zhí)：绊

马。騄(lù):骏马名。㉒邛(qióng):兽名。洪兴祖《楚辞补注》:"邛,谓邛邛駏虚也。"栖迟:游息。㉓玉液:琼蕊之精气。㉔芝华:灵芝的花朵。㉕尠(xiǎn):同"鲜",少。畴:匹配。㉖梁昌:处境狼狈,进退无据。㉗濩渃(huò ruò):大水貌。㉘綣(quàn)絭:缠绵。㉙昢(pò)昢:日月刚出,光明未盛貌。㉚尘:此指雾。莫莫:尘雾聚集的样子。晞:消散。

鉴赏

东汉班固在其《离骚序》中,指责屈原不善明哲保身,露才扬己,认为屈赋多虚无之语,不合经传。而王逸,作为我国第一个全面注释和研究以屈原为代表的楚辞的学者,他对屈原及其作品的认识则是比较深刻的。他一方面反驳了班固的批评,给屈原及其作品以高度赞扬;另一方面,他又以代言体的形式创作了《九思》,代屈原抒发了忧愤之情。这两方面都是值得肯定的。王逸看到了屈原身上具有的原始儒家舍生取义、杀身成仁的人格精神,这不同于班固那种以儒家正统自居,实际却充满迂腐和世俗气息的腔调,他努力维护屈原的地位,这在当时儒家一统天下背景中是难能可贵的。不过,王逸还不曾发掘出屈原思想中的道家因素的积极方面,即愤世嫉俗、不与世俗合流的精神,他极力想使屈原精神与儒家精神相协调,甚至将屈原儒化,他说"屈原之词,优游婉顺"(《楚辞章句序》),称"其辞温而雅"(《离骚叙》)。这种做法虽然苦心可鉴,但也暴露了王逸思想的局限。其实,屈原的作品所显示出来的批判精神和怒张之势,用儒家诗教的温柔敦厚、怨而不怒,是难以概括的。《九思》的创作正好反映了王逸对屈赋研究的成绩和局限。

《疾世》一诗中的屈原形象,基本上是王逸心目中儒化了的屈原。诗歌先描写了在奸佞当道、群小角逐社会中的屈原,他怀才不遇,遭谗被逐,流离徘徊于汉水之滨,欲求汉水女神以表心迹,但无法实现。丑恶的现实没有使诗人放弃"上下求索"的精神,他北行求教古道于传说中的伏羲,但三皇的时代早已荡然无存,于是易辙东游去访问东方青帝,太昊告诉他,五帝的时代以仁义为贵,要挽救楚国的命运,非仁义不可。在欣喜之中,诗人又西去周代的领土,请教圣贤周文王仁义之道,并与文王结誓,要以仁义治天下。这一大段远游的描写,无非要使屈原成为一个真正的儒者,它体现了王逸的创作主旨。屈原既然已经得到古代圣贤的治世之法,必然会将其付诸现实,但王逸却描写了屈原回到楚国后的处境,身居空山,境遇困窘，忧愁废食，浩然叹息。诗的后半部，揭示了屈原所处时代虎狼相争、礼崩乐坏、王道衰微的现实，刻画出了屈原理想与现实冲突的痛苦心态，代屈原抒发了心中的忧愁哀怨。

《疾世》一诗，名曰“疾”，实际上体现的是“悲”，这与整个《九思》的基调相一致。它揭示了屈原性格中悲天悯人的侧面，并使其符合“怨而不怒”“温柔敦厚”的儒家诗教。而屈原性格中的另一侧面，即对世俗奸佞的金刚怒目之态，以死与强大的黑暗势力搏斗抗争的精神，王逸却未加表现。由这篇作品，我们可以看到东汉时期儒家思想逐渐走向僵化的趋势，艺术逐渐被视为政教的宣传工具，由屈原所创立的楚骚美学风范，受到狭隘的艺术功利主义的冲击，甚至遭到否定，正说明了汉儒对先秦儒家思想中积极因素的遗弃。在这种思潮的冲击下，王逸将汉儒所推崇和赞赏的“儒”的光环戴在屈原头上，使其作品为汉儒所承识，让其合法化。这显然烙上了鲜明的时代印记。

（田耕宇）

悯　上

哀世兮睩睩，[①]	可怜世俗看人畏惧谨慎，
诶诶兮嗌喔。[②]	背地讲坏话当面又奉承。
众多兮阿媚，	众人多数喜欢阿谀迎逢，
委靡兮成俗。[③]	巧言令色取媚之习极盛。
贪枉兮党比，	群小贪婪邪恶结党攀比，
贞良兮茕独。	茕茕独立的是忠良贤人。
鹄窜兮枳棘，	天鹅只能躲进草丛荆棘，
鹈集兮帷幄。[④]	水鸟鹈鹕却在帐幕安身。
罽蕠兮青葱，[⑤]	小草罽蕠生长郁郁葱葱，
槁本兮萎落。[⑥]	香草槁本凋零枝叶难生。
睹斯兮伪惑，	目睹这些欺诈惑乱现象，
心为兮隔错。[⑦]	使人感到丢失本来心性。
逡巡兮圃薮，	我徘徊迟疑于园圃丛林，

率彼兮畛陌。[8]	沿着田间小道缓缓而行。
川谷兮渊渊，	眼前大川河谷深幽难测，
山阜兮峉峉。[9]	崇山峻岭不断蜿蜒起伏。
丛林兮崯崯，[10]	满山遍野丛林生长茂盛，
株榛兮岳岳。[11]	各种树木丛生密密层层。
霜雪兮漼溰，[12]	寒霜降临风雪飞飞扬扬，
冰冻兮洛泽。[13]	冰封水泽凝冻湖泊池塘。
东西兮南北，	我走遍了东西南北各地，
罔所兮归薄。	到处都没有栖身的地方。
庇阴兮枯树，	只好在枯树下暂时栖息，
匍匐兮岩石。[14]	只能在岩洞中居住隐藏。
踡跼兮寒局数，[15]	我蜷缩在凛冽寒风之中，
独处兮志不伸。	独处荒野难以实现理想。
年齿尽兮命迫促，	年纪渐渐老了寿命短促，
魁垒挤摧兮常困辱。[16]	命运坎坷常常受穷受辱。
含忧强老兮愁不乐，[17]	内心担忧年老时时愁苦，
须发苧颡兮颤鬓白，[18]	须发蓬乱憔悴两鬓斑白，
思灵泽兮一膏沐。[19]	希望天赐脂膏给我沐浴。
怀兰英兮把琼若，	怀抱兰花手握如玉杜若，
待天明兮立踯躅。	我等待着天明徘徊不去。
云蒙蒙兮电儵烁，	天上乌云层层雷电闪烁，
孤雌惊兮鸣呴呴。[20]	孤独小鸟惊恐喳喳鸣叫。
思怫郁兮肝切剥，	我的心中愤懑肝胆欲裂，
忿悁悒兮孰诉告。	一腔孤愤忧郁向谁诉说。

（黄寿祺、梅桐生译，略有改动）

注释

①睩（lù）睩：《楚辞章句》：“视貌，小人持势也。”《说文》段注：“睩，为目睐

之谨，言注视而又谨畏也。”②諓（jiàn）諓：说坏话，进谗言的样子。嗌喔（yì wō）：恭维奉承的腔调。③委靡：讨好人的笑脸。④鸐（dí）：鸐鹕，水鸟，这里比喻卑贱的小人。⑤藒蘖（jì rǔ）：草名，似芹可食。⑥槁（gǎo）本：草药名。⑦隔错：失去本性。⑧畛陌：田间小路。⑨峉（é）峉：山高大貌。⑩崟（yín）崟：繁茂的样子。⑪株：一作“林”。榛（zhēn）：丛木。岳岳：挺立貌。⑫漼溰（cuǐ yí）：霜雪聚集的样子。⑬洛泽（luò duó）：即洛泽，冰。《楚辞补注》：“《集韵》，冰谓之洛泽……又曰：泽，冰结也。”⑭匍匐：伏地而行，这里引申为隐藏。⑮寒局数：《楚辞章句》：“一云踡跼兮寒风数”。数：迫促。⑯魁垒：促迫。挤摧：折屈。都是形容命运的坎坷。⑰强：《楚辞章句》：“愁早老曰强。”⑱苧（níng）：原指草乱，此指头发乱。⑲灵泽：《楚辞章句》：“天之膏润也，盖喻德政也。”膏沐：妇女润发的油脂，这里作动词用。⑳雌：一作“雏”。呴（gòu）呴：鸟鸣声。

鉴赏

这是一篇代屈原抒发愤懑忧郁之情的作品。诗中表现了屈原对小人当道、忠良窜伏的现实的无情揭露，同时也代屈原发抒了生逢乱世、怀才不遇的感伤情绪。

全诗以直言铺陈与象征譬喻的手法交织运笔。开篇六句先用直笔勾勒出一幅世风浇薄的画图：世道沦丧，小人得势，他们当面是恭维奉承，背后却造谣诽谤，恶语伤人。巧言取媚、阿谀逢迎之风日炽。奸佞之辈相互攀比，营私舞弊，狼狈为奸，结成朋党；忠良之士，骨鲠之臣处境维艰，茕茕孑立。接下去的四句，作者采用象征譬喻的手法，点染这幅世态画：美丽的天鹅躲进荆棘丛中，貌似天鹅的鸐鹕却飞进华丽的帷幕之中安身，遍地恶草郁郁葱葱，香草却凋零飘落，到处是衰败景象。这种对比式的形象描绘，进一步渲染出那是非颠倒、美丑不分的社会现实情景，更增添了战国后期走下坡路的楚国社会的没落色彩。目睹这颠倒了的乾坤，作为一个失意的政治家，屈原不禁发出了“心为兮隔错”的无限感叹。上面这一部分在用笔上曲直、隐显交错，无情地揭露和讽刺了当时的现实，犀利而辛辣。

“逡巡兮圃薮”十四句，用记游的方式，描写屈原不愿与世沉浮，为实现自己的美政理想，上下求索、孤独出游的情形。跟随作者的笔触，我们看到屈原在依依不舍、犹疑不定中离开家园，从园圃走向田间，他沿着幽暗的河谷上溯，翻山越林，走进榛莽丛生的密林。森林中寒霜凛冽，飞雪扬扬，到处布满严冰封冻的沼泽湖泊，屈原无处栖身，只有在枯树下、岩洞中、寒风里挨过漫漫长夜。“独处兮志不伸”一句，点明了这段象征性的游历描写，其实质是写屈原在当时社会中处处受挫、无人接受他的美政主张的遭遇。“东西兮南北，罔所兮归薄”，正是他现实困窘的写照。那幽暗的山谷、冰封的沼泽、严酷的寒风、满地的荆棘，正是那个小人当道、政治黑暗、毫无希望的时代的形象再现。“年齿尽兮命迫促”四句，写屈原在壮志难酬时的迟暮之悲。功业未就，理想落空，去日苦多，老之将至，作为一个政治改革者，当此之际，生命的忧患就显得更加强烈、更加沉重。但是，屈原之所以伟大，就在于他的悲哀并不囿于一己的悲哀，而是先天下之忧而忧的悲哀，他的悲哀中，没有沉沦，充满的是振作与希望。“思灵泽兮一膏沐”，正好显示出巨人的悲哀中的潜在力量，以及“虽九死其犹未悔”（《离骚》）的执著精神。“怀兰英兮把琼若”四句，以象征之笔写屈原怀着实现美政的理想，在黑暗的世纪中期待明君的出现，仍着重表现其顽强执著的个性。全诗的最后两句，以直笔代屈原抒写身处乱世、备遭排斥、怀才不遇的满腔孤愤，如黄钟之声，在读者耳中引起强烈的震荡，震撼着读者的心灵。

本诗以直抒胸臆与象征譬喻的手法交替使用，来表现屈原矛盾复杂的心理活动，他的愤懑、他的哀怨、他的忧伤、他的憧憬，都得到较好的刻画，其中尤以象征手法运用最为突出。王逸在其《离骚章句·序》中有一段极为精彩的言辞，概括了《离骚》的创作手法，其云：“《离骚》之文，依《诗》取兴，引类譬喻，故善写香草，以配忠贞，恶禽臭物，以比谗佞；灵脩美人，以媲于君，宓妃佚女，以譬贤臣，虬龙鸾凤，以托君子；飘风云霓，以为小人。”对楚骚美学风范的推崇备至，使王逸自觉地把《离骚》的象征譬喻手法运用到《九思》的创作中去，摆脱了代言体诗直陈剖白的单调板滞之弊。《悯上》一诗，起伏错落，隐显适度，既处理好了虚实、情景关系，又较深刻地表现了屈原的心态。

（田耕宇）

遭　厄[1]

悼屈子兮遭厄，	悼伤屈子遭遇坎坷，
沈玉躬兮湘汨。[2]	终投洁身汨罗江里。
何楚国兮难化，	为何楚国难以改变，

迄于今兮不易。[3]	直至今日而无变易。
士莫志兮羔裘，[4]	众人都不问津正直，
竞佞谀兮谗阋。[5]	争媚进谗而相违逆。
指正义兮为曲，	指正道而说是屈曲，
訿玉璧兮为石。[6]	毁玉璧而以为陋石。
鸱雕游兮华屋，[7]	鹘雕徜徉遨游美室，
鵔鸃栖兮柴蔟。[8]	锦鸡孤独栖居柴禾。
起奋迅兮奔走，	急起奋力快速奔走，
违群小兮谖诟。[9]	远离群小辱骂污诟。
载青云兮上升，	乘驾青云悠悠升天，
适昭明兮所处。	到太阳光明之处所。
蹑天衢兮长驱，[10]	踏天街直奔而长驱，
踵九阳兮戏荡。[11]	到九阳日出处遨游。
越云汉兮南济，	济宽阔天河而南向，
秣余马兮河鼓。[12]	喂我马憩息于牵牛。
云霓纷兮晻翳，[13]	云霞纷纷密布遮蔽，
参辰回兮颠倒。	参星辰星回转颠倒。
逢流星兮问路，	遇急急流星以问路，
顾我指兮从左。	回头看我指从左走。
径娵觜兮直驰，[14]	取道娵觜快快直奔，
御者迷兮失轨。[15]	车夫忽然迷途失道。
遂踢达兮邪造，[16]	遂趄趑于歧斜小路，
与日月兮殊道。	与日月大道以异途。
志阏绝兮安如，[17]	心志阻绝不知所往，
哀所求兮不耦。[18]	哀所求而不能相遇。
攀天阶兮下视，	手攀台阶下视人间，
见鄢郢兮旧宇。[19]	猛然瞥见鄢郢国都。
意逍遥兮欲归，	情摇摇心欲思返归，
众秽盛兮杳杳。[20]	众小人一片黑黝黝。

思哽饐兮诘诎，㉑	情哽咽而中心郁塞，
涕流澜兮如雨。	泪流淌而纵横如雨。

注释

①厄：苦难，困穷。②玉躬：玉质。贤者质美，比之以玉。湘汨：湘地的汨罗江。③迄：至。羔裘：语出《诗经·郑风·羔裘》："羔裘如濡，洵直且侯。"此借指正直之志。⑤佞谀：巧言谄谀。谗阋（xì）：进谗而违逆。⑥訿（zǐ）：同"呰"，毁谤。⑦鸩：一作"鹊"。《楚辞校补》："当从一本作鹊。《诗经·小雅·小宛传》曰：'鸣鸠，鹘鹛也。'鹛与雕同，鹘鹛即鸣鸠。《离骚》：'雄鸠之鸣逝兮，余犹恶其佻巧。'此以鹘雕喻谗佞，义盖本之《离骚》。"⑧鵕鸃（jùn yí）：据《汉书·司马相如传上》颜师古注，当为锦鸡。⑨谿诟（xǐ gòu）：辱骂。⑩蹑：踩，犹言顺，与下句"踵"义同。⑪九阳：日出处。戏荡：遨游。⑫秣：饲喂。河鼓：牵牛星别名，音变作黄姑，《古歌》："东飞伯劳西飞燕，黄姑织女时相见。"⑬晻翳（yǎn yì）：黯淡不清。⑭径："径"字的省形。步道：取道。娵觜（jū zī）：古人把想象的太阳周年运行的轨道称作黄道，把黄道附近一周天由西向东划分为十二次，娵觜为第三次。⑮失轨：犹言迷路。⑯踢达：《楚辞章句》云"误过也。"《楚辞补注》："达，一音跌。跌踢，行不正貌。"⑰阏（è）绝：阻绝。⑱不耦：不遇，不遂。⑲鄢郢：楚国先后之国都。⑳秽：谗佞者。杳杳：此指众秽黑压压一片。㉑饐：通"咽"。哽饐（yì）：哽咽。诘诎（jié qū）：同"诘屈"，郁塞，艰涩。

鉴赏

《遭厄》是王逸《九思》第五首，是一篇小型的《离骚》。

首二句悼伤屈子悲剧性的遭遇和结局，发端即以"遭厄"立题。高其行节，故言"玉躬"。洁身玉躬而遭厄，即"其志洁，故其称物芳。其行廉，故死而不容"（《史记·屈原贾生列传》）之意。遭厄而至于沉江，后人莫不怆然，心为悲感悼伤。此为正文总冒。以下全从"遭厄"生发，以屈子口气立言。

"何楚国兮难化，迄于今而不易。"上句言遭厄之由，下句言困穷之久。"何"字置句首，语气悲怆，抑怨而抱憾。"楚国难化"，就是《离骚》"荃不察余之中情兮，反信谗而齌怒"难以晓谕的苦衷。挽狂澜于既倒，心所求而行不成，故政教荒阻而迄于今。"士莫志兮羔裘，竞佞谀兮谗阋"，灵脩浩荡不检，国乱政秽，士皆贪鄙。皎洁之行、正直之志(即“羔裘”),无人所好,有谁而问津;众人皆奔走驰骛于谄媚取荣之途。在如此难化的国度,谗佞当道的环境,只能以直为曲,诬玉为石。这是对屈子“众女嫉余之娥眉兮,谣诼谓余以善淫”的质而言之。是非如此颠倒,时俗如此工巧追曲,所以“鸱雕游兮华屋,鵕䴊栖兮柴蔟”也就势在必行。于此,《九思》曾反复言之,不避阘茸之累:《悯上》说“鹄窜兮枳棘,鹈集兮帷幄”,《悼乱》说“白龙兮见射,灵龟兮执拘”这些申述屈骚之语,也可能与作者处境有关,否则何以频频致意。以上写楚政混浊,抱志难申,反受谗逐,是屈子于人世间的遭厄。

以下展现升天求遇而不得的遭厄。国不容己,直道难行,举世皆浊,遂生远求际合之想。于《离骚》经过女媭詈余、重华陈词、灵氛占卜、巫咸降神一系列的反复曲折,最后才痛下决心“历吉日乎吾将行”,王逸在这里简括为“起奋迅兮奔走”,颇失骚意。又把“奔走”的目的说成是“违群小兮谿訽”——远祸避身,与屈子“路曼曼其修远兮,吾将上下而求索”的追求真理之志,更有距离。朱熹《楚辞辨证》批评王逸等人的拟骚之作,“虽为骚体,然其词气平缓,意不深切,如无所疾痛而强为呻吟者”,不为无因。

“载青云兮上升,远昭明兮所处”,人世黑暗,无所容存,因而乘云升天,就太阳以寻找光明所在。“蹑天衢”“踵九阳”“越云汉”是天上长途跋涉之历程。远道间歇,则“秣余马兮河鼓”,这是天行之辛苦。昊天漫游,经历所见,并非一个“昭明”世界。“云霓纷兮晻翳,参辰回兮颠倒”,这分明也是个“士莫志兮羔裘”“指正义兮为曲”的王国。上界也非一片净土,空明、澄澈只属于想象,穿云钻雾,方向不辨,也如同人间的种种遭厄。偶遇行者,忙叩以前道,“逢流星兮问路,顾我指兮从左”,把奇妙的想象给予形象化,“顾”字很具流星匆匆的形态,这张皇问道于指顾之间,可以和“吾令帝阍开关兮,倚阊阖而望予”相媲美,是谓造象传神之笔,和“借问酒家何处有,牧童遥指杏花村”(杜牧《清明》)有异曲同工之妙。流星指示和帝阍不语并没有质的差别,取道娵觜,直驰而失途,犹不得道。行车不进,蹒跚难行。那日月不知躲在什么地方,如同人间,同样得不到温暖的照临。寻求光明之望阻厄断绝,前后失措,而不知所之,“哀所求兮不耦”一句显豁点破。就这样,两番汲汲以求的“上穷碧落下黄泉”,其结果则是“两处茫茫皆不见”(白居易《长恨歌》),仍以遭厄不遂告终。

“攀天阶兮下视,见鄢郢兮旧宇”虽不如屈子“陟升皇之赫戏兮,忽临睨夫旧乡”,仆悲马怀,蜷局不行之摇曳多姿,倒也逼真质直,恍如置于天上。末四句一变《离骚》国无人知，以从鼓咸之意，而只言众秽杳杳，涕流如雨。单从“顾章华兮太息，志恋恋兮依依”（《伤时》）见意，盖不忍言玉躬沉江乎。这几句倒非仅仅为人立言，之所以又拎出“众秽”，其中作者处世艰难之情，似乎隐约其间。据《九思》卷前提款，此当为任侍中时所作，《后汉书·王逸传》云“顺帝时，为侍中”。当时宦官势烈，像顺帝时为侍中的张衡也欲有为而不得，避身而不及，终被所谗。王逸是个政治个性鲜明的人，有“举逸民于山薮，黜奸邪于邦国”（见明张溥辑《王叔师集》所录《折武论》注）之志，他又“与屈原同土共国”，这样疾邪忧谗自然有一层真切感，“悼伤之情与凡有异”（《楚辞章句》），所以，说这几句颇有些夫子自道之意，大概不会大错。以此看上文“起奋迅兮奔走”二句，如从作者自己说，倒有些身世关切之感。

《九思》是模拟屈骚之作。此篇隐括《离骚》，代人立意，虽情致平缓，真切不足，却也情思屈曲，清通可读。问路流星之措思很具骚趣，众秽杳杳之句也不乏真情，且有置天视下之感，诚不可一笔抹杀。

（魏耕原）

悼　乱

嗟嗟兮悲夫，	悲伤悲叹之事啊，
淆乱兮纷挐。[①]	世道混淆乱纷纷。
茅丝兮同综，	茅草丝线同纺织，
冠屦兮共绚。[②]	鞋带帽带共系用。
督万兮侍宴，	华督宋万来侍宴，
周邵兮负刍。	周公邵公去背草。
白龙兮见射，	川神白龙被射伤，
灵龟兮执拘。	祥瑞灵龟被捕捉。
仲尼兮困厄，	仲尼圣人遭围困，
邹衍兮幽囚。	邹衍贤士遭囚禁。
伊余兮念兹，	我因顾虑此，
奔遁兮隐居。	奔逃去隐居。
将升兮高山，	想要上高山，

上有兮猴猿。	山上有猿猴。
欲入兮深谷，	打算进深谷，
下有兮虺蛇。[3]	谷中有毒蛇。
左见兮鸣鵙，[4]	左见鵙鸣叫，
右睹兮呼枭。[5]	右睹枭喧呼。
惶悸兮失气，	惧怕而失气色，
踊跃兮距跳。	跳跃而泄愤懑。
便旋兮中原，	于是返回中原，
仰天兮增叹。	仰对苍天长叹。
菅蒯兮野莽，[6]	菅蒯遍野莽莽，
藋苇兮仟眠。[7]	藋苇丛生蔓衍。
玄鹿兮继踵，	黑鹿一个跟一个，
貒貉兮蟫蟫。[8]	貒貉一群随一群。
鸇鹞兮轩轩，[9]	鹞鹰盘旋将要落，
鹑鹌兮甄甄。[10]	鹌鹑飘飘上下飞。
哀我兮寡独，	哀伤我孤独，
靡有兮齐伦。	没有同类人。
意欲兮沈吟，	想要沉思探索，
迫日兮黄昏。	天时近于黄昏。
玄鹤兮高飞，[11]	玄鹤高高飞扬，
曾逝兮青冥。	冲上太空遨游。
鸧鹒兮喈喈，[12]	黄莺喈喈鸣和，
山鹊兮嘤嘤。	山鹊嘤嘤清唱。
鸿鸬兮振翅，[13]	鸿雁鸬鹚振翅，
归雁兮于征。	归去大雁远行。
吾志兮觉悟，	我的心志已醒悟，
怀我兮圣京。	怀着神圣故国情。
垂屣兮将起，	整顿行装将起去，
跓竢兮硕明。	伫立等待天大明。

注释

①纷挐(rú):混乱的样子。②绚(qú):古时鞋头上的装饰,有孔,可以穿系鞋带。③虺(huǐ):毒蛇。④鵙(jú):又叫伯劳,喙强而锐利,常将猎获物穿挂在带刺的枝头,以喙撕食。⑤枭(xiāo):通"鸮",像猫头鹰一类的鸟,喙和爪都弯曲呈钩状,锐利,两眼长在头部的正前方,夜间或黄昏时活动。⑥菅(jiān):一种野草。蒯(kuǎi):一种在水边丛生的草。⑦雚(guàn):一种蔓生草。⑧貒(tuān):猪獾,穴居山野间。貉(hé):亦称狗獾,穴居河谷、山边和田野间。蟫(xún)蟫:相随而行的样子。⑨鹯(zhān):也称晨风,像鹞鹰一类的鸟。鹞(yào):也叫雀鹰,常捕食雀类等小鸟。⑩甄(zhēn)甄:小鸟飞动的样子。⑪玄鹤:传说鹤千岁化为苍,又千岁变为黑,谓之玄鹤。⑫鸧鹒(cāng gēng):也叫黄鹂、黄莺,鸣叫声婉转悦耳。⑬鸬(lú):"鸬鹚"的简称,栖息河川湖沼。

鉴赏

《九思》是王逸对"同土共国"的先贤屈原寄托其"悼伤之情"的代言之作,形式上模仿《九歌》,内容上模拟《九章》。《悼乱》是其中的第六篇。这个篇名,也有写作《隐思》或《散乱》的。

《悼乱》全篇大概可分为四层,回环往复地描写许多自然事物,如草木鸟兽等,含寓象征着当年楚国昏暗混乱的社会现实,从而喻示出屈原对祖国既寄予炽烈厚爱,对国事又感到悲观失望,欲留不能、欲去不忍的矛盾心理和深受压抑的精神痛苦。

从"嗟嗟兮悲夫"到"邹衍兮幽囚"是第一层,主要以社会政治、人事关系、自然事物、日常生活中一些极不正常的现象为喻,深刻揭露出楚国社会黑白混淆、是非颠倒、忠奸不明、好坏不分的丑恶现象。茅草和丝线同时被用来纺织,系鞋用的带子又被用来系帽子。本是弑杀国君的奸佞之臣华督、宋万,却受到宠信而得以"侍宴";而忠贤像周公、邵公这样的人物,反去干背草喂牲口的事情。呼风唤雨的江河之神——白龙被射伤,千年长寿的吉祥之神——灵龟被"执拘"。孔子是圣人,但在陈国、蔡国被围困,险遭不测;邹衍是贤士,却被奸邪小人所谗害,性命堪忧。凡此种种,无不表明社会是多么的黑暗,世道是多么的混乱,这怎能不令人"嗟嗟兮悲夫"!值此"淆乱兮纷挐"之时,"举世皆浊我独清,众人皆醉我独醒"(《渔父》)的屈原,被逼得从官场退出,唯有避世去隐居。但是,就连这一点也难以实现,因为要上高山而不得,想入深谷而不能。这些地方,到处都有猿猴、毒蛇、伯劳、鸱鸮,并且上蹿下跳、左叫右呼、摇头摆尾、恶意相向。由此深刻地喻示恶势力的无所不在、无所不包,可见屈原受压抑之深、被迫害之巨。从“惶悸兮失气”到“鹑鹤兮甄甄”是第三层。面对山有猿猴、谷有虺蛇、左右众鸟、阒无人民的境况,怎能不令人忧愁害怕、愤懑怨恨呢!于是又不得不返至“中原”。那么,“中原”的情景又将何如呢?空旷平野,满目荒凉,杂草遍地,灌木丛生,禽鸟飞扬,野兽奔驰,唯有仰对苍天,增深悲叹而已!从“哀我兮寡独”至篇末“跓竢兮硕明”为第四层。屈原经过一番奔波,遭遇种种磨难,感到非常的孤独,既找不到同调,又觅不见知音,上下左右是一派混乱颠倒、龌龊不堪的景象。只因思念故国,心中留恋,未忍远去。但日暮黄昏,无所归依,则又悲痛而忧愁万分。正在这往复感慨、徘徊忧思之际,只见玄鹤高冲云霄、遨游太空,又闻黄莺和山鹊婉转唱和,而大雁与鸬鹚亦将振翅而起。由此彻底地领悟到鹤与鸡终难同群为伍,莺鹊与恶鸟不可共鸣。于是,势必如大雁之远征,便怀着一颗痛苦的赤子之心,整顿行旅,一俟黎明,即刻起程,去向远方,寻觅那理想的自由干净之地。

《悼乱》通篇纯用比喻、象征的艺术表现手法,或赋予各种自然事物以人格化,或给予各种喻体以强烈的感情色彩,形象而有力地揭示了奸佞受宠而横行、忠贤被弃而罹难的社会政治昏乱的主题思想。

(赵望秦)

伤　　时

惟昊天兮昭灵,①	只有夏天才最光明神圣,
阳气发兮清明。	阳气生机勃发景象清明。
风习习兮和暖,	微风习习吹来温暖宜人,
百草萌兮华荣。	百草蓬勃生长鲜花茂盛。
堇荼茂兮扶疏,②	旱芹苦菜枝叶繁茂分披,
蘅芷彫兮莹嫇。③	明净杜衡芷若衰败凋零。
愍贞良兮遇害,	哀怜忠贞善良受到迫害,
将夭折兮碎糜。④	都将早早死亡身如碎糠。

时混混兮浇馔，[5]	世俗多么混乱就如汤饭，
哀当世兮莫知。	今世无人知我令人悲伤。
览往昔兮俊彦，	看到前世贤人才智优秀，
亦诎辱兮系累。	受到冤枉侮辱遭到拘囚。
管束缚兮桎梏，	管仲曾被脚镣手铐束缚，
百贸易兮傅卖。[6]	百里奚被转卖交换货物。
遭桓缪兮识举，[7]	遇到齐桓秦穆赏识抬举，
才德用兮列施。[8]	得到使用才能充分献出。
且从容兮自慰，	我将逍遥自在聊以自慰，
玩琴书兮游戏。	赏玩琴瑟诗书到处游戏。
迫中国之窄陋，	看到中国境内局迫狭窄，
吾欲之兮九夷。[9]	我就想要奔向九夷之地。
超五岭兮嵯峨，	我飞越过五岭巍峨峻峭，
观浮石兮崔嵬。	看到东海浮石高高耸立。
陟丹山兮炎野，[10]	又到南方丹山炎野之地，
屯余车兮黄支。[11]	在黄支国我把车马聚集。
就祝融兮稽疑，[12]	走近赤帝祝融考证疑问，
嘉己行兮无为。	我的行为“无为”受他赞许。
乃回朅兮北逝，	于是转身离开奔向北方，
遇神孈兮宴娭。[13]	遇到北方神孈宴会嬉戏。
欲静居兮自娱，	我想安静居住自求快乐，
心愁慼兮不能。	但又不能这样心中悲戚。
放余辔兮策驷，	放开我的马勒驱马向前，
忽飙腾兮浮云。	忽然暴风飞腾乌云卷起。
蹠飞杭兮越海，[14]	乘上飞快航船渡过大海，
从安期兮蓬莱。[15]	跟从安期生到蓬莱山去。
缘天梯兮北上，	攀缘登天之梯向北而上，
登太一兮玉台。[16]	登上太一玉台谒见天帝。
使素女兮鼓簧，	请求仙女为我吹奏笙竽，

乘戈和兮讴谣。[17]	乘戈引吭高歌配合仙女。
声噭誂兮清和，[18]	歌声圆润流畅清脆柔和，
音晏衍兮要媱。[19]	音乐异腔怪调舞姿婆娑。
咸欣欣兮酣乐，	大家兴高采烈尽情歌舞，
余眷眷兮独悲。	我顾念着家乡独悲不乐。
顾章华兮太息，[20]	回头看到章华长长叹息，
志恋恋兮依依。	心中恋恋不舍依念祖国。

（黄寿祺、梅桐生　译）

注释

①昊天：《楚辞章句》："夏天也。"昭灵：《楚辞章句》："昭，明也，灵，神也。"②堇：通称堇菜，梗叶味苦。荼：苦菜。③蘅芷：即杜蘅、若芷，皆香草。莹嫇：明净的样子。④糜：通"糜"，碎糠。⑤馔（zàn）：用汤泡饭。《楚辞补注》引《说文》："以羹浇饭"。比喻混乱。⑥百：百里奚。傅：《楚辞章句》："一作传。"《楚辞补注》："《淮南》云：'百里奚转鬻。'注云：百里奚知虞公之不可谏，转行自卖于秦，为穆公相。"⑦桓缪：齐桓公，秦穆公。《楚辞补注》云"缪音木"，同"穆"。⑧列施：充分施展。⑨九夷：泛指东方各族。⑩丹山、炎野：均在南方。⑪黄支：《楚辞章句》："南极国名也。"⑫祝融：赤帝之神。稽：《楚辞章句》："稽合所以折谋，求安己之处也。"⑬嫷（xī）：北方之神。⑭蹠（zhí）：踏。杭：通"航"，船。⑮安期：安期生，仙人。⑯太一：星名。《楚辞章句》："太一，天帝所在，以玉为台也。"⑰乘戈：仙人。⑱噭誂（jiào tiǎo）：即噭咷，《楚辞章句》："清畅貌。"⑲晏衍：异调怪腔。要媱（yín）：舞容。《楚辞补注》："《说文》：'媱，曲肩貌。'《方言》：'媱，游也。江沅之间谓戏为媱。'"⑳章华：楚台。

鉴赏

《九思》这一组诗的主题也就是一个"伤"字，但在每一篇中，又各有其侧重点。《伤时》篇的主题很明确，"伤悼时事"。

全篇的抒情线索是很清楚的。开篇运用了欲抑先扬的手法，造成巨大的反差。诗人首先描绘出了充满勃勃生机的盛夏景象，给人们展示了一幅神圣光明的画卷。这一段描写在《九思》中是绝无仅有的。《伤时》篇开头的四句,是组诗悲怆的主旋律中出现的充满希望的变奏,它使组诗在总体色调上出现了变化,使读者的审美心理也产生一种跌宕之感。读者至此,或以为诗人的命运或国家的前途将要出现某种转机似的。然而,这并不是诗人的暗示。这明朗欢乐的乐曲并未能持久,就急转直下出现哀音,明朗的阳光原来并没有能力将温暖送入覆盆,在这样美好的季节,仍然免不了不公正的事情发生,"堇荼茂兮扶疏,蘅芷彫兮莹嫇"!可见,自然界也不那么公正。这样的描写产生了"以乐景写哀,以哀景写乐,一倍增其哀乐"(王夫之《薑斋诗话》)的艺术效果。在公认的美好季节尚不能避免种种腐败现象发生,其他日子也就可想而知了。"堇荼""蘅芷"的象征意义是十分明显的。

由物及人,由自然界的不平起兴,诗人深深地"伤时"。为什么忠良常常受到迫害,结局悲惨?为什么奸小总是春风得意,仕途坦达?这些问题是无人能向他解释清楚的。生活在这样一个是非不明的时代真是一大悲哀啊!又由己及人,他想到了历史上的著名人物,比如管仲和百里奚,他们胸怀韬略,但屡经磨难,不过,最终还是遇上了贤君,从而抓住了机会能够一展宏图。相比之下,自己的不幸遭遇就更突出了。原因呢,主要是身逢"混混"之"时"。

对现实的深深失望,促使诗人转而寻求理想的乐土。从"且从容兮自慰"到"音晏衍兮要婬"一大段,就是诗人驰骋想象作"逍遥游",寻求解脱、寻求自由的记录。

为了使自己忘却现实,诗人决计以诗书琴瑟自娱,以遨游山水为乐,借以平复心灵的创伤。但偌大一个国家竟没有一块清白安宁的土地,处处是不平,处处是腐败。因而,他感到压抑、局促、不自在,除非离开这块土地,否则,自己的心永远无法安静。走吧,向九夷,越五岭,观东海,至南国。一句一个场景,几句写尽了天南海北,手法极为简练。诗人的超脱行为使自己的心灵得到了片刻的抚慰,而且还得到了高高在上、不食人间烟火的神的嘉许,因为这种潇洒已有几分仙意了。然而,诗人凡心未灭,在第一次大出游中并没有彻底忘却世事。"欲静居兮自娱,心愁慼兮不能"二句泄露了天机。不断地给自己打气,不要悲伤,不要悲伤,正说明他心中还在流血,还在悲伤。是不是九夷等地离现世还近了点,容易产生联想,勾起乡愁?这一次诗人下大决心,要远走高飞,彻底解脱。"放余辔兮策驷,忽飙腾兮浮云。蹠飞杭兮越海,从安期兮蓬莱。"到了神山,境界果然不凡,他登天梯谒见了天帝,仙女为他吹奏笙竽,"仙乐风飘处处闻"(白居易《长恨歌》),"人间能得几回闻"(杜甫《赠花卿》)!对仙境的描写，抓住音乐，铺张渲染，仙乐其妙无穷，优美高雅，悦耳赏心，可以洗尽凡心。全诗至此，达到高潮。从“伤时”到“忘时”，通过强烈的对比，诗人抒写了自己的情感变化。

然而，是真的忘却了一切么？仙境真的可以解脱诗人的烦恼和痛苦么？“咸欣欣兮酣乐，余眷眷兮独悲。顾章华兮太息，志恋恋兮依依。”诗人在仙境虽得到片刻安宁，感到几分宽解，但流动在诗人血液中的忧患意识却毫不客气地将他从逍遥虚幻的境界中唤醒。诗人终于发现，自己永远无法离开、永远也忘却不了那块使自己产生了无穷痛苦而自己又无限依恋的土地。唯其如此，他更为那块土地的愚昧、落后而感伤、而哭泣。

诗人的内心痛苦是由于外部（“时”）的不公正引起的，为求解脱，他不得不向外部寻求慰藉。此“外”，不再是“时”，而是超“时”的理想（幻想）。但理想境界并不能代替现实世界，理想和现实之间有着巨大的差异。诗人无力解决这个矛盾，因而只能产生更大的痛苦。如此循环往复，永无终了，他的内心也就永远不会平静。全诗的抒情线索正反映了这种矛盾心理和情感逻辑：痛苦——解脱——痛苦……对应的世界是现实——理想——现实……根源在于他对祖国的深深的眷恋。爱得愈深，痛苦愈深。

作为代言体，此诗写出了屈原充满忧伤的内心世界和坎坷的心路历程，很好地表现了伟大诗人执著悲怆的忧国忧民的情怀。表现手法上，比喻的生动形象，对比的强烈鲜明，想象的丰富瑰丽，情绪的大起大落，都给读者留下了深刻的印象。

（刘明华）

哀　岁

旻天兮清凉，[1]	清秋时节天气凉，
玄气兮高朗。[2]	九月气清天高朗。
北风兮潦洌，	凛冽寒风渐渐起，
草木兮苍唐。[3]	百花草木始凋黄。
蛜蛱兮噍噍，[4]	小蝉蟪蛄噍噍鸣，
蝍蛆兮穰穰。[5]	蜈蚣小虫要变样。
岁忽忽兮惟暮，	光阴似箭岁将尽，
余感时兮悽怆。	感慨时过心悲伤。

伤俗兮泥浊，	哀伤世俗如泥浊，
矇蔽兮不章。	昏暗不明日无光。
宝彼兮沙砾，	沙石瓦器当宝贝，
捐此兮夜光。	夜光明珠弃一旁。
椒瑛兮涅污，[6]	香椒美石被污染，
葈耳兮充房。[7]	恶草葈耳堆满房。
摄衣兮缓带，	整理衣服放宽带，
操我兮墨阳。	墨阳宝剑拿手上。
升车兮命仆，	登上马车命仆从，
将驰兮四荒。[8]	将要驱马奔四方。
下堂兮见虿，[9]	走下堂屋见毒虿，
出门兮触蜂。	走出门来遇马蜂。
巷有兮蚰蜒，[10]	小巷里面有蚰蜒，
邑多兮螳螂。	村邑之中多螳螂。
睹斯兮嫉贼，	看见这些害人虫，
心为兮切伤。	心里感到极悲伤。
俯念兮子胥，	低头思念伍子胥，
仰怜兮比干。	抬首却把比干想。
投剑兮脱冕，	扔下宝剑摘下帽，
龙屈兮蜿蟤。[11]	像龙卷曲不伸张。
潜藏兮山泽，	隐居荒山水泽中，
匍匐兮丛攒。[12]	从集林中来隐藏。
窥见兮溪涧，	看见山中小溪流，
流水兮沄沄。[13]	溪水潺潺流转淌。
鼋鼍兮欣欣，[14]	水中鼋鼍多高兴，
鳣鲇兮延延。[15]	黄鳝鲇鱼长又长。
群行兮上下，	上上下下相随行，
骈罗兮列陈。	对对双双在游荡。
自恨兮无友，	可恨自己没朋友，

特处兮茕茕。	孑然一身好凄凉。
冬夜兮陶陶，⑯	寒冬之夜多漫长，
雨雪兮冥冥。	天色昏暗雪飞扬。
神光兮颎颎，⑰	荒野神光放光明，
鬼火兮荧荧。	山中鬼火闪闪亮。
修德兮困控，⑱	培养品行无人荐，
愁不聊兮遑生。	愁苦不乐度时光。
忧纡兮郁郁，	忧思郁结心沉闷，
恶所兮写情。⑲	如何表达我思想。

（黄寿祺、梅桐生　译）

注释

①旻(mín)天：秋天。②玄：阴历九月为玄。③唐：《楚辞章句》："唐，一作黄。"苍黄，开始凋零。④蛜蚗(yī jué)：即蛥蚗(shé jué)。蝉类：又名蟪蛄。噍(jiāo)噍：拟声词。《楚辞章句》："促寒将蛰，故噍噍鸣。"⑤蝍蛆(jí jū)：蜈蚣别名。穰(ráng)穰：《楚辞章句》："将变貌。"⑥瑛：似玉的美石。涅(niè)：矿物，古代用作黑色染料，引申为染黑。⑦菓(xǐ)耳：《楚辞章句》："菓耳，恶草名也。充房，侍近君也。"⑧四荒：四方荒远之地。《尔雅·释地》："觚竹、北户、西王母、日下，谓之四荒。"⑨虿(chài)：毒虫。《楚辞章句》："虿，土螽也。喻佞人欲害贤，如虿之有螫毒。"⑩蚰蜒(yóu yán)：多足小虫，能蜷曲，常栖木石下阴湿地，夜多出。⑪蜿蟤(wān zhuān)：不伸展。《楚辞章句》："蜿蟤，自迫促貌。"⑫丛攒：聚集的林木。⑬沄(yún)沄：河水流转的样子。⑭鼋(yuán)：鳖。鼍(tuó)：鳄鱼的一种。⑮鲇(nián)：体滑无鳞，身多黏质的鱼。延延：躯体长长的样子。⑯陶陶：陶悠通假，悠悠，漫长的意思。⑰神光：《楚辞章句》："山川之精，能为光者也。"颎(jiǒng)颎：光明的样子。⑱困控：《楚辞章句》："言无引已也。"⑲恶所：何所，怎么，如何。

鉴赏

《哀岁》与《伤时》，从题目上看，没有多大差异。哀、伤，岁、时同义。诗人为强调其悲伤之情，另起一章，再作咏叹。但在表现方法上，

《哀岁》自有独到之处。

《伤时》开篇写的夏季,《哀岁》接着写秋天。“旻天兮清凉,玄气兮高朗。北风兮潦洌,草木兮苍唐。”由夏入秋,清楚地显示出组诗的抒情脉络。“秋”经楚辞作者们的渲染,已固定为具有悲凉氛围的意象,这是不用多说的。此诗正是以秋起兴,引出“岁忽忽兮惟暮,余感时兮悽怆”的感叹。对于一个怀才不遇的人来说,在一年将尽之际,回首往事,最能引起他感伤的,莫过于光阴飞逝、白首无成之类的意绪了。这与“少壮不努力,老大徒伤悲”的感叹是不同的。并非主观不努力,而是没有可以努力的条件。所以,紧接着揭示了原因:世道昏暗。“伤俗兮泥浊,矇蔽兮不章。”这是对世道不公的愤怒指责。下面四句则形象地表现这世界是怎样的“矇蔽不章”:沙砾当作宝贝,夜明珠反被抛弃,恶草葈耳堆满仓库,香椒美玉蒙上灰尘。两组对比十分强烈,其中的喻义也十分鲜明:坏人当道,贤人遭殃。

面对这种现实,诗人采取了退避的方式,正所谓“惹不起,躲着走”。他摄衣缓带,手持宝剑,驱马登车,要离开这污浊的地方。然而,沿途所见景象,仍不堪入目。这是一个怎样的世道哟!毒蚤、马蜂、蚰蜒、螳螂这些恶虫肆意横行,充斥于大街小巷,不可一世。看见此景,诗人抑制不住内心深处的悲伤和愤慨。历史人物伍子胥和比干的悲惨结局猛地闪现在脑海。诗人没有在此过多联想,念头一闪,又回到现实,还是再走吧,到一个遥远的地方去潜行隐居。

与《伤时》篇相比,《哀岁》同样是逃避恶暗现实,但没有上天,而是“入地”。大约是上天亦不能解决问题,因而另寻一途。诗人扔下宝剑、摘下帽子,学起蛰龙,潜藏于山泽和丛林。隐居本是士大夫避祸远灾、洁身自好、独善其身的良方,隐逸也是摆脱羁绊通向自由的途径。不过,绝对自由逍遥的代价可能是绝对的孤独。诗人在隐居时显然强烈地感受到了这种滋味。这是通过人和物的对比表现出来的:“鼋鼍兮欣欣,鳣鲇兮延延。群行兮上下,骈罗兮列陈。”诗人从中深切地感到茕茕独处、无友无故的孤独和悲哀。这一段描写,除了以动物的成双成对衬托自己的形影相吊、表现自己的孤独寂寞外,另一层含意也是可以把握的,即动物之“群行上下,骈罗列陈”,其体“延延”,其状“欣欣”,反映的是自然界小生灵们的安详自在、和睦欢愉,比较出了人世间的冷酷无情、多灾多难。所以,自然也就觉得雨雪纷纷、格外寒冷,寒夜漫漫时光难挨。那寒夜荒原上的点点萤火,更增添了几分神秘和凄凉。对“蛰龙”式的生活,诗人感到厌倦,作出了否定。

最后四句回到自身,写自己美

好的品行无人赏识,因而无人荐引。诗人愁肠百结,在低沉的叹息中结束了全篇。

王逸深谙屈赋"依诗取兴,引类譬谕"的特点,本篇将"善鸟香草,以配忠贞;恶禽臭物,以比谗佞"的手法运用得十分娴熟。同时,又从中构成鲜明的对比。《伤时》着重于人事的对比,而且从今昔的角度展开,《哀岁》虽有历史人物出现,却一笔带过,着重的是物与物和人与物的对比。物又分多种,或植物,或动物,或宝物,动物中还分水栖陆栖。其深层喻义,仍是人与人的对比。

物与物的对比,如"沙砾"对"夜光","椒瑛"对"葈耳",均是对立的形象。美丑的对立隐喻的是是非颠倒的现状。"虿、蜂"等一组恶虫,虽未出以相应的对立物,但以恶虫之横行喻小人之得势之意是明显的,"贤人不遇"的比喻就意在言外了。这是很经济的手法,不出以喻体而喻义自现,关键在于诗篇中有一个比喻的环境。关于水族类的描写,字面是物和人的对比。这里其实有两层意蕴:一是动物之自在和人类之不自在的对比,欢乐与孤独的对比;另一层意思则回到传统的比兴观中,即视"鼋鼍"等为恶虫,以其欣然自得,对比出忠良贤达之冷落不幸。

全篇以出门所见,生发出无尽的感慨。触目皆恶虫,举世皆小人,无论大街小巷,还是水泽山林,没有一块安身之地。只此两境,已将诗人的彻底失望表达得淋漓尽致。我们不难想象他举步维艰的窘况和走投无路的悲哀。

(刘明华)

守　志

陟玉峦兮逍遥,①	我登上昆仑山停留片刻,
览高冈兮峣峣。	看到高高山冈巍峨雄壮。
桂树列兮纷敷,②	山上桂树排列错杂纷披,
吐紫华兮布条。③	枝叶茂盛紫花朵朵开放。
实孔鸾兮所居,	这里适宜栖息孔雀凤凰,
今其集兮惟鸮。	现在却是鸮鸟霸占树上。
乌鹊惊兮哑哑,	乌鸦喜鹊受惊哑哑直叫,
余顾瞻兮怊怊。	回头眺望故乡失意迷惘。

彼日月兮闇昧，	那里云遮雾蔽日月无光，
障覆天兮祲氛。[4]	邪气掩蔽天空气氛不祥。
伊我后兮不聪，	可惜我的君王已受蒙蔽，
焉陈诚兮效忠。	怎能把我赤胆忠心献上。
摅羽翮兮超俗，[5]	我要展开双翅超世而去，
游陶遨兮养神。	保养精神逍遥自在游荡。
乘六蛟兮蜿蝉，[6]	乘驾六条蛟龙蜿蜒向前，
遂驰骋兮升云。	于是驰骋奔腾直升云天。
扬彗光兮为旗，	挥动彗星光芒作为旗帜，
秉电策兮为鞭。	抓住奔驰闪电作为马鞭。
朝晨发兮鄢郢，	清晨我从楚国郢都出发，
食时至兮增泉。[7]	午间吃饭时候就到增泉。
绕曲阿兮北次，[8]	我绕过曲阿在北方休息，
造我车兮南端。	又驾着我车向南方奔去。
谒玄黄兮纳贽，[9]	我去谒见天帝送上礼物，
崇忠贞兮弥坚。	崇尚忠贞之志坚定不移。
历九宫兮遍观，	游历天上九宫到处观看，
睹秘藏兮宝珍。	我看见了很多珍藏宝器。
就傅说兮骑龙，[10]	走近傅说辰宿骑上飞龙，
与织女兮合婚。	还与织女星把婚姻结缔。
举天毕兮掩邪，[11]	我举起天毕星袭取邪恶，
彀天弧兮射奸。[12]	拉满天弧星向奸人射击。
随真人兮翱翔，	我将自由翱翔跟随仙人，
食元气兮长存。[13]	吸食天上元气与天永存。
望太微兮穆穆，	望见太微星座庄严和顺，
睨三阶兮炳分。[14]	看见太微三阶显著分明。
相辅政兮成化，	我还辅助天帝完成教化，
建烈业兮垂勋。	建立显赫事业永传功勋。
目瞥瞥兮西没，	很快看看天庭向西沉没，

道遐迥兮阻叹。	道路遥远艰难使我悲叹。
志蓄积兮未通，[15]	受到压抑我的思想不通，
怅敞罔兮自怜。	心中失意怅惘独自伤感。

乱　曰

天庭明兮云霓藏，	天庭光明灿烂云霓躲藏，
三光朗兮镜万方。[16]	日月星辰明亮照耀四方。
斥蜥蜴兮进龟龙，	进献龟龙斥退爬虫蜥蜴，
策谋从兮翼机衡。[17]	听从谋略保护玉衡璇玑。
配稷契兮恢唐功，[18]	要与稷契恢复尧舜之功，
嗟英俊兮未为双。	可叹英雄俊杰生而不逢。

（黄寿祺、梅桐生　译）

注释

①《楚辞章句》:"玉峦,昆仑山也。山脊曰峦。逍遥,须臾也。"②纷敷:纷披错杂。③布条:枝叶繁茂。《楚辞章句》:"布,敷。条,枝。"④祲(jìn)气:不祥之气。⑤翮(hé):鸟羽的茎。羽翮:翅膀。摅:腾跃。⑥蜿蝉:盘屈摇动之状。《楚辞章句》:"群蛟之形也。龙无角曰蛟。"⑦增泉:银河。⑧曲阿:地名,战国云阳邑。次:临时住宿。⑨玄黄:《楚辞章句》:"中央之地也。"贽(zhì):初次拜见尊长时所送的见面礼品。⑩傅说:《楚辞章句》:"殷王武丁之贤相也,死补辰宿。"⑪毕:二十八宿之一。《楚辞章句》:"毕,宿名也。毕有囚奸名,故欲以掩取邪佞之人也。"掩:乘其不备而袭取之。⑫彀(gòu):把弓拉满。天弧:星名,即弧矢星。由九颗星组成,其状如箭在弦上,故名弧矢。⑬元气:指天地未分前的混一之气。⑭三阶:《楚辞章句》:"太微之阶。"可能指内屏、太微左垣、太微右垣三组星。炳:光明。⑮蓄积:压抑。⑯三光:指日、月、星。《楚辞章句》:"天清则云霓除,日月星辰昭,君明下理,贤愚得所也。"⑰机衡:北斗星中的天玑、玉衡二星。《楚辞章句》:"璇玑玉衡以喻君能任贤,斥去小人以自辅翼也。"⑱唐:唐尧。《楚辞章句》:"稷、契,尧佐也。言遇明君,则当与稷、契恢夫尧、舜之善也。"

鉴赏

这是《九思》的最后一篇。从逢尤、怨上、疾世、悯上、遭厄，到悼乱、伤时、哀岁，作者主要抒写了屈原的不幸遭遇，以及他对君王的规劝和期待，对时局的关心和失望。《守志》篇以表明心迹为主旨，以坚守高洁的志向作为组诗的结局，从而把抒情的旋律推向了高潮，形成了全诗的华彩乐章。

以前八篇的铺写为基础，《守志》不再描写现实的种种黑暗与不平。够了，他不想重现那些令人不快的画面，因而一开篇便从昆仑山写起。诗人一直在寻找理想的境界，在想象中，他来到了昆仑神山。这一次，他不是以逃亡者的身份来避难的，而似乎他本来就是此山中人，是久别之后重归故乡。他可以不慌不忙地观赏仙境风光。然而，诗人大吃一惊：鹑鸟乌鸦占据了孔雀凤凰的位置！仙界也在"错位"！诗人有些迷惘了，这到底是怎么回事！回望尘寰，故乡日月昏暗，不祥之气笼罩着帝王，那深受蒙骗的君王已听不进善意的规劝了。退路已断，昆仑山也不过尔尔。真是进退维谷！仙界本是根据凡人的企羡而建构的，所以，仙界的"错位"正好是尘世不平的潜意识的反映。但对理想中的境界也产生怀疑，这种怀疑一切的想象却不能不说是大胆的。

看来昆仑山还不是最佳境界，诗人要真正地超凡脱俗，只有上天界了。"摅羽翮兮超俗"至"建烈业兮垂勋"一大段，就充分表现了作者的瑰丽想象，表现了诗人的坚定志向和战斗激情。

这一大段可分为几个层次。从"摅羽翮兮超俗"至"造我车兮南端"为一层。这一部分写诗人乘龙驾云，以彗星为帜，以电光为鞭，飞速赶路的情形。通过鄢郢、增泉、曲阿、南端几个旅途地名的连接，蒙太奇般展示了诗人的行旅匆匆、风尘仆仆。这一段描写明显受到了屈原《离骚》中上天想象的影响。上天原因则是"无所效其忠诚，故翻飞而去也"(《楚辞章句》)。"谒玄黄兮纳贽"至"与织女兮合婚"则为第二层，写到达天庭之后受到的隆重礼遇。诗人谒见了天帝，表明了自己的志向，又四处参观游览，大饱眼福，还骑了真正的飞龙，最后还与天帝的孙女织女结了婚。真是"其乐也融融"(《左传·隐公元年》)！第三层一转，充满了战斗激情。诗人并没有沉浸在甜蜜之中而忘乎所以。忘却世事不是他的本心，反抗邪恶才是他的天性。在天庭里，他充分利用自己获得的有利条件，向人世间的邪恶展开无情的斗争，显示了诗人的英雄本色。同时，建功立业的理想也没有因为环境的改变而放弃，在新的环境中，远大抱负得到实现，他辅助天帝完成教化大业，留下了永久的功勋。

然而，“目瞥瞥兮西没”四句，将我们从幻象中拉回到现实。原来，前面一大段都是想象之辞。诗人也从幻想中清醒过来。那想象的内部世界的美丽幻象一旦消失，诗人发现自己还站在那块令人不安的土地上。天庭渺远，帝乡难求，现实黯淡，怎不让人悲痛。全诗在“怅敞罔兮自怜”的感伤中结束。

《守志》的主题可以视为《九思》的主题，全诗交织着爱和恨的矛盾，反映着理想和现实的冲突，流露出了进还是退的困惑。诗人爱国爱民，希望有所作为，希望君王举贤用能，希望国家强大美好。而现实是君王昏庸、奸佞当道。诗人既不愿同流合污，又不甘沉沦下僚，唯一的安慰是在天国中寻求寄托，但又无法忘怀时事。所以，他只能在希望和失望的煎熬中轮回。这实际上反映了中国文人士大夫的普遍遭遇和典型心态。这种矛盾是文人咏怀的常见主题。为什么诗人的悲伤那么多，愤慨那么深，又不可消解？请用艾青的诗代答：

为什么我的眼里常含泪水？
因为我对这土地爱得深沉……
（《我爱这土地》）

不同时代的爱国主义有着不同的内涵，但从楚辞中的大量咏叹中，不是可以清楚地看见这源远流长的爱国主义的优良传统吗？

《乱曰》作为尾声，不仅是《守志》篇的结尾，也是《九思》的总结。这短短几句，表现的仍是一种矛盾冲突：建功立业的理想和怀才不遇的现实。这也概括了《九思》的主要内容。从《乱曰》的情绪走向看，是由理想到现实，由天庭到尘世，从有为到无为，从乐观到悲观。因而，悲愤的色彩也就更加浓厚。

《九思》作为代言体，丰富了楚辞的内容。全诗在艺术上不乏成功之处。一是比兴手法的运用十分娴熟，王逸再现了他所总结的屈赋“引类譬谕”的独特的抒情方式；二是对比手法的运用，深化了抒情主题，具有强烈的艺术效果；三是丰富瑰丽的想象贯穿了全篇。这些都见出屈赋的深刻影响。在代屈原抒写忧愤这一点上，《九思》较好地完成了作者的意图，王逸也从中充分表现了自己的才华。但因为仿作，《九思》在思想深度和艺术造诣上明显逊于屈原作品，尤其是表现手法单一，篇章之间显得雷同，这些也是不必讳言的事实。

（刘明华）

附　录

诗人小传

诗　经

【芮良夫】又称芮伯，周厉王时人。作有《桑柔》（见《大雅》）。《诗序》谓《桑柔》为“芮伯刺厉王也”。《左传·文公元年》载秦穆公引芮良夫诗“大风有隧，贪人败类”等六句，俱见此诗第十三章。

【史克】即太史克，鲁宣公时史官。《诗序》说《鲁颂·駉》是他所作，当有所据。也有人认为《鲁颂》都是他的作品。

【吉甫】又称尹吉甫，周宣王时的一位将军，生平不详。《小雅·六月》：“文武吉甫。”《大雅·嵩高》：“吉甫作诵，其诗孔硕。”《大雅·烝民》：“吉甫作诵，穆如清风。”

【家父】周幽王时的大夫，生平不详。《小雅·节南山》有：“家父作诵，以究王讻”。

【孟子】寺人孟子，大约是周幽王宫中的宦官，生平不详。《小雅·巷伯》有：“寺人孟子，作为此诗。”

【奚斯】鲁国大夫，生平不详。《鲁颂·閟宫》：“奚斯所作，孔曼且硕。”也有人认为“新庙奕奕，奚斯所作”，是说奚斯督造新庙，不一定是诗作者。

【许穆夫人】是我国第一个知名的女诗人。她是卫国君主懿公的妹妹，出嫁许国，为许穆夫人。周惠王十七年十二月，北狄侵入卫国，懿公被杀。许穆夫人听到家国灭亡的消息，赶到漕邑（今河南滑县东南），与逃到那里的卫国宫室相见并吊唁新拥立的君主卫戴公，并筹划向大国求援，以复兴卫国。许国贵族反对她，并赶来阻挠，于是她写了著名的爱国诗篇《载驰》。据魏源考证，《邶风·泉水》《鄘风·竹竿》也是她的作品。

楚　辞

【屈原】我国最早的、伟大的爱国主义诗人。名平，字原，又自名正则，字灵均。约生于公元前340年，卒于公元前278年。战国时楚人。他是楚王同姓贵族。博闻强记,明于治乱,娴于辞令。楚怀王时任左徒、三闾大夫等官职。对内同楚怀王商议国事,发布命令;对外接待宾客,应对诸侯,颇得怀王信任。主张修明法度,改革政治,联合齐国,抗击暴秦。后为怀王稚子子兰及同僚上官大夫所谗,怀王昏庸不察,疏远了屈原。顷襄王继位,又为令尹子兰所诬毁,被放逐于江南。其后,屈原长期流浪沅、湘一带,行吟泽畔,忧虑国事,创作了不少优秀诗篇。最后见楚国的政治日益腐败,郢都被秦兵攻破,他既无力挽救祖国的危亡,又无法实现政治理想,于是自投汨罗江,以身殉国。屈原的作品是西汉刘向所集,计二十五篇。其《离骚》是我国古典文学中最长的抒情诗,表现了他强烈的爱国主义思想和不屈不挠的斗争精神。《九章》表达了他在放逐中的苦闷心情及思念祖国的情怀,尖锐地抨击了反动贵族的昏庸腐朽、嫉贤害能的罪行。《天问》是对自然现象、社会历史等方面的许多传统观念提出怀疑和质问,从中可看出诗人思想的博大和探索真理的精神。《九歌》是在民间祀神乐歌的基础上加工而成的优美诗篇。屈原的作品大量运用神话,想象奇特,词采艳丽,是古代浪漫主义诗歌的典范,对后世文学的发展有着深远而巨大的影响。

【宋玉】是屈原之后的著名楚辞作家。生卒年不详。家境贫穷,曾师事屈原。在顷襄王时作过小官,很不得意,不久去职。《史记·屈原贾生列传》记载他和唐勒、景差"皆好辞而以赋见称,然皆祖屈原之从容辞令,终莫敢直谏"。宋玉的作品据《汉书·艺文志》载有十六篇,篇目已不可考。收入《楚辞》《文选》的有《九辩》《高唐赋》《神女赋》《风赋》《登徒子好色赋》《对楚王问》等。《九辩》最为可信,其余诸篇后人多怀疑非宋玉所作。

【景差】屈原之后的楚辞作家。与宋玉同时,生平不详。《史记·屈原贾生列传》载:"屈原既死之后,楚有宋玉、唐勒、景差之徒者,皆好辞而以赋见称;然皆祖屈原之从容辞令,终莫敢直谏。"《楚辞章句》所收《大招》一篇,有人认为是景差作,有人则认为是屈原的作品。

附【唐勒】与宋玉、景差同时的楚辞作家。生平不详。《史记·屈原贾生列传》载:"屈原既死之后,楚有宋玉、唐勒、景差之徒,皆好辞而以赋见称",然未见作品流传后世。

【贾谊】也称贾长沙或贾生,西汉初期杰出的政治家和文学家。生于公元前200年,卒于公元前168年。洛阳(今河南省洛阳市)人。文帝初,招为博士,不久迁大中大夫,极力主张改革政制,遭到守旧派的中伤,贬为长沙王太傅,后为梁怀王太傅。梁怀王坠马而死,贾谊自伤失职,郁郁而死,年仅三十三岁。其作品除政论外,有赋七篇,以《鹏鸟赋》《吊屈原赋》最有名。后人辑其文为《贾长沙集》。另有《新书》十卷。

【淮南小山】西汉辞赋家,淮南王刘安门客。姓名、生平均不详。淮南王爱好文艺,广招文士,著作辞赋。有人认为“八公”“大山”“小山”都是他府中宾客。王逸说是作品的分类,有的称《大山》,有的称《小山》,就如《诗经》中有《大雅》《小雅》。小山作品今存《招隐士》一篇。文中极写山中的孤寂恐怖,望居山中的贤士早日归来。

【东方朔】字曼倩,汉武帝时辞赋家。生于公元前154年,卒于公元前93年。平原厌次(今山东惠民县东)人。武帝时,官至常侍郎、大中大夫。博学多才,性诙谐滑稽,常在汉武帝前调笑取乐,虽直言切谏,但武帝只把他当俳优看待,始终不大用故著《答客难》以自慰。其著作有《七谏》《非有先生论》等,后人辑为《东方太中集》。《神异经》《海内十洲记》等书皆后人托名东方朔作。

【庄忌】本姓庄,因避东汉明帝刘庄讳,改为严。西汉辞赋家。约生于公元前188年,卒于公元前105年。会稽吴(今江苏苏州市)人,一说由拳(今浙江嘉兴县)人。好文学,与枚乘、邹阳等俱仕吴。后吴王刘濞谋反,规劝无益,于是离吴游梁,深得梁孝王器重,时人尊称为严夫子。《汉书·艺文志》著录有赋二十四篇,今仅存《哀时命》。其主旨是哀叹屈原秉性忠贞而不遇明主。说见王逸《楚辞章句》。

【王褒】字子渊,西汉辞赋家。生卒年不详。蜀资中(今四川资阳县)人。汉宣帝时,因益州刺史王襄奏荐,应征入朝,擢为谏议大夫。《汉书·艺文志》著录有赋十六篇,今存《洞箫赋》《九怀》等,载《楚辞章句》《文选》。另有散文《圣主得贤臣颂》《四子讲德论》等流传于世。

【刘向】字子政,本名更生。西汉时的经学家、文学家、目录学家。生于公元前77年,卒于公元前6年。沛(今江苏沛县东)人。他是汉皇族楚元王刘交玄孙。曾任谏议大夫、宗正等官职。宣帝时因献神仙方术之书,说黄金可成,经宣帝试之不验,被捕下狱,当处死,经其兄援救,帝也爱其才,免死。元帝时,又因用阴阳灾异推论时政得失,并弹劾宦官、外戚当权误国,两次入狱,免官多年。成帝时,任光禄大夫。汉成帝想擢为九卿,然为外戚王氏势力所抑,官终中垒校尉。刘向学识渊博,著述丰富。《汉书·艺文志》载有赋三十三篇,今存《九叹》《请雨华山赋》等。他的《说苑》《新序》记载先秦至汉初的佚文旧事,阐明儒家的政治理想和伦理道德,颇具特色。又曾受诏校五经秘书、诸子诗赋,撰成《别录》,为我国目录学之祖。

【王逸】字叔师,东汉文学家。生卒年不详。南郡宜城(今湖北宜城)人。

安帝刘佑元初中(114—120),举上计吏,为校书郎。顺帝刘保时官侍中。所撰《楚辞章句》十二卷,是《楚辞》最早的完整注本。训释文字简要可信,保存了不少古说,颇为后世学者所重视。但由于经学家的偏见,也有一些穿凿附会。另有赋、诔、论及杂文二十一篇,《汉诗》一百二十三篇,今多亡佚。现存《九思》,为哀悼屈原所作,载于《楚辞章句》。

诗经楚辞书目(加*号为重要书目)

诗　经

*《毛诗》　二十卷　汉毛亨传　汉郑玄笺　相台本

《鲁诗故》　三卷　汉申培撰　玉函山房辑佚书本

《齐诗传》　二卷　汉后苍撰　玉函山房辑佚书本

《韩诗故》　二卷　汉韩婴撰　玉函山房辑佚书本

《韩诗内传》　一卷　汉韩婴撰　玉函山房辑佚书本

《韩诗薛君章句》　二卷　汉薛汉撰　玉函山房辑佚书本

《韩诗外传》　十卷　汉韩婴撰　汉魏丛书本

《说文解字》　汉许慎撰　中华书局1963年本

《五经异义》　汉许慎撰　陈寿祺疏证　皇清经解本

《毛诗马氏注》　汉马融撰　玉函山房辑佚书本

《诗谱》　一卷　汉郑玄撰　宋欧阳修补亡　通志堂经解本(附《毛诗本义》后)

《毛诗义问》　一卷　魏刘桢撰　玉函山房辑佚书本

《毛诗王氏注》　四卷　魏王肃撰　玉函山房辑佚书本

《毛诗义驳》　一卷　魏王肃撰　玉函山房辑佚书本

《毛诗奏事》　一卷　魏王肃撰　玉函山房辑佚书本

《毛诗问难》　一卷　魏王肃撰　玉函山房辑佚书本

《毛诗驳》　一卷　魏王基撰　玉函山房辑佚书本

《毛诗答杂问》　一卷　吴韦昭、朱育等撰　玉函山房辑佚书本

《毛诗谱畅》　一卷　吴徐整撰　玉函山房辑佚书本

《毛诗谱注》　吴徐整撰　汉魏遗书钞本

《毛诗异同评》　三卷　晋孙毓撰　玉函山房辑佚书本　汉学堂辑本

《难孙氏毛诗评》　一卷　晋陈统撰　玉函山房辑佚书本

《毛诗拾遗》　晋郭璞撰　玉函山房辑佚书本

《毛诗音》　一卷　晋徐邈撰　玉函山房辑佚书本

《毛诗序义》　一卷　南朝宋周续之撰　汉魏遗书钞本

《毛诗周氏注》　一卷　南朝宋周续之撰　玉函山房辑佚书本

《毛诗序义疏》 一卷 南朝齐刘瓛撰 玉函山房辑佚书本
《毛诗十五国风义》 一卷 南朝梁简文帝撰 玉函山房辑佚书本
《毛诗隐义》 一卷 南朝梁何胤撰 玉函山房辑佚书本
《毛诗笺音义证》 一卷 北魏刘芳撰 玉函山房辑佚书本
《毛诗沈氏义疏》 二卷 北周沈重撰 玉函山房辑佚书本
《毛诗述义》 一卷 隋刘炫撰 玉函山房辑佚书本
《毛诗草虫经》 一卷 佚名 玉函山房辑佚书本
*《经典释文》 三十卷 （简称《释文》） 唐陆德明撰 其中五至七卷为《毛诗音义》抱经堂刊本 民国二年四川成都存古书局本
《施氏诗说》 一卷 唐施士丐撰 玉函山房辑佚书本
*《毛诗正义》 四十卷 （简称《正义》） 汉毛亨传 汉郑玄笺 唐孔颖达疏 此书极重要。阮刻十三经注疏本为佳，每卷后附有阮元的《毛诗校刊记》，解放后有中华书局聚珍仿宋本印本
*《毛诗指说》 一卷 唐成伯玙著 通志堂经解本
*《毛诗本义》 十六卷 宋欧阳修撰 通志堂经解本
*《诗说》 宋王安石著 邱汉生辑为《诗义钩沉》 中华书局 1982 年本
*《颍滨先生诗集传》 二十卷 宋苏辙撰 明焦氏刊两苏经解本
《毛诗集解》 四十二卷 宋李樗、黄櫄撰 通志堂经解本
《诗传注疏》 三卷 宋谢枋得撰 知不足斋丛书本 丛书集成初编本
《诗说》 一卷 宋张耒撰 通志堂经解本
《诗论》 一卷 宋程大昌撰 艺海珠尘本
*《诗考》 一卷 宋王应麟撰 丛书集成初编本 津逮秘书本 学海堂本 玉海附刻本
*《诗地理考》 六卷 宋王应麟撰 丛书集成初编本 津逮秘书本 学津讨原本 玉海附刻本
*《诗疑》 二卷 宋王柏撰 通志堂经解本 丛书集成初编本 金华丛书本
*《诗辨妄》 宋郑樵撰 原书已佚，顾颉刚有辑本 民国二十一年北京朴社铅印本
《非诗辨妄》 一卷 宋周孚撰 丛书集成初编本 此书录郑樵《诗辨妄》语颇多
*《诗总闻》 二十卷 宋王质撰 丛书集成初编本 聚珍版丛书本
*《诗补传》 三十卷 宋范处义撰 通志堂经解本
*《诗集传》 八卷（简称《集传》） 宋朱熹撰 刻本很多，是一部影响极大的著作

*《诗序辨说》一卷　宋朱熹撰　朱子遗书本
*《吕氏家塾读诗记》　三十二卷　宋吕祖谦撰　钱仪吉编刻经苑本　商务影印宋谆熙九年刊本
*《继吕氏家塾读诗记》　三卷　宋戴溪撰　经苑本　墨海金壶本　聚珍版丛书本
*《慈湖诗传》二十卷　宋杨简撰　涵芬楼钞本　四明丛书本
《诗义指南》一卷　宋段武昌撰　丛书集成初编本　知不足斋丛书本
《毛诗要义》　二十卷　宋魏了翁撰　清光绪壬午刊本
*《诗辑》　三十六卷　宋严粲撰　味经堂刊本　清光绪三年岭南述古堂刊本
《絜斋毛诗经筵讲义》　四卷　宋袁燮撰　聚珍版丛书本
《刘氏诗说》十卷　宋刘克撰　清道光戊子汪氏刊本
*《诗童子问》十卷　宋辅广撰　汲古阁刊本　日本刊本
《诗传遗说》　六卷　宋朱鑑撰　通志堂经解本
《群经音辨》七卷　宋贾昌朝撰　四部丛刊续编刊本
*《毛诗名物解》二十卷　宋蔡卞撰　通志堂经解本
《诗传通释》二十卷　元刘瑾撰　元至正十二年刘氏日新书堂刊本
《诗传旁通》十五卷　元梁益撰　常州先哲遗书本　日本嘉泰重刊本
《诗经疏义会通》　二十卷　元朱公迁撰　明嘉靖二年刘氏安正堂本
《诗集传附录纂疏》二十卷　元胡一桂撰　元泰定间刊本
《诗辨说》　一卷　元赵悳编　丛书集成初编本　通志堂经解本(附《诗经疑问》后)
《诗经疑问》七卷　元朱倬撰　通志堂经解本
《诗演义》　十五卷　元梁寅撰　涵芬楼钞本　四库全书珍本初集本
*《诗集传名物钞》八卷　元许谦撰　丛书集成初编本　通志堂经解本
《诗集传音释》二十卷　元许谦撰　清光绪十五年户部江南书局刊本
《诗经大全》十五卷　明叶向高编　清康熙五十年郁郁堂刊本
《毛诗解颐》四卷　明朱善撰　通志堂经解本
《诗传大全》二十卷　明胡广等撰　明刊本
*《诗说解颐》　四十卷　明季本撰　明刊本
《读诗私记》二卷　明李先芳撰　明刊本
《诗故》　十卷　明朱谋玮撰　豫章丛书本
《诗经疑问》　十二卷　明姚舜牧撰　明万历六经堂刻五经疑问本
*《诗经世本古义》　三十卷　明何楷撰　清嘉庆己酉刊本

*《毛诗古音考》 四卷 明陈第撰 学津讨原本 明辨斋丛书本 清双流黄氏济忠堂重刊武昌张氏本

《读诗拙言》 一卷 明陈第撰 明辨斋丛书本(附《毛诗古音考》后)

《毛诗原解》 三十六卷 明郝敬撰 湖北丛书本

《毛诗序说》 八卷 明郝敬撰 明天启五年自刻山草堂集本

*《端木赐诗传》 一卷 明丰坊撰 津逮秘书本 汉魏丛书本

*《鲁申培诗说》 一卷 明丰坊撰 津逮秘书本 汉魏丛书本

《诗经注疏大全合纂》 三十四卷 明张溥撰 明刊本

《毛诗微言》 二十卷 明张以诚撰 明刊本

《言诗翼》 六卷 明凌濛初撰 明刊本

《诗触》 四卷 明贺贻孙撰 清咸丰间刊本

《六家诗名物疏》 五十五卷 明冯复京撰 明万历间刊本

《毛诗陆疏广要》 二卷 明毛晋撰 津逮秘书本 学津讨原本 丛书集成初编本

《诗传名物集览》 十二卷 明陈大章撰 丛书集成初编本

*《诗本音》 十卷 清顾炎武撰 皇清经解本 学海堂本 音学五书本

*《诗经稗疏》 四卷 清王夫之撰 船山遗书本 皇清经解续编本

*《诗广传》 五卷 清王夫之撰 船山遗书本 皇清经解续编本

《诗经叶韵辨》 一卷 清王夫之撰 船山遗书本

《诗经传说汇纂》 二十卷 《序》 二卷 清王鸿绪等奉敕撰 清光绪戊子江南书局本

《诗义折中》 二十卷 清傅恒等奉敕撰 皇清经解本 宝兴堂刻本

*《毛诗稽古编》 三十卷 清陈启源撰 单行本 皇清经解本

《诗所》 八卷 清李光地撰 榕村全书本

*《毛郑诗考正》 四卷 清戴震撰 皇清经解本 戴氏遗书本 昭代丛书本

*《杲溪诗经补注》 二卷 清戴震撰 戴氏遗书本 皇清经解本

*《诗毛氏传疏》 三十卷(简称《传疏》) 清陈奂撰 单行本 续皇清经解本

《毛诗说》 一卷 清陈奂撰 续皇清经解本

*《毛诗传笺通释》 三十二卷(简称《通释》) 清马瑞辰撰 续皇清经解本 清道光十五年刻本

*《毛诗后笺》 三十卷(简称《后笺》) 清胡承珙撰 续皇清经解本 墨庄遗书本

*《诗经小学》 四卷 清段玉裁撰 皇清经解本 经韵楼本 臧氏拜经堂刻本
*《毛诗故训传定本》 三十卷 附《小笺》 清段玉裁撰 皇清经解本 经韵楼本
《说文解字注》 清段玉裁撰 皇清经解本 通行本
《六书音韵表》 清段玉裁撰 皇清经解本 音韵学丛书本
《毛诗类释》 二十一卷《续编》三卷 清顾栋高撰 民国二十四年商务影印本
《毛诗订诂》 八卷 清顾栋高撰 清光绪二十六年江苏书局刊本
《诗经通义》 十二卷 清朱鹤龄撰 清雍正六年刊本
《周颂口义》 三卷 清庄述祖撰 续皇清经解本
《郑氏诗谱考正蒙》 一卷 清丁晏撰 续皇清经解本
《毛郑诗释》 四卷 清丁晏撰 六艺堂本 颐志斋丛书本
《校正陆玑毛诗草木鸟兽虫鱼疏》 二卷 清丁晏校 六艺堂本 说郛本 津逮秘书本
《国风省篇》 清毛奇龄撰 西河合集本
《毛诗写官记》 清毛奇龄撰 西河合集本
《诗札》 二卷 清毛奇龄撰 西河合集本
*《白鹭洲主客说诗》 一卷 清毛奇龄撰 西河合集本 皇清经解续编本
*《诗传诗说驳义》 五卷 清毛奇龄撰 西河合集本
《续诗传鸟名》 三卷 清毛奇龄撰 西河全集本 龙威秘书本 续皇清经解本
《毛诗古义》 上下二卷 清惠栋撰 皇清经解本
《毛诗补疏》 五卷 清焦循撰 焦氏丛书本 皇清经解本
《毛诗陆玑疏考证》 一卷 清焦循撰 南菁书院丛书本
《毛诗地理释》 四卷 清焦循撰 焦氏遗书本
《诗经补笺》 二十卷 清王闿运撰 湘绮楼全书本
《毛诗识小》 三十卷 清林伯桐撰 修本堂丛书本 岭南遗书本
《毛诗通考》 三十卷 清林伯桐撰 修本堂丛书本
《诗广诂》 三十卷 清徐璈撰 自刻本
《毛诗补注》 八卷 清李瓅撰 清道光间刻本
《诗问》 一卷 清汪琬撰 赐砚堂丛书新编本
《读诗质疑》 四十六卷 清严虞惇撰 绳武堂刊本
《诗说》 三卷 《附录》 一卷 清惠周惕撰 皇清经解本 学海堂本

昭代丛书本

《毛朱诗说》 一卷 清阎若璩撰 昭代丛书本

《毛诗说》二卷 清诸锦撰 原刻本

《诗渖》 二十卷 清范家相撰 范氏遗书本 嘉庆间刻本

《三家诗拾遗》 十卷 清范家相撰 岭南遗书本 守山阁丛书本

《毛诗说》 三十卷 清孙焘撰 嘉庆二十年原刊本

*《田间诗学》 十二卷 清钱澄之撰 清斟雅堂刊本

《诗深》 二十八卷 清许伯政撰 碧琳琅馆丛书本

《毛诗异义》 四卷 清汪龙撰 安徽丛书本

《虞东学诗》 十二卷 清顾镇撰 自刻本

《诗序广义》 二十四卷 清姜炳璋撰 嘉庆二十年刊本

《诗经恒解》 六卷 清刘沅撰 预诚堂刻本

《毛诗礼征》 十卷 清包世荣撰 清道光间家刻本 德化李氏刻木犀轩丛书本

《诗说》 二卷 清郝懿行撰 郝氏遗书本

《诗问》 七卷 清郝懿行撰 郝氏遗书本

《诗经拾遗》 一卷 清郝懿行撰 郝氏遗书本

《诗本谊》 一卷 清龚橙撰 谭氏半厂丛书初编本

*《诗经通论》 十八卷 清姚际恒撰 清道光丁酉刊本 中华书局1958年排印本

*《诗古微》 十七卷 清魏源撰 续皇清经解本 宜都杨守敬刊本

*《读风偶识》 四卷 清崔述撰 畿辅丛书本 日本刊东壁遗书本

*《诗经原始》 十八卷 清方玉润撰 鸿蒙室丛书本

《读诗劄记》 八卷 清夏炘撰 景紫堂全书本

《诗经廿二部古音表集说》 二卷 清夏炘撰 景紫堂全书本

《诗章句考》 一卷 清夏炘撰 景紫堂全书本

《毛诗考证》 四卷 清庄述祖撰 续皇清经解本

《读诗日录》 一卷 清陈澧撰 古学丛刊本

《毛诗绌义》 二十四卷 清李黼平撰 广州原刻本 续皇清经解本

《诗经通论》 一卷 清皮锡瑞撰 五经通论本

《毛诗学》 三十卷 清马其昶撰 聚珍版排印本

*《经义述闻》 三十卷 清王引之撰 其中五至七卷为《诗经述闻》 皇清经解本 清光绪乙未鸿文书局石印本

《经传释词》 九卷 清王引之撰 皇清经解本 万有文库本

《诗识名解》 十五卷 清姚炳撰 嘉庆丁卯校刊本
《诗书古训》 八卷 清阮元撰 续皇清经解本
《毛诗校勘记》 十卷 清阮元撰 皇清经解本 十三经注疏附刊本
《毛诗重言》 一卷 清王筠撰 鄂宰四种本
《毛诗双声叠韵说》 一卷 清王筠撰 鄂宰四种本
*《群经平议》 三十五卷 清俞樾撰 其中八至十一卷为《毛诗评议》 续皇清经解本
《诗名物证古》 一卷 清俞樾撰 续皇清经解本
《诗经钞说》 四卷 清张澍撰 清光绪丁亥蓉城刻本
《毛郑诗校义》 一卷 清罗振玉撰 聚珍版排印本
《朱子诗义补正》 八卷 清方苞撰 海西冯氏刊本
《诗地理征》 七卷 清朱右曾撰 续皇清经解本
《毛诗天文考》 一卷 清洪亮吉撰 清光绪十七年广雅书局刻本
《诗氏族考》 六卷 清李超孙撰 清道光十五年刊本 别下斋丛书本 翠琅玕馆丛书本
《毛诗名物图说》 九卷 清徐鼎撰 清乾隆三十六年刻本
《毛诗品物图考》 七卷 日本冈公翼撰 扫叶山房石印本
《经学卮言》 六卷 清孔广森撰 皇清经解本
《诗声类》 十二卷《分例》 一卷 清孔广森撰 顨轩孔氏所著书本 续皇清经解本
《毛诗韵订》 十卷 清苗夔撰 自刻本
*《诗经韵读》 四卷 清江有诰撰 清嘉庆甲戌刻本 上海中国书店影印原刻本 音韵学丛书本
《毛诗证读》 五卷 清戚学标撰 清嘉庆十年刻本
《诗音表》一卷 清钱坫撰 钱氏四种本
《毛诗正韵》 四卷 清丁以此撰 双流黄氏济忠堂重校刊本
《三家诗异文疏证》 六卷 《补遗》 三卷 清冯登府撰 清道光十年自刻本 皇清经解本
《三家诗遗说考》 十五卷 清陈寿祺 家刻本 续皇清经解本
《三家诗异文释》 十五卷 清冯登府撰 清李富孙校 续皇清经解本
《三家诗补遗》 三卷 清阮元撰 湘潭叶德辉观古堂汇刊本
《四家诗异文考》 五卷 清陈乔枞撰 续皇清经解本
《毛诗郑笺改字说》 四卷 清陈乔枞撰 续皇清经解本
*《诗经四家异文考补》 一卷 清江翰撰 清宣统元年番禺沈氏刻本

《诗三家义集疏》 二十八卷 清王先谦撰 民国四年家刻本 虚受堂刊本
《诗经异文补释》 十六卷 清张慎仪撰 篓园丛书本
*《诗义会通》 四卷 吴闿生撰 中华书局1958年排印本
《观堂集林》 二十卷 王国维撰 中华书局1959年本
*《国语注解诗经》 江荫香译注 广益书局1934年本 北京中国书店1982年本
《诗经白话注解》 唐笑我注 民国二十五年启智书局铅印本
《新注诗经白话解》 八卷 洪子良编纂 中原书局1941年铅印本
《分类诗经》 许啸天译注 上海群学社铅印本
《诗经研究》 谢无量撰 民国十二年商务印书馆铅印本
《诗经音释》 一卷 林之棠撰 民国二十三年商务印书馆铅印本
《诗骚联绵字考》 姜亮夫撰 1932年石印本
《毛诗植物名参》 童士恺撰 胡先骕校 民国十三年上海公平铅印本
《诗经全部分类集对》 十三卷 《附录》 一卷 周葆贻辑 武进周企言怡厂丛书本
*《毛诗词例举要》 刘师培撰 刘申叔先生遗书本
《诗经名物记》 四卷 俞寿沧撰 民国周氏师古堂铅印本
《诗经学ABC》 金公亮撰 民国十八年世界书局铅印本
*《诗经学》 一册 胡朴安撰 商务印书馆铅印本
*《诗经通解》 三十卷 林义光撰 民国二十五年北京大学铅印本
《诗经本事》 二十一卷 马振理撰 民国二十五年世界书局铅印本
*《诗经通义》《诗经新义》《新台鸿宇说》 闻一多撰 收在《闻一多全集》选刊之二内 古籍出版社1956年本
*《风诗类钞》 闻一多撰 收在《闻一多全集》选刊之四 古籍出版社1956年本
《读诗札记》 俞平伯撰 民国二十三年人文书店铅印本
*《古史辨》 第三册下编 顾颉刚等著 上海古籍出版社1982年本
《中国古代社会研究》 郭沫若撰 人民出版社1954年本 有多种印本
《青铜时代》 郭沫若撰 人民出版社1954年本 有多种印本
*《卷耳集》 郭沫若撰 上海泰东民国十一年铅印本 人民文学出版社1957年郭沫若文集本
*《毛诗郑笺平议》 黄焯撰 民国三十四年国立武汉大学铅印本
*《诗说》 黄焯撰 湖北人民出版社1981年印本

*《双剑誃诗经新证》　四卷　于省吾撰　民国二十五年自印本
《白屋说诗》　刘大白撰　开明书店铅印本　作家出版社铅印本
*《诗经韵读》　王力著　上海古籍出版社 1980 年铅印本
《诗经试译》　李长之撰　春明书局 1955 年本　古典文学出版社 1956 年铅印本
《国风选译》　陈子展撰　古典文学出版社 1957 年铅印本
《雅颂选译》　陈子展撰　古典文学出版社 1957 年铅印本
*《诗经选》　余冠英撰　人民出版社 1979 年第二版　北京出版社 1956 年铅印本
*《诗经选译》　余冠英撰　作家出版社 1956 年铅印本
*《诗经今注》　高亨撰　上海古籍出版社 1980 乓铅印本
《诗草木今释》　陆文郁撰　天津人民出版社 1957 年铅印本
《诗经六论》　张西堂撰　商务印书馆 1957 年铅印本
《古诗歌笺释三种》　朱自清撰　上海古籍出版社 1981 年铅印本
《诗经与周代社会研究》　孙作云撰　中华书局 1966 年铅印本
《诗经译注》　袁梅撰　齐鲁书社 1985 年铅印本
《诗经今注今译》　马持盈撰　台湾商务印书馆铅印本
*《诗经研究史概要》　夏传才撰　中州书画社 1982 年铅印本
*《诗经直解》　陈子展撰　复旦大学出版社 1983 年铅印本
《诗经译注》　程俊英撰　上海古籍出版社 1985 年铅印本
《诗经选注》　蒋立甫撰　北京出版社 1987 年铅印本
《诗经全译》　袁愈荌撰　贵州人民出版社 1981 年铅印本
《诗经索引》　陈宏天等编　书目文献出版社 1984 年铅印本
《诗经鉴赏集》　人民文学出版社编　人民文学出版社 1986 年铅印本
《诗经词典》　向熹编　四川人民出版社 1986 年铅印本
*《诗经语言研究》　向熹著　四川人民出版社 1987 年铅印本

楚　辞

《楚骚》　五卷　战国楚屈平撰　明正德十六年正篆合刻本
《宋玉集》　十六篇　战国楚宋玉撰　明抄本
《楚辞》　二卷　汉刘向辑　明新安吴勉学校刊本
《楚辞》　十六卷　汉刘向辑　明万历四十六年戊午绿君亭刊本
*《楚辞章句》　十七卷　汉刘向辑　汉王逸注　明正德十三年戊寅刊本

丛书集成初编本
《楚辞音》 一卷 隋释道骞撰 庚辰丛编本 敦煌秘籍留真本
《重编楚辞》 十六卷 宋晁补之辑 晁氏待学楼刊丛书本
*《楚辞补注》 十七卷 宋洪兴祖撰 明复刻宋本 四部备要本
*《天问天对解》 一卷 宋杨万里撰 诚斋集本
*《楚辞集注》 八卷 《辨证》 二卷 《后语》 六卷 宋朱熹撰 宋理宗端平乙未刊本 上海古籍出版社 1979 年点校本
《离骚集传》 一卷 宋钱杲之撰 宋刻本 丛书集成初编本
*《离骚草木疏》 宋吴仁杰撰 清乾隆己亥海昌祝氏刊本 丛书集成初编本
《离骚草木疏补》 四卷 明屠本畯撰 明万历二十一年刊本
《吴仁杰离骚草本疏辨证》 四卷 清祝德麟撰
《楚辞芳草谱》 一卷 宋谢翱撰 明刊《说郛》本
《楚辞注略》 明周用撰 周之彝刊本
《骚苑》 三卷 《骚苑补》 一卷 明黄省曾辑 明张所敬补 明万历二十六年潘云献刻本
《楚范》 六卷 明张之象撰 明高濂校刊本
《楚骚绮语》 六卷 明张之象撰 明万历五年吴兴凌迪知编《文林绮绣》本 清光绪六年庚辰八杉斋巾箱本 融经馆丛书本
《玉虚子》 一卷 明归有光辑评 明天启五年《诸子汇函》本
《鹿溪子》 明归有光辑 明天启五年《诸子汇函》本
*《楚辞集解》 八卷 《附蒙引》 二卷 《考异》 一卷 明汪瑗撰 明汪仲弘补 明万历三十六年汪文英初刻四十六年汪仲弘补刻本
《天问注补》 二卷 明汪仲弘撰 明万历刻本
*《屈宋古音义》 三卷 明陈第撰 明万历四十二年焦竑校刊《一斋著书》本 丛书集成初编本
《批点本楚辞集评》 明陈深辑 明万历二十八年闽刻朱墨套印本
《楚辞句解评林》 明冯绍祖辑 明万历丙戌冯绍祖刊王逸《楚辞章句》本
《楚辞》 八卷 明锺惺订 丁澎汇评 明崇祯十六年丁澎刻本
《读楚辞语》 一卷 明冯梦祯撰 明万历刊朱熹《楚辞集注》本
《楚辞协韵》 十卷 明屠本畯撰 明刊本 明隆庆六年刻本
《离骚直音》 六卷 明张学礼、胡文焕撰 明万历二十年壬辰刊本
《离骚经订注》 一卷 明赵南星撰 明万历四十一年癸丑原刊本
《楚辞》 七卷 明郭维贤编 明万历二十二年刊本

《楚辞述注》 十卷 明林兆珂撰 明万历三十九年刻本
《楚辞述注》 五卷(卷首附陈洪绶《九歌图》) 明来钦之撰 明崇祯十一年戊寅原刊本 清康熙三十年辛未重刻本
《离骚经纂注》 一卷 明刘永澄撰 明末刻本
《楚辞参疑》 明戈汕、毛晋撰 明万历四十六年戊午绿君亭《屈陶合刻》本
《楚辞释韵释字》 明戈汕、毛晋撰 明万历四十六年戊午绿君亭《屈陶合刻》本
《楚辞集评》 明毛晋撰 明绿君亭王逸《楚辞章句》后
《删注楚辞》 明张京元撰 明万历四十六年戊午刊本
*《骚筏》 一卷 明贺贻孙撰 水田居丛刊本
*《楚辞疏》 十九卷 《读楚辞语》 一卷 《楚辞杂论》 一卷 明陆时雍撰 明末缉柳斋刻本
《楚辞権》 八卷 明陆时雍撰 明刊本
《七十二家评楚辞》 明蒋之翘辑 明天启刊本
*《楚辞听直》 八卷 《合论》 一卷 明黄文焕撰 明崇祯十六年刻清顺治十四年补刻本
*《楚辞笺注》 四卷 明李陈玉撰 清康熙十一年魏子渠刊本
《释骚》 一卷 明何乔远撰 清咸丰杨俊冠悔堂抄本
《楚辞评林》 (又名《八十四家评》《楚辞集注评林》) 明沈云翔辑 明崇祯十年沈云翔刊《楚辞集注》本
*《屈诂》 清钱澄之撰 清康熙刊本 《田间遗书》中《庄屈合诂》本 清同治三年刊《饮光先生全书本》
*《楚辞通释》 清王夫之撰 清康熙四十八年王敔刻本
*《离骚草木史》 九卷 《离骚拾细》 一卷 清周拱辰撰 清周氏圣雨斋刻本
*《天问补注》 一卷 清毛奇龄撰 西河合集本
《离骚经讲录》 清刘献庭讲 清黄日瑚录 抄本
《离骚笺释》 十卷(又名《饮骚》《山响斋别集》) 清贺宽撰 清康熙间华天章刻本
《楚辞笺注定本》 十三卷 清杨金声撰 清顺治三年刊本
《楚辞钞》 三卷 清顾大申撰 清顺治庚子三月刊《鹤巢考正诗原全书》本
*《楚辞评注》 十卷 清王萌撰 清康熙十六年刊本

*《离骚经九歌解义》 二卷 清李光地撰 清康熙五十八年《安溪李文贞公解义三种》本

《楚辞注》 清查慎行撰 清康熙刊本

《联骚》 清张潮撰 清康熙三十六年新安张氏霞堂刊《檀几丛书》本

《寄梦堂屈子离骚论文》 十卷 《附录》 一卷 清郑武撰 康熙三十八年香绿园刻本

*《楚辞灯》 四卷 《怀襄二王在位事迹考》 一卷 清林云铭撰 清康熙三十六年挹奎楼刊本

《骚屑》 九卷 清沈无咎辑 清康熙三十八年香绿园刻本

《离骚正义》 一卷 清方苞撰 清康熙中刊《抗希堂全书九种》本 清乾隆十一年方氏家刻《望溪全集》本

《楚辞注》 一卷 清庞垲撰 抄本

*《楚辞约注》 清高秋月、曹同春撰 清康熙二十八年《庄骚合刻》本

《屈子贯》 五卷 清张诗撰 清康熙四十年孝友堂刻本 清嘉庆三年戊午郿城万春堂重刊本

*《屈辞洗髓》 五卷 清徐焕龙撰 清康熙三十七年无闷堂刊本

《离骚辩》 清朱冀撰 清康熙四十五年绿筠堂刻本

《离骚解》 一卷 清谢济世撰 清光绪十年甲申长沙梁家钰刊《梅庄杂著》本

《离骚中正》 清林仲懿撰 四库全书存目丛书本

《离骚节解》 一卷 《离骚本韵》 一卷 《离骚正音》 一卷 《离骚节指》 清张德纯撰 清康熙五十三年甲午读书松桂林精刊本 清乾隆五十年乙巳梓州郡署重刊朱墨套印本

《离骚经解略》 清方楘如撰 清方升手录《集虚斋学古文》本 清乾隆甲戌佩古斋刊《集虚斋学古文》本

《离骚汇订》 四卷 清王邦采 清康熙六十一年刻本

《屈子杂文笺略》 六卷 清王邦采 清康熙六十一年刻本

*《离骚汇订》 四帙 《屈子杂文笺略》 二帙 清王邦采 清康熙六十一年初刊本

*《楚辞疏》 八卷 清吴世尚 清雍正五年尚友堂刊本

*《山带阁注楚辞》 六卷 《卷首》 一卷 《馀论》 二卷 《说韵》 一卷 清蒋骥撰清雍正五年原刊本 中华书局1958年排印本

《离骚解》 一卷 清顾成天撰 花语山房八种本

《离骚解》 一卷 《楚辞九歌解》 一卷 《读骚别论》 一卷 清顾成天撰 清乾隆六年刻本

《屈子正音》 三卷 清方绩撰 清道光七年丁亥江宁邓廷桢精刊本 清光绪六年网旧闻斋刊本

《楚辞韵解》 八卷 清邱仰文撰 清乾隆三十七年硕松堂刻本

《离骚音韵》 一卷 清李寿蓉撰 清通学斋刊本

《楚辞辑解》《正编》 六卷 《外编》 二卷 《后语》 六卷 《卷首》二卷 《附录》 六卷 清丁正元撰 衡望堂丛书初编本

*《楚辞新注》 八卷《天问校正》 一卷 清屈复撰 清乾隆三年原刻本

《天问校正》 一卷 清屈复撰 《昭代丛书》本

《新录楚辞全集》 八卷 清屈来泰抄 抄本

《楚辞节注》 六卷 清姚培谦撰 清乾隆间刻本

《楚辞叶音》 一卷 清刘维谦撰 清乾隆六年鲈香居士刻本 清乾隆五十七年上洋博斯堂刊

《屈骚心印》 五卷 《卷首》 一卷 清夏大霖撰 清乾隆九年一本堂刻本 清雍正十二年刊本

*《楚辞详解》 五卷 清奚禄诒撰 清乾隆九年知津堂精刊本

《楚辞新解》 清江中时撰 清乾隆二十五年甲申刊本

*《屈子章句》 七卷附《屈子纪略》 清刘梦鹏撰 清乾隆五十四年藜青堂刊本

《楚辞音韵》 清高钟撰 丁繁滋补 清嘉庆五年庚申春晖阁刻本

*《屈原赋注》 七卷 《通释》 二卷 《音义》 三卷 清戴震撰 清乾隆二十五年不疏园刊本 万有文库本

《屈原赋注初稿》 三卷 清戴震撰 民国二十五年《安徽丛书》六期

《楚辞订注》 四卷 清许清奇撰 清乾隆二十年乙亥刊本

*《屈子说志》 六卷 清陈远新撰 清乾隆十四年慎余堂刊本

*《屈辞精义》 六卷 清陈本礼撰 清嘉庆十七年裛露轩刊本

《楚辞辨韵》 一卷(初刻本名《楚辞音义》) 清陈昌齐撰 清嘉庆五年嘉应吴兰修校刊《赐书堂集》本 丛书集成初编本

《评辑楚辞读本》 一卷 清方人杰撰 清乾隆三十七年《庄骚读本》合刊本

《屈子文存》 二卷 清陈九龄撰 清道光四年甲申《二物堂丛刻》本

《屈子发明》 一卷 清陈九龄撰 清乾隆三十八年《二物堂全集》本

《离骚经章句义疏》 一卷 清张象津撰 清道光九年己丑《白雪山房集》本

《楚辞贯》 一卷 清董国英撰 清道光二十五年乙巳博川正谊斋刊本
*《屈骚指掌》 四卷 清胡文英撰 清乾隆五十一年富芝堂刊《武进胡氏所著书》本 北京古籍出版社 1979 年影印本
《楚辞翼》 三卷 清董瓯州撰 稿本
《离骚笺》 二卷 清龚景瀚撰 清乾隆五十九年刊本
*《楚辞达》 一卷 清鲁笔撰 清乾隆三十一年南见斋刻本
*《毛诗群经楚辞古韵谱》 二卷 清王念孙撰 清罗振玉辑 《高邮王氏遗书》排印本
《楚辞述芳》 二卷 清牟庭撰 清乾隆六十年牟氏俗园刊本
*《楚辞韵读》 一卷 《宋赋韵读》 一卷 清江有诰撰 清嘉庆十九年刻本 四川人民出版社 1959 年影印渭南严氏《音韵学丛书》本
《屈子文选》 二卷 清张通绪撰 清嘉庆十六年辛未人境轩自刊《文选十三种》本
《九歌解》 一卷 清辛绍业撰 清嘉庆十八年癸酉刊《敬堂全集》本
《离骚经解》 清梅冲撰 清嘉庆乙亥刻本
《楚辞新注求确》 十卷 清胡濬源撰 清嘉庆二十五年长沙务本堂刊本
*《离骚赋补注》 一卷 清朱骏声撰 清道光年间刊本
《离骚参解》 一卷 清林有席撰 清道光六年丙戌刻《平园全集》本
《三益斋离骚注》 一卷 清贺性灵撰 清咸丰九年乙未吴门刊本
*《天问笺》 一卷 清丁晏撰 清光绪广雅书局刊本
《楚辞初学读本审音》 十卷 清强望泰撰 清同治五年韩城强氏刻本
《离骚注》 清梁夔谱撰 清同治八年镜古堂原刻《古赋首选》本
《解招魂》 一卷 清方东树撰 《方植之全集 · 陶诗附考》附
《离骚分段约说》 一卷 清黄恩彤撰 清光绪间刊宁阳《黄氏新著书》本
《楚辞串讲》 清陈大文撰 读骚庐丛书本
《离骚启蒙》 清端木埰撰 清光绪二年丙子黎阳端木埰刊巾箱本《楚辞》附录
《屈子生卒年月考》 清陈玚撰 清光绪二年丙子黎阳端木埰刊巾箱本《楚辞》附录
《离骚释韵》 一卷 清蒋曰豫撰 清光绪三年丁丑莲池书院刊《蒋侑石遗书》本
《楚辞考辨》 八卷 清郑知同撰 稿本

*《读楚辞》 一卷 清俞樾撰 春在堂全书本
《楚辞人名考》 一卷 清俞樾撰 春在堂全书本
《楚辞平议补录》 一卷 清俞樾撰 《诸子平议·补录》本
《屈子文》 八卷 清夏献云辑 清光绪三年丁丑长沙刊本
*《楚辞释》 十一卷 清王闿运撰 清光绪十二年成都尊经书院刊本 民国十二年《湘绮全集》本
《楚辞音》 清马徵麐撰 清光绪十五年己丑《思古堂三种》本
《离骚九歌释》 一卷 附李篁仙《离骚音韵》 清毕大琛撰 清光绪十八年壬辰《补学斋》刊本
《离骚论世》 清曹耀湘撰 稿本
《楚辞校文》 清毛祥麟撰 写本
《屈骚求志》 五卷 清颜锡名撰 抄本
《离骚拟议》 二卷 清刘光第撰 抄本
《离骚注》 一卷 清王树枏撰 清光绪间文莫室印 民国十六年刊《陶庐丛刻》本
《楚辞叶韵考》 四卷 《附鳌正前韵》 一卷 徐天璋撰 抄本
《楚辞讲义》 廖平撰 《新订六译馆丛书》本
《离骚释例》 一卷 廖平撰 《新订六译馆丛书》本
*《屈赋微》 二卷 马其昶撰 清光绪三十二年《集虚草堂丛书》本
《读骚大例》 一卷 郭焯莹撰 民国二十年辛未文字同盟社刊印本
《屈原章句古微》 二十六卷 《叙录》 一卷 郭焯莹撰 稿本
《屈赋内传》 五卷 《内传杂篇》 三卷 郭焯莹撰 稿本
《屈赋外传》 二十七卷 《屈赋校勘纪》 一卷 《屈子纪年》 一卷 郭焯莹撰 稿本
*《屈原研究》 梁启超撰 饮冰室合集本
《楚辞解题及其读法》 梁启超撰 饮冰室合集本
*《楚辞考异》 十七卷 刘师培撰 刘申叔先生遗书本
《楚辞翼注》 李详撰 稿本
《楚辞王注补》 宁调元撰 民国四年乙卯刊《太一遗书》本
《楚辞考异》附《读骚摘注》 洪宪元撰 民国五年印本
《离骚逆志》 一卷 魏元旷撰 民国九年庚申刊《潜园二十四种》本
*《屈原》 陆侃如撰 亚东图书馆 1923 年本
《屈原与宋玉》 陆侃如撰 商务印书馆《百科小丛书》本
《楚辞选》 陆侃如、高亨、黄孝纾撰 古典文学出版社 1956 年本 北京

中华书局 1962 年本
《楚辞选译》 陆侃如、龚克昌撰 上海古籍出版社 1981 年本
《离骚章义》 傅熊湘撰 民国十三年排印本
《楚辞》 蒋善国编 民国十三年上海梁溪图书馆印本
*《屈宋方言考》 一卷 李翘撰 芬熏馆 1925 年刊本
《楚辞》 沈雁冰选注 上海商务印书馆 1928 年本
《楚辞拾遗》 陈直撰 民国二十三年《摹庐丛著》石印本
*《楚辞之研究》 支伟成撰 民国二十六年泰东书局本
《天问校语》 二卷 范希曾撰 民国二十年辛未家刊《稗露室遗著》本
《楚辞札记》 二卷 武延绪撰 民国二十二年癸酉刊本
《楚辞大义述》 陈培寿撰 民国石印本
*《楚辞概论》 游国恩撰 北新书局 1962 年本
《读骚论微初集》 游国恩撰 商务印书馆 1937 年本
*《楚辞论文集》 游国恩撰 古典文学出版社 1957 年本
《屈原》 游国恩撰 三联书店 1953 年本
*《离骚纂义》 游国恩主编 中华书局 1980 年本
*《天问纂义》 游国恩主编 中华书局 1982 年本
《骚旨诗诠》 余重耀撰 民国二十四年排印《遁庐丛稿·文稿》本
《楚辞札记》 八卷 徐澄宇撰 民国二十四年南京中山书局本
*《离骚集释》 卫仲璠撰 商务印书馆 1936 年本
《离骚的作者——屈原与刘安》 卫聚贤撰 民国二十七年吴越史地研究会印行《楚辞研究》第一篇
《离骚的时代及其他》 丁迪豪撰 民国二十七年吴越史地研究会印行《楚辞研究》第三篇
《楚辞新考》 何天行撰 民国二十七年吴越史地研究会印行《楚辞研究》第二篇
《楚辞作于汉代考》 何天行撰 上海鲁殿书社 1938 年本 民国三十七年中华书局本
*《楚辞新论》 谢无量撰 民国十二年商务印书馆《国学小丛书》本
《离骚研究》 陈适撰 民国二十九年商务印书馆《国学小丛书》本
*《楚辞校补》 闻一多撰 民国三十七年初版、三联书店 1982 年《闻一多全集》本
《天问疏际》 闻一多撰 民国三十七年初版、三联书店 1982 年《闻一多全集》本

《离骚解诂》 闻一多撰 民国三十七年初版、三联书店1982年《闻一多全集》本
*《屈原研究》 郭沫若撰 人民文学出版社《沫若文集》本
《屈原赋今译》 郭沫若撰 人民文学出版社《沫若文集》本
《离骚幖补注》 彭泽陶撰 民国三十二年油印本
《离骚今译校注与答问》 彭泽陶撰 广西师院1965年本
《楚辞发微》 路百占撰 民国排印本
《屈原之思想及其艺术》 郭银田撰 民国三十三年重庆独立出版社本
《楚辞音》一卷 徐昂撰 徐氏全书本
*《楚辞地理考》三卷 饶宗颐撰 民国三十五年商务印书馆本
《楚辞书录》 饶宗颐撰 香港苏记书庄1956年本
《楚辞与词曲音乐》 饶宗颐撰 香港苏记书庄1978年本
*《诗人屈原及其作品研究》 林庚撰 古典文学出版社1957年本
《离骚浅释》 缪天华撰 台湾商务印书馆1952年本
《屈原集》 文怀沙撰 人民文学出版社1953年本
《屈愿九歌今译》 文怀沙撰 上海棠棣出版社1952年本 古典文学出版社1956年本
《屈原九章今译》 文怀沙撰 上海棠棣出版社1953年本
《屈原离骚今译》 文怀沙撰 上海文艺联合出版社1954年本 古典文学出版社1957年本
*《离骚语文疏解》 王泗原撰 上海文艺联合出版社1954年本
《离骚正义》 余雪曼撰 香港1955年本
《楚辞今读》 瞿蜕园撰 上海青明出版社1956年本
*《屈原赋校注》 姜亮夫撰 人民文学出版社1957年本
《楚辞书目五种》 姜亮夫撰 中华书局1961年本
《楚辞今绎讲录》 姜亮夫撰 北京人民出版社1981年本
*《屈原》 詹安泰撰 上海人民出版社1957年本
《离骚笺疏》 詹安泰撰 湖北人民出版社1981年本
《屈原与楚辞》 张纵逸撰 吉林人民出版社1957年本
《楚辞研究论文集》 作家出版社编辑部编 作家出版社1957年本
《楚辞——概说与读物要目》 上海市人民图书馆编 上海市人民图书馆1957年本
《屈原离骚简论》 逯钦立撰 辽宁人民出版社1957年本
*《楚辞选》 马茂元撰 人民文学出版社1958年本

《屈原和楚辞》 郭嘉林撰 中华书局1959年本
《屈原》 郭嘉林撰 中华书局1962年本
*《屈原赋证辨》 沈祖绵撰 中华书局1960年本
*《屈赋通笺》 刘永济撰 人民文学出版社1961年本
*《楚辞解故》 朱季海撰 中华书局1963年本
《九歌》 文骁辑注 人民文学出版社1963年本
《天问天对注》 复旦大学中文系古典文学教研组撰 上海人民出版社1973年本
《天问天对译注》 吉林师大历史系撰 人民出版社1976年本
《屈赋新编》 上下集 谭戒甫撰 中华书局1978年本
《楚辞选讲》 邬霄鸣撰 广州市第五中学印
*《楚辞新注》 聂石樵撰 上海古籍出版社1980年本
《屈原论稿》 聂石樵撰 人民文学出版社1982年本
*《楚辞韵读》 王力撰 上海古籍出版社1980年本
《离骚发微》 魏炯若撰 四川人民出版社1980年本
《楚辞选注》 金开诚撰 北京出版社1980年本
《屈原赋译释》 张家英撰 黑龙江人民出版社1981年本
《九歌新注》 程嘉哲撰 四川人民出版社1981年本
《楚辞浅论》 郑文撰 西北师院中文系1981年本
《屈原》 丁冰撰 黑龙江人民出版社1982年本
《楚辞论文集》 蒋天枢撰 陕西人民出版社1982年本
《屈原》 郭维森撰 上海古籍出版社1979年本
《楚辞通故》 姜亮夫撰 齐鲁书社1986年本
*《屈赋新探》 汤炳正撰 齐鲁书社1984年本
《楚辞与神话》 萧兵撰 江苏古籍出版社1987年本
《读骚十论》 戴志钧撰 黑龙江人民出版社1986年本
《九章新笺》 吴孟复撰 黄山书社1986年本
《楚辞译注》 董楚平撰 上海古籍出版社1986年本
《宋玉辞赋译解》 朱碧莲撰 中国社会科学出版社1987年本
*《楚辞研究集丛》:《楚辞注释》《楚辞要籍解题》《楚辞研究论文集》《楚辞评论资料选》 马茂元主编 湖北人民出版社1985年本
《屈原研究论集》 湖北省社会科学院文学研究所编 长江文艺出版社1983年本

《楚辞研究》　辽宁大学中文系编　辽宁大学中文系 1984 年本
《楚辞鉴赏集》　人民文学出版社编辑部编　人民文学出版社 1986 年本
《楚辞全译》　黄寿祺、梅桐生撰　贵州人民出版社 1984 年本
《屈原赋译注》　袁梅撰　齐鲁书社 1983 年本

名句索引

诗　　经

一画

二画

三画

四画

五画

六画

七画

八画

彼黍离离。 ……【王风·黍离】
彼醉不臧，不醉反耻。 ……【小雅·宾之初筵】
所谓伊人，在水一方。 ……【秦风·蒹葭】
舍命不渝。 ……【郑风·羔裘】
采采芣苢，薄言采之。 ……【周南·芣苢】
采采卷耳，不盈顷筐。嗟我怀人，寘彼周行。 ……【周南·卷耳】
服之无斁。 ……【周南·葛覃】
周道如砥，其直如矢。 ……【小雅·大东】
鱼网之设，鸿则离之。燕婉之求，得此戚施。 ……【邶风·新台】
夜如何其，夜未央。 ……【小雅·庭燎】
泣涕涟涟。 ……【卫风·氓】
泾以渭浊。 ……【邶风·谷风】
宜尔子孙。 ……【周南·螽斯】
宛其死矣，他人是愉。 ……【唐风·山有枢】
实覃实讦，厥声载路。 ……【大雅·生民】
视天梦梦。 ……【小雅·正月】
诞实匍匐，克岐克嶷。 ……【大雅·生民】
询于刍荛。 ……【大雅·板】
驾言出游，以写我忧。 ……【邶风·泉水】
终朝采绿，不盈一匊。 ……【小雅·采绿】

九画

赳赳武夫，公侯干城。 ……【周南·兔罝】
挑兮挞兮。 ……【郑风·子衿】
巷无居人。 ……【郑风·叔于田】
南有乔木，不可休思。汉有游女，不可求思。 ……【周南·汉广】
威仪棣棣。 ……【邶风·柏舟】
战战兢兢，如临深渊，如履薄冰。 ……【小雅·小旻】
虽速我讼，亦不女从。 ……【召南·行露】
虽速我狱，室家不足。 ……【召南·行露】
信誓旦旦。 ……【卫风·氓】
追琢其章，金玉其相。 ……【大雅·棫朴】
爰居爰处，爰笑爰语。 ……【小雅·斯干】
独行踽踽。 ……【唐风·杕杜】

十画

十一画

十二画

十三画以上

兢兢业业。 ……………………………【大雅·云汉】【大雅·召旻】
辗转反侧。 ………………………………………………【周南·关雎】
嘒彼小星，三五在东。 ……………………………………【召南·小星】
嘤其鸣矣，求其友声。 ……………………………………【小雅·伐木】
寤言不寐，愿言则嚏。 ……………………………………【邶风·终风】
寤寐无为，涕泗滂沱。 ……………………………………【陈风·泽陂】
寤寐无为，辗转伏枕。 ……………………………………【陈风·泽陂】
寤寐求之。 ………………………………………………【周南·关雎】
榖则异室，死则同穴。 ……………………………………【王风·大车】
德音莫违，及尔同死。 ……………………………………【邶风·谷风】
鹤鸣于九皋，声闻于天。 …………………………………【小雅·鹤鸣】
燕燕于飞，上下其音。 ……………………………………【邶风·燕燕】
燕燕于飞，差池其羽。 ……………………………………【邶风·燕燕】
颠沛之揭，枝叶未有害，本实先拨。 ……………………………【大雅·荡】
螟蛉有子，蜾蠃负之。 ……………………………………【小雅·小宛】
穆如清风。 ………………………………………………【大雅·烝民】
邂逅相遇。 …………………………………………【郑风·野有蔓草】
罄无不宜，受天百禄。 ……………………………………【小雅·天保】
瞻望弗及，泣涕如雨。 ……………………………………【邶风·燕燕】
襢裼暴虎。 …………………………………………【郑风·大叔于田】
靡不有初，鲜克有终。 ………………………………………【大雅·荡】
靡室靡家，猃狁之故。不遑启居，猃狁之故。 ………………【小雅·采薇】
靡哲不愚。 …………………………………………………【大雅·抑】
靡瞻匪父，靡依匪母。 ……………………………………【小雅·小弁】

楚　　辞

一画

一蛇吞象，厥大何如？ ………………………………………【天问】

二画

十日代出，流金铄石些。 ……………………………………【招魂】
八柱何当？东南何亏。 ………………………………………【天问】

三画

四画

五画

六画

七画

八画

九画

十画

十一画

十二画

十三画以上

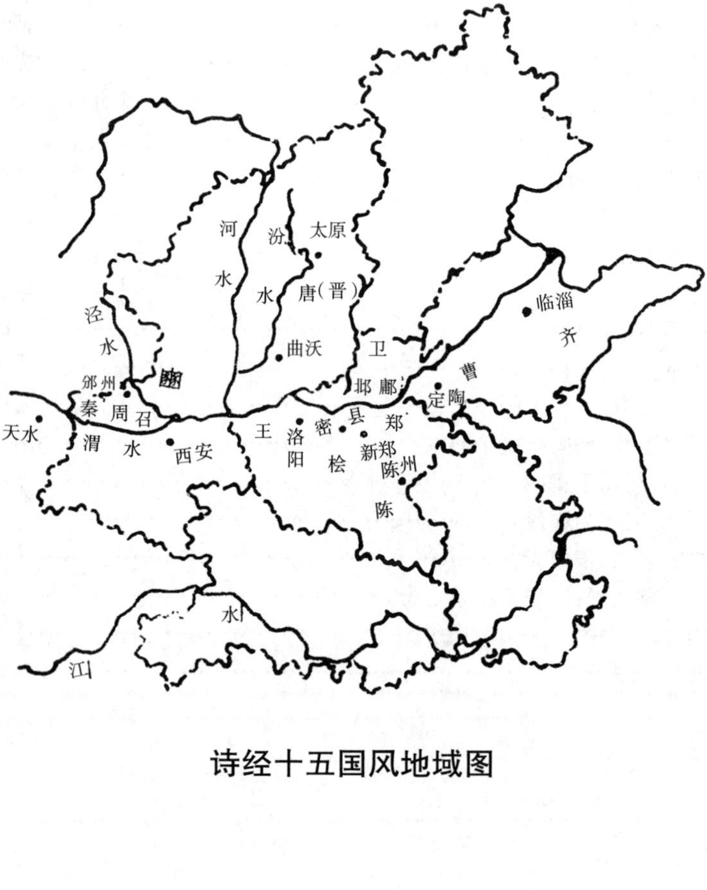

诗经十五国风地域图

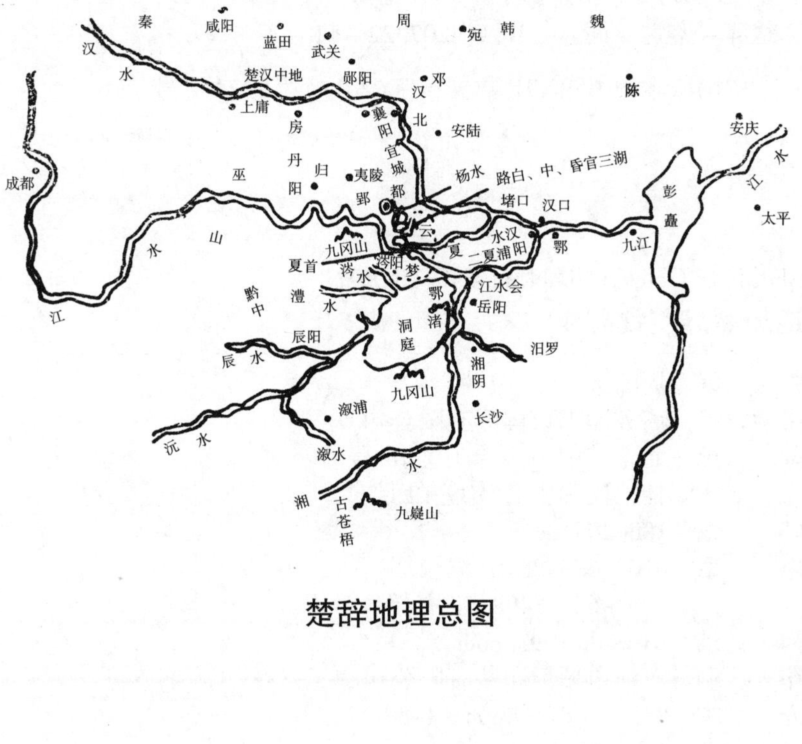

秦
咸阳
周
韩
魏
汉
水
蓝田
武关
宛
楚汉中地
郧阳
邓
汉
北
陈
上庸
房
襄
阳
安陆
宜
城
都
郢
丹
阳
归
夷陵
巫
山
水
成都
杨水
路白、中、昏官三湖
堵口
汉口
云
梦
夏
水汉
二夏浦阳
鄂
九江
安庆
江
水
彭
蠡
太平
九冈山
夏首
涔
水
涔阳
江水会
岳阳
黔
中
澧
水
鄂
渚
洞
庭
辰阳
辰
水
汨罗
湘
阴
九冈山
溆浦
长沙
沅
水
溆水
湘
水
古
苍
梧
九嶷山
江

楚辞地理总图

图书在版编目(CIP)数据

诗经楚辞鉴赏辞典 / 周啸天主编. — 北京：商务印书馆国际有限公司，2012.1(2021.7 重印)
(中国古典诗词曲赋鉴赏系列工具书)
ISBN 978-7-80103-741-1

Ⅰ.①诗… Ⅱ.①周… Ⅲ.①诗经－鉴赏－词典 ②楚辞－鉴赏－词典 Ⅳ.①I207.22－61

中国版本图书馆 CIP 数据核字(2011)第 227402 号

SHIJING CHUCI JIANSHANG CIDIAN
诗经楚辞鉴赏辞典

主　　编　周啸天
出版发行　商务印书馆国际有限公司
地　　址　北京市朝阳区吉庆里 14 号楼
　　　　　佳汇国际中心 A 座 12 层
邮　　编　100020
电　　话　010－65592876(编校部)
　　　　　010－65598498(市场营销部)
网　　址　www.cpi1993.com
印　　刷　三河市紫恒印装有限公司
开　　本　850mm×1168mm　1/32
字　　数　1 370 千字
印　　张　41.25
版　　次　2021 年 7 月第 1 版第 7 次印刷
书　　号　ISBN 978-7-80103-741-1
定　　价　68.00 元
